INÉS Y LA ALEGRÍA

Merry christmas
nonna 2018,

love mum

Dear nonna I wish
you a very merry
christmas. You are the
best nonna on earth
♡

love [...]

colección andanzas

EPISODIOS DE UNA GUERRA INTERMINABLE

PLAN DE LA OBRA

Hoy, cuando a tu tierra ya no necesitas,
Aún en estos libros te es querida y necesaria,
Más real y entresoñada que la otra;
No esa, mas aquella es hoy tu tierra.
La que Galdós a conocer te diese,
Como él tolerante de lealtad contraria,
Según la tradición generosa de Cervantes,
Heroica viviendo, heroica luchando
Por el futuro que era el suyo,
No el siniestro pasado al que a la otra han vuelto.

Lo real para ti no es esa España obscena y deprimente
En la que regentea hoy la canalla,
Sino esta España viva y siempre noble
Que Galdós en sus libros ha creado.
De aquella nos consuela y cura esta.

Luis Cernuda, «Díptico español»,
Desolación de la Quimera (1956-1962)

ALMUDENA GRANDES
INÉS Y LA ALEGRÍA

El ejército de la Unión Nacional Española y la invasión del valle de Arán,
Pirineo de Lérida, 19-27 de octubre de 1944

1.ª edición en Tusquets Editores España: septiembre de 2010
1.ª edición en Tusquets Editores México: septiembre de 2010

Diseño de la colección: Guillemot-Navares
Reservados todos los derechos de esta edición para
Tusquets Editores México, S.A. de C.V.
Campeche 280 Int. 301-302 – Hipódromo Condesa – 06100 México, D.F.
Tel. 5574-6379   Fax 5584-1335
www.tusquetseditores.com
ISBN: 978-607-421-208-2
Fotocomposición: Pacmer, S.A. – Alcolea, 106-108, 1.º – 08014 Barcelona
Impresión: Litográfica Ingramex, S.A. de C.V. – Centeno 162-1 – 09810 México, D.F.
Impreso en México

Índice

A Azucena Rodríguez,
que también escribió esta novela para mí,
mientras yo escribía para ella el guión
de una película que no se hizo,
pero que nos hizo amigas para siempre.
Las dos somos Inés,
porque esta es nuestra historia

Y a la memoria de Toni López Lamadrid,
a quien tanto quise,
y con quien siempre estaré en deuda por tantas cosas,
la última, su pasión por este libro

A pesar del mejor compañero perdido,
de mi más que tristísima familia que no entiende
lo que yo más quisiera que hubiera comprendido,
y a pesar del amigo que deserta y nos vende;

Niebla, mi camarada,
aunque tú no lo sabes, nos queda todavía,
en medio de esta heroica pena bombardeada,
la fe, que es alegría, alegría, alegría.

Rafael Alberti, «A *Niebla,* mi perro»,
Capital de la gloria (1936-1938)

(Antes)

Toulouse, un día de agosto, quizás aún julio, tal vez en los comienzos de septiembre de 1939.

Una mujer camina por la calle con los labios apretados, la actitud apresurada, ensimismada a la vez, de quien está en apuros o tiene una larga lista de tareas que cumplir. Se llama Carmen, y es muy joven. Lo más probable es que ese día, cuya fecha exacta se desconoce, no haya cumplido aún veintitrés años. Sin embargo, ha vivido mucho.

–*Bonjour, monsieur.*

–*Bonjour, madame!*

El panadero, quizás el carnicero, o el frutero apoyado en el quicio de la puerta por la que Carmen acaba de pasar, saluda con acento satisfecho a una clienta a la que no ha visto en los últimos días, quizás porque ha estado veraneando. En 1939 los franceses aún veraneaban, aún vivían en un mundo donde existían los puestos de trabajo, las vacaciones, las playas con casetas y sombrillas clavadas en la arena, las olas mansas del Mediterráneo, las majestuosas mareas del Atlántico.

Carmen pensaría en eso y, quizás, en un archipiélago de azoteas con sábanas tendidas o parras deformadas por el peso de los racimos verdes, el sol rebotando contra la cal de las paredes en el silencio perezoso de la siesta, una mosca mareada de sobrevolar durante horas y horas el redondo misterio del mismo botijo, y niños medio desnudos con sonrisas de higo, o de sandía, el agua azucarada de la fruta dibujando alegres ríos de placer sobre sus barbillas. Eso fue en otro tiempo, veranos recientes que ahora le parecen lejanísimos, un país que existe y no existe, que ha desaparecido pero seguirá teniendo las ventanas cerradas, las persianas bajadas como escudos contra el calor, y en las ciudades, terrazas repletas de noctámbulos cantarines y borrachos, felices de ver amanecer otro día en plena calle. En la costa, también seguirán existiendo pueblos con cuestas vertiginosas, como toboganes de albero polvoriento y sin aceras, que dejan ver al fondo retazos de un mar propio, tan limpio, tan hermoso, tan azul como nunca podrá ser un mar extranjero. Mejor no saber, no recordar. Mientras escucha a lo lejos la voz de una clienta desconocida, que le pregunta al tendero el precio de esto o de aquello, Carmen piensa en España y aprieta aún más el paso, los labios, esa exasperada variante de la determinación que es el único patrimonio de los desesperados.

—*Écoute, Marcel! Où vas-tu tellement...?* —el ruido del pedaleo, los engranajes moviéndose a toda prisa con un grueso estrépito de chirridos metálicos, le impiden entender el resto de la pregunta.

—*Salut!* —pero escucha a cambio la respuesta, una expresión neutra que el acento travieso, malicioso, del ciclista, ha convertido en una clave que ella no logra descifrar.

Cuando sus caminos se cruzan, el adolescente que anda por la acera sigue riéndose, aunque hace un par de minutos que la bicicleta de su amigo se ha perdido por una bocacalle. Él seguramente no sabe que la mujer joven que avanza en dirección contraria pronuncia aún, todos los días, casi siempre en voz baja, una expresión casi idéntica, ¡salud!, aunque ya nadie se ríe al escucharla. Si lo supiera, tampoco le importaría, así que Carmen prefiere no pensar tampoco en eso mientras camina deprisa y procura fijarse en lo que sucede a su alrededor, sin llamar la atención de los transeúntes. Eso, al menos, nunca ha resultado demasiado difícil para esta chica bajita, ancha de caderas, más bien culibaja, con una cara simpática, los ojos pequeños, vivos, y la sonrisa fácil, que no es ni siquiera fea, que es incluso agradable para quien tenga tiempo o ganas de mirarla dos veces, pero que sobre todo es, por fuera como por dentro, una mujer corriente, incluso vulgar, una del montón. Así había sido siempre Carmen de Pedro. Así fue hasta que ella, aunque quizás sea más justo y más preciso escribirlo con mayúscula, Ella, la escogió entre todos para confiarle una tarea que estaba muy por encima de su ambición, y aún mucho más allá de sus capacidades.

Desde aquel día, Carmen no duerme bien. Desde aquel día, tiene miedo de todo, y sobre todo de sí misma, de su previsible fracaso en el cumplimiento de una misión mucho más grande que ella. Cuando ingresó en el Partido, una muchacha entonces, casi una niña, jamás se atrevió a imaginar la enormidad de la carga que algún día llegaría a abrumar sus hombros, que anularía su imaginación y estremecería su conciencia, esa responsabilidad que siente ahora como una roca inmensa de aristas afiladas que le desgarra la piel a cada paso y siembra monstruos, peligros como monstruos, en cada instante que pasa despierta, y en los sombríos pliegues de sus sueños sombríos.

Eso es lo que ve mientras camina por Toulouse, Rue des Jacobins quizás, Rue Mirepoix, Rue Léon Gambetta, calles estrechas de casas de piedra y ninguna playa al fondo, esta buena chica que nunca pretendió ser otra cosa, la mecanógrafa del Comité Central de Madrid, que conocía en persona a casi todos los dirigentes del Partido Comunista de España, sí, pero sólo porque había transcrito a máquina sus intervenciones, porque había pasado a limpio sus cartas para que ellos las firmaran después, porque les abría la puerta cuando llegaban, y la cerraba tras ellos después de despedirles con la misma sonrisa entre los labios. Eso es lo que ella sabe hacer, ese había sido siempre su trabajo y nunca había aspirado a otro. Ahora, mientras Toulouse disfruta de otro día amable, templado, de la vida aburrida de una Francia que no quiere saber nada, ni dónde está, ni en qué día vive, ni quiénes son sus vecinos, ni a qué juegan, ni qué pretenden, Carmen de Pedro camina por sus calles con un infierno a cuestas, un tormento portátil, otra maldita bendición española.

—*À tout à l'heure, madame!*

—*Au revoir, Marie, à dimanche!*

La campanilla instalada en el quicio de la puerta tintinea como un crótalo jubiloso y exótico, un lujo sonoro, acorde con la imagen de la anciana enjoyada, bien peinada, bien vestida, con aspecto de haber sido rica toda su vida, que atraviesa el umbral con una bandeja de pasteles entre las manos mientras una niña grande, de unos diez años, mantiene la puerta abierta para ella.

—*Au revoir, Nicole!* —el saludo hace sonreír a la niña con labios manchados de azúcar, el bollo que ha escogido al salir del colegio a medio morder en la mano derecha.

—*Au revoir, madame!*

Tras el cristal, su madre, con un inmaculado delantal blanco, el nombre de su establecimiento, Pâtisserie du Capitole, bordado en letras azules de florida caligrafía, espera a que su clienta se pierda de vista antes de ordenar a su hija que suba inmediatamente a casa y se ponga a hacer los deberes. La Rue Gambetta se ensancha apenas durante unos metros antes de desembocar en la Place du Capitole, vasta y armoniosa como el mar que no llega a Toulouse. Allí, bajo uno de los soportales, semiescondido en la entrada de una tienda, simulando mirar con interés un escaparate que exhibe una cuidada selección de paraguas, o de quesos, o de libros que no le interesan en absoluto, él la está esperando.

Hace ya varios días que la sigue a distancia sin ser descubierto. Sabe dónde vive, con quién se relaciona, a qué hora suele salir de casa y por qué camino, dónde come, con quién, a qué hora vuelve, y que vuelve sola. Podría haberla abordado el día anterior, o al día siguiente, con el mismo aplomo, la misma asombrosa naturalidad con la que decide que no, que va a ser hoy, mira tú por dónde, mientras estudia un momento su reflejo en el cristal, corrige levemente el ángulo del ala del sombrero sobre su frente, se mete las manos en los bolsillos y da la vuelta de pronto, para cruzar la plaza con los ojos fijos en el suelo y una apariencia de la prisa que no tiene, cortando la trayectoria de la mujer en línea recta hasta que consigue tropezar con ella.

—*Excusez-moi* —y al tenerla delante, sólo al tenerla delante, levanta la cabeza, la mira a los ojos, abre la boca en una mueca ensayada para expresar un asombro sin límites—. ¡Carmen!

—Jesús... —ella tarda un instante en reconocerle, mira a su izquierda, a su derecha, detrás de él, comprueba que está solo, vuelve a mirarle, le ve sonreír, sonríe por fin.

—¡Carmen, qué sorpresa! —él alarga sus manos hacia ella, toma las suyas, la besa tal vez en la mejilla—. ¿Cómo estás?

No es fácil describir a este hombre, y difícil compararle con sus camaradas, con sus compatriotas, con sus contemporáneos. Fácil de amar y difícil de olvidar, por dentro, pero también por fuera. Alto, corpulento, con hombros anchos, manos grandes, algún indicio, tal vez, de una futura obesidad que ahora no nos interesa porque es incompatible con su condición de refugiado político en Francia, en agosto, quizás julio, tal vez septiembre de 1939, Jesús Monzón Reparaz es, en este instante, sobre todo un hombre acogedor, grande como una casa. Guapo de cara no, porque su cabeza parece asentarse directamente sobre el tronco, prescindiendo del cuello, y el pelo escasea ya sobre su frente. Y sin embargo, a veces, cuando sonríe pero no del todo, sus ojos se iluminan con un destello oblicuo, sesgado en el mismo ángulo que adoptan sus labios, para que toda su inteligencia, que es mucha, y su malevolencia, que no es menos, lo eleven a un plano muy superior a aquel donde se agota la belleza blanda y carnosa, redondeada, a menudo pueril, de la mayoría de los hombres guapos. Entonces, no sólo es un hombre atractivo. Entonces puede llegar a ser irresistible, y lo sabe.

Así fue o, al menos, así pudo ser. Lo único que puede afirmarse con certeza es que Carmen de Pedro y Jesús Monzón, que hasta este momento han sido simples conocidos, de vista y poco más, se encuentran en Francia, probablemente en Toulouse y en apariencia por azar, en un día cualquiera del verano, agosto, quizás julio, incluso septiembre, de 1939. Los detalles se desconocen, porque seguramente él se encargó de que nadie fuera testigo de un encuentro que cambió muchas cosas, y estuvo a punto de cambiarlas todas.

En ese momento, Jesús Monzón todavía no ha cumplido treinta años, pero aparenta diez más. Su aspecto grave, maduro, le favorece mucho más de lo que le perjudica, sobre todo en días peligrosos, complicados, en los que nadie se atreve a fiarse de nadie y muchos de los ministros, de los diputados, de los prohombres de la República Española, se comportan como polluelos atolondrados y muertos de miedo, cuando no como hienas dispuestas a pisar a su madre con tal de encontrar plaza en un barco mexicano. En este momento, el sombrero impecable de don Jesús Monzón, las impecables hechuras de su abrigo inglés, el aplomo que ha respirado desde la cuna en una de las mejores familias de Pamplona, y el que ha adquirido después, durante la guerra, en los despachos de los gobiernos civiles de Alicante y de Cuenca, le convierten en una persona valiosísima, alguien que, por una parte, inspira confianza, y por otra, tiene capacidad para manejar cualquier situación en una coyuntura muy difícil. Pero Jesús Monzón no sólo parece extremadamente valioso. También lo es, aunque los dirigentes de su partido nunca se hayan fiado de él.

Poco tiempo antes de que estalle la guerra, Monzón crea la organización del Partido Comunista de España en Navarra, y se mantiene como su secretario general hasta que el golpe de Estado del 18 de julio de 1936 triunfa sin resistencia en Pamplona, la ciudad desde donde, por cierto, el general Emilio Mola imparte instrucciones a los sublevados. Jesús logra huir, seguramente con la ayuda de algún miembro de su familia, sus hermanos, sus primos, sus padres, sus abuelos, sus bisabuelos, todos carlistas, Dios, Patria y Rey. A pesar de eso, algún requeté le ayuda a cruzar las líneas. Cuando llega a Bilbao, la primera etapa de su regreso a la zona republicana, aquel triunfo le vale menos abrazos que suspicacias.

No es un caso único. En los dos bandos que lucharon en aquella guerra, se desconfía por igual de los hijos pródigos, que a menudo van derechos del interrogatorio a un calabozo. Jesús no es detenido ni molestado en ningún momento, pero tampoco ascendido ni recompensado con cargo alguno dentro de su organización, mientras otros comunistas de familias tan distinguidas como la suya, Ignacio Hidalgo de Cisneros y Constancia de la Mora a la cabeza, hacen fulgurantes carreras en el Partido sin que nadie recele de sus aristocráticos orígenes. El progreso de Monzón, nombrado sucesivamente gobernador civil de Alicante y de Cuenca por don Juan Negrín, se desarrolla en el ámbito gubernamental, lejos de los centros de decisión de su partido. Unos días antes de que el coronel Casado ponga fin a la guerra por el mismo procedimiento, un golpe de Estado, que la provocó, Negrín, demasiado inteligente como para no contar hasta el final con un hombre como él, nombra a Monzón secretario general del Ministerio de Defensa, un cargo importantísimo en aquellas circunstancias, del que no le da tiempo a tomar posesión.

Pero en la dirección nacional del PCE sigue sin pintar demasiado, hasta el punto de que, al poco tiempo de llegar a Francia, a Dolores Ibárruri sólo se le ocurre contar con él para ponerle de ayudante de su secretaria, mientras esta, que ya es Irene Falcón, se ocupa de confeccionar la lista de los dirigentes españoles que serán invitados a residir en la Unión Soviética, una selección en la que nunca se incluye el nombre del primer secretario general de los comunistas navarros. Es fácil imaginar la amargura que tal encargo infiltra en el amor propio de un hombre acostumbrado a mandar, tan capaz, tan consciente de su talento y, en definitiva, tan soberbio como Jesús Monzón. Para ilustrar la humildad de las tareas que desempeña, basta añadir que Georgi Dimitrov, el secretario general de la Internacional Comunista, que le conoce en esta época, le toma por el secretario de Pasionaria, y después de entretenerse en anotar en su diario las virtudes —también los defectos— de dirigentes tan mediocres como Mije, Checa o Delicado, concluye que Monzón no vale nada, por mucho que haya sido gobernador civil durante la República.

Cualquiera tiene un mal día, y aquel, desde luego, Dimitrov no estuvo fino, aunque es posible que alguno de sus camaradas españoles hubiera descubierto ya que Monzón va a ser mucho más peligroso por sus virtudes que por sus defectos. Si alguien piensa así, acierta, y sin embargo, tal vez Dolores Ibárruri nunca comete un error tan grave como menospreciar a Jesús Monzón Reparaz. Puede aducirse, como atenuante a su favor, que cuando opta por una pésima solución, en su cabeza sólo hay sitio para una cosa.

La Historia inmortal hace cosas raras cuando se cruza con el amor de los cuerpos mortales. O quizás no, y es sólo que el amor de la carne no aflora a esa versión oficial de la historia que termina siendo la propia Historia, con una mayúscula severa, rigurosa, perfectamente equilibrada entre los ángulos rectos de todas sus esquinas, que apenas condesciende a contemplar los amores del espíritu, más elevados, sí, pero también mucho más pálidos, y por eso menos decisivos. Las barras de carmín no afloran a las páginas de los libros. Los profesores no las tienen en cuenta mientras combinan factores económicos, ideológicos, sociales, para delimitar marcos interdisciplinares y exactos, que carecen de casillas en las que clasificar un estremecimiento, una premonición, el grito silencioso de dos miradas que se cruzan, la piel erizada y la casualidad inconcebible de un encuentro que parece casual, a pesar de haber sido milimétricamente planeado en una o muchas noches en blanco. En los libros de Historia no caben unos ojos abiertos en la oscuridad, un cielo delimitado por las cuatro esquinas del techo de un dormitorio, ni el deseo cocinándose poco a poco, desbordando los márgenes de una fantasía agradable, una travesura intrascendente, una divertida inconveniencia, hasta llegar a hervir en la espesura metálica del plomo derretido, un líquido pesado que seca la boca, y arrasa la garganta, y comprime el estómago, y expande por fin las llamas de su imperio para encender una hoguera hasta en la última célula de un pobre cuerpo humano, mortal, desprevenido. Los amores del espíritu son más elevados, pero no aguantan ese tirón. Nada, nadie lo aguanta. Ni siquiera ella, porque ya era inmortal, pero todavía estaba viva.

—¡No pasarán!

Los madrileños que abarrotan las butacas y los pasillos, los anfiteatros y las escaleras, los corredores y el vestíbulo del Monumental Cinema de la plaza de Antón Martín, no descubren el menor indicio de lo que está pasando, de lo que quizás ha pasado ya, o de lo que está a punto de pasar. Las crónicas periodísticas de aquel acto, en el que aparecen juntos en público, como iguales, por primera vez, mencionan sólo sus nombres, resumen sus palabras, las ilustran con fotos intercambiables con muchas otras fotos de otros escenarios, otros mítines, otros teatros. Pero hoy no es un día como los demás.

—¡No pasarán!

24

Los calendarios están detenidos en el 23 de marzo de 1937, y el Monumental Cinema, repleto hasta los topes de madrileños eufóricos, aún incrédulos y por eso todavía más felices, ensimismados en una alegría flamante y radical, ajena, desconocida. Hoy por fin tienen algo, mucho que celebrar, porque cuarenta y ocho horas antes les ha pasado lo que, hasta ahora, sólo ha podido celebrar el enemigo. El Ejército de la República, no ya una amalgama informe de batallones de voluntarios sin preparación, sin disciplina, sin oficiales, como los que, a pesar de su improvisada naturaleza, defendieron Madrid en noviembre del 36, sino un verdadero ejército, acaba de cosechar una victoria colosal y verdadera, humillando al de Mussolini en campo abierto. Goliat ha caído con una pedrada en el centro de la frente y David no se lo puede creer, pero sabe contar con los dedos.

—¡No pasarán!

Eso había gritado ella hasta desgañitarse, que no pasarían, y no han pasado, por la sierra no, por la Moncloa tampoco, por la carretera de La Coruña ni en broma, y por Guadalajara menos, por Guadalajara nunca, por Guadalajara jamás, como no pasaron por el Jarama. Madrid está más vivo, más erguido que nunca gracias a Guadalajara, y el primer orador lo afirma con energía, para que muchas de las mujeres del auditorio le aplaudan embobadas, celebrándole a él mucho más que la victoria. Porque Francisco Antón sí es un hombre guapo. Es muy, muy guapo. Veinticinco años, alto, apuesto, pero sobre todo guapo, una belleza morena, agitanada, que lustra una piel de terciopelo oscuro, un rostro poderoso donde la finura casi adolescente de los huesos, las mandíbulas marcadas, la nariz elegante, delicada, y la sensualidad carnosa de los labios, se compensan con el carácter de unos ojos muy negros, de cejas pobladas. De frente, impresiona, de perfil, parece un actor de cine, y en escorzo, una figura salida de un fresco de Miguel Ángel. Todo eso en un chaval de barrio embutido en un uniforme de comisario del Ejército del Centro. Un espectáculo difícil de resistir, desde luego.

—¡No pasarán!

Ella ya es inmortal, pero todavía está viva. Hoy también está aquí, encima del escenario del Monumental, tan eufórica, tan feliz, tan entusiasmada como los demás, pero no más que cualquier otro día, porque ella encarna precisamente eso. Su cara empapelando todos los edificios, sus palabras impresas en todas las octavillas, su voz sonando en todas las radios, la energía de los ademanes que la envuelven en todo momento, son siempre las fuerzas que los suyos temen perder, el aliento que se les escapa de entre los dientes, la fe que está a punto de abandonarles. En este mitin, es ella una vez más, tan ella, tan igual a sí misma, a su leyenda, que nadie llega a apreciar diferencia alguna con otras tardes, otros mítines, y sin embargo, ya es distinta, tiene que serlo.

Muchos años después, quienes lleguen a enterarse de la verdad se esforzarán por recordar aquella tarde, por volver a verla sobre el escenario de aquel teatro, y lograrán rescatar imágenes sueltas, aquella sonrisa que no le cabía en la boca, su manera de abrazar a los compañeros que estaban arriba, a su lado, cogiéndoles por los antebrazos con fuerza para mirarles a los ojos, y poco más, nada, en realidad, porque trataba a Antón igual que a los demás y era ella misma, el mismo moño, la misma blusa holgada, la misma falda informe, y aquel luto perpetuo, imaginario, pura propaganda, más allá de la dolorosa ausencia de esos cuatro hijos que se le habían muerto sin llegar a saber quién era su madre.

Pobre Dolores. A ella no le habría gustado inspirar esta clase de compasión en nadie, pero no es fácil dejar de pensarlo, dejar de decirlo, pobre Dolores, que nunca pudo comprarse un vestido ceñido, de colores, ni unos zapatos de tacón, que nunca pudo soltarse el pelo, ni teñirse las pocas canas que entonces tenía en las sienes. Pobre Dolores, pobre mujer aparte, pobre símbolo universal, pobre ídolo de los desventurados del mundo entero, pobre y siempre ella misma, poderosa, ambiciosa, inflexible, genial, adorada como Dios y como Dios cruel cuando el desamor la encolerizó, cuando la redujo a la humana miseria de las amantes despechadas. Pobre Dolores, pobre en el invierno, en la primavera de 1937, cuando se pinta los labios sólo para él, desafiando la abrumadora perfección del personaje que ella misma ha inventado sin saber cuánto, cómo le va a pesar después. En algunos retratos de estudio hechos en plena guerra, se aprecia una boca más oscura, bien delineada, rellena de color, pero todo lo demás es igual, la misma onda de pelo sobre la frente, el mismo moño apresurado sobre la nuca, los mismos pendientes pequeños, a veces con una perlita colgando, a veces sin ella, pero siempre parecidos a los que se podían encontrar en los puestos callejeros de cualquier pueblo de España, durante las fiestas de agosto.

Y sin embargo, ya duerme con él. En secreto, clandestinamente, sin hacer ruido, aunque nadie les vea nunca entrar ni salir juntos de ningún sitio, aprendiéndose cada noche un código distinto, un efímero protocolo de contraseñas y puertas cerradas, Francisco Antón y Dolores Ibárruri duermen juntos, y ella todavía tiene que dar las gracias a quienes no se lo impiden. Pasionaria no es como las demás mujeres, no puede serlo porque es mucho más que una mujer, es un icono, un símbolo, una imagen religiosa, asexuada y superior como los ángeles. Dolores es madre, sí, pero de todos, la Virgen María del proletariado internacional, concebida sin mancha, y sin mancha capaz de concebir los hijos de un dirigente comunista, un hombre oscuro, serio y honrado, sí, pero mediocre, mucho más torpe que ella, la sombra insignificante a la que nadie suele prestar atención. Nadie tuvo mucho en cuenta a Julián Ruiz hasta que aquella fuerza de la Naturaleza hizo honor a su condición, y se enamoró como lo que era, un tornado, un maremoto, una tormenta eléctrica, tropical, devastadora, de un chico muy guapo, muy joven, muy conveniente para ella, muy inconveniente para su carrera.

Ella tiene cuarenta y dos años, él, diecisiete menos, pero en la primera primavera de la guerra duermen juntos, y cuando se levantan de la cama, por la mañana, tienen la misma edad. Eso parece, eso piensan los suyos, los que la quieren, los que la necesitan, los que juran por su nombre, cuando la ven en varios sitios en el mismo día, esas jornadas larguísimas, extenuantes, en las que puede con todo y que nunca pueden con ella, una sonrisa inagotable y tanta fortaleza, tanta energía, tanta dulzura a la vez, y del frente a un comité, y después de la foto, otra vez al frente, y comidas, actos, homenajes, reuniones, mítines diarios, su voz en la radio casi todas las noches. De dónde sacará las fuerzas esta mujer, se preguntan, caerá rendida en la cama... Y cae rendida, pero no de sueño. No puede perder el tiempo durmiendo, pero nadie adivina jamás el origen de su legendaria resistencia.

Sólo existe una dicha más grande en la vida que enamorarse, y es enamorarse bien. Por eso ocurre tan pocas veces. Lo que le sucedió primero a Dolores Ibárruri, a Carmen de Pedro después, es peor, pero mucho más frecuente. Porque ellas no se enamoraron ni bien ni mal, sino peligrosamente, de dos hombres muy distintos pero igual de peligrosos, cada uno a su manera, por sus propios y diferentes motivos. La Historia inmortal hace cosas raras cuando se cruza con el amor de los cuerpos mortales, vulnerables, frágiles, ineptos, incapaces de ver más allá del objeto amado, sometidos sin remedio al poder sin forma ni estructura que gobierna los deseos invencibles. La Historia inmortal es, a menudo, una historia de amor, y esta, la de dos mujeres que no pudieron amar al mismo hombre durante muchos años seguidos, que no tuvieron tiempo de hartarse de sus ronquidos, que no llegaron a repetir miles de veces las mismas preguntas inútiles, ¿pero qué trabajo te cuesta dejar la toalla en el toallero en vez de tirarla en el suelo del baño, vamos a ver?, que no renegaron, que no amenazaron, que no se rindieron en medio de una bronca aburrida ya, de puro idéntica a tantas y tantas broncas anteriores, y que tampoco les vieron envejecer. No tuvieron tiempo de experimentar esa extraña ternura del cuerpo conocido que se va arruinando al ritmo de la ruina del propio cuerpo, ese cuerpo que siempre parece el mismo al abrazarlo en la cama, por las noches, pero que no lo es, porque ha cambiado, y su perfil es distinto al de antes, es distinta la textura de la piel, la progresiva blandura de la carne, el volumen que ocupa entre las sábanas, y sin embargo sigue siendo el mismo, porque conserva la memoria de la cintura fina, las caderas redondas, las piernas esbeltas, el vientre liso, los pechos firmes que el propio cuerpo también ha ido perdiendo sin darse cuenta.

Ninguna de las dos llega tan lejos, pero eso no impide que las dos sean salvajemente felices mientras tanto. Esa es la condición del amor, y la clandestinidad distinta y semejante que envuelve sus dos historias sería más dulce que amarga, al menos al principio. A Dolores, tan religiosa de jovencita, el secreto la uniría más aún al hombre prohibido que ha despertado en ella una pasión dormida desde los ayunos y las vigilias, los sacrificios y las mortificaciones que la consagraron al Sagrado Corazón de Jesús, mientras se cargaba de razones para abandonar su divinidad por una causa universalmente humana. Tantos años después, vuelve a vivir esa pasión de una manera semejante, pero sin dolor, eso sí, sin culpa, porque es demasiado inteligente, su vida demasiado excepcional, para dejarse arrastrar por los prejuicios que siguen atenazando a quienes la rodean. Y sin embargo, en los brazos de Antón vuelve a probar el vértigo de la tentación, la dulzura del pecado, la placentera agonía del abandono, la renuncia anonadada de una entrega más allá de la cual no hay retorno posible.

Ellos, sus camaradas, tan rígidos, tan serios, tan responsables los hombres que comparten con ella, casi todos a sus órdenes, la dirección del Partido, no llegan a comprender nunca cómo una figura tan grande ha caído por su propia voluntad en una trampa tan pequeña. Las mujeres, quizás porque lo entienden mejor, son aún más intransigentes, pero todos lo toleran igual, a regañadientes, con una sola e inconforme disciplina. Nadie osa oponerse a Dolores, y si alguno se atreviera, todos correrían el riesgo de airear aquel asunto grave de verdad, una bomba mortífera que conviene manejar con guantes, de puntillas, entre algodones. El remedio es peor que la enfermedad, y por si acaso, mejor callarse.

Así, el amor de Dolores se convierte en un secreto de los que no se mencionan, no se discuten, no se susurran siquiera entre quienes saben de antemano que sus interlocutores lo conocen. Ninguno tiene que explicarle eso a los demás. Nadie tiene que advertirles que bajen la voz para hablar del amor de Pasionaria porque todos saben que eso está prohibido, y tampoco es que lo haya prohibido alguien, es que no hace falta. Cada uno de ellos, de ellas, se lo prohíbe a sí mismo, porque una mujer tan mayor, una mujer casada, y con hijos, una dirigente tan importante, con un chico tan joven... Está feo, es un trapo sucio que apenas se puede lavar en casa, con las puertas atrancadas, las persianas bajadas, en el fregadero de la propia conciencia. La fórmula a la que recurren para lograrlo es ruin, pero eficaz para maquillar su moral ofendida, el saldo de unos prejuicios puritanos que saben impropios de la causa que representan, y que por eso enmascaran con argumentos tramposos, deshilachados ya, grasientos de puro sobados.

—Es que eso no era amor —intentan argumentar muchos años después algunos disidentes, los únicos que se han atrevido a hablar del tema—, eso era sólo cama, vicio, una pasión pasajera... Él no estaba a su altura, no eran iguales, y el verdadero amor sólo puede darse entre iguales, porque es un proyecto común, es compañerismo, generosidad, una unión completa que afecta a todo, al cuerpo, a la mente, a los sentimientos, a la vida entera, no un caprichito. El amor es algo más que joder y joder...

Todo muy bonito, muy elevado, muy progresista y mentira podrida. Porque quienes, entre ellos, han tenido la suerte de llegar a saber qué significa en realidad eso de joder y joder, siempre han podido tener caprichitos, aunque sean uno más en el Partido. Ella, que es la única, no puede. Antón nunca es el compañero de Dolores. Es su amante, su querido, su debilidad. Su compañero, no. Por eso, y a pesar de su poder, cuando todo se acaba, no puede salvarle, retenerlo a su lado, llevarlo con ella a Moscú. Él va a parar a un campo francés, como los demás, y ella parte sola, rodeada de gente y sola.

Desde la primavera de 1939, Dolores está a salvo en Moscú, viviendo en una casa caliente y confortable, escribiendo los discursos que pronunciará al día siguiente, sonriendo bajo los aplausos de las multitudes, coleccionando ramos de flores y besos de pequeños pioneros, recibiendo a diario a delegaciones que le expresan su admiración, su respeto, su solidaridad con el pueblo español, y acostándose sola en una cama mullida, tan espaciosa que le parece enorme, como un desierto árido y helado. Porque entonces, antes de dormir, en el único momento en el que puede quedarse a solas con su soledad, aún piensa más en él. Paco está en Le Vernet, que ni siquiera es un campo espantoso corriente, sino un campo espantoso de castigo, destinado a los republicanos españoles rebeldes, peligrosos o marcados por su trayectoria revolucionaria, que era lo que se podía esperar de un dirigente del PCE. Las autoridades francesas no saben qué méritos han propulsado a Francisco Antón hasta el Buró Político, y tal vez, esa ignorancia le salva la vida. A cambio, como todos los prisioneros de aquel recinto, recibe la mitad de comida y de agua que los reclusos de los otros campos excepto cuando le toca «picadero», veinticuatro horas de pie, en ayunas, atado a un poste por las muñecas y por los tobillos.

Dolores piensa en él todos los días, todas las noches, a todas horas, y siempre lleva alguna foto suya encima. Aunque, quizás, sus fotos son muy distintas de las que llevan en el monedero otras personas en la misma situación, y en todas hay un estrado, una mesa, unos micrófonos, un retrato de Marx, otro de Lenin, y demasiada gente alrededor. Quizás, ni siquiera tiene una foto a solas con él, una foto clandestina, relajada, en la sobremesa de una comida o ante un mirador, esas fotos panorámicas de mala calidad que suelen hacerse los amantes ante la balaustrada de un puente o la silueta de una montaña, el brazo de él sobre el hombro de ella, dos sonrisas idénticas y nada más, fotos de esas que tiene todo el mundo. Alguna tendría o quizás no, quizás ni siquiera eso, y sólo puede mirar sus recuerdos, repasar una y otra vez las imágenes congeladas, inmóviles, cada vez más pálidas, de aquel amor que floreció bajo las bombas para reflejarse en el espejo de su propia inquietud.

No es sólo la angustia permanente, primordial, que le inspira el estado del prisionero, el hambre, la sed, el sufrimiento, las penalidades que humillan a diario aquel cuerpo amado, escogido entre todos, la incertidumbre de su destino, el de un hombre a quien el más caprichoso gesto del azar puede costarle la vida en cualquier momento. En Le Vernet, cualquier enfermedad representa el primer paso hacia la muerte, y en algún momento, entre finales de 1939 y principios de 1940, Paco cae enfermo. En la otra punta de Europa, Dolores se entera, se alarma, y las noticias que recibe se van agravando en proporción con el estado del prisionero. Eso sería lo peor, lo más duro, lo más doloroso, pero ella tiene más de un enemigo, y entre ellos, está el tiempo.

En Moscú, a salvo, sola entre tanta gente, es consciente también de su cuerpo, que envejece a un ritmo acelerado, distinto a las caricias que el paso de los días y las noches dibujan sobre la piel de su amante, por muy encarcelado, muy enfermo que esté. Dolores no tiene tiempo. Es una mujer guapa de cara, de cuarenta y cuatro, después de cuarenta y cinco años, que ha parido varias veces antes de empezar a ser mucho más que una mujer, un icono, un ídolo, la diosa de los ateos. Pero sigue teniendo cuarenta y cuatro, cuarenta y cinco años, cuatro embarazos a cuestas, y eso, no hay ascenso a los altares que lo arregle. Eso no tiene remedio.

En la distancia que marca el tiempo, y esa Historia que no quiso tener su amor en cuenta, hay algo profundamente enternecedor en la amargura moscovita de Dolores. A ella, que fue capaz de arrebatar el sagrado prestigio de la maternidad a la cultura católica para ponerlo al servicio del antifascismo, no le gustaría saberlo, pero su soledad, su inseguridad, su zozobra de mujer madura, adúltera, enganchada sin remedio a la despiadada juventud de un cuerpo hermoso, resultan mucho más conmovedoras que cualquier creación de esa prefabricada ternura femenina que supo dosificar y transmitir con tanta inteligencia, que logró convertirla en un ingrediente esencial de la lucha revolucionaria en cualquier lugar del mundo. Al otro lado del tiempo y de la Historia, es conmovedora su fragilidad, y conmovedora su furia, esa ira sorda que ni siquiera se atreve a expresar en voz alta, porque es Dios, pero no es hombre, es Dios, pero es mujer, y por eso, ser Dios no le sirve de nada. Dios y Virgen a la vez, Dios y Madre, Dios y Hermana, Dios y Esposa Ejemplar, Dios y Espejo de Compañeras, Dios y Trabajadora Abnegada, Dios y Revolucionaria Indoblegable, Dios y Suma Sacerdotisa de la Clase Trabajadora Internacional... La clase trabajadora internacional habría celebrado con codazos y sonrisitas de cómplice indulgencia que cualquier hombre de cuarenta y cuatro años se hubiera llevado al exilio a una monada de veintisiete. Muchos lo han hecho y no ha pasado nada. La guerra, dicen, la confusión de la derrota, era todo muy difícil... Eso es verdad, todo fue muy difícil, pero la misma situación que ellos aprovechan para dejarse olvidada en España a una mujer con la que ya no quieren vivir, no impide que muchos matrimonios felices se reúnan pronto, al otro lado de los Pirineos, o del Atlántico.

Dolores tiene que esperar. Ella, que se arriesga como un hombre, que decide como un hombre, que manda como un hombre, tiene que irse al exilio como lo que es, una mujer, es decir, con su marido. Quizás, ni siquiera llega a verle. No coincidirían siquiera en el avión, como no coinciden después, como hace años que no coinciden. Eso no importa. Lo importante es que en la lista de los dirigentes comunistas españoles acogidos por la Unión Soviética figuran los dos, ella muy arriba, él muy abajo, pero juntos, para seguir no viéndose, no hablándose, no viviendo en la misma casa, no durmiendo en la misma cama, y sin embargo unidos como marido y mujer según el mandato del Dios del enemigo, ese dios que sigue arraigado en la cabeza y en la conciencia hasta de quienes más abominan de él.

En la primavera de 1939, antes de irse a Moscú, Dolores Ibárruri, máxima autoridad del PCE fuera de la Unión Soviética, donde ya estaba José Díaz, a quien sucedería como secretaria general en 1942, deja el destino del partido, y de las decenas de miles de comunistas españoles que malviven en Francia, en manos de otra mujer que, en aquel momento, en plena resaca de la derrota, todavía no está enamorada de nadie. Es una pésima decisión, pero en ese momento, en su cabeza sólo hay sitio para una cosa.

–Que cuide de Antón –encomienda a Luis Delage, en cuyas manos deja el encargo de transmitirle el poder–. Que se preocupe por él, que intente mandarle paquetes, noticias, que procure que sepa que no está solo, que pensamos constantemente en él, aunque tengamos que marcharnos...

El puesto que ocupa Francisco Antón en el Buró Político le consiente hablar en primera persona del plural, en nombre del Partido y no en el suyo, pero es fácil imaginar el pánico que semejante encargo despierta en Carmen de Pedro, aquella chica asustada, desconcertada, abrumada por una tarea descomunal, demasiado grande, y pesada, y peligrosa para el tamaño de sus hombros. Ella sabe muy bien que por los internos de Le Vernet no se puede hacer nada excepto rezar, los comunistas, ni eso. Pero, además, sería la primera en comprender que Dolores, rodeada por un número considerable de subordinados, si no brillantes, al menos capaces, que habrían acatado cualquier orden suya sin discutirla, acaba de hacer una extraña elección. Hay que tener en cuenta que Pasionaria también recibe órdenes, y las del Komintern, que quiere que, por lo que pueda pasar, todos los dirigentes comunistas españoles estén fuera de Francia antes de que se firme el pacto nazi-soviético, son terminantes. Pero entre los que no han sido invitados a hacer ningún viaje, hay personas mucho más indicadas para asumir esa responsabilidad, como enseguida va a hacerse evidente.

Dolores las desprecia a favor de una mujer insignificante, un cruce de mosquita muerta con perro fiel, una jovencita que apenas tiene formación política, horizontes, ambición, ideas propias. Y se equivoca. Piensa que la capacidad de intervención del PCE en un país extranjero, que pronto formará parte del Tercer Reich, no merece ser tenida en cuenta, y se equivoca. Piensa que el Buró Político del PCE puede estar en Moscú, el Comité Central en Buenos Aires, su delegación más importante en La Habana, y la inmensa mayoría de sus militantes repartidos entre Francia y España, sin que la cohesión del Partido se resienta, y se equivoca. Piensa que es más importante precaverse de un asalto al poder que arriesgarse a promover a un nuevo líder, y se equivoca. Piensa que delegar en Carmen es lo mismo que tener la situación controlada a miles de kilómetros de distancia, y se equivoca, y esa equivocación está a punto de acabar con su carrera política.

—¿Y cómo es que estás aquí? —porque el hombre alto, corpulento, acogedor como una casa, que acaba de forzar un encuentro casual con Carmen de Pedro en un día de agosto, quizás aún julio, tal vez en las primeras semanas de septiembre de 1939, ya ha calculado todas las consecuencias de esa equivocación—. Te hacía en Moscú, o en América.

—Bueno, los demás se han marchado, lo sabes, ¿no? —él asiente con la cabeza porque lo sabe, claro que lo sabe—. Pero a mí me han dejado aquí, a cargo de todo.

—¡Vaya! Pues no te envidio, la verdad, menuda responsabilidad.

—Sí, ya ves...

Y en ese instante, mientras Jesús considera que ha llegado el momento de sonreír como él sabe hacerlo, Carmen tal vez siente que le falta el suelo debajo de los pies.

La Historia inmortal hace cosas raras cuando se cruza con el amor de los cuerpos mortales, y la gran rareza de aquella época se cruza al mismo tiempo en el amor de la gran Pasionaria y en el de la mínima Carmen de Pedro. En agosto de 1939, cuando Stalin decide que le conviene traicionar a su propia causa, y a los millones de personas que la sostienen en el mundo entero, plantando un beso monstruoso en los labios de Adolf Hitler, Dolores lleva poco tiempo viviendo en Moscú. Lo más probable es que Carmen se haya encontrado ya con un hombre especial, singular, el gran seductor que se conformará con ser su sombra poderosa hasta que le llegue el momento de avanzar un paso hacia la luz. Mientras en Francia una mujer española siente que aquel hombre empieza a ser más valioso para ella que el Partido, que su cargo, que sí misma, en la Unión Soviética otra se esfuerza por explicar lo inexplicable, por elaborar teorías alambicadas y tramposas, más alambicadas cuanto más tramposas, distinguiendo la táctica de la estrategia, disfrazando la traición de pragmatismo, acatando la mentira, aplicándola a los adjetivos, insistiendo en que la guerra imperialista no afecta a la causa de los trabajadores del mundo. Carmen difunde esas consignas entre los presos de los campos franceses, intenta convencerlos, aplacarlos, sujetarlos con poco éxito, pero aquel cataclismo moral no le impide seguir dedicando sus ratos libres a tareas mucho más placenteras.

Jesús es un mago, un ser prodigioso, de esos que saben convertir la vida de una mujer en una montaña rusa de vértigos excitantes y risueños. Ella, una muchachita de barrio, sus orígenes intercambiables con los de Francisco Antón, su ambición muy diferente. Esa ha sido la principal equivocación de Dolores, no comprender a tiempo que el poder no le interesa, que nunca le ha interesado. Le importa todavía menos mientras él le venda los ojos para enseñarle a apreciar los vinos que beben, mientras le enseña a comer *foie* en restaurantes de lujo, mientras alquila villas apartadas con jardín, en las que el sol entra hasta el centro de un dormitorio presidido por una cama feliz, perpetuamente deshecha. El precio de tanto placer es el poder, y ella se lo otorga con el mismo fervor con el que él parece dispuesto a complacerla en todo, la misma devoción con la que, antes de ser capaz de darse cuenta, será ella, y sólo ella, quien viva para complacerle en todo a él. La Historia con mayúscula desprecia los amores de la carne mortal, la carne débil que la distorsiona, la desencaja, la desordena con una saña que no está al alcance de los amores del espíritu. Sin embargo, la partida estuvo en tablas hasta que Alemania invadió Francia, y el mundo tembló.

El 22 de junio de 1940, el mariscal Pétain firma en la ciudad de Vichy un armisticio con las autoridades alemanas de ocupación. Ese día, en la otra punta del continente, una mujer enamorada, poderosa y enamorada, ambiciosa y enamorada, inteligente y enamorada, disciplinada y enamorada, legendaria pero, sobre todas las cosas, enamorada y por lo tanto débil, obsesionada, incauta, vulnerable, tiembla más que el mundo. Lleva mucho tiempo esperando este momento y no tiene un segundo que perder, aunque quizás dedica algunos instantes a volver a pintarse los labios con cuidado, estudiando su rostro en un espejo. El día que se firma el armisticio de Vichy, Dolores Ibárruri vuelve a sentirse fuerte, vuelve a ser joven, más consciente de su piel que de su edad, y su voz no tiembla cuando llama al Kremlin para pedir una audiencia privada. La Historia inmortal hace cosas raras cuando se cruza con el amor de los cuerpos mortales. Pasionaria nunca ha sido tan mortal como cuando cruza el despacho de Stalin y le mira a los ojos.

—Camarada, tienes que hacerme un favor.

Enrique Líster escribe en sus memorias que, aquel día, Stalin comenta con sus íntimos, en un tono despectivo, adecuado para ridiculizar esa pequeña pasión pequeñoburguesa de los débiles de espíritu, que si Julieta no puede vivir sin su Romeo, habrá que traerle a su Romeo. No hay motivos para dudar de su relato, aunque la alusión shakespeariana resulta desconcertante. A juzgar por la sintaxis deliberadamente monótona, repetitiva y facilona, de los informes que le eleva la NKVD, Stalin no es buen lector. Más verosímil resulta la formulación de un simple cálculo aritmético. El líder soviético no puede negarle este favor a Dolores porque el hombrecillo preso en Le Vernet le trae sin cuidado, pero le conviene tener contenta a esta mujer. Hay que ver, qué raros son estos españoles, murmuraría, si acaso, una vez más, antes de descolgar el teléfono para hablar con el camarada Molotov. En este momento, al camarada Molotov le sobra desparpajo para telefonear a su amigo Ribbentrop. Y Ribbentrop pensaría, incluso, que Molotov le está haciendo un favor, porque cuanto antes aprendan los franceses quién manda en realidad en la Francia Libre, mejor para todos. En efecto, en Vichy no rechistan. Basta que un subordinado de Ribbentrop dé instrucciones, para que un subordinado de Pétain las transmita directamente a Le Vernet. A los cinco minutos, Francisco Antón está en libertad. Tan pronto como pueden encontrar un avión, las nuevas autoridades francesas lo mandan derecho a Moscú.

Cuando Dolores, con la boca muy bien pintada, lo viera bajar por la escalerilla, flaco, pálido, herido, consumido por el hambre y por la fiebre, se emocionaría tanto que, tal vez, ni siquiera se pararía a pensar en que el único pasajero de aquel avión es algo más que el hombre de quien está enamorada. Antón era, también, el único miembro de la cúpula comunista española que se había quedado en Europa Occidental. Lo era, pero ya no lo es, porque al fin está en Moscú, con ella. Mientras lo abraza, mientras le besa con los ojos llenos de lágrimas, mientras le pide que se anime porque ya ha terminado el sufrimiento de los dos, Dolores estará tan conmovida, tan contenta de poder abrazarle, tan triste de encontrarle débil y enfermo, que no dedicará ni un solo instante a preguntarse por las consecuencias que aquel viaje pueda tener en Francia. Y en Francia, en este mismo momento, una antigua mosquita muerta, que ya no es una mosquita y está cualquier cosa menos muerta, va tachando nombres de su agenda con la boca muy bien pintada.

—Jesús y yo queremos celebrar una reunión —¿Jesús?, ¿y qué Jesús?, se irían preguntando, uno por uno, los delegados a quienes va convocando–, en Marsella –¿en Marsella?, ¿y por qué en Marsella, si donde estamos todos es en Toulouse?–, porque creemos que ha llegado el momento de empezar a actuar –¿ahora?, ¿precisamente ahora que los nazis han invadido Francia, vamos a empezar a actuar?–. ¡Ah! Y por cierto... Tengo una buena noticia. Paco Antón ya está en Moscú.

Pobre Carmen. Al encontrarse con Jesús, ella está mal, tiene veintidós años y está mal, no puede recurrir a nadie y está mal, carece de cualquier capacidad, teórica o práctica, para hacer el trabajo que le han encomendado y está mal, se encuentra sola, abandonada, impotente, y está mal. Pobre Carmen, tan bajita, cuando aquel hombre tan grande se acerca a ella tocándose el sombrero, con su aspecto de señor, con su aplomo congénito, con su manera de saber estar, de llamar a un camarero, de ordenar los mejores platos, de escoger los mejores vinos, de dejar la propina justa para que le despidan entre reverencias. Pobre Carmen, mientras él empieza a parecerle un regalo del cielo, la respuesta a cada una de sus súplicas, la solución de todos sus problemas. Pobre Carmen, que no se le resiste ni cinco minutos, porque es muy poca mujer para Jesús Monzón y no mucho más lista, pero sí lo suficiente como para suponer que en su vida se va a ver en otra.

Él, a cambio, más que listo, es listísimo. Tanto que, durante un año entero, se limita a mimar a su responsable política, a halagarla, a complacerla, a hacer con ella cosas que a ella jamás se le ha ocurrido imaginar que puedan hacerse con un cuerpo humano, y a susurrarle al oído, eso sí, lo que más le conviene decir, hacer, aprobar o rechazar. Siempre al oído, porque lo que no conviene de ninguna manera es que nadie sepa que duermen juntos, que nadie piense cosas raras, por ejemplo que él la está enamorando para mangonearla, para manipularla, para trepar a su costa. Pobre Carmen, que no es muy lista y nunca acaba de entender bien esta clandestinidad dentro de la clandestinidad, cuando los dos son libres y no le hacen daño a nadie, porque ella está soltera y él, otro de los que, oficialmente al menos, han perdido una mujer por el camino, la guerra, ya sabes, la confusión de la derrota, era todo muy difícil..., como si lo estuviera.

Pero todo sigue siendo muy difícil, y esa clandestinidad amorosa dentro de la clandestinidad política se convierte en un ingrediente más de la permanente excitación con la que aquella chica que ya no se acuerda de haber sido alguna vez tan sosa, paladea cada minuto de la época más intensa de su vida.

Durante ese año, en Moscú, en Buenos Aires, en La Habana, todo son elogios para Carmen de Pedro, para el espléndido trabajo que está haciendo en circunstancias muy penosas, para las medidas, tan audaces como oportunas, que están coordinando poco a poco a los camaradas encerrados en los campos, a los que integran batallones de trabajo, y a los comunistas españoles con los franceses. Carmen recibe instrucciones aliñadas con besos, la cabeza sobre la almohada, la piel saciada, y la voz de Jesús, tierna, acariciadora, le explica exactamente lo que debe hacer, cómo debe hacerlo, qué palabras debe usar para lograrlo, y eso parece un juego más, un mimo más, una nueva muestra de la graciosa magnificencia de aquel hombre que sólo vive para hacerla feliz. Ella nunca ha sido tan feliz y, por eso, cuando se levanta de la cama, se comporta como si fuera otra, como si él hubiera impreso en ella una parte de su fuerza, de su carácter, de su inteligencia, una ambición que, sin embargo, permanece intacta bajo la máscara del amante impecable.

Jesús Monzón es tan listo que, mientras Francisco Antón está encerrado en Le Vernet, nunca abre la boca en público para tratar de asuntos del Partido. Él, que sabe tanto de tantas cosas, música, cine, arte, literatura, gastronomía, teoría política y del mundo en general, disfruta dirigiendo las conversaciones, pero en el instante en que se deslizan por alguna pendiente peligrosa, cierra la boca, deja hablar a Carmen y hasta la escucha con interés, con admiración, como si necesitara preguntarse, como se preguntan los demás, de dónde saca esta mujer unas ideas tan buenas. Nunca corre el menor riesgo, no mientras sus propias redes puedan volverse en su contra, no mientras alguien pueda sospechar algo, mientras exista una sola posibilidad, por muy remota que parezca, de que cualquier comentario traspase la alambrada de Le Vernet para que el amante de Dolores sospeche lo que está pasando en el partido que ella cree tener controlado desde Moscú. Todavía no tiene prisa, y así deja pasar el tiempo hasta que Alemania invade Francia. Este acontecimiento, que aplasta a los exiliados españoles, logrando que su destino rebase el nivel de lo malo para precipitarse en el de lo peor, mejora radicalmente las condiciones de vida de dos de ellos, que han sabido inspirar en dos mujeres un amor sin condiciones. Uno es Francisco Antón. El otro, Jesús Monzón.

La buena noticia que Carmen de Pedro transmite a todos y cada uno de los convocados a la reunión de Marsella, resulta serlo en muchos más sentidos de los previsibles. Porque, por una parte, acaba hasta cierto punto con el gran secreto de Dolores Ibárruri. Moscú no es Francia, ni mucho menos España, y en aquella ciudad donde a ella no la conoce tanta gente, a Paco casi nadie, y a Julián Ruiz mucho menos, ya no hace falta esconderse. En Marsella ocurre algo parecido. En una villa con jardín, confortable y discreta, de las que a él le gustan, ante una veintena de delegados llegados de diversos lugares de la Francia ocupada y algunos simples militantes, escogidos solamente por la confianza que les inspiran, Jesús Monzón y Carmen de Pedro se comportan en público como una pareja por primera vez, y él recupera el don de la palabra, que parecía haber perdido en marzo de 1939.

Todavía es Carmen quien saluda a los camaradas que van llegando, y les ofrece asiento, ceniceros, algo para beber. Tal vez pronuncia además unas pocas frases de bienvenida, destinadas a presentar al hombre que está a su lado, pero es él quien habla.

–Camaradas, Carmen y yo –y aún la pone a ella por delante, aunque ya sólo sea en la sintaxis de la cortesía– pensamos que, en momentos tan duros como los que estamos viviendo, es imprescindible recuperar cierto nivel de organización, para que los nuestros no se sientan desamparados, para que no se desmoralicen ni caigan en la tentación de creer que todo da igual, que ya lo han perdido todo por segunda vez y para siempre...

Tiene razón. Tiene tanta razón que no sólo nadie se la disputa. Nadie se detiene tampoco a relacionar la buena nueva de la liberación de Antón con la convocatoria de aquella reunión en la que Jesús Monzón se estrena como máximo dirigente del Partido Comunista de España en Francia. A partir de entonces, no para de hacer cosas. Y es verdad que nadie le ha pedido que las haga. Pero también es verdad que las hace todas bien.

Inteligentísimo, ambiciosísimo, comunista, valiente, atractivo, soberbio, seductor, egocéntrico, brillante, temerario, capaz, aventurero, reservado, conspirador, imaginativo, convincente, seguro de sí mismo, generoso, mujeriego, simpático, maquiavélico, elegante, comprensivo, astuto, cortés, exigente, cínico, selecto, culto, políglota, intrigante, sofisticado, vividor, político, amable, cosmopolita, complicado, sensual, peligroso, dominante, perverso, poderoso, gourmet, buen conversador, mejor escritor, inmejorable organizador, demasiado exquisito para despacharlo con la etiqueta de un simple burgués, cultivador experto de todos los placeres refinados y de alguno que no lo es tanto, con una formación teórica solidísima, unas dotes de mando extraordinarias, una facilidad innata para enamorar a las mujeres, un carisma como hay pocos y los escrúpulos justos, ni uno más.

Así es el hombre que en la primavera de 1939 se encuentra en Francia solo, despreciado por sus superiores, que no han querido contar con él, y aislado de sus iguales, que no comparten su desgracia, pero con las manos libres. Así es cuando mira a su alrededor, analiza la situación, evalúa las consecuencias de su análisis, y suma dos y dos. Así es hasta que sale a la luz, para demostrar que todos los calificativos que puedan llegar a encontrarse en sus descripciones se resumen en dos. Quienes le conocen a partir de entonces, sucumben sin condiciones al hechizo de un hombre fácil de amar, difícil de olvidar.

—Tú ponte guapa, cielo, y no te preocupes por nada, que para eso ya estoy yo aquí...

Entre el verano de 1940 y el invierno de 1943, aquella pobre, insignificante mecanógrafa del Comité Central de Madrid, aprende que es mucho más feliz siendo la niña mimada de un hombre todopoderoso, que ejerciendo ese poder que tan feliz le hace a él. Y a eso se dedica, a ser feliz.

Jesús decide saltarse a la torera el pacto nazi-soviético, ordena que se sabotee a cualquier precio el alistamiento de republicanos españoles en la Organización Todt, formada por compañías de trabajo controladas directamente por el ejército alemán, y Carmen es feliz.

Jesús extiende la estructura del Partido a todos los campos, todas las cárceles, todos los batallones de trabajo situados a ambos lados de la línea que divide la Francia Libre de la Francia ocupada, y Carmen es feliz.

Jesús se reúne con los dirigentes del Partido Comunista Francés en una insólita posición de superioridad, porque siendo español, tiene más militantes, más cuadros, más enlaces, más organización, y más eficaz que la suya, y Carmen es feliz.

Jesús decide que ha llegado el momento de pasar a la lucha armada, escoge su propio estado mayor entre los hombres con formación militar que más confianza le inspiran, estimula el reclutamiento de guerrilleros, establece el número, la estructura y la jerarquía de sus propias brigadas, traza sus planes de actuación, los integra en la incipiente resistencia francesa, consigue que la lideren en muchas zonas del sur del país, y Carmen es feliz.

Jesús convierte al PCE en la indiscutible fuerza hegemónica del exilio republicano español en Francia, empieza a sentir que con eso no tiene bastante, y Carmen es feliz.

Jesús piensa en Moscú, en Buenos Aires, en La Habana, en el curso de la guerra y, con las manos más libres que nunca, analiza la situación, la proyecta en el futuro inmediato, suma dos y dos, siempre le dan cuatro, y Carmen sigue siendo feliz.

Jesús sigue alquilando villas apartadas con jardín y servicio, tratándola como a una diosa, llevándola a cenar a los mejores restaurantes, escogiendo los mejores vinos, haciéndole la vida tan placentera como ella jamás se había atrevido a esperar que fuera su vida, y ya ha decidido volver a España, pero Carmen no lo sabe, y nunca ha sido tan feliz.

Carmen cree que los dos forman un equipo en el que él manda y ella se ocupa de ponerse guapa sin preocuparse de nada, pero los hombres explosivos terminan por explotar, porque esa es su condición, su naturaleza.

A principios de 1943, Jesús Monzón tiene una idea nueva, tan buena, tan brillante, tan visionaria como suelen ser sus ideas. Él no sabe que sus camaradas del Buró Político han pensado en algo parecido antes que él, pero tampoco tiene cerca a ningún Stalin cuya opinión le impida ponerlo en práctica. La Unión Nacional Española —heredera en su nombre de la organización que, en la inmediata posguerra, intenta levantar en el interior Heriberto Quiñones—, concebida como una plataforma de programa democrático, moderado, en la que están representadas todas las organizaciones que se oponen a la dictadura de Francisco Franco, pero controlada en apariencia por el PCE, y más exactamente por él, que para eso es quien se la ha inventado, será el interlocutor ideal cuando llegue el momento de que los aliados, después de derrotar a las potencias del Eje, se planteen el problema de España.

A principios de 1943, Jesús Monzón está seguro de que Hitler va a perder la guerra, pero incluso si el conflicto se alarga, si se complica por factores imprevisibles, la Unión Nacional es una idea excelente, como demostrarán todas las fuerzas democráticas españolas más de veinte años después, poniendo en pie plataformas semejantes.

Él lo tiene todo pensado. Ha hablado, por un lado, con don Juan Negrín y con el general Riquelme, y por otro, con representantes del PSOE, de la CNT, de la UGT y de Izquierda Republicana en Francia. Es cierto que sus contactos con los restantes socios del Frente Popular, que ganó las elecciones en febrero de 1936, no pertenecen a las cúpulas de sus respectivos partidos, pero también lo es que habría resultado imposible que fuera de otra manera. Ninguno de los máximos dirigentes socialistas o republicanos viven en Francia en los años cuarenta, y cinco años después de la derrota, la CNT está prácticamente desarticulada. Pero de todas formas, para que nadie se asuste, para que las potencias democráticas que ya han traicionado a la República una vez, no vuelvan a lavarse las manos, escudándose en la propaganda contra las hordas marxistas que ha llevado a Franco hasta el palacio de El Pardo, también ha concertado citas con monárquicos, con carlistas, con falangistas rebeldes y con cedistas descontentos, para verlos en Madrid.

—¡Ay, así que volvemos a Madrid! —exclama la pobre Carmen cuando se entera—. ¡Qué bien!

—No, cariño... —él procura desilusionarla con suavidad—. Yo me voy a Madrid. Pero he pensado que lo mejor es que tú te vayas a Suiza, con Manolito Azcárate.

Luego le explica que ha establecido contacto con un norteamericano llamado Noel Field, un funcionario de la delegación de Estados Unidos en la Sociedad de Naciones, con sede en Ginebra, que desde 1941 trabaja en paralelo para el Unitarian Service, una organización benéfica de ayuda a los refugiados, a través de la cual se canalizan fondos de su gobierno para sostener la actividad de los antifascistas europeos. Field, que a su vez ha sido reclutado ya por Allen Dulles —quien durante la Segunda Guerra Mundial, antes de convertirse en el primer director civil de la CIA, ocupa el puesto de jefe de la delegación de los Servicios Secretos norteamericanos en Suiza—, está en contacto permanente con la precaria dirección clandestina de los comunistas alemanes. Tal vez por ese conducto ha sabido Monzón de la existencia del filántropo misterioso que al final resulta ser en efecto lo primero, pero no tanto lo segundo.

Pablo Azcárate, a quien su cargo de embajador de la República Española en Londres convirtió durante la guerra civil en una especie de ministro de Asuntos Exteriores permanente del gobierno Negrín ante el Comité de No Intervención, se hizo amigo de Field, que a la sazón frecuentaba, o residía en el Reino Unido, en el curso de aquella extenuante batalla. El norteamericano siempre se ha comportado como un antifascista sincero y un leal amigo de la República, y como tal lo recuerda Manolo Azcárate, hijo de Pablo, camarada y amigo de Jesús Monzón. Por eso, Carmen intenta decir que no, que no, que de ninguna manera, que por qué, que ella se va a Madrid con él y que Azcárate se vaya solo a Ginebra, ya que ese Field era amigo de su padre, pero Jesús no cede.

—Tú eres la que manda aquí, Carmen —pobre Carmen—. La delegada del Buró Político eres tú, no yo. Así que te vas a Suiza, le sacas a ese tipo todo el dinero que puedas, y luego te vuelves aquí, porque lo que no podemos hacer de ninguna manera es dejar al Partido desamparado en Francia.

Pobre Carmen, que no es muy lista, pero tampoco tan tonta como para no darse cuenta de que aquel mago capaz de hacer salir cualquier cosa de su chistera, en el mejor de los casos, se ha cansado de ella, en el peor, ya le ha sacado todo el provecho que puede sacarle, y en cualquiera de los dos, se la va a quitar de encima. Jesús, que es demasiado astuto como para levantar ninguna liebre antes de tiempo, procura deshacer esa impresión por todos los medios, y logra que Carmen se vaya a Ginebra de mejor humor, a trabajar para él, para el Partido Comunista de España, que ya es sólo él.

Ella lo hace, y lo hace bien, como una discípula digna de su maestro. Tras varias entrevistas, le saca a Noel Field más de medio millón de pesetas de 1943, una fortuna que va a parar a Madrid, a un chalé confortable, discreto y, por supuesto, con jardín, del barrio de Ciudad Lineal, la casa desde la que Jesús Monzón subyuga, domina, seduce, convence, organiza y manda tanto, o más, que al otro lado de la frontera, la casa desde la que concierta entrevistas con un número limitado, pero selecto, de desertores del franquismo, la casa en la que recluta a muchos descontentos sin apellidos políticos, la casa en la que hace del PCE del interior el germen de una organización tan admirable como el PCE del exilio francés, la casa en la que cuenta con la ayuda de una asistente de físico nada insignificante que, después de un mes, como mucho un mes y medio, deja de aparentar que es su pareja, para empezar a serlo de verdad.

Esa es la casa del espejismo, de la alucinación de Jesús Monzón. Aquí, tan cerca de la Puerta del Sol, tan lejos de Moscú, de Buenos Aires, de La Habana, y con Toulouse a la distancia de un chasquido de sus dedos, mientras todo va mejor de lo que se habría atrevido a esperar y algunos dirigentes históricos de la derecha española le tratan de usted, Monzón se emborracha de poder, se cree inmortal, invencible, omnipotente, y empieza a equivocarse.

O quizás no, quizás no se equivoca. Quizás conserva intacta su capacidad de análisis, porque sus cálculos fallan, sí, pero por pocas décimas. En el verano de 1944, sus hombres, porque son suyos, porque él los ha formado, los ha organizado, los ha dirigido, porque le obedecen a él, al único dirigente que se había

45

estado jugando la vida igual que ellos, y no a los que han estado de vacaciones en Moscú, en Buenos Aires o en La Habana, liberan el sur de Francia. Entonces, el hombre de Ciudad lineal comprende que Jesús Monzón Reparaz, él mismo, aquel dirigente de tercera, el navarro oscuro y despreciable con quien nadie quiso contar en 1939, a quien nadie ofreció un puesto en ningún avión ni encomendó misión alguna, tiene, además del poder en Francia y en España, un ejército propio, veinticinco mil, treinta mil hombres bien armados, perfectamente adiestrados, disciplinados y victoriosos, que han derrotado a los nazis y sólo esperan una orden suya para cruzar la frontera.

    —Ríete de mí ahora, Dolores —murmuraría Jesús Monzón en su confortable casa de Madrid, tan lejos de la Plaza Roja, tan cerca de la Puerta del Sol—. Ríete ahora, anda, y ya veremos quién se ríe el último...

La última en reírse es ella, pero por un pelo. Por un pelo, Franco sigue viviendo en el Pardo durante treinta y un años más. Por un pelo, la cara de Jesús Monzón no se repite en millones de sellos de correos y de billetes de banco. Por un pelo, el paseo de la Castellana, en Madrid, no se llama ahora avenida de Jesús Monzón. Por un pelo, aquel hombre a quien ya nadie recuerda, no se convierte en el héroe, en el salvador, en el padre de la Patria.

Porque cuando comienza el otoño de 1944, Jesús Monzón Reparaz ordena, desde su madrileña casa de Ciudad Lineal, que el ejército de la Unión Nacional Española, su propio ejército, cruce los Pirineos.

Radio España Independiente, la emisora de radio clandestina del PCE, conocida popularmente como «la Pirenaica», anuncia en sus noticiarios que la operación «Reconquista de España» se ha puesto en marcha.

Y el 19 de octubre de 1944, jueves, el ejército de la Unión Nacional Española pasa en efecto la frontera para invadir el valle de Arán.

I
Aquí, Radio España Independiente...

Harina, la que admita.

Cuando entré en la cocina, me encontré los mármoles relucientes, el suelo recién fregado y ningún cacharro a la vista. Todavía no eran las ocho de la mañana, pero la cocinera y su ayudante se habían marchado ya.

Respiré hondo, apoyé las manos en la tabla de amasar y cerré los ojos. Mi corazón latía a un ritmo descompensado, frenético, como el mecanismo de un juguete de cuerda a punto de romperse, de saltar alegremente por los aires en una cascada de muelles y tornillos diminutos para no volver a funcionar nunca más, pero mi cuerpo, mi rostro, mis manos mantenían el control, una apariencia de normalidad que me resultaba imprescindible aunque no hubiera nadie cerca para mirarme. Tardé unos segundos en percibir los olores propios de una cocina recogida, lejía y jabón, humedad y limpieza, un aroma humilde, doméstico, que me serenó como si pudiera acariciarme con sus dedos.

A pesar de que nadie me había adiestrado, ni siquiera educado para trabajar en una cocina, algunos de los grandes momentos de mi vida habían sucedido en habitaciones despejadas, luminosas, de paredes revestidas de azulejos y superficies de mármol impoluto, pequeños mundos blancos, tan ordenados como aquel donde acababa de quedarme sola. Quizás por eso, mientras los últimos habitantes de aquella casa se preparaban para abandonarla, yo decidí ponerme un delantal y hacer rosquillas.

Harina, la que admita, recordé, y abrí los ojos, levanté las manos de la tabla, sacudí los hombros para ponerme en marcha. En la despensa encontré tres paquetes de un kilo, y calculé el resto de los ingredientes sin dificultad, tantas veces había hecho la misma receta. Aparté nueve huevos, un kilo de azúcar y la leche que había sobrado del desayuno, casi un litro. Alguien debía de haber avisado al lechero de que no pasara aquella mañana, pero con eso tenía suficiente. Mantequilla no. El 20 de octubre de 1944, medio kilo de mantequilla era demasiado hasta para la cocina de un delegado provincial de Falange Española, pero la hermana Anunciación usaba manteca de cerdo cuando no había otra cosa, y eso mismo iba a hacer yo.

Cuando empecé a rallar los limones, las manos me temblaban. Me raspé la yema del dedo índice un par de veces y tuve que hacer una pausa para advertirme a mí misma que no podía permitirme el menor accidente, en la mano derecha no, y en aquel dedo menos. Seguí rallando más despacio, y al terminar, comprendí que lo mejor sería amasar por tandas, porque yo no era una repostera tan experta como la hermana Anunciación y quería que aquellas rosquillas me salieran muy buenas, tanto como las mejores que hubiera hecho en mi vida.

Reuní la tercera parte de los ingredientes en una artesa, metí en ella las dos manos hasta las muñecas, y mientras movía la masa con todos los dedos me fui sintiendo mejor, más segura. La textura aceitosa, suave y blanda, en la que iban disolviéndose los granos de azúcar, los grumos arenosos de la harina, al mezclarse con los huevos, con la leche, la manteca derretida y el licor que decidí incorporar en una dosis que doblaba la habitual, para convencerme a mí misma de que estaba cocinando sólo para hombres, relajó mis músculos y refrescó mi cabeza con ese don ligero y húmedo, fresco y esponjoso, que las masas dulces, y hasta las saladas, sabían contagiar a mis dedos. Desde que desperté bruscamente del sueño donde había sucedido lo mejor de mi vida, la cocina era el único lugar donde aún sentía que tenía una piel, donde la piel aún me daba alegrías.

—Señorita, quería pedirle un favor...

Aquel día de septiembre de 1936, todo había empezado ya, y sin embargo, fue entonces cuando empezó todo.

—Es que la reunión de esta tarde, ¿te acuerdas de que te dije que iba a salir? Bueno, pues nos acabamos de enterar de que el

50

gobierno ha militarizado el local, y yo he pensado... Como esto es tan grande y nos hemos quedado las dos solas... ¿A usted le importaría que nos reuniéramos en la cocina?

Virtudes y yo llevábamos un mes y medio viviendo solas en casa de mis padres, y aunque le había pedido muchas veces que volviera a tratarme de tú, como cuando éramos pequeñas, se dirigía a mí con una desconcertante mezcla de intimidad y respeto, como si ella tampoco acabara de creerse lo que nos estaba pasando. Las dos teníamos la misma edad y nos conocíamos desde siempre, porque era la nieta del ama de llaves de la casa, y de pequeña vivía con nosotros, en el cuarto de su abuela. En aquella época, estábamos siempre juntas, pero cuando cumplió siete años, su madre la reclamó, se la llevó a Carabanchel, y no regresó hasta que las dos ya habíamos cumplido quince, con una cofia almidonada y un uniforme de doncella. Mientras lo llevó puesto, nunca supimos muy bien cómo tratarnos. Yo le tenía demasiado cariño como para darle órdenes, y ella parecía tener siempre miedo de dirigirse a mí con menos respeto del debido, así que al principio, las dos nos poníamos coloradas cada vez que nos cruzábamos por el pasillo, y después tampoco fuimos capaces de encontrar una manera de hablar. Hasta que llegó un día en el que todas aquellas cosas dejaron de tener importancia.

—¡Inés...! —el 19 de julio no había amanecido aún cuando alguien, algo que al principio no supe identificar, me arrebató bruscamente del sueño—. ¡Inés, por favor, despiértate!

La noche anterior no me había resultado fácil dormirme. Pocos españoles, si es que lo logró alguno, durmieron bien el 18 de julio de 1936. Yo no fui una excepción aunque, de esa extraña manera en que a veces descubrimos que sabíamos de antemano algo que acaba de suceder, sin haber sabido que lo sabíamos, la verdad es que de alguna manera estaba al corriente de la situación. Mi hermano Ricardo llevaba meses conspirando, y yo no sabía exactamente cómo, ni para qué, pero sí sabía con y contra quién. No hacía falta demasiada imaginación para encontrar la pieza que faltaba en aquel rompecabezas.

—Anoche, en el baile del Casino... ¡Qué pena que no estuvierais allí! Fue estupendo...

Mi prima Carmencita había venido una tarde de mayo a tomar café con su novio, uno de esos amigos con los que mi hermano se encerraba algunas tardes en el despacho de papá. Los ojos le brillaban de emoción mientras contaba su gran aventura del día anterior, cómo había ido con unas amigas, por la mañana, a un almacén de semillas de la calle Hortaleza, a comprar dos kilos de alpiste, cómo lo habían repartido en unos saquitos que se cosieron al forro de sus vestidos de noche, cómo entraron en el baile como si tal cosa, y mientras bailaban, fueron esparciendo el grano a los pies de los oficiales del Ejército que bailaban a su vez con sus novias, hasta que dejaron el suelo del salón hecho un gallinero, que era exactamente lo que pretendían.

—A buen entendedor... —remató Carmencita, mientras su novio, mi hermano, mi madre, mi hermana Matilde y mi cuñado José Luis se reían, celebrando la brillantez de la estratagema.

Yo no me reí. Quizás, todo empezó en realidad en aquel instante, porque no me reí, a mí no me hizo gracia la hazaña de mi prima.

Carmencita tenía casi dos años más que yo, y una singular especie de éxito congénito que multiplicaba nuestra diferencia de edad por varias cifras en el mismo instante en que abría la boca. Cuando estábamos quietas y calladas, yo parecía la mayor de las dos, porque era más alta, demasiado para el gusto de la época, y tenía los hombros, el pecho, las caderas más pronunciadas, demasiado para el gusto de la burguesía de la época, y músculos de amazona, demasiado deportivos para el gusto de las madres casamenteras de la burguesía de la época. Tenía además una cara alargada, de rasgos marcados, los pómulos salientes y la boca muy grande, que era demasiado distinta a las de las muñecas que proclamaban desde los escaparates de las jugueterías un canon de belleza en el que el rostro de Carmencita encajaba como un guante. Quizás por eso, a mí nadie me había llamado nunca Inesita, pero el espejismo de mi superioridad se desvanecía en el instante en que mi prima empezaba a asentir con la cabeza, para darse la razón a sí misma, mientras murmuraba, sí, sí, sí, sí, sí, con los labios fruncidos.

Todo lo que ella decía, todo lo que pensaba o hacía, revelaba la inexpugnable seguridad en sí misma de quien no sólo no duda de llevar siempre razón, sino que carece además, no ya de respeto, sino hasta de curiosidad por las opiniones de los demás, que nunca le parecerán dignas de llamarse razones. Carmencita era un prototipo de fascista española antes de que el fascismo español existiera. Cuando éramos niñas, ese aplomo me acomplejaba, me empequeñecía hasta lograr el prodigio de borrarme en su presencia, pero a aquellas alturas me producía un efecto muy distinto. En mayo de 1936 ya había descubierto que, en realidad, lo que pasaba era que Carmencita me caía gorda, aunque tal vez nunca habría llegado a una conclusión tan sencilla, tan confortable al mismo tiempo, si otra de mis primas no me la hubiera puesto en bandeja.

Yo era la pequeña de todos los nietos de mi abuelo, y Florencia, a la que siempre habíamos llamado María, la mayor de los sobrinos de mi padre. El suyo había muerto cuando era una niña. Al llegar a la adolescencia, mi tía Maruja decidió que no podía con aquella muchacha rebelde, indisciplinada y peleona, que no parecía hija suya, y por eso la envió, sin demasiadas lágrimas, a estudiar al extranjero, Francia primero, Inglaterra después. Durante largos años no volvimos a verla, pero en las apuestas que mis tíos y mis padres cruzaban en voz baja en las fiestas familiares, ninguna palabra se repetía tanto como perdida, o su variante, aún más siniestra, echada a perder. En el invierno de 1933, casi les fastidió comprobar hasta qué punto se habían equivocado.

Mi prima volvió a Madrid acompañando a un pianista uruguayo, de piel muy blanca y pelo muy negro, largo como el de los trovadores medievales, a quien presentó como su prometido. En aquel calificativo se agotó su cautela. Enseguida se corrió la voz de que él nunca la llamaba María, sino Florencia, porque ella había decidido renunciar a su primer nombre y usar solamente el segundo, pero esa, con ser llamativa, no fue la única novedad. La hija pródiga de mi tía Maruja, que era tan alta, tan ancha de hombros como yo, llevaba vestidos de satén y de raso, tejidos livianos, brillantes, que le sentaban estupendamente, aunque, o quizás porque, se le pegaban a las caderas cuando andaba y dejaban ver sus piernas, la falda justo por debajo de la rodilla. Había quien juraba que la había visto con pantalones, y todos pudimos ver que llevaba el pelo más corto que su novio, la nuca al aire, que se pintaba los ojos con un lápiz negro y cremoso, como los que usaban las mujeres árabes, que fumaba con boquilla y hasta que se tragaba el humo. Sin embargo, este completo catálogo de horrores no encajaba en absoluto con la imagen de la desgraciada tirada en el arroyo que las autoridades de mi familia le habían asignado tantas veces. Mi prima estaba guapísima, bien alimentada, bien vestida, y cargada de sortijas en todos los dedos, aunque ninguna relucía tanto como sus ojos de persona feliz, de esas que no necesitan la aprobación de nadie para disfrutar de su suerte.

El novio de Florencia, Osvaldo, había venido a Madrid para dar un concierto en el Teatro Real, pero en realidad fueron tres los espectáculos que dieron juntos. Al primero no pude asistir, porque todavía tenía dieciséis años y mi madre era muy conservadora al respecto, pero escuché la crónica de Carmencita, que ya frecuentaba los bailes del Ritz y hallaba un oscuro placer en repasar en público el escándalo que Florencia había formado al bailar un tango con el uruguayo.

—Pegados, pegados, pero pegados como lapas —y juntaba las palmas de las manos para dar más énfasis a su descripción—, acoplados como animales, de verdad, ¡qué vergüenza! La gente les hacía corro, claro, porque ella... ¡Venga a meter la pierna entre las piernas de él! Y él... ¡Venga a tirarla al suelo para levantarla después! Yo ya no sabía dónde meterme, en serio.

—No seas tonta, Carmencita —mi hermano Ricardo, que también había estado allí, intervino para defender la modernidad, como hacía siempre por aquel entonces—. Les hacían corro porque bailan muy bien. Los tangos se bailan así.

—¿Sí? Pues yo no bailo así, desde luego. Y no creo que ninguna mujer decente tenga que despatarrarse de esa manera para bailar ninguna pieza.

El segundo espectáculo, el concierto del Real, sí tuve la suerte de verlo, y sobre todo, la de escucharlo. A mamá, a quien pude acompañar sólo porque mi padre me cedió su entrada en el último momento, diciendo que se lo veía venir, no le gustó el repertorio, pero tuvo que reconocer que Osvaldo era un pianista admirable, y hasta lamentó que no hubiera escogido para la ocasión música de verdad. Lo que mi madre entendía por «música de verdad» se reducía al barroco alemán y la ópera italiana. Los románticos ya le parecían estridentes, y de la arrebatada modernidad de las piruetas que Prokofiev y Stravinsky habían compuesto para los Ballets Russes de París, habría preferido ni oír hablar, pero tuvo que escucharlas, porque eso fue lo que tocó Osvaldo aquella noche, fragmentos de *Romeo y Julieta,* de *Petruschka* y de *El pájaro de fuego,* que provocaron una reacción furibunda en el auditorio. A los diez minutos, la mitad de los abonados del patio de butacas empezaron a levantarse, estrellando los asientos de sus butacas contra el respaldo para hacer ruido, antes de salir taconeando por el pasillo con la barbilla tan alta como si les hubieran lanzado un guante. Parecía que el teatro se había quedado vacío, pero cuando sonó la última nota, el público del Paraíso, donde se agolpaban los músicos sin dinero y los estudiantes del Conservatorio, y los melómanos de los palcos más altos, más baratos también, desencadenaron una ovación interminable, salpicada de unos ¡bravos! tan fervientes que obligaron a Osvaldo a hacer dos bises, entre ellos una pieza de la *Iberia* de Albéniz que, bajo todos los arpegios y virtuosismos imaginables, no era ni más ni menos que la Tarara sí, la Tarara no, la Tarara, madre, que la bailo yo.

–¡Qué barbaridad! –y esa melodía, que por fortuna dejó para el último lugar, acabó de provocar la indignación de la mía–. Esto ya es el colmo, vamos, ¡qué falta de respeto! ¿Pero qué se habrá creído que es este teatro, para venir a insultarnos a todos con semejante cencerrada?

Sin embargo, las críticas fueron excelentes, tan entusiastas las de esos periodicuchos modernos como *El Sol* y *El Heraldo,* de los que no se fiaba ningún miembro de mi familia, como la del *Abc,* que era el único diario respetable para su gusto. Envalentonada quizás por la unanimidad de aquel éxito, la tía Maruja convenció a Florencia para que asistiera con su pianista a la fiesta de cumpleaños de su cuñada Carmen. Aquel fue el tercer espectáculo que dieron en Madrid, y para mi gusto, el mejor de todos.

—¡María! —dijo la homenajeada al verla entrar, fingiendo que se alegraba mucho de tenerla en su salón—. ¡Qué alegría!

—Llámame Florencia, tía —respondió su sobrina con suavidad, después de plantarle dos besos tan falsos como los que había recibido de ella—. Me gusta más.

—¡Desde luego, a quien se lo cuentes...! —entonces, Carmencita, con la dosis suplementaria de seguridad que le daba estar en el salón de su casa, se atrevió a pronunciar una sentencia condenatoria sin dejar de darse la razón con la cabeza—. Mira que te ha servido a ti de mucho conocer mundo, sí, sí, sí, sí, sí, para volver con ese nombre pueblerino, que huele a vacas, y que llevamos todas como una cruz...

Y en ese instante, Florencia, que había sido bautizada como María Florencia, igual que Carmencita era Carmen Florencia, mi hermana, Matilde Florencia, y yo, Inés Florencia, todo en honor a una tradición ancestral, que había sido escrupulosamente respetada hasta que la generación anterior a la nuestra la relegó al segundo lugar de todas las partidas de nacimiento, se paró en seco, se volvió a mirarla, y habló desde lo alto de una torre imaginaria, tan alta como si entre ella y nosotros hubiera espacio de sobra para un mar de nubes.

—¡Qué gusto oler a vacas, a campo, a aire fresco! —y, por si fuera poco, sonreía—. Cualquier cosa mejor que el olor a brasero, a rebotica y a sacristía, de una familia tan orgullosa de no haber salido nunca de este país inculto de conquistadores de pacotilla. Lo mejor de España son los establos, querida. Los establos, y la gente que vive en ellos. Ya os gustaría a vosotros ser tan elegantes.

Eso dijo, y después, mientras mi tía Maruja fingía un desmayo para no tener que enfrentarse a su primogénita, y el rostro de los demás iba pasando del blanco del asombro al rojo de la indignación, sin hallar palabras para expresar ni el uno ni la otra, María, ya para siempre sólo Florencia, cogió del brazo a su novio y se marchó con él para no saber jamás cómo la recordaría su prima Inés, con la que no había llegado a hablar ni una docena de veces en toda su vida. Nunca tanto como en la primavera de 1936, cuando todo cuanto ocurría a mi alrededor, el suelo del salón de baile del Casino rebosando alpiste, parecía suceder sin otro objeto que darle siempre la razón.

—¿No lo entiendes, Inés? —porque cuando recobraron la serenidad suficiente para analizar aquel imperdonable exabrupto, concluyeron que Florencia se había pasado al enemigo, que hasta aquel momento había sido cualquiera que osara llevarles la contraria pero, desde su victoria electoral de febrero de aquel mismo año, no era más que el gobierno del Frente Popular—. Les estábamos llamando cobardes, cobardes gallinas, por no poner coto a esta vergüenza, ¿no lo...?

—Sí, sí, Carmencita —la interrumpí—. Lo he entendido.

—¿Y no te divierte?

—Pues... —y busqué una fórmula para esquivar la respuesta que buscaba, aunque siguió sin parecerme divertido—. Ingenioso sí es.

En aquella época, yo ya había empezado a pensar por mi cuenta, aunque eso aún no lo sabía nadie, quizás ni siquiera yo misma, en la inmejorable familia de gente de orden en la que había nacido. Mi infancia, plácida y confortable, almidonada como las sábanas de hilo entre las que dormía, transcurrió en un país de puntillas blancas, donde todo cuanto existía, mi ropa y la de mis muñecas, las cortinas de mi habitación y las de su casita, la colcha de mi cama, las colchas de sus cunas, mis pañuelos y hasta las repisas de mi cocina de juguete, estaba rematado con una monótona variedad de primorosas tiras de encaje. Cuando cumplí trece años, miré a mi alrededor y decidí que las puntillas no me gustaban, pero nadie tuvo en cuenta mi opinión. Tampoco la escucharon un par de años más tarde, cuando me obligaron a renunciar a la equitación, quizás porque los caballos eran el único elemento de mi vida que no podía adornarse con puntillas.

Mi hermana mayor, que había estudiado inglés y francés, música y dibujo, literatura, historia y matemáticas, igual que yo, se casó a los dieciocho años con un vestido bordado de arriba abajo y una cola de tul de varios metros, y a los tres meses ya estaba embarazada. Para eso se estaba preparando Carmencita, eso era lo que se esperaba de mí, y sin embargo, en junio de 1933, cuando el rumor de los escándalos de Florencia no se había apagado todavía, la muerte de mi padre, que cayó fulminado en plena calle, víctima de una dolencia cardiaca que él mismo ignoraba, abrió en aquella estructura poderosa, indeformable en apariencia, una grieta que no cesaría de agrandarse.

Mi madre se hundió de tal manera que llegamos a creer que nunca se recuperaría de aquella desgracia. Postrada por una melancolía que iba más allá de cualquier tristeza razonable, empezó a pasarse los días enteros en la cama mientras su primogénito, Ricardo, asumía el papel de padre de familia para decidir que yo me ocuparía de cuidar a mamá hasta que se repusiera. Aquel encargo, por un lado, me pesó por lo que tenía de encierro, pero por otro me liberó de encontrar pronto marido, un tesoro que no tenía el menor deseo de poseer. Salía de vez en cuando, eso sí, con una carabina distinta en cada ocasión, para que no se olvidaran de mí y preparar mi definitiva incursión en el mercado de las solteras disponibles, el supuesto debut en la felicidad adulta, que consistía en soportar los pisotones de un montón de jovencitos granujientos sin dejar de ponerle buena cara a sus mamás, hasta que lograra alzarme con el premio gordo de un buen partido, del que nadie me preguntaría jamás si me gustaba, o no, tanto como a Florencia su pianista uruguayo. Esa era la prolongación natural del mundo de puntillas en el que había vivido durante tantos años, y por eso, a pesar del aislamiento que me iba rezagando de los compromisos de mis primas, de sus amigas y de las mías, nunca me quejé de quedarme en casa, cuidando a mamá, un empeño por el que pronto me recompensó ella misma, abandonando la cama por las mañanas para permanecer sentada en una butaca durante las horas de luz.

Pero si con la muerte de mi padre todo había cambiado muy deprisa, sin él, las cosas siguieron cambiando al mismo ritmo. Al principio, Ricardo se propuso ocuparse de mí con la misma severidad que había padecido a mi edad, pero a principios de 1934, cuando llevaba menos de un año desempeñando ese papel, se afilió al partido que acababa de fundar uno de los hijos de Primo de Rivera, y ya no tuvo tiempo, ni ganas, de vivir para otra cosa.

—¿Qué? —tampoco dejó de ponerse la camisa de mahón azul oscuro que estrenó una tarde, en casa, para que mi madre y yo la viéramos antes que nadie—. ¿Os gusta?

Yo me asusté tanto que ni siquiera despegué los labios, pero ella le dedicó una expresiva mueca de desagrado.

—Pshhh... Muy elegante no es, desde luego. Me alegro de que tu padre no haya llegado a verte con esa pinta, porque... la verdad es que pareces un obrero, hijo mío.

—De eso se trata, mamá —mi hermano se acercó a ella y la besó en la frente—. De que todos seamos obreros en la construcción de una nueva España fuerte y social.

—Paparruchas —respondió nuestra madre—. Yo he sido monárquica toda la vida y seguiré siéndolo hasta que me muera.

—La monarquía es un estado hembra, un estado débil, madre...

—Paparruchas —repitió ella—. Siendo hembra, bastante fuerte he sido yo como para pariros a todos vosotros, así que...

Ricardo volvió a besarla y se echó a reír. Luego cogió el sombrero, el abrigo, y vino a besarme a mí.

—Espera, que voy contigo —cuando estuvimos solos, en el pasillo, le cogí del brazo y le hablé en un susurro—. Pero tú... ¿te has hecho comunista?

—¿Comunista? —él repitió mi pregunta en voz alta, echándose a reír después—. ¡Pues claro que no, Inés! ¿Cómo voy a hacerme comunista? Me he hecho falangista.

—¿Sí? Pues siento decirte que así es como van vestidos los comunistas. Los veo todos los días, vendiendo su periódico, cuando paso por delante del mercado de García de Paredes, y siempre llevan esas mismas camisas.

—Ya... —Ricardo asintió, sonriendo todavía—. Pero dejarán pronto de llevarlas, no te preocupes.

En eso acertó, y cuando los comunistas les cedieron el monopolio de las camisas azules, estaba ya tan metido en política que la mitad de los días ni siquiera cenaba con nosotras. Pero la Falange no le cambió sólo el horario.

Yo quería mucho a Ricardo, más que a Matilde, y que a Juan, porque la temprana boda de la primera, la carrera militar del segundo y la muerte de nuestro padre nos habían dejado tan solos como a dos hijos únicos, el primero demasiado mayor, la segunda demasiado pequeña, en el piso familiar de la calle Montesquinza. Durante la primera etapa de los tres últimos años que vivimos juntos en aquella casa, yo cuidando de mamá, él cuidando de nosotras dos, Ricardo fue para mí mucho más que un hermano mayor. Él era mi compañero y mi referencia, los ojos que miraban el mundo por mí, los labios que me contaban lo que habían visto. Y al brotar de ellos, el mundo era divertido porque él era divertido, noctámbulo, ingenioso, y tan moderno como a mí me habría gustado ser alguna vez. Por eso, no le di importancia a su filiación política, quizás porque en aquella época, en Madrid todo el mundo militaba, los patronos y los obreros, los señores y los muertos de hambre, las señoras y sus doncellas, todos pertenecían a este partido o al contrario, todos contribuían a sus causas, y asistían a los mítines, y hacían proselitismo entre sus amistades, y convocaban a sus correligionarios hasta para ir de verbena los domingos. Todos menos yo, que ni siquiera salía de casa los días que mamá no se encontraba con ánimos para pasear.

—Me preocupan mucho las nuevas amistades de tu hermano —me decía ella, de vez en cuando—. El otro día le escuché hablar de no sé qué revolución social, y ya se lo dije. ¡Con los pies por delante! Así me verás salir de esta casa antes de consentir que te conviertas en un revolucionario...

Yo sonreía y procuraba no llevarle la contraria, pero aunque no lo dijera en voz alta, siempre me ponía de parte de mi hermano. Ricardo era joven, estaba soltero, y me parecía natural que se hiciera revolucionario, como antes se había hecho republicano. Yo no sabía nada de política, sólo un poco de inglés y otro tanto de francés, nociones de música y dibujo, un pálido barniz de literatura, historia y matemáticas, los brochazos de cultura general que me habían dado por encima hacía tanto tiempo que ya se estaban cuarteando sin haberme servido nunca para nada, pero Ricardo había ido a la universidad, y tenía amigos poetas, se reunía con ellos por las noches, y todos llevaban esas camisas azules, de obreros, y cantaban, y se emborrachaban, y cortejaban a las muchachas, nada que no hicieran otros chicos de su edad... Eso era lo que él me contaba, y yo me lo creía, porque mi hermano seguía siendo muy simpático, muy moderno, y aún se reía por cualquier cosa, sin tomarse nada en serio.

—España lleva la falda demasiado larga, mamá. Hay que acortársela... Un palmo, por lo menos.

Entonces, ella se enfadaba, yo me reía, y todo seguía igual, hasta que ese todo integrado por la presencia de mi hermano, por su compañía y su conversación, sus chistes y sus carcajadas, empezó a adelgazar, a perder espesor, consistencia, en la misma medida en que se iba debilitando el gobierno Lerroux, o quizás, mejor aún, en la proporción en que la izquierda veía crecer su fe de recuperar pronto el poder.

A medida que avanzaba 1935, Ricardo empezó a faltarme también en los desayunos, al principio, sólo de vez en cuando, después con más frecuencia, hasta que dejó de venir a dormir a casa la mitad de las noches. De día, aún le veía, pero casi siempre como a una sombra imprevista, un fantasma apresurado, fugaz, que había perdido las ganas de hablar conmigo, de contarme chismes y hacerme carantoñas, porque apenas tenía tiempo para ducharse, para ponerse una camisa limpia y comer algo de pie, en la cocina, antes de salir otra vez o de encerrarse en el despacho de papá, donde se tiraba las horas muertas conspirando con sus amigos, aquellos chicos tan divertidos, modernos y noctámbulos, a quienes yo creía conocer de toda la vida hasta que, poco a poco, se fueron volviendo tan extraños como él.

—¡Inés! —la única vez que mi hermano me franqueó la puerta de aquella fortaleza, no fue para preguntarme cómo estaba, ni para charlar un rato—. Ven. Cierra la puerta y echa el cerrojo, anda.

Después, con el gesto grave al que recurría desde hacía algún tiempo, como si le complaciera echarse diez años encima, se sentó en la butaca de nuestro padre y cogió un cuaderno de tapas de piel muy desgastadas, la agenda en la que todos habíamos ido apuntando durante años los números de teléfono que no convenía que se perdieran. La abrió por la R y me miró.

—¿Cómo te apellidas? —me preguntó.

—¿Pues cómo quieres que me apellide? —protesté, porque no entendía aquella comedia—. Igual que tú. Es que estás rarísimo, Ricardo...

—Bueno, pero dime tu primer apellido —y antes de que volviera a protestar, insistió—. Dímelo, y no hagas el tonto, que esto es importante.

—Ruiz —contesté—, me apellido Ruiz.

—Muy bien —y señaló aquella misma palabra, cuatro letras que no iban unidas a ningún nombre propio sino a una simple abreviatura, en la página por la que había abierto la agenda—. Aquí está, Sr. Ruiz, ¿lo ves? —asentí con la cabeza, lo veía—. ¿Y tu segundo apellido?

—Maldonado —él pasó páginas hasta encontrar, en la M, una entrada similar, y volvió a mirarme—. Castro... —proseguí—. Soto... Suárez.

—Muy bien —repitió, muy satisfecho—. Pues ya está. Los cuatro primeros números de los teléfonos que coinciden con tus cinco primeros apellidos, escritos en ese mismo orden, son la combinación de la caja fuerte.

—¿La caja fuerte? —en ese instante sentí un escalofrío que me recorrió de arriba abajo, dejando un rastro helado y sucio, desagradable, en el centro de mi espalda—. ¿Y para qué quiero yo saber la combinación de la caja fuerte? ¿Qué está pasando, Ricardo?

—Nada —aún estaba serio—. No pasa nada. Pero si algún día llegara a pasar... —entonces se levantó, me abrazó con fuerza, y me besó como si fuera mi hermano de antes, de siempre—. Pero tienes que prometerme que no vas a dejarnos sin un céntimo para fugarte a América con ningún novio, ¿eh?

—¿Un novio? —puse los ojos en blanco—. Pues ya me dirás tú de dónde lo voy a sacar... —y como antes, como siempre, nos reímos juntos de mi respuesta, pero nunca volvimos a hablar de la caja fuerte.

Durante la campaña electoral de 1936 la situación en mi casa volvió a cambiar, pero en una dirección distinta, y en primer lugar, porque mi madre se recobró tan veloz como milagrosamente de todos sus melancólicos dolores. Cuando estábamos solas, seguía diciéndome que le preocupaban los amigos de mi hermano, y sin embargo corría a abrir la puerta para recibirlos con grandes abrazos, miradas intensas que parecían revelar la intensidad de las palabras que pronunciaría si yo no estuviera delante. Ellos sonreían, asentían en silencio, y pasaban por mi lado como si no me vieran, las solapas subidas, un gesto torvo, teatral, de conspiradores de opereta suspendido entre las cejas, pero el bulto de unas pistolas de verdad deformando sus americanas. Desde que iban armados, ellos tampoco tenían un segundo para perderlo conmigo, alabando mi pelo o mis vestidos, ni siquiera quejándose en voz alta de que Ricardo me tuviera encerrada en casa, sin dejarles llevarme a bailar por ahí. Aquellas galanterías, que durante años habían aliviado la rocosa monotonía de mi vida sin haber sido nunca otra cosa que un gesto cortés, también se habían vuelto incompatibles con su nueva personalidad, la metamorfosis que había endurecido la expresión de sus rostros, afilando sus rasgos para sembrar en los ojos un temblor violento, oscuramente brillante, que no impedía que se parecieran cada vez más a sus propios padres. Aquella pandilla de muchachos alegres e irresponsables se había convertido en una cofradía de señores serios, taciturnos, que ya no parecían partidarios de acortarle la falda a nadie, y mucho menos a España.

—¡Pobres muchachos! —y cuando la puerta del despacho se cerraba, mi madre se volvía a mirarme, en sus labios una advertencia que desmentía su manso, compasivo cabeceo—. Pero, en fin, la situación es gravísima. En estos momentos, más que nunca, cada uno debe ser consciente de cuál es su sitio, y cuál es su deber.

Yo también asentía sin decir nada, pero me había vuelto inmune al mordisco del arrepentimiento que aquellos comentarios pretendían convocar en vano. No era culpa mía, yo no tenía la culpa de haberme aburrido tanto, durante tanto tiempo, sin que a nadie pareciera importarle. Mientras mi hermano conspiraba, mientras mi madre se quejaba y se metía en la cama a media tarde, yo me aburría, y ni siquiera tenía una amiga cerca para contárselo, me aburría yendo a misa por las mañanas, me aburría rezando el rosario al atardecer, y al día siguiente, volvía a aburrirme mientras escogía entre regar las plantas o ir a la pastelería, a comprar unas pastas para merendar. Esas fueron las decisiones más difíciles que tuve que tomar, hasta que me aburrí tanto que una tarde, cuando ni mi madre, ni mi hermano, ni sus amigos se preocupaban aún por mi destino, me atreví a aceptar la invitación de la vecina del tercero, la única que parecía vislumbrar la profundidad del pozo de tedio en el que me iba quedando sin aire poco a poco.

Aurora no se parecía a mí, ni a ninguna de las mujeres que yo conocía. Más allá de los veinticinco, seguía soltera y encantada de estarlo, quizás porque perseveraba en el modo de vida que Ricardo había abandonado, y seguía saliendo todas las noches para volver de madrugada en coches llenos de hombres y mujeres ruidosos, tan borrachos que casi podía oler su aliento desde mi dormitorio, pero muy divertidos siempre. Eso la distinguía de Carmencita, aunque en todo lo demás, el aplomo con el que hablaba, la seguridad que infundía a cada uno de sus gestos, la apasionada certeza de sus afirmaciones, ambas se parecían tanto como dos almas gemelas, forzadas a darse la espalda en las dos riberas de un océano congelado con la silueta, la forma, el nombre de España. Sin embargo, Aurora me caía bien, porque cuando subía a ponerle alguna inyección a mi madre, sonreía antes de mirarme con una cara de lástima que mi situación no parecía inspirar en nadie más.

—¿Y tú no te aburres, Inés? Todo el día aquí metida, sin tomar el aire...

—Bueno, ahora que mamá está mejor, salimos todas las mañanas, no creas.

—Ya, pero eso... —y cabeceaba con una expresión de desaliento—. Yo me refiero a otro tipo de salidas, no sé, ir al teatro, al cine, a algún concierto... ¿Cuántos años tienes ya, dieciocho, diecinueve? No puedes vivir como una anciana, a tu edad. Una de estas tardes, cuando encuentre algo interesante que hacer, voy a avisarte para que salgas conmigo.

Cumplió su palabra, y me fue proponiendo planes que yo fui rechazando, uno tras otro, con más miedo que prudencia.

Conocía a Aurora desde que éramos niñas, pero apenas sabía nada de ella, de su vida, de sus amigos, de los lugares que frecuentaba. Yo sólo salía de casa para pasear con mi madre o asistir con alguno de mis hermanos a fiestas de gente muy formal, en las que muchas veces ni siquiera llegaba a hablar con nadie que no fuera de mi familia, porque todavía no había aprendido a bailar y porque, hasta en aquellos salones, lo único que les interesaba a todos era hablar de política. Con aquel equipaje, no podía ir a ninguna parte, y la verdad era que tenía miedo de hacer el ridículo, de no resultar lo suficientemente brillante, o mordaz, o atractiva, o moderna, en un mundo donde las solteras salían solas por la noche para volver de madrugada con algunas copas de sobra. Pero, más allá de mi inseguridad, sus ofertas me tentaban como si presintiera que su interés y los desplantes de Florencia estaban unidos por un invisible y poderoso cordón umbilical. Y a veces, un presentimiento sin forma me insinuaba que, desde el otro lado, el brumoso paisaje que nunca había visto y ni siquiera me atrevía a imaginar, una voz me llamaba por mi nombre, como si me estuviera esperando.

Hasta que un día Aurora me propuso un plan al que no pude resistirme. Sentía tanta curiosidad por escuchar a aquellos poetas jóvenes que pululaban alrededor de la Residencia de Estudiantes de los Altos del Hipódromo como para no intentarlo, y me resultó asombrosamente fácil conseguirlo, porque en septiembre de 1935, mi madre, postrada todavía por aquella dolencia sin nombre ni síntomas cuya naturaleza escapaba a los conocimientos de todos los médicos, estaba aún mucho más desconectada de la realidad que yo, tan lejos de todo que no tenía una idea ni siquiera aproximada del lugar al que me dejó acompañar a nuestra vecina cuando parecía que su primogénito ya no vivía con nosotras.

—¿María de Maeztu? —comentó solamente—. Pues no la conozco pero, por el apellido, será hermana de Ramiro, ¿no? Un hombre admirable desde luego, de una familia muy respetable...

Cuando mi hermano Ricardo se llevó las manos a la cabeza, ya era tarde. Cuando me prohibió tajantemente volver a poner un pie en el Lyceum Club, ya había visto una película que no se parecía a ninguna que hubiera visto antes de entonces, a ninguna de las que vería después.

Era un documental, y sus imágenes habían sido rodadas en un prado con montes al fondo de un pueblo cualquiera, con casas de piedra y calles torcidas, y cercas, y corrales para el ganado, Castilla la Vieja seguramente, quizás León, el interior de Galicia, Asturias o la falda de los Picos de Europa, cerca del norte, y del invierno, porque hacía tanto frío que un viento cruel, helado, parecía a punto de escarchar la cámara, para traspasar la pantalla y congelarme en mi asiento. Los niños que jugaban en la calle no lo sentían, como si supieran que muy pronto lograrían contagiarme su calor. Todos eran pequeños, más de cinco y menos de diez años, y todos muy morenos, con la piel curtida por el sol y la intemperie, el pelo muy corto, algunas cabezas casi rapadas, otras con calvas. Mal abrigados, peor calzados, muy delgados, muy sucios, deberían dar pena, pero se estaban riendo, transmitían esa tristeza de los objetos, de las ropas y las uñas negras, que germina en la pobreza, pero se estaban riendo, no paraban de reírse, porque estaban contentos y jugaban al corro. Con ellos jugaba un adulto, un hombre todavía joven, bien peinado, bien vestido, elegante en su rostro y en sus ademanes, un hombre de ciudad, culto, próspero, un señor cuya presencia parecía errónea, como si fuera un actor atrapado en una película equivocada, o una burda manipulación del fotograma. Sin embargo, él jugaba al corro con aquellos niños sucios y tiñosos y se reía con ellos, como ellos, rió para mí hasta convencerme de que su presencia en aquella escena no era un error, sino un milagro. Eso sentí cuando se encendieron las luces y, entre los aplausos enfervorecidos de un auditorio entregado, el hombre al que acababa de ver en la pantalla se levantó y subió al escenario.

Soy Alejandro Casona, dijo, y era verdad. Era Alejandro Casona, un dramaturgo acostumbrado a triunfar, a estrenar en los mejores teatros de Madrid, a ganar dinero con sus obras, un hombre mimado por la suerte, por el éxito, que se había dedicado últimamente a viajar por las zonas más pobres, las comarcas más deprimidas y remotas de España, pueblos donde jamás habían visto teatro, donde ni siquiera sabían qué significaba esa palabra. Y allí, mientras los actores ensayaban y los técnicos levantaban el escenario donde iba a representarse alguna de sus obras, él jugaba al corro con los niños. Eso era lo que quería contarnos aquella tarde, por eso había venido hasta el salón de actos del Lyceum Club, no para hablarnos de sus éxitos, sino de su experiencia en las Misiones Pedagógicas. Porque podéis estar seguras de que no estoy orgulloso de nada de cuanto he hecho en mi vida, añadió, y marcó una pausa para dar más énfasis a su siguiente afirmación, de nada, excepto de ser misionero. Eso dijo, y al escucharlo, sentí en mis ojos la emoción que tembló en los suyos durante un segundo tan largo como una vida entera.

En el salón se instaló un silencio absoluto, casi litúrgico, durante ese segundo que Casona necesitó para que sus ojos absorbieran las lágrimas que no quiso derramar ante nosotras. Luego sonrió, señaló a la pantalla, blanca como un mundo recién nacido, y nos explicó que le gustaba jugar con los niños porque ellos le enseñaban canciones maravillosas, tan hermosas que él nunca sería capaz de escribirlas. Voy a intentar cantaros alguna, dijo, y cantó, con una voz no demasiado bonita, pero bien entonada, él cantó y yo le escuché, aunque lo logré solamente a medias. Las lágrimas que él no había querido llorar permanecieron dentro de mis ojos hasta que se terminó el acto y aun después, como un tesoro raro y precioso, en el que estaba escrita la suerte de mi vida. Y seguía teniéndolas allí, al abrigo de mis párpados, puras, calientes, cristalinas, tan definitivamente mías como dos ojos nuevos a través de los que podía mirarlo todo, mi rostro en el espejo y las caras de la gente que andaba por la calle, mis actos y mis pensamientos, pero también las acciones y las ideas de los demás, el día que mi hermano Ricardo madrugó para pedirle a mamá que me dejara a solas con él. Aquella mañana, aunque él no lo supiera, dos lágrimas de Alejandro Casona se sentaron conmigo, y me hicieron compañía en la mesa del desayuno.

—No voy a consentir que vuelvas a poner un pie en ese club, Inés —y mientras lo decía, me cogió de las manos y las apretó con las suyas sobre el mantel—. Prométemelo, porque nunca te he prohibido nada, ya lo sabes, pero si no me obedeces, no me va a quedar más remedio que prohibirte esto.

—¿Por qué? —le pregunté—. Si allí no hago nada malo. Sólo voy a exposiciones, a conferencias, hay lecturas de poemas, conciertos...

—Sí, ya sé de quién —y su tono de voz se endureció—. Y a cuento de qué, eso también lo sé. El otro día, para celebrar la victoria del Frente Popular, cancioncitas, pianitos, poemitas, y tú allí, con una copa en la mano.

—Pero yo no lo sabía, Ricardo —me pareció extraño defender mi inocencia sin haber llegado a ser consciente de la naturaleza de mi delito, pero insistí de todas formas—. Aurora me dijo que íbamos a una fiesta, y yo...

—No quiero que vuelvas a ver a Aurora, Inés. No sigas por ese camino, en serio. Es... peligroso —volvió a apretar mis manos con sus dedos, se las llevó a la boca, las besó, y recuperó el tono cómplice, familiar, del principio—. Eres muy joven, hermanita. Has vivido muy poco, te has pasado la vida aquí encerrada, lo sé, lo he pensado muchas veces, no creas que no. Y yo he estado muy ocupado últimamente, me he volcado en la campaña porque era importante, muy importante, y no he estado pendiente de ti. Ahora me doy cuenta de que no he tenido en cuenta que tú... Tú no sabes nada de la vida, Inés, no podrías defenderte... Esa gente es peligrosa, tan corrosiva como el aguarrás, aunque te cueste creerlo. Pueden parecerte muy divertidos, pero no respetan nada, ni a Dios ni a nadie. Hazme caso, te lo digo por tu bien. Y además... —hizo una pausa, miró sus manos, las mías, frunció el ceño—. Esto no va a durar mucho más. Cuando España vuelva a ser libre, podrás ir a todas las exposiciones y los conciertos que quieras, te lo prometo.

Podría haberle preguntado muchas cosas, pero asentí con la cabeza y renuncié a decirle lo que pensaba. Podría haberle preguntado qué, quiénes eran en su opinión los que privaban a España de libertad justo entonces, cuando a mí me parecía más libre que nunca. Podría haberle preguntado qué sabía él, qué iba a hacer para borrar de mi camino a la gente peligrosa, y qué peligros me acechaban en un lugar como el Lyceum Club, el club femenino más moderno de Europa, tanto que María de Maeztu había batallado durante meses para intentar que fuera mixto, sin convencer a la organización internacional que había fundado el modelo original. Allí, donde ya estaban volviendo del lugar al que todavía no habían llegado los demás, había aprendido verdades sencillas, tan inofensivas, como que la última declaración de mi prima Florencia –lo mejor de España es la gente que vive en los establos, ya os gustaría a vosotros ser tan elegantes como ellos– no era una estupidez, sino la expresión de una idea que compartía mucha gente muy culta, muy cosmopolita, muy brillante, y tan poderosa que sabía aguantarse las lágrimas que a mí me picaban en los ojos, aunque no llevaran una pistola escondida dentro de la americana.

Esa era la clase de corrosión que imperaba en aquel lugar al que Conchita Méndez llegaba conduciendo su propio coche, y donde otras señoritas, de excelentes familias, fumaban, bebían champán, hacían juegos de doble intención sobre su vida íntima y se esforzaban por tener una opinión sobre todas las cosas. De ellas, y de los hombres que circulaban a su alrededor a despecho de los estatutos, había empezado a aprender lo que eran el fascismo y el socialismo, el progreso y la reacción, el machismo y el feminismo. Pero, sobre todo, gracias a ellas, a ellos, había descubierto que al otro lado de la puerta de mi casa, existía un lugar que se llamaba el mundo, y que me gustaba mucho más de lo que había podido sospechar mientras lo miraba con el melancólico anhelo de la favorita de un sultán, privilegiada y cautiva al mismo tiempo, a través de unos visillos rematados con puntillas.

Aquella mañana, podría haberle hecho muchas preguntas a Ricardo, pero callé, porque sin haberlas escuchado nunca, ya conocía sus respuestas. Por eso, el 18 de julio de 1936, cuando me enteré de que el Ejército de África se había sublevado, volví a escuchar, una por una, las palabras que me había dirigido sólo unos meses antes, y comprendí que sabía mucho más de lo que me habría gustado saber.

Sabía que mi prima Carmencita y sus amigas habían sembrado aquella sublevación con alpiste en los bailes del Casino.

Sabía que Ricardo y sus amigos la habían organizado en el despacho de mi padre. Sabía que, si triunfaba, se acabarían las mujeres que fumaban y conducían sus propios coches, los poetas guapos y rubios que besaban en la boca a escritoras rubias y guapísimas delante de todo el mundo, los poetas morenos que tocaban el piano, y los dramaturgos de éxito que se emocionaban jugando con unos niños rotos y tiñosos mientras contagiaban sus sonrisas a una cámara. Lo único que no sabía era por qué me encontraba yo tan bien entre ellos, por qué sentía que aquel lugar me pertenecía, por qué aquellas costumbres, aquellas palabras, aquella manera de entender el mundo, la vida, todas las cosas, que repugnaban a mi familia, me atraían y me reconfortaban al mismo tiempo. No sabía por qué, cuándo, cómo había logrado mudarme al otro lado, acogerme a la hospitalidad de una orilla donde la oscuridad y la luz viajaban en dirección contraria a las que había conocido siempre, pero estaba segura de que, si los generales triunfaban, se acabaría el Lyceum Club, y ese mundo que aún no había logrado hacer completamente mío, se desharía entre mis dedos como una nube de polvo dorado, un espejismo tan bello y mentiroso como las caricias de un amante infiel, una trampa en la que yo ni siquiera había podido medirme todavía. Entonces, las lágrimas que temblaban en mis ojos, esas lágrimas que me acompañaban a todas partes como la promesa de una emoción que aún desconocía, se secarían para siempre, y nunca volvería a haber teatro en los pueblos que acababan de descubrir lo que era el teatro. Sabía que eso sería terrible, y que, a la vez, sería lo de menos, y que mis dos hermanos, tal vez también mi cuñado, estaban pringados hasta el cuello en aquel intento de acabar con la alegría de unos niños que jugaban al corro, porque sólo eso explicaba que estuviera sola, con Ricardo, en Madrid.

Cuando empezó a hacer calor, mi hermana Matilde, que ya tenía dos niños, esperaba mellizos y estaba pasando un embarazo muy malo, alquiló una casa en una playa cercana a San Sebastián, y después convenció a Ricardo de que mamá disfrutaría de un cambio de aires tanto, al menos, como iba a disfrutar ella del servicio que llevaría consigo. A primeros de junio, yo misma acompañé a mi madre hasta la casa de veraneo de mi hermana y pasé con ellas tres semanas, hasta que tuve que dejarle mi habitación a unos cuñados de Matilde que quedaron en devolvérmela el 29 de julio, víspera de mi vigésimo cumpleaños, un acontecimiento que mi familia iba a celebrar con una fiesta a la que ya habían invitado a todos los solteros veraneantes de los alrededores.

No sólo no me importó volver a Madrid, sino que regresé dispuesta a apurar hasta el último instante de aquel raro paréntesis de libertad. Por eso me fastidió tanto que mi hermano Juan, teniente de Infantería destinado en Pamplona, que una semana después de mi partida apareció por allí para dejar a su mujer y a sus hijos, se empeñara en que yo tenía que volver a San Sebastián inmediatamente. Matilde protestó, porque no tenía habitaciones libres y la ocurrencia de Juan, que la amenazó con no volver a dirigirle la palabra en la vida si no acogía a su familia, aunque tuvieran que dormir en los sofás del salón, la había obligado a hacinar al servicio en un solo dormitorio. Conmigo, nuestro hermano se puso igual de pesado, pero no pude complacerle porque, como era de esperar en aquellas fechas, los trenes estaban repletos, todos sus asientos reservados desde hacía meses. Cada año sucedía lo mismo. Los madrileños que podían pagarse unas vacaciones y no se iban al norte en la segunda quincena de junio, lo hacían en la primera de julio, así que llamé a mi madre para contarle que sólo había logrado una plaza para el expreso del día 17, que llegaba a su destino el 18 por la mañana, y le pareció muy bien. Sin embargo, doce horas antes de mi partida, cuando estaba haciendo ya las maletas, Juan llamó para decirme, sin darme explicaciones ni admitir preguntas, que aplazara el viaje. Y por la noche, Ricardo llegó corriendo, sin resuello, para abalanzarse sobre mí y cubrirme de besos al encontrarme sentada en el salón, cuando ya me creía a bordo de un coche-cama.

Sin embargo, en la incierta frontera del amanecer del 19 de julio de 1936, cuando todas las espadas estaban en alto todavía, y Ricardo se sentó en el borde de mi cama, aún creía que podía permitirme el lujo de no estar segura de lo que estaba pasando.

71

—¿Pero qué es esto? —me empeñé en creerlo por más que, al abrir los ojos, le vi con un uniforme militar que no era suyo—. ¡Ricardo! ¿Qué haces vestido así? ¿Qué hora es?

—Son las cinco y media de la mañana, Inés, dame un abrazo... —y me abrazó con una intensidad tan profunda como la emoción que empastaba su voz—. No salgas de casa hoy, por favor, no te muevas de aquí, y espérame. Nos veremos esta noche, cuando todo haya terminado.

—¿Qué...? —y entonces, sin soltarle aún, le besé muchas veces, porque era mi hermano, y le quería, pero sobre todo, porque me di cuenta de que estaba temblando—. ¿Qué pasa, Ricardo, qué vas a hacer, qué...?

—No tengas miedo, Inés —él me besó también, por última vez en mucho tiempo, antes de desasirse de mi abrazo—. Todo va a salir bien. Vamos a arreglar esto de una vez por todas.

—¡Ricardo! —pero cuando volví a llamarle, ya se había marchado.

Seguí sus instrucciones al pie de la letra y estuve sola en casa todo el día, pero mi hermano no volvió aquella noche, ni la siguiente, ni la otra. Virtudes, la única persona del servicio que no había seguido a mi madre hasta San Sebastián, regresó al atardecer, cuando ya no la esperaba, para ayudarme a comprender hasta dónde había llegado el juego de conspiradores aficionados en el que Ricardo se había volcado durante tantos meses.

—Los del Cuartel de la Montaña se han rendido —me anunció, como toda justificación para su ausencia—. Esta mañana ha habido un combate tremendo, por lo visto. Los muy... —se mordió la lengua, y me miró—. Bueno, quiero decir que los militares que se habían encerrado dentro le habían quitado los cerrojos a todos los fusiles que había en Madrid, los tenían allí, escondidos, para que nadie pudiera usarlos, sólo ellos, pero otro militar, un coronel, o general, bueno, no sé, uno de artillería, que lucha por la República, ha colocado un cañón y les ha estado arreando unos pepinazos de no te menees, así —y movió el brazo en el aire como si fuera ella quien disparaba—, uno detrás de otro... Total, que han sacado una bandera blanca, haciendo como que se rendían, ¿no?, y cuando la gente que estaba por allí, esperando a ver qué pasaba, se ha acercado, se han liado a disparar y han hecho una escabechina que para qué, pero al final se han rendido.

—¿Tú has estado allí? —le pregunté por pura curiosidad, pero ella se puso tan colorada como si temiera que fuera a regañarla.

—No, señorita, yo... Lo siento mucho. A mí me lo ha ido contando la gente por la calle, porque esta mañana, muy temprano, me he ido a ver a mis padres, pero me ha costado un sino llegar a Carabanchel, no crea, que los tranvías apenas pasaban, y los que venían, iban hasta los topes, así que he tenido que hacerme medio camino andando. Y luego, allí... *Pa* chasco, ya sabe usted cómo es mi madre. Yo sólo quería saber si estaban bien, pero ella se ha tirado media hora llorándome encima, se ha empeñado en que me quedara a comer, y vuelta a andar otra vez. Por eso he llegado tan tarde.

—No pasa nada, Virtudes —la miré, le sonreí—. Has hecho bien en ir a tu casa, si las cosas se han puesto así... Pero menos mal, porque si los del Cuartel de la Montaña se han rendido... —calculé en voz alta—. Esto se habrá acabado ya, ¿no?

—¡Y yo qué sé, señorita! —ella no estaba tan convencida—. Por lo visto, en otras partes no ha sido como aquí. La gente dice que los generales tienen Sevilla, y Galicia, y qué sé yo cuántos sitios más...

—Eso da lo mismo, Virtudes. Si se han rendido en Madrid, se rendirán allí también, ya lo verás.

Aquel día no hablamos de nada más. Ella no me preguntó por mi hermano, yo tampoco mencioné su existencia, y pasamos la noche en casa, las dos solas, una planchando en la cocina, la otra fingiendo oír la radio en el salón y pendiente en realidad del ruido de la puerta. Pero Ricardo no volvió.

Mientras seguía acatando sus instrucciones, con una disciplina que cada mañana me parecía un poco más absurda, Virtudes seguía cumpliendo con su rutina de siempre, y salía a la calle temprano, a comprar leche y pan para el desayuno, y más tarde iba al mercado, y volvía a salir a dar una vuelta después, a media tarde, porque estando las dos solas en casa no tenía gran cosa que hacer. Yo me quedaba dentro, siempre dentro, mirando por el balcón, como de costumbre, a la misma gente de antes haciendo las mismas cosas que hacían antes, o al menos eso me parecía, porque la guerra aún estaba muy lejos del centro de Madrid, y los uniformes, los fusiles que distinguía por las aceras de vez en cuando, no llegaban a interrumpir la placidez de una calle tranquila, en un barrio tranquilo donde no parecía que estuviera ocurriendo nada fuera de lo común. Desde el balcón, veía también a Aurora, entrando, saliendo y volviendo a entrar, al principio a la hora de cenar, un par de días después, tan tarde como siempre, aunque de vez en cuando subía a hacerme una visita para contarme cosas que no decía la radio, una versión de la realidad que coincidía mucho mejor con los pronósticos de Virtudes que con mi esforzado optimismo.

—Vente conmigo esta noche, mujer —me insistió cuando ya llevaba una semana tan encerrada como la primera vez que me salvó—. No es que pueda proponerte un plan del otro mundo, pero todavía podemos tomarnos unas copas y reírnos un rato, anímate, anda...

—No, otro día. Ahora... estoy demasiado preocupada. No me atrevo a salir de casa, por si Ricardo...

—Ricardo no va a volver, Inés —mi vecina me desengañó con suavidad—. Estaba metido en la sublevación hasta las cejas, lo sabes, ¿no? Me he enterado de que ha pedido asilo en la embajada de Suecia, con el novio de tu prima, y dos o tres más. Y estoy segura de que es verdad, porque me lo ha contado otro facha al que ya no le dejaron entrar, como si la embajada fuera un hostal con el cartel de completo colgado en la puerta.

—Pero ¿entonces qué...? —y no pude seguir, porque sentía que el corazón estaba a punto de escapar de mi cuerpo por la boca.

—Entonces nada —Aurora vino a sentarse a mi lado, me cogió de las manos, sonrió—. No le va a pasar nada, a Ricardo precisamente no, pero nada de nada, en serio —repitió, y en sus ojos vi que me estaba diciendo la verdad—. Si se hubiera escondido en otro sitio, no te digo yo que no, pero en una embajada, y europea, además... A esos, nadie les va a tocar, Inés, puedes estar segura. Cuando esto se aclare, se exiliará, eso sí. Los suecos lo sacarán de aquí, y después... Vete a saber. Todo esto es una locura, una imbecilidad de tal calibre, que lo más fácil es que dentro de nada volvamos a estar como antes, retirándonos el saludo unos a otros, eso sí, y nada más...

Pero aunque aquella noche tampoco quise salir de casa, nuestra vida nunca volvió a ser como antes.

La revelación de Aurora me inquietó más de lo que me había preocupado la ausencia de mi hermano, porque la buena noticia de que estaba a salvo vino envuelta en una amarga paradoja. Yo, que nunca había estado sola, y tampoco había deseado nunca otra cosa que estarlo, lo había logrado en el momento menos oportuno. Yo, que jamás había podido decidir sobre mi vida, sobre mis actos y mi destino, me había convertido en la única autoridad con poder sobre mí misma en la peor coyuntura que habría podido imaginar. Yo, que siempre había pensado en el mundo como en una suma infinita de cosas interesantes que ver, que hacer, de las que disfrutar, tenía el mundo ante mí, al alcance de la mano, y me faltaban fuerzas hasta para salir al rellano de la escalera. No era fácil. Olvidar todo lo que había aprendido, aunque nunca me hubiera gustado, no fue fácil. Hacer las cosas sin permiso, por más que hubiera detestado tener que pedirlo, no fue fácil. Dar un paso desde el pasado que aborrecía hasta un futuro incógnito, en el que cabía lo mejor y lo peor, no me resultó nada fácil. Pero aquello era una guerra, y se habían acabado las contemplaciones.

—Perdone, señorita, pero... —el 27 de julio, Virtudes entró en el salón retorciéndose el delantal con las manos— ¿usted tiene dinero?

—¿Dinero? —le pregunté, como si desconociera el significado de esa palabra—. Pues... no. Bueno, no sé, hace tanto que no salgo a la calle, que... ¿Por qué? —y recordé la fecha en la que estábamos—. ¡Ah, bueno! Yo creía que tú cobrabas a últimos de mes...

—Si no es eso, señorita, es que... —ella se puso todavía más nerviosa, porque dejé de ver el borde del delantal entre sus dedos—. Mi sueldo ahora es lo de menos, pero ya no tengo ni para comprar el pan.

—¿No? —pregunté, muy sorprendida—. Pero en el cajón de la cocina...

—En el cajón de la cocina ya no queda nada. Ayer me gasté lo último, y...

—Ya, ya —moví una mano en el aire mientras asentía con la cabeza—. Claro, si es que hace una semana ya que... —mi hermano se marchó, pensé, pero no lo dije—. Bueno, no te preocupes. Voy a mirar por ahí, a ver qué encuentro. En el bolso debo de tener algo...

No era mucho, pero se lo di, y le encargué que, ya que salía, aprovechara para hacer la compra. Quería quedarme a solas con mi nombre y con mis apellidos, Inés Ruiz Maldonado Castro de Soto Suárez de Medina. El último ni siquiera estaba escrito en la agenda, no hacía falta. Copié con mucho cuidado los cuatro primeros números de los otros cinco, antes de descolgar el retrato de mi abuelo para enfrentarme con la caja empotrada en la pared.

Sabía que estaba allí porque alguna vez la había visto de lejos, pero nunca me había acercado a ella. Estudié con atención la puerta de acero, la rueda, la palanca, y el conjunto me pareció tan complicado que me desanimé de antemano, pero aunque las manos me temblaban, resultó muy fácil abrirla. Saqué lo que había dentro con mucha parsimonia, no porque estuviera tranquila, sino por todo lo contrario. La sangre fluía por mis venas demasiado aprisa, o demasiado despacio tal vez, pero desde luego a un ritmo equivocado, que dificultaba hasta el más sencillo de los movimientos de mis manos, de mis dedos. La caja fuerte estaba llena de papeles y, sobre todos ellos, había una nota de Ricardo, fechada a las cinco de la mañana del 19 de julio de 1936.

Querida Inés: Si estás leyendo estas letras, es que todo ha salido mal. Si estás leyendo esta nota, es que estoy muerto. Habré muerto con la conciencia tranquila de haber dado mi vida por la libertad de mi patria, con la esperanza de que mi muerte sirva para forjar un nuevo imperio, y con la tristeza de haberte dejado a ti desamparada, Inés, mi pobre Inés. Sólo puedo pedirte perdón, por no haber sabido cuidar de ti, por no haberte evitado el dolor y la angustia que estarás pasando. Perdóname, Inés, perdóname, perdona a este desdichado hermano tuyo que no ha hecho más que cumplir con su deber, y no te fíes de nadie, de nadie, sé fuerte y valiente para cuidar de ti misma y algún

Tras esa frase, que dejó sin terminar, Ricardo se despedía de mí como tantas otras veces, dándome besos, abrazos, y diciéndome que me quería. Yo también le quería, y quizás por eso le lloré como si estuviera muerto, aunque nunca dejé de creer en las palabras de Aurora. Siempre estuve segura de que mi hermano se había salvado, y sin embargo, aquella mañana lloré por él con el mismo desconsuelo que habría derramado sobre su cadáver. Pero mi llanto cesó abruptamente, porque cuando volví a meter la mano en aquella caja de acero, me encontré con un carné de Falange Española a nombre de Ricardo Ruiz Maldonado entre las manos. Aquello era la guerra, y ya se habían acabado las contemplaciones.

Antes de quemar el carné en un cenicero, le eché el cerrojo a la puerta. Después, y con una progresiva serenidad de la que me asombraría más tarde, porque en aquel momento no tenía tiempo ni para eso, fui estudiando el contenido de la caja, escrituras, acciones, el testamento de mi padre, el de mi madre, y una cantidad abrumadora de billetes de banco, tantos que ni en toda mi vida los había visto juntos. Los fui contando, uno por uno, hasta descubrir que sumaban la astronómica cantidad de doscientas treinta y dos mil pesetas justas. Separé un fajo de billetes, me guardé unos cuantos en el bolsillo, metí los demás en un cajón del escritorio, lo cerré con llave, y devolví el resto a la caja fuerte. Luego me arreglé el pelo, me estiré la ropa, y me sentí tan culpable como si hubiera descubierto a alguien mirándome.

Metí cinco duros en el cajón de la cocina, le dije a Virtudes que me pidiera más cuando lo necesitara, y la esquivé durante el resto del día. Seguía sintiéndome como una ladrona, la usurpadora de un trono ajeno o una torpe estafadora, de esas que se creen muy listas cuando la policía ya ha puesto precio a sus cabezas. Pero la policía nunca vino a buscarme.

—Inés... —y cuando alguien lo hizo, cinco meses después, Virtudes me llamaba de tú, porque a ninguna de las dos le quedaba ya otra hermana—. Ahí fuera está un hombre que dice que te conoce, que es amigo de Ricardo, aunque si quieres que te diga la verdad, yo no lo he visto en mi vida...

Cuando mi hermano envió a alguien para que se hiciera cargo de mí y de ese dinero, yo había descubierto ya que mi sangre era efervescente, y para qué, para quién habían guardado mis ojos aquellas lágrimas que representaban un tesoro más valioso que el contenido de cualquier caja fuerte.

—Oye, Virtudes —porque el día que la abrí, no salí de casa, al siguiente tampoco, pero el 30 de julio decidí que ya estaba bien—, he pensado que, como hoy es mi cumpleaños y no he podido celebrarlo, ni nada... ¿Por qué no te arreglas y nos vamos a la Gran Vía?

El 30 de julio de 1936 cumplí veinte años, y me hice a mí misma el regalo de pararme a pensar. Miré a mi alrededor, resté lo que había perdido de lo que aún conservaba, y así comprendí, en primer lugar, que lo que hasta entonces había sido mi vida, con sus costumbres y sus rutinas, las normas que siempre había acatado dócilmente y la culpa que me retorcía por dentro cuando las infringía, habían perdido todo su sentido. Para mí sólo había dos caminos, echar todos los cerrojos de todas las puertas y enterrarme en vida sin más horizonte, sin otro propósito que mi propio encierro, o aprender a vivir de otra manera. Cuando escogí el segundo, descubrí que aún podía hacerme otro regalo, y me fui a buscar a Virtudes. La encontré en la cocina, planchando, pero me opuso una resistencia más tenaz de la que habría esperado incluso si hubiera tenido la cena a medio hacer.

—¿A la Gran Vía?

Lo repitió muy despacio, mientras me miraba como si se lo hubiera propuesto en un idioma indescifrable, y cuando volvió a hablar, su voz había adelgazado hasta encajar en los límites de un hilo precario, tembloroso.

—¿Y para qué vamos a ir a la Gran Vía? —eso me preguntó, y no supe por dónde seguir.

Si me hubiera preguntado por qué, habría sido más sencillo, porque llevaba todo el día meditando esa respuesta. Si me hubiera preguntado por qué, le habría contestado que porque yo no tenía la culpa de nada, porque estaba harta de estar metida en casa, porque si todos me habían dejado allí, abandonada a mi suerte, tenía derecho a hacer lo que me apeteciera, porque me estaba quedando pálida como una muerta de no ver el sol, porque si era capaz de salir aquella noche, también podría salir al día siguiente, y porque era mi cumpleaños, porque aquel día había cumplido veinte años y sólo podía elegir entre salir y morirme. Pero no me había preguntado por qué, sino para qué, y no me resultó fácil hallar una respuesta.

—Para ir —no encontré nada mejor, pero me acerqué a ella para cogerla de las manos y balancearlas con las mías, como cuando éramos pequeñas—. ¿O es que tú has ido a la Gran Vía alguna noche?

—Uy, no, señorita —negó con la cabeza y mucho vigor—, yo, desde luego que no.

—Pues yo tampoco. Y ya va siendo hora, ¿sabes?

—Es que... —pero con eso no la convencí—. Salir de noche, por la Gran Vía, las dos solas... Vamos a parecer unas busconas.

—¿Unas busconas? —solté sus manos y percibí el desaliento de mi propia voz, mientras hablaba tan en serio como lo había hecho muy pocas veces—. No me digas eso, Virtudes, no me lo digas, por lo que más quieras, por favor te lo pido, no lo vuelvas a decir. A ver si precisamente esta noche, la primera vez en mi vida que puedo hacer lo que se me antoja, resulta que voy a parecer una buscona.

—Lo siento, señorita.

No pude mirarla a los ojos porque, después de pedirme perdón, bajó la cabeza para clavarlos en las baldosas del suelo, pero me di cuenta de que no me había entendido. No era fácil de explicar, pero volví a cogerla de las manos, se las apreté hasta que volvió a mirarme, y seguí hablando, reconociendo mi voz, pero no su acento, un aplomo que le pertenecía, que debía pertenecerme a mí también, puesto que estaba brotando de mis labios, pero cuya existencia había ignorado hasta aquel mismo momento, como si nunca lo hubiera necesitado antes.

—Yo sólo quiero salir para dar una vuelta, porque es mi cumpleaños, y estoy harta de estar en casa, y... Y porque siempre he querido ir de noche a la Gran Vía —al confesar la verdad, sonreí como una tonta—. ¿Qué quieres que te diga? Mi madre siempre dice que tengo el mismo gusto que los paletos de los pueblos, pero yo siempre he querido ir, nadie ha querido llevarme, y ahora... Ahora ya no hay nadie aquí a quien pedirle permiso, ¿verdad? Me han dejado sola, y eso me convierte en una mujer libre, ¿o no? Las dos somos mujeres libres, Virtudes, igual que Aurora, que sale todas las noches con sus amigos, y vuelve de madrugada, y no le pasa nada.

—Ya, pero la señorita Aurora está acostumbrada, y nosotras...

—Nosotras nos acostumbraremos enseguida, Virtudes, ya lo verás. Y yo sólo quiero ir a la Gran Vía a dar una vuelta, tampoco es mucho pedir, ¿no? —era muy poco, pero en aquel momento representaba tanto para mí que mi voz se quebró sin pedirme permiso—. Es una tontería que perdamos el tiempo discutiendo por tan poca cosa, así que coge lo que quieras de mi armario y vámonos, porque hoy cumplo veinte años y no quiero ni pensar... No quiero acabar cenando una tortilla francesa en la cocina.

—Bueno, pues si quiere... —lo que no habría querido era convocar la compasión que vi en sus ojos, aunque sólo eso logró decidirla—. Pero no me llore usted, señorita.

—Si no estoy llorando, mira, ¿ves? —y me limpié los ojos de un manotazo—. Ya no estoy llorando.

Media hora después, dos mujeres libres se bajaron de un taxi en la esquina de Alcalá con la Gran Vía. Una de ellas era Virtudes, la otra era yo, y las dos sonreímos.

—¿Adónde van las chicas guapas?

Cuando volví la cabeza, no pude averiguar cuál de los milicianos que se alejaban en un camión, Alcalá abajo, había gritado aquella pregunta, porque todos nos devolvieron la sonrisa. Entonces miré a mi alrededor, abrí los brazos, y fue como si nunca hubiera tenido brazos, como si nunca los hubiera tenido abiertos, como si la brisa ligera de una noche de verano no los hubiera acariciado jamás.

Antes de llegar a Callao, ya había decidido que no podía existir una causa mejor que aquella, la causa de mis brazos, de la brisa, de aquel piropo y las sonrisas juveniles que lo acompañaban, la causa de una ciudad volcada hacia fuera, viviendo en la calle, las aceras abarrotadas como si fuera de día, aquella noche brillante, luminosa, en la que el peligro aún parecía muy lejano y sin embargo ya estaba ahí, sacándole punta a todo, a las palabras, a los gestos, a los cuerpos, a la vida. Aquello era más de lo que yo podía esperar, y esperaba tanto que aquel desbordamiento me aturdía, pero por encima de mi confusión, empecé a sentirme bien en aquel tumulto de gente despareja, misteriosamente integrada en un conjunto armónico que tenía sentido pese a su dificultad, mujeres perfumadas, elegantes, aceptando con una sonrisa la lumbre que les ofrecía un obrero que no se había quitado su ropa de trabajo, señores impecablemente vestidos discutiendo a blasfemia pelada en las mesas de los cafés, parejas de adúlteros a quienes les había tocado la lotería de besarse en las esquinas sin que nadie se parara a mirarles, oficiales de uniforme que sonreían con el puño en alto cuando escuchaban aplausos a su paso, muchos extranjeros, Virtudes y yo, una multitud vivísima de hombres y mujeres de aspecto familiar y naturaleza desconocida, un Madrid distinto, insospechado, que seguía siendo el mismo y mi ciudad, a la que me sentía pertenecer como nunca antes. Nada de lo que pasó después habría ocurrido si aquella noche no me hubiera enseñado que mi sangre podía llegar a ser efervescente.

—Vamos a sentarnos aquí —le dije a Virtudes al ver que se quedaba libre una mesa en una terraza.

—No, señorita, eso sí que no —y me cogió del brazo cuando ya tenía la mano en una silla—. De día aún, pero ahora... No podemos sentarnos aquí, las dos solas, como si estuviéramos en un escaparate, para que nos vea todo el mundo. ¿Qué vamos a parecer? ¿Qué van a pensar de nosotras?

La miré, y vi en sus ojos un temblor de angustia genuina, un miedo auténtico que tenía poco que ver con la teoría, todas esas convenciones injustas, odiosas, ridículas, que habían inspirado sus palabras. Virtudes, que era baja, menuda, menos llamativa que yo pero más guapa de cara, iba vestida con mi ropa, una blusa, una falda, un collar de cuentas de colores. Por fuera parecíamos iguales, por dentro su inquietud nos hacía diferentes. Yo me podía permitir el lujo de ignorar lo que cualquiera pensara de mí aquella noche, pero ella tenía derecho a preocuparse por su reputación. Eso pensé, y que no podía obligarla a acompañarme porque no sería justo para ella, así que la cogí del brazo y seguimos andando, dejándonos llevar por aquel torrente humano, interminable, hasta la Puerta del Sol, donde al fin me consintió entrar en La Mallorquina y comprar dos bollos rellenos de nata que nos comimos en la calle, como si sentarse, incluso dentro de una confitería, fuera una relajación definitivamente incompatible con la decencia de dos mujeres jóvenes y solteras. Era un pobre festín para un cumpleaños, pero antes de terminarlo, ya había aprendido que las cosas eran aún más complicadas de lo que parecían.

—Pero ¿qué haces?

Ella no me contestó, ni siquiera volvió la cabeza para mirarme, y hasta que se abrió el semáforo, siguió plantada en la acera, con el cuerpo erguido, una imperturbable sonrisa entre los labios y el brazo derecho doblado en ángulo recto, para saludar con el puño cerrado a un camión de milicianos que se había parado a nuestro lado.

—¡Virtudes! —me acerqué a ella y la sacudí—. Que qué haces...

—Nada, saludarles —me respondió, con toda la naturalidad del mundo—. Es que esos eran de los míos.

—¿De los tuyos? —e insistí, como si no lo hubiera comprendido a la primera—. ¿Cómo que de los tuyos?

—Pues sí, de los míos —entonces desvió la mirada, bajó la voz, y pareció arrepentirse de haber llegado tan lejos—. No se lo he dicho nunca, señorita, pero yo... Estoy afiliada a la JSU.

—¿A la JSU? —miré el bollo mordisqueado con extrañeza, lo envolví en la servilleta, para que no se ensuciara, y lo dejé encima de la barandilla de las escaleras del metro, porque ya no tenía fuerzas ni para acabar de comérmelo—. ¿Cómo que estás afiliada a la JSU? O sea, que dices que salir por la noche es de busconas, no me dejas sentarme en una terraza, me obligas a comer andando por la calle, para que no nos tomen por putas... ¿y ahora me sales con que eres de la JSU?

—Pues sí —terminó de rebañar la nata con la lengua y me miró con extrañeza—. Eso no tiene nada que ver.

—Pero ¿cómo no va a tener nada que ver?

Empecé a pasearme por la acera, tres pasos a la izquierda, tres a la derecha, a la izquierda otra vez, y una anciana que entraba en el metro cogió el paquete envuelto en la servilleta, lo abrió, se puso muy contenta y se zampó lo que quedaba de mi bollo en tres bocados.

—Piensa un poco, Virtudes, es todo lo mismo, ¿no lo entiendes? —y antes de que se formara un corro a nuestro alrededor, la cogí del brazo y echamos a andar otra vez—. Si quieres que cambien las cosas, que haya justicia y libertad para todos, ¿cómo se te ocurre que las mujeres no tengamos derecho a hacer lo mismo que hacen los hombres?

Cogimos otro taxi para volver a casa, y al llegar, le dije que me esperara en la cocina. Cuando volví a entrar, con una botella de Pedro Ximénez y dos copas, volvió a mirarme como si no me conociera, como si no pudiera entender nada de lo que yo había hecho, de lo que había dicho aquel día.

—Bueno, pues vamos a brindar —propuse—, que es lo menos que se le puede pedir a un cumpleaños. Y así, de paso, charlamos un poco, a ver si nos entendemos...

Aquella noche hablamos y hablamos, y discutimos, y nos reímos, y volvimos a hablar hasta que se nos cayeron los párpados, de cansancio y de borrachera, al borde del amanecer. Un mes y medio después, cuando el timbre de la puerta empezó a sonar a la hora de la reunión que ella misma había convocado, todavía no la había convencido del todo, quizás porque mis propias convicciones habían ido cambiando desde la primera noche de mi libertad. Sólo había pasado un mes y medio, y sin embargo, la Gran Vía se había vuelto demasiado estrecha para mí. Aún no conocía otra manera de describir mi avidez, el agujero imaginario que, en el lugar de mi estómago, se negaba a saciarse con aquellas pequeñas aventuras nocturnas que al principio me habían parecido tan grandes. Aurora me invitaba a salir de vez en cuando, pero me entendía mejor con Virtudes, quizás porque los pocos amigos que conservaba mi vecina tenían un único tema de conversación, que consistía en reírse de los que estaban ausentes porque se habían alistado.

Yo intuía que tras su cinismo, la congelada finura de su ironía, no había más que mala conciencia, una cobardía enmascarada de superioridad intelectual que buscaba mi complicidad pero sólo servía para agrandar el hueco de mi estómago. Hasta que una noche, mientras pensaba, como tantas otras, que si yo fuera un hombre me habría alistado, comprendí que lo que estaba pensando no eran sólo palabras. Si yo fuera un hombre, me habría alistado, y era verdad. Por eso lo dije en voz alta. Luego me levanté, me puse el abrigo, salí a la calle, volví a casa andando y no volví a soltarle a Virtudes ningún sermón sobre la emancipación de la mujer, porque no hacía falta. Ya sabía que aquella sublevación militar no se parecía a ninguna de las que habíamos vivido antes de entonces, pero hasta aquella noche no comprendí que, a pesar de la desorganización, de los desórdenes, de los excesos y los errores que se cometían todos los días, nos lo estábamos jugando todo en una sola apuesta. Y desde aquel instante, nunca dejé de levantar el puño para saludar a los camiones con los que me cruzaba por la calle, ni de sonreír al hacerlo.

Vivíamos un tiempo decisivo, y mi estómago lo descubrió antes que yo, porque cuando me levanté del sofá para ir a la cocina a curiosear, sentía que estaba hueco pero aún no conocía el origen de su oquedad, ni sabía qué nombre ponerle. Aquella tarde estaba tan aburrida como de costumbre. No tenía ninguna cosa que hacer y, por primera vez, la oportunidad de contemplar, aunque fuera de lejos, una reunión política. No aspiraba a más cuando enfilé con sigilo el pasillo que llevaba a la cocina, y si la puerta hubiera estado cerrada, habría vuelto sobre mis pasos con una decepción tan leve que ni siquiera la habría recordado al día siguiente. Pero aquella puerta desembocaba directamente en mi futuro, y estaba abierta.

Lo que vi, sin que nadie me viera, fue a una docena de personas muy jóvenes, nueve hombres, tres mujeres y un solo gesto grave, concentrado, cargado de ansiedad y de emoción, en cada uno de sus rostros. Ocho de los chicos y una chica llevaban uniforme militar, pero todos parecían pendientes de un individuo algo mayor que ellos y vestido de civil, una chaqueta cruzada de cuero negro, cuyas grandes solapas le prestaban un aire más marcial que el de los propios soldados, sobre una camisa blanquísima. Tenía el pelo castaño, rizado, revuelto sobre la frente, los ojos grandes, del color de la miel, y una decisión serena en la boca de labios finos, apretados. Cuando le vi por primera vez, estaba callado. Asentía con la cabeza a las palabras de un miliciano pequeño y cejijunto, como una estampa clásica de campesino español de todos los tiempos, que tenía las manos desproporcionadamente grandes y algunas calvas en la cabeza, recién rapada.

—Ya se ha acabado el tiempo de la política, camarada —eso fue lo primero que oí—. Mola está en Navacerrada, como quien dice. No podemos seguir celebrando reuniones y haciendo revistas igual que antes. Ahora hay que luchar.

—Mira, Pedro —la miliciana se dirigió al hombre de la chaqueta de cuero con una vehemencia controlada, respetuosa—. Yo me afilié por ti, ya lo sabes, pero esta vez... Jose tiene razón.

—Y yo no se la quito —al escucharle, me estremecí, porque nunca había oído una voz como aquella, potente y aterciopelada al mismo tiempo, capaz de transmitir una autoridad comprensiva, casi dulce, que le permitía afirmar su superioridad sin ofender a nadie, pero sin dejar tampoco resquicio alguno para la duda o la insubordinación—. Claro que tiene razón. Es el momento de luchar, pero ahí fuera tienen que saber por qué, contra quién luchamos. El futuro de la Humanidad está en España, ¿es que no os dais cuenta? Somos la vanguardia de la libertad del mundo.

—Eso es verdad —otro miliciano dijo en voz alta lo que yo estaba pensando desde la protectora sombra del pasillo—. No somos un ejército cualquiera.

—Porque esta no es una guerra cualquiera. Esta es una guerra justa, una guerra contra la miseria, contra la injusticia, contra la explotación. Una guerra por el futuro —aquella voz me llamaba, me estremecía, me desordenaba por dentro y, fuera de mí, desordenaba cuanto me rodeaba—. ¿Vosotros os dais cuenta de que por primera vez tenemos nuestro destino en nuestras manos? ¿Os dais cuenta de que por primera vez en la historia de este puto país, podemos decidir qué queremos ser, cómo queremos vivir?

Si hubiera escuchado aquellas palabras en un cine, en un teatro, en cualquier sala cerrada y repleta de gente, cabezas anónimas asintiendo en silencio, muy lejos del estrado, quizás habrían podido convencerme, pero nunca me habrían conmovido tanto como me conmovieron aquella tarde, en la cocina de mi casa, mientras una ternura inmensa, desconocida, me invadía poco a poco y siempre un poco más, como invaden la arena las olas del océano, al contemplar los rostros serios, decididos, de aquellos chicos tan jóvenes, tan pobres, tan serenos en el instante de cargar con la Historia, de echársela a la espalda como uno más de los incontables fardos que habían llevado a cuestas desde que sus madres los echaron al mundo, para que empezaran a sostener con sus hombros un mundo que era de otros.

—¿Qué somos? ¿Qué fueron nuestros padres? ¿Y nuestros abuelos? —y casi pude verles cuando eran niños, jugando al corro, mal abrigados, peor calzados, muy delgados, muy sucios—. No fueron más que mulos, criados, bestias de carga, eso fueron ellos y así nacimos nosotros, personas sólo de nombre. Somos los que nunca tuvieron nada pero ahora tienen una oportunidad —y aquellas lágrimas prestadas, misteriosas, de repente viejas, cobraron vida y sentido al rebasar por fin la frontera de mis párpados—. No es más que eso, una oportunidad, y parece poco, pero es más de lo que hemos tenido nunca. Por eso ha llegado el momento de luchar, pero también de saber por qué luchamos, porque hasta ahora, jamás habíamos podido combatir por nosotros mismos, por nuestro porvenir, por el de nuestros hijos —y nada había sido nunca tan mío como aquel llanto breve, secreto, sólo dos lágrimas marcando al mismo tiempo mi destino y mis mejillas—. Esa es nuestra misión, forjar un auténtico ejército del pueblo, un ejército de hombres que sepan muy bien lo que son y lo que representan, un ejército de puños y de conciencias, capaz de hacer fuego con las armas, pero sobre todo con una verdad...

En marzo de 1943, cuando ya creía haber perdido hasta el aliento necesario para respirar, mi vida mejoró gracias al cariño de mi cuñada Adela, y a la compañía de un aparato de radio. Dos años antes, cuando mi hermano me sacó de la cárcel de Ventas, la Pirenaica aún no existía. Me enteré de que había comenzado a emitir, como de tantas otras cosas, gracias a fragmentos sueltos de conversaciones captadas al azar tras una puerta cerrada.

Al recibir el nombramiento de delegado provincial de Falange Española en Lérida, Ricardo había alquilado un buen piso en una de las mejores calles de la capital. Por aquel entonces, Adela acababa de parir a Matilde, su segunda y última hija, y estaba convaleciente todavía. Unos meses después, con el correspondiente beneplácito del ginecólogo y el pediatra, mi hermano alquiló otra vivienda, una antigua casa de campo situada en las afueras de Pont de Suert, en un paraje privilegiado de la falda de los Pirineos, tan escondido entre pinares y próximo a un río bello como su misterioso nombre, Noguera Ribagorzana, que su jardín era como una isla verde en un océano del mismo color, el epicentro de un mundo fresco y apacible, fértil y hermoso como los países que florecen en las páginas de los cuentos infantiles. A mi cuñada le encantó aquella casa mientras creyó que sólo iban a ocuparla en verano, pero cuando llegó septiembre y Ricardo le anunció que su cargo le impedía vivir tan lejos de la capital, y que había decidido que lo mejor era que ella se quedara en el campo, con los niños, y él viniera a verla los fines de semana, comprendió el verdadero sentido de tanta belleza, la condición de una jaula de oro en la que yo no sería la única prisionera.

—Pero es que, no sé, que tú vivas por un lado y yo por otro... —balbuceó mi pobre cuñada—. Eso es como si nos separáramos, ¿no?

—No seas exagerada, mujer —le contestó él—. Así es como han vivido siempre los ingleses.

—Ya, pero yo soy de Vitoria y tú de Madrid. Nosotros no somos ingleses, Ricardo.

—Bueno, pero es lo mejor —y le dedicó una mirada mucho más elocuente que sus palabras antes de besarla en la frente—. Lo que más nos conviene a los dos. Yo sé lo que me digo, hazme caso.

Desde el otoño de 1942, Ricardo sólo dormía en aquella casa los fines de semana, y algún día suelto en el que sus viajes por la provincia terminaban en algún punto más cercano a Pont de Suert que a la capital. Cuando eso ocurría, siempre llamaba por teléfono para avisar, y yo me enteraba antes de que Adela viniera a contármelo, sólo con mirarla a la cara. Entonces, mientras sus ojos resplandecían, renunciaba de antemano a la pequeña aventura de otras noches en las que me quedaba leyendo en mi habitación hasta que lograba aburrirme del silencio de una casa dormida. Después, bajaba las escaleras de madrugada, entraba en la biblioteca sin hacer ruido, encendía la radio a oscuras, y movía la rueda muy despacio hasta encontrar una voz, *aquí, Radio España Independiente, estación pirenaica, la única radio sin censura de Franco,* que me calentaba el corazón y me devolvía a una felicidad muy próxima en el tiempo, tan remota sin embargo en mi memoria como si nunca la hubiera conocido. Aquella voz era ya lo único que tenía, lo único que me quedaba del destino que había escogido, el mundo al que había querido pertenecer, y no era mucho, pero mi vida, que había llegado a ser muy grande, se había vuelto tan pequeña de repente que esa sola voz bastaba para envolverla, para acunarla entre los brazos de una esperanza tibia y benéfica, para hacerme compañía en la implacable soledad de mis prisiones. Eran sólo palabras, pero yo no necesitaba nada tanto como escucharlas.

Esas noches, Adela solía tomar un somnífero para no desvelarse pensando en los motivos que retenían a su marido en la capital, más allá de su bien, del bien de los niños, y del placer de sus amigos, a quienes invitaba casi todos los fines de semana a cazar y a pasear a caballo cuando hacía buen tiempo. Por eso, y porque la Pirenaica aún era una novedad que absorbía por completo mi atención, aquella noche no la oí entrar. Aún me estaba preguntando cómo habría podido yo encender la luz sin tocar nada, cuando volví la cabeza para encontrármela de pie delante de la puerta, en camisón y descalza, igual que yo, con los brazos cruzados debajo del pecho y, en su rostro, una expresión de perplejidad más intensa que la habitual.

—No lo entiendo, Inés. De verdad que no lo entiendo.

Adela era muy buena, pero muy simple. Su bondad no sólo no era consecuencia de su inocencia sino, al contrario, el fruto de un constante ejercicio de voluntad que se imponía sobre sus limitaciones para comprender el mundo. Para ella, que estaba convencida de que había gente buena y gente mala, igual que hay letras negras sobre el papel blanco de los libros, yo, una insólita letra blanca sobre un papel que para ella nunca podría ser sino negro, representaba un conflicto permanente, que agudizaba una crisis más profunda. Adela apenas había llegado a ser feliz con mi hermano. Yo había conocido a pocas personas que merecieran tanto la felicidad, pero ella no era feliz. Quizás por eso, o porque no entendía la obsesión de Ricardo por retenerme en España contra mi voluntad, desde el primer momento decidió quererme, y me quiso como si fuera mi madre y mi hermana al mismo tiempo, para darme la oportunidad de recordar lo que significaba querer a alguien. Yo también la quería, tanto que aquella noche no fui capaz de moverme, ni siquiera de apagar la radio, mientras la veía mirarme, decepcionada y triste.

—Nunca me he atrevido a preguntártelo, pero tú... —y meneó la cabeza con los ojos cerrados, la boca fruncida en una mueca de desaliento—. ¿Cómo pudiste? ¿Qué tenías tú que ver con esa gente?

En ese momento me di cuenta de que, aunque pareciera mentira, ni mi madre, ni mis hermanos, ni la directora de la cárcel, ni sus oficialas, ni la superiora, ni las monjas, ni siquiera la hermana Anunciación, habían tenido suficiente interés en mí como para hacerme aquella pregunta. Era como si todos ellos estuvieran seguros de que yo no había podido tener ningún motivo para cambiar de rumbo, para mudar la piel, para pasarme al enemigo, hasta tal punto me odiaban y me temían, o tan poco necesitaban para condenarme. No tenía ninguna respuesta preparada, pero cerré un instante los ojos, recordé aquella tarde de septiembre de 1936, las palabras de Pedro Palacios, la cocina de mi casa de Montesquinza, y apagar la radio, levantarme, llegar hasta mi cuñada, abrazarla con fuerza, me resultó muy fácil.

—Todo, Adela, todas las cosas —me separé de ella para mirarla, y le cogí la cabeza con las manos para que dejara de negar, de moverla de un lado a otro—. Si hablaban de la libertad, de la humanidad, del futuro, y eran tan jóvenes, tan valientes... No tenían nada, y estaban dispuestos a darlo todo, a morir por mí. ¿Cómo no iba a tener yo nada que ver con ellos?

Aquella noche, Adela y yo nos quedamos despiertas, hablando en la biblioteca durante muchas horas. Yo le conté mi vida, y a pesar de su simpleza, ella la entendió tan bien que nunca se atrevió a volver a preguntar por qué, aquella tarde de guerra y de septiembre, había salido yo de la penumbra del pasillo a la luz de la cocina.

—Hola —en aquel momento, el instinto bastó para justificar mis pasos—, me llamo Inés. ¿Os importa que me siente a escuchar?

Nadie, ni siquiera Virtudes, contestó enseguida. Al mirar a mi alrededor, estuve a punto de sentirme como una intrusa, pero la radiante sonrisa de Pedro se impuso a tiempo sobre once rostros indecisos, once bocas abiertas, congeladas por el asombro.

—Claro que no —mientras se levantaba para cederme la silla, me miró de arriba abajo y su sonrisa se ensanchó—. Bienvenida.

Luego se apoyó contra la pared y siguió hablando, explicando que en una guerra antifascista se lucha igual en el frente y en la retaguardia, que todos son necesarios, los soldados en las trincheras, los trabajadores en las fábricas, los militantes en la calle, manteniendo vivo el fervor de la gente, la fe del pueblo en el esfuerzo de la guerra y el sacrificio que conduce a la victoria, y mientras le escuchaba, comprendí al fin por qué mi estómago estaba hueco y que ante mí ya no había dos caminos, sino uno solo, darme y dar conmigo todo cuanto tenía, entregarme hasta el fondo, arriesgar mucho más que una opinión, más que una simpatía o un gesto aislado, ese mar de precauciones, estar sin estar, ser sin ser, pensar sin sentir, en el que había navegado aquel verano. Parecía una decisión grave, compleja, pero fue muy fácil porque en realidad ya había elegido, porque sólo necesitaba comprenderlo. Sólo necesitaba escuchar aquella voz que desmenuzaba como la miga de un pan lo que hasta entonces había sido la realidad, para que la cáscara de mi pasado, incapaz de conservar su impostura de puntillas blancas frente a la avasalladora potencia de una vida nueva, saltara en pedazos al contacto con las palabras que pronunciaba.

—Sé que os estoy pidiendo mucho, pero os voy a pedir mucho más —y Pedro hablaba para sus compañeros, pero me miró a mí—. Os lo voy a pedir todo. Es preciso darlo todo, sin ceder al desánimo, al dolor, al cansancio, para llegar a tenerlo todo. Y no podemos conformarnos con menos.

—Cuenta conmigo, por favor —le dije al final, después de esperar a que todos salieran para poder quedarme un momento a solas con él, junto a la puerta—. Para lo que haga falta.

Al escucharlo, volvió a sonreír, entornó los ojos y alargó la mano derecha hacia mí, la deslizó entre mi cuello y el de mi blusa, la apretó un instante sobre mi piel, y yo dejé caer levemente la cabeza sobre ella para apreciar su calor, el tacto rugoso y firme de sus dedos.

—Gracias, Inés —en aquel momento, él ya sabía lo que iba a pasar entre nosotros antes o después, y yo lo sabía también, aunque más aproximadamente—. Salud.

Luego me quedé quieta en el umbral para verle bajar la escalera. En el descansillo, levantó la cabeza para mirarme y sonrió, y yo también sonreí. Estaba temblando pero no logré disfrutar de mi temblor, porque en aquel instante, Virtudes me apartó y cerró la puerta.

—¡Joder con Castelar! —parecía enfadada y no lo entendí—. Ni que hubiera estudiado, el tío.

—Ha tenido que estudiar, Virtudes —salí en defensa de Pedro sin renunciar a mi sonrisa—. Aunque no haya ido a la universidad, estoy segura de que ha estudiado. No se puede hablar tan bien...

—¡Pero si él nunca ha hablado de esa manera! Es un jodido obrero ferroviario, así que... *Pa* chasco. No sé a quién le habrá oído decir esas cosas, pero estoy segura de que de su cabeza no han salido —y se me quedó mirando como si también estuviera enfadada conmigo—. Lo ha hecho sólo para impresionarte, mira lo que te digo.

—Pues si lo que quería era impresionarme —y me reí yo sola de mis conclusiones—, no te puedes figurar lo bien que le ha salido.

—¡Ah! Conque esas tenemos, ¿eh? Pues te voy a decir otra cosa, Inés. No te fíes de él.

—¿Por qué, a ver?

—Pues porque no es de fiar, porque... —se mordió los labios e hizo una pausa, como si necesitara darse ánimos—. Porque es un chulo, ya está, ya lo he dicho. Aunque sea un dirigente de mi partido, esa es la verdad. Y si vale tanto, si sabe tanto, si está tan convencido de lo que dice, que se vaya al frente, que es donde hacen falta hombres. Pero él, eso sí que no, él para eso no sirve. Lo que le gusta es mangonear a los demás y quedarse en Madrid, tan ricamente, tirarse los días paseando, de reunión en reunión, y farolear por las noches en los cafés. Eso sí que lo hace bien, mira, presumir delante de la gente, darse unos humos que no veas, y cada semana con una distinta, por cierto.

—No me extraña —volví a sonreír sin darme cuenta—. Es muy guapo.

—¿Guapo? —y aquel adjetivo terminó de escandalizarla—. No es guapo, Inés, es del montón.

—No, Virtudes, es guapo. Reconoce eso por lo menos...

Ninguna de las dos cedió un milímetro y, sin embargo, las dos teníamos razón. Pedro era guapo, pero no era de fiar. Mi parte de verdad me dio alegrías muy grandes y disgustos de todos los tamaños. La de Virtudes nos arruinó la vida a las dos. Yo sobreviví. Ella no.

Ninguno de sus plantones, de sus infidelidades, todas esas mentiras de viajes repentinos, misiones importantes, encargos secretos que no me podía contar ni siquiera a mí y que siempre terminaban igual, cuando era otro quien me contaba que le habían visto con una, o con dos, o con tres, exhibiéndose por las tabernas, porque otra vez se había cansado de alardear de que se cepillaba por las noches a una burguesita de la calle Montesquinza entre las sábanas de hilo bordadas a mano de su santa madre, me preparó para verle como le vi por última vez. Y yo, que mientras tanto trabajaba, y trabajaba, y trabajaba sin cansarme jamás, en la oficina del Socorro Rojo que había instalado en casa de mis padres y que sostuve sin ayuda de nadie, casi hasta el final de la guerra, con el dineral que había en la caja fuerte, no lograba agradecer las confidencias de esos hombres, esas mujeres empeñadas en arrancarme la venda de los ojos, y le quitaba importancia a sus proezas de chulo barriobajero porque estaba enamorada de él, porque sabía que antes o después volverían los besos, los abrazos, las palabras calientes, perdóname, perdóname, soy un imbécil pero te quiero, es sólo que no puedo creerme que una mujer como tú me quiera a mí, a mí, que no soy nada, un desgraciado que no tiene donde caerse muerto, pero tú sabes que te quiero, Inés, que te quiero, te quiero tanto que ni siquiera lo entiendo, y el amor es siempre un problema para un revolucionario, y querer a una mujer como tú, mucho más, porque tú eres mi revolución dentro de la revolución, Inés, por eso a veces se me olvida todo y me vuelvo loco, pero tienes que perdonarme, porque te quiero tanto, tanto... Él, que tenía un pico de oro, que se las sabía todas, y sobre todo la mejor manera de explotar el pecado original de la riqueza de mi familia, de mis antecedentes burgueses y derechistas, de mi complejo de inferioridad de señorita acomodada, sólo necesitó dos palabras para venderme.

—Esa es.

Estaba en el rellano de la escalera de servicio del piso de mis padres, como la primera vez, pero ya no sonreía. Yo tampoco.

El 28 de abril de 1939, la policía llamó a la puerta a las ocho y media de la mañana y no perdí la compostura, porque creía tenerlo todo bajo control. Tenía, además, a siete camaradas escondidos en casa, porque mi familia, de momento, no se atrevía a volver a Madrid. Ricardo estaba en Salamanca, con mi madre, mi hermana Matilde y la viuda de Juan, muerto en Belchite. Había hablado con ellos por teléfono para contarles que estaba bien, que no había pasado nada peor que hambre y miedo, y mamá me había pedido que ni se me ocurriera ir a verlos, que me quedara en casa, tranquila, hasta que la situación se normalizara del todo. Por eso, aquella mañana mandé a Virtudes, de nuevo impecablemente uniformada bajo un delantal almidonado, a abrir la puerta, y hasta me permití el lujo de sonreír al primer policía que entró en la cocina.

—Perdone, agente, pero esto debe de ser un error. Me llamo Inés Ruiz Maldonado, esta es la casa de mis padres, y mi familia...

—No sigas, no hace falta —y antes de darme tiempo a explicarle que mi abuelo había sido uno de los fundadores del Banco de Santander, ya me había puesto las esposas—. Lo sabemos todo de ti.

Escuché una voz conocida, no, no es esa, mientras aquel hombre me empujaba hasta el descansillo al que ya habían sacado a Virtudes. La luz de la escalera estaba encendida y pude ver perfectamente a Pedro Palacios, de pie entre dos policías. Entonces pensé que habría caído en la misma redada, intenté creerlo, pero no pude no ver que tenía las manos libres y una mirada frenética, incapaz de posarse un segundo en la mía. Me conocía tan bien que no necesitaba verme la cara para identificarme, y no lo hizo. Se limitó a asentir con la cabeza y le bastaron dos palabras, esa es, para demostrarme hasta qué punto estaba equivocada. Porque hasta aquel momento yo estaba segura de que todo se había perdido, de que todo estaba arruinado, todo hundido, pero con sólo dos palabras, él acababa de perderme, de arruinarme, de hundirme más que la propia derrota.

—Ya puedes irte —le dijo el policía que estaba a su izquierda.

—¡Mírame, Pedro! —grité yo, cuando empezaba a bajar por la escalera—. ¡Mírame, hijo de puta, mírame!

Nunca sabría si me miró o no antes de marcharse, porque un policía me golpeó con el revés de la mano y tanta fuerza que me tiró al suelo.

—Calladita estás más guapa.

Un instante después, él mismo me levantó y Pedro ya no estaba. Nadie volvió a verlo después de aquella mañana en la que ingresé en la cárcel de Ventas como una más, otra presa anónima entre miles de reclusas de la misma condición, abandonadas a su suerte en unas condiciones más duras que la intemperie. Lo que comíamos no era comida, lo que bebíamos, apenas nada. Tampoco había agua para lavarse, y la menstruación era una tragedia mensual que poco a poco, eso sí, fue remediando la desnutrición. Pasábamos tanta hambre que, antes o después, las más jóvenes acabamos perdiendo la regla.

En Ventas no cabíamos, no teníamos sitio para dormir estiradas, ni un trozo de muro para apoyar la espalda al sentarnos, ni espacio en el patio para pasear. Cuando nos sacaban fuera, ni siquiera podíamos andar, sólo arrastrar los pies, movernos en masa, a pasitos cortos, como una manada de pingüinos atrapados en un vagón de metro a las siete y media de la mañana. No había aire suficiente para todas en aquel patio que olía a muchedumbre, a invernadero, al sudor irremediable de miles de cuerpos humillados a su propia suciedad. En el mes de mayo, ya nos asábamos de calor. Los días eran horribles, las noches, espantosas, pero lo peor era el frío de los amaneceres, la tenaza de hielo que nos agarrotaba la garganta todas las madrugadas, cuando un ruido lejano nos despertaba con la puntualidad de un reloj macabro, y el sol todavía dormía, y nosotras no. Todos los días fusilaban a los nuestros a la misma hora, contra la misma tapia del cementerio del Este, tan cerca que ni siquiera el viento o la lluvia nos ahorraban el tormento de asistir a distancia a las ejecuciones. Todos los días, menos los domingos, porque los asesinos respetaban el precepto del día del Señor, nos despertaban las descargas de los fusiles. Todos los días escuchábamos los tiros de gracia, sueltos, aislados, y se nos llenaban los ojos de lágrimas, y nos moríamos de frío durante un instante en el que dejábamos de sentir el calor y nuestro sufrimiento, el hambre, la sed, el miedo, el cansancio. Todos los días, aquel también.

Ya me había acostumbrado a dormir encogida, encajada entre otras dos mujeres encogidas, sobre la baldosa y media de suelo que me correspondía, pero en el mes y medio que llevaba en la cárcel, no había sentido aún el asalto de la culebra fría y viscosa, puro terror, que me recorrió de arriba abajo cuando una celadora pronunció mi nombre, ni la tibieza de las manos de mis compañeras, que me tocaron en silencio para darme ánimos de la única manera en la que nos estaba permitido hacerlo. Sin embargo, el hombre que me esperaba en la antesala del despacho de la directora iba vestido de paisano, y me saludó muy cortésmente antes de explicarme que era abogado, y que venía de parte de mi hermano Ricardo.

—Su familia está muy preocupada por usted —me dijo, con un tono de amabilidad ligeramente untuoso, incompatible con la sinceridad—. Su madre y sus hermanos se hacen cargo de la tragedia que tuvo que vivir durante tres años, usted sola, sin el apoyo de nadie, en aquel Madrid donde sus apellidos la ponían cada día en peligro de muerte, y... Todos están de acuerdo en que, en unas circunstancias tan duras, lo único importante es que haya logrado sobrevivir. Y confían en que podamos remediar su situación lo antes posible.

Hizo una pausa para mirarme y sonrió, mantuvo la sonrisa firme sobre sus labios durante unos segundos. No se había esmerado demasiado en su papel de ángel salvador, porque debía de estar convencido de que yo me vendría abajo en el instante en que despegara los labios. Venía preparado para eso, para que me lanzara a sus brazos con los ojos llenos de lágrimas, dispuesta a renegar, a suplicar, a aceptar cualquier cosa con tal de salir de allí, pero en ningún momento sentí la tentación de derrumbarme. Aunque el anuncio de su visita me había inspirado el mismo pánico que se apoderaba de cualquiera de nosotras ante cualquier novedad, por insignificante que pareciera, le esperaba desde la primera noche que dormí en la cárcel. Había calculado muchas veces el tiempo que sería razonable esperar antes de que mi familia reaccionara, y la previsible naturaleza de esa reacción. Por eso me limité a escucharle, a mirarle con una expresión serena, atenta, pero también distante, tal y como me habían enseñado a tratar a los desconocidos, y cuando se dio cuenta, dejó de sonreír y su tono se endureció ligeramente.

—Supongo que ya habrá descubierto usted sola que esta cárcel no es el mejor lugar para vivir, así que no voy a perder el tiempo hablándole del hacinamiento, de las epidemias, de la sarna, de la alimentación...

–Efectivamente –y le di la razón con suavidad, como una señorita bien educada–. No necesito que eso me lo explique nadie.
–Bien, pues... he venido para ofrecerle una solución. Es usted muy joven, señorita... ¿Puedo llamarla Inés? –asentí con la cabeza y volvió a sonreír–. Pues, si me permite recordárselo, Inés, la juventud es la edad de hacer tonterías.
–Eso no lo sé –entonces le devolví la sonrisa–. Yo no he hecho ninguna.
–¿Usted cree? –pero él no sólo no la apreció, sino que me enfrentó, sin previo aviso, con una fotografía–. ¿Conoce usted a este hombre?
–No, creo que... –naturalmente que le conocía–. A ver, déjeme verle más de cerca...

Tenía unos treinta y cinco años, y el día que le conocí iba vestido de obrero, con una chaqueta de lanilla raída en el bajo, los codos casi transparentes y alpargatas en los pies, los empeines desnudos a pesar del frío. Eso me desconcertó tanto como su saludo, buenos días, camarada, he venido a buscarte, unas palabras que no encajaban con las que Virtudes había pronunciado unos minutos antes, ahí fuera hay un hombre que dice que es amigo de Ricardo... Hasta que recordé que los falangistas, después de copiarnos el color de la camisa, también habían empezado a llamarse camaradas entre sí.

–No, no le conozco –en mayo de 1939, le devolví su foto al abogado de mi familia con otra sonrisa que tampoco apreció–. A primera vista, se parece al zapatero remendón de la calle Almagro, pero no sé quién es.

No le conozco, le dije también a él, aquella tarde de diciembre, ¿quién es usted? No me dijo su nombre, pero me tendió una nota cuyo encabezamiento era idéntico al de la carta que había quemado junto con el carné falangista de mi hermano, *querida Inés*, y luego, cuatro frases escritas con la misma letra, *ya estoy con mamá y con Matilde. Escribo estas palabras para recomendarte a un buen amigo, un excelente trabajador que sabrá restaurar el cuadro del abuelo. Yo estoy bien, y deseando tenerte a mi lado. Te quiero muchísimo, Ricardo.*

–¿Está usted segura?

—Completamente —pero tuve la impresión de que no me creía—. No he visto a este hombre en mi vida.

No entiendo lo que pone aquí, le dije a él aquella tarde. No sé quién ha escrito esto ni lo que pretende, así que le voy a pedir que se marche usted ahora mismo de mi casa. ¿Qué? Él aún estaba menos preparado para encajar mi respuesta que el abogado que me trajo su foto a la cárcel dos años y medio después. Pero... No puede ser... ¿No ha leído usted...? ¿Este galimatías?, y tiré la nota al suelo. Sí, sí lo he leído, pero no entiendo lo que significa, ya se lo he dicho, y no pienso ir con usted a ninguna parte porque no le conozco y no me inspira ninguna confianza, así que váyase, por favor, ya se habrá dado cuenta al entrar de que esta casa es una oficina del Socorro Rojo Internacional, y está bajo la protección del gobierno.

—Nosotros, en cambio, creemos que sí llegó a conocerlo. Este hombre, José Luis Ramos García, cruzó las líneas el 18 de diciembre de 1936 para desempeñar una serie de misiones en Madrid. La primera consistía en recogerla a usted, con el dinero que su hermano había reunido para financiar el Alzamiento Nacional, y ponerla a salvo en nuestra zona. Don Ricardo le insistió mucho en que se pusiera en contacto con usted antes de acudir a ninguna otra cita, para que su salvamento, que estaría a cargo del mismo equipo que le sacó a él de la embajada de Suecia, no corriera ningún riesgo. No hay motivo para que no siguiera estas instrucciones, y nos consta que llegó a entrevistarse con otras personas en Madrid antes de ser detenido, condenado a muerte por un tribunal popular y fusilado a continuación.

—Bueno, así es la guerra —le respondí—. Ustedes deben saberlo, porque para eso la empezaron.

Si no se marcha ahora mismo, llamo a la policía. Eso llegué a decirle, aunque durante un instante medité su oferta, Salamanca, mi familia, su cobijo, la tranquilidad de una vida de días iguales, como los de antes, los de siempre, y ninguna responsabilidad, ningún dolor, el fin de la inquietud, de las sirenas, de los bombardeos, la paz a cambio de un velo y de un misal, un reclinatorio mullido, para no estropearme las medias, y chocolate con picatostes al volver a casa. Si no se marcha usted ahora mismo, llamo a la policía, repetí, estoy hablando en serio. Ni siquiera entonces me creyó, y tuve que descolgar el teléfono y marcar un número antes de convencerle. Buenos días, necesito hablar con el director general de Seguridad, soy Inés Ruiz Maldonado, una amiga de su hermana Aurora, es muy urgente... Y por fin, mientras Gustavo me decía que más valía que fuera urgente de verdad porque tenía la mesa llena de fotografías de cadáveres sin identificar, se levantó y salió corriendo. Pedí excusas a mi vecino por molestarle en vano y no le dije nada a nadie, ni siquiera a Virtudes, de las verdaderas intenciones de aquel hombre. ¿Qué quería? Nada, ver si podíamos esconder aquí a un pariente suyo, pero no me fío de él, no ha querido decirme cómo se llama, ni dónde vive, nada...

—Efectivamente, así es la guerra —pero no le había gustado nada que se lo recordara—. Para eso la empezamos, para terminarla victoriosos. Voy a ser muy sincero con usted, señorita. Yo no tengo ningún interés en sacarla de aquí. Por mí, se podría pudrir usted en esta cárcel. Pero su hermano se siente culpable de lo que ha ocurrido y no quiere entender la verdad, que no es usted más que una señoritinga malcriada, que se encoñó con un obrero guapito de cara y se dedicó a jugar a la mecenas de la revolución con un dinero que no era suyo. Por eso está dispuesto a darle otra oportunidad. La última.

Hizo una pausa para buscar algo entre sus papeles, y al intuir la calidad de la alfombra que, a pesar de todo, estaba dispuesto a extender sobre mi camino de vuelta, comprendí mejor que nunca la trascendencia de la irreversible metamorfosis que se había operado en mí.

—Aquí está. Es muy sencillo. Si usted declara que Virtudes Moreno Castaño la retuvo en su casa bajo amenazas, que la obligó a instalar una oficina del Socorro Rojo en el domicilio familiar de la calle Montesquinza, y que sospecha que fue ella quien denunció a José Luis Ramos...

—No hace falta que siga leyendo —después de interrumpirle, me levanté—. No voy a firmar eso.

—Mañana a estas horas —hizo una pausa para mirarme—, podría estar usted en la calle.

–Mañana a estas horas –yo también hice una pausa, y le miré–, seguiré estando aquí, y Virtudes estará conmigo. Dígale eso a mi hermano, y dígale...

Hasta que el abogado pronunció el nombre completo de Virtudes había estado muy tranquila, pero en aquel instante sentí tanto miedo por ella que no fui capaz de seguir. Sin embargo, la guerra había terminado sólo unos meses antes, y yo aún no había comprendido en qué clase de país vivía. Aún creía que mis palabras podían servir de algo, que mis decisiones podrían influir en el destino de Virtudes, que todavía contaba con el consuelo de la dignidad.

–Dígale también que le quiero. Que le quiero muchísimo, tanto como antes, como siempre. Pero que no voy a pedirle perdón por haber hecho lo que creía que tenía que hacer –me di la vuelta y empecé a andar hacia la puerta, dando aquella conversación por terminada–. Buenas tardes.

–Algún día se arrepentirá de lo que acaba de decir.

–Si tuviera dinero –y me volví a mirarle–, me apostaría hasta el último céntimo a que no.

Nunca me arrepentí, ni siquiera cuando empezaron a devolverme las cartas que le escribía a Virtudes desde el convento, ni cuando Enriqueta me escribió a mí para contarme que habían revisado el juicio de su prima, que la habían vuelto a procesar, que la habían condenado a muerte, que habían ejecutado la sentencia muy deprisa. Nunca me arrepentí, porque ya sabía en qué país vivía, y no dudaba de que, aunque hubiera ofrecido mi colaboración a cambio de su indulto, mi hermano no habría respetado ese trato. Siempre, durante toda mi vida, me sentiría culpable de aquella muerte, pero nunca me arrepentí. Tampoco tuve esperanzas de ganar aquella apuesta hasta que en la madrugada del 18 de octubre de 1944, mi largo, extenuante viaje, halló un final imprevisto.

Aquella noche, como tantas otras, bajé las escaleras sin hacer ruido, me deslicé en la biblioteca con pasos sigilosos, encendí la radio a oscuras, busqué aquella voz, *aquí, Radio España Independiente, estación pirenaica, la única radio sin censura de Franco*, y de repente, las palabras se volvieron espadas, se volvieron fusiles, se volvieron puertas que se abrían, ventanas abiertas de par en par, un vendaval capaz de barrer el polvo gris de las pesadillas, la luz de la mañana sobre todas las cosas, el cielo tierno de los amaneceres, la salida triunfal de un laberinto, fuegos artificiales explotando en una noche de verano y canciones, cuerpos jubilosos bailando en las calles, brazos desnudos alzándose en el aire, bocas desconocidas besándose en las esquinas, una sola sonrisa en miles de labios diferentes, Madrid, la alegría.

Todo eso cabía de repente en las palabras, y un sabor dulce e intenso que inundó mi paladar en un instante, un sabor tan delicioso que nunca sería capaz de describirlo, porque ellos venían, porque volvían, porque estaban volviendo, porque eran los míos y faltaba muy poco para que cruzaran otra vez la frontera, y yo estaba cerca, tan cerca que casi podía verlos, tocarlos, llamarlos con mi voz. Eso sentí, y lo mismo que deben sentir las serpientes al mudar de piel, la mía tersa, tirante, sonrosada como la de una niña recién nacida, tan extraña que durante un instante no supe qué hacer, porque tenía ganas de reír y sin embargo estaba llorando, lloraba y no sabía por qué, si hacía muchos años que no estaba tan contenta. Y me tapé la cara con las manos para no hacer ruido, me tumbé sobre la alfombra, y allí seguí, llorando por fuera y riendo hacia dentro, mientras escuchaba aquellas palabras, *el tirano tiene los días contados, la operación Reconquista de España ya está en marcha. Después de liberar el sur de Francia del terror nazi, el victorioso ejército de la Unión Nacional Española se apresta para cruzar la frontera y restaurar la República y las libertades,* una, y otra, y otra vez.

Aquella noche, apenas dormí un par de horas, pero me desperté descansada, eufórica, y hasta que Adela no me preguntó qué mosca me había picado para andar por la casa sonriendo sola todo el tiempo, ni siquiera me di cuenta de que mi entusiasmo era peligroso.

—Ya sé lo que te pasa —menos mal que mi pobre cuñada nunca se enteraba de nada—. Te han contado que esta noche viene a cenar el comandante Garrido, ¿a que sí?

—Bueno, algo he oído —contesté, para escurrir el bulto.

−¿Sí? −mi respuesta la dejó perpleja−. Pues no sé cómo, chica, porque... Es una cosa secretísima, por lo visto. Ricardo ya me ha advertido que prefiere que no salga ni a saludar. No sé exactamente lo que pasa, pero está tan nervioso que no se atreve a celebrar reuniones en su despacho, y ha preferido invitarlos a todos a cenar aquí.

−O sea, que no va a cenar sólo con Garrido.

−¡Qué va! Si va a venir el gobernador civil, y el militar, y... Qué sé yo, un montón de gente, pero como a mí nunca me cuenta nada, lo único que sé es la cantidad de invitados con los que tengo que contar.

−No te preocupes. Yo me encargo de la cena.

−Ya, pero no creo que esta noche puedas ver a tu enamorado.

Y no le vi, pero sí pude oírle, su voz mezclada con otras, conocidas y desconocidas, cuando la conversación del comedor se convirtió en una discusión para que yo, después de pasar más de dos horas escondida detrás de la puerta que daba al sótano, pudiera irme a la cama más contenta aún que la noche anterior.

Al meterme entre las sábanas estaba rendida, pero el recuerdo del miedo de mi hermano, no es posible, ¿cómo ha podido pasar esto?, ¿cuántos son?, y el murmullo avergonzado de Garrido, en Madrid dicen que cien mil, pero yo no me lo creo, y las cifras que el general Ayuso enunciaba con un tono que aún pretendía ser neutro, son ocho mil, más o menos, es fácil calcularlo porque han estado concentrados cerca de Tarbes, pero tienen el doble en la reserva, y otra vez mi hermano, ¿y nosotros?, y otra vez Garrido, ¿en Arán?, pues contando con la guarnición de Viella, los reclutas de los campamentos de la provincia, y lo que podamos llevar desde aquí, unos mil novecientos y lo que pueda sumar el Somatén, y otra vez Ayuso, ¿mil novecientos y el Somatén?, ahora entiendo por qué chulean tanto por la radio esa que tienen en los Pirineos, y mi hermano de nuevo, joder, joder, joder, ¿y en qué estarán pensando los de Madrid?, me impidieron dormirme enseguida.

El 20 de octubre de 1944, madrugué para vivir el día más importante de mi vida. Cuando la doncella de Adela me avisó de que mi hermano quería hablar conmigo, todavía no eran las siete de la mañana y ya estaba vestida. Esperé unos minutos, me quité los zapatos para bajar la escalera sin hacer ruido, y caminé de puntillas para detenerme a unos pasos de la puerta del comedor. Estaba abierta, pero Ricardo, en la cabecera, me daba la espalda, y Adela, a su izquierda, no acertaba a levantar la vista del mantel, tan asustada que no logré entender nada de lo que decía, más allá de un constante, sostenido lloriqueo. Aquel día, todo habría sido más difícil para mí si los nervios de mi cuñada no hubieran arruinado, una vez más, los de su marido.

—Pues hace falta, Adela, claro que hace falta —porque a Ricardo sí pude escucharle perfectamente—. ¿Cómo quieres que te lo explique? Es que pareces tonta, coño... Anoche, los rojos durmieron ya en Bosost, a cincuenta kilómetros de aquí, ¿te parece poco?

Cuando un chirrido inconfundible me reveló que la puerta de la cocina acababa de abrirse, me calcé deprisa y me reuní con ellos.

—Buenos días —saludé a mi hermano con el acento sereno, pacífico, que más me convenía—. Cristina me ha dicho que querías verme.

—Sí —él empezó a hojear el periódico, para contestar sin mirarme a la cara—. Quería decirte que nos vamos. Provisionalmente, por supuesto.

—Pero siéntate, Inés, por favor —su mujer abandonó por un instante sus gimoteos para volver a demostrar que era la única que pensaba en mí en cualquier circunstancia—. ¿Has desayunado?

Negué con la cabeza, me senté frente a ella, y me serví café, leche, una ensaimada, sin mirar ni siquiera a Ricardo, como si no me importara lo que tuviera que decirme.

—Pues eso, que cerramos la casa. El ejército ha dado la orden de evacuar toda la zona. Hay amenaza de temporal.

—¿De temporal? —pensé que tampoco me convenía demasiado hacerme la tonta—. Si estamos muy lejos del mar...

—Un temporal de nieve, de los Pirineos. —Asentí con la cabeza y él siguió hablando sin levantar la vista del periódico—. El caso es que nos marchamos todos. Los niños se van ahora a Ma-

103

drid, con la niñera. Yo saldré enseguida para Lérida, y me quedaré allí, por si hace falta coordinar a los equipos de emergencia, así que de momento os quedáis solas. Por la tarde, vendrá un coche a buscaros. Te dejará en el convento y seguirá con Adela hasta Madrid. Volveremos en cuanto pase el peligro.

—¿Yo también?

Mientras él asentía con la cabeza, Adela sollozó, pero no dijo nada. Yo tampoco. Había perdido hasta tal punto la memoria de la buena suerte que ni siquiera fui capaz de asumirla con serenidad. Hasta aquel momento me había limitado a calcular el efecto que las acciones de ocho mil hombres armados podrían desarrollar sobre mi vida, sin tener en cuenta mi propia capacidad de acción, pero llevaba meses preparando mi fuga, y cuando Ricardo me anunció la llegada de aquel coche que a mí, desde luego, nunca iba a llevarme a ninguna parte, comprendí que no encontraría un momento mejor.

Su chófer hizo sonar la bocina desde el jardín y las manos me sudaban, las piernas me temblaban, mi cabeza no era capaz de acomodarse a la velocidad de mi pensamiento. Ricardo se levantó, se despidió de su mujer besándola en la cabeza, empezó a andar hacia la puerta, volvió sobre sus pasos para besarme a mí en el mismo lugar, con las mismas prisas, y salió por fin, sin despegar los labios. Antes de que el ruido de sus pisadas se perdiera por el pasillo, Adela explotó en el llanto que había logrado contener a duras penas mientras su marido estaba presente.

—Hay que ver, no me digas, tener que marcharse ahora, de esta manera, los niños por un lado y yo por el otro, como si estuviéramos escapando, otra vez... —cuando los sollozos le impidieron continuar, cogió la servilleta para limpiarse la cara y me dejó ver lo que había debajo—. Qué vamos a hacer ahora, adónde vamos a ir, si en Madrid ya no tenemos casa, ni nada... ¿Y si nos pasa algo por el camino?

Aquel pedazo de metal imantó mis ojos, activó mis piernas, me obligó a levantarme, a ponerme en marcha, y rodeé la mesa para ir hacia Adela, para colocarme tras ella, mis manos en sus hombros, la pistola como una isla inexplorada en el inmaculado mapa del mantel blanco.

—No llores, Adela, que no es para tanto... —apenas logré escuchar mi voz, ahogada por los nervios, pero saqué de alguna parte la serenidad suficiente para improvisar un tono de simple curiosidad—. ¿Y eso?

—¿La pistola? —se volvió en la silla para mirarme, y yo asentí con la cabeza a su rostro enrojecido, los párpados hinchados por el llanto—. Pues ya ves, tu hermano... Por si me hace falta, dice...

—¿Y por qué te va a hacer falta, mujer? —al escucharme, volvió a echarse a llorar, y yo empecé a sentirme culpable antes de tiempo—. Si es sólo un temporal de nieve. Súbela a tu cuarto, anda, no vaya a asustarse alguien.

Una hora y media después, sola en la cocina, un ejército de rosquillas perfectamente formado sobre el mármol, el aceite a punto y las ideas al fin claras, tan ordenadas como los dulces dentro de mi cabeza, la pistola me preocupaba menos que Adela. Los niños ya se habían marchado. Yo misma bajé en brazos a mi sobrina, dormida aún entre las mantas, y la acomodé junto a su hermano en el asiento trasero de un coche que partió sólo unos minutos después que el de su padre. Después, me recogí las mangas, amasé la harina por tandas, trabajé la mezcla hasta conseguir una textura perfecta, la dividí en cilindros de idéntico grosor, formé las rosquillas con cuidado, con paciencia, y no volví a ver a nadie hasta que distinguí el eco de los tacones de mi cuñada sobre las baldosas, cuando ya había frito más de la mitad.

—¡Uy! ¿Pero qué haces tú aquí?

—Pues rosquillas —la vi con el rabillo del ojo, despeinada y aún más nerviosa que antes, mientras abría y cerraba los cajones demasiado deprisa como para encontrar lo que estuviera buscando—. ¿No lo ves?

—¡Ay, hija mía, qué valor tienes! De verdad que no te entiendo. Con la que está cayendo, que te pongas a cocinar, tan tranquila...

—Se las voy a llevar a la hermana Anunciación, la cocinera del convento, que me enseñó a hacerlas —fue lo primero que se me ocurrió y no era demasiado ingenioso, pero cuando llegué a la mitad de la frase, ya no tenía vuelta atrás—. Ella las vende y se saca un dinerillo para los pobres, ¿sabes?

–¡Ah! Muy bien –por fortuna, Adela, que ya había conseguido dar con unas tijeras, no tenía tiempo para mis contradicciones.

–Ya estoy terminando. Ahora mismo subo a ayudarte.

–Pues sí, falta me hace, porque tengo liado un follón...

Cuando saqué la última del aceite, me di cuenta de que no iba a ser nada fácil transportar tantos kilos de rosquillas sin que se rompieran y acabaran convertidas en una informe masa de migas apelmazadas y dulces, pero tenía problemas más graves que resolver y había llegado el momento de afrontarlos.

Me quité el delantal, subí las escaleras, entré en el dormitorio principal, y a través del barullo de maletas abiertas y ropa amontonada sobre la cama, vi la pistola, apoyada sobre unos cuantos billetes, sobre la mesilla de Adela.

–¡Inés, gracias a Dios! –la pobre se alegró mucho de verme–. Mira a ver si...

Pero no terminó la frase, porque yo ya tenía la pistola en la mano.

–¡Ay! Deja eso, por favor, que me pongo mala sólo de verla.

–¿Por qué? Si estará descargada –entonces eché hacia atrás el percutor y comprobé que no era así–. ¡Uy, no! Si está cargada...

—*Bonjour, Nicole.*

La pequeña campana de metal dorado, destinada a anunciar la llegada de nuevos clientes, no celebró mi aparición con tanta alegría como la que iluminó su rostro al verme entrar.

—Buenos días, mi... —y en el esfuerzo de encontrar la palabra que le faltaba, cerró los ojos y asomó la punta de la lengua entre los dientes, como un escolar que se enfrenta a un examen para el que no ha estudiado lo suficiente—. ¿Capitán?

La que me había parecido mi admiradora más constante, hasta que descubrí que halagaba de la misma manera a todos los hombres solteros que se tropezaba al otro lado del mostrador, era una adolescente bajita, redondita y monísima, quizás porque sus rasgos, la piel tersa, sonrosada, las mejillas mullidas, los labios abultados, aún se estaban despidiendo de la infancia. Con no más de quince, tal vez dieciséis años, Nicole era la muchacha más coqueta que había conocido en mi vida. También una de las más graciosas, porque coqueteaba limpiamente, por el puro placer de jugar, sin trampas ni doble intención, sonriendo siempre.

—Muy bien, Nicole —yo también sonreí, mientras aprobaba su acierto con la cabeza—. *Très bien. Celui-là est le mot juste,* capitán. *Et alors...* Voy a llevarme medio kilo de esos rusos que tienes ahí.

Solía cambiar de idioma de improviso para poner a prueba sus esfuerzos por desempolvar el poco español que había aprendido en el colegio, y ella me comprendía cada vez mejor. Aquella mañana, sin embargo, se me quedó mirando con las pinzas en la mano, mientras su boca dibujaba un círculo perfecto, perfectamente relleno de asombro.

—*Donc... Vous voulez un demi-kilo de ces petits gâteaux russes...*

Mientras asentía con la cabeza, me di cuenta de que la bandeja de los rusos estaba más vacía que llena, pero seguí sin entender qué la había sorprendido tanto.

—*Oh la la!* —entonces se echó a reír—. *Aujourd'hui c'est le jour des espagnols qui achètent des gâteaux russes. Vous êtes le troisième, je crois.*

En ese instante, me empecé a mosquear. No porque yo fuera el tercer español que había comprado una bandeja de rusos en aquella pequeña y exquisita pastelería de la calle Léon Gambetta que, según la mujer de Comprendes, era la mejor de Toulouse, sino porque estaba casi seguro de quiénes habían sido los otros dos. Podría haberlo confirmado con un par de preguntas sencillas, pero no merecía la pena. Iba a enterarme enseguida, porque ya era más de la una y Angelita me había citado a las dos cuando llamó para invitarme a comer.

—*Merci bien, Nicole* —puse un billete de cinco francos en el mostrador y sonreí para mí mismo mientras la veía parada ante la caja registradora, de espaldas al mostrador, durante mucho más tiempo del que habría necesitado para preparar la vuelta.

—*Et qu'est-ce qu'il fait notre héros, ce soir?* —y a pesar de la maestría que derrochaba en esta clase de situaciones, se puso colorada mientras dejaba las monedas sobre el mostrador.

—*Je ne suis pas un héros, Nicole.*

—*Bien sûr que vous l'êtes, et je me demandais... Avez-vous un autre rendez-vous avec madame?*

Sonreí al involuntario juego de palabras que su última frase había adquirido al penetrar en mis oídos asturianos, cogí los pasteles y empecé a andar hacia la puerta.

—*Pas avec madame, Nicole* —le dije desde allí—. *Madame, c'est du passé.*

—*Quel dommage!* —pero se echó a reír mientras decía que era una lástima—. *N'est-ce pas?*

—*À tout à l'heure, Nicole!*

—*Au revoir,* mi capitán.

La primera vez que Sandrine me llevó a la casa de campo que había heredado de sus padres, no me di cuenta de que los canapés y los pasteles que había sacado del maletero de su coche antes de invitarme a entrar, venían envueltos en el papel de la Pâtisserie du Capitole, la tienda de la madre de Nicole. La primera vez, tampoco me enteré de que aquel pueblo, que era bonito y plácido según criterios específicamente franceses de la belleza y la placidez, con sus prados verdes, y sus cercas de madera, y sus iglesias más pequeñas que sus campanarios, y las fachadas de los bares con el menú escrito con tiza en una pizarra, junto a la puerta, se llamaba Vieille Toulouse. Aquella vez, ni llegué a enterarme de que los romanos habían fundado allí una ciudad a la que dieron el mismo nombre con el que los exiliados españoles nos referíamos a su sucesora, Tolosa, como si quisiéramos hacernos la ilusión de que estábamos en Navarra. Y quizás debería haberme preguntado dónde estaba su marido, un jueves, a la hora de comer, pero no tuve tiempo ni para eso, porque ni siquiera llegamos a la cama.

Sandrine, o mejor dicho, madame Mercier, estaba casada con uno de los industriales más prósperos de Toulouse, un fabricante de componentes para automóviles que había hecho excelentes negocios con los ocupantes hasta que, en los primeros meses de 1944, optó por donar parte de sus beneficios al ejército de la Francia Libre para comprarse un certificado de patriotismo. En tal condición le conocí, y conocí sobre todo a su mujer, el 26 de agosto de aquel mismo año, cuando mi coronel, que todavía no se había recuperado del banquete de la noche anterior, delegó en mí para que le representara en la recepción del ayuntamiento.

—No puedes decirme que no —aquel día había cometido la imprudencia de subir a mi habitación a dormir la siesta, y el Lobo no paró hasta que descolgué el teléfono—, porque te juro que no puedo más. Estoy empachado, me duele la barriga, tengo resaca, ardor de estómago y a Amparo en combinación, taconeando por el pasillo con los rabillos pintados y venga a gritar que prefiere que esté en la guerra a tenerme en casa para no verme el pelo, así que... Me temo que es una orden.

—Pues nada —y al imaginarme la insubordinación doméstica de la única mujer que había logrado sobrevivir a dos guerras sin perder las curvas que la habían coronado como fallera mayor de Catarroja en 1927, me dio la risa—. Que Dios reparta suerte.

—Lo mismo digo —pero su marido, que no era más alto que ella y sí mucho más flaco, no debía necesitar a Dios para tenerla contenta, porque seguía riéndose cuando colgó.

Seis días después de la Liberación, la ciudad había empezado a recuperar cierta apariencia de normalidad, pero la fiesta que le había levantado las faldas durante todo el fin de semana no había terminado todavía. Los focos de resistencia, militares borrachos, mujeres complacientes, canciones, guitarras, peleas, juramentos y docenas de botellas de vino vacías, alineadas como un ejército de soldados de plomo sobre las mesas de las tabernas, estaban aún tan vivos, que creí que no iba a encontrar a nadie dispuesto a acompañarme. El Zurdo y el Sacristán estaban desaparecidos en combate. Comprendes, del que me había despedido con un abrazo menos emocionado que alcohólico a las nueve de la mañana del día 21, se había ido al hotel con su mujer, había descolgado el teléfono y, que yo supiera, no había vuelto a salir de su habitación. Con el Pasiego ni lo intenté, porque recordaba haber visto aquella madrugada a la Pasiega, que había salido a buscarlo y lo había encontrado conmigo y con una señorita de reputación nada dudosa sentada en las rodillas, sacándolo a capones de aquel sótano donde lo estábamos pasando tan ricamente. Sin embargo, cuando ya estaba saliendo del hotel Les Arcades, que la Unión Nacional Española había incautado con todas las bendiciones de las nuevas autoridades para alojar a sus oficiales, la providencia de los ateos me puso delante al Cabrero.

—Pero ¿tú no ves las pintas que tengo? —llevaba todo el día en la calle y tenía la camisa llena de lamparones, el pelo revuelto y una espesa pátina de sudor que hacía brillar su cara como si acabara de salir del baño, aunque lo más notable de todo era la incomprensible peste a pescado que le envolvía como una segunda piel—. ¿Cómo voy a acompañarte así a ningún sitio?

—Nada —le cogí por los dos brazos para conducirle al ascensor igual que a un preso—. Te pegas una ducha, te pones el uniforme, y como nuevo.

—Pero ¿a qué hora es eso? —me preguntó, intentando zafarse todavía.

—A las ocho —miré el reloj—. O sea, dentro de diez minutos.

—Bueno, pero a las nueve me voy, que tengo cosas que hacer.

A las ocho y cinco nos encontramos con Ben y Jean-Paul esperándonos delante de la puerta. Los homenajes de todo tipo, públicos y privados, también habían hecho estragos en la cúpula de los Franco Tiradores Patriotas Franceses, la organización de resistencia del PCF en la que estábamos encuadrados los españoles de la UNE, porque a la cabeza de nuestra delegación, no iba más que un teniente coronel, Benoît Laffon. Le acompañaba un comandante recién ascendido, que todavía llevaba cosidos los galones de capitán con los que salió de España, y que era yo, y dos capitanes, Jean-Paul y el Cabrero, aunque este último conservaba también sus insignias españolas, de teniente. ¡Hay que joderse con el romanticismo!, solía quejarse el Lobo, tan presumido que no había renunciado a coserse en la guerrera ni un solo ascenso francés. Los gaullistas de la Armée Secrète, y tan secreta, solíamos decir nosotros antes de aquel verano, porque mientras estuvimos en el monte nunca habíamos visto a ninguno, se habían limitado a mandar a otro comandante, pero en aquella recepción no había mucha gente capaz de apreciar el escaso rango de la representación, nativa o extranjera, de las Fuerzas Francesas del Interior.

—Ce salop...

Ben me señaló con la cabeza a Mercier, que parecía uno más de los prósperos burgueses, bien vestidos y mejor alimentados, que abarrotaban la sala. Aquel cabrón había sido tan colaboracionista como, al menos, las tres cuartas partes de los prohombres que circulaban con una copa en la mano después de haber estrechado las nuestras con una expresión gimoteante, más falsa que un beso de Judas. Pero su mujer está bien buena, objeté. Eso sí, me concedió, antes de repasarla otra vez con la mirada. Buenísima, y asintió con la cabeza para subrayar su adhesión.

Madame Mercier era dos años mayor que yo y casi veinte más joven que su marido. Alta, no demasiado rubia, con una piel impecable que delataba sus orígenes eslavos, llevaba un vestido blanco y un collar de perlas de muchas vueltas, herencia de su abuela aristócrata polaca, que le ceñía el cuello como una argolla consentida y lujosa. Eso fue lo primero que me llamó la atención de ella, pero no lo único.

—Las nueve... —y ya llevábamos un cuarto de hora jugando al escondite entre la gente, ahora te miro, ahora me escondo, ahora te vuelvo a mirar, cuando el Cabrero dejó su copa de champán sobre una mesa—. Me largo.

—¿Adónde? —di un paso hacia él para volver a enfocar a madame Mercier, y ella sonrió—. Joder, qué prisas.

—Ya. Es que he quedado con Sole.

—¿Con quién? —moví la copa en el aire, para brindar a distancia, y ella me imitó.

—Con Sole —repitió, y sólo cuando estuve seguro de que no conocía a nadie que se llamara así, me volví a mirarle—. Sí, hombre, Sole, la hija del pescadero, la amiga de Angelita...

—¿La amiga de Angelita? —fruncí el ceño al descubrir de quién estaba hablando—. ¡Pero si esa chica se llama Solange!

—Ya, pero yo no sé pronunciarlo bien y le he cambiado el nombre.

En marzo de 1942, Comprendes y yo estábamos trabajando en una fábrica militarizada de tornillos cerca de Perpiñán, en el supuesto territorio de la Francia Libre. Dos meses antes, nos habían sacado a la fuerza del campo de concentración de Argelès-sur-Mer, para integrarnos en una Compañía de Trabajadores Extranjeros. La vida en la fábrica, con ser dura, era mejor que la insoportable monotonía que había estado a punto de matarnos de tedio en la playa, aunque sólo fuera porque después de una jornada de diez, a veces hasta doce horas de trabajo, caíamos dormidos como piedras de puro cansancio, y no ya del aburrimiento de no tener nada que hacer despiertos. Sin embargo, no tuvimos mucho tiempo para aprender a manejar el torno.

—Qué ricos están los boquerones, ¿verdad?

Al levantar la cabeza, me encontré con un desconocido al otro lado de la máquina en la que me había tocado trabajar aquel día. Estaba seguro de que nunca le había visto, porque no habría podido olvidarle. Tenía las pestañas espesas, tan oscuras que parecían dibujadas, y los ojos negros, ligeramente rasgados en los extremos. A cambio, su piel era muy clara, y la nariz, la boca, los pómulos, se repartían en un óvalo perfecto, como el que yo sólo había visto antes en la cara de algunas mujeres muy guapas. Si antes de mirarle no hubiera escuchado la primera mitad de la contraseña en un vozarrón de acento aragonés, tan cerrado como el de los chistes de esos maños que se cruzan con los trenes, habría pensado que era maricón.

—Sobre todo en vinagre —respondí, y los dos sonreímos a la vez.

—Dentro de un rato os va a llamar el capataz para anunciaros que os trasladan, a tu amigo y a ti —me advirtió—. No os neguéis.

Asentí con la cabeza y seguí trabajando sin mirarle, sin que él volviera a levantar tampoco los ojos hacia mí, hasta que me avisaron de que el capataz quería hablar conmigo. No volví a verle aquel día, ni al siguiente, aunque esa noche, cuando nos levantaron a las cuatro para decirnos que nos preparáramos, volví a encontrármelo en la puerta de la fábrica. Era el primero de la fila en la que unos treinta trabajadores, todos españoles, esperábamos al camión que nos trasladaría hasta la empresa cuyos patronos nos habían reclamado. A partir de entonces, íbamos a trabajar en un aserradero situado en la falda de la vertiente francesa de los Pirineos, en una comarca llamada el Luchonnais, que estaba a más de trescientos kilómetros de Perpiñán, a poco más de cien al sur de Toulouse y más cerca de la frontera española que de ningún otro lugar, aunque eso aún no lo sabía, como cometí el error de explicarle al que estaba detrás de mí.

—Camarada...

La primera vez que me llamó, ni siquiera me moví. En la fábrica ya no nos custodiaban soldados senegaleses, de esos que estaban en Argelès por la paga y no sentían ninguna animosidad especial contra nosotros, aparte de la chulería de piojos resucitados que les envalentonó cuando les dieron armas para que las usaran contra hombres blancos. En Perpiñán, nuestros guardianes eran civiles armados, voluntarios al servicio del gobierno de Vichy, la versión francesa de los falangistas y los requetés contra los que habíamos luchado en España. Aquellos hijos de puta, que estaban allí por su propia voluntad y no necesitaban motivos para divertirse, habían ordenado silencio. El de atrás tenía que haberlo oído tan bien como yo, pero siseó con los labios para llamar mi atención antes de intentarlo otra vez.

−¡Eh, camarada! −y cuando comprobó que seguía callado, me dio un golpecito en el hombro.

Los vichystas estaban charlando en la cabeza de la fila, a la distancia de una docena de hombres. Cuando uno de ellos se inclinó para encender un cigarrillo con el mechero de otro, giré por fin la cabeza para distinguir, a la luz de los focos que iluminaban la fábrica como si fuera una cárcel, a un muchacho con la cara estampada con tantas pecas como granos.

−Menos mal, ya creía que te habías dormido −tenía un pelo extraño, a medio camino entre el naranja amarronado y el marrón anaranjado, y por el acento, al principio creí que era asturiano−. ¿Sabes adónde nos llevan?

−No −le contesté, y volví a mirar al frente, sin sospechar el monstruoso mecanismo que un solo monosílabo acababa de poner en marcha.

−Pero ¿será a otra fábrica como esta, o a una cantera? Igual es una mina, que he oído que también puede ser, y a mí no me importaría, porque estoy acostumbrado, yo soy de Fabero, ¿sabes?, un pueblecito de León, cerca de la raya de Asturias, en el país del Bierzo... −el guardián que estaba fumando empezó a andar en nuestra dirección con la metralleta entre las manos, pero el silencio no duró más del tiempo que necesitó para alejarse tres pasos−. Toda esa región es minera, bueno, ya te lo imaginarás, porque la empresa que explota las minas de mi pueblo es muy famosa, Antracitas de Fabero, se llama, en Madrid, en la Gran Vía, hay un cartel muy grande con su nombre, porque las oficinas están allí, claro, aunque... −el guardián volvió a pasar a nuestro lado para regalar a mis oídos un descanso igual de bre-

114

ve–. Los que trabajan en esos despachos no han pisado mi pueblo en la vida, en Fabero ni los conocemos, pero muy bien que vivirán gracias al carbón, porque ya se han ocupado ellos de que allí no haya trabajo fuera de la mina, ni agricultura, ni ganadería, nada... –el hombre de la metralleta dio por terminado su paseo y volví a girar la cabeza para mirar al charlatán–. Mis abuelos, y mi padre, y...

–¿Te quieres callar de una vez, hostia? –creí que mi voz, incluso en el volumen de un susurro, traduciría perfectamente hasta qué punto me estaba cabreando, pero él iba tan embalado que ni siquiera se dio cuenta.

–Ya, si sólo quería decir que a mí no me importaría ir a trabajar a una mina, porque soy de una familia de mineros, mis abuelos, mi padre, mi hermano mayor, todos son mineros, ¿sabes?, y yo bajé muchas veces, cuando era niño, porque aunque estaba prohibido por el reglamento, pues...

–¡Cállate ya! –esta vez fue Comprendes quien se volvió, y hasta me apartó de un manotazo para verle bien–. A este paso, ni mina ni pollas, ¿comprendes? Antes de que lleguemos a donde sea, ya nos habrán matado a todos por tu culpa.

–Bueno, tampoco es para ponerse así, yo sólo quería contar que... –pero, afortunadamente, el motor de la camioneta que venía a recogernos le dejó con la palabra en la boca.

No era un vehículo militar, sino una camioneta corriente con la trasera vacía, descubierta, y sobre los laterales, unos carteles con el dibujo de un aserradero. Los guardianes nos hicieron subir por orden y después, cuando ya estábamos todos sentados en el suelo, cerraron la puerta y se limitaron a dar un golpe en la cabina para que el conductor se pusiera en marcha. En los tres años que llevaba viviendo en Francia, aquella era la primera vez que no estaba a tiro de ningún fusil, pero mi compañero no me dio siquiera la opción de meditar a qué se debía esa sorprendente falta de vigilancia.

–Aunque sabían que era un delito –porque continuó su perorata en el mismo punto donde lo había dejado, con una facilidad asombrosa–, a los niños nos usaban para explorar las galerías recién abiertas, para que dijéramos si...

—¡Joder! —escuché a mi izquierda—. Menudo viajecito nos espera, ¿comprendes?

—¡Mira! —y tenía tanta razón que, cuando le escuché, ya me había girado hacia el hablador y le tenía sujeto por la camisa—. Yo soy asturiano, ¿te enteras? Nací en una aldea del interior que se llama Gera, en el concejo de Tineo, pero me crié en Mieres. ¿Y sabes por qué? —abrió la boca, pero no le di tiempo a responder a mi pregunta—. Pues porque mi padre era minero hasta que murió aplastado por el derrumbamiento de un túnel, fíjate por dónde. ¿Y sabes qué soy yo? —y de nuevo volvió a abrir la boca en vano—. Pues minero, igual que mi padre, así que estoy harto de bajar a una mina de carbón y no necesito que nadie me explique cómo son, ni que se usa a los niños para explorar las galerías recién abiertas, para que detecten fugas de grisú, porque como tienen el cuerpo tan pequeño, caben por un boquete por el que no cabría un hombre, y así los capataces se ahorran las horas de trabajo que les costaría a los picadores abrir un hueco mayor —había hablado tan deprisa como él, y quizás por eso respetó la pausa que me permitió respirar—. Lo sé todo, ¿entendido? Así que ya puedes callarte, muchas gracias.

—De nada —llegó a decir, pero enseguida se corrigió—. No, que ya me callo.

El camión salió de la zona industrial donde estaba la fábrica que acabábamos de abandonar y desembocó en una carretera secundaria sin iluminación de ninguna clase. Casi enseguida noté que alguien empezaba a moverse, aunque la oscuridad no me permitió identificarle. Sin embargo, cuando se fue acercando a nosotros, reconocí en un murmullo la misma voz que me había recordado lo ricos que estaban los boquerones.

—Cámbiame el sitio, Bocas —le pidió al hombre más charlatán que jamás haya parido una mujer en Fabero, y al ocupar su plaza, la claridad que apenas había comenzado a transparentarse bajo el espeso telón de una noche sin luna, me permitió ver su mano tendida hacia la mía—. Salud, a mí me llaman el Sacristán. Tú eres el Gaitero, ¿no?

—Sí —confirmé, al estrechársela—. Y este... —pero él se me adelantó.

—¿Comprendes, verdad? Te he reconocido... —porque lo repites cada dos por tres, iba a decir, pero se calló a tiempo—. Bueno, te he reconocido.

Después nos explicó adónde íbamos, una explotación forestal que pertenecía a una empresa franco-española cuyos socios eran todos comunistas. Allí ya estaría trabajando alguien que nos habría recomendado para un trabajo que nos permitiría incorporarnos a una guerrilla incipiente, que se dedicaba a hostigar a la retaguardia alemana.

—Así que no se os ocurra tiraros del camión —nos aconsejó cuando terminamos de celebrar la noticia—, porque, aparte del jaleo, allí estaremos bien, entre camaradas —y se puso en cuclillas para avanzar hacia el extremo de la trasera—. Voy a hablar con esos de ahí... —entonces se volvió a mirarnos—. Al Bocas ya le habéis conocido, creo.

—Pues sí. Para que luego os riáis de mi mote, ¿comprendes?

—Es muy buen chaval —el Sacristán sonrió—. Lo único es que, cuando se pone nervioso, habla mucho, y cuando no... También.

Pero cuando volví a tenerlo sentado a mi derecha, seguía estando callado, con la frente posada en las rodillas, las piernas dobladas, los brazos rodeándolas como si quisieran protegerle de nosotros. Mientras adivinaba sus mejillas coloradas de vergüenza, me di cuenta de lo joven que era, dieciocho años, calculé, quizás ni eso, un niño grande que ni siquiera había terminado de crecer. Incluso encogido como estaba, tenía piernas de ave zancuda, una longitud desproporcionada con su tronco corto, achatado, la cintura casi en los sobacos y los brazos larguísimos a cambio, con dos manos grandes y anchas, de hombre, en cada muñeca. Al principio, eso sólo me llamó la atención, pero enseguida me recordé a mí mismo y recordé a mi madre, el desaliento con el que sacaba el costurero apenas me veía entrar por la puerta, cada vez que me daban vacaciones en el seminario. Hijo mío, me decía, pareces una cigüeña, no sé qué voy a hacer contigo, es que ningún pantalón te viene bien tres meses seguidos...

—Bocas —levantó la cabeza, me miró y volvió a esconderla—. Oye, Bocas —y tuve que darle un codazo para que me mirara otra vez—, que siento mucho lo de antes, ¿eh? Perdóname.

El día que le conocimos, Miguel Silva Macías, alias el Bocas, acababa de cumplir diecisiete años y medía lo mismo que yo, un centímetro menos que el Sacristán. En los dos años que pasamos en Bagnères, dio el último estirón y sobrepasó a Comprendes, que era el oficial más alto de la UNE en aquel sector, pero su estatura no modificó la relación que establecí con él aquel día.

El Bocas estaba solo en el mundo. Su padre y su hermano mayor habían muerto en nuestra guerra, el primero fusilado, el segundo en combate, y su madre les había seguido poco después, en el mismo verano del 36. Nadie pudo acompañarla, porque a aquellas alturas su hijo mediano ya estaba en el monte y Miguelito, que con once años era el pequeño, en Asturias con sus padrinos, unos parientes lejanos que no tenían niños y solían llevárselo todos los años a la playa a mediados de julio. Con ellos escapó en un barco poco antes de que cayera el frente Norte y, al llegar a Francia, le metieron interno en una especie de hospicio donde al principio estuvo bien, aunque perdió el contacto con los únicos adultos que podrían haberse hecho cargo de él en febrero del 39, cuando la avalancha de refugiados convirtió aquel internado en un recinto abarrotado de mujeres y niños españoles. A finales de 1940, lo movilizaron como trabajador forzoso aunque aún no había cumplido dieciséis años. Su último destino había sido la fábrica de tornillos de Perpiñán donde el Sacristán, al escuchar su historia, decidió que ya había pasado bastante, y le pidió a su enlace que lo incluyera en la lista de los reclamados bajo su propia responsabilidad. Sin embargo, en el aserradero, quien hizo de padre y de madre, de tutor y de hermano mayor, de maestro y de niñera, de guardaespaldas y de confesor del Bocas, no fue él, sino yo.

—¡Joder, Gaitero, deja ya de mimarle! —el Lobo me lo reprochó muchas veces antes de que mis hombres me cambiaran el nombre, y muchas veces después—. Lo estás malcriando, todo el día pegado a tus talones, como un niño a las faldas de su madre, ni que fueras maricón...

—No es eso, Lobo, parece mentira que no lo entiendas, es sólo que me hace mucha gracia. Es muy divertido y me cae bien. Nada más.

—Pero la obligación de un oficial es confraternizar con todos sus hombres por igual.

—¿Sí? Pues entonces, deja tú de mimar tanto a Romesco.

Porque él también tenía su protegido, un chaval de la misma edad que el Bocas, que le había caído en gracia porque era de Viella, cerca de la Seo d'Urgell, donde él había nacido y trabajado como maestro nacional hasta el golpe de Estado del 36, y nunca le perdía de vista.

—A cubierto, Romesco.

—Pero si estoy...

—¡A cubierto, he dicho! Tírate al suelo ahora mismo, ¡hostia!

Eso era lo mismo que hacía yo con el Bocas, eso y quererle como al hermano pequeño que nunca había tenido, porque para mí la guerra había empezado en octubre de 1934. El día que cogí un fusil me faltaban dos semanas para cumplir veinte años, y no lo había soltado todavía. Llevaba demasiado tiempo en la guerra, demasiado tiempo sufriendo, comiendo poco, durmiendo en el suelo, pasando miedo bajo la lluvia, con frío o con calor. Por eso le quería, porque durante ocho, y luego nueve, y hasta diez años seguidos, había vivido casi siempre una vida horrible, guerra y exilio y guerra y exilio y guerra otra vez. El Bocas, con sus piernas tan largas y su cara bombardeada de granos, me recordaba a mí mismo, al chico que yo había sido cuando aún vivía en una casa, y dormía en una cama, y comía los guisos que cocinaba mi madre, antes de que la guerra me hiciera semejante al hombre en quien le estaba convirtiendo él, aunque cuando llegamos juntos a Bagnères, la teníamos aún mucho más lejos de lo que nos habría gustado.

—No os hagáis ilusiones —el Lobo nos esperaba al pie del camión, para desengañarnos después de darnos un abrazo—. No podemos hacer gran cosa, así que... —y abrió las manos para enseñarnos los callos que el mango de la sierra le había hecho en las palmas, los mismos que tendríamos nosotros antes de poder empuñar un arma distinta—. Esto es lo que hay.

Ramón Ametller Rovira, alias el Lobo, no era el único camarada de Argelès que encontramos en el aserradero. Había reclamado ya, antes que a nosotros, a Román el Pasiego y a Antonio el Zurdo, que tenían un destino peor y ya llevaban allí un par de semanas. Juanito Zafarraya, su lugarteniente desde los tiempos de la guerra, tardó más tiempo en llegar, y cuando volvimos a verle, ya nos habíamos hecho amigos de Pepe Sánchez Ariza, el Sacristán, y de Manolo González Alcántara, alias el Cabrero. Ellos seis, Comprendes y yo, fuimos los fundadores de algo que terminaría siendo la VII Brigada de la IX División de las Fuerzas Francesas del Interior, pero hasta la primavera de 1943 nos dedicamos a cortar árboles y a hacer carbón, más que a otra cosa.

—Nuestro principal problema es que no tenemos armas —Modesto Valledor, que compartía con su hermano José Antonio la titularidad de aquella y otras explotaciones forestales del PCE, en Haute-Garonne y en los departamentos limítrofes, organizó una reunión pocas semanas después de nuestra llegada, para explicarnos la situación—. Nuestros enlaces se juegan la vida todos los días para conseguirlas, pero nos llegan con cuentagotas...

Eso era tan cierto que pasó más de un año hasta que el Lobo, que trabajaba en las oficinas, subió una tarde al monte que estábamos talando antes de que sonara la sirena de la salida, para apartarse con nosotros y darnos instrucciones en voz baja.

El 15 de mayo de 1943, cuando nos levantamos todavía era de noche. No pude distinguir bien la expresión de Comprendes cuando me dijo que aquel día era San Isidro, pero la imaginé al escuchar su voz, mustia de nostalgia. Hoy es fiesta en Madrid, ¿comprendes?, esta noche habrá verbena, baile y churros, y unas tías de Vallecas con unas tetas así... No te quejes, que tú también lo vas a celebrar, intenté animarle cuando aún no había deshinchado los dos enormes globos que sus manos dibujaban en el aire, y sonrió. Ninguno de los dos podía imaginar entonces hasta qué punto serían proféticas mis palabras.

Aquella mañana, no fuimos a trabajar al aserradero. Antes de que sonara la sirena, cargamos con dos sacos llenos de hachas melladas y una cesta de mimbre, con un asa y dos tapas, que nos habíamos encontrado en el barracón la noche anterior, como si fuéramos a ir de merienda campestre. Dentro, había un salvoconducto firmado por Émile Perrier, uno de los socios franceses de los Valledor, para justificar nuestra ausencia del campamento.

—Si os detiene una patrulla antes de llegar al pueblo —nos había explicado el Lobo—, se lo enseñáis, lleváis las hachas al herrero, le decís que os las afile y os volvéis enseguida, sin llamar la atención.

—¿Y si no nos detienen?

—Si no os detienen y no veis a ningún alemán, pero ni de lejos, ¿está claro?, por la carretera...

Lo que vimos a lo lejos, a las nueve en punto, fueron los pollos de cerámica vidriada que coronaban la verja de la granja Dupechez. La parada del autobús estaba justo enfrente, y más allá, por el lado opuesto de la carretera, en dirección contraria a la nuestra, venía andando una chica con una blusa blanca, una falda azul y una pamela de paja en la cabeza. Llevaba colgada del brazo una cesta de mimbre exactamente igual a la que nos habían dado, pero cuando se acercó a nosotros lo suficiente como para distinguir los sacos que llevábamos a la espalda, se paró, se quitó el sombrero con la mano derecha, lo dejó en el suelo, sobre la cesta, y sacudió la cabeza para liberar una cascada de bucles oscuros que le llegaban casi hasta la cintura. Sólo después de peinarse con las manos, se recogió la melena en un moño con mucha parsimonia, para asegurarse de que veíamos bien lo que estaba haciendo. Luego, recogió el sombrero, la cesta, y siguió andando hasta la parada con la mirada clavada en el horizonte, como si no nos hubiera visto.

—Mala suerte —murmuré en dirección a Comprendes, porque el Lobo había sido tajante, si no hay sombrero, no hay pistolas, pero cuando miré a mi derecha no vi a nadie. Tuve que volverme para descubrirle, unos metros detrás de mí, tan inmóvil como si fuera un árbol recién plantado, mirando en la única dirección en la que no debería haber mirado con la boca muy abierta.

—¿Quién es esa chica? —me preguntó sin enderezar la cabeza, como si tuviera el cuello torcido, o una soga invisible tirara de él desde el otro lado de la carretera.

—¡Y yo qué sé! —y le cogí por la barbilla para obligarle a mirar hacia delante—. Vamos...

Pero aunque conseguí que echara a andar, no mantuvo la cabeza recta más de un segundo.

—No la mires —le dije, apretando los dientes con la misma fuerza con la que le habría estrujado a él si hubiera podido—. ¿Pero tú estás tonto o qué?

—No... —su acento era tan risueño como si estuviéramos los dos en una de esas verbenas que añoraba tanto—. Es que me gusta mucho, ¿comprendes?

—Pues si te gusta, no la mires, coño —y le di en la nuca para hacerle reaccionar de una vez—. ¿O es que no te acuerdas de lo que lleva en la cesta?

Por fin, volvió los ojos hacia mí con el ceño súbitamente fruncido, un insólito rubor en las mejillas.

—Es verdad —reconoció—. Tienes razón, ¿comprendes?

Y sin embargo, todavía la miró una vez más, mientras fingía atarse los cordones de las botas en el extremo de una curva. Cuando el autobús que iba en dirección al pueblo pasó a nuestro lado, volvimos a verla. Iba de pie, en el centro, agarrada a la barra, mirando hacia nosotros, y se había dado cuenta de todo, porque mientras Comprendes levantaba la cabeza hacia ella, le sonrió.

El pueblo estaba plagado de alemanes, pero todos de permiso y casi todos borrachos. Dimos varios rodeos para esquivar los burdeles, los cafés, las tabernas, y conseguimos no tener que enseñarle el salvoconducto a ninguno, pero entre eso y lo que tardó el herrero, cuando volvimos al campamento era tan tarde que el Lobo ya sabía que la entrega se había frustrado. Tres semanas después, nos anunció que íbamos a volver a intentarlo.

—Lo vamos a hacer en otra parada, lejos del pueblo, a unos cinco kilómetros de aquí, pero quizás sería mejor que fueran otros, porque...

—¿La chica es la misma?

—Claro. Ella es la que sigue teniendo las pistolas.

—Entonces vamos nosotros, ¿comprendes?

—Pero es peligroso, porque...

—Que no —y negó con la cabeza y tanta vehemencia como si se le hubiera descoyuntado el cuello—. Si no les enseñamos el salvoconducto, ¿comprendes?, no nos vieron la cara, ni nada... Vamos nosotros, que ya la conocemos, y mucho mejor —el Lobo no parecía muy convencido, pero Comprendes fue más rápido—. El otro día había dos chicas más en la parada, ¿comprendes?, y las tres iban vestidas por el estilo. Sólo falta que mañana haya otra con un sombrero, para que vaya cualquiera y meta la pata.

Y sin decir ni una palabra más, se levantó, se sacudió el polvo de los pantalones, y echó a andar con mucha decisión.

—Pero ¿adónde vas ahora? —le pregunté. No me contestó, y cuando el Lobo quiso saber qué le pasaba, le dije que no estaba muy seguro, porque nunca le había visto así. Tampoco había visto a dos chicas vestidas igual que nuestra enlace en aquella parada de autobús, pero eso no quise decirlo.

El 10 de noviembre de 1936, estuve seguro de que iba a morir. Me había quedado solo en una esquina de la tercera planta del hospital Clínico de Madrid, y aunque había ido aprovechando las de los cadáveres que me rodeaban, estaba a punto de quedarme sin municiones. En ese momento, para mí no había más frente que aquel pasillo. Las habitaciones de número par eran nuestras, las de número impar, del enemigo, a un lado estaba yo, y al otro, al menos tres tiradores. No era la primera vez que pensaba que iba a morir, pero nunca había visto la muerte tan cerca. Ya me había dado tiempo a despedirme del mundo, a pensar en mi madre, en mis hermanas, en las decisiones que había ido tomando aquel verano hasta que decidí presentarme voluntario en Toledo, cuando el gobierno pidió mineros asturianos para dinamitar el Alcázar. Ese era el camino que me había llevado a morir en Madrid, una ciudad de la que aún no conocía nada excepto aquel hospital al que se dirigía el primer camión al que pude subirme dos días antes, cuando llegué andando desde Aranjuez, el hospital donde llevaba más de treinta y seis horas seguidas luchando, primero por la República, luego por mi propia vida, la que estaba a punto de perder. Ya me había dado tiempo a decidir que no me arrepentía de lo que había hecho, cuando le escuché por primera vez.

—¡Aguanta!, ¿comprendes? —y antes de que pudiera preguntarme qué era lo que tenía que comprender, vi cómo caía derribado el moro que me estaba friendo desde la puerta de la habitación 311–. ¡Aguanta, que ya llego!

Lo primero que me llamó la atención de él, antes incluso que la pregunta que repetía en todas las frases, fue que tuviera tan buena puntería llevando las gafas tan sucias. Aquella mañana, además, se le habían roto, y cada dos por tres se las quitaba para arreglárselas con un rollo de esparadrapo que había cogido al pasar por una sala de curas. Aparte de eso, era muy alto, muy delgado, aún más desgarbado, y tenía el pelo rizado en caracoles pequeños, retorcidos, que le caían sin cesar sobre la frente. Otros hombres me habían salvado la vida antes de aquel día, pero ninguno me había caído tan bien. Tampoco me había compenetrado nunca con nadie como con aquel chico, que tenía la misma edad que yo, veintidós años, y parecía adivinarme el pensamiento. Cuando los nuestros aseguraron el sector que iba desde nuestra posición hasta las escaleras, habíamos liquidado ya, en un periquete, a los tres que teníamos enfrente, y el relevo nos encontró fumando un pitillo, muy tranquilos. Ya me había contado que era de Vicálvaro, que llevaba en Madrid una semana escasa, y que se había instalado en un pisazo con balcones al Retiro que sus dueños habían abandonado antes del 18 de julio. Le había dado el chivatazo la portera, que era de su pueblo, y cuando le dije que yo ni siquiera tenía donde dormir, me contestó que a él le sobraban doscientos metros, un montón de habitaciones donde elegir. Así nos hicimos amigos, y desde el día que me salvó la vida, hasta que se enamoró de una chica con una cesta y un sombrero, apenas nos habíamos separado.

–¡Joder, Comprendes! –la mañana de la segunda entrega, cuando me desperté, no estaba en el barracón, y al verle entrar por la puerta, me costó trabajo reconocerle, porque se había afeitado, se había cortado el pelo y llevaba una camisa recién lavada, que chorreaba agua todavía–. A tu lado, voy a parecer un pordiosero.

–De eso se trata, ¿comprendes?

–No sé yo si el Lobo pensará lo mismo –pero él cogió uno de los sacos, sonrió, no dijo nada.

—He estado pensando... —y llevábamos andando más de un kilómetro cuando volvió a abrir la boca—. Esa chica, ¿comprendes?, tú qué crees, ¿será francesa o española?

—No sé qué decirte —porque la verdad es que a mí no me había parecido para tanto, y ni siquiera la había mirado bien—. Por la pinta, parece más bien española, pero eso no significa mucho.

—Ya... —pareció abismarse de nuevo en sus pensamientos, pero reaccionó enseguida—. Sería mejor que fuera española, ¿comprendes? No porque a mí me importe eso, que me da igual, ¿comprendes?, sino porque como no vamos a tener tiempo de hablar mucho...

—¿Que no vais a tener tiempo de qué?

Entonces, el que se quedó clavado, paralizado por el asombro en medio de la carretera, fui yo, y él quien se volvió a mirarme, muy extrañado.

—De hablar...

—Mira, Sebastián —sólo usábamos nuestros nombres auténticos en las emergencias pero, para despejar cualquier duda, fui hacia él, le cogí por los brazos, y le sacudí por no darle dos hostias—. Como parece que no te has dado cuenta de dónde estamos, ni de qué pasa, ni de qué vamos a hacer, te lo voy a explicar. Esto es Francia, ¿te enteras?, un país ocupado por los nazis. Tú y yo somos dos presos españoles, o sea, una mierda, ¿está claro? Esa chica seguramente es otra refugiada española. Su vida vale lo mismo que la nuestra, o sea, otra mierda, y se la va a jugar, o no, mejor dicho se la está jugando ya, para entregarnos unas pistolas, así que nadie va a hablar con ella, ¿entendido? Ni tú ni yo, ¡nadie! —me paré a mirarle y vi que estaba tan fresco, haciendo cosas raras con los labios para no sonreír—. Te juro que como hagas algo peligroso, saco una pistola de la cesta y te dejo seco.

—Bueno, ya veremos, ¿comprendes?

Aquel día en Madrid no habría verbenas, pero San Isidro debía de sentirse en deuda con nosotros, porque todo salió bien. De milagro, pero muy bien. A la hora convenida, vimos a la misma chica, la misma blusa, la misma falda, la misma cesta de la otra vez, andando por el lado contrario de la carretera, hasta que

125

llegó a una parada de autobús donde sólo había una señora mayor, dormitando contra un poste, y dos niños de unos doce años que no estaban mucho más despiertos. Dejó su cesta en el suelo pero no se quitó el sombrero, y al fin cruzamos la carretera, llegamos a la parada y nos pusimos a su lado. Comprendes maniobró para pegarse a ella y se quedó quieto, con la cabeza recta, mirando hacia delante, un minuto, y otro, y otro más. Menos mal, pensé, y ya creía que mi regañina había servido para algo cuando le vi ladear la cabeza con una expresión de bobo muy sospechosa pintada en la cara. Un minuto más tarde, cerró los ojos y sonrió. Entonces me alejé de él un par de pasos, me estiré hasta que logré bostezar, miré a la derecha como si quisiera atisbar a un autobús que no venía, y al volver la vista atrás, les vi haciendo manitas, los dos muy tiesos, muy serios, como si aquellos dedos que se tocaban, que se movían arriba y abajo para acariciarse mutuamente, no fueran suyos. Recuperé mi posición inicial, a la izquierda de Comprendes, y doblé la lengua dentro de la boca para mordérmela con los dientes. Eso habría bastado para que mi amigo descubriera hasta qué punto estaba cabreado, pero no resistí la tentación de blasfemar en un murmullo.

—Me voy a cagar en Dios, en la Virgen y en los Doce Apóstoles... —ninguno de los dos me miró, aunque él sonrió al escuchar mi juramento, pero no tuve tiempo de cabrearme otra vez, porque enseguida vi aparecer a lo lejos el autobús en el que ella tenía que marcharse.

Los niños se adelantaron para subir en primer lugar, y la señora adormilada se colocó detrás de ellos. La chica cogió nuestra cesta, empujó la suya con el pie hacia nosotros, avanzó hacia la puerta y, mientras esperaba a que la anciana encontrara las monedas exactas para pagar el billete, como si supiera en qué instante se había enamorado Comprendes de ella, se quitó el sombrero, sacudió la cabeza, se volvió a mirarle y le sonrió. Él siguió el autobús con la mirada hasta que se perdió de vista, y luego se volvió hacia mí.

—Tú me has dicho que no hablara y yo no he abierto la boca, ¿comprendes?

Se echó a reír y me pareció que nunca le había visto tan eufórico, así que sonreí con él. Al fin y al cabo, teníamos las pistolas, cuatro Luger alemanas, nuevecitas, las primeras que conseguíamos, y eso era lo importante, aunque a él le siguieran preocupando más otras cosas.

—¿Será francesa? —me preguntó en el camino de vuelta, y al día siguiente, todos los días, varias veces, durante más de tres semanas—. Porque si fuera española, cuando te cagaste en Dios debería haberse reído, ¿comprendes? Claro que lo dijiste tan bajito, que a lo mejor no te oyó.

—¿Y de dónde era esa chica, Comprendes? —el Sacristán le tomaba el pelo.

—Era francesa, ¿no? —y el Cabrero también—. ¿O era de Cartagena? Es que no me he enterado bien.

—A ver si va a ser mi prima Conchita, porque por la descripción...

—Iros a tomar por culo —y se volvía como si acabara de picarle una avispa—. Los dos, ¿comprendéis?

—¡Qué poco sensibles sois! —Zafarraya se hacía el comprensivo—. ¿No veis que está perdidamente enamorado?

Eso era lo que peor le sentaba. Al escucharlo, se levantaba de un brinco, se sacudía el polvo de los pantalones, como si no pensara volver a sentarse en la vida, y echaba a andar, menos digno que indignado, sin volverse a mirarnos. No tardaba ni dos minutos en volver, para seguir haciéndose preguntas en voz alta y preguntar por ella a los demás, sin más datos que unos rasgos que la muchacha del sombrero compartía con la prima del Sacristán y con varios millones de muchachas más, de cualquier nacionalidad y en cualquier lugar del mundo. Más bien baja, castaña tirando a morena, delgadita, con los ojos oscuros y el pelo largo, ondulado, los dientes muy blancos... Hasta que ella misma puso fin a su zozobra.

—¡Comprendes! —grité el día que se presentó en el claro del bosque donde yo estaba cortando troncos.

—¡Mande! —respondió él, que aquella mañana estaba trabajando de carbonero, un poco más arriba.

—Tu chica es española, andaluza, de Pozoblanco, y se llama Angelita.

—¿Sí? —y una cabeza completamente negra apareció por encima de una humeante montaña de escoria—. ¿Y cómo te has enterado tú de todo eso?

—Porque me lo acaba de decir ella misma, que está aquí delante.

—¡No me jodas! —y sonreí al recordar el esmero con el que se había pelado, y afeitado, y lavado la camisa unos días antes—. Bueno, dile que espere un momento, ¿comprendes?, que me voy a lavar la cara, por lo menos...

Angelita trabajaba muy cerca del aserradero, en una granja que pertenecía a los padres de Émile Perrier y en unas condiciones semejantes a las nuestras, porque había sido reclamada por indicación del Partido desde la fábrica a la que había llegado después de pasar por un campo de mujeres. A pesar de todo, tenía mucha más libertad de movimientos que nosotros, porque madame Perrier, además de camarada, era muy mayor y apenas salía de casa. Angelita era la que iba al pueblo a hacer la compra y la que venía a las oficinas de la empresa cada vez que sus padres querían darle a Émile algún recado que no se atrevían a transmitir por teléfono. Así había llegado hasta el aserradero aquella mañana, y no tuvo que preguntar dos veces para averiguar el paradero de un chico muy alto, con el pelo rizado, la nariz aguileña y las gafas sucísimas, porque no había otro con esas señas.

A partir de aquel momento, Comprendes y Angelita se pusieron de acuerdo para jugarse la vida el doble que los demás, de día pero también de noche. Todas las tardes, unos minutos antes de que sonara la sirena, él trepaba hasta unas peñas desde las que se veía la granja Perrier, y estudiaba el patio trasero. Angelita programaba sus encuentros con un código de ropa tendida a un lado o al otro de este o de aquel poste, y Comprendes descubría en las sábanas, en los vestidos y los calcetines, la hora y el lugar en el que ella estaría esperándole, o no, aquella noche.

—Fernando...

Si había suerte, repetía mi verdadero nombre en un susurro, zarandeándome con suavidad, hasta que conseguía que abriera los ojos. La primera vez que me desperté y encontré a mi lado un petate vacío, le dije que, por lo que pudiera pasar, prefería saber dónde estaba. Aunque oficialmente, para las fuerzas alemanas de ocupación, éramos trabajadores presos, dentro del campamento podíamos movernos libremente, y no había guardias en los barracones. Sin embargo, el recinto estaba rodeado de alambradas, y en las puertas había hombres armados cuya auténtica misión no consistía en impedirnos salir, sino en protegernos de las visitas que pudiéramos recibir del exterior. Muchos de nosotros habíamos llegado hasta allí como miembros de una Compañía de Trabajadores Extranjeros, pero eran más los ilegales, soldados republicanos, comunistas o no, que se habían fugado de los campos o de las fábricas, y carecían de cualquier permiso para estar en el aserradero. Ellos eran la única razón de que el recinto estuviera vigilado, y de vez en cuando, hacíamos un simulacro de emergencia para que cada uno supiera dónde tenía que esconderse, y nos partíamos de risa.

Cuando le tocaba guardia a algún conocido, Comprendes entraba y salía sin problemas. Cuando no, estaba sin tabaco una semana, pero nunca faltó a una cita. Lo sé, porque yo no podía volver a dormirme hasta que regresaba. Antes de que me diera tiempo a coger la postura, el muy cabrón ya se había quedado frito, y a la mañana siguiente, parecía que no había sido él quien se había corrido una juerga, porque se levantaba como una rosa y atacaba los troncos como si fueran juncos, mientras yo subía la cuesta arrastrando los pies, entre bostezo y bostezo.

—Lo que está haciendo tu amigo es muy peligroso —me decía el Lobo.

—Ya... —pero mientras le daba la razón, procuraba no mirarle a la cara.

—No lo digo sólo por él, lo digo también por ella.

—Ya...

—Cualquier día, vamos a tener un disgusto.

—Ya...

—No tiene sentido que se estén jugando la vida de esa manera.

—¿Tú crees que no? —hasta que una mañana, el Zurdo intervino en una conversación a la que nadie le había invitado—. ¿Y para qué sirve la vida entonces, en tu opinión?

Yo estaba de parte de Comprendes, él estaba de parte de Comprendes, todos estábamos de su parte, de parte de aquel amor dificilísimo, que florecía en el desierto desolado y áspero de una derrota interminable como una garantía de que la vida seguía existiendo, de que existiría el futuro, por ahí, en alguna parte, mientras Comprendes y Angelita siguieran encontrándose por las noches en el bosque, mientras se las arreglaran para ser felices sin nosotros, y por nosotros a la vez. ¡Hay que joderse con el romanticismo!, protestaba el Lobo, y tenía razón. Todos estábamos incumpliendo todas las reglas, Angelita y Comprendes los primeros, por largarse de sus dormitorios de madrugada, después él, por consentirlo, y luego los demás, por ampararles. Habíamos tejido con mucho esfuerzo una red muy frágil, y una debilidad de cualquiera de sus miembros repercutiría sin remedio en la fortaleza del conjunto. Así eran las cosas, y todos lo sabíamos, pero más nos importaba saber que seguían existiendo los besos en la boca. Eso nos importaba más que comer.

En aquella fase, Angelita, el cordón umbilical que unía al Partido de fuera con el Partido de dentro, era más valiosa para la organización que todos nosotros juntos. Ella, con sus veinticuatro años y su aspecto de muchachita española sin rasgos particulares que destacar, era la que coordinaba a los comités de las empresas de la zona, la que distribuía a los ilegales por los aserraderos, la que nos entregaba las armas que se hubieran podido robar a los alemanes, la que transcribía las emisiones en onda corta de la BBC y la que las descifraba, para avisarnos de las entregas de armamento que los aliados dejaban caer en paracaídas para el Ejército Secreto de De Gaulle, sin saber que nosotros íbamos a intentar llegar a recogerlas antes que ellos. Cuando lo lográbamos, y cuando no, en el claro del bosque donde nos hubiera citado, estaba ella, corriendo riesgos innecesarios. Al ver a Comprendes, salía de detrás del matorral donde se hubiera escondido, sonreía, y se dedicaba a hacer tonterías, como si fuera una niña pequeña. Él la veía balancearse, arreglarse la cinturilla de la falda, apartarse el flequillo de la frente y, cayeran o no fusiles del cielo, se iba derecho a ella, la abrazaba y, después de mirarla un momento como si nunca antes lo hubiera hecho, la besaba en la boca para que los demás sonriéramos a la vez, como si acabáramos de acordarnos de que nosotros también seguíamos teniendo labios, lengua, dientes. Mientras tanto, el Lobo mascullaba una letanía monótona, aburrida y rancia como el rosario de las beatas, os voy a expulsar, os voy a expulsar, os voy a expulsar, a mí me expulsarán, desde luego, y me estará bien empleado, pero antes os voy a expulsar a todos, no se va a librar ni uno, ¿me oís?, ni uno...

Nunca nos lo tomamos en serio, porque sabíamos que se le iba la fuerza por la boca. Si me dieran una peseta por cada vez que has dicho que me ibas a expulsar del Partido, Lobo, sería ya el hombre más rico de la provincia de Granada, solía decirle Zafarraya, que era su mejor amigo y el único que se atrevía a reírse de él en su cara. Conque me dieran dos reales, mira lo que te digo, ya tendría yo un carmen en el Albaicín, con sus cipreses, y sus macetas, y sus fuentecicas... Eso era verdad, aunque al final, el Lobo tuvo razón. Al final, Comprendes nos dio un disgusto cuando menos lo esperábamos, cuando ya estábamos en el monte, metidos hasta el cuello en la guerra.

—Voy a bajar, ¿comprendes?

Dentro de poco, volvería a ser San Isidro, pero en 1944 ya no vivíamos en el aserradero, donde otros tantos ilegales cortaban troncos y hacían carbón con los nombres y los apellidos de los que estábamos arriba, luchando contra los alemanes. Los grandes combates no habían empezado aún, pero ya habíamos dejado atrás los sabotajes para debutar en la guerrilla. Nuestra base estaba cerca de nuestros antiguos barracones, prácticamente encima de la granja Perrier, pero cuando Comprendes me dijo que iba a bajar, yo le contesté que no, y lo dije en serio. Aquello era la guerra, y no hacía falta ser el Lobo para asustarse de las consecuencias de lo que antes era una simple travesura. Cuando se escapaba por las noches, en el llano, Comprendes corría sus propios riesgos, pero en el monte, y en aquellas circunstancias, cualquier imprudencia suya nos pondría en peligro a todos. Sin embargo, cuando le advertí que estaba dispuesto a detenerle antes que a dejarle bajar, me miró, me sonrió, y siguió hablando como si no se hubiera creído una palabra.

—Hace casi dos meses que no bajo, ¿comprendes? —y por la forma en que lo dijo, me di cuenta de lo preocupado que estaba—. No es un capricho, no tengo un calentón, no me ha dado una ventolera, te lo juro. No es eso. Es que me está llamando. Lleva diez días seguidos llamándome y eso es que le ha pasado algo. Ella está sola ahí abajo, ¿comprendes? Tengo que verla.

—Escúchame un momento, Sebas...

—No —y lo subrayó con la cabeza—. Si quieres avisar al Lobo, ya estás tardando, ¿comprendes? Y si no, más vale que te calles, porque esta noche voy a bajar.

A las cinco y media de la mañana, él llevaba casi cuatro horas fuera y yo ya no tenía estómago. No tenía huesos en las piernas, ni las tripas en su sitio, sólo un hueco debajo del ombligo, los pulmones atascados de humo y la peor clase de miedo que puede tener un soldado, que no es el miedo a morir, sino a la responsabilidad de haberla cagado, de ir a morir con una masacre sobre la conciencia. Cuando llegó, ya le había visto muchas veces muerto, derribado en una cuesta con un tiro en la espalda, torturado hasta la muerte y agonizando en una calle, tumbado en el suelo de un calabozo con un agujero de bala en la cabeza, antes o después de haber confesado la situación de nuestra base, y guiando a un destacamento de alemanes, muerto o vivo, hasta nosotros. Cuando llegó, ya estaba a punto de despertar al Lobo, de contarle lo que había pasado, de pedirle que me fusilara aquella misma noche, si quería, pero sólo después de despertar a los demás y de levantar el campamento. Cuando llegó, ya había pensado en todo y le había visto de todas las maneras, de todas excepto con la angustia pintada en los ojos, tal y como le vi cuando tuve tiempo de mirarle.

—¡Tú eres un cabrón! —porque lo primero que hice fue ir hacia él y soltarle un puñetazo en el hombro—. Menos mal que no te ibas a entretener.

—Y es verdad que no pensaba —sólo después le miré, y eché de menos la euforia, el eco pastoso que el placer solía dejar en su voz, el brillo que no relucía en sus ojos—. Pero como eso ya no importa, ¿comprendes?, como ya no puede volver a pasar, y ella está tan mal, tan asustada...

—¡No me jodas! —le cogí por un hombro, le miré, y le vi asentir con la cabeza—. No me jodas, Comprendes...

Amparo Gómez Ripollés, que se había casado con Ramón Ametller en 1932, un año después de posar como una República con volúmenes de odalisca, apetitosa pero poco convencional, para el cartel del congreso de la FETE donde se conocieron, se había librado de los campos gracias a las gestiones de unos camaradas franceses que se apiadaron del asma alérgico de su hijo menor. Desde entonces vivía en Toulouse, con él y con su otra hija, en una habitación que ya era pequeña antes de que una cortina la convirtiera en dos. El propietario de la taberna donde trabajaba le descontaba el alquiler del sueldo, pero no la trataba demasiado mal, sobre todo desde que empezó a sospechar, por fortuna después de Stalingrado, que en sus ratos libres servía de enlace entre el PCE y el PCF. Amparo veía casi a diario a su contacto con los comunistas franceses, el dueño de la pescadería donde compraba para su casa y para la taberna. Claude Renaud era un buen hombre, aunque tan tacaño que tenía el puesto abierto durante más de diez horas sin otro empleado que su hija Solange, que a los veinte años estaba tan politizada, o más, que su padre. Ella fue quien resolvió en realidad aquella crisis.

Cuando el Lobo se cansó de anunciar que iba a expulsar a Comprendes y a Angelita, y Zafarraya de pedirle por favor que no dijera más gilipolleces, Amparo ya le había contado a Renaud, con los tintes más trágicos que pudo improvisar, el drama del callejón sin salida donde había desembocado aquel amor clandestino y admirablemente antifascista. Hay que sacarla de allí, Claude, te das cuenta, ¿no?, tiene que marcharse antes de que se le note el embarazo. Ella ha trabajado mucho, se ha expuesto mucho, es muy valiosa. Si sigue adelante, a lo mejor no le pasa nada, pero a lo peor... En la granja no hay ningún hombre joven. Si los alemanes la detienen y le hacen preguntas, el aserradero está ahí al lado y los del monte dando guerra, así que...

Mientras Amparo hablaba, el pescadero se limitaba a asentir con gesto preocupado, pero su hija, a quien la militancia, lejos de vaciarle la cabeza de pájaros, la estaba volviendo un poco más romántica cada noche, suspiraba con la cara entre las manos y los ojos cerrados, imaginando un claro del bosque, un guerrillero arriesgando la vida por amor, dos cuerpos desnudos a la luz de la luna... Pues ya está, le dijo a su padre, tú la reclamas y que se venga aquí, a vivir con Amparo y a trabajar con nosotros. Es que eso es lo que no está claro, se defendió él, porque a mí no me importa reclamarla, al contrario, yo, encantado, pero luego hay que justificar el permiso de trabajo, y aquí ya estamos tú y yo, así que... Bueno, yo le cedo la mitad de mi jornada, y la de mi sueldo, claro está. ¡Pero si a ti no te pago nada, Solange! Pues por eso, y su hija se levantó, dando la conversación por concluida, ya llevas demasiados años explotándome, ¿no te parece? Si viene esa chica, sigo trabajando como hasta ahora. Y si no, quiero cobrar...

Cuando Angelita estuvo a salvo, en Toulouse, nuestra vida había vuelto a cambiar de una forma tan radical, que hasta Comprendes había dejado de pensar en ella a todas horas. El desembarco aliado en Normandía obligó a los alemanes a concentrar tropas en el norte, y este movimiento, que dejó relativamente desguarnecido el sur, nos permitió bajar al llano, a luchar en campo abierto. Aquello ya no era la guerrilla, sino la guerra auténtica, y una guerra distinta a la que habíamos conocido antes. No sé cuándo se darían cuenta los demás, pero el 2 de julio de 1944 yo empecé a estar seguro de que aquella vez íbamos a vencer.

—¡Comprendes! —grité, cuando me pareció que ya llevaba demasiado tiempo hablando con aquel alemán—. Ven aquí.

Aquel día gané la batalla más importante de mi vida. Porque la había ganado yo solo, porque el enemigo era superior en número, y porque los alemanes no sabían, pero yo sí, que lo que tenían enfrente no era un ejército, sino una partida de desarrapados, mal armados, mal alimentados, mal uniformados, que luchaban en un país extranjero donde vivían contra su voluntad. Eso era lo que habíamos sido hasta entonces y lo que nunca volveríamos a ser desde aquel día en el que liberamos, sin la ayuda de nadie, un pueblo pequeño, mucho más cerca aún de Bagnères que de Toulouse, y que ni siquiera aparecía en la mitad de los mapas.

—¿Qué pasa? —le había mandado a parlamentar en mi lugar después de que el jefe alemán, que llevaba insignias de comandante, destacara a un teniente en vez de dirigirse a mí en persona.

—Tenemos problemas, ¿comprendes? —y meneó la cabeza con desánimo—. No se quieren rendir.

—¿Qué? —y lo pregunté en voz tan alta que al oficial que hablaba español no le quedó más remedio que mirarme—. ¿Pero cómo no van a querer rendirse, si les hemos desarmado y todo?

—Ya, a la tropa, pero el comandante no quiere entregarse a nosotros, ¿comprendes? Dice que sólo está dispuesto a rendirse a los franceses.

—¿Y por qué, si puede saberse?

—Es que... —Comprendes miró a nuestro alrededor, comprobó que estábamos rodeados de hombres que nos miraban con extrañeza, y bajó la voz—. El comandante estuvo en nuestra guerra, ¿comprendes? Era el asistente de uno de los asesores de Burgos, y dice que... —el Bocas y el Tarugo, un chico riojano de su edad, que apenas hablaba y por eso se había convertido en su compañero inseparable, estaban tan cerca que su voz descendió al nivel de un murmullo—. Dice que a nosotros ya nos ha vencido.

—¡Me voy a cagar en Dios!

Me aparté unos pasos y me mordí la lengua doblada entre los dientes, mientras sentía la sangre latiendo en las venas del cuello, en las sienes y en las cuencas de los ojos, mi corazón bombeándola a tal velocidad que mi cabeza parecía a punto de estallar de un momento a otro. Decidí correr ese riesgo, y me volví para mirar a los ojos de aquel comandante de la Wehrmacht. Él me sostuvo la mirada con una arrogancia que no le correspondía, porque yo no había estudiado en ninguna academia militar, nunca me había condecorado ningún ministro de la Guerra, no tenía sable, ni estado mayor, ni un caballo blanco sobre el que entrar cabalgando en ninguna ciudad, pero le había vencido. Él, con todos sus galones, sus condecoraciones y sus águilas de metal reluciente, había sucumbido a un simple parche tricolor, cosido de cualquier manera en una guerrera prestada, que ni siquiera se parecía a la que llevaban otros de mis hombres. Y sin embargo, a mi derecha, el Bocas, que no había luchado en ninguna otra guerra, que no sabía lo que era una desbandada, una retirada, una derrota, que no tenía por qué saberlo, me miraba con una inquietud que me dolía, porque era un soldado victorioso y todavía no se había dado cuenta. Los soldados victoriosos no tienen otra obligación que alardear, abrazarse, y elegir entre beber hasta caerse o intentar acostarse con la primera que se deje. Los soldados victoriosos son más chulos que un ocho, y no miran a sus jefes como me estaba mirando él a mí, sin atreverse a preguntar qué era lo que habíamos hecho mal aquella vez.

—¡Comprendes! —pero aquella vez no habíamos hecho nada mal, y todos, los alemanes y mis hombres, se iban a enterar al mismo tiempo.

—Los de la VI deben estar a unos veinte kilómetros, ¿comprendes? Podemos avisar a Ben, o...

—A nadie —y mi cuerpo entero se aflojó en aquel instante—. No vas a avisar a nadie. Lo que vas a hacer es llevarte a los alemanes, a punta de pistola, a cualquier casa, y dejarlos encerrados allí. Luego, metes cuatro o cinco ametralladoras, las que quepan, en la escuela, debajo de la pizarra, las cubres con una lona, te vas a buscar al comandante, a sus oficiales, y a punta de pistola otra vez, nada de cortesías, me los sientas a todos en las sillitas de los niños, enfrente de las ametralladoras. Y vamos a ver si se rinden o no. ¿Está claro? —asintió con una sonrisa, porque había empezado a entenderme—. Que el Bocas, el Tarugo, y quince o veinte más, los que tú quieras, entren contigo y rodeen la clase. Cuando esté todo preparado, me avisas.

En el instante en que vio a Comprendes dirigirse a él con la pistola por delante, el comandante alemán cerró los ojos. Volvió a abrirlos para mirarme, mientras mi lugarteniente movía su arma en el aire para ordenarle que se levantara. En aquel gesto aprendí que él también había adivinado a su manera lo que iba a pasar, pero no cambié de planes porque para mí, en aquel momento, él ya era lo de menos.

—Buenas tardes, comandante —le saludé en español cuando todo estuvo listo, las ametralladoras montadas, los alemanes, tan altos, encajados en aquellas sillas tan pequeñas, mis hombres, más bajos, de pie, tiesos como postes, cada uno en su sitio—. Me parece que tenemos un problema y necesitamos resolverlo, ¿no?

El teniente que había hablado antes con Comprendes se inclinó hacia delante, en un ángulo muy difícil, para poder traducir mis palabras a su jefe, que estaba impertérrito en su pupitre, la barbilla altiva, los labios fruncidos en un gesto de desprecio tan ridículo, tan desproporcionado con el ángulo de sus piernas encogidas, que le sonreí antes de seguir.

—La solución está en su mano, comandante. Tiene usted dos opciones —las marqué con dos dedos de la mano derecha—. La primera es rendirse. A mí —y posé el dedo índice sobre mi pecho—. No a los franceses —aparté el dedo para señalar hacia la ventana—, sino a mí, porque quien manda aquí —y de nuevo golpeé mi pecho con el dedo— soy yo. Y la segunda...

Retrocedí unos pasos sin dejar de mirarle, cogí por una esquina la lona azul con la que mis hombres habían cubierto las ametralladoras, y la aparté de un tirón, con un movimiento un tanto exagerado, incluso teatral, pero eficaz, porque dejó todas las armas a la vista.

—La segunda opción ya la está usted viendo —hice una pausa para mirarle—. Así que usted dirá...

Cuando el teniente alemán intentó traducir mi última frase, el comandante negó con la cabeza. No necesitaba más traducción, y se limitó a sacar su pistola con una mano, ponerla encima de la palma de la otra, y extenderla hacia mí.

—*Merci beaucoup, commandant* —fui a recogerla con una sonrisa—. *Nous vous laisserons entre les mains de l'armée française.*

Mientras los demás dejaban caer sus pistolas al suelo, empecé a andar hacia la puerta, pero el teniente que había hecho de intérprete me llamó antes de que la alcanzara.

—¡Capitán! —al darme la vuelta, vi que mis hombres, tan diligentes como de costumbre, habían recogido ya todas sus armas—. Habla usted muy bien francés. ¿Por qué no ha querido dirigirse a nosotros en un idioma que todos entendemos?

Antes de responder, comprobé que todos los pares de ojos, claros y oscuros, que había en aquella aula me estaban mirando a la vez. Por eso avancé unos pasos, llegué hasta el centro de la habitación, liberé mi lengua de mis dientes, y le contesté en un tono sereno, amable incluso.

—Porque no me ha salido de los cojones.

Giré sobre mis talones y salí de la escuela andando despacio, con la serenidad suficiente para darme cuenta de que Comprendes venía detrás de mí. Cuando ya nos habíamos alejado un trecho, escuché un sonido que al principio no logré identificar, clap, clap, clap.

—¿Qué? —y al darme cuenta de que estaba aplaudiendo, me eché a reír y me volví a mirarle—. ¿Te ha gustado?

—¡Joder! —él me dio un abrazo antes de contestar—. Más que los títeres de mi pueblo, ¿comprendes?

—Bueno, pues vamos a ver si podemos sacarle partido a esto —porque ya estaba decidido a llegar hasta el final—. ¿El camión está cargado?

—Sí, todo está dentro. Ahora mismo voy...

—No, tú no.

Él me miró con extrañeza, porque lo primero que hacíamos siempre era quitar de en medio las armas de los alemanes. Cuando sólo cogíamos dos o tres, en alguna escaramuza sin importancia, las íbamos enviando al fondo del cajón de las patatas, hasta que una cosecha mayor, como la que acabábamos de obtener, justificara un viaje hasta la granja de Fermín, un camarada de Palencia que había emigrado antes de nuestra guerra y tenía un arsenal escondido en el granero. El armamento seguía siendo nuestro problema principal, pero mientras estuviéramos luchando en Francia, nos armaban los aliados, que tenían de sobra. Los camaradas franceses lo sabían todo, y nos preguntaban de vez en cuando, por pura fórmula, dónde estaban las armas de los alemanes que habíamos capturado. Y cuando contestábamos que no lo sabíamos, que las habrían enterrado en alguna parte o las habrían tirado a un río, pero el caso era que las habíamos perdido, se reían más que nosotros.

—Hoy no —Comprendes era quien se ocupaba de eso, e in-

138

ventariaba minuciosamente hasta la última bala en una libreta de tapas de hule que siempre llevaba encima, pero aquel día le necesitaba a mi lado—. Ya lo has apuntado todo, ¿verdad? Pues manda a otro, uno que no vaya a pararse en todos los bares, que conduzca bien y que se sepa el camino.

—¿Por qué? —no le contesté, y él se quedó pensando un momento—. ¿El Novillero?

—Sí, muy bien. Que escoja a otros dos y que se vayan ya. A todos los demás, quiero verlos formados en la plaza dentro de diez minutos.

—¿Ahora? —me miraba como si los ojos fueran a salírsele de las órbitas.

—Sí —y lo afirmé también con la cabeza—. Ahora.

—Pero están agotados, ¿comprendes?, esto acaba de terminar, es mejor...

—No. Hazme caso. Tiene que ser ahora, antes de que se enfríen.

Era cierto que la lucha acababa de terminar. Era cierto que mis hombres estaban cansados, que necesitaban descansar, pero no creo que aquellos diez minutos resultaran tan largos para ninguno como para mí. La decisión que acababa de tomar me había devuelto al día más amargo de mi vida, y mientras escuchaba a lo lejos los gritos de Comprendes, volví a vivirlo, a verlo todo, montones de maletas abandonadas flanqueando la carretera y aquellas mujeres moribundas de cansancio, cargadas de bultos y de niños, algún hijo más grande de la mano, que avanzaban despacio por la calzada entre soldados sucios, encogidos. Ellos también entraban en Francia solos, en parejas o en pequeños grupos, a veces junto a algún animal suelto, atado a un cordel que nadie sostenía por el otro extremo. Yo estaba allí, viéndolo todo, escuchando el sonido de la derrota, ecos de voces que repetían un nombre a gritos, quejas, juramentos, los gimoteos de una niña que se había perdido. También el silencio de una mujer exangüe, que llevaba toda la desesperación del mundo prendida en los ojos y el pañuelo de las campesinas sobre la cabeza. Aquella mujer que se sentó en una cuneta y se sacó un pecho flaco, vacío, para intentar aplacar al bebé que llevaba entre los brazos, no para que un fotógrafo norteamericano la encuadrara con su cámara.

Al final, aquella foto dio la vuelta al mundo desde la portada del *Paris Match*, porque cuando estaba a punto de ir a partirle la cara a aquel cabrón, mi teniente coronel me llamó a gritos, ¡González! Aquel día de febrero de 1939, yo aún no era el Gaitero, y él, José del Barrio, todavía el jefe del XVIII Cuerpo del Ejército Popular de la República Española, mi jefe. Cuando llegué a su lado, vi que él también estaba mirando a aquella mujer, la miraba de un modo que me obligó a preguntarme de dónde iba a sacar la leche que iba a pedirme de un momento a otro, pero lo que dijo fue distinto. Mis hombres no van a pasar la frontera como vagabundos, como maleantes, mis hombres no, eso fue lo que me dijo. Avisa al mando de que cedo mi turno. Pasaremos mañana.

Somos unos cabrones. Antes de obedecer aquella orden, me fui a por el fotógrafo, le aparté de la mujer, y cuando ya estaba a punto de meterle una hostia, empezó a apaciguarme en español, con los brazos extendidos hacia delante, las manos abiertas, está bien, está bien. Luego se marchó corriendo, y fui tan tonto que ni siquiera le quité el carrete. Después de eso, creí que ya nada podría impresionarme, pero en el puesto de mando había un general mayor, con la guerrera alicatada de medallas, que lloraba como un niño de sesenta años y sólo sabía repetir esa frase, somos unos cabrones, unos cabrones, somos unos cabrones. Y ni siquiera eso me conmovió tanto como el discurso que pronunció el teniente coronel a mi regreso, ante una masa de hombres desaliñados, rendidos por fuera y por dentro, formados a regañadientes.

Yo los vi, vi su cansancio, su desesperación, tan semejante a la mía, y cómo se esfumaban todas juntas, cómo íbamos irguiéndonos uno por uno, cómo levantábamos el ánimo, y la cabeza, mientras escuchábamos aquellas palabras, hemos perdido la guerra, pero no el honor, hemos perdido la guerra, pero no la razón, hemos combatido durante tres años por la legalidad constitucional de nuestro país, como el único ejército español legítimo... Al día siguiente, todos los hombres del XVIII pasamos la frontera afeitados, limpios, repeinados y desfilando, cantando el *Himno de Riego* en perfecta formación, para ir a parar a los mismos campos que los demás, como si fuéramos vagabundos, como si fuéramos maleantes. En apariencia, aquel gesto no sirvió de nada, y sin embargo, el 2 de julio de 1944, cuando entré en la plaza de aquel pueblo de Haute Garonne cuya liberación nunca aparecerá en ningún tratado sobre la Segunda Guerra Mundial, miré al cielo, como miran los toreros cuando quieren brindar un toro a alguien que ya no está a su lado, antes de empezar como empezaba mi teniente coronel cuando hacíamos las cosas bien.

–¡Enhorabuena, camaradas! Enhorabuena y gracias a todos. Hemos ocupado esta posición sin bajas mortales ante un enemigo numéricamente superior, y esto es sólo el principio, pero nuestro camino no termina en París –aquella frase les desconcertó tanto que sólo al escucharla empezaron a prestarme atención de verdad–. Eso es lo primero que quiero advertiros. Nosotros no luchamos para llegar a París, y tampoco somos soldados de fortuna. No somos mercenarios, no somos forajidos, no somos bandoleros ni salteadores de caminos –hice una pausa y levanté la voz–. ¡Nosotros seguimos siendo el Ejército de la República Española! –ellos rugieron, pero yo rugí más que ellos–. Eso es lo que han aprendido los alemanes hace un rato, y eso es lo que no voy a consentir que se le olvide a nadie, ¿está claro? ¡A nadie! Porque hace cinco años perdimos una guerra, pero durante tres años luchamos con las armas contra el fascismo, por la legalidad constitucional de nuestro país, por los derechos y por las libertades de los españoles. Y no sé por qué lucháis vosotros, pero yo sigo luchando por la misma causa...

Mientras hablaba, les iba mirando a la cara, ganando confianza y perdiéndola a la vez, porque no estaba muy seguro de cómo iban a reaccionar. Yo no tenía ningún sable, no había estudiado en ninguna academia, no había recibido galones ni medallas de ningún ministro de la Guerra, y nunca había desfilado sobre un caballo blanco. Yo era como ellos, lo mismo que ellos, un minero asturiano, un soldado del XVIII, un rojo español de Argelès-sur-Mer, un leñador forzoso, luego un guerrillero, ni más ni menos que los hombres que tenía delante. Por eso no me habría extrañado que me hubieran mandado a la mierda, que hubieran protestado o que hubieran seguido riéndose de mí, después de tumbarse a la sombra de un árbol. Lo que hicieron fue mucho mejor, mucho peor que eso. Mientras hablaba, iba estudiando sus caras, sus gestos, todos muy serios, concentrados en lo que escuchaban, algunos mirando al cielo, otros al suelo, la mayoría a mí, aunque Machuca, uno de los más veteranos, al que no debía faltarle mucho para cumplir cuarenta años, tenía los ojos cerrados. Cuando los abrió, le brillaban más de la cuenta, y entonces empecé a pasarlo mal. No llores, Machuca, por tu madre. No me llores, coño, que si lloras tú, voy a llorar yo, y ya me contarás, el papelón... Por dejar de mirarle, me fijé en el Pollito, que habría podido ser su hijo, me di cuenta de que tenía la cara llena de churretones, y ya no pude seguir mirándoles.

—Mañana, vamos a salir de este pueblo desfilando como lo que somos, el Ejército Popular de la República Española —por fortuna, ellos volvieron a rugir en el instante en que se me quebró la voz, y lo demás fue fácil—. A partir de este momento, no quiero ver a un solo soldado sucio, despeinado o sin afeitar. No quiero ver un solo botón descosido, ni un tirante suelto, ni una bota con los cordones al aire. Al que no tenga un aspecto digno de sí mismo y de sus compañeros, lo arresto quince días. Podéis romper filas.

Tardaron un segundo en empezar a aplaudir. Durante un segundo, ellos no pudieron hacer ni eso y yo tampoco pude tragarme las lágrimas, aunque Comprendes me abrazó tan a tiempo que pude frotar la cara contra una esquina de su camisa para limpiármelas. Después, lo que hicimos todos, yo el primero, fue lavarnos, afeitarnos, cosernos los botones, cortarnos el pelo. Sentir que la costra de la derrota se disolvía en el agua sucia, que la navaja desprendía de nuestras mejillas el cansancio humillado de las playas inhóspitas, que la aguja y el hilo volvían a coser nuestro honor, el honor de España, al parche tricolor de nuestros uniformes. En los cabellos muertos que el peluquero nos quitaba del cuello con una brocha, caía al suelo una desgracia vieja, una injusticia vieja, el viejo dolor de los desterrados que acaban de encontrar un camino para volver a casa.

El 2 de julio de 1944 me convertí en el capitán Galán. El hombre que salió de aquel pueblo era distinto del que había entrado en él, y necesitaba un nombre nuevo. Mis hombres sólo lo encontraron después de que el Lobo, al bajar del camión en el que había venido a felicitarnos con los franceses de la VI, se preguntara en voz alta si estaba viendo soldados o galanes de cine.

—Y hablando de galanes, Comprendes... —añadió, mientras Ben Laffon seguía riéndose del desparpajo con el que acabábamos de confesarle que habíamos vuelto a perder las armas de los alemanes—. Angelita ya está en Toulouse, en casa de mi mujer.

El 2 de julio de 1944 había sido un día de emociones fuertes, pero a Comprendes todavía le quedaban nervios para conmoverse una vez más. Luego, como si le diera un poco de vergüenza haber ejecutado una serie completa de gestos muy poco marciales, cerrar los ojos, taparse la cara con las manos y mantenerla oculta durante unos segundos, se fue a por el Lobo, le dio un abrazo tan fuerte que por un momento creí que iba a levantarle en vilo, bajó la cabeza para darle un beso en la frente.

—Gracias, Lobo —y se echó a reír—. Si es niño, le vamos a poner Ramón.

—¡Vete a tomar por culo, Comprendes, hostia!

Yo me reí tanto como él mientras el Lobo se limpiaba la frente, muy sulfurado, y Laffon nos miraba con curiosidad, preguntándonos sin palabras qué era lo que se estaba perdiendo.

Aquel día empezó para nosotros la campaña ideal, corta y arrolladora como los relámpagos alemanes de antaño. Y el 20 de agosto, cuando ya nos habíamos acostumbrado a dar en vez de recibir, a avanzar y a no retroceder, a ganar batallas en lugar de perderlas, entramos en Toulouse.

—¡Sebas!

Nos habíamos ido reagrupando a las puertas de la ciudad en los tres últimos días, para avanzar despacio, de encuentro en encuentro, de abrazo en abrazo, de juerga en juerga, sin ningún plan preconcebido.

—¡Sebas!

Al entrar en Toulouse, tampoco sabíamos adónde ir. Vamos al centro, ¿no?, propuso el Pasiego, que no tenía demasiadas ganas de encontrarse con su mujer. Allí habrá una plaza grande, o algo...

—¡Sebas!

Eso fue exactamente lo que Angelita había calculado que haríamos. ¿Adónde iba a ir, si no, un grupo de paletos españoles que pisa por primera vez una ciudad?, nos contó después. Pues al centro, a ver si hay una plaza grande... Por eso fue a esperarnos a la Place du Capitole con Amparo y con Solange, la hija del pescadero, y acertó.

—¡Por fin! —murmuró Comprendes, un instante antes de abrazarla.

Yo compartí a distancia su emoción, como en los tiempos del monte, mientras me asombraba de la misteriosa elasticidad del tiempo, que para Angelita había transcurrido tan despacio que apenas tenía el vientre abultado. En aquel plazo, noventa días escasos, nosotros habíamos pasado de la clandestinidad a la victoria final, y ella, sólo del segundo al quinto mes de embarazo. Tuve que contarlos para convencerme, y entonces me fijé en una chica que miraba a los enamorados con la misma atención que yo y un gesto mucho más fervoroso. Tenía el pelo muy claro, casi blanco, los ojos menos azules que acuáticos, y una piel transparente, pálida y sonrosada como la de un bebé que aún no ha tomado el sol. Me pregunté si el Cabrero la habría visto ya, y al mirarle, me di cuenta de que la había descubierto antes que yo.

—¿Qué, Manolito? —me acerqué a él y, por si acaso, bajé la voz—. ¿Te animas a ocupar la posición?

Mientras tanto, iba repasando mi intervención habitual, mi amigo no habla bien francés, pero le gustaría poder decirte lo guapa que eres. Él es de un pueblo de Murcia, en el sur de España, ¿sabes?, y allí no hay mujeres como tú...

—No sé —me contestó, sin embargo.

—¿No? —su respuesta me sorprendió mucho—. Pues es tu tipo.

—Ya, por eso mismo...

Hasta aquel día, cada vez que el Cabrero se tropezaba con una chica como aquella, demasiado cruda para mi gusto, venía corriendo y me daba un codazo. Él, que tenía un par de años menos que yo y apenas había ido a la escuela, había nacido con el don del cálculo mental y, para compensarlo, un oído tan pésimo que hubiera dado lo mismo que no tuviera ninguno.

Yo hablaba francés mejor que los demás, porque aquel no era mi primer exilio en Francia. Durante los dos años que transcurrieron desde el fin de la revolución de Asturias hasta la victoria del Frente Popular, viví en París y me dediqué a estudiar francés. Había salido del seminario con la intención de convertirme en maestro, pero la muerte de mi padre me obligó a bajar a la mina antes de que se convocara mi oposición. El ambiente que se respiraba en la cuenca minera en aquellos meses prerrevolucionarios era incompatible con el estudio, pero en París conseguí un trabajo nocturno en un garaje, que me permitió mandar dinero a casa y prepararme para un examen que nunca se convocaría, con la ventaja de dominar una lengua extranjera. Por eso intenté enseñarle al Cabrero, al menos, un par de frases, *je ne parle pas français, mais j'aimerais bien te dire que tu es tellement jolie...* Fue inútil. Pronunciaba tan mal que no le entendía ni yo, pero al conocer a Solange decidió prescindir de mis servicios. Seis días más tarde, cuando le obligué a acompañarme a la recepción del ayuntamiento para que me amenazara con desaparecer, igual que la Cenicienta, mientras el reloj daba las nueve de la noche, me di cuenta de que él solo no lo había hecho nada mal.

—Bueno —lo reconoció mientras su cara de campesino, ancha y redonda como un pan tostado, se sonrojaba ligeramente—, aquella noche sí, porque... —en ese momento, madame Mercier, a la que había perdido de vista un rato antes, reapareció por la izquierda, muy sonriente—. Ya sabes cómo se ponen al ver un uniforme...

—Como locas —yo le devolví la sonrisa, sin dejar de atender al Cabrero.

—Exacto —y él sonrió a su vez—, es como si perdieran la cabeza, pero al día siguiente, ya fue distinto. No te creerás que yo soy de esas que se van con un soldado cada vez que hay un desfile, ¿no?, me preguntó. No, mujer, le contesté, si ya sé que no, mientras le metía la mano en el escote, y... Joder, tendrías que haberla visto. ¡Me pegó una hostia que me avió!

—¿En serio? —y hasta me olvidé de madame Mercier mientras el Cabrero asentía con la cabeza, sonriéndome como si nunca en la vida le hubiera pasado nada mejor—. Y a ti te encantó, por lo que veo...

—¿La hostia? —se echó a reír—. No, hombre, la hostia no, pero ella sí que me encanta, y... —no quiso terminar la frase pero yo lo hice por él, prefiero que se me dé una hostia a que se vaya con el primero que encuentre—. ¿Por qué no te vienes? Me ha dicho que va a traer a unas amigas, Jean-Paul se ha apuntado.

—Yo no —y le hice un gesto con la cabeza para señalar a madame Mercier—. Prefiero quedarme aquí, a ver si me dan algo mejor que una hostia.

Las victorias militares trastornan a las mujeres, solía decir el Pasiego. Las excitan, las emocionan, las empujan a lanzarse entre los brazos del primer soldado joven que encuentran por la calle... La primera vez que le escuché estábamos juntos, de guardia, liando un pitillo para matar el tiempo. Las derrotas también las trastornan, no creas, prosiguió con su voz grave, reflexiva, de profesor de instituto, también las excitan, pero de otra manera. Entonces, ceden a la tentación de crear algo, de tener algo que recordar, de triunfar sobre el enemigo siendo felices unos minutos, entre los brazos de un desconocido. Ahora que, lo mejor de todo, es la clandestinidad. Eso sí que las vuelve locas. Entrar en una casa sudando, con el miedo pintado en la cara, la cabeza vuelta hacia la calle, los pasos de los policías perdiéndose a lo lejos... Eso no falla. No se resisten ni cinco minutos. Y es que no hay vida como la clandestinidad, mira lo que te digo. Ni tan mala ni, sobre todo, tan buena.

La teoría del Pasiego se fue cumpliendo escrupulosamente a lo largo de 1944, aunque con resultados dispares. Era lógico, porque todos nosotros, excepto el Lobo, Zafarraya y él mismo, que no eran mucho mayores pero habían tenido tiempo de casarse, Juanito hasta de divorciarse, teníamos veinte años, o poco más, en el verano de 1936, y habíamos empalmado dos guerras con un largo cautiverio de por medio. Nuestros amores eternos habían sido muy fugaces, dos noches, cinco, una semana, y a veces ni eso. Cuando ganamos una guerra en la que habríamos preferido no tener que luchar, todos, menos el Pasiego, estábamos hartos de esos idilios instantáneos que tanto nos habían estimulado al principio. A él le sobraba la suya, pero los demás necesitábamos una mujer como se necesita una casa, para vivir en ella. Yo no la encontré en Francia, aquel verano.

La victoria le regaló al Cabrero el amor de su vida, igual que Comprendes lo había encontrado antes en la clandestinidad. Lo mío se quedó en un castillo de fuegos artificiales, bonitos, eso sí, aparatosos y hasta espectaculares, pero un puro humo de colores. Sandrine Mercier sólo sabía decir cuatro cosas en español, ¡olé!, matador, amor mío y ¡fiesta!, que me hicieron mucha gracia el primer día que me acosté con ella, y empezaron a tocarme los cojones la tercera o la cuarta vez que me llevó a Vieille Toulouse. La dama sofisticada que dejó a mis camaradas con la boca abierta cuando vino a buscarme al hotel Les Arcades, a la mañana siguiente de la recepción donde nos conocimos, no era más que una buena chica malcasada, que se aburría en su casa y buscaba fuera algo más que sexo, si no amor, al menos un sucedáneo que tal vez no fuera mucho, pero era más de lo que yo podía darle.

—*Mais tu n'es pas romantique, mon cher* —me reprochaba con una insistencia que hasta lograba hacerme olvidar lo buenísima que estaba—. *Je croyait que les espagnols étaient très romantiques...*

De recién casada, su marido la había llevado a ver un Tenorio, y no se le había olvidado. Cuando me lo contó, le expliqué que don Juan era sevillano, y yo asturiano. *Et il n'est pas la même chose?* Pues no, no era lo mismo, pero no encontré la manera de que lo entendiera. Tampoco habría encontrado la de dejarla si el 9 de septiembre no me hubiera pedido que la acompañara a la Pâtisserie du Capitole, a recoger los emparedados y los pasteles que comeríamos aquel día, un menú cuya monotonía empezaba a aburrirme tanto como la rutina de aquel *amour fou* que se había convertido en una obligación.

—*Bonjour, madame* —Nicole tardó algunos segundos en descubrir que el hombre que acompañaba a Sandrine no era su marido—. *Mon capitaine!* —y abrió mucho los ojos al verme—. *Bonjour... Quelle surprise, n'est-ce pas?*

La pastelería de Nicole, la única que apreciaban por igual Amparo y Angelita, se había convertido en una parada obligatoria desde que las comidas privadas y españolas sustituyeron a los banquetes públicos y franceses en nuestra ociosidad de vencedores sin oficio. Una semana después de la Liberación, y aunque el dueño de la taberna le había traspasado el local para irse a vivir a París, Amparo había convencido a su marido para que se mudaran a un piso más grande. La vivienda que estaba encima del negocio era perfecta para Angelita y Comprendes, porque ella había decidido asociarse con la mujer del Lobo para sacar la taberna adelante y él estaba encantado de poder decir que vivía en la calle de San Bernardo, como llamó desde el primer momento a la Rue Saint-Bernard, que estaba cerca de Saint Sernin, en un barrio plagado de refugiados españoles. Las dos habían celebrado sendas comidas de inauguración, y, en ambos casos, yo le había comprado a Nicole medio kilo de rusos, los pasteles favoritos de Comprendes, sólo para oírle decir, esto no son rusos, ¿comprendes?, esto es una mierda, hay una pastelería en Madrid, en la calle Orellana, ¿comprendes?, Niza, se llama, que hace unos rusos, ¡joder!, esos sí que son rusos y no estos, ¿comprendes? Mientras tanto, se los iba comiendo igual, y todos nos reíamos mucho al escucharle.

El día que aparecí con madame Mercier en su tienda, Nicole me contó que Amparo le había encargado una tarta de tres pisos para la inauguración de lo que, a partir de la noche siguiente, sería la Taberna Española de San Sernín. Cuando Sandrine lo oyó, se empeñó en que la llevara conmigo a aquella ¡fiesta!, como la llamaba, aplaudiendo en el aire. ¿Y tu marido?, le pregunté, ¿no le parecerá mal?, menos por curiosidad que por aliviar la presión. No te preocupes, me contestó, y no me atreví a seguir preguntando.

—Oye, Fernando —Diego el Perdigón, que era de Huelva y cantaba muy bien, se me acercó cuando Angelita estaba sirvien-

148

do la tarta–. Dile a tu chorba que no me toque las palmas, por favor, que lo hace fatal y así no me concentro.

–Hombre –intenté tragarme la risa, pero no lo conseguí del todo y él se dio cuenta–, si lo hace con la mejor intención.

–No, ya, si es imposible que lo haga aposta –y me reí con él–, porque no da una ni por aproximación, la jodía por culo...

Pobre Sandrine, pensé, mientras iba hacia ella, y la abrazaba por detrás, para inmovilizar sus brazos con los míos. Pobre Sandrine, que sólo quería divertirse, y si no entendía la diferencia que hay entre un andaluz y un asturiano, mucho menos la que separaba sus manos de las de Lola, una gitana de Cádiz que tenía el pelo rubio oscuro, unas tetas enormes, incompatibles con su delgadez, y una cara huesuda que podía ser atractiva o temible, según le diera la luz. Pobre Sandrine, que se quejaba de que la hubiera arrancado del jaleo, mientras señalaba con el dedo y un gesto de disgusto a aquel instrumento de percusión viviente, que había aprendido a tocar las palmas antes que a hablar. Lola marcaba el compás con los tacones, con los hombros, con todo el cuerpo, mientras acompañaba al Perdigón sentada en una silla, las piernas entreabiertas alrededor del hueco por el que se perdían a distancia los ojos del Pasiego, cuando se golpeaba las rodillas y cuando no. Entonces, un instante después de que los míos descubrieran la calidad de aquella mirada insistente, casi obsesiva, se abrió la puerta y Carmen de Pedro entró en la taberna.

Carmen entró y el Perdigón dejó de cantar, Lola de jalearle, el Cabrero y Sole, ya nunca más Solange, de besarse en una esquina como si aspiraran a matarse mutuamente de asfixia, y Amparo de ponerme mala cara, porque Nicole debía haberle contado quién era Sandrine, y de paso, seguramente, quién era su marido. La aparición de la máxima autoridad del Partido Comunista de España en la Francia liberada suspendió a la vez todo lo que sucedía en una taberna abarrotada de comunistas españoles.

–Pero, por favor, por favor –insistía ella con una sonrisa, mientras repartía besos entre las mujeres y apretones de manos entre los hombres–, seguid con la fiesta, por favor, yo no quería interrumpir...

Ninguno de nosotros había oído hablar nunca de Carmen antes de que nos encontráramos en el aserradero. Después, nos acostumbramos a oír su nombre asociado siempre al de Jesús Monzón. A él tampoco le conocíamos de antes, pero yo me hice amigo suyo cuando los mangos de las sierras todavía no me habían hecho callos en las palmas.

—Salud —un hombre alto, fuerte y bien vestido, que parecía mucho mayor que yo aunque sólo me sacaba cuatro años, me tendió la mano en la puerta de una granja tan escondida que parecía un camuflaje, las paredes completamente recubiertas de hiedra y, detrás, un jardín rodeado por árboles tan altos que impedían que se viera desde la carretera—. Soy Jesús Monzón.

Aquel día de la primavera de 1942, un coche me había recogido en la puerta del aserradero a las once de la mañana. Angelita, que fue quien me avisó, no pudo contarme nada más de aquella cita. Ignoraba la hora, el lugar, los motivos y, sobre todo, la identidad de mi interlocutor, pero si a cualquiera de los dos nos hubieran dado un margen de cien nombres para adivinarlo, no nos habríamos atrevido a mencionar el suyo.

—Salud —estreché la mano que me ofrecía y le miré a los ojos, pequeños, vivos, penetrantes, los más inteligentes que contemplaría en mi vida.

Nunca supe por qué me escogió a mí. La primera vez que le vi, no llevaba ni dos meses viviendo en el Luchonnais, pero ya estaba claro que el Lobo, como oficial de más graduación, había tomado el mando del grupo y que nadie se lo iba a disputar. Después, me dijo que me había elegido justo por eso. Ramón era la autoridad militar y ya conocía su punto de vista a través de los enlaces, pero le interesaba más conocer las opiniones, y sobre todo las sensaciones, añadió, de alguien como yo, que estaba un peldaño por debajo en la escala de mando. En una posición semejante a la mía, añadió sonriendo, y al escuchar eso, ya le conocía tan bien que me eché a reír.

—Este no es un encuentro, digamos, oficial —me aclaró después de guiarme hasta una mesa con manteles blancos, en el porche que se abría al jardín—, o al menos no es esa mi intención.

Me gustaría que hablaras conmigo con la misma libertad con la que lo harías en una comida entre amigos.

Entonces, una chica francesa, morena y esbelta, con un maquillaje discreto y un vestido ceñido, el escote no más de dos centímetros por debajo del que llevaría una esposa irreprochable, empezó a servirnos la comida, casera pero muy buena, aunque no tan extraordinaria como el vino.

—Rioja, naturalmente —anunció, al llenar mi copa—, a ver qué te parece...

—Buenísimo —le contesté, después de impregnar con él hasta la última esquina de mi boca, mientras sentía que el paladar palpitaba de emoción.

—Me alegro, porque soy navarro, ¿sabes? —sonrió, y si no me hubiera caído bien desde el principio, lo habría logrado en aquel instante—. Y ahora, cuéntame. Ya sé quién eres, cómo te llamas, dónde naciste, desde cuándo perteneces al Partido... Sé todo lo que otros han podido contarme de ti, que hiciste la guerra en el XVIII, que tu íntimo amigo se llama Comprendes, y que te gustan el vino tinto, las mujeres morenas y la dinamita —era mi turno, y sonreí yo—. Lo que quiero que me cuentes es cómo te sientes, cómo ves la situación, a tus camaradas, el estado de la organización en esta zona, el nivel al que podríamos llegar... Empieza por donde quieras. En este momento, soy el responsable del Partido en Francia, y por extensión, en España, lo sabes, ¿no? —asentí con la cabeza, lo sabía—. Todo lo que puedas contarme me interesa.

De esta extraña manera conocí a Jesús Monzón. En aquella casa escondida, sentado a una mesa que parecía un sueño, un espejismo en el que acunar mis anhelos de paria prisionero, hablé con el máximo dirigente de mi partido como nunca había hablado con ningún insignificante responsable de radio, sin presiones, sin recelos, sin suspicacias, sin esa escenografía de interrogatorio policial a la que estaba acostumbrado. Y enseguida me di cuenta de que estaba hablando para un hombre que sabía escuchar, un hombre que no necesitaba secretarios, guardaespaldas, ningún pedestal simbólico sobre el que encaramarse, para afianzar una autoridad que le pertenecía tanto como su nombre de pila, y que nadie se atrevería nunca a discutirle. Cuando me interrumpía, me pedía perdón, cuando se equivocaba, lo reconocía, cuando algo le hacía gracia, se reía con ganas, pero en ningún momento recurrió a los trucos de manual soviético, sonrisas paternales y palmadas en la espalda, que utilizaban los dirigentes a quienes yo conocía para inspirar confianza en sus subordinados. Su voz tampoco cambió de tono. Ni descendió hasta una suavidad melosa, ni trepó hasta la rigidez inflexible con la que se habían dirigido a mí otras veces. Tampoco habría hecho falta, porque cuando quise darme cuenta, se había salido con la suya y aquello era una verdadera comida entre amigos.

—Creo que voy a pedirle que se quede en la cocina... —propuso con acento risueño, después de que me quedara atascado en la mitad de una frase mientras aquella mujer se inclinaba sobre mí para servirme el café, y esperó a que se marchara para hacerme una pregunta que no esperaba—. Puedes no contestar si no quieres, por supuesto, pero llevo un rato pensando... ¿Cuánto tiempo hace que no echas un polvo?

—¿Un polvo? —y mi estupor le hizo reír—. ¿Y eso qué es? Me suena de algo, no creas, pero ya no me acuerdo de cómo se hace...

Entonces entró en la casa, y volvió a salir con una botella de armañac y dos copas. La sobremesa se alargó hasta media tarde, pero podría haber seguido hablando con él durante el resto de mi vida. Aquel día le conté a Jesús Monzón todo lo que quería saber, aunque me guardé para mí la verdad más importante. Que mientras él estuviera donde estaba, el Partido Comunista de España había vuelto a estar vivo. Eso sentí, y que yo había resucitado con él.

—Tengo que irme —a las cinco y media se levantó, vino hacia mí, me dio un abrazo—. Gracias, camarada, no sabes lo importante que ha sido esto para mí. Quédate aquí un rato, ¿quieres? Esta carretera está tan apartada que sería sospechoso que salieran dos coches a la vez. El tuyo te esperará todo el tiempo que haga falta.

Atravesé el porche tras él, y me quedé de pie, ante la cristalera, para ver cómo le daba las gracias, muy formalmente, a la chica que nos había servido la comida. Ella le acompañó hasta la puerta, la cerró, y giró sobre sus talones para mirarme. Cuando llegó al centro de la sala, se bajó la cremallera y el vestido cayó a sus pies como el envoltorio de un regalo inesperado. Al reunirse conmigo, en el porche, ya estaba desnuda.

Nunca llegué a saber si era una puta o una camarada, aunque cuando me despedí de ella, estaba casi seguro de que era ambas cosas a la vez. Tampoco supe nunca cómo se llamaba, porque ni siquiera se lo pregunté, aunque en cierto sentido, fue una de las mujeres más importantes de mi vida. El hombre al que había conocido aquel día dejó, con todo, un rastro más perdurable en mi memoria. Por eso, un mes y medio después, cuando volví a encontrarme con él en la misma casa, la misma mesa, el mismo vino, me alegré de verlo aunque la persona que nos sirvió la comida fuera una granjera gorda y canosa, de más de cincuenta años.

—Lo siento, camarada —me dijo sonriendo, al ver cómo la miraba—, pero ya sabes... Unas veces se puede, y otras no.

No llegué a pasar mucho tiempo con Jesús Monzón, pero sí a conocerle lo suficiente como para comprender que aquella tarde de castidad había sido una prueba, una especie de examen de mi carácter. No me sorprendió. En la situación en la que estábamos, era muy natural que quisiera asegurarse de mi fortaleza. Además, y por muy heterodoxa que fuera su manera de imponer su autoridad, y lo era mucho, Jesús Monzón no era ni más ni menos que un dirigente comunista, exactamente lo que tenía que ser.

—La próxima vez, intentaré hacerlo mejor —me prometió, después de estudiar mi cara y dejarme adivinar que le gustaba lo que estaba viendo—. Hoy, todo lo que puedo ofrecerte... —se metió la mano en el bolsillo de la americana y sacó un estuche de puros— es un habano.

—Bueno, no es lo mismo —y los dos nos echamos a reír a la vez—, aunque menos da una piedra.

Hubo otras mujeres, hasta cuatro más, todas francesas y todas distintas, en los ocho encuentros que Monzón y yo celebramos en aquella casa desde mayo de 1942 hasta marzo de 1943, cuando me convocó sólo para despedirse.

—Te voy a echar de menos —le dije mientras le abrazaba, y sonrió.

—Ya me lo imagino.

—No. Te voy a echar de menos a ti. Lo demás también, pero sobre todo a ti —le estaba diciendo la verdad y él se dio cuenta—. Cuídate mucho, Jesús.

En la época en la que se mudó a Madrid, nuestras conversaciones ya no se parecían en casi nada a la primera entrevista que habíamos sostenido. Monzón era una máquina de ideas, que solían ser interesantes hasta cuando eran malas. Solía enlazar un proyecto con otro a tal ritmo que la frecuencia de nuestros encuentros le impedía mantenerme al corriente de su producción, así que muy pronto empezó a hablar más que yo. Me contaba cómo veía la guerra, cómo veía al Partido, la situación en España y los caminos que podrían abrirse antes o después de la victoria aliada, que daba por descontada cuando nadie que yo conociera estaba aún seguro de ella. Si no tratábamos de cuestiones que tuvieran que ver directamente con la guerrilla, ni siquiera me hacía preguntas. Eso no significaba que no tuviera informadores. Los tenía, y los conocíamos, pero a mí nunca me obligó a opinar sobre la conducta o la actitud de mis camaradas, más allá de su nivel colectivo de moral, que era un tema que le obsesionaba. Yo se lo agradecí mientras le explicaba nuestra situación, hombres, armas, expectativas, y desmenuzaba en voz alta sus planes militares para que analizáramos juntos si eran viables, o no, y por qué.

Jesús Monzón era demasiado inteligente como para confundir la cosas, y la clase de lealtad que podía recibir de cada uno. Yo estaba seguro de que no era el único guerrillero al que había reclutado como asesor de aquella pintoresca manera, pero también de que sabría mantener una relación distinta, la que más le conviniera, con cada uno de nosotros. A mí me trató siempre como a un amigo, hasta el punto de que, durante todas las horas que pasamos juntos, hablando, en aquella casa, no llegó a pronunciar el nombre de Carmen de Pedro ni una docena de veces. Sin embargo, el día de la inauguración de la taberna, ella le mencionó inmediatamente.

—Galán, ¿verdad? —y me besó en las mejillas como una manera de distinguirme de los demás, a los que se había limitado a ofrecerles la mano—. Jesús me ha hablado mucho de ti. Tenía muchas ganas de conocerte.

—¿Cómo está? —le pregunté mientras la miraba, para ganar tiempo.

Tal vez Carmen de Pedro no fuera la última mujer de este mundo a la que yo habría podido imaginar en la cama de Monzón, pero se acercaba bastante a esa posición. No dejaba de ser lo que cualquier mujer española describiría como «una chica mona», aunque otra más fea me habría sorprendido menos que aquel pajarillo constipado, sin más carácter que su propia fragilidad y aquellos dientes tan menudos que enseñaba al sonreír. Yo sabía mejor que nadie que Jesús tenía buen gusto para las mujeres, y a primera vista, aquella tampoco parecía dotada de una inteligencia o unas capacidades extraordinarias, pero no tuve tiempo de detenerme en aquel misterio.

—Está bien, muy bien —su sonrisa se ensanchó para enseñarme que estar contenta la favorecía—. En Madrid, muy ilusionado, muy orgulloso de vosotros, de todo lo que habéis hecho, y lleno de ideas, de proyectos...

—Como siempre, entonces —yo también sonreí—. Dale recuerdos de mi parte. Dile que cuando entré en Toulouse, me acordé mucho de él.

—Sí, y espero contarle algo más, porque me ha pedido que hable contigo. ¿Puedo invitarte a comer un día de estos? —su tono, su expresión, aquella manera amistosa, casi cariñosa, de cogerme del brazo mientras hablaba, eran del más puro estilo Monzón—. Mañana mismo, si te viene bien.

Quedé con ella a la una y sólo después me acordé de que ya había quedado a la una y media con Sandrine en el hotel. Madame Mercier se había marchado y no tenía manera de encontrarla, pero no necesité pararme ni un segundo a escoger entre las dos, porque Carmen era Jesús, y Jesús, la última persona de este mundo a la que yo iba a dejar plantada.

A la mañana siguiente, dejé una nota para mi amante en la recepción del hotel, anunciándole que un asunto urgente me mantendría fuera de la ciudad durante un plazo que aún desconocía. Luego paré un taxi que me llevó a un barrio de las afueras, calles irregulares, flanqueadas por casas bajas, humildes, y aún más lejos, una antigua villa ajardinada, transformada en un hotel de pocas habitaciones. El restaurante también era pequeño. No tenía más que una docena de mesas de las que apenas la mitad estaban ocupadas por comensales que no tenían aspecto de entender el español.

–Jesús confía mucho en ti, Galán, más que en ninguno. Dice que eres el único que no le ha adulado nunca –Carmen sólo entró en materia después de servir el vino y alabar las especialidades de la carta, y eso volvió a recordarme a Monzón–. Por eso, le gustaría saber... –hizo una pausa destinada a aparentar que escogía las palabras que iba a pronunciar a continuación, pero no era tan buena como su amante, y sospeché que las había ensayado con mucho cuidado–. Él está convencido de que, a partir de ahora, cualquier estrategia debe ir encaminada a explotar las consecuencias de vuestra victoria aquí, en el sur de Francia. Y en el caso hipotético de que pudiéramos intentar alguna acción militar, al otro lado de los Pirineos, naturalmente, para tratar de volcar a los aliados a nuestro favor... ¿Con qué medios crees tú que podríamos contar?

Una semana más tarde, Angelita me llamó al hotel, a media mañana, para invitarme a comer al día siguiente. No puedes faltar, me dijo, porque voy a hacer arroz con chorizo, de ese de mi pueblo que te gusta tanto... Lo primero que pensé fue que Amparo y ella, al corriente ya del cansancio que me había alejado de Sandrine, habían decidido atacar. Estaba seguro de que en casa de Comprendes me esperaba alguna buena chica española, decente, soltera, trabajadora y comunista, con el lazo preparado, y estaba seguro de que no iba a gustarme tanto como el arroz de su mujer. El Zurdo, a quien me encontré por el camino con una bandeja de rusos igual que la mía entre las manos, me adivinó el pensamiento justo después de saludarme.

–En fin –porque él estaba tan soltero como yo–, espero que, por lo menos, no vuelvan a ser las primas del Botafumeiro.

El Bota, como le llamábamos para abreviar, tenía dos primas

solteras, bastante guapas pero muy sosas, de las que Amparo opinaba que eran perfectas para nosotros dos, sin ir más lejos, pero ninguna de las dos estaba en casa de Comprendes aquel domingo. En su lugar encontramos al Pasiego y a Zafarraya, que nos contó que aquella comida la había organizado el Lobo, no Angelita, y que si no nos había citado en su casa, era porque Amparo se había negado a cerrar la taberna.

—Bueno, pues ya estamos todos, ¿no? —el Lobo miró a su alrededor y yo seguí su mirada con la mía—. El Sacristán lleva dos días sin pisar su habitación y no ha habido manera de encontrarle, que, por cierto, Román, a ese va a haber que meterle en cintura —el Pasiego le miró y se encogió de hombros en un movimiento que logró englobar dos preguntas, ¿por qué dices eso? y ¿a mí qué me cuentas?, en una sola—, así que... ¡Ah, no! —después de corregirse sobre la marcha, se volvió hacia el Zurdo—. ¿Y el Cabrero?

—Vendrá luego, lo antes que pueda, a tomar café —hizo una pausa, para crear expectación—. Hoy le toca reparto.

—¿Reparto?

—Sí, de pescadillas —y él fue el primero en reírse—. El padre de su novia lo tiene como a un zángano, de aquí para allá, repartiendo pescado por los restaurantes con la furgoneta...

—Entonces le esperamos, ¿no? —el Lobo no quiso ser más explícito, pero yo ya había calculado que los invitados a aquella comida éramos los ocho de Bagnères, y me estaba preguntando por qué—. Y mientras tanto, comemos, no vaya a ser que se pase el arroz y Angelita se acabe enfadando conmigo...

—¿Qué pasa? —Zafarraya, porque aquel día ni siquiera él sabía de antemano sus planes, le miró mientras la dueña de la casa empezaba a servir la comida—. ¿Nos vas a contar algo que nos va a quitar el apetito?

—Es posible —él le devolvió la mirada, miró después a su plato, e insinuó una sonrisa sin más destinatario que él mismo—. Casi seguro, diría yo.

No se movió de ahí hasta que el Cabrero apareció con medio kilo de rusos de la Pâtisserie du Capitole envueltos en un papel arrugado y sucio.

—Hombre, mira quién está aquí —celebró el Zurdo—, el Pescadilla...

—Tienes la gracia en los cojones, ¿sabes, Antoñito? —y sólo después depositó el paquete en las manos de nuestro anfitrión—. Lo siento, Sebas, pero como no he sabido explicarle a Sole lo que eran, los ha puesto encima de una caja de salmonetes, así que no sé a qué sabrán.

—Da igual, ¿comprendes? —y señaló las dos bandejas que ya estaban dispuestas sobre la mesa—. Será por rusos...

—De todas formas, yo que tú no me empacharía precisamente hoy, Comprendes —en aquel instante, todos detectamos que, aunque estuviera bromeando, la voz del Lobo había cambiado—. Quién sabe si, dentro de poco, podrás volver a comprarlos en la pastelería esa... ¿Cómo se llama, Cannes?

—No, Niza, ¿comprendes? —él le corrigió con un hilo de voz, los ojos como platos.

—Eso, Niza... —pero hizo otra pausa, para hacernos sufrir un poco más—. Porque lo que quería contaros es que... Volvemos a España. Vamos a invadir.

El primero en reaccionar fue el Zurdo, que empezó a darle puñetazos a la mesa con las dos manos a la vez, mientras asentía con la cabeza y gritaba ¡sí, sí, sí! Yo me levanté como si un muelle me hubiera expulsado de la silla y, antes de abrazar a Comprendes, vi que Zafarraya se había tirado al suelo y que el Cabrero, a su lado, le sacudía como si pretendiera levantarle para sacarlo a hombros. Si el Lobo nos hubiera contado que nos había tocado la lotería, no lo habríamos celebrado tanto, risas, gritos, abrazos repetidos una y otra vez, mientras el Pasiego, el más taciturno de todos nosotros, el único que nunca hablaba por hablar, escupía palabras como una ametralladora, fascistas, cabrones, hijos de puta, chulos de mierda, os vais a enterar... Cuando sonó el timbre y Angelita pasó por delante de mí para ir a abrir la puerta, y me di cuenta de que ella era la única que no estaba contenta.

—Ahora sí que estamos todos, ¿comprendes? —su marido fue el último en abrazar al Sacristán, que se echó a reír a carcajadas, se pegó a la pared que tenía más a mano, y estrelló las palmas contra ella una y otra vez, para volverse loco a su manera–. Bájate a la taberna, Angelita, y pídele a Amparo una botella de coñac... O dos, que tenemos que brindar, ¿comprendes?

–Baja tú –le contestó ella muy enfurruñada, cruzando los brazos y apoyándolos en su tripa como si fuera la barandilla de un balcón.

–Bueno, pues bajo yo, ¿comprendes? Pero antes dime qué te pasa –se acercó a ella e intentó abrazarla, pero Angelita desarboló el intento de dos manotazos–. No entiendo por qué estás enfadada...

–¿No lo entiendes? Míralos, Sebastián –y nos señaló con un movimiento de la mano–, y mírate tú, anda. Cualquiera que os viera pensaría que acabáis de quedar para ir de putas, y no es eso, ¿sabes? No es eso. Tú no te vas a España, Sebas. Tú te vas a la guerra, otra vez a la guerra. Acabas de volver y te vas otra vez, ahora que estamos tan bien, los dos juntos, en nuestra casa, tan contentos, ahora te vuelves a ir y yo me quedo aquí sola, con mi barriga y un negocio recién abierto, a pensar todo el tiempo en si estarás vivo o estarás muerto, si te han pegado un tiro ya o si te lo van a pegar dentro de un rato, otra vez lo mismo, la misma pesadilla que no se termina nunca... –su voz empezó a ahogarse en un llanto que cayó sobre nuestro ánimo como una tormenta de granizo en una mañana de primavera–. Y lo peor es que ni siquiera voy a pedirte que te quedes. Lo peor es que no puedo pedírtelo... Tú te vas, y yo lo entiendo, pero no quiero que te vayas, ¿me oyes? No quiero.

–Por fin, un poco de sensatez –sentenció el Lobo, y nos fue mirando, uno por uno, para calibrar los efectos de aquel discurso–. Sacristán, baja tú a por el coñac, que te lo tienes bien empleado, por tardón.

–No, no, si ya voy yo –Angelita se desembarazó del abrazo de Comprendes, se limpió la cara con las manos y cruzó la habitación tan deprisa como si estuviera deseando llegar a la escalera para echarse a llorar otra vez.

–Bueno, pues ahora, si me dejáis, os voy a contar cómo están las cosas... –nuestro jefe encendió un cigarrillo, y no quiso continuar hasta que todos estuvimos sentados a su alrededor, escuchándole como un grupo de alumnos aplicados–. Antes de ayer, Carmen me convocó a una reunión en la sede del Partido. No me explicó los motivos ni quién más iba a ir, pero cuando llegué, me di cuenta de que todos éramos mandos militares. Bueno, todos no. Con ella, escoltándola como si necesitara guardaespaldas, estaban Flores, Pacheco, y un par de civiles más a los que no conocía, gente de Monzón...

Hizo una pausa para mirarme y yo le sostuve la mirada con naturalidad, porque entre nosotros nunca había habido malentendidos. Yo era amigo de Jesús y todos lo sabían. Mis encuentros con él no habrían tenido sentido si yo no les hubiera ido contando a ellos lo que él me iba contando a mí. Eso formaba parte de mi misión y nunca les había ocultado nada, excepto el postre que a veces llegaba después del postre, y que no era asunto suyo. Sin embargo, yo no formaba parte de «la gente de Monzón», el aparato que controlaba el Partido en su nombre, y eso también lo sabían.

–El plan militar es impecable –reconoció el Lobo, mirándome todavía–. Si se ejecuta bien, lo más fácil es que tenga éxito. Contamos, como mínimo, con veintiún mil hombres bien armados, preparados y dispuestos a pasar la frontera sin vacilar. Dejaremos trece mil en la reserva. Del resto, cuatro mil entrarán en grupos pequeños al principio, después más grandes, por todos los puntos de la frontera, desde Irún hasta Puigcerdá, pero fundamentalmente por el Pirineo aragonés. Se pondrán en marcha a finales de este mismo mes y seguirán pasando de la misma manera dispersa, como con cuentagotas, hasta el 20 de octubre –hizo una pausa abrupta, destinada a medir nuestra atención.

–Para distraerlos –apuntó Zafarraya.

–Efectivamente –asintió el Lobo–. Se trata de que no sepan ni cuántos vamos a ser ni por dónde vamos a atacar, para que no puedan concentrar tropas en ningún lugar concreto. El 19 de octubre, los otros cuatro mil entrarán en bloque por Canejón para invadir el valle de Arán, el más conveniente, porque está mejor comunicado con Francia que con el resto de España y es muy fácil de defender. El túnel todavía está en obras. Ya han abierto un agujero suficiente para que pasen hombres de uno en uno, pero lo vamos a tomar igual, para no correr riesgos. Aparte de eso, las órdenes consisten en ocupar el valle, conquistar Viella, y establecer un territorio liberado, igual que hicimos aquí antes de que los nazis se rindieran. El mando ha dividido Arán en tres sectores. Yo mando uno y vosotros, a ver qué remedio —por fin sonrió—, sois mi estado mayor.

—Nosotros ocho —resumí yo, él asintió—. ¿Alguien más?

—De momento, Botafumeiro, Perdigón, Tijeras y el Afilador —siguió hablando sobre un murmullo de satisfacción, porque ninguno de aquellos cuatro había luchado con nosotros en Haute Garonne, pero eran amigos, camaradas, y de fiar—. Entraremos como el ejército de la Unión Nacional Española. Parece que don Juan, Negrín, naturalmente, y el general Riquelme están dispuestos a presidir un gobierno republicano en Viella. Y después, ya sabéis, a cruzar los dedos y a rezarle novenas al ejército aliado, aunque tengo que reconocer que eso también está bien pensado. Si todo sale bien, los aliados no deberían tolerar otro frente abierto en Europa Occidental mientras Hitler resiste en Berlín. Por supuesto, contamos con la solidaridad de los camaradas franceses, que están dispuestos a presionar a su gobierno, a cubrirnos la retaguardia y hasta a entrar detrás de nosotros, si hace falta. Y es mal momento para que los británicos vuelvan a pararles los pies, así que...

—¿Entonces, qué pasa? —preguntó el Pasiego, porque a aquellas alturas ya era evidente que la cabeza del Lobo iba por un lado y sus palabras por otro.

—No sé —respondió, y cuando parecía que iba a añadir algo más, se limitó a repetirlo—. No lo sé.

—¿Qué es lo que no te gusta? —insistí yo—. Vamos, Lobo, échalo ya...

—Sí, porque, desde luego, el plan es cojonudo, ¿comprendes?

—Cojonudo, eso es verdad —se frotó la cara con las manos y tomó impulso—. Es cojonudo, pero no tiene padre ni madre. No sé de quién es. No sé quién está detrás de esto, nadie sabe una palabra, ni siquiera López Tovar, y eso que va a ser el comandante en jefe. Esta es una operación política, eso es lo primero que no me gusta, o mejor dicho... —volvió a mirarnos, a pasear sus ojos por nuestras caras, una por una–. Va a ser una operación militar, porque los que vamos a entrar somos nosotros, nosotros somos los que vamos a arriesgar, los que vamos a jugarnos la vida y las vidas de nuestros hombres, ¿no? –y uno por uno, fuimos asintiendo con la cabeza–. Bueno, pues no hemos podido opinar. No nos han dejado decidir ni siquiera la fecha. Todo, hasta los mapas, estaba hecho ya, las fases establecidas de antemano, los objetivos asignados, las brigadas desplegadas. Hasta los pueblos donde se van a situar los puestos de mando estaban escogidos. ¿Por qué? ¿Por quién? Por alguien que sabe lo que hace, no digo que no, pero el caso es que allí no se levantó nadie para responsabilizarse de esta campaña. Nadie dio explicaciones, nadie pidió opiniones, sólo habló Carmen, habló, y habló, y habló sin parar, pero tampoco dijo nada por sí misma. Jesús dice esto, Jesús dice lo otro, Jesús ha pensado, Jesús, Jesús, Jesús... Lo dijo tantas veces que alguien, y creo que fue Pinocho pero podría haber sido yo, porque estaba pensando lo mismo, preguntó por qué el Partido no había enviado a nadie para respaldar una operación de tanta envergadura, y en ese momento, se puso a la defensiva. La delegada del Buró Político en Francia soy yo, ya lo sabes... Tampoco digo que eso no sea verdad. Es verdad que Moscú está muy lejos, que en medio está Alemania, la guerra, que nadie lograría cruzar Europa y llegar vivo hasta aquí, sí, pero de todas maneras, en junio mandaron a Zoroa desde América sólo para que echara un vistazo, ¿no?, y que ahora no hayan mandado a nadie...

En aquella época, tampoco sabíamos nada de Agustín Zoroa, excepto que vivía en México hasta que el Comité Central lo mandó a España para que le pusiera al corriente de lo que había sucedido durante su ausencia. En otras circunstancias habríamos sospechado que esa inquietud no armonizaba demasiado bien con la permanencia de Carmen en el puesto al que la había encaramado el Buró Político, pero en aquel momento no le dimos importancia. La guerra había aislado de tal manera a la dirección del Partido de la situación de Europa Occidental, que nos habría sorprendido más que perseveraran en su cómoda indolencia, sin aprovechar la primera ocasión para enviar a nadie. Y lo que se hubiera encontrado Zoroa en Madrid, pensábamos todos nosotros, no era ni más ni menos que lo que se merecía, después de llevar cinco años tocándose los huevos y tomando el sol. El que se fue a Sevilla, perdió su silla. Los que se fueron a Moscú, o a América del Sur, ya no digamos. Monzón se había ganado a pulso el poder, y el respeto de los que habíamos trabajado con él, que éramos, precisamente, los que habíamos acabado con los nazis en el sur de Francia. Los mismos a quienes, más precisamente todavía, nos la sudaba que lo hubieran elegido o no en un congreso.

—Esto es muy gordo, supongo que os dais cuenta —y sin embargo, aquel día el Lobo logró contagiarnos su preocupación—. Es muy gordo hasta si sale mal, y si sale bien, ya no digamos. Y tengo la impresión, y es sólo una impresión, pero me molesta, de que nosotros sólo somos los peones que Monzón mueve encima del tablero. No me atrevo a decir que en Moscú, en Buenos Aires, no saben nada, pero si me obligaran a apostar...

—Si tenemos éxito —el Pasiego completó en voz alta el razonamiento que nuestro jefe no se había atrevido a rematar—, cuando los aliados invadan, su interlocutor político será Monzón, la Unión Nacional, ¿no?, que es Monzón. Él asumirá el poder, y no sólo en el Partido, sino en España entera, el poder con mayúscula. Le cederá a Negrín la presidencia de la República, supongo, y formará un gobierno de concentración nacional, con socialistas, con anarquistas, con republicanos, con liberales incluso, hasta que se puedan convocar elecciones, hasta que pueda ganarlas...

—Bueno, ¿y qué? —pregunté yo entonces, porque había pensado lo mismo que él, pero más deprisa—. Siempre hemos sido los peones de alguien, en España y en Francia. Se supone que eso es lo que nos distingue de los fascistas, que no tomamos el poder para quedárnoslo, sino para devolvérselo a los civiles. ¿O qué hemos hecho aquí, si no?

—Eso es verdad —me contestó el Pasiego—. Tienes tanta razón, que te voy a decir otra cosa. El día que Monzón asuma el poder, yo seré muy feliz. Y a la mañana siguiente, me quitaré el uniforme, lo tiraré a la basura y me volveré a Santander, a dar clases de latín. Y si hay que hacer la revolución, que se apunten los que se han quedado en casa, que yo, para ser profesor de instituto, ya llevo más de ocho años sin hacer otra cosa que pegar tiros.

—Yo también seré feliz —añadió el Lobo, mirándome a los ojos—, y supongo que también volveré a dar clase, aunque a lo mejor me apunto a la revolución, eso sí... —sonrió al Pasiego, y recibió una sonrisa a cambio antes de volver a mirarme—. Yo no soy amigo de Jesús, Galán, pero le respeto más que a nadie, ya lo sabes. En las cosas importantes, siempre he estado de acuerdo con él. Sin embargo... Hay otra cosa.

Esa cosa fue la que me envenenó después, porque el Lobo, y el Pasiego, y por supuesto Comprendes, eran más amigos míos, más íntimos, más imprescindibles que Jesús. Pero tenía tantas ganas de que aquello saliera bien, que les llevé la contraria con el mismo ardor que había puesto Carmen en negar la evidencia, la misma convicción con la que ella había sostenido dos días antes que el descontento se respiraba en las calles de todas las ciudades, que los desórdenes eran constantes, que las mujeres se amotinaban en los mercados ante la carestía y la escasez de los alimentos, que los franquistas estaban muy desmoralizados por la inminente derrota del Eje, que la policía no cargaba contra los manifestantes, que en las fábricas y en los talleres, en los comercios y en las oficinas, todo estaba a punto para convocar la huelga general que nos daría la bienvenida. ¿Y por qué no sabemos eso?, me preguntaron ellos. Estando tan cerca como estamos, teniendo allí amigos, familia, recibiendo cada dos por tres a refugiados que acaban de cruzar la frontera... ¿Cómo es que no tenemos ni idea, por qué no dicen ni una palabra los periódicos de aquí, por qué nadie nos lo ha contado hasta ahora? Yo no tenía respuesta para esas preguntas, pero confiaba en Jesús. Él está en Madrid, les dije, él sabrá, tendrá datos, la información que nos falta...

—Un momento, por favor, que me he perdido —cuando aquella discusión iba ya por la segunda o la tercera vuelta, el Sacristán pidió la palabra levantando a la vez las dos manos en el aire—. No sé si estoy entendiendo bien. ¿Vamos a ir o no vamos a ir?

164

—Por supuesto que vamos a ir —le contestó el Lobo.

—Pues entonces, no sé de qué estamos hablando.

Ese fue el criterio que prevaleció sobre todos los recelos, todas las dudas, a medida que se iba acercando la fecha de la invasión. Vamos a ir, vamos a dar leña, y luego, ya veremos. Mientras tanto, yo quedé una tarde con el Lobo, a solas, y le conté mi entrevista con Carmen en aquel restaurante pequeño y exquisito de las afueras. Ya lo sabía, me dijo sonriendo, porque tenía apuntado en un papel hasta el último gramo de dinamita que hay en el granero de Fermín, y los demás ni siquiera la habían tenido en cuenta... Eso sólo se te podía haber ocurrido a ti.

El comienzo de la operación se fijó para el amanecer del 19 de octubre. Dos días antes, al llegar a Tarbes, donde nos concentramos los cuatro mil que íbamos a entrar por Arán, sufrí mi primera herida. Y fue grave.

—¿Y el Gitano? —le pregunté al Lobo—. No le veo por ninguna parte.

—No viene —me contestó, con una expresión que no fui capaz de interpretar.

—¿Cómo que no viene?

—Con nosotros, no.

El Gitano, al que llamábamos así porque tenía la piel muy oscura, aunque era payo, y de Tordesillas, había sido el comisario político del Lobo desde el verano del 36. No se había separado de él, ni de Zafarraya, hasta que cruzaron la frontera, y así, siempre juntos, les habíamos conocido Comprendes y yo en Argelès. Si el Gitano no estuvo luego con nosotros en el aserradero, fue porque le mandaron a trabajar a una fábrica de armamento en la Francia ocupada, se fugó, lo cogieron y lo encerraron en Le Vernet. Yo siempre había dado por descontado que él sería el comisario jefe de nuestro sector. El Lobo no había tenido tiempo ni de suponerlo, porque cuando se despidió de Carmen, en la primera reunión de Toulouse, ella le anunció ya que Flores sería su comisario, y cuando intentó protestar, le dijo que no estaba dispuesta a poner en riesgo la operación por los caprichos de unos y de otros.

—¡No me jodas! —le pedí en voz alta cuando me enteré.

Para empezar, Flores, cuyo verdadero nombre ignorábamos, ni siquiera era militar. Que fuera civil no habría resultado demasiado grave si no hubiese sido además un sujeto turbio, desagradable, de quien nadie sabía a ciencia cierta qué papel había desempeñado en nuestra guerra, y con quien tampoco nadie se había encontrado jamás en un campo de prisioneros, condición sospechosa donde las hubiera cuando, como en su caso, no era fácil de explicar. Pero lo peor era que le conocíamos. Mucho antes de escuchar los rumores que le señalaban como el hombre que le hacía los trabajos sucios a Monzón, ya estábamos seguros de que Flores, que aparecía por la granja Perrier de vez en cuando, sin avisar a Angelita y sin dar explicaciones, había sido su informador en nuestro sector. Hasta si nadie hubiera sospechado eso de él, habría seguido siendo exactamente el tipo de hombre en quien ningún guerrillero se atrevería a confiar, y en un cuartel, entre nosotros, más un espía que otra cosa.

—¿Me entiendes ahora? —me preguntó el Lobo—. Pero no se lo cuentes a nadie. Total, nos faltan dos días... —miró el reloj—. Uno y medio.

¿Vamos a ir o no vamos a ir?, recordé entonces. Estamos yendo, así que ahora no podemos pensar en esto. El Lobo me dio una palmada en la espalda, y no volvimos a hablar del tema. En la madrugada del 19 de octubre de 1944, nos pusimos en marcha a la hora prevista y, con la misma puntualidad, cruzamos la frontera y entramos en España.

A las nueve menos cuarto, Romesco vino corriendo para decirme que el coronel me estaba esperando en lo alto de la cuesta. Cuando llegué allí y me explicó por qué me había llamado, me volví hacia Comprendes, al que acababa de pedirle que se quedara a esperar a un grupo que se había rezagado.

—¡Comprendes!

—¡Mande!

—¡Sube!

—¿Ahora? —y me obedeció refunfuñando—. A ver si nos aclaramos ¿comprendes? Ahora quédate aquí, ahora sube, ahora baja...

Cuando llegó a mi lado, el Lobo ya había empezado a bajar la cuesta.

—¿Qué pasa? —me preguntó, y yo le pasé el brazo derecho por los hombros mientras señalaba a los que iban por delante.

—Nada. Pero si echas a andar por donde van esos, ¿los ves?, y sigues adelante, llegas andando a Vicálvaro.

—¿Estamos en España?

—Sí.

Nos quedamos allí, juntos, solos, sin hablar, sin mirarnos, quietos como dos estatuas con la vista fija en el horizonte, hasta que pasó el último de nuestros hombres. Después, Comprendes rompió el hechizo en el que nos habíamos quedado atrapados. Cuando su codo izquierdo rozó mi brazo derecho, le miré, y vi que se estaba levantando las gafas para limpiarse los ojos con los dedos.

—¡Joder! —me dijo, meneando la cabeza como si no pudiera creérselo—. Me he emocionado y todo, ¿comprendes?

Cuando me di cuenta de que tenía en la mano una pistola cargada, sentí por un instante que todo se paraba, el tiempo, mi vida, Adela y su doncella, que sin embargo seguían moviéndose alrededor de las maletas abiertas sobre la cama como si aún no hubieran encontrado ningún motivo para detenerse. Aunque sabía disparar, ni había llevado nunca armas ni estaba acostumbrada a manejarlas, pero lo que sentí no tenía nada que ver con el peligro o el nerviosismo. Todo lo contrario. Durante un segundo de paz irreal, desgajado de mí y de cuanto me rodeaba, cada uno de mis músculos se relajó por completo para recuperar la tensión de inmediato y sin esfuerzo, como le habría ocurrido a un náufrago que, sólo después de ganar a nado una playa desierta, hubiera advertido de pronto, al borde del desfallecimiento, el territorio inhóspito, hostil, donde se había quedado atrapado. Entonces, al recobrar la conciencia y el control de mi cuerpo en un instante, tan deprisa como los había perdido antes, miré hacia delante y vi a mi cuñada despeinada, de rodillas sobre la cama, resoplando mientras hacía presión con las dos manos sobre la tapa de una maleta que Cristina no lograba cerrar. Aquella escena inocente, graciosa, casi cómica, terminó de devolverme a una realidad donde cada cosa tenía su precio, e instaló en mi ánimo un tierno brote de arrepentimiento que, lejos de desanimarme, me afirmó en mi determinación de escapar lo antes posible.

Yo quería mucho a esa mujer que estaba diciendo jopé, por no decir joder, mientras se sentaba sobre la maleta, pero era mi libertad contra su decepción. Yo la quería de verdad, la quería tanto que me dolía el corazón sólo de pensar que, al día siguiente, me consideraría quizás una traidora, una ingrata egoísta y desaprensiva, pero mi gran oportunidad había llegado y no podía dejarla pasar. Adela me miró, frunció las cejas al comprobar que no había devuelto el arma a la mesilla, pero yo estaba a punto de jugármelo todo, mi vida, mi futuro, la posibilidad de volver a ser yo misma, y ella, como mucho, se iba a llevar un disgusto. Eso procuré pensar mientras empuñaba la pistola, colocaba el dedo en el gatillo y levantaba el brazo, recto, en el aire.

—Lo siento mucho, Adela —pero mientras la apuntaba, le confesé lo que me estaba pasando por dentro, y fui sincera—. Daría cualquier cosa, lo que fuera, por no tener que hacer esto. De verdad que lo siento muchísimo.

—Inés, suelta eso, por Dios... —ella, repentinamente pálida, se levantó y vino hacia mí con los brazos estirados, las manos abiertas, un conmovedor gesto de incomprensión pintado en la cara—. No hagas tonterías, anda.

—No te acerques, Adela, por favor, vuelve a la cama.

No me hizo caso. No podía hacerme caso porque aún no había entendido lo que estaba pasando, por qué tenía yo su pistola en la mano, por qué la estaba dirigiendo hacia ella, por qué parecía dispuesta a tratarla como a una rehén, a una prisionera, si era mi amiga, la única que estaba de mi parte.

—Pero ¿qué haces...? ¿Qué pasa, qué...?

—Adela, por lo que más quieras, estate quieta.

Cuando la vi avanzar un paso más, levanté la pistola y disparé al techo. Habría preferido no hacerlo, pero no tenía otra opción para lograr que me obedeciera, por su bien, y sobre todo, por el mío. Yo sabía que era incapaz de hacerle daño, de disparar al techo sí, de disparar al aire, pero sobre ella nunca. Antes habría vuelto el cañón de la pistola hacia mí, y lo último que quería era matarme, abandonar justo en aquel momento, cuando me quedaba tanto por ver, tanto por vivir. Tenía que ser capaz de salir de aquella habitación sin hacerle daño a nadie o me quedaría allí para siempre y no quería, no me lo merecía. Por eso disparé, y el disparo resonó como un cañonazo en la casa desierta, mientras una polvareda de escayola blanca caía sobre mí como la nieve trucada sobre el escenario de un teatro.

—Siéntate, Adela, por favor —pero yo no era una actriz, ni estaba representando un papel.

Ella me miró, cerró los ojos, movió la cabeza como si quisiera borrarme para siempre de su memoria, y se derrumbó en una silla con una actitud tan dolorida que de nuevo tuvo la virtud de acelerar mis movimientos.

—Ata a la señora a la silla con el cinturón de la bata, Cristina, ese azul. Átala bien, pero no le hagas daño —la doncella, aterrada, sí me obedeció a la primera—. Lo siento mucho, Adela, te lo juro, lo siento muchísimo. Que te haya tocado a ti, que has sido mi única amiga, la única persona buena y cariñosa que he encontrado en esta casa, la única compañía que he tenido en tanto tiempo... Que tenga que hacerte esto a ti, precisamente a ti, queriéndote como te quiero... ¡Qué mala suerte!

—¿Pero qué vas a hacer, Inés? —intentó echarse hacia delante, pero ya no podía moverse—. ¿Qué locura...?

—Esto no es un temporal, Adela, y tú lo sabes. Son los míos, y han venido a salvarme, como en los cuentos —a pesar de todo, mis labios se curvaron solos en una sonrisa automática, casi infantil—. Y no es sólo un príncipe azul, no. Son ocho mil, acaban de cruzar la frontera, y yo nunca podré olvidar lo que has hecho por mí, Adela, nunca podré pagártelo, pero ahora me voy con ellos, tengo que irme con ellos —y ya no pude seguir mirándola—. Intenta comprenderme, por favor, ya sé que es difícil, que tú no te mereces esto, pero es que yo no tengo otra salida, no puedo quedarme aquí, arriesgarme a volver a la cárcel, a que tu marido me encierre en un psiquiátrico, a acabar... —pero ni siquiera en aquel momento tuve fuerzas para hablarle de Garrido— de mala manera, ahora que ellos están tan cerca.

Ella tampoco quiso contestarme mientras me veía mover la pistola en el aire para señalarle a Cristina otra silla, en la que corrió a sentarse. Después de atar a la doncella con el cinturón de un abrigo, comprobé las ataduras de mi cuñada y las amordacé con dos pañuelos.

—¿Te duele? —Adela levantó la cabeza hacia mí y negó lentamente, con los ojos llenos de lágrimas—. Perdóname, por favor, perdóname, yo... Es que no puedo hacer otra cosa, lo entiendes ¿verdad? —y la besé en la cara y en la cabeza, muchas veces, para no correr el riesgo de verla negar otra vez.

Luego les di la espalda y respiré hondo hasta que mis manos dejaron de temblar. Lo peor ya ha pasado, me dije, y aseguré la pistola para encajármela en la cintura de la falda antes de ir a buscar el dinero. Ricardo le había dejado a su mujer algo más de tres mil quinientas pesetas, un botín insignificante en comparación con el que me había llevado una vez, pero que no dejaba de ser valioso en mis circunstancias. Sin embargo, antes de metérmelo en el bolsillo, cogí la libreta y la estilográfica que estaban al lado del teléfono, y me fui con ellas hasta el tocador, porque no quería que Adela me tomara por una vulgar ladrona.

—Voy a llevarme el dinero también, pero no te preocupes, que te voy a hacer un vale.

Empecé a escribir con letra clara y mucho ímpetu, Pont de Suert, 20 de octubre de 1944. Vale por tres mil seiscientas noventa y dos —3.692— pesetas, requisadas por... Al llegar ahí me di cuenta de que no sabía por dónde seguir.

—Bueno, mira... —así que, al final, escribí mi nombre y mis dos apellidos—, lo voy a firmar yo en nombre de la Unión Nacional Española, porque ahora, como se ha muerto Azaña, no sé cómo se organizará esto hasta que vuelva a haber elecciones, pero da igual. El dinero no es para mí. Yo se lo entregaré al mando militar, le pediré otro vale a cambio, y cuando volvamos a vernos, en Madrid o donde sea, te lo devolveré todo —entonces me levanté y miré a mi cuñada despacio, por última vez—. Y no te preocupes, Adela, porque, pase lo que pase, a ti nadie te va a hacer daño. Ni a ti, ni a los niños. Te lo prometo.

Antes de salir, miré el reloj. Faltaban unos minutos para que dieran las nueve de la mañana, pero me esperaba un día muy largo, y por mucho que me doliera Adela atada y amordazada, no podía perder ni un minuto más en aquella habitación. Cogí una sombrerera que estaba abierta y vacía sobre una butaca, porque al verla se me ocurrió que me vendría bien para transportar las rosquillas, y sólo en la puerta volví a hablar.

–No tengáis miedo, porque no os va a pasar nada. Voy a dejar la casa abierta. Por la tarde, cuando vengan a buscaros, os encontrarán.

El día que salí de la cárcel de Ventas, una mujer desconocida me esperaba en el vestíbulo, de espaldas al violento resplandor del sol de junio. A pesar del contraluz, me extrañaron sus tacones, la falda ceñida a sus caderas y, sobre todo, aquel tupé tan exagerado, característico del peinado que se había puesto de moda entre las mujeres de los vencedores. «Arriba España», llamaban a aquel enorme rulo de pelo que desafiaba a la gravedad, trepando varios centímetros sobre sí mismo, para despejar la frente y alargar la estatura de la interesada sólo a costa de deformar su perfil, un precio que sólo podían permitirse las auténticas bellezas. A ella, que tenía la cara muy redonda, y mofletes musculosos, de campesina, no le sentaba demasiado bien, pero eso no me llamó tanto la atención como el peinado en sí mismo, un capricho demasiado caro para una simple funcionaria de prisiones. Porque ni siquiera después de apreciarlo, se me ocurrió que aquella mujer pudiera ser otra cosa.

–Dame un beso, compañera –cuando me despedí de Virtudes, tampoco sabía que nunca volvería a verla–, y prométeme que te vas a cuidar mucho.

–¡Inés Ruiz Maldonado! –pero aquella celadora, aunque muy aficionada a gritar, no era una mala mujer–. No puedo estar esperándola toda la mañana.

–Te mandaré vendas nuevas, y pomadas para la sarna –por eso la dejé gritar un poco más, mientras seguía abrazada a mi amiga–. Teresita se ha comprometido a curarte. Recuérdale que lo más importante es que tengas la piel seca, y...

–No te preocupes tanto por mí, y cuídate tú, Inés. Dame otro beso.

–¡Inés Ruiz Maldonado!

Besé a Virtudes por última vez, y al levantarme, seguí besando a todas las que pude, tocando con mis manos todas las manos que me tocaban, intentando llegar con la punta de los dedos a los dedos tendidos hacia mí, adiós, Faustina, adiós, María, adiós, Enriqueta, adiós, Dolores, adiós, Teresita, adiós, cariño, y que se te ponga bueno el niño, no sé adónde me llevan, pero si puedo mandarte algo, te prometo que lo haré, adiós, adiós, y despedidme de las demás, de Mercedes, de Pili, y de las Pepas, sobre todo de las Pepas, dadles ánimos y besos de mi parte, adiós, adiós, suerte, y adiós a todas... Salí de aquella celda llorando, de mi baldosa y media de suelo para dormir encogida llorando, de aquellas cuatro paredes abarrotadas de mujeres hambrientas llorando, llorando de emoción y llorando de pena, por mí, por ellas, por sus hijos y por los que yo quizás nunca tendría, por el tiempo que pasaría hasta que pudiera volver a verlas, y por las que nunca volvería a ver. Me esperaban veintiocho de los treinta años de condena por los que me habían conmutado la pena de muerte, y aún no había cumplido veinticinco. Me esperaba también, en la puerta de la cárcel, una mujer a la que no conocía.

—¡Inés! —cuando me abrió los brazos y pegó su cabeza a la mía para besarme en las mejillas, cerré los ojos para apreciar mejor el aroma de su perfume, y sentí que me alimentaba más que el desayuno de aquella mañana—. Soy tu cuñada Adela, la mujer de Ricardo. Tenía muchas ganas de conocerte.

Mientras intentaba comprender el sentido de aquellas palabras, la funcionaria que la esperaba con un impreso entre las manos carraspeó, y Adela se puso tan nerviosa como una niña a la que regañara su profesora. Después de firmarlo, me miró, me sonrió, y me cogió del brazo como si fuéramos a salir juntas de compras, o a dar un paseo.

Caminamos unos pasos sin hablar ni mirar hacia atrás, y tuve la impresión de que el edificio que estábamos abandonando le daba más miedo que a mí, pero cuando pude verla a la luz del día, su peinado volvió a acaparar toda mi atención. Acababa de salir de la peluquería, y su pelo brillante, sedoso, cuidadosamente teñido de rubio platino, atrapó mi mirada con la insistencia de una alucinación, el fragmento de un sueño impreciso, dividido entre el anhelo y la pesadilla, el vestigio de un mundo perdido y hasta un indicio de irrealidad. Sentí un deseo infantil, repentino, de tocar ese pelo brillante e imposible que parecía salido de una película, de un cuadro, de una fotografía extranjera, pero no lo hice. Antes de que pudiera fijarme en la oscuridad de las cejas que desmentían tanta blancura, mi cuñada abrió el bolso y sacó un cigarrillo.

—Bueno, pues ya pasó... —murmuró para sí misma, en el mismo tono en el que consolaría a un niño asustado, antes de inspirar el humo con una fruición que fulminó en un instante mi interés por su peinado.

—¿Me das uno? —si hubiera hecho falta, se lo habría pedido de rodillas, y ella se dio cuenta.

—Claro —porque me lo ofreció con una rapidez proporcionada a mi ansiedad—. Nunca fumo en la calle, no creas, y Ricardo quiere que lo deje, pero...

Al expulsar la primera bocanada, sonreí, y sólo después comprendí que estaba tragando, más que humo, el aire de la calle. Mi sonrisa se ensanchó, pero ella siguió mirándome con un gesto de disgusto que no pude interpretar.

—¡Qué flaca estás, Inés! —y meneó la cabeza varias veces—. Si no supiera que eres tú, no te habría reconocido, ¿sabes? Ayer estuve mirando fotos tuyas, y... pareces otra.

—Ya, es lo que tiene la cárcel —sonreí de nuevo, pero ella no se animó a imitarme—. ¿Dónde está Ricardo? ¿Por qué no ha venido él?

—Él... Bueno, ya sabes, está muy ocupado, tiene mucho trabajo. Sigue en Obras Públicas y se tira las semanas viajando de un lado para otro. Pero me ha dado... —volvió a abrir el bolso y tuve la sensación de que le aliviaba entretenerse en revolver su contenido—. Aquí está. Es una carta para ti.

—¿Una carta?

Hasta aquel momento, no me había parado a pensar qué iba a ser de mí. Tres días antes, cuando me avisaron de que me trasladaban, me había parecido raro, pero no grave, porque ya me habían juzgado. Los traslados individuales no eran frecuentes y tanta precipitación tampoco, pero la arbitrariedad de las autoridades era una clave esencial de nuestras condiciones de vida, y aquella mañana, al despedirme de las demás, esperaba que alguna funcionaria me metiera en una furgoneta, sola o con otras presas, después de darme, o no, noticias de mi nuevo destino.

174

Sin embargo, cuando conocí a mi cuñada, no pude evitar hacerme ilusiones.

Después de la desafortunada visita de aquel abogado que me ofreció la libertad a cambio de la vida de Virtudes, mis relaciones con mi familia habían sido casi inexistentes. Nadie había venido nunca a verme a la cárcel, aunque mi madre me escribía regularmente, tres o cuatro párrafos cargados de amor e incomprensión, que traducían un dolor tan profundo como el que sentía yo al leerlos. A ella le contesté siempre, en cartas más largas que las suyas, que no intentaban explicarle lo que no entendía, pero sí devolverle el mismo amor, hasta que, a principios de 1941, dejó de escribir. Llegué a enviarle cuatro cartas seguidas sin obtener respuesta hasta que, en abril, mi hermana Matilde me escribió por primera y última vez, para informarme de que había muerto y de que todos me consideraban la única culpable. *Tú la has matado, Inés...*

Rompí en pedazos aquella carta que seguiría intacta para siempre en mi memoria, y nadie volvió a acordarse de mí hasta que Adela vino a sacarme de la cárcel, pese a que su marido ya estaba furioso conmigo antes de ofrecerme una salida que yo no quise aceptar. Eso era lo único que había sacado en claro de los lamentos de mamá, mientras me pedía que no perdiera la esperanza, porque ella no desesperaba de convencer a Ricardo para que intercediera a mi favor, más tarde o más temprano. Yo sabía que, sobre el agravio general de lo que todos consideraban mi traición, mi hermano acumulaba contra mí un rencor específico, la memoria de aquella fortuna que yo me había gastado, hasta el último céntimo, en botas y en capotes, medicamentos y comida para los soldados del Ejército Popular que luchaban contra los sublevados a quienes él había pretendido financiar con ese dinero, pero cuando Adela me tendió aquel sobre, yo estaba libre, en la calle, fumándome un pitillo con ella, que era mi cuñada y, en los pocos minutos que llevábamos juntas, me había tratado con más cariño que cualquiera de mis hermanos desde el final de la guerra. Si hubiera tenido tiempo para pararme a pensar en lo que iba a suceder a continuación, habría supuesto que estaba a punto de parar un taxi, que me invitaría a montar en él, que se sentaría a mi lado y nos iríamos juntas a su casa. A cambio, en aquel momento me di cuenta de que ni siquiera íbamos andando simplemente por la calle. Ella me había cogido del brazo al salir de la cárcel para guiarme hasta un coche negro que tenía el motor en marcha. El conductor estaba sentado en su puesto, pero en la acera había dos policías mirándonos, y uno de ellos tenía la mano derecha apoyada en la culata de su pistola.

Abrí el sobre y saqué el papel que contenía para intentar comprender lo que me estaba pasando. *Yo no he ganado una guerra para que tú me amargues la vida, Inés*, leí, y cerré los ojos.

—¿Adónde vamos? —le pregunté a mi cuñada.

—No, yo... —levanté los párpados para comprobar que se estaba poniendo nerviosa—. Yo no puedo ir contigo. Tengo un hijo pequeño, bueno, eso no te lo he dicho, hemos tenido tan poco tiempo para hablar... Es un niño, se llama Ricardo, tiene quince meses, no puedo dejarlo solo, pero tú... —se acercó a mí y me abrazó, para seguir hablando con la cabeza pegada a la mía—. Vas a estar muy bien allí, ya lo verás. Las madres son muy buenas, y...

Su última frase resonó en mis oídos como un latigazo, y ninguno me habría hecho tanto daño. Por eso la aparté de mí, la mantuve a la distancia de mis brazos estirados, y me habría tirado al suelo, para arrodillarme a sus pies, si uno de los policías no me hubiera inmovilizado inmediatamente, uniendo mis brazos detrás de mi espalda como si fuera a ponerme unas esposas.

—No quiero ir a un convento, Adela, por favor, por favor —me miraba con un gesto de espanto que no impidió que sus ojos se humedecieran, pero yo empecé a llorar antes que ella—. Prefiero volver a la cárcel, llévame a la cárcel, por favor, Adela, a la cárcel, a un convento no, por favor te lo pido, no me hagas esto, por lo que más quieras, a un convento no, a un convento no...

—Pero si allí vas a estar muy bien —se acercó a mí, alargó una mano con cautela, me acarició la cara—, ya lo verás, Inés, Inés...

—No, Adela, no quiero, de verdad que no quiero, no quiero ir a un convento, por favor te lo pido, prefiero la cárcel, por favor...

—¡Bueno, ya está bien!

El policía tiró de mí y me obligó a entrar en el coche antes de que nos convirtiéramos en un problema de orden público, pero Adela vino detrás de mí, y golpeó en la ventanilla con los nudillos hasta que la abrí.

—Lo siento. Fue idea mía, yo creía que era lo mejor, porque...

—Tenemos que irnos, señora —le advirtió el policía.

—Sí —asintió con la cabeza, pero metió una mano por la ventana abierta para coger la mía, puso dentro su paquete de tabaco y la apretó—. Ánimo, Inés.

Eso fue lo que Adela me dijo, ánimo, no adiós, cuando nos despedimos por primera vez. Por eso, el 20 de octubre de 1944 sentí la necesidad de desearle algo parecido cuando la dejé atada y amordazada en el dormitorio de su propia casa, pero no supe cómo hacerlo. Al final, me limité a entornar la puerta, y fue entonces cuando me puse más nerviosa.

En lugar de sentirme armada y libre, fuerte y segura, en aquel instante respiré una repentina turbiedad en el aire de la casa que iba a abandonar, y presentí un peligro inexistente en las paredes, en las alfombras, en las ventanas, en cada hueco del pasillo por el que avanzaba. El edificio estaba vacío, pero la experiencia de mi cautiverio se fundía con lo que ya no era un proyecto, sino la irremediable necesidad de huir, para acelerar todos mis movimientos. Quizás no fuera más que el silencio, o la certeza de que allí ya había terminado todo para mí, pero me moví con la misma rapidez con la que habría actuado si una jauría de perros feroces estuviera cruzando el jardín. Así, sin pararme a tomar aliento, me cambié de ropa, me eché a la espalda el morral en el que había reunido un equipaje imprescindible, bajé a la cocina, arramblé con toda la comida sólida y fácil de transportar a caballo que encontré en la despensa, y apenas me detuve a colocar con mimo las rosquillas, formando capas regulares, concéntricas, en la sombrerera. Luego lo llevé todo a la fachada principal, lo apilé junto a la puerta, me llené los pulmones con el aire del jardín y, sólo un poco más tranquila, me fui a buscar a *Lauro*.

Cuando Ricardo me llevó a vivir a Pont de Suert, lo último que me habría atrevido a imaginar era que volvería a montar a caballo. Las fotos y los trofeos que habían acompañado a las puntillas blancas en la habitación de mi infancia, dormían en un maletero desde que mi madre decidió que ya me había convertido en una jovencita y que tendría que dejar de competir, porque los concursos de saltos, tan graciosos y saludables en una niña, resultaban demasiado masculinos y arriesgados para una señorita. ¿Qué quieres, que te vea todo el mundo tirada en el suelo, levantándote para volverte a caer, pringada de barro de arriba abajo? Pues sí, estaría bonito, ¡buen novio te iba a salir! Intenté oponerme con todas mis fuerzas a aquella idea tan absurda, pero no logré reclutar otro aliado que mi padre, y él tampoco quiso imponer su opinión sobre los criterios de su mujer, porque el 30 de julio de 1931, cuando cumplí quince años, todavía no se le había pasado a ninguno el soponcio del 14 de abril. De esta extraña manera, lo siento, Inés, pero ya hemos tenido bastantes disgustos este año como para que me pelee yo ahora con tu madre por la tontería de tus caballitos, la República me apartó de la equitación. De una manera aún más extraña, acabaría devolviéndome a ella.

A Adela no le gustaba leer, y tampoco que yo leyera. Esa fue una de las primeras cosas que aprendí de ella, porque cuando volví a verla, unos días antes de la Navidad de 1941, me preguntó si me hacía falta algo, le pedí que me mandara libros, y no lo entendió.

—¿En serio? ¿Y para qué quieres libros?

El tercer día que desperté en el convento, llegó a mis manos su primer paquete, dos cartones de tabaco, tres tabletas de chocolate, varios pares de calcetines gordos de lana, dos camisetas de manga larga, un jersey y, para mi sorpresa, dos tarros de una crema blanca y espesa, uno para la cara, y otro para el cuerpo, *porque cuando te vi en Madrid, me asusté de lo sequísima que tienes la piel, así que ponte las dos, todos los días, por la mañana y por la noche, y extiéndelas bien para asegurarte de que penetran como es debido...* Después de leer la carta en la que su marido había especificado las condiciones de mi vida en el futuro —*he prometido dos cosas a cambio de tu libertad, Inés. Que nunca más vas a poner un pie en Madrid y que voy a quitarte para siempre de la circulación, así que ya puedes ir haciéndote a la idea–*, aquellas instrucciones me hicieron sonreír. Quizás por eso, había gastado ya esos tarros, y dos más, cuando Adela me visitó en diciembre. ¡Qué bien! Tienes la piel muchísimo mejor, exclamó nada más verme, antes de escuchar una petición que le haría fruncir el ceño.

–¿Para qué voy a querer libros, Adela? Pues para leerlos. Aquí sólo he podido conseguir una Biblia, y la verdad es que el Antiguo Testamento me gusta mucho, pero tampoco es cosa de aprendérmelo de memoria.

–Ya, pero... –y sin haber estirado las cejas del todo, las arrugó otra vez– ¿y qué te mando?

–Las obras completas de Galdós –porque, si podía elegir, quería volver a casa, a mi país, a una España que pudiera entender, que me perteneciera, aunque no llegué a formular ese anhelo en voz alta, porque la expresión de Adela volvió a desconcertarme–. Benito Pérez Galdós, sabes, ¿no?

–Sí, si me suena mucho, pero es que... ¿Las quieres todas?

–Pues... Están reunidas en seis o siete tomos, y hay ediciones baratas.

–¡Ah! Bueno –y sonrió–. Haber empezado por ahí.

Los libros la aburrían tanto que le daba pena verme con uno entre las manos, y se negaba a creer que me estuviera divirtiendo por mucha energía que yo invirtiera en asegurárselo. Ricardo, sin embargo, seguía siendo muy buen lector, y en marzo de 1943, al llegar a su casa, aprecié antes la compañía de su biblioteca que la de su mujer. Después de haberme repartido durante cuatro años entre una cárcel y un convento, me pareció maravilloso volver a vivir en un lugar donde hubiera libros, y durante algunos meses, fui infiel a Galdós, el único compañero que me quedaba, hasta con el enemigo. Entonces, antes o después, Adela me descubría, llegaba hasta mí andando muy despacio, se sentaba a mi lado.

–¿Qué haces aquí, Inés? –y ella misma fabricaba una respuesta imprevisible para una pregunta tan simple–. Hay que ver, con lo joven que eres, teniendo toda la vida por delante, que la malgastes de esta manera.

—Si no estoy malgastando nada, Adela. Estoy leyendo.

—Pues eso, leyendo, aquí sola, ya ves... —y descubría en sus ojos una compasión tan sincera que me desarmaba—. Anda, vamos a dar una vuelta.

—Pero si no me apetece dar una vuelta, si estoy aquí muy bien.

—¡Que no estás bien! —se ponía de pie, me quitaba el libro de las manos, lo tiraba sobre la mesa y me obligaba a levantarme—. ¡Qué vas a estar bièn! Vamos a salir a que te dé un poco el aire, que pareces una muerta en vida...

Después, nos montábamos en el coche, el chófer nos llevaba al centro del pueblo, e íbamos a la mercería, a comprar botones, o al quiosco, a escoger revistas, o a pasear por la calle Mayor, simplemente. Y no es que me aburriera, porque el paisaje era tan hermoso que el trayecto se me hacía corto, y era agradable volver a cruzarse con gente desconocida por las aceras, pero casi siempre echaba de menos mi butaca, mi libro, el punto en el que lo había interrumpido y al que Adela sólo me dejaba volver cuando daba por concluidas aquellas obras suyas de caridad ambulante.

En aquella época, *Lauro,* un hermoso potro árabe español de tres años, con unas proporciones tan perfectas como las de *Sultán,* el caballo con el que había ganado varias copas cuando era una niña, ya estaba en los establos. Ricardo lo había comprado para Adela unos meses antes, pero ella, acostumbrada a su yegua, mansa y pacífica como una vaca lechera, no se atrevía a montarlo. Y una de aquellas mañanas en las que se empeñaba en imponerme sus particulares criterios sobre la diversión, al pasar cerca de los establos, lo vi en el picadero, dando vueltas con una elegancia tan asombrosa que me acerqué a las vallas y me quedé mirándolo, como atraída por un imán.

—¡Qué caballo tan bonito! —exclamé, y el mozo que sujetaba las riendas tiró de ellas—. ¿Puedo acercarme?

—Claro —al sonreír, me dejó ver unos dientes tan blancos como la camisa que llevaba desabrochada, cuatro dedos por debajo del nivel que señalaba el decoro de los nuevos tiempos—. Es un buen caballo.

Hacía muchos años que no apretaba la cabeza contra un cuello como aquel, muchos años que no acariciaba una piel parecida ni sentía un pulso semejante en las venas que latían bajo mis dedos, pero *Lauro* me lo puso muy fácil, porque desde el primer momento se dejó hacer con tanta complacencia, que tuve que dominar el impulso de pedir una silla.

—¿Quiere montarlo, señorita? —el mozo me tendía las riendas sin dejar de sonreír, como si me hubiera adivinado el pensamiento—. Le vendría estupendamente, ¿sabe? Es muy joven y aquí sólo lo monto yo...

En ese momento, el animal percibió algo que le molestaba, un insecto o algún ruido remoto, y levantó las patas traseras mientras movía la cabeza, inclinando el cuello hacia mí. No me hizo daño pero sentí su aliento, le acaricié para tranquilizarle, y el mozo hizo lo mismo, se acercó un poco más mientras le pasaba la mano por el lado opuesto, y llevaba la camisa abierta, el picadero estaba en un claro sin sombra, el sol de junio calentaba, él sudaba, yo sudaba, el caballo nos daba calor, su aliento, su piel, la sangre tensando sus venas, me estoy mareando, pensé, pero no era un mareo, y al comprenderlo, me eché para atrás como si acabara de recibir una descarga eléctrica.

—¿Lo ve? Está muy nervioso —el mozo no podía haberse dado cuenta de nada, pero yo me había puesto más nerviosa que el caballo y ni siquiera me atreví a mirarle a los ojos—. ¿Quiere montarlo?

—No, gracias. Otro día, mejor —le di la espalda, me colgué del brazo de Adela y tomé la iniciativa por primera vez en los paseos que compartíamos—. Vámonos a casa, anda. No me encuentro nada bien.

—¿No? —ella se paró en seco, me cogió por los hombros, me miró con atención—. Es verdad, estás muy colorada.

—¿Sí? —claro que estaba colorada—. No sé lo que me ha pasado.

—Igual te ha bajado la tensión. O a lo mejor es que estás anémica, que no me extrañaría nada, porque no comes, aunque entonces estarías más bien pálida, ¿no? Así que... ¿Te pasa con frecuencia?

—Alguna vez —mentí—. Pero se me pasa enseguida —volví a mentir—. No te preocupes.

—¿En serio? ¿No quieres que llame al médico y le pregunte...? —y me puso la mano en la frente con la solicitud de una madre—. A ver, ¿qué síntomas has tenido? ¿A qué se parece?

—He tenido... —miré a mi cuñada, intenté calcular qué cara pondría si le dijera la verdad, he tenido un calentón, Adela, y volví a cogerla del brazo para obligarla a andar, más despacio—. Yo creo que es que no he desayunado.

—¡No me digas más! Pero a quién se le ocurre, Inés, salir al campo en ayunas, con el sol que hace...

Al llegar a casa, tuve que volver a desayunar bajo la estrecha vigilancia de mi cuñada, pero la última vez que me acosté con un hombre tenía veintidós años, aquella mañana me faltaba poco para cumplir veintisiete, mi cuerpo no necesitaba mi opinión para echarlo de menos, y eso no se iba a arreglar con una tortilla francesa y dos tostadas.

La verdad que nunca me atrevería a contarle a Adela era que me pasaba continuamente, dormida y despierta, con motivos o sin ellos, y yo no lo controlaba, no podía negarme, esquivar las imágenes que se agolpaban en mi cabeza de repente, hombres sin rostro o con caras conocidas, sensaciones familiares o fabulosas, recuerdos verdaderos o inventados, el ritmo regular de dos cuerpos que chocaban crujiendo en mis oídos y un escalofrío fulgurante, que al principio me daba calor y al final me dejaba helada. En la cárcel no me había pasado. Tenía demasiado miedo y demasiadas cosas que hacer, cosas en las que pensar. Además, en aquella época, mi memoria aún conservaba la frescura de una experiencia que el paso del tiempo iría acartonando, fosilizando, haciendo cada vez más extraña, más dudosa, la experiencia del placer, del vértigo, de la arrolladora supremacía de la vida sobre la muerte en la sangre, en la carne, en la piel, en la lengua, en los dientes, en la risa, en el sudor de mi cuerpo poderoso, triunfador sobre el hambre y el desaliento, vencedor de las bombas y de los escombros.

En otoño de 1936, Virtudes y yo aprendimos lo que era la guerra, una línea frágil, sutilísima, que separaba la vida de la muerte. Una mañana de octubre, una bomba alcanzó a la hija de la portera, una chica más joven que yo, en la calle Luchana, a dos pasos de la boca del metro. Yo la había visto por la mañana, habíamos hablado un momento en el portal, nos habíamos reído del vecino del segundo, que no la dejaba en paz, y me había contado que su novio estaba en la sierra, que le habían ascendido a cabo. Todo eso, a las diez y media de la mañana, y a las dos de la tarde estaba muerta. Otro día, Virtudes llegó llorando de la calle. Uno de sus primos había muerto en el bombardeo de un colegio, en Aluche, con cinco años. El entierro fue por la tarde, y después, ninguna de las dos tenía ganas de volver a casa, así que entramos juntas, solas, en un café, después en otro, y nadie nos miró mal, nadie pensó que fuéramos unas busconas, y a ella ya le habría dado igual que lo pensaran. Así era la guerra, y por eso, desde aquel día, salimos juntas casi todas las noches, hasta que una tarde de marzo de 1937, en el vestíbulo del Monumental Cinema, Pedro Palacios me vio bajar por las escaleras, esperó a que llegara a su lado, me abrazó, y me besó en la boca sin mediar palabra.

Habíamos ido andando hasta Antón Martín para celebrar la victoria de Guadalajara, y aunque llegamos con mucho tiempo, sólo encontramos sitio para quedarnos de pie, en el anfiteatro. Estaba segura de que él también habría ido hasta allí, y aunque sabía que era una tarea imposible, no dejé de buscarle entre los centenares de cabezas que estaban al alcance de mis ojos, durante las dos horas que duró el mitin. Hacía seis meses que le buscaba disimuladamente por todo Madrid, en los sitios donde era previsible que coincidiéramos y en los que no. Él seguía viniendo a casa cuando había reuniones, y siempre me miraba, me sonreía, me cogía por el cuello para apretar durante un instante su mano sobre mi piel y comprobar cómo se erizaba, antes de despedirse. Pareces tonta, Inés, está jugando contigo, ¿es que no te das cuenta?, me decía Virtudes, y yo ni siquiera le llevaba la contraria. Era verdad que estaba jugando conmigo, pero me gustaba tanto que no me importaba parecer tonta, y cuando tenía la menor posibilidad de volver a verle, aunque fuera fugazmente, dejaba plantado sin más explicaciones a un capitán de artillería que me cortejaba como un caballero, para mayor desesperación de Virtudes. Aquella tarde, sin embargo, ella estaba tan concentrada en el escenario, que ni siquiera me regañó.

—Es guapo, ¿verdad? —y no entendí tanta atención hasta que los oradores se adelantaron para entonar juntos la *Internacional*.

Tuve ganas de contestarle que no, que era del montón, recurriendo a la misma fórmula que ella misma había escogido para desdeñar a Pedro el día que le conocí, pero asentí con la cabeza, porque sólo podía referirse a uno de los hombres que cantaban al borde del escenario, un comisario moreno y joven que se llamaba Francisco Antón y era guapo de verdad.

—Pues a mí me gustaba un rato, ¿sabes? Bueno, a mí y a medio Carabanchel, qué quieres que te diga —cuando se encendieron las luces y empezamos a bajar por la escalera, se explicó mejor—. Él se daba cuenta, es uno de esos guapos que lo saben, y los domingos, cuando iba a casa...

Nunca escuché el final de aquella frase. Otro guapo que lo sabía me estaba sonriendo, plantado en el vestíbulo del teatro, aguantando los empujones, los codazos de la gente que salía, sin moverse un centímetro del sitio. Aquella noche nos encerramos en el dormitorio de mis padres y no salimos de allí hasta que nos venció el hambre, a las cinco de la tarde del día siguiente. Después, y por más que supiera que él estaba dispuesto a engañarme con cualquiera, siempre le fui fiel.

Cuando empecé a recordarle contra mi voluntad, entre los muros de un convento de la provincia de Zaragoza, ya no podía creer que esa hubiera sido de verdad mi vida, ni aquel cuerpo el que seguía teniendo. Entonces, mientras todas las luces se apagaban sin llegar a fundirse para languidecer en una penumbra más triste que la oscuridad, mientras las noches se convertían en un infinito corredor excavado en una roca sin fin, y mi piel, bien hidratada por fuera gracias a los paquetes de Adela, se secaba por dentro para que su aspereza blancuzca, imaginaria, presagiara la sequedad irreparable de mis huesos, de mi carne, casi me arrepentí de haber vivido tanto en tan poco tiempo.

En el convento me lavaba con jabón de fregar, el mismo que usaba para lavar el suelo, los mármoles de la cocina, los platos, los cacharros. Todo olía igual, las habitaciones, los pasillos, la ropa, el aire, mi cuerpo, el de las monjas, todo desprendía el mismo olor musgoso, un aroma frío, húmedo, como el de las piedras recubiertas de verdín. Yo odiaba ese olor con todas mis fuerzas pero no podía escapar de él, echarlo de mi nariz, dejar de olerlo. Pensaba que habría sido mejor no tener nada con que compararlo, hasta que de repente, una noche, a despecho del cerrojo de mi puerta, que la madre superiora echaba por fuera después del último rezo, Pedro volvió a meterse en mi cama, y mientras estuvo conmigo, me lo pasé tan bien que, al despertar, no supe si alegrarme o lamentarlo. Él, que me lo había dado todo sólo para quitármelo después, se apoderó también de mis sueños, y el olor a verdín se hizo más mohoso, más húmedo y espeso en cada despertar. El hombre con el que yo soñaba no existía, la mujer que se retorcía bajo su cuerpo tampoco, porque ya no era yo. Yo no era más que un hueco que olía a jabón de fregar, y no me convenía olvidarlo, pero sólo tenía veinticuatro, luego veinticinco, después veintiséis años, y mi piel guardaba la memoria de mi edad, por más que yo intentara confundirla. Así, lo que empezó pareciendo un juego terminó siendo una trampa, porque el placer que hallaba en el sueño no compensaba la terca desesperación de la vigilia, y hacía frío. En mi cuerpo, en mi vida, en el mundo hacía frío. También pensé en eso al robar un cuchillo de la cocina.

El 22 de diciembre de 1942, ya sabía que Adela no iba a venir a verme. Sus visitas, que rompían la abrumadora rutina de mi encierro cada tres o cuatro meses, habían sido la única cosa agradable que me había ocurrido en el último año, y no sólo porque mi cuñada hubiera convencido a la superiora de que me dejara vestirme de persona normal para salir a comer con ella en algún mesón de los alrededores. Adela era mi única garantía de que el mundo seguía existiendo más allá de los muros de aquel recinto aislado, infranqueable como una fortaleza, y en esas condiciones, arrancarme el hábito que me obligaban a vestir todos los días, significaba para mí mucho más que cambiar de ropa.

En el convento tenía una celda individual y dormía en una cama, pero esas dos comodidades no me compensaban por todo lo que había perdido al salir de la cárcel. Adela no lo entendía, porque nunca había estado encerrada en un convento, aunque esa no era la única diferencia entre las dos. Yo había perdido una guerra y ella la había ganado, yo había sido feliz antes y ella nunca del todo, yo estaba sola y ella también, pero no en el mismo grado, de la misma manera. Adela tenía a sus hijos, yo, a nadie a quien mimar, a quien cuidar, de quien preocuparme. Ni siquiera tenía a alguien cerca para hablar, para compartir mi sufrimiento, para planear una fuga imposible o reírme de mi propia desgracia. Eso, que parecía tan poco, era lo que echaba de menos de la cárcel, aquel infierno donde, sin embargo, yo era una persona, tenía un nombre y una historia, ideas, amigas, opiniones sobre lo que nos estaba ocurriendo y curiosidad, oídos para escuchar lo que opinaban las otras. En Ventas, yo hacía cosas por mí y cosas por las demás, pero en el convento no era nada, no era nadie. No me interesaba nada. No le interesaba a nadie.

Al principio lo intenté. Al principio fui rebelde, hasta insoportable, la pesadilla particular de la madre superiora. Me negaba a todo, y cada negación era una conquista, cada castigo, una condecoración, a pesar de los días de encierro a pan y agua, de los golpes, de las amenazas.

—Vamos a negociar, madre —le ofrecía cada vez que me abría la puerta.

—Yo no negocio, hija mía —me contestaba ella—. Aquí no hacemos las cosas así. Yo doy órdenes por el bien de la comunidad, las hermanas me obedecen sin rechistar, y eso mismo tendrás que hacer tú antes o después.

Aunque escuché muchas veces la misma advertencia, nunca di mi brazo a torcer, y seguí escuchando casi a diario el ruido de la llave que había vuelto a encerrarme en mi celda. Pero como no tenía nada que ganar estando fuera, calculé que ella acabaría cansándose antes que yo, y así fue. Al final, no le quedó más remedio que negociar, hacerme algunas concesiones a cambio de la promesa de portarme bien, un trato que le convenía tanto como a mí, porque mis peticiones eran muy modestas. Que me dejara cambiar el hábito de hermana por el de novicia, que no me obligara a llevar toca ni a cantar en misa, que me asignara un puesto fijo en la cocina en lugar de mandarme a bordar o a cavar el huerto, que me permitiera fumar y leer novelas cuando estaba sola en mi celda, para no dar mal ejemplo a las niñas. Hasta que me di cuenta de que no sólo había dejado de ser una mujer, porque ya ni me acordaba de cómo olían los hombres. También había dejado de ser una persona, porque ya no tenía nombre, ni historia, ni amigas, ni posibilidad de opinar, ni de escuchar otras opiniones. Era como una planta a la que había que regar para que no se muriera, no fuera a enfadarse don Ricardo, nada más.

Cuando Adela venía a verme, yo intentaba explicarle todo esto sin ofenderla, y ella, que no entendía nada, me cogía de las manos y asentía con la cabeza hasta que lograba que me sintiera mejor. Luego me contaba tonterías, las gracias que hacían los niños, los pocos cotilleos que lograba recopilar en sus raras escapadas a Lérida, los vestidos que le estaba haciendo la modista, y sus dudas sobre si cambiar o no los muebles del salón.

—¿Y ese pelo? —uno de esos días, por fin me animé a dibujar con las manos un rulo igual que el suyo sobre mi cabeza—. ¿Cómo lo haces?

—No lo hago yo, me lo hacen en la peluquería. Ponen dentro un relleno de algodón en rama, y luego mucha laca por encima, no tiene más misterio.

Así, durante algunas horas, volvía a interesarme por el mundo, a sonreír, a reírme, a beber vino, a tocar con mis dedos, a abrazar con mis brazos, a verme las piernas mientras andaba, y recibía todos esos pequeños, inmensos regalos, con la mansedumbre de una mendiga que no se pregunta por qué una señora la ha escogido para hacer caridad, por qué le da limosna a ella, y no a ninguna de las otras con las que se apiña en las mismas escaleras todas las mañanas. Sabía que, para venir al convento, mi cuñada tenía que levantarse al amanecer, coger un autobús, un tren, otro autobús, y hacer el recorrido inverso, después de comer, para llegar a su casa de noche. Sabía que se sentía en deuda conmigo, culpable de haber convencido a Ricardo de que me encerrara en aquel lugar que a ella le seguía encantando, pero no comprendí a tiempo que nuestros encuentros eran tan importantes para ella como para mí. No comprendí que, para Adela, venir a verme era también una manera de romper la monotonía de su vida, que sus visitas eran mucho más que una obra de misericordia, que tras su solicitud no alentaba la compasión, ni penitencia alguna, y que tampoco obraba por ningún difuso impulso de decoro familiar. Sólo cuando empezamos a vivir en la misma casa, comprendí que Adela se ocupaba de mí porque le sobraba amor para dar y le faltaban objetos sobre los que derramarlo en aquella casa enorme, lejos de todo, con dos niños pequeños y la tristeza de saber que nunca sería una esposa inglesa. Mientras creía que ella no me entendía, era yo la que no entendía nada, hasta que un día, en otoño de 1942, mi hermano apareció sin previo aviso por Pont de Suert, y encontró a sus hijos con la niñera, su mujer ausente. Y todo se acabó.

Mi cuñada no quiso contarme que Ricardo le había prohibido volver al convento. *No sé cuándo podré ir a verte otra vez, hasta después de Navidad seguro que no, estoy muy atareada porque vamos a tener invitados en casa estas vacaciones, y tengo que prepararlo todo...* No era verdad, pero yo no lo sabía, y tampoco sabía en qué clase de hombre se había convertido mi hermano. No sabía nada excepto que Adela había desertado, que me había abandonado. Y dos semanas antes de Navidad, cuando recibí un paquete enorme, con el doble o el triple de los suministros habituales pero ninguna carta dentro y un nombre desconocido en el remite, aprendí que mi vida valía tan poco como si ya hubiera empezado a morirme.

El 22 de diciembre de 1942, amaneció negro, feo desde el principio, desde que me levanté, muerta de frío, y vi que el suelo del claustro estaba helado, pero no como el espejo de inmaculada blancura que me había deslumbrado otras veces. Aquella mañana, el hielo también era feo, sucio, y apenas formaba una película fina y quebradiza sobre el agua embarrada de los charcos, mientras la ambigua naturaleza del aguanieve que caía sin cesar impedía al mismo tiempo que se consolidara y que se deshiciera. Durante el otoño que acababa de terminar, en toda España había llovido demasiado poco, menos aún que en la primavera anterior, pero un cielo justiciero, rácano, nos daba lo que nos merecíamos, la espesa tristeza de una pobre llovizna en lugar de la alegría de una buena nevada, limpia y copiosa.

El 22 de diciembre de 1942, cuando ya sabía que Adela no iba a venir a verme, se cumplía, además, un año desde el fusilamiento de Virtudes. Su prima me había escrito que la pobre estaba segura de que la iban a dejar vivir hasta después de Reyes, pero la fusilaron el día de la lotería, de madrugada. En septiembre de 1941, tres meses después de que Ricardo me sacara de la cárcel, el tribunal que ya nos había juzgado una vez reabrió el caso y la juzgó de nuevo, en solitario, para justificar las irregularidades de mi excarcelación. Y su pena de muerte no fue conmutada. Por eso, en el primer aniversario de su ejecución, yo estaba sentada, sola, en la cocina del convento, escuchando el ronroneo del sorteo de Navidad en una penumbra más negra que la oscuridad, mientras pensaba que no había cumplido mi última promesa, que nunca había podido enviar a la cárcel vendas nuevas ni pomadas para la sarna. Todas las monjas estaban ocupadas, despidiendo a las niñas, que volvían a sus casas en vacaciones. Nadie me vio coger un cuchillo, esconderlo en una manga, cruzar el claustro, entrar en mi celda, mover la mesilla con la silla encima para apoyarla contra una puerta sin cerrojo, tumbarme en la cama, cortarme las venas.

Lo hice mal. Perdí mucha sangre, pero no la suficiente, porque los cortes longitudinales matan, los horizontales se secan, y yo había visto demasiadas veces, en un libro de mujeres célebres que me regalaron de pequeña, a Carlota Corday agonizando en la bañera, con dos cortes horizontales, como pulseras de sangre, muy bien dibujados en la cara interior de las muñecas. Aquel libro me salvó la vida, pero no se lo agradecí al despertarme en un hospital. Aún me sentía más muerta que viva, y sin embargo, ese fracaso cambió mi destino.

—Inés... —aquella mañana, una enfermera me había anunciado que mi hermano vendría a recogerme a mediodía, pero apenas pude identificar al hombre que abrió la puerta de mi habitación para mirarme desde el umbral, con el mismo gesto de extrañeza que estaba recibiendo de mí.

Hacía siete años que no le veía. Antes de descubrir hasta qué punto había cambiado por dentro, tuve que esforzarme por recordar que acababa de cumplir treinta y cinco, y ni así logré reconocerle por fuera. Seguía siendo un hombre joven, pero nadie lo diría del señor que había conseguido borrar de su rostro, de su gesto, la sonrisa de mi cómplice, aquel hermano mayor al que yo había querido tanto. Ya no era el mismo, y tampoco parecía tan divertido, aunque sí más elegante, el traje gris, inglés, espléndido, el sombrero impecable, una corbata exquisita, y en lugar de la improvisación de antaño, el pelo engominado, peinado con raya al lado, y un bigote fino y recto, como trazado con regla, sobre el labio superior. Todo en él, y su manera de mirar, de actuar, de moverse, pretendía subrayar la dignidad de una edad que aún no tenía, o marcar las diferencias entre el muchacho a quien yo recordaba y el extraño que me estaba estudiando como si nunca me hubiera visto antes.

—Ricardo... —pero seguía siendo mi hermano, y aunque yo tampoco supe decir nada más que su nombre, me levanté y fui hacia él.

Al alargar mi mano derecha para tocar la manga de su americana, las suyas me atrajeron hacia su cuerpo y nos abrazamos como antes, como siempre, como si no hubiera pasado nada, ni la guerra, ni la vida, ni la muerte, por nosotros, desde las cinco y media de la mañana del 19 de julio de 1936. Voy a llorar, pensé un instante antes de colgarme de su cuello, voy a llorar, cuando pegué mi mejilla a la suya, voy a llorar.

—Inés, Inés, ¿qué voy a hacer contigo? —pero no lloré, él tampoco—. ¿Por qué has tenido que ponérmelo todo tan difícil?

No contesté a ninguna de sus preguntas porque recordé a tiempo el comienzo de su última carta, *yo no he ganado una guerra para que tú me amargues la vida*, y comprendí que no había sido fruto de un estallido de cólera, de soberbia o de desesperación, sino toda una declaración de principios, la regla que gobernaría nuestra relación en lo sucesivo.

—Vamos a intentar llevar esto lo mejor posible, ¿de acuerdo? —se separó de mí, me miró, y volví a tener la sensación de que no le conocía–. Al fin y al cabo, siempre seremos hermanos. Siéntate, anda.

Señaló la cama, cogió una silla, la colocó frente a mí, se sentó, cruzó las piernas.

–Cuando me despedí de mamá, ella me pidió que no te abandonara, ¿sabes? Fue lo último que me dijo antes de morir, cuida de Inés.

Entonces, como si supiera hasta qué punto me habían estremecido esas palabras, o como si él también necesitara tiempo para procesarlas, sacó un paquete de tabaco del bolsillo, me ofreció un cigarrillo, cogió otro, y encendió los dos con el mechero de papá, un Dupont de oro blanco, reluciente.

–No te voy a engañar. He pensado muchas veces que ojalá no me hubiera dicho nada, ojalá no se hubiera acordado de ti, pero lo hizo. Cuando murió, estaba pensando en ti –y las lágrimas que apenas había podido llorar en la cárcel, al conocer su muerte, las que tampoco habían brotado de mi reencuentro con Ricardo, inundaron mis ojos como un torrente caudaloso y manso–. Ella siempre se sintió culpable de haberte dejado sola aquel verano. Todo lo que pasó fue por mi culpa, decía, todo por mi culpa, pobre Inés, tan joven y tan sola, tan desamparada en aquel Madrid, pobre hija mía... Por eso se empeñó en que le prometiera que cuidaría de ti, no me soltó hasta que se lo prometí, y después me miró y me dijo, que no se te olvide nunca lo que me has prometido. Ojalá no lo hubiera hecho, pero no puedo traicionar esa promesa. Ayúdame tú a seguir cumpliéndola. Mientras encuentre otro convento donde te acepten, vas a vivir en mi casa de campo, en un sitio muy bonito, con mi mujer, con mis hijos, y con una sola condición –apagó la colilla en el suelo, aplastándola con un zapato tan brillante como si acabara de levantarlo de la silla de un limpiabotas, cerró los ojos–. No me jodas, Inés –y volvió a abrirlos–. ¿Está claro? No me jodas, porque he llegado al límite de esa promesa. Y al límite de mi paciencia.

–Déjame salir de España, Ricardo.

–No puedo. Si fuera por mí, te mandaría lo más lejos posible, eso sería lo mejor para los dos. Pero tú eres muy conocida,

Franco no da pasaportes a los rojos, y no puedo arriesgarme a organizar una fuga ilegal, no me compensa. Así que vamos a hacer lo que yo diga, y agradéceselo a Adela, porque ya estaba pensando en ingresarte en un psiquiátrico.

¿Dónde está mi hermano?, me pregunté mientras me levantaba y cogía una maleta con todas mis posesiones, un camisón, unos calcetines, una camiseta y dos tarros de crema hidratante medio vacíos. Pero yo tampoco era yo, recordé mientras le seguía por el pasillo, cuando salimos a la calle, y al comprobar que prefería sentarse al lado del chófer para dejarme sola en el asiento trasero. ¿Dónde estoy yo, dónde está mi hermano? Nunca pude contestar a esa pregunta, porque él había cambiado tanto como España y yo no era más que un hueco que olía a jabón de fregar. Así nos comportamos, aunque yo no era un objeto, ni él un territorio. Los dos deberíamos haber seguido siendo otra cosa, él, un hombre, yo, una mujer con ojos y con oídos, con piel y con memoria, un hermano mayor y su hermana pequeña, como cuando vivíamos solos con mamá en aquel piso de la calle Montesquinza, siempre, para siempre. Pero nunca logramos volver a ser nosotros mismos, y cuando lo parecía, aún resultaba peor.

Yo seguía queriendo a Ricardo, quería al Ricardo con el que había vivido en Madrid, y a veces descubría destellos, notas fugaces de aquel muchacho, en el señor malhumorado que alternaba los silencios hoscos con órdenes tajantes, como si la autoridad que aspiraba a ejercer a toda costa no pudiera sustentarse sobre una base amable, pacífica. Y sin embargo, seguía teniendo amigos, diversiones que llenaban la casa de voces y de risas, chasquidos de mecheros y tintineo de copas todos los sábados, a veces también los viernes, invitados que me miraban con mucha atención al principio, que eran amables conmigo por pura curiosidad, y se me acercaban como se habrían acercado a un papagayo multicolor o a una planta carnívora, un ser incomprensible, atractivo de puro exótico. Durante los primeros meses, fui la hermana roja del delegado de Falange, una atracción turística, la imberbe mujer barbuda de la temporada. Eso no me molestaba, pero la frialdad de Ricardo me dolía, porque me costaba creer que fuera auténtica, que hubiera logrado de verdad borrarme de su vida como si yo fuera un fantasma, un dibujo incorpóreo, plano, que se pudiera eliminar frotándolo con una goma. A veces, quizás inconscientemente, mi hermano se acordaba de que habíamos vuelto a vivir juntos, y cuando me animaba a imitar a Carmencita, y yo fruncía los labios, y movía la cabeza de arriba abajo mientras murmuraba, sí, sí, sí, sí, sí, mis sobrinos se partían de risa, y él se reía con ellos, y yo me reía también, pero aquella risa me hacía daño. Con el tiempo me acostumbré, pero me siguió doliendo, me dolían sus besos superficiales, mudos, sus labios rozando mi frente algunas veces, otras no, según un criterio liviano, caprichoso. Me acostumbré a que no me mirara, a que no me sonriera, a que no me dirigiera la palabra, a ser un estorbo, la cruz que llevaba a cuestas, pero me costó mucho más trabajo resignarme a que su mujer sufriera por mí.

En los mejores momentos de su vida, cuando Ricardo estaba en casa y ella, impecable en los vestidos que nunca se ponía cuando nos quedábamos solas, iba dejando a su paso el rastro espléndido de su perfume, Adela sufría por mí y yo me daba cuenta. Nunca sabía qué hacer conmigo, si animarme a salir o pedirme que me encerrara en mi habitación, presentarme a los pocos solteros que nos visitaban, o esconderme como al fruto de un pecado infame. Yo intentaba ayudarla y quitarme de en medio cuanto antes, pero mis desapariciones la entristecían tanto como le preocupaba mi presencia. Hasta que un día, mientras la escuchaba quejarse de la cocinera, que estaba bien para las comidas de todos los días, pero fracasaba invariablemente ante cualquier receta sofisticada, de las que le gustaba servir cuando tenía invitados, se me ocurrió una manera de ser útil e invisible al mismo tiempo.

—Déjame intentarlo a mí. Yo cocino muy bien, aprendí en el convento.

—Pero, mujer —ella negó con la cabeza y una expresión escandalizada—, ¿cómo vas a encerrarte tú en...?

—Que sí, Adela —y sonreí a su perplejidad—. A mí me encanta, y puedo hacerlo. Me sé de memoria los recetarios que tienes en la despensa, ya verás.

Estuvimos forcejeando varios días, pero un viernes por la tarde, mientras ellos iban a dar un paseo a caballo, me encerré en la cocina para hacer un *soufflé*, y me salió tan bien que Ricardo la felicitó al día siguiente. Se puso tan contenta que me dio las gracias como si hubiera hecho algo muy grande por ella, y yo me sentí feliz por haber podido devolverle una parte muy pequeña de todo lo que le debía. A partir de entonces, pasé mucho tiempo en la cocina de mi cuñada, ensayando, perfeccionando, probando las recetas con las que agasajaría a la cúpula del régimen en la provincia de Lérida mientras procuraba no pensar en eso. Y las dos estuvimos más contentas.

En Pont de Suert, volví a estar viva. Allí tenía una cocina para mí sola, el recetario de la Sección Femenina, mucho mejor de lo que me habría gustado reconocer, el de la Marquesa de Parabere, tan mundano y chispeante, y un cuaderno en el que fui reinventando a mano las recetas de la hermana Anunciación hasta que me las aprendí de memoria. Allí estaban los niños, y Adela, la radio de la biblioteca, sus libros, el jardín. Me faltaban muchas cosas, pero en Pont de Suert habría podido llegar a ser feliz. No lo conseguí.

—¿Y cómo estás, Inés, cómo te adaptas a todo esto?

—Bien, gracias.

—¿Seguro? —y Alfonso Garrido, tan amable, tan galante, tan caballeroso hasta aquel momento, sonrió de una manera que no me gustó—. Yo te encuentro muy nerviosa, ¿no?

En otras circunstancias, seguramente no me habría fijado en el comandante Garrido. Si hubiera conservado la libertad de vivir en un mundo completo, poblado por hombres de todas clases, tal vez ni siquiera lo habría mirado dos veces. Sin embargo, Garrido no era un tipo corriente, y tenía una forma personal, especial, de ser atractivo. Con casi dos metros de estatura, las manos enormes, las piernas larguísimas, una cabeza importante, como de busto romano, y unos hombros inmensos, habría podido parecer un fenómeno de feria si todo en él no hubiera estado tan bien proporcionado que su corpulencia, aun prestándole cierto aire de coloso, le alejaba de la gordura para revelar la fuerza, la elasticidad de un deportista. Su rostro, de rasgos grandes, la mandíbula cuadrada, la nariz ancha, ligeramente aguileña, era acorde con su cuerpo excepto por el reglamentario bigotito que sombreaba su labio superior. A cambio, sus ojos, marrón claro con matices verdosos, eran serenos, a veces hasta dulces, muy favorecidos siempre por el bronceado que los iluminaba durante todo el año.

Antes de la guerra, Alfonso Garrido había sido campeón de esquí, un deporte exclusivo, caro, hasta aristocrático en un país meridional, tan seco como el nuestro. Cuando nos conocimos, estaba al mando de un batallón de Infantería destinado en la capital, pero en invierno se trasladaba a las pistas del Pirineo para trabajar como instructor de una compañía de esquiadores. Tras el deshielo, volvía a ser un invitado habitual en la casa de mi hermano, del que se había hecho íntimo en Salamanca, durante la guerra, poco antes de quedarse viudo, con dos hijas pequeñas a las que había dejado allí, con sus padres. No tenía ninguna obligación en la ciudad, y por eso, cuando hacía buen tiempo, solía venir con Ricardo muchos sábados, a la hora de comer, para marcharse con él los lunes por la mañana. Entretanto, no me perdía de vista.

Yo llevaba ya tanto tiempo fuera del mundo, que tardé algunos meses en sospechar que no era una casualidad. No podía salir de casa, ni llevar a mis sobrinos de paseo, ni sentarme con ellos en el jardín, sin que el comandante tardara más de unos minutos en reunirse conmigo. Y no entendía qué podía encontrar un hombre como él en una mujer devastada, convaleciente y flaca, pero tampoco podía evitar sentirme halagada por su incomprensible atención. Garrido me miraba con un interés tan constante que Adela no fue la única en confundirse. Durante el primer verano que pasé en Pont de Suert, también logró confundirme a mí.

—¿Quieres que vayamos a dar una vuelta? —aunque, por desgracia, él mismo disipó todas mis dudas antes de que empezara el otoño.

Aquella tarde creía que estaba sola en casa, y había salido al porche con un libro en la mano, cuando le encontré a mi lado.

—¿No ha ido usted a montar, con los demás?

–No –me sonrió–. Las maniobras de la semana pasada me dejaron baldado. Ya he hecho bastante ejercicio últimamente, pero tampoco puedo alargar la siesta hasta la hora de cenar. Voy a andar un poco por los pinos, y he pensado que igual te apetecía acompañarme.

–Bueno –al levantarme, sentí en las piernas un hormigueo tan antiguo que me costó trabajo reconocerlo, y al verme tan pequeña a su lado, cuando estaba acostumbrada a que un hombre, en el mejor de los casos, me sacara unos pocos centímetros, se me escapó una sonrisa que después, durante mucho tiempo, me perforaría la memoria como la punta de un clavo oxidado.

En el Pirineo, la temperatura del mes de septiembre era fresca y agradable, muy distinta del plomo hirviendo que seguiría cayendo sobre mi ciudad y no castigaría mucho menos la suya. De eso fuimos hablando durante un trecho, hasta que traspasamos el límite del jardín para penetrar en el espeso pinar que rodeaba la casa. Entonces fue cuando me dijo que me encontraba muy nerviosa, y aunque percibí algo nuevo, raro, en su voz y en su mirada, contesté con naturalidad, porque no fui capaz de identificar su origen.

–Hombre, mi situación, pues... No es la mejor en la que he vivido, desde luego, pero estoy mucho mejor aquí que en el convento.

–Sí, me lo imagino –y volvió a sonreír–. En ese sentido, puedes estar tranquila, porque no creo que tu hermano te lleve a otro. En el fondo, está muy satisfecho de tenerte aquí, porque le haces mucha compañía a Adela. Ella está más contenta, y no le da la lata tanto como antes.

–Adela es muy buena conmigo –contesté con prudencia–. La quiero mucho.

–Claro, si es muy buena chica, lo que pasa es que tu hermano... –giró la cabeza para mirar al horizonte y siguió hablando como si yo ya no estuviera a su lado–. El asunto de las mujeres es muy complicado. A Ricardo ya no le gusta la suya. Nunca le gustó demasiado, la verdad, y sin embargo se pasa la vida intentando seducir a mujeres parecidas, buenas chicas bien casadas, decentes y hogareñas, de las que van a misa los domingos y nunca han engañado a sus maridos. Esas son las que le ponen cachondo, porque, además, es un experto. Lo hace tan bien que, aunque jamás lo hubieran creído de sí mismas, la mayoría acaba cayendo. Es curioso, ¿verdad?

Me miró, se paró antes de dar media vuelta para mirarme, y yo sentí que en alguna parte empezaban a sonar las sirenas de alarma, podía oírlas, pero no supe responderle.

—¿No te parece curioso? —insistió.

—No lo sé —dije, mirando al suelo.

Él volvió a ponerse en marcha, muy despacio, y yo pensé en huir, en volver a casa corriendo, pero me sentí ridícula sólo de pensarlo, porque en realidad no había pasado nada, y seguí andando a su lado.

—A mí me gustan otro tipo de mujeres. Las mujeres malas. No las putas, porque ellas suelen ser buenas chicas con mala suerte, y terminan aburriéndome. No, me refiero a otro tipo de putas, las que no son profesionales... En la guerra, por ejemplo, pensaba mucho en las chicas como tú —entonces me cogió del brazo, pero no lo apretó, ni me hizo daño, sólo enganchó su brazo en el mío, como si pretendiera asegurarse de que no escaparía antes de escuchar lo que me iba a decir—. Pensaba, yo estoy aquí jodido, en esta trinchera, pero los de enfrente las tienen a ellas, mujeres libres, ¿no?, sin novios, sin maridos, que sólo se deben a la revolución, a su partido. Yo luchaba contra eso, claro, pero al pensar en vosotras, me ponía... ¡Uf! Por eso, cada vez que te veo me imagino lo bien que te lo pasarías cuando ibas desnuda debajo del mono... —al escuchar aquellas famosas palabras, violentas como bofetadas, intenté zafarme de su brazo pero no me lo consintió—. Estate quieta —y siguió hablando ya sin andar, sin moverse, disfrutando de mi desconcierto, de mi confusión, mirándome, supongo, mientras yo miraba sólo el suelo alfombrado de púas—. Y te imagino bajándote la cremallera con unos y con otros, jodiendo sin mirar con quién, porque eso no os importaba, ¿verdad? En nuestra zona, las chicas iban a misa, rezaban el rosario, tejían jerséis y escribían cartitas ñoñas a los soldados, pero vosotras no, vosotras no perdíais el tiempo en esas tonterías... Vosotras erais de todos, de la causa, para eso habíais superado la superstición del matrimonio, el prejuicio de la decencia, y estabais todo el día calientes, porque había que recompensar a los héroes del pueblo, tenerlos contentos, ¿no?, aunque a los jefazos los trataríais mejor, seguro. Dime una cosa, Inés, cuando se la chupabas a tu responsable político, ¿te ponías de rodillas?

—¡Déjame! —intenté desasirme con todas mis fuerzas, apartarme de él, pero era mucho más fuerte que yo, y apenas tuvo que esforzarse para inmovilizarme, apresando mis muñecas con sus manos.

—¿Por qué? —su voz era suave, y le miré, y le vi sonreír, reírse de mí, sin más violencia que la imprescindible para mantenerme a su lado—. Sólo estoy preguntando. Quiero saber, y eso no es malo, ¿verdad? Deberías portarte mejor conmigo, Inés, porque yo he ganado la guerra, no sé si te acuerdas. Pero si no quieres contestarme, da igual. Sé que te acostabas con tu responsable político porque fue él quien te entregó, he leído tu expediente. Un obrero ferroviario, tirándose a una señorita como tú... ¡Joder! Va a ser difícil competir con él, la tendría como una piedra, el hijo de puta... ¿Y con cuántos te compartía, dime? ¿Cuántas veces te mandó al Gaylord a chupársela a los rusos, que para eso eran los amos?

—¡Es mentira! —en ese momento, muerta de miedo como estaba, decidí que no ganaba nada estando callada—. Todo eso que dices es mentira, y lo sabes, lo sabes, no eres más que un cabrón mentiroso...

—¡Eh, eh, eh! —se acercó tanto a mí que sentí su erección, el bulto de su sexo contra mi cadera, mientras reunía mis dos muñecas para sujetarlas con su mano derecha y me tocaba los pechos con la izquierda, siempre sin hacerme daño, en su voz, en sus manos, una desconcertante suavidad—. Cuidadito con lo que dices, no vayamos a tener un disgusto. Sobre todo porque... —pegó su cara a la mía, para hablarme muy cerca, al borde del oído—. Tú tienes un problema conmigo, Inés, un problema muy gordo. Estás salida como una perra, y parece que los demás no se dan cuenta, pero yo sí, yo te estoy viendo venir desde que llegaste. Te mueres de ganas de echar un polvo, y lo peor es que se te nota, pero un montón, ¿sabes? No puedes más, ¿a que no puedes más? —en ese momento se me saltaron las lágrimas, y él se rió—. No llores, imbécil, si no te voy a hacer nada. ¿Qué te crees? Podría tumbarte ahora mismo en el suelo y metértela hasta la garganta, y te gustaría, encima, estoy seguro de que te gustaría, pero ¿qué ganaría yo con eso, aparte de un disgusto con Adela, en comparación con lo que puedo ganar? No. Prefiero que vengas arrastrándote, suplicándome que te deje arrodillarte delante de mí, y si tú me complaces, yo te complaceré, no lo dudes. La vida es muy larga, Inés, yo, muy paciente y Lérida, una provincia muy aburrida. Tenemos mucho tiempo por delante. Si no es ahora, será dentro de poco, pero tú y yo acabaremos pasándolo muy bien aquí, ya lo verás.

Entonces sentí su lengua, que me lamió el cuello muy despacio, desde el hombro hasta el lóbulo de la oreja, que mordió después, sin hacerme daño. Luego, con una sonrisa triunfal, me soltó, se dio la vuelta y siguió andando despacio, sin volverse a mirarme. Yo salí corriendo en dirección contraria, y mientras corría, esperaba que pasara algo, cualquier cosa, que me agarrara de las piernas para tirarme al suelo, que saliera otro hombre a cortarme el paso, pero no ocurrió nada, y crucé la verja, recorrí el jardín, entré en casa, me metí en mi cuarto, cerré la puerta sin que nada ni nadie me lo impidieran. Aquella noche no salí de mi habitación, y al día siguiente, cuando Adela me reclamó para que fuéramos juntas a misa, el comandante ya se había marchado. Pasaron más de veinte días antes de que volviera a verle, sólo de lejos, y a aquellas alturas ya no sabía qué pensar, cómo definir o clasificar lo que había ocurrido en el pinar. Todo había sido tan repentino, tan extraño, que me convencí a mí misma de que no se repetiría.

En la cárcel había oído contar historias parecidas, relatos de mujeres acosadas por una fantasía, una obsesión febril que bullía en la imaginación de ciertos hombres que no sabían en realidad lo que buscaban, porque al perseguirlas, perseguían algo que nunca se permitirían poseer, lo que les faltaba, lo que deseaban pero jamás consentirían que sus novias, sus esposas representaran para ellos. Aquellos relatos siempre comenzaban con las mismas palabras, «desnuda debajo del mono», esa era la contraseña, una idea fija, constante, la piedra angular de la secreta, minúscula derrota que había sobrevivido a su grandiosa y pública victoria, un delirio sucio y caliente, el pecaminoso entretenimiento de los buenos chicos que besaban las manos de los obispos y afirmaban a gritos la vida de Cristo Rey.

Garrido no podía ser como ellos. Había sucumbido una vez, sí, quizás había bebido, quizás estaba aburrido y sólo pretendía asustarme, divertirse un rato o echar un polvo fácil. A medida que pasaban los días y no pasaba nada, empecé a apostar conmigo misma por esta última opción. No tenía más remedio que reconocer que su diagnóstico sobre mi estado era certero, tanto que hacía sólo unos meses, en los primeros días de calor, un mozo de cuadra con la camisa abierta y un caballo encabritado habían bastado para hacerme perder el control. Era verdad que no podía más, y si él hubiera escogido otro camino, una aproximación más amable o ni siquiera eso, si me hubiera ofrecido sexo a secas, sin insultos, sin desprecio, sin esa odiosa arrogancia de los fascistas españoles, tal vez habría aceptado allí mismo. El comandante Garrido se había equivocado conmigo, y en el fondo, era una lástima, pero yo no dejaba de ser la hermana pequeña de Ricardo Ruiz Maldonado, y él era demasiado maduro, demasiado atractivo, demasiado poderoso como para perseverar en aquel pasatiempo de adolescentes pajilleros. Eso pensé, y así recobré la calma, hasta que un sábado de noviembre, cuando ni siquiera sabía que estaba en casa, me di cuenta de que la equivocada era yo.

—Inés, Inés... —aquella vez me asaltó por la espalda, y cuando reconocí su voz, ya me había rodeado con los brazos en medio del pasillo para pegar su cuerpo completamente al mío—. Parece mentira, una mujer como tú, y que no te des cuenta de que estoy de tu parte... —empezó a mover la mano izquierda dentro de mi blusa, me la metió en el sostén, me sacó un pecho fuera, me subió la falda con la otra mano, y durante unos segundos ni siquiera intenté impedírselo, tan aturdida estaba—. En fin, cuando empieces a trepar por las paredes, acuérdate de mí.

Y se marchó otra vez, me dejó en el pasillo con la blusa abierta, la falda por la cintura, y un desconcierto mucho más profundo, fronterizo con la incomprensión, porque aquella escena había sido más brusca pero menos desagradable que la anterior. No sabía qué pensar, y sin embargo, al día siguiente, mientras oía misa conmigo y con Adela, me dedicó toda una serie de gestos galantes que a ella la entusiasmaron y a mí empezaron a darme miedo. Todavía necesité algún tiempo para comprender su juego, aquella imprevisible sucesión de carantoñas y amenazas, atenciones e indiferencia, que supo hacer compatible hasta con las vacaciones de Navidad, en las que se trajo a sus hijas desde Salamanca y vino a visitarnos con ellas varias veces, para comportarse como el más cariñoso y tierno de los padres. Incluso una de aquellas tardes de turrón y villancicos, logró encerrarse conmigo en el cuarto de baño, y aquella vez me hizo daño.

—O sea, que con aquel desgraciado sí, pero conmigo no —el tono de su voz, suave, sereno, no se alteró mientras me estrellaba contra la pared—. Me compraría un mono azul, pero no iba a sentarme bien, así que... La verdad es que estoy perdiendo la paciencia contigo, Inés —tiró de las solapas de mi blusa hasta que saltaron todos los botones, y aunque me aferré a sus muñecas, no logré liberarme de los dedos que retorcían mis pezones—. Deberías ser más simpática conmigo, mujer, ya te lo dije este verano. ¿Por qué eres tan esquiva? Vas a lograr que me enfade, ¿sabes? Y no te conviene, te lo digo en serio.

Entonces me soltó, empujó mis hombros hasta que me quedé sentada en el suelo, se inclinó hacia mí, cogió mi cabeza, tiró de ella hasta situarla a la altura de su bragueta y la aplastó contra sus pantalones.

—Esto es para que te acuerdes de mí —le escuché reír mientras me mantenía pegada a él—. Yo también pensaré mucho en ti cuando esté esquiando ahí arriba, no lo dudes.

Después se fue como si no hubiera ocurrido nada. Al rato, cuando pasé de puntillas por la puerta del salón, le vi con sus hijas en brazos, cantando a coro a la sed de los peces que bebían en el río, y sin descomponer aquella entrañable estampa, me vio, y me sonrió.

El gato jugaba con el ratón. Lo acorralaba, lo arañaba, le daba zarpazos violentos, luego más suaves, y amagaba siempre con malherirlo, con destriparlo, pero no tenía intención de hacerlo, o al menos, no todavía. De momento, su juego era otro, verle bailar, sufrir, correr a esconderse, eso era lo que le divertía. No se lo comía porque no tenía hambre, ni ganas de liquidar a su víctima antes de poseerla completamente. Por eso, y porque el calendario le imponía una tregua forzosa, no había querido llegar hasta el final, comerse el postre antes de servirse el plato fuerte.

Cuando comprendí a lo que estaba jugando, el miedo que le tenía se complicó con factores oscuros, más temibles que el terror. Garrido me daba asco, pero no tanto como el que podría llegar a darme yo misma si entraba en su juego, si aceptaba las miguitas envenenadas que sabía deslizar entre sus amenazas, la ofrenda de aquella voz, aquellas manos, aquella lengua que sabía ponerme la piel de gallina sin tener en cuenta mi voluntad. Garrido era inteligente, poderoso y mortífero, porque si conseguía hacerme sucumbir, me arrasaría por completo, por dentro y por fuera, acabaría conmigo, con todo aquello en lo que yo había creído, por lo que yo había luchado, y lograría la victoria suprema de envilecer lo que había sido noble, de ensuciar lo que había sido limpio, de pervertir la inocencia que aún seguía viva en mi memoria. No pretendía conquistarme, sino rendirme, hacerme capitular, claudicar, entregarme a él sin condiciones, y por eso renunciaba a vencer en las batallas que él mismo planteaba. No quería violarme, abusar de mi debilidad, disfrutar de mi cuerpo, no, aspiraba a mucho más. Lo que quería era volver a ganar la guerra, y ganarla en mí, tomar posesión de una mujer vencida, humillada, sin dignidad, sin esperanza, sin respeto por sí misma.

No se lo consentiría. A solas en mi habitación, era muy fácil pensarlo, muy fácil decirlo, por eso lo hice una y otra vez. Alfonso Garrido jamás me poseería, antes me mataría, a solas en mi habitación era muy fácil pensarlo, muy fácil decirlo, muy fácil imaginar mi cuerpo cayendo desde un balcón para estrellarse en el suelo, y sin embargo, aquel hombre tan grande, tan listo, tan peligroso, seguía dándome miedo. Así, en los primeros meses de 1944, mi vida en aquella casa donde había llegado a estar bien, a disfrutar del campo, de los libros, de mis sobrinos, bajo la protección de mi cuñada, se convirtió en el tormento de una cobaya encerrada en una jaula sin salida, un laberinto de alambre donde no existía ningún lugar seguro. La sombra de Garrido se cernía sobre mí de día y de noche, y era tan poderosa en su presencia como en su ausencia, porque apenas me dejaba espacio para pensar en otras cosas.

—¿Qué te pasa, Inés? —sin contar a Garrido, Adela era la única que se fijaba en mí, y no tardó mucho tiempo en descubrirlo—. Tienes muy mala cara y te estás quedando en los huesos, no pareces la misma que llegó del convento. Deberías tomar vitaminas, o algo así.

Yo le decía que no me pasaba nada, que no se preocupara, pero ella tenía razón, estaba mal, y si seguía viviendo en su casa, estaría cada vez peor. Sólo existía una vitamina capaz de curarme, y era casi tan peligrosa como mi enfermedad, porque no lograría nada contándole la verdad a Adela. Ella no me creería, y si lo hiciera, tampoco podría ayudarme, ampararme. Su poder no llegaba tan lejos, y tampoco me atreví a invocar el de mi hermano. Lo pensé muchas veces, pero siempre llegué a la misma conclusión. Él me había pedido que no le jodiera, y aunque yo fuera inocente, aunque él se viera obligado a reconocer mi inocencia, su intervención se limitaría a encerrarme en otro convento, y yo no quería volver a un convento. La única solución era escapar, intentarlo siquiera, aunque me costara una nueva cárcel o un tiro por la espalda, cualquier cosa antes que seguir haciendo equilibrios sobre una cuerda floja que se rompería antes o después, porque mi capacidad de resistencia era más limitada que la astucia de Garrido, y él ya había logrado que empezara a agradecerle las visitas en las que no me atacaba, y más que nada, aquellas largas vacaciones, como si en el fondo hubiera empezado a asumir que mi destino no era otro que acatar su voluntad.

El terror es un recurso sumamente eficaz. Yo lo sabía porque era española, porque vivía en España y no era más fuerte que los demás. En las largas noches del invierno, mientras el hielo y la nieve me mantenían aislada de Garrido y hasta de Ricardo, que solía subir los sábados a esquiar con él, pensaba en el deshielo, en la turbia primavera que vendría después, y a veces cedía a la tentación de imaginarme mansa, sumisa, porque no sería tan difícil, sonreírle, halagarle, ponerme de rodillas, no era más que un hombre y a mí me gustaban los hombres, no era más que sexo y a mí me gustaba el sexo, y tal vez se cansaría, bastaría con unas pocas veces para que se quedara satisfecho, quizás incluso harto, cansado de mí, y yo descansaría. A veces, lograba incluso convencerme de que no arriesgaría nada importante, porque nada en mi interior se rompería, sería sólo una representación, una farsa, una pura técnica de supervivencia que no comprometería ninguna cosa de valor, pero cuando pensaba así, llegaba a verme, tan pálida y tan flaca como estaba, con un vestidito negro, escotado, y los labios pintados de un rojo intenso, sentada al lado de Garrido en un café, callada, mientras él hablaba de sus asuntos con unos señores, pero pendiente de sonreír, de acercarle el tabaco, de darle lumbre, y de mantener las piernas abiertas por lo que se le pudiera ofrecer. En Madrid, durante la guerra, había visto escenas como esa, mujeres aniquiladas, vacías, tan huecas que ya no les quedaba ni siquiera espacio para el miedo, sentadas junto a hombres uniformados que las trataban como si fueran ganado, animales de compañía que acabaran de recoger por la calle y que agradecían los palos que se llevaban a cambio de tener algo que comer, un rincón bajo techo donde echarse a dormir por las noches. Era repugnante, daba asco y vergüenza, sobre todo vergüenza, porque aquellos cabrones eran de los nuestros, y eso me dolía más que la luz tenebrosa que convertía los ojos de aquellas mujeres en charcos negros, perpetuos.

Ellas eran el enemigo, las señoritas que habían esparcido alpiste a los pies de los oficiales en los bailes del Casino después de la victoria del Frente Popular, las instigadoras de la traición de unos generales que se levantaron contra el pueblo al que habían jurado defender y al que estaban masacrando sin piedad, las cómplices de lo que estaba pasando en España. Su envilecimiento era asunto suyo, pero ellos nos envilecían a todos, nos hacían despreciables, malvados, nos devolvían a los días terribles en los que las calles amanecían sembradas de cadáveres, y nos quitaban la razón, que era lo más precioso que teníamos. Eso era lo que recordaba cuando me veía a mí misma con un vestidito negro y los labios muy pintados, como una muñeca estropeada en manos del comandante Garrido, y entonces comprendía que tenía que escapar, que no me quedaba más remedio que intentarlo, costara lo que costara, al precio que fuera, la cárcel, la muerte, mejor morir que convertirme en una cáscara de la mujer que había sido, que seguía siendo, una cosa con mi cara y con mi cuerpo, la ofensa viva de todo lo que había amado, de todo lo que había creído, de lo que me había hecho ser como era.

Cuando volví a ver a Garrido, en abril, ya había empezado a recobrar el color y las fuerzas. Sólo pensaba en escapar, y me bastaba con recordarlo para sentirme mejor, más viva, tan fuerte que ni siquiera entendía cómo no se me había ocurrido antes. Y sin embargo, al principio no fue fácil.

—Pues el caso es que... —mi cuñada me dedicó una mirada culpable, cargada de lástima, y yo procuré disimular que me estaba viniendo abajo—. No va a poder ser, Inés. Yo lo siento en el alma, de verdad, pero Ricardo lo dejó muy claro desde el principio, me lo prohibió expresamente, y no sé...

—No te preocupes, Adela —y me reproché la ingenuidad de haberla puesto en aquel aprieto, porque ninguna otra respuesta habría sido lógica—. No pasa nada. Se me había ocurrido que volver a montar me sentaría bien, por hacer ejercicio y tomar el aire, ahora que me siento tan débil, pero...

—Ya, si tienes razón. Yo también lo he pensado muchas veces, desde que llegaste, y se lo dije a tu hermano, que teniendo caballos en casa, era una pena que no los aprovecharas. Pero él no quiere porque dice que... —y negó con la cabeza un par de veces antes de esconder los ojos en su falda—. Bueno, porque no quiere que te escapes.

—Tampoco es que fuera a llegar muy lejos en un caballo —mentí.

—Ya, pero él... Bueno, qué te voy a contar.

No consentí que la negativa de Adela me desanimara durante mucho tiempo, porque no tenía margen para el desánimo. Los caballos seguían estando allí, y aunque no era lo mismo escapar en uno conocido que en el primero que se dejara montar, siempre podría cruzar los dedos y encomendarme al espíritu del Oeste americano, donde todos los potros parecen igual de dóciles y bondadosos. De todas formas, a principios de marzo, aproveché las ausencias de mi cuñada para acercarme a las caballerizas a ver a *Lauro*, a cepillarle, a darle azúcar para intentar que se familiarizara conmigo. Jaime, el mozo, ya debía de haberse enterado de quién era yo, porque no volvió a ofrecerme que lo montara hasta que Adela decidió darme una sorpresa.

—¿A que no sabes qué día es hoy? —aún no había terminado de vestirme cuando entró en mi cuarto como una tromba, dejando sobre la cama un gran paquete envuelto en papel de regalo.

—Sí —contesté, mientras me abrochaba la chaqueta—. Es miércoles.

—Miércoles, 22 de marzo —y me miró levantando las cejas—. O sea... —entonces yo levanté las mías—. ¿Pero no te acuerdas? ¡Hoy hace un año que viniste a vivir aquí! Por eso te he traído un regalo de aniversario. Ten, ábrelo —se sentó en la cama y me tendió el paquete—. Me parece que te va a gustar.

Era ropa. Noté enseguida el tacto blando de la tela y debajo un material más duro, como el cartón de una caja de zapatos, y pensé en Garrido, que ya no tendría mucha nieve donde esquiar y seguramente, a cambio, las ganas suficientes para propiciar la encerrona a la que me estaba empujando mi cuñada. Estaba segura de que el comandante estaba, de una u otra forma, detrás de aquello, pero dentro del paquete no encontré un vestido de noche, ni de cóctel, ni un chal, ni unos zapatos de tacón alto, sino un traje de amazona, unos pantalones, unas botas, una chaqueta y un chubasquero.

—¡Adela! —hacía mucho tiempo que no estaba tan contenta—. Muchas gracias. Me gusta mucho, pero... No sé, yo creía...

—Ya —mi cuñada asintió con la cabeza y una sonrisa ambigua, preocupada–. Ya sé lo que te dije. Y es verdad, no creas, todo es verdad, pero lo he estado pensando y... Te encuentro tan mal, Inés, tan triste, que me voy a atrever a desobedecer a mi marido. Espero no tener que arrepentirme.

Me miró y yo miré las botas, las acaricié y las levanté en el aire antes de responder con una pregunta en la que cualquier persona más sagaz, o menos inocente, habría detectado mi inseguridad.

–¿Y de qué te ibas a arrepentir?

Ella negó con la cabeza, como si quisiera apartar esa idea de su pensamiento, y siguió hablando, más animada.

–Mira, he pensado que podemos montar las dos juntas, los días laborables, por la mañana. Ricardo no tiene por qué enterarse, o mejor dicho, no puede enterarse –me miró, asentí con la cabeza, y siguió hablando, más tranquila–. Le he contado a Jaime que vas a montar a *Lauro* y que mi marido se enfadaría mucho si lo supiera. Él sabe que a mí me da miedo montarlo, que Ricardo no lo entiende, y me ha prometido que no dirá nada. Le he dado una buena propina, pero de todas formas me fío de Jaime, porque el caballo necesita que lo monten y él solo no da abasto con todo. Lo único que falta ahora es que tú me prometas una cosa a mí.

–Dime –aunque ya sabía lo que me iba a pedir.

–Prométeme que no te vas a escapar –hizo una pausa para mirarme y ni siquiera pestañeé–. Prométeme que no vas a aprovechar para salir a galope tendido una mañana de estas. Tienes que prometérmelo, Inés, porque si pasara algo así... Me hundirías. Tu hermano sería capaz de abandonarme, de quitarme a los niños... No quiero ni pensarlo.

–Te lo prometo, Adela. Saldremos juntas a montar por las mañanas y volveremos juntas todos los días. Y si alguna vez intento escaparme –añadí, para ser tan sincera como podía–, te prometo que tú no tendrás nada que ver, que ni Ricardo ni nadie podrá echarte la culpa de lo que pase jamás en la vida.

–Bueno, pero mejor no te escapes nunca, anda. Con lo bien que estamos aquí, las dos juntas, sobre todo ahora, que llega el buen tiempo...

Siete meses después, cuando fui a buscar a *Lauro* vestida con la ropa que ella me había regalado y su propia pistola en un bolsillo, recordé aquella promesa, como la estaría recordando mi cuñada atada y amordazada en su habitación. Sin embargo, yo había cumplido mi palabra. Durante siete meses, había ido con Adela hasta las caballerizas y había vuelto con ella a casa, sin apartarme ni un centímetro de lo prometido. El 20 de octubre de 1944, las cosas eran muy distintas pero, pasara lo que pasara desde entonces, siempre estaría en deuda con ella y no sólo por su bondad. La pobre Adela me había hecho prometer que no me escaparía, y la verdad es que nunca lo habría logrado si no hubiéramos llegado antes a aquel acuerdo.

La primera vez que monté a *Lauro* no tuve en cuenta que hacía casi trece años que no me subía encima de un caballo, y lo que sentí apenas se parecía a lo que recordaba. La adolescente fuerte y bien alimentada, elástica y flexible, que saltaba obstáculos de tres en tres sin rozarlos siquiera, había desembocado en una mujer exhausta, un cuerpo entumecido por la falta de ejercicio, dos piernas tan frágiles que temblaban cuando el caballo galopaba, dos brazos tan débiles que apenas lograban gobernar las riendas. Cuando desmontamos, le confesé a Adela que estaba muy cansada, pero no presentía tanto las agujetas que me atormentarían al día siguiente como el inevitable fracaso que coronaría cualquier intento de pasar la frontera. Porque, aunque *Lauro* lograra llevarme lealmente hasta la falda de los Pirineos, después tendría que subir a pie, y en mi estado, nunca lograría coronar la cordillera.

Mi cuerpo había perdido la memoria de los buenos tiempos, pero yo aún recordaba lo que tenía que hacer. Antes que nada, comer, renunciar a los caldos, los huevos duros y las restantes languideces nutritivas que mejor entonaban con mi maltrecho ánimo de cautiva, para recuperar la dieta generosa, contundente, de mis días de amazona. Después, tendría que empezar a hacer ejercicio también en el suelo, para intentar recuperar la forma lo antes posible. Lo logré muy deprisa, porque mi cuerpo trabajaba como una máquina que sólo sirviera para hacer una cosa, fugarse, fugarse, fugarse.

La perspectiva de escapar me daba más energía que la comida, más resistencia que el ejercicio, y me ayudaba a conciliar el sueño, a dormir de un tirón, y a despertarme con fuerzas por la mañana. Así, en muy poco tiempo, mi aspecto mejoró tanto que cuando el comandante Garrido volvió a verme, a mediados de abril, el asombro le paralizó hasta tal punto que se quedó mirándome con la boca abierta mientras yo subía las escaleras a toda prisa para esconderme en el cuarto de mis sobrinos. Sin embargo, en poco tiempo sus visitas se hicieron tan frecuentes que no tardé en tenerle encima otra vez.

—Pero, bueno, Inés, qué guapa estás, y qué morena... —esché el taconeo de Adela y pensé que había vuelto a librarme, pero él no se apartó de mí, ni levantó su mano de mi brazo—. Has engordado, ¿verdad?

—¿A que está guapísima? —mi cuñada se acercó a nosotros con una botella de oporto entre las manos y una sonrisa maternal en los labios.

—Sí, eso mismo le estaba diciendo —Garrido le devolvió la sonrisa—. Que nunca la he visto tan bien. A ver si venís un día a Lérida y podemos ir a comer, o a cenar por ahí, ¿no?

—Claro que sí. Tenemos que hacerlo, ¿verdad, Inés? —yo no hice ningún gesto, pero mi cuñada siguió sonriendo como si le hubieran dado cuerda—. Bueno, voy a llevarle esto al general Ayuso, que no os podéis imaginar a qué velocidad trasiega el oporto. Ahora os veo...

Y se fue con la botella, tan contenta, mientras Garrido me levantaba la falda por detrás y se inclinaba sobre mí para hablarme al oído, como de costumbre.

—No me estarás poniendo los cuernos, ¿verdad, puta? Igual has encontrado a un obrero con el que revolcarte. Eso me sentaría fatal, ¿sabes? Pero no te preocupes, porque un día de estos, cuando tu hermano tenga que ir a Madrid, te voy a mandar detener... —Adela se volvió a mirarnos desde la puerta, y él sacó un momento la mano de debajo de mi ropa interior y la movió en el aire para saludarla—. Una detención extraoficial, por supuesto, para acabar de una vez con tanta tontería. Lo tengo todo pensado. No te puedes imaginar lo guapa que vas a estar en un calabozo, desnuda y cargada de cadenas. Y será culpa tuya, desde luego, porque no dirás que no te he dado oportunidades...

Me voy a escapar, me voy a escapar, me voy a escapar. Cuando Adela volvió a entrar en casa, él salió al porche, y yo lo repetí una vez más, me voy a escapar, y advertí el endurecimiento de unas amenazas que por primera vez tenían una fecha, unas características concretas, pero al mismo tiempo me parecieron demasiado teatrales como para ser verdaderamente temibles. Adela deshizo para mí ese malentendido cuando nos quedamos solas.

—Hay que ver, el comandante, qué decepción —me dijo, como hablando para sí misma, cuando íbamos por el sendero de las caballerizas—. Después de decirte esas cosas, en el pasillo, que estuvo simpatiquísimo, la verdad, pues al final, va y me pregunta si no me importa que traiga a una amiga la próxima vez.

—Y le habrás dicho que no te importa, ¿verdad?

—Pues claro, a ver qué remedio, pero ya me había hecho ilusiones contigo, qué quieres que te diga...

Me voy a escapar, me voy a escapar, me voy a escapar. Garrido nunca me mandó detener, pero su acompañante, como la llamaba Adela para marcar bien las distancias y darme ánimos, tampoco me ahorró un par de encontronazos más.

—No sufras, Inés —la última vez, me pilló cocinando, y me levantó la falda, me bajó las bragas, hundió sus dedos sin violencia dentro de mí, y hasta me besó en la mejilla mientras yo le daba vueltas a la bechamel—. Ella no significa nada para mí, tú serás siempre mi favorita, lo sabes, ¿no? —y lo hizo todo tan deprisa que cuando dejé que la masa se llenara de grumos, ya se había ido.

Sin embargo, lo que no evitó aquella mujer perpetuamente incómoda, con toda la pinta de una puta recién retirada, lo lograron los aliados desembarcando en Normandía. El 6 de junio de 1944, el mundo cambió, y la onda expansiva llegó hasta mi hermano, que dejó de tener el cuerpo para fiestas. El mío, a cambio, estaba preparado. Después de dos meses y medio de entrega mutua, *Lauro* y yo rozábamos ya ese estado de compenetración absoluta que convierte a algunos caballos, a algunos jinetes, en un solo centauro. Ya podríamos llegar juntos a cualquier sitio, pero yo decidí esperar porque, aunque a mí misma me pareciera extraño, había dejado de tener prisa.

Cuando los acontecimientos se precipitaban a tal velocidad que parecían a punto de prometerme una fuga con todas las garantías, y hasta un final tan feliz que hiciera mi fuga innecesaria, no tenía sentido correr riesgos inútiles. No podía arriesgarme a caer con un tiro en la espalda precisamente entonces, en aquel verano silencioso, tranquilo, en el que mi hermano se conformó con presidir la celebración oficial y renunció a dar la fiesta en la que Adela echaba el resto cada 18 de julio. El comandante Garrido, al que no veía desde hacía más de un mes, se fue de vacaciones a Salamanca, y mi vida volvió a ser un lugar agradable, de jornadas tensas y serenas en las que no tenía que esconderme de nadie, sólo esperar, montar, escuchar la Pirenaica, mirar los mapas para reconocer las rutas por las que se retiraba, centímetro a centímetro, el ejército alemán, y hasta leer los periódicos por la pura satisfacción de estar al tanto de las mentiras de la prensa franquista sobre el curso de la guerra, disfrutando del creciente pánico que afloraba entre las líneas de los editoriales. Creí que podía permitírmelo, porque los aliados avanzaban todos los días, los nazis retrocedían sin cesar y el final parecía cerca, pero las cosas no habían cambiado tanto como parecía. En agosto, cuando Garrido volvió de vacaciones, la casa estaba siempre llena de militares, sin mujeres, sin música, sin baile, sin cócteles, coñac a palo seco y un único tema de conversación. Ni Ricardo ni sus amigos tenían ganas de juerga, pero tampoco se cansaban de hablar de la guerra.

Yo conocía bien el fenómeno que les mantenía encerrados en la biblioteca durante tardes enteras, la obsesión por saber, por anticiparse al curso de los acontecimientos, por actualizar la situación de los frentes palmo a palmo, pueblo a pueblo, minuto a minuto, y la tentación de interpretar al revés todos los datos, de confundir las derrotas con retiradas planificadas, de ver triunfos parciales donde no los había, reagrupamientos en las desbandadas, lecciones de astucia en las pequeñas traiciones de todos los días. Yo sabía muy bien por lo que estaban pasando porque había perdido una guerra antes que ellos, pero no calculé los efectos de la desesperanza, la cruel cosecha del miedo, la necesidad de resarcirse que provoca la impotencia, y esa indiferencia total por las consecuencias de sus actos que se apodera de los jugadores que ya han perdido la partida. Habría debido pensar en eso, porque sabía lo que significa perder una guerra, pero seguí en mi cuarto, tan contenta, riéndome a solas, hasta que una tarde la puerta se abrió, y vi entrar a Garrido, de uniforme. Mi dormitorio no tenía pestillo, y él me dedicó una sonrisa torcida al comprobarlo.

—Muy bien, Inés —me advirtió con la misma suavidad con la que se había dirigido siempre a mí, la mano apoyada en la culata de su pistola—. Tú lo has querido. Ya te he dicho demasiadas veces que no te convenía cabrearme, que deberías ser complaciente conmigo, pero...

Yo me había levantado de la butaca donde estaba sentada, pero todavía tenía un libro entre las manos. Cuando empezó a acercarse, lo dejé caer, y cedí al ingenuo impulso de correr, como si tuviera alguna posibilidad de esquivarle, de alcanzar la puerta, pero él me cortó el paso sin esforzarse, y le bastó con estirar un brazo para hacerme caer al suelo.

—Mira que eres tonta, hija mía. Te lo digo en serio, porque siendo tan puta como eres, y estando tan salida como estás, la verdad es que no lo entiendo —me ofreció la misma mano que me había derribado, pero preferí levantarme por mis propios medios y sólo logré hacerle sonreír—. Podríamos habernos divertido tanto, Inés, podríamos haber pasado tan buenos ratos juntos... Yo estaba dispuesto, ya lo sabes, pero tú, con esa estúpida dignidad, has sido tan desagradable, tan antipática conmigo... Y ahora qué, ¿eh? Ya ves lo que has conseguido. Claro, que la violencia también tiene su encanto, sobre todo para el que manda, que aquí, evidentemente, soy yo.

Escuché el ruido de un motor, y giré la cabeza hacia la ventana para ver cómo se alejaba el coche de mi hermano, el pelo rubio platino de Adela reconocible a través de la luna trasera, y Garrido volvió a sonreír. Luego, me hizo retroceder hasta que mi espalda se encontró con la pared, y cuando consiguió acorralarme en una esquina, cogió la butaca en la que yo había estado sentada y la colocó tras él, pero siguió de pie.

—De rodillas —me ordenó, y al escucharlo, sentí una especie de quemadura venenosa en el estómago, una repentina intoxicación de rabia ácida, solidísima, semejante a la locura, porque fue como si acabara de quedarme ciega, como si acabara de quedarme sorda, como si hubiera perdido la facultad de comprender la escena que estaba viviendo, las imágenes que veía, los sonidos que escuchaba.

—No me da la gana.

Eso dije, y estuve a punto de añadir algo más, y ahora, mátame si tienes cojones, pero sólo un segundo más tarde le vi sacar la pistola de la funda, colocarla a la altura de mi cabeza.

—¿Qué? —y escuché, aún mejor que su voz, un chasquido revelador de que acababa de quitarle el seguro.

No se atreverá, quise tranquilizarme todavía, no se atreverá, yo soy la hermana pequeña de Ricardo Ruiz Maldonado, estoy en su casa, en mi casa, no puede matarme, no sabría cómo explicarlo, como justificar mi cadáver tirado en la alfombra... Eso pensé durante un segundo, quizás menos tiempo aún, hasta que le miré a los ojos y él sonrió, me acarició el cráneo con el cañón de la pistola, y se dio cuenta antes que yo de que me estaba haciendo pis encima.

—Nada —porque soy una mierda—. No he dicho nada —eso pensé, mientras me arrodillaba a toda prisa—. Perdón, perdón... Ya estoy de rodillas.

—¿Qué pasa, que disfrutas con el peligro? —se echó a reír, pero no volvió a ponerle el seguro a la pistola mientras se sentaba—. Muy bien, como quieras, pero a partir de ahora será mejor que te portes bien, ¿sabes? A ver, demuéstrame lo que sabes hacer tú solita, pero con cariño, ¿eh?, entregándote, como se lo hacías a los rusos, porque estarás notando algo redondo y duro en la coronilla, ¿verdad? Es mi otra pistola, así que mucho cuidado con los dientes...

Soy una mierda. Eso pensé antes de enterrar mi cabeza entre sus muslos, y luego nada, porque el sabor del pánico, más intenso aún que el de su sexo, me embotó al mismo tiempo el paladar y el pensamiento, y me porté bien, muy bien, mejor incluso de lo que él esperaba, tanto que creí que nunca podría perdonármelo, mientras permanecía al acecho de la menor de sus distracciones, cualquier relajamiento de la mano que mantenía la pistola firme contra mi cabeza, el más mínimo cambio de posición del dedo que descansaba sobre el gatillo. Pero Garrido era un experto, capaz de insultarme y elogiarme, de darme instrucciones para excitarse hablando, sin perder nunca el control, y sólo cuando notó que se acercaba el final, me quitó la pistola de la cabeza para aferrarla con las dos manos, y tanta fuerza que apenas pude volver a respirar hasta que él me lo consintió.

—¡Muy bien, Inés! Si sigues esmerándote así una temporada, a lo mejor, un día de estos, te la meto por el coño y todo... Y ahora tengo que dejarte, ¿sabes?, porque tu hermano debe de estar a punto de volver. Es una pena que no te haya visto hace un momento. Estoy seguro de que estaría muy orgulloso de ti.

Sólo después aseguró la pistola, la devolvió a su funda, se estiró la guerrera y salió sin decir nada ni volverse a mirarme, mientras yo seguía sentada en el suelo, contra la pared, sin fuerzas ni para explicarme una vez más la mierda de mujer que era. Cuando por fin logré levantarme, y fui al baño, y me lavé la cara, y bebí agua, me miré en el espejo y dije algo distinto.

—No pasa nada —el espejo me devolvió un rostro tan pálido como si toda la sangre se hubiera acumulado alrededor de los ojos, dos cercos blandos, inflamados, rojizos—. Me voy a escapar y eso es lo único que importa. Esto no. No ha pasado nada, porque me voy a escapar, y cuando esté lejos, esto dará lo mismo —hablaba en voz alta con mi propia imagen, me veía mover los labios, escuchaba mi voz, y sentía cómo la mujer que hablaba conseguía serenar poco a poco a la mujer que me miraba, y que también era yo—. No estoy llorando. Mira, ¿ves? Ya no lloro. Porque te juro que me voy a escapar. Nos vamos a escapar y eso es lo único que importa.

Aquel día fue sábado, 19 de agosto de 1944. El jueves 24, a las nueve horas y veintidós minutos de la noche, el primer tanque aliado entró en la plaza del Ayuntamiento de París. Tenía un

214

nombre escrito sobre la carrocería, una palabra de cinco sílabas que muy pocos parisinos entenderían. Se llamaba *Guadalajara*, aunque todos los hombres que viajaban en él eran extremeños. Tras él, llegaron otros, *Madrid, Jarama, Ebro, Teruel, Belchite, Don Quijote*, y así, hasta uno que se llamaba *España cañí*. Y aquel fin de semana, ni siquiera Ricardo vino a casa.

—¿Te has enterado de lo de París? —asentí con la cabeza y Adela meneó la suya, con un gesto sombrío—. Qué horror, tu hermano está preocupadísimo, y sus amigos militares, no digamos... También es mala suerte estar aquí, ya nos podían haber mandado a Andalucía, vamos, digo yo...

Yo no decía nada. Esperaba, montaba, escuchaba la radio, y me juraba a mí misma que me largaría el primer día que viera a Garrido bajarse de un coche. Pero nunca le volví a ver.

—Ya, ni el comandante puede venir a verte —ella me lo confirmó con un gesto de contrariedad destinado a complacerme—. Es que en el sur de Francia la cosa está muy mal, por lo visto. Como los alemanes se han retirado...

—No se han retirado, Adela —me atreví a intervenir—. Los han echado.

—Sí, bueno, pues eso... Total, que parece que los rojos de allí están armando mucho follón, ocupando los consulados de España... Y Garrido, pues, claro, cuando no está reconociendo la frontera, está en Lérida, acuartelado con su regimiento, como si dijéramos, porque le han prohibido dormir fuera de la ciudad. Es lógico, claro, como Francia nos queda tan cerca... Y sin embargo, en Madrid parece que no se dan cuenta, Ricardo se queja todos los días, en vez de mandar refuerzos, les dicen que no se pongan nerviosos, ya ves...

Agazapada en el pasillo, dos días antes de la invasión, me enteré de que el gobierno no había reaccionado todavía. Y a las diez y media de la mañana del 20 de octubre de 1944, cuando llegué hasta los establos sin haberme cruzado con nadie por el camino, el norte del valle de Arán era otra vez republicano. Al verme, *Lauro* me miró como si ya lo supiera. Jaime, en cambio, se sobresaltó al encontrarme en la puerta de la cabaña donde vivía, con el caballo ensillado, listo para partir.

—Pero ¿qué hace usted...? —me miró, miró a su alrededor, se resignó a no entender qué estaba pasando—. ¿Ha venido a despedirse?

—No. He venido a preguntarte una cosa. ¿Tú sabes por dónde se va a Bosost?

—Sí —entonces me miró de otra manera, como si acabara de recordar quién era yo—. Pero ahora no se puede ir por allí, porque aquello está lleno de...

—De rojos, ¿verdad? —sonreí, pero él no me imitó—. Precisamente por eso quiero ir a Bosost. Pero no me sé el camino, así que vas a tener que guiarme.

—¿Yo? —y negó con la cabeza, muy deprisa—. No, señorita, yo no me atrevo...

—Sí, ya verás como sí que te atreves, porque... —le enseñé el contenido de mis bolsillos—. Mira, tengo cinco duros y una pistola. ¿Qué prefieres?

Se quedó callado, y miró primero al suelo, luego al arma, después al billete y por fin a mis ojos, que le convencieron de que no tenía ninguna posibilidad de oponerse a mi voluntad.

—Prefiero los cinco duros.

Volví tras él a los establos y no le perdí de vista mientras ensillaba el caballo de mi hermano, ni después, cuando le pedí que cargara a *Lauro* con mi morral, la sombrerera, y un jamón empezado, otro entero, un par de quesos y las chacinas que rebosaron las alforjas. Luego le pedí que montara, y aunque estaba muy asustado, no le ahorré una última advertencia.

—Te estoy apuntando, que no se te olvide. Si quieres vivir para llegar a cobrar los cinco duros, más te vale escoger bien la ruta y llevarme campo a través, lejos de las carreteras y de los puestos de la Guardia Civil. ¿Está claro?

—Sí... Intentaré acortar el camino todo lo que pueda.

—Como si lo alargas —volví a sonreír—. No me importa, ¿sabes? No pienso volver nunca.

Asintió con la cabeza y puso su potro al trote, para no correr ningún riesgo. Cabalgamos juntos y en silencio durante muchas horas, desmontando de vez en cuando para dar de comer, de beber a los caballos, y no protestó, no se quejó ni hizo ningún movimiento sospechoso mientras avanzábamos por parajes despoblados, sin más compañía que la lejana silueta de algún pastor o un campanario remoto, al otro lado de los montes. A media tarde, pasamos junto a un río donde los caballos volvieron a abrevar, y poco después, detuvo el suyo para señalarme una dirección con el índice.

—Al otro lado de esos cerros está Bosost —me miró, se llevó dos dedos cruzados a la boca y los besó—. Se lo juro por mi madre. No tiene más que seguir en línea recta, no hay ni cinco kilómetros. Yo, si no le importa, prefiero dar la vuelta aquí.

Miré a mi alrededor, luego a Jaime, después a la pistola que tenía en la mano. No tenía ninguna referencia del lugar donde me encontraba, pero parecía demasiado asustado como para atreverse a engañarme en una zona que a la fuerza tenía que estar repleta ya de hombres armados, y esta última idea me ayudó a decidirme.

—Muy bien —le tendí los cinco duros y alargó la mano para cogerlos con tanta precaución como si quemaran—. Adiós para siempre, y gracias.

Puse el caballo al trote y subí por la ladera del cerro sin apresurarme. Al otro lado, una voz me detuvo antes de que terminara de bajar la pendiente.

—¡Alto! —y nunca en mi vida una sola palabra me había hecho tan feliz—. ¿Quién vive?

—¡La República! —grité, y tiré de las riendas suavemente.

—¿Qué?

Cuando escuché esa pregunta, temí haberme equivocado, pero los soldados que salieron de detrás de una peña vestían un uniforme desconocido para mí excepto por los colores del parche, rojo, amarillo y morado, que llevaban cosido encima del pecho.

—Pero ¿esto qué es? —el que parecía estar al mando no había perdido en Francia ni una pizca de su acento andaluz—. ¿Una broma?

Me acerqué a ellos muy despacio, con las manos en alto, las riendas enganchadas en el pulgar, en los labios una sonrisa que terminó de desconcertarles.

—¿Vosotros sois rojos? —les pregunté cuando llegué a su altura.

—¿Qué? —volvió a preguntar el mismo de antes, como si no supiera decir otra cosa.

—Que si sois rojos —insistí con suavidad.

—Sí, somos rojos —me contestó un tercero, con la misma entonación que habría usado yo.

—¿Y habéis venido a invadir España?

—Sí —aunque a lo mejor era toledano—. ¿Qué pasa?

—¡Ay, qué alegría más grande! —y sin dejar de sonreír, sentí que se me caían dos lágrimas de los ojos, tan gordas, tan redondas, tan saladas como si fueran las últimas que me quedaban—. ¡Qué alegría! No os podéis imaginar... Voy a desmontar, para daros un abrazo.

Y abracé, uno por uno, a cinco hombres estupefactos, que no sabían qué hacer con el fusil mientras yo les rodeaba con mis brazos, ni supieron después qué hacer conmigo, mientras me miraban con tanta extrañeza como si nunca hubieran visto una mujer montada en un caballo.

—Llevadme a ver a vuestro jefe —pero yo sí sabía lo que tenía que hacer—. Tengo que hablar con él.

Después de un segundo de indecisión, el andaluz reaccionó, y dejó a tres hombres en el puesto para acompañarme al pueblo con el que enseguida me aclaró que no era toledano, sino de Albacete.

—¿Y tú? —preguntó a cambio—. ¿De dónde sales?

Empecé a contarles mi historia mientras caminaba entre ellos, llevando a *Lauro* de las riendas, hasta que llegamos a Bosost, un pueblo muy pequeño, muy hermoso, de calles empinadas y casas de piedra con tejados de pizarra, a orillas de un Garona joven e impetuoso como un cadete. Pero lo que me hizo enmudecer no fue su belleza. Lo que me dejó sin palabras, casi sin aliento, fue comprender que lo que me estaba pasando era verdad.

Eso fue lo que me estremeció al llegar a Bosost, encontrarme exactamente con lo que esperaba, comprobar que lo que había oído por la radio, lo que aterrorizaba a mi hermano Ricardo, mi libertad, el presente y sobre todo el futuro, eran verdad, una verdad nueva y avasalladora, tan poderosa que los episodios de mi sufrimiento, aquel espantoso sucedáneo de la vida por el que me había arrastrado sólo para poder llegar hasta aquel lugar, hasta aquel momento, se volvían a cada paso más dudosos, más pálidos y marchitos, tan incoloros como la incertidumbre.

Ya había empezado a anochecer, pero el halo de luz que el sol había suspendido en el cielo al esconderse, me bastó para ver la bandera tricolor que alguien había atado alrededor del yugo y las flechas que flanqueaban el nombre de Bosost en la placa que delimitaba el término municipal. Y en la ribera del río vi, antes que las casas, un enorme campamento militar, tiendas y más tiendas, hombres y más hombres entrando y saliendo, moviéndose, descansando, fumando y hablando, solos o en pequeños grupos, y después, más soldados andando por las calles, sentados en los quicios de las puertas, abarrotando las tabernas, apoyados en las fachadas, todo un ejército de ocupación desplegado según el plan previsto. Entonces, mis custodios, que me miraban con curiosidad, incapaces de comprender la tormenta que se había desatado en mi interior, se detuvieron ante una casa de piedra, grande y sólida, que ocupaba una de las esquinas de la plaza principal. Ante la puerta, había un hombre haciendo guardia, y a su lado, una inmensa bandera republicana colgaba de un mástil sujeto al balcón.

—Ya hemos llegado —dijo el andaluz, después de saludar al centinela—. Ahí detrás hay un establo. Si quieres...

—No, mejor lo llevo yo —descargué a *Lauro* de sus alforjas y les di también la sombrerera—. Llevad dentro todo esto, yo vuelvo ahora mismo.

Mientras rodeaba la casa, escuché sus voces, solapándose mientras intentaban explicar lo que aún les parecía inexplicable, tenemos una invitada, una prisionera, mi coronel, y una réplica risueña, vamos a ver, ¿qué es lo que tenemos, una invitada o una prisionera?, a la que el manchego no supo responder, pues es que... Todavía no lo sabemos, mi coronel.

Cuando dejé a *Lauro* descansando y volví sobre mis pasos, en la puerta no había nadie, porque el centinela había ido a buscarme rodeando la casa por el otro lado. Tenía muchas ganas de entrar, de hablar, de resolver definitivamente mi destino, y sin embargo, al quedarme a solas con aquella bandera, descubrí que no había agotado aún todas mis lágrimas. Otras crecían, se empujaban, peleaban por salir de mis ojos, y eran nuevas, pero eran antiguas, eran mías y no lo eran, porque Alejandro Casona volvió a mirarme desde la fachada de aquella casa de piedra como me había mirado una vez desde un estrado, para sembrar en mis ojos las lágrimas que no había querido derramar con los suyos. En el misterio que encerraba la eterna promesa de aquel llanto, empezaba y terminaba mi viaje. Eso sentí durante un instante, y fue sólo un instante, un segundo ácido y salado, amargo y dulce, helado y caliente, pero bastó para que volviera a llorar todas las lágrimas que había llorado antes, y sin pensar en lo que estaba haciendo, cogí el pico de la bandera y me tapé la cara con él.

—Buenas tardes.

Al escuchar aquellas palabras, solté la bandera, me di la vuelta, giré sobre mis talones y me llevé el puño cerrado a la sien con tanta fuerza que me hice daño.

—¡Salud!

El hombre que tenía delante me miró con atención antes de devolverme un saludo idéntico, pero mucho más sereno.

—Salud —parecía algo mayor que yo y era más alto que bajo, más robusto que flaco, más castaño que rubio y ni guapo ni feo, porque tenía la nariz rota pero, a cambio, le brillaban los ojos cuando sonreía—. Soy el capitán Galán. ¿Quién eres tú? —y me estaba sonriendo—. ¿Qué quieres?

—Yo... —avancé unos pasos hacia él para entrar en la zona que alumbraba la bombilla encendida sobre la puerta—. Yo me llamo Inés Ruiz Maldonado... —él vio las huellas del llanto sobre mis ojos e inclinó un poco la cabeza, como si ese detalle le hubiera conmovido—. Soy la hermana del delegado de Falange Española en Lérida... —y a mí me conmovió tanto su mirada que no pude seguir—. Perdóname, pero... no puedo hablar. Estoy muy emocionada.

Nunca sabré cuál de los dos dio el paso que salvó la distancia que nos separaba. Ni siquiera entonces supe quién abrió antes los brazos, pero nos abrazamos, yo le abracé, él me abrazó, y antes que la presión de sus manos y más intensamente, percibí su olor, un aroma a madera, a tabaco, a clavo y a jabón, que tenía un fondo ácido y dulce al mismo tiempo, como la ralladura de un limón no demasiado maduro, y una punta que picaba en la nariz como el rastro de la pimienta recién molida. Nunca había conocido a un hombre que oliera tan bien, pensé, antes de recordar que se me había olvidado cómo olían los hombres.

Aquel prodigio me desordenó hasta tal punto, que cuando levanté la cabeza para apartarla de la suya, no me di cuenta de que él estaba haciendo el mismo movimiento en sentido contrario, y nos dimos un cabezazo sin querer.

—Lo siento —porque tuve la impresión de que había sido culpa mía.

—No importa, tengo la cabeza muy dura —y volvió a sonreír—. Por eso estoy aquí.

(Durante)

Madrid, Palacio de El Pardo, 19 de octubre de 1944.

Un coche negro se detiene ante la fachada principal de la residencia del jefe del Estado. El conductor se apresura a bajar para abrirle la puerta a una mujer de baja estatura y considerable diámetro, proporciones de tentetieso coronadas por una cabeza pequeña, el pelo ralo, oscuro, recogido en un moño. La recién llegada tiene cuarenta y nueve años, aparenta bastantes más y viste de luto desde que, hace cuatro, su marido pasó a mejor vida para dejarla sola en este valle de lágrimas, con diez hijos y una pensión mensual de 190 pesetas. Con todo, gracias a su parentesco con el Generalísimo, su viudedad dista mucho de ser dramática.

Pilar Franco Bahamonde sonríe a los funcionarios, civiles o militares, con los que se va cruzando, y les pregunta por su salud —¿qué, cómo va esa rodilla?—, por los estudios de sus hijos —¿y el chico?, está ya con los curas, ¿no?, me alegro mucho, ahora lo que hace falta es que se aplique—, o por su situación sentimental —cásate ya, hazme caso, que cuanto más tiempo dejes pasar, más pereza te dará y luego será peor—, mientras entra en el palacio como Pedro por su casa, o simplemente, como una hermana que va de visita a casa de su hermano. En los primeros años de la dictadura de Paco, esta escena, que veinte años después empezará a ser más infrecuente, se repite casi a diario. Doña Pilar, Pila para sus allegados, forma parte del círculo íntimo del Caudillo, en el que se desenvuelve con una campechanía maternal tan acusada, que en ocasiones llega a ser desconcertante.

Hoy, sin embargo, Pila no podrá ver a Paco. Mientras avanza

con paso firme por las mullidas alfombras de antesalas y corredores, lo último que puede imaginar es que un ujier, quizás un oficial del Ejército haciendo las veces de tal, porque la situación no está para protocolos, va a detenerla en la mismísima puerta del despacho de su hermano.

—Lo siento, doña Pilar, pero el Generalísimo ha suspendido todas las audiencias previstas en su agenda —el tono, respetuoso pero firme, llega quizás incluso a ser tajante—. Hoy no podrá recibirla. Está muy ocupado.

—Pero... No entiendo... ¿Qué pasa?

—Lo siento, doña Pilar.

—Mira, a mí no me vengas con esas, ¿sabes? Ya puedes ir largando...

—Lo siento, doña Pilar.

Para la hermana del dictador no resulta fácil aceptar una negativa en estas condiciones, y aún menos después de comprobar que este don nadie, erigido en guardián del santuario, no va a perder ni un segundo en explicarle las razones de tan inconcebible desaire. Por eso, en lugar de volver sobre sus pasos, se dirige tal vez a la antesala donde suelen esperar turno las personalidades citadas por Paquito. Es posible que allí encuentre a unas pocas personas de confianza, empresarios, asesores, altos cargos del Movimiento, quién sabe si algún obispo, tan pasmados como ella.

—Eminencia... Don Cosme... ¡Pepito, qué alegría verte! —y después de besar una mano, estrechar otra y plantar dos besos siempre maternales en unas mejillas descoloridas, se asombraría todavía más—. No me digan que a ustedes tampoco les han dejado pasar.

—Pues no, ya ves...

—¿Ni siquiera a usted, Ilustrísima?

—Ni siquiera a mí.

—¡Qué raro! —Pilar Franco se sentaría en una butaca, los iría mirando uno por uno, se sentiría incapaz de formular cualquier hipótesis—. ¡Qué raro!

Así empiezan a pasar los minutos, porciones de un tiempo misterioso en una jornada inédita, tanto que puede ser que ni siquiera se acerque un sirviente a ofrecerles un café. El 19 de octubre de 1944, los imprescindibles del Caudillo están de sobra en El Pardo. Lo mejor para todos sería marcharse por donde han venido, en silencio y sin rechistar, pero ninguno de ellos está acostumbrado a que nadie, si acaso el mismo Franco, les diga lo que tienen que hacer. Quizás por eso se quedan un rato, para ver si ocurre algo que ponga fin a este malentendido. Si efectivamente es así, sólo lograrán confundirse aún más.

Es probable que algún capitán general vestido de uniforme y alicatado de medallas pase ante ellos como una exhalación, sin detenerse a saludar. Para él sí se abrirá la puerta del despacho, pero no tan deprisa como para no darles tiempo a contemplar una expresión desencajada, el rostro pálido, blanco como un papel de arroz, del recién llegado. Más probable todavía es que asistan a la aparición de algún hombre joven vestido de civil, con una carpeta entre las manos y una palidez diferente, congénita y entonada con el color de sus ojos, de su pelo, de las pecas que quizás tapizan sus mejillas. Él no llega corriendo, sino caminando, en una actitud cortés, incluso ligeramente cohibida, tanto por la trascendencia del mensaje que va a transmitir como por la personalidad del hombre que lo va a recibir. Si el cancerbero del Generalísimo sale a su encuentro, los cortesanos despechados llegarán a escuchar tal vez un breve diálogo, que inicia el visitante al presentarse en unos términos de cortesía exquisita, propia de su profesión, y un español más que correcto, pero con fuerte acento extranjero.

—Buenos días. Soy... —y pronuncia un nombre insignificante, antes de añadir «ábrete, Sésamo»— funcionario de la embajada británica. Tal vez su Excelencia se acuerde de mí. Hace unos meses, Sir Samuel Hoare me hizo el honor de presentarnos.

—Sí, sígame, por favor —y este desaprensivo que no se ha dignado siquiera hablar con ellos, se deshace a su vez en amabilidades—. Por aquí... Su Excelencia le está esperando.

Después, doña Pilar y sus compañeros de infortunio alcanzarán apenas a escuchar el ruido de una puerta que se abre y se cierra, y como mucho, en ese mínimo intervalo, algún grito lejano, o el eco de un puño estrellándose contra una mesa.

—¡Toma castaña! —reflexiona la hermana del Caudillo en voz alta, con la campechanía que la caracteriza—. Pues ese sí que ha entrado.

—Eso parece —y en su desconsuelo, el obispo no encuentra más palabras que añadir.

—Desde luego, es para echarse a temblar, porque si anda por medio la Pérfida Albión... Lo único que saben hacer esos cabrones es joderlo todo —en ese instante, don Cosme, o Pepito, desearía haberse mordido la lengua al recordar la dignidad de uno de sus compañeros de antesala—. Perdón por la expresión, Ilustrísima.

—No pasa nada, hijo. En estas circunstancias...

Pero ninguno de ellos sabe aún cuáles son las circunstancias de una escena en la que el azar les ha obligado a actuar como meros figurantes.

Los autores adictos a la figura y la obra del Caudillo de España por la gracia de Dios, coinciden en desestimar el testimonio que Pilar Franco Bahamonde sembró generosamente, durante los últimos años de su vida, en entrevistas, documentales y un impagable libro de memorias, *Nosotros, los Franco*. No es de extrañar, porque la única hermana del Generalísimo es una bocazas poco común. Y no merece tanto esta denominación por su desparpajo para evocar episodios que ningún otro miembro de su familia ha osado nunca siquiera mencionar, como por su escasa inteligencia, inspiradora de la descabellada estrategia a la que la empujan sus mejores intenciones.

Después de erigirse a sí misma en defensora incondicional de todos los Franco, por más que ninguno se lo haya pedido, y en lugar de optar por la única actitud que le parecería sensata a cualquier niño espabilado, esto es, pasar por alto todas las situaciones delicadas o decididamente escabrosas en las que se hayan visto envueltas las personas de su entorno, Pilar se dedica en sus memorias a pasar revista a todos los rumores, escándalos y conflictos de su familia, con una única excepción. Ella misma los plantea, los desmenuza y los analiza, proporcionando toda la información que su hermano Paco logró ocultar durante cuatro décadas de dictadura, para intentar desmontarlos después con sus propios argumentos, una asombrosa fuente de ineptitud sólo comparable con su vehemencia y, por encima de cualquier otra consideración, una mina de oro.

Es muy verosímil que, como afirman sus detractores, la hermana del Caudillo sea, en el trance de escribir para la posteridad, una mujer fantasiosa, a la que le entusiasma darse más importancia de la que tiene en realidad, pero es igual de improbable que, considerando la pésima calidad de los argumentos que es capaz de fabricar, tenga la imaginación imprescindible para inventarse la información que proporciona.

Por ejemplo, para justificar el impulso que lleva a su hermano Nicolás a instalar en una suite del hotel Palace de Madrid a una nieta de Isaac Albéniz, tan guapa como parecen ser todas las descendientes femeninas del compositor, y mucho más joven que él, concluye que la gente es incapaz de comprender el sentido de una verdadera amistad.

Para explicar, a su vez, el disgusto que se lleva Paco cuando manda fusilar, en las primeras horas de la sublevación de julio de 1936, a su primo Ricardo de la Puente Bahamonde, que antes de convertirse en un oficial de Aviación leal a la legalidad republicana, fue el compañero de juegos más querido por el Caudillo en su infancia, argumenta que a su hermano le hacen una encerrona de la que no tiene más remedio que salir sufriendo, sacrificándose por amor a España.

Pero ni siquiera esta inefable combinación de estolidez y cinismo iguala su versión del accidente aéreo que le cuesta la vida a su hermano Ramón, alias Chacal, héroe del vuelo transoceánico del *Plus Ultra*, anarquista y republicano de primera hora, diputado del grupo Radical Socialista en 1931, amigo de Ignacio Hidalgo de Cisneros, de Francesc Macià, de Blas Infante, a quien el presidente de la República, Manuel Azaña, envía de agregado militar a Washington en 1935 porque teme que lidere un golpe militar de extrema izquierda, y encarnación suprema de la figura del traidor en la guerra civil española. En aquella contienda, traidores hay muchos. Como él, que da el bandazo en el instante en que se entera de que su hermano se ha convertido en el jefe de los rebeldes —ni un minuto antes, ni uno después, ninguno.

Quizás por eso, la muerte que halla, junto con todos sus compañeros de tripulación, el 28 de octubre de 1938, cuando despega del aeródromo de Palma de Mallorca para bombardear por su propia voluntad el puerto de Valencia, a pesar de que las condiciones meteorológicas son tan malas que el mando ha suspendido todas las operaciones, representa un misterio apasionante para cualquiera, excepto para su hermana. Ella afirma en primer lugar que lo matan los masones —¿quién, si no?—, y luego aporta el testimonio de un compañero de Ramón para cuadrar el círculo del accidente perfecto, un primoroso encaje del azar en el que ya no se sabe adónde ha ido a parar la masonería internacional. Así, el teniente coronel Franco, que se mete en una nube por su propia voluntad, en una época en la que los aviones no están dotados de instrumentos capaces de garantizar la travesía de las nubes sin contratiempos, no muere de un disparo de bala, como indicaría el agujero perfectamente limpio y redondo que tiene en la sien izquierda cuando rescatan su cadáver del mar, el resto de su cara limpia hasta del menor arañazo, sino de mala suerte. En el traqueteo de una turbulencia, su cabeza va a golpear en un tornillo del fuselaje al que le falta, precisamente, la tuerca. Y es este fatal tornillo lo que, en un avión donde todos los tripulantes llevan al menos una pistola encima, le perfora los sesos.

Hasta ahí, y ni un milímetro más allá, llega la capacidad de fabular del privilegiado cráneo de Pilar Franco Bahamonde. No deja de ser curioso que la única historia familiar que se calla sea mucho más fácil de explicar.

—De mis tres hijos varones, el que más valía era Ramón. Nicolás es el más inteligente, y Paco...

En la madrugada del 23 de febrero de 1942, Nicolás Franco Salgado-Araujo deja este mundo a regañadientes y al borde de los ochenta y seis años de edad, para que su hijo Francisco descanse en paz más que él mismo.

—Si a Paco le gustaran las mujeres —o los hombres, cabe añadir, para evitar malentendidos cuya sugerencia está ausente del ánimo de don Nicolás—, otro gallo cantaría.

Esa noche, el dictador impermeable a las dulzuras y los tormentos de la carne mortal, comprende que sólo puede acudir a su hermana Pilar para despojarse de la cruz que le atormenta desde hace muchos años, porque ella es la única que se le parece. Y es Pilar quien coge un taxi para ir al número 47 de la calle Fuencarral, donde su padre vive con Agustina Aldana, la mujer, entonces casi una niña, por la que abandonó a su esposa legítima —una santa— en 1907, para irse a vivir con ella a Madrid.

El Caudillo sabe lo que se hace. La primera decisión que toma su hermana es llamar a un sacerdote para que conforte al moribundo. Inmediatamente después, se dirige a Ángeles, una joven de misteriosos orígenes, que desde siempre ha vivido en esta casa como sobrina de Agustina aunque algunos vecinos están convencidos de que es hija de la pareja, para ordenarle que le diga a su tía que se esconda en otro cuarto, porque va a venir un sacerdote y le da vergüenza que contemple al principal motivo de arrepentimiento de su padre en carne mortal. El cura llega, pero al moribundo no le da la gana de arrepentirse de nada, y muere sin confesión.

—Ese caudillo es un chulo y un cabrón —le gustaba gritar casi todas las noches, con varias copas encima, por los bares de uno de los barrios más céntricos y populosos de Madrid, a espaldas de la Gran Vía—. ¡Si lo sabré yo, que soy su padre!

La bocazas de la familia Franco, la que cuenta más de lo que se debe y de lo que no se debe contar, tiene mucho cuidado en pasar de puntillas por la personalidad de este intendente general de la Armada, liberal de toda la vida, librepensador, anticlerical, mujeriego, *bon vivant,* lector de Galdós, de Pardo Bazán, de Blasco Ibáñez, que no desprecia nada tanto como la moral burguesa, y representa todo aquello contra lo que se va a sublevar su hijo el 18 de julio de 1936.

—¿Paquito, jefe del Estado? ¡No me hagas reír!

Si el padre del dictador hubiera sido sólo un poco más antipático, si se las hubiera arreglado para gozar algo menos de la vida, quizás sus compatriotas podríamos habernos ahorrado la efigie y la obra de su hijo Francisco. Sin embargo, cuando este general bajo y barrigón, que pasará la vida obsesionado por la idea de España, la esencia de lo español, el concepto mismo de los españoles, los atributos de su raza y otra considerable porción de tonterías no mucho mejor estructuradas que el pensamiento de su hermana, tiene al espíritu español delante, reniega de él. Guerrillero y anárquico, arrogante e indómito, individualista y sentimental, verdugo de lo establecido y dispuesto a dar la vida por su libertad, el Cid Campeador y Don Juan Tenorio a partes iguales, si el genio español ha existido alguna vez, el padre de Francisco Franco Bahamonde, Asia a un lado, al otro Europa, y allá, en el frente, Estambul, lo encarna con mucha más propiedad que él mismo.

En un momento indeterminado de los últimos años del reinado de Alfonso XIII, Nicolás Franco Salgado-Araujo decide casarse con la mujer de su vida. Su esposa legítima aún vive. En España no existe el divorcio. Y ni se le pasa por la cabeza rebajarse a solicitar la nulidad eclesiástica de su primer matrimonio. Todo eso le trae sin cuidado. Porque a él no le va a casar un cura, ni le va a casar un juez. A él van a casarle sus santos cojones.

—Hala, ya estamos casados, ¿ves qué bien?

Esto le dice don Nicolás a Agustina Aldana cuando salen de un ventorro de la Bombilla, escenario habitual de letras de chotis y romanzas de las zarzuelas más castizas, donde ha pagado de su bolsillo una auténtica verbena privada, con sus puestos, sus chuletas, sus churros y su tiovivo, a la que no invita sólo a sus amigos íntimos. También están aquí sus conocidos, más de un centenar de personas en total, que le ven abrir el baile con su novia al son de un organillo mientras gritan ¡que se besen! y ¡vivan los novios!

Francisco Franco Bahamonde vive esta ceremonia como una afrenta, pero ni siquiera en el momento de su muerte es capaz de imitar a este hombre que se ha divertido tanto poniéndose el mundo por montera. Por eso, al conocer la noticia de su muerte piensa, antes que nada, en el qué dirán, y le pide a su hermana que le vista de uniforme para llevarlo al Pardo, donde tiene la intención de velarle toda la noche como el hijo amoroso que nunca ha sido.

De Agustina no le dice nada, no hace falta. A estas alturas, Paco y Pilar son unos expertos en esta clase de situaciones. Cuatro años antes, tras el accidente que le cuesta la vida a Ramón, resuelven entre los dos el problema que representa Engracia Moreno, la segunda esposa del teniente coronel Franco, cuyo matrimonio, civil y republicano, corre la misma suerte que todos los de su especie al ser anulado por el dictador. Ramón ha tenido con Engracia una hija que, curiosamente, también se llama Ángeles, nombre sin otra tradición conocida en la familia Franco que la misteriosa sobrina de Agustina Aldana, pero ni a ella, repentina hija natural, ni a su madre, de la noche a la mañana, simple concubina, se les consiente asistir al entierro del heroico piloto del *Plus Ultra*. Pilar despliega la misma eficacia para conseguir que la mujer de su padre esté ausente de todas las honras fúnebres de don Nicolás, desde el velatorio hasta el cementerio. Después, Nicolás Franco Bahamonde, que no se parece a su progenitor tanto como Ramón, aunque le gusten las mujeres igual que a cualquiera de ellos dos, se las arregla para que Agustina pueda cobrar una pensión de viudedad de la Armada, tras la muerte del hombre con el que ha convivido durante treinta y cinco años. Paco no se lo perdona nunca. Pilar también justifica eso, argumentando que su hermano mayor ha ido a meterse donde nadie le llamaba.

El 19 de octubre de 1944 sólo han transcurrido dos años y medio desde que el Caudillo le confiara a Pilar la delicadísima gestión de la muerte del padre de ambos. Esto es importante en la medida en que avala la intimidad del dictador con la única persona de su entorno que se atreve a contar lo que pasa en el despacho principal del palacio de El Pardo, el día en que el jefe del Estado suspende todas las audiencias previstas en su agenda.

—¡Yo llegué hasta aquí a tiros, y sólo a tiros saldré de aquí!

El hombre que grita eso ante los mandos más escogidos de su cúpula militar, sólo después de preguntarle a Dios qué ha hecho él para tener que estar siempre rodeado de inútiles, esa pandilla de ineptos con cara de circunstancias que le rodean en silencio, está descompuesto. «Fuera de sus casillas», escribe literalmente su hermana, que no se molesta en ocultar que esa expresión, tan ambigua, es intercambiable en este caso por otras más específicas, como muerto de miedo, por ejemplo. Tampoco va más allá de los síntomas porque, según su costumbre, después de soltar la bomba, le quita importancia a los destrozos, yo no me enteré hasta que todo pasó, eso fue lo que me contó alguien que estaba dentro, yo no llegué a oírlo en realidad, bien pensado, ni siquiera me lo creo, mi hermano Paco era un hombre muy bueno, y muy pacífico...

—¡Yo llegué hasta aquí a tiros, y sólo a tiros saldré de aquí!

En este momento, nadie debe dar dos duros, ni siquiera una peseta, por el futuro del general Moscardó, capitán general de Cataluña, por muy héroe del Alcázar que hubiera sido en el 36. No se cotizará en mucho más el porvenir del mando militar que, probablemente, le pide a Franco que considere la posibilidad de una salida negociada, aunque es imposible aventurar su identidad. Quizás, ni siquiera haya sido necesaria esa pregunta para que, a falta de la gracia de Dios, el Caudillo se lleve la mano a la pistola, pero esa frase aislada parece una respuesta a la única fórmula que parece sensata en un primer momento, considerando la situación en Europa, la marcha de la guerra mundial, la relación entre la victoria de Franco en 1939 y la indesmayable ayuda recibida de las potencias del Eje, la peligrosa idea que tuvo su cuñado Ramón Serrano Súñer al crear la División Azul, y la situación que se vive en el sur de Francia, donde los rojos españoles hacen y deshacen a su antojo, con la cariñosa complicidad de las nuevas, victoriosas y antifascistas autoridades.

—¡Yo llegué hasta aquí a tiros, y sólo a tiros saldré de aquí!

La cólera de Franco es comprensible. La indolencia de sus subordinados, no. Parece inverosímil que en una dictadura militar tan perfecta, tan admirablemente ajustada a su naturaleza que, con el permiso de Stalin, ha desencadenado sobre los españoles una de las represiones más concienzudas y sangrientas jamás registradas en tiempos de paz, pueda haberse cometido un error como este. Pero el caso es que el 19 de octubre de 1944 Franco tiene un ejército enemigo dentro de sus fronteras. ¿Qué ha pasado? Es difícil comprenderlo. La maniobra de distracción de la UNE ha sido todo un éxito. Desde el 20 de septiembre, en grupos al principio pequeños, de unos cincuenta hombres, luego mayores, de hasta doscientos, los rojos españoles van pasando la frontera como con cuentagotas, desde Irún hasta Puigcerdá, insistiendo en el Pirineo aragonés. En la fase inicial, el plan militar de Monzón ha sido ejecutado a la perfección, pero ni siquiera eso basta para explicar el desconcierto, la parálisis, la ineficacia del ejército franquista ante una invasión tan cantada que hasta la Pirenaica la anuncia para primar, en teoría, la agitación de la población civil sobre los intereses estratégicos de las tropas invasoras.

—¡Yo llegué hasta aquí a tiros, y sólo a tiros saldré de aquí!

¿Qué ha pasado? Es posible que los responsables de la seguridad de la frontera, José Moscardó a la cabeza, no se hayan tomado en serio estas advertencias, balandronadas, pensarían, amenazas sin base real, pura chulería de desesperados. Pero más probable parece que el terror, la feliz estrategia a la que Franco ha recurrido para afianzarse en el poder, no recorra sólo las calles, las casas, las fábricas, sino también los cuarteles, desde los dormitorios de la tropa hasta los despachos de los mandos. ¿Quién le pone el cascabel al gato? ¿Quién se arriesga a llamar al Pardo, a contar lo que está pasando, a pedir refuerzos, a reconocer que no es capaz de resolver en solitario esta situación? Nadie se atreve, ni en Viella, ni en Lérida, ni en el mismísimo Ministerio del Ejército de Madrid. Y el 19 de octubre de 1944 lo imposible, lo inconcebible, lo inexplicable, se convierte en un hecho consumado.

Francisco Franco afronta la crisis más grave por la que atravesará a lo largo de sus casi cuatro décadas de gobierno, sintiéndose tan solo como de costumbre, y como de costumbre dividido entre la ineptitud de sus subordinados y la necesidad de apoyarse necesariamente en ellos. Es lo que tienen los dictadores, que primero ponen mucho cuidado en eliminar de su entorno a cualquier persona con el talento suficiente para hacerles sombra, y después echan de menos su brillantez. Y sin embargo, aunque él no puede saberlo mientras da una imagen lamentable de sí mismo, tan bajito, tan gritón y tan cabreado, en su propio despacho, una de las pocas personas a quien jamás ha condescendido a admirar en su vida, se ha sentado delante de una mesa, ha sacado unos sobres de un cajón, y está pensando qué palabra va a escribir en cada uno de ellos.

—Esa es más lista que el hambre.

El 19 de octubre de 1944, Dolores Ibárruri, que nunca ha admirado, ni admirará a Francisco Franco, no está mucho más tranquila que él. Cuenta, eso sí, con la ventaja de conocer la situación unos días antes que el dictador. No sabemos cómo, porque ella no tiene ninguna hermana bocazas, pero sabemos a cambio que, en aquella época, la sede de la Pirenaica, que jamás ha emitido desde ningún lugar de los Pirineos, está en el mismísimo centro de Moscú.

—¡Hay que joderse con la mosquita muerta! —repetiría entre dientes Pasionaria ese día, y al siguiente, y al siguiente—. Y todo para que al final, el otro, con suerte, la mande de embajadora a Tegucigalpa, que es que no se puede ser más tonta...

La secretaria general del Partido Comunista de España, probablemente la única personalidad española que Franco considera a la altura de sí mismo, habrá tenido su propio empacho de rabia. Ella también se habrá llevado las manos a la cabeza antes de gritar y torturar su mesa a puñetazos delante de sus íntimos, con la seguridad de que ninguno de ellos va a atreverse a contarlo después. Lo que ha ocurrido es, en gran medida, culpa suya, y lo sabe. Ella escogió a Carmen de Pedro, delegó toda la responsabilidad en sus manos y, desde la otra punta de Europa, se desentendió después, sin haber llegado a calibrar en ningún momento ni la debilidad ni la falta de ambición de su subordinada. Tampoco la capacidad de maniobra de un seductor tan implacable como Jesús Monzón, aunque tal vez nada le hace tanto daño como comprender que el gran acierto de su vida, volver a tener a Paco Antón sano, salvo y entre sus brazos, ha sustentado, al mismo tiempo, uno de los mayores errores de su carrera política.

Es razonable pensar que la noticia de la invasión llegara hasta Dolores a través de Agustín Zoroa, el hombre a quien el Comité Central envía a Madrid en junio de 1944. Sin embargo, la situación, que ya es complicada de por sí, con el Buró Político en Moscú y el Comité Central repartido entre Buenos Aires y

La Habana, se complica todavía un poco más aquel verano, porque el mentor de Zoroa, Santiago Carrillo, se encuentra en el norte de África.

El futuro sucesor de Pasionaria en la secretaría general del PCE, entonces conocido sobre todo por su liderazgo de las Juventudes Socialistas Unificadas durante la guerra civil, es el primer dirigente en apoyar en público la candidatura de Dolores Ibárruri a la secretaría general del Partido en 1942. A mediados de marzo de aquel año, el líder comunista español José Díaz, desahuciado ya por los médicos, muere al caer al suelo desde la ventana de la habitación que ocupa en un hospital de Tiflis, capital de la república soviética de Georgia. Aquel suicidio, quizás sólo un accidente, desata una feroz batalla por su sucesión, en la que Jesús Hernández, rival de Pasionaria, la ataca, entre otras cosas y como era de esperar, por su relación adúltera con Francisco Antón. La victoria de Dolores representa el primer peldaño de la futura carrera política de Santiago Carrillo, a quien su jefa, porque durante muchos años lo será sin discusión alguna, envía enseguida a viajar por el mundo, Nueva York, La Habana, México, Buenos Aires, para que intente establecer vías de contacto que vinculen a los diseminados centros de la dirección comunista española entre sí y con el interior. En la etapa mexicana de aquel periplo, Carrillo intima con Zoroa, y lo recomienda para que entre en contacto con Jesús Monzón en Madrid. Mientras su hombre cumple con esa misión, él se instala en la Orán argelina, cervantina, y a la sazón republicana, porque está repleta de exiliados españoles, para trabajar en la reconstrucción de la delegación del PCE, después de que una monumental caída de hombres, armas y documentación haya cortado de un tajo sus relaciones con el interior.

Que Carrillo esté haciendo partido en Orán, y no en la Francia ya liberada, donde la colonia comunista es incalculablemente más importante, sólo se explica por la necesidad de la dirección de consolidar sectores afines, leales a los dirigentes que han permanecido ausentes durante cinco años, antes de asaltar la fortaleza monzonista del principal núcleo del exilio. No necesitan poner un pie en Francia para calcular que esta va a ser una tarea muy peliaguda, pero tampoco es demasiado importante que sea Zoroa, o no, quien informa a Carrillo de la invasión, y este quien le pasa, o no, el recado a su secretaria general. Al parecer, la misión con la que Zoroa ha sido enviado a Madrid consiste, más que en evaluar la situación, en intentar removerle la silla a Monzón. Si en efecto es así, el éxito no le acompaña, porque no sólo no logra proyectar la menor sombra de inquietud sobre su presunta víctima, sino que ni siquiera llega a enterarse de lo que se trae entre manos hasta que la inminencia de la fecha prevista para una operación militar de tales dimensiones lo hace inevitable.

La cronología de los acontecimientos que se suceden cuando la invasión ya se ha puesto en marcha, permite aventurar que Dolores apenas tiene margen para reaccionar. Tampoco debe perder mucho tiempo en tirarse de los pelos, antes de encerrarse a solas consigo misma para hacer lo que mejor sabe hacer ella desde siempre, pensar. Y a solas con su pensamiento, este icono del proletariado internacional que, antes que nada, fue la mujer de un obrero, un ama de casa experta en sacar a su familia adelante con muy pocos recursos, recuerda tal vez la principal lección de economía doméstica que se imparte tradicionalmente a las jovencitas españolas en hogares, escuelas y centros parroquiales. Es importantísimo que tengáis siempre a mano media docena de sobres bien rotulados, alquiler, luz, carbón, comida, medicinas, imprevistos... Como todas las mujeres españolas de su época, una Dolores recién casada habría repartido el jornal de su marido en esos sobrecitos que, según los expertos, aseguran la felicidad doméstica de cualquier matrimonio. A mediados de octubre de 1944, quizás esa receta vuelve a serle útil.

—Esa es más lista que el hambre.

Dolores comprende que lo último que le conviene es poner todos sus huevos en la misma cesta. Por eso, reparte el capital de su poder en, al menos, cuatro sobres distintos. Es verosímil pensar que en el primero escriba Pirenaica. Sabemos con certeza que Radio España Independiente anuncia la invasión, y eso permite calcular las diversas ventajas que reporta a la secretaria general del PCE la decisión de airear una operación militar que ha sido cuidadosamente mantenida en secreto por sus organizadores. Mucho ojo, porque lo sé todo y os estoy vigilando, sería la principal, pero no la única. El entusiasmo con el que sus locutores celebran el heroico arrojo de los guerrilleros de la Unión Nacional le permitirá aparentar ante todos los españoles, los del exilio y los del interior, que ella ha liderado esta operación, en el caso, en absoluto descartable todavía, de que acabe teniendo éxito. Para los oyentes de la Pirenaica, ella es una figura universal y Jesús Monzón un completo desconocido, de manera que no tendrán duda alguna de a quién deben agradecerle su victoria, si es que llega. Y si llega, siempre podrá sostener ante el propio Monzón que su intervención, con su correspondiente efecto agitador sobre las masas, ha sido tanto o más decisiva que el envío de tropas al interior.

–Esa es más lista que el hambre.

Franco tiene razón, y por eso, en otro sobre, Dolores escribe *Málaga*. Ella está en contacto con Carrillo a través de la embajada soviética en Argelia, y sabe que el objetivo principal de la reconstruida delegación de Orán consiste en organizar un desembarco de hombres armados en la costa de Málaga. Aunque después, la dirección del PCE intenta ridiculizar por todos los medios la invasión de Arán, tachándola de chapuza quimérica, improvisación irresponsable y lamentable brindis al sol, lo cierto es que Carrillo está montando una operación tan parecida que ya ha comprado las lanchas necesarias para transportar a la costa andaluza a los hombres a quienes está formando en una escuela de guerrilleros desde hace meses.

Respecto a la penetración por Arán, el desembarco en Málaga tiene muchas ventajas y un gran inconveniente. Los habitantes de la costa malagueña, jornaleros agrícolas, pescadores, obreros del puerto, cuentan con una larga y gloriosa tradición de lucha revolucionaria, tienen un grado de conciencia política incomparablemente superior al que pueden exhibir los pequeños propietarios rurales de Arán, y han sufrido una represión brutal, que coloca a su provincia entre las más castigadas de España. Pero Málaga no tiene frontera con Francia, ningún valle cerrado cuya situación geográfica pueda inquietar a los aliados. El desembarco andaluz jugará sin embargo un papel fundamental en el caso de que la maniobra de Monzón tenga éxito. Una invasión simultánea desde el sur no sólo afianzará las posibilidades del avance desde el norte, obligando a los franquistas a dividir su alarma y sus recursos. También situará a la secretaria general del PCE donde ella quiere estar, es decir, en la primera línea de decisión del nuevo conflicto.

—Esa es más lista que el hambre.

Lo es tanto, que le pide a Carrillo que lo deje todo preparado para que el desembarco en Málaga se lleve a cabo en el mismo instante en que ella lo ordene. Después, debe volver a ponerse en marcha. El tercer sobre que rotula Pasionaria lleva otro nombre de ciudad, *París.* Allí, y no todavía a Toulouse, debe encaminarse Santiago tan deprisa como le sea posible.

Dolores sabe que su figura, la de la dirección que preside, no es precisamente popular en el otoño de 1944 entre los comunistas españoles exiliados en Francia. El meteórico ascenso de Monzón nunca habría sido posible si los militantes no se hubieran sentido abandonados, víctimas del sálvese quien pueda de la dirección del Partido, esos gerifaltes que se apresuraron a ponerse cómodamente a salvo de la intemperie en la que les iba a tocar sobrevivir a duras penas a los demás. Ni ella ni ningún otro dirigente de su equipo estarán dispuestos a reconocer jamás los méritos personales del creador de la poderosa organización que van a heredar en Francia, pero tampoco pueden no ser conscientes de las circunstancias en las que ha prosperado tanto talento.

Objetivamente, ellos no son culpables de una decisión del Komintern a la que no han podido oponerse. Ningún dirigente de ninguna nacionalidad puede desobedecer una directriz de la Internacional Comunista, en un momento en el que esta organización constituye un único partido mundial, con delegaciones en cada país y una sola dirección que está por encima de los intereses nacionales particulares. Objetivamente, ellos no han hecho más que cumplir órdenes, con la misma incondicional disciplina que exigen a sus subordinados, pero no es fácil pedirle objetividad a una militancia que ha sufrido tanto, tanta injusticia, tanta cárcel, tanta hambre, tanta inseguridad, tanto frío, tanta esclavitud, tantas muertes, y que ha dado tanto, tanto esfuerzo, tanta audacia, tanto coraje, como los camaradas a quienes dejaron presos en Francia y ahora les esperan sentados, libres y victoriosos. Por eso, y porque es más lista que el hambre, Dolores ordena a Santiago ir a París, y no a Toulouse, a entrevistarse antes con los dirigentes del Partido Comunista Francés que con los de su propio partido. Porque si los franceses muestran un apoyo decidido e incondicional a la operación, sólo se puede actuar de una manera. Si su reacción es más neutral, seguirán existiendo diversas posibilidades entre las que escoger, a medida que progresen los acontecimientos.

Hasta aquí, todo está bastante claro. Existen numerosas evidencias y otros tantos indicios, testimonios, documentación, las memorias del propio Carrillo, de que estos fueron los tres primeros sobres que Dolores Ibárruri rotuló, para repartir su jornal entre ellos. Pero es inverosímil suponer que no exista un cuarto sobre. Y que la palabra escrita en él no sea *Stalin*.

En octubre de 1944 Hitler sigue resistiendo en Berlín y la guerra en el Pacífico está todavía en una fase que dista de ser terminal. Jesús Monzón ha estudiado este escenario con suma atención, y en él confía, más que en ningún otro factor, para lograr el éxito de su operación. Cuando se consuma su fracaso, los centros de poder que han intervenido en esta crisis, El Pardo, el Buró Político del PCE, el Kremlin, la diplomacia británica, confluyen en una única estrategia. Como si se hubieran puesto de acuerdo, todos coinciden en minimizar la invasión de Arán, en presentarla como una extravagancia, una aventura descabellada, una bobada intrascendente. Sin embargo, el 19 de octubre de 1944 Franco pierde los papeles, Pasionaria se tira de los pelos, Carrillo se precipita a cruzar el Mediterráneo, la embajada británica en Madrid se prepara para lo peor y Roosevelt, que no cultiva el antifranquismo con pasión, pero tampoco de boquilla, como otros, todavía está vivo. Acciones mucho más insignificantes que una invasión militar de estas dimensiones han puesto en marcha antes, y seguirán desencadenando después, crisis internacionales de primera magnitud. En esas circunstancias, parece imposible que Stalin no convoque a Dolores, o que Dolores no acuda a toda prisa a pedirle audiencia. Que jamás nadie haya hecho pública la menor noticia de esta entrevista no menoscaba en absoluto su verosimilitud. Si en efecto tiene lugar, Pasionaria no necesitaría mentir ni una pizca para explicarle al líder soviético que la invasión no la ha montado ella, que nadie le ha informado de antemano de lo que iba a suceder, y que, en primer término, se trata de un asalto al poder en el seno del propio PCE.

Tampoco tendría por qué mentir al afirmar que, en su opinión, y en la de cualquiera que se pare a pensarlo dos veces, es una operación prematura, que les complica las cosas a los aliados cuando menos les conviene, y compromete la posibilidad de intentar una acción más importante y mejor coordinada, con apoyo militar internacional, una vez finalizada la guerra mundial. La única razón de que Monzón la haya desencadenado en este momento consiste en que él es el único que no puede esperar. La eficacia de su golpe de mano reside, precisamente, en que el 19 de octubre de 1944 ella está en Moscú, Azaña muerto y enterrado, los dirigentes del PSOE repartidos por el apacible mundo neutral, la CNT-FAI reducida a una mera leyenda sin apenas operatividad, y ningún otro interlocutor, ningún control, ningún competidor posible en el caso de que aquella aventura logre el objetivo de herir de muerte al franquismo.

Otra cosa es que Stalin tuviera ganas de meterse en aquel jardín. A escasos meses del final de la guerra en Europa, cuando hasta Hitler sabe que su derrota es inevitable, la Unión Soviética ya ha escogido su parte del pastel de la victoria, y España es una guinda que cae justo en la otra punta del continente. Una cosa es la propaganda y otra, muy distinta, la realidad, como ya dejó muy claro Molotov al firmar con Ribbentrop el pacto nazi-soviético de 1939. En octubre del 44, Stalin no gana nada presionando a sus aliados. La causa de los parias de la Tierra, que en todos los países del mundo sienten la de la democracia española como propia, sí, pero ese es otro asunto. Lo último que le interesa a Dolores Ibárruri, símbolo universal de aquella lucha, es desplegar su influencia, su prestigio, para encumbrar en el poder al hombre que ha usurpado previamente su cargo de dirigente suprema de los comunistas españoles. Pero nadie debe ser tan inocente como para creer que, si Pasionaria se hubiera arrojado a los pies de Stalin, para suplicarle con lágrimas en los ojos que ayudara a los hombres que van a restablecer la bandera de la República en el valle de Arán, el dirigente soviético hubiera cambiado de opinión. Si la secretaria general del PCE le tantea en ese sentido, nunca, ni siquiera después de 1956, cuando se abre el tiro al blanco antiestalinista, trasciende nada de esta gestión. Y resulta muy difícil suponer que, en estos momentos, la más tibia indicación no ya del favor, sino simplemente del interés de Moscú, no desencadene una crisis de histeria en las representaciones diplomáticas anglosajonas en Madrid.

Por eso, es inevitable pensar que Stalin opta por hacerse el sueco y que, en consecuencia, dejando a un lado la ilimitada audacia y la aún más descomunal ambición de Jesús Monzón, los antifascistas españoles vuelven a quedarse solos en el mundo y con el culo al aire, para no variar. No parece verosímil que el dirigente soviético gaste saliva, mucho menos tinta, para explicar una decisión tan poco airosa, por lo que tiene de abandono de unos camaradas que, una vez más, están luchando contra el fascismo con las armas en la mano. Esa circunstancia ya hizo de España en 1936 un país único en Europa, sólo para que la diplomacia aliada confirme esa excepcionalidad al mantener un régimen fascista en el poder después de 1945. A Stalin, y no digamos ya a Dolores, tampoco les gustaría reconocer expresamente la debilidad interna del PCE que se transparenta tras el ascenso de Jesús Monzón. Por eso parece más razonable suponer que el Kremlin se limita a no intervenir, actitud que en la embajada británica en Madrid sabrán interpretar mejor que nadie. Porque si alguna vez han existido expertos en no intervenir en España, esos han sido, sin discusión, los británicos.

Gran Bretaña es la única potencia aliada que mantiene, desde el primer día de abril de 1939, una representación diplomática de alto rango en la capital de un estado fascista, aliado de las potencias del Eje. En Madrid existe también una embajada norteamericana, pero hasta el verano de 1942, cuando llega Carlton Hayes, su superior desempeña funciones más propias de un encargado de negocios que del jefe de la diplomacia de una potencia en guerra. Sir Samuel Hoare, embajador británico en Madrid desde 1940, es en cambio una figura de primer orden, todo un talento político que unos años antes se ha desempeñado como ministro de Asuntos Exteriores del gobierno de Su Majestad. Su labor, que consiste básicamente en persuadir a Franco de que Churchill le quiere tanto como un hombre maduro, casado por dinero, querría a una amante joven, cariñosa y muy sexy, aunque las circunstancias, como es natural, no le permitan demostrar su amor en público, es clave para entender el desarrollo del régimen franquista a lo largo de aquella década.

Claro que nada de esto habría sucedido si, en la única entrevista personal que llegan a celebrar, Franco no le hubiera pedido a Hitler, a cambio de entrar en la guerra como aliado del Eje Roma-Berlín, las posesiones francesas en el norte de África, que pretende unir al Protectorado español de Marruecos para forjar su propio imperio colonial. Eso, la migaja con la que se ha conformado Pétain a cambio de dejarle ocupar Francia sin despeinarse, es lo único que al Führer no le conviene darle, aunque se apresura a aclarar que una ligera modificación en los términos puede hacer aceptable tal pretensión. Porque a Mussolini no va a gustarle nada que otra potencia le dispute su dominio del Mediterráneo, pero la posibilidad de atravesar España, tomar Gibraltar, apoderarse del Estrecho y expandirse por la costa norteafricana, es demasiado tentadora.

—Entra en la guerra —sin embargo, cuando cambia el orden de los factores, Hitler no tiene ni idea de lo que es un gallego—. Entra, y cuando ya seas un aliado, volvemos a hablar. Entonces, todo será más fácil.

El 23 de octubre de 1940, en la estación ferroviaria de Hendaya, Franco pide mucho a cambio de una vaga promesa. A partir de febrero de 1943, cuando se consuma la derrota alemana en Stalingrado, el clima ha cambiado tanto que está dispuesto a darlo todo con tal de sobrevivir.

—¡Ay, la Gran Bretaña...!

Es la mano de Sir Samuel Hoare la que Franco sostiene entre sus dedos poco tiempo después, mientras deja escapar un sus-

244

piro ante los miembros del raquítico Cuerpo Diplomático acreditado en Madrid, en una recepción que tiene lugar cuando la División Azul permanece aún desplegada en el frente del Este. Aquel cuerpo de voluntarios, concebido, reclutado y organizado, sin disimulo alguno, por el aparato estatal franquista, lucha del lado alemán pero bajo mando español, por lo que resulta muy extravagante sostener que no forma parte del ejército nacional. Por eso, nadie duda aún de la alineación de España con el Eje cuando Franco chaquetea, aunque sabe guardar los secretos de su corazón con la misma flemática discreción con la que Sir Winston ha sabido siempre mandarle recados de amor.

A cambio de condescender en la acrobática pirueta de considerar a España un país neutral, pasando por alto el pequeño detalle de las decenas de miles de soldados españoles que combaten contra la Unión Soviética, Hoare logra una enorme victoria. Gracias a sus gestiones, las exportaciones españolas de wolframio, un mineral estratégico, escaso en el resto del mundo e imprescindible para la industria armamentística de la época, dejan de representar un monopolio nazi para repartirse, en proporciones cada vez más favorables a sus intereses, entre Alemania y Gran Bretaña. Servidor de dos amos que se hacen mutuamente la guerra, Franco reparte también su angustia desde este momento, entre el temor de que se descubra su juego −no sólo en Berlín, sino también entre su propia gente, los altos mandos del Ejército y la Falange que siguen tragándose de buena voluntad el cuento de su germanofilia− y las dificultades para pagar, en una moneda que no sea wolframio, la descomunal deuda económica contraída con Alemania a cambio de su ayuda en la guerra civil.

−Más se gastó Mussolini y, mira, se ha portado como un señor −porque se diría que, hasta que le llega la cuenta de la Legión Cóndor, él tampoco ha tenido nunca ni idea de lo que es un alemán−, sin cobrarnos un duro...

Es también Sir Samuel Hoare quien consigue que la División Azul sea desarticulada en noviembre de 1943, y quien, a finales de enero del año siguiente, ya no ruega, sino exige sin contemplaciones que la Legión Azul, sucesora de la División integrada a todos los niveles en la Wehrmacht, ya sin relación orgánica aparente con el ejército franquista —*excusatio non petita, accusatio manifesta*—, sea desmantelada por completo. Francisco Franco Bahamonde, el mismo hombre que en 1940 había especificado, respondiendo a una pregunta de sus amigos del Tercer Reich, que los únicos españoles a quienes reconocía como tales vivían en España, y en consecuencia, podían hacer lo que mejor les pareciera con los ex españoles republicanos a los que tenían internados en sus campos de exterminio, recuerda en aquella entrevista a Sir Samuel la gran cantidad de —entonces ya de nuevo— compatriotas suyos, soldados y oficiales rojos, que están luchando en el ejército aliado. Después de dejar constancia de que siempre lo ha sabido, aunque nunca haya rechistado, agacha la cabeza. Y la Legión Azul desaparece.

Como si quisieran compensarle por tantas humillaciones, lo más probable es que sean los representantes de Londres quienes le dan por fin una alegría en la segunda mitad de octubre de 1944. Aunque, desde que empezó a cambiar el tiempo, Franco también corteja abiertamente al embajador norteamericano, Hayes —a quien no deben complacerle mucho sus arrumacos, porque presenta su dimisión a mediados de este mismo año—, sólo las garantías británicas, en el sentido de que su gobierno no tiene la menor intención de intervenir en un conflicto que considera un asunto interno del de Madrid, pondrán un punto final definitivo a la vertiente diplomática de la crisis de Arán. Eso no impide que todos los tontos bien informados de España, Pilar Franco Bahamonde a la cabeza, atribuyan la invasión a los designios y maquinaciones de la Pérfida Albión.

La larga y fructífera farsa de la hostilidad entre la España franquista y el gobierno británico resulta tan beneficiosa para ambas partes que cabe pensar que también es obra de Hoare, todo un experto en la materia. Llega a serlo tanto, que Ramón Serrano Súñer nunca le perdona su versión de la conversación telefónica que ambos sostienen el 24 de junio de 1941. Aquella mañana, mientras una marea de falangistas furiosos tira piedras contra las ventanas de la representación diplomática de su Británica Majestad para celebrar la creación de la División Azul, que a su entender, y al de cualquiera, no significa ni más ni menos que la entrada de España en la guerra al lado de Alemania, el cuñado y ministro de Asuntos Exteriores de Franco llama al embajador británico para ofrecerle más medidas de seguridad.

—No, Serrano, no me mande usted más policías —contaba Hoare que respondió al mismo hombre que, como falangista y no como jefe de la diplomacia española, había proclamado esa misma mañana, desde un balcón de la calle Alcalá, que el exterminio de Rusia era «una exigencia de la Historia y del porvenir de Europa»—. Mándeme usted mejor menos estudiantes.

—Mentira, mentira —repitió Serrano después, durante años, a quien le quiso escuchar—. No dijo eso, no lo dijo, será ingenioso, pero no es histórico, se lo inventó para quedar por encima de mí, para dejarme en ridículo, me saca de quicio oírlo...

Sir Samuel Hoare, enviado a España en 1940 para neutralizar cualquier tentación de Franco de entrar en guerra como aliado del Eje, cumple tan escrupulosa como admirablemente con esa misión. Por lo demás, pasa a la Historia como un hombre antipático, al que sus subordinados aprecian tan poco como la sociedad madrileña a la que él desprecia en la misma proporción. Quienes le frecuentan en aquellos años, cuentan que es un inglés distante, adusto, huraño y soberbio, a quien no le gusta el cocido, ni el flamenco, ni la siesta, ni la Iglesia católica. Es justo, sin embargo, anotar algo más.

El 16 de octubre de 1944, cuando las fuerzas de la UNE ya están concentradas, preparándose para cruzar la frontera, Hoare, que unos días antes ha regresado a Londres para pedir el relevo por su propia voluntad, envía un memorándum al Foreign Office para subrayar la evidencia de que la España de Franco es un estado fascista y colaboracionista, y recomendar que, en el momento oportuno, los aliados tomen las medidas necesarias para acabar con él. Quizás, esa es su opinión desde el principio, y por eso en Madrid le cae tan mal a todo el mundo. Quizás, al recibir su nombramiento, no tiene un criterio tan definido, pero lo cierto es que, en el umbral de la invasión, no vacila en manifestar su radical discrepancia con las tendencias de Winston Churchill, quien, tal vez por influencia de su primo Jimmy —Fitz-

James Stuart, descendiente de Arabella Churchill y, pese a sus apellidos, duque de Alba–, embajador oficioso del gobierno de Franco en Londres durante y después de la guerra civil, nunca oculta en qué bando están sus simpatías.

No es probable que, al abandonar España, Hoare esté absolutamente en la inopia de lo que se trama al otro lado de los Pirineos, aunque sólo sea porque, en octubre de 1944, Madrid sigue siendo una de las ciudades del mundo con más espías por metro cuadrado. Pero tampoco parece razonable suponer que, al pronunciarse en Londres contra el franquismo, Sir Samuel quiera formular un hipotético apoyo personal a la operación de Arán. Si esa hubiera sido su intención, habría hecho una mención explícita. En cualquier caso, y por más que sus superiores no van a prestar, ni entonces ni después, la menor atención a sus recomendaciones, su oportuna retirada le ahorra el mal trago de asistir a lo que está a punto de suceder como representante oficial del gobierno británico.

Porque Gran Bretaña es una potencia aliada y los aliados están en guerra con Alemania. En 1939, muy poco antes de convertirse en un territorio ocupado por el Tercer Reich, Francia ha recibido a medio millón de refugiados y soldados republicanos españoles que se integran después, por decenas de miles, en la Resistencia francesa, para jugar un papel decisivo en la vertiente occidental de la derrota alemana. Esos mismos hombres, que siguen vistiendo el uniforme del ejército aliado, son quienes acaban de cruzar los Pirineos bajo la bandera de una plataforma democrática que aspira a restablecer la legalidad constitucional suspendida por un golpe de Estado militar. Pero Gran Bretaña, en lugar de ayudarles, como la han ayudado ellos a ganar la guerra, va a ponerse de parte de su enemigo, viejo amigo a su vez de sus enemigos de Roma y de Berlín.

Si en el Palacio de El Pardo alguien se atreve a formular alguna vez un cálculo inverso, no estará desde luego entre los colaboradores del dictador, entre quienes inspira tanto terror como en cualquiera. Franco, para no desmentir a su padre, no tiene amantes. Tampoco amigos. Entre sus allegados más próximos hay que ir descontando al primo hermano a quien manda fusilar en el 36, al hermano menor que se mata en un inverosímil accidente aéreo en el 38, al hermano mayor a quien manda a Lisboa aquel mismo año para quitarse de en medio sus iniciativas, con o sin faldas de por medio, y por último, al cuñado –conocido por unos como «Cuñadísimo», y por otros, más específicamente otras, como «Jamón Serrano» Súñer, apodo que no requiere más explicaciones que cualquiera de sus retratos de juventud, y aún de madurez–, a quien destituye como responsable de Asuntos Exteriores en septiembre del 42, en teoría por ponerle los cuernos a la hermana de su señora con, entre otras, la marquesa de Llanzol, esposa legítima de otro de sus ministros, y seguramente, en la práctica, por mantener incólume su lealtad por la causa alemana cuando eso ya no le conviene. Así, en 1944 sólo le quedan su hermana Pilar y su primo Pacón, Francisco Franco Salgado-Araujo, militar de carrera que comparte su nombre de pila y los apellidos de su padre. Sin embargo, a juzgar por las memorias que el pariente y secretario privado del dictador publica tras la muerte de aquel, a él tampoco le permite nunca grandes confianzas, más allá de confesarle su admiración por la inteligencia de Dolores Ibárruri.

Si en el Palacio de El Pardo alguien se atreve a decir en voz alta, alguna vez, lo que está pensando, a la fuerza tiene que llamarse Carmen. Y no resulta difícil imaginar lo que Franco habría respondido si cualquiera de las dos Cármenes de su vida le hubiera recordado que jamás habría podido ganar la guerra civil sin la ayuda de Italia y de Alemania, y hasta que está muy feo traicionar a un amigo sólo porque han empezado a irle mal las cosas. Te voy a decir lo mismo que les digo a mis ministros, esa habría sido su respuesta, tú hazme caso y no te metas en política. En 1932, cuando le deja colgado en una intentona golpista que no prospera, el general Sanjurjo lo explica con más gracia.

–Franquito –como le apodaban sus compañeros de carrera, debido a su baja estatura– es un cuquito que va a lo suyito.

Al margen del desmesurado crecimiento de estos diminutivos, y para poder valorar en todos sus matices la tierna, aunque discreta, amistad que vincula a Francisco Franco con el gobierno de Londres, resulta útil recordar cuál es la situación política de Francia, por citar un país cercano a España en todos los sentidos, en octubre de 1944. Aquí, donde el papel de los comunistas ha sido decisivo para lograr la derrota alemana, no está en marcha, por ejemplo, ninguna revolución proletaria. Los comunistas se integran en un gobierno de concentración nacional, respetando las reglas del juego democrático con la misma transparencia que proponen, por ejemplo, los estatutos de la Unión Nacional Española fundada por Jesús Monzón. Esa es la misma actitud adoptada por los partidos comunistas en otros países situados fuera del área de influencia de Moscú, por más que sus miembros hayan desempeñado un papel tan destacado en la liberación de sus respectivos territorios como el que juegan, por ejemplo, los comunistas italianos o, por no abandonar el parentesco mediterráneo, los griegos, que lejos de asaltar el poder, van a ser compensados por su contribución a la victoria con una fulminante ilegalización. Este desarrollo es ya tan evidente antes del fin de la guerra mundial, que no llegan a producirse ni siquiera intentos revolucionarios aislados, al margen de la más o menos sangrienta represión de colaboracionistas, en la que los comunistas nunca están solos, en ninguno de estos países.

Pero España siempre ha sido una excepción, el pecado original de los campeones de la democracia y la libertad del mundo. El hombre que el 19 de octubre de 1944 no altera ninguna de sus agradables rutinas cotidianas en su casa madrileña de Ciudad Lineal, un chalé apartado, confortable y con jardín, ya cuenta con eso. Jesús Monzón lo tiene todo pensado. Sabe muy bien lo que ha hecho, dónde se ha metido, pero no confía solamente en la parcialidad de la suerte, su amorosa debilidad por los audaces.

Monzón sabe que en el mismo instante en que sus hombres logren instalar un gobierno republicano provisional en Viella, todo lo que hayan logrado levantar hasta entonces Franco, Dolores, Stalin, Churchill y cualquier otro actor del panorama internacional, se vendrá abajo como un castillo de naipes.

Todo, entrevistas secretas y telegramas cifrados, movimientos de tropas y conspiraciones cuarteleras, recomendaciones amistosas y órdenes tajantes, actividad diplomática y exabruptos blasfemos, perderá cualquier valor al estrellarse con una fotografía que va a dar la vuelta al mundo desde las portadas de todos los periódicos.

Porque no es lo mismo no apoyar en secreto la instauración de un gobierno que representa una causa tan universalmente prestigiosa como la de la Segunda República Española, que derrocar en público a ese mismo gobierno.

Porque las autoridades británicas pueden permitirse intrigar de lo lindo para impedir que don Juan Negrín vuelva a presidir un gobierno republicano en España, pero nunca se atreverán a afrontar el coste político y moral, la ruina de su reputación a los ojos de sus aliados y de sus propios ciudadanos, que les reportaría apoyar abiertamente a Franco cuando exista ya otro gobierno español que represente la legalidad constitucional interrumpida por un golpe de Estado en 1936.

Porque Stalin puede considerar que camina mucho mejor, más cómodo y ligero, sin otro conflicto español en el zapato, pero en el momento en que exista un gobierno en Viella, no le va a quedar más remedio que mandar un telegrama de felicitación y un embajador al mismo tiempo.

Porque Dolores tampoco podrá hacer otra cosa que escribir uno de esos discursos suyos, tan arrebatados, tan conmovedores, tan condenadamente buenos, para llenar de lágrimas de felicidad los ojos de los antifascistas del mundo entero, que compartirán de corazón lo que ella nunca podrá no confesar que ha sido la mayor alegría de su vida.

Porque, en el instante en que los miembros del gobierno de Viella posen ante la prensa, alguien se ocupará de aconsejar a Franco, seguramente en inglés, que se guarde la pistola y vaya pidiendo un avión con autonomía suficiente para cruzar el Atlántico.

Porque en el caso, sumamente probable, de que Franco escoja la pistola, el alto mando aliado sentirá que se le abren las carnes ante la posibilidad de que ese general español, a quien les ha costado tanto trabajo mantener fuera de juego, pueda irrumpir en el escenario de una guerra que parece ya liquidada, para meter un balón de oxígeno en los pulmones de una Alemania a medio asfixiar.

Porque eso es lo que puede llegar a ocurrir si, dando la espalda a las declaraciones políticas, a la actividad diplomática, al clamor popular, al apoyo del gobierno francés, y al reclutamiento de voluntarios internacionales, Franco envía a su ejército contra un heroico y reducido núcleo de defensores de la libertad atrincherados en Arán.

Porque, por más que la orografía del valle permita una resistencia larga, que la facilidad de comunicaciones con la retaguardia francesa hará además relativamente cómoda, los aliados no pueden dudar de que la abrumadora ventaja de recursos de los atacantes garantizará su éxito antes o después.

Porque quien ha chaqueteado una vez, ya sabe cómo se hace, y un éxito militar de Franco, a diez kilómetros escasos de Francia, implica la amenaza de tener un ejército completo desplegado en la falda de los Pirineos, a un paso de la Europa liberada.

Porque este despliegue apareja a su vez la posibilidad de que un dictador despechado, acorralado como un toro contra las tablas de la hostilidad mundial, rabioso contra los británicos, que le han seducido en secreto para sacrificarle en público, y arrepentido de haber abandonado a Alemania, que, y ahora se da cuenta más que nunca, ha sido su único amor verdadero, decida pagar con la misma moneda y cruzar los Pirineos para desplegar sus tropas al otro lado.

Porque, entonces, apaga y vámonos.

Y porque existe una solución fácil, limpia, cómoda y práctica para neutralizar, en poco tiempo y con total garantía de felicidad, todas estas amenazas.

El ejército aliado cuenta en Europa Occidental con gran cantidad de unidades en situación de reserva, que ya no juegan ningún papel pero aún no han sido desmilitarizadas. Basta con mandarlas a España, y así, de un plumazo, se resuelven todos los problemas al mismo tiempo. Sus jefes saben ya, por experiencia propia, que en el instante en que su ejército pone un pie en cualquier país ocupado, por muy tibia que haya sido la respuesta antifascista de su población hasta ese momento, empiezan a salir guerrilleros, resistentes y voluntarios hasta de debajo de las piedras. En el caso de España, es razonable esperar una res-

252

puesta incomparablemente más favorable y un porcentaje de deserciones en el bando enemigo –monárquicos, tradicionalistas, falangistas puros, liberales y, por supuesto, oportunistas de cualquier pelaje– muy abundante. La soledad de Franco será, por otra parte, absoluta, porque esta vez no podrá recibir los acostumbrados refuerzos del norte de África. El estrecho de Gibraltar, como el resto del Mediterráneo, es territorio aliado, de modo que, adiós a los regulares. En el contexto histórico de la inevitable victoria sobre Alemania, no es previsible que la campaña española resulte muy larga, ni demasiado costosa, aunque cualquier precio es barato a cambio de que Franco no entre en la guerra a destiempo. Y si España vuelve a ser el bastión marxista de Occidente, como teme Churchill, ya habrá tiempo para arreglarlo después, porque un mal menor nunca debe paralizar la consecución de un bien mayor.

Todo eso sabe Monzón, y sin embargo, no lo sabe todo.

El 19 de octubre de 1944, en su casa de Ciudad Lineal, el creador de la Unión Nacional Española se siente Dios, tan autosuficiente como el entrenador de un equipo de fútbol que le lleva un montón de puntos de ventaja a sus rivales. Tantos, que se atreve a mentir a sus propios jugadores, a engañarles, a esconderles la prensa, a fabricar sus propias noticias y a falsear los resultados de la tabla de clasificación, para convencerles de que sólo dependen de sí mismos.

Pero los seres humanos no son máquinas, y hasta el mejor delantero falla un penalti.

Eso es lo único que no se le ocurre pensar a Jesús Monzón.

II
La cocinera de Bosost

La casa en la que entré detrás del capitán era grande, sólida, de muros de piedra, y estaba amueblada con lo justo, unos pocos muebles buenos y antiguos, como correspondía a la vivienda de un labriego rico, pero no tanto como para haber dejado de trabajar sus propias tierras.

Eso fue lo primero que pensé al atravesar la puerta, y ni siquiera me extrañó la atención que pude dedicar a los detalles triviales, la ausencia de un vestíbulo, la espartana sencillez de la decoración y, sobre todo, una borrosa fotografía de boda colgada sobre un aparador, el hombre de expresión seria, con el pelo muy corto y una corbata oscura, muy estrecha, que miraba a la cámara como si le diera miedo, la mujer de cara ancha, musculosa, velo negro y gardenia blanca en el ojal, que aparentaba más años de los que debía tener mientras ensayaba una sonrisa tímida, indecisa, impropia de una novia. En todo esto me fijé mientras avanzaba como si mis pies no tocaran el suelo, mi espíritu dividido entre la exaltación que me había desordenado por completo hacía un instante, y un sentimiento íntimo, confuso, que nunca podría compartir con nadie, una emoción semejante al pudor, la imprevista timidez que ni siquiera yo acertaba a descifrar, pero me impedía corresponder a la mirada de los quince pares de ojos que me estudiaban con la misma curiosidad.

Al fondo de aquella estancia, que hacía las veces de zaguán, comedor y cuarto de estar, había una mesa muy grande y, sentados a ella, tres oficiales que me esperaban como si formaran parte de un tribunal. El del centro, bajo y delgado, tenía la piel tostada por el sol y los ojos muy pequeños, oscuros como botones de charol, tan brillantes que echaban chispas. Parecía algo mayor que los demás, llevaba insignias de coronel y me cayó bien desde el principio. El comisario sentado a su izquierda no me gustó, quizás porque estaba demasiado gordo, y su aspecto orondo, sedentario, me pareció impropio de un soldado, incompatible con los cuerpos fibrosos, jóvenes y bien entrenados, de los hombres que le rodeaban. El que flanqueaba al jefe por el otro lado, muy alto, el pelo rizado, la nariz aguileña y las gafas sucísimas, era Comprendes, pero yo aún no lo sabía.

—Se llama Inés Ruiz Maldonado —Galán tampoco podía saber hasta qué punto nos uniría el primero de nuestros abrazos, pero decidió comportarse como mi ángel de la guarda—, y no es ni una invitada ni una prisionera —entonces se giró hacia mí, para volver a demostrarme que sabía sonreír con toda la cara—. Ven, acércate... Es una voluntaria.

—¿Una voluntaria? —el coronel, que conservaba un acento catalán tan elocuente como las serpentinas que rizaban las sílabas del sevillano que me había llevado hasta allí, se echó a reír, pero al comisario no le hizo gracia.

—¿Qué significa esto? —vi cómo dirigía a mi protector una mirada de advertencia, pero también que no conseguía afectarle en lo más mínimo.

—Pues una voluntaria es una voluntaria, su propio nombre lo dice —y me empujó con suavidad hacia delante—. Explícaselo tú misma, anda.

Le devolví la sonrisa, la mirada, y miré a mi alrededor mientras calculaba cómo podría contarles tantas cosas sin hablar durante horas, pero las palabras acudieron en mi auxilio con la docilidad de los mejores tiempos, y no fue difícil. Nada sería difícil aquella noche.

—Me llamo Inés, y soy la hermana pequeña de Ricardo Ruiz Maldonado, delegado provincial de Falange Española en la provincia de Lérida —en ese momento hubo respingos, murmullos, ceños que se fruncían, aunque nadie me impidió continuar, y ese silencio me dio confianza—. Ya sé que suena mal, pero yo soy de los vuestros. Podéis preguntar por mí a quien queráis, porque me he hecho muy famosa en esta provincia como la hermana roja del jefe de Falange. Podéis preguntar además a vuestra gente de Madrid, porque allí también soy muy conocida. Durante la guerra, monté una oficina del Socorro Rojo en la casa de mis padres. Trabajaba para Matilde Landa y todas sus colaboradoras me conocen, estuve con muchas en la cárcel... —estudié los rostros que me rodeaban, y la apaciguada expresión de la mayoría me animó a seguir—. Bueno, tampoco es tan raro. En Madrid, por lo menos, había muchos como yo. Pepe Laín Entralgo, sin ir más lejos, que era muy amigo de mi novio de entonces, Pedro Palacios, el secretario general de la JSU de mi barrio...

—¿Y cómo sabías que estábamos aquí? —el comisario me interrumpió, en un tono más propio de un interrogatorio que de una conversación.

—Porque lo oí por la radio hace tres días, el 17 sería... —aquel tono me puso nerviosa, y tuve que cerrar los ojos para concentrarme—. Sí, el día 17, bueno, el 18, ya, a las tres de la mañana. Radio España Independiente repitió el mismo noticiario cada media hora. Yo no podía oírla siempre, así que no sé cuándo empezaron a dar la noticia, pero aquella noche dijeron muchas veces que estabais a punto de cruzar la frontera, Operación Reconquista de España, lo llamaban. Yo ya me imaginaba que iba a pasar algo por el estilo, porque mi hermano estaba muy nervioso, y esta mañana le he oído decir que habíais llegado hasta aquí. Desde que vivo con ellos, me he convertido en una experta escuchando detrás de las puertas —sonreí sola al acordarme, y me fijé en que el coronel sonreía a mi sonrisa—. Me he enterado de que iban a cerrar la casa, y... Bueno, resumiendo mucho, le he quitado a mi cuñada la pistola de su marido, he robado un caballo, le he ofrecido cinco duros al chico que trabaja en los establos para que me guiara hasta aquí, y me he venido.

—¿Has venido a caballo? —el que no se limpiaba las gafas, se levantó, apoyó las manos en la mesa y se me quedó mirando con la boca abierta.

—Sí —su expresión de incredulidad me hizo reír—. La casa de mi hermano está en Pont de Suert, a unos cincuenta kilómetros, y el caballo es estupendo. Lo he dejado ahí detrás, en el establo.

—De todas formas —y dejó de mirarme para volverse hacia su coronel—, si es hermana del jefe de Falange, puede sernos útil como rehén, ¿comprendes?

El coronel se quedó callado, como si necesitara meditar esa propuesta, pero yo me precipité a aceptarla en su lugar.

—Como rehén, como prisionera, os limpio la casa, os lavo la ropa, os hago la comida... Lo que haga falta, con tal de que no me devolváis. Y no creo que mi hermano os dé un céntimo por mí, pero también os he traído dinero... —hice una pausa para meterme una mano en el escote, y puse los billetes sobre la mesa—. Tres mil seiscientas pesetas, lo que había en casa. Le he hecho un vale a mi cuñada, requisándolo en vuestro nombre, espero que no os importe.

—¿Qué? —el capitán soltó una carcajada, me miró, miró a sus compañeros—. ¿Es una voluntaria o no es una voluntaria?

—Así que has venido a caballo para unirte a nosotros... —recapituló el coronel muy despacio, al ritmo de su asombro, mientras señalaba con el mentón a la esquina de la mesa donde reposaba mi botín—, con tus sombreros y todo.

—¡No! —levanté la tapa de la sombrerera y volví a reírme—. No son sombreros, sino rosquillas. Cinco kilos, me salen muy ricas. Es que cuando me pongo nerviosa, me da por cocinar. Y esta mañana, como llevaba mucho tiempo pensando en escaparme, pues... Me he liado a hacer rosquillas.

—¿Y para qué queremos nosotros cinco kilos de rosquillas?

—¿Pues para qué las vais a querer? —aquella pregunta me sumió en un estupor tan profundo, que hasta me molesté en contestarla—. ¡Para coméroslas! ¿Es que no tenéis hambre?

En ese momento, el capitán Galán, con una expresión risueña y enigmática a la vez, porque parecía destinada solamente a sí mismo, cogió la sombrerera y empezó a repartir rosquillas entre sus compañeros.

—Hambre, lo que se dice hambre, no creo que tengamos, pero si las has hecho tú, nos las comemos —y mordió la suya para dar ejemplo—, no faltaría más...

260

—Oye, pues están riquísimas, ¿comprendes? —el que terminaba todas las frases con la misma pregunta, fue el primero en repetir—. Me recuerdan a las que hacen las monjas de mi pueblo.

—No me extraña —reconocí—. Aprendí a hacerlas en un convento.

—¿Tú eres monja? —y a pesar de lo sucios que estaban los cristales, vi cómo se le agrandaban los ojos.

—No, soy comunista. Pero en Ventas se me veía mucho, y mi familia me sacó de allí en el 41 para meterme en un convento. Me tiré allí casi dos años, hasta que las monjas me echaron, y mi hermano me trajo aquí.

—Ya, así que eres de Madrid, ¿no? —asentí con la cabeza—. Yo también, bueno, de Vicálvaro, ¿comprendes?

—¡De Vicálvaro! —al escuchar el nombre de su pueblo, sonreí, cerré los ojos y volví a verlo como si lo tuviera delante—. Pues yo me hice amiga en la guerra de una paisana tuya que se llamaba Faustina, pelirroja, grandona... Le echaron treinta años, igual que a mí, no sé dónde estará ahora.

—Sí, la conozco —él también sonrió—, la hija del panadero, una muchacha enorme, gordísima, ¿comprendes?

—Bueno, cuando yo la conocí, en Madrid ya no había mujeres gordas. Pero dime una cosa, camarada... ¿Tú nunca te limpias las gafas?

Mientras tanto, otros hombres se habían ido acercando poco a poco, y dos de ellos flanqueaban ya a mi interlocutor. El que estaba a su izquierda era muy guapo de cara, porque tenía los ojos ligeramente rasgados, negros, brillantes, y una nariz grande pero recta, de líneas delicadas y sin embargo firmes, masculinas, en el óvalo perfecto de un rostro infantil, las mejillas llenas y sonrosadas. El otro, un poco más bajo que yo y muy rubio, también tenía los ojos oscuros, pero azules, y una expresión risueña, traviesa, que le daba cierto aire de duende. Él fue quien más se rió al escuchar mi pregunta.

—Pues no mucho, ¿comprendes? —el guerrillero miope me contestó como si no estuviera escuchando las carcajadas de los demás.

—No mucho, no —pero el duende de ojos azules se apresuró a desmentirle con un acento suave y sinuoso, dulcísimo—. No se las limpia nunca, jamás, en la vida, parece que se lo ha prohibido el médico... —y después de Galán, él fue el primero que me tendió una mano para dirigirme un saludo formal—. Yo soy el Zurdo. Nací en Gran Canaria, en un pueblito donde no hay ningún convento, pero me gustan mucho tus rosquillas.

—Y a mí —el guapo se me acercó más que ninguno, y cogió una de mis manos entre las suyas mientras se presentaba—. Yo soy de Calatayud y me llaman el Sacristán, pero nunca lo he sido, ¿eh? Sólo era monaguillo, de pequeño, pero como estos me tienen envidia porque son más feos que yo, me llaman así para perjudicarme...

Le sonreí mientras comprobaba que ya estaba rodeada de soldados que me miraban con más o menos disimulo y la excusa de saludarme.

—Ya estamos con las tonterías —el que intervino era muy flaco y tenía las piernas largas, delgadísimas, aunque no le llamaban Tijeras sólo por eso, sino porque sus orejas, despegadas del cráneo como dos soplillos, parecían el mango de su propio nombre—. Te voy a decir una cosa, Sacristán, con que fueras sólo el doble de tonto que de guapo, ya estaríamos aviados... —él también me tendió la mano, y me aclaró que era de la margen izquierda.

—Del Nervión —supuse—, naturalmente.

—Del Nervión —sonrió—, ¿de cuál, si no?

—Yo soy el Afilador —se presentó el que estaba a su lado—. Y trabajaba en una tahona, pero desde que me hice guerrillero me han cambiado el oficio, porque siempre me ha tocado ir con este —señaló a Tijeras y volví a reírme.

A aquellas alturas, ya me había dado cuenta de que, a pesar de su juventud, porque los más viejos apenas sobrepasaban los treinta años, todos eran oficiales, el estado mayor del coronel que había presidido mi tribunal. Un par de días después, habría aprendido a identificarles sólo con oír su voz y, más allá de sus nombres, sabría muchas otras cosas, que Zafarraya era alérgico al pimiento verde, que al Botafumeiro le daban asco las tortillas de patata poco hechas, que el Cabrero prefería tomar leche a secas para desayunar, que a Perdigón sólo le gustaba la verdura cruda, que al Lobo, ni así, que el Afilador era muy goloso, y que el Sacristán, aparte de ser el más guapo y el más presumido de todos, solía tener hambre a todas horas.

—Bueno, el caso es que me alegro mucho de que estés aquí —aunque eso ya lo intuí cuando le vi entornar los ojos y ladear la cabeza—. Yo siempre he dicho que tener una mujer guapa cerca es media victoria.

—Cállate ya, joder, que es verdad que no se puede ser más tonto —el Pasiego, alto, serio, callado y con las gafas inmaculadas, insinuó un gesto de desánimo—. No tiene remedio...

—Bueno, os aseguro que yo estoy más contenta que ninguno de estar aquí —y me volví hacia el de Vicálvaro—. A ver, dame las gafas.

—No, de verdad, si no merece la pena.

—Dámelas, hombre, que no me cuesta nada...

—Que se las des, ijo... —y al final, fue el Zurdo quien se las quitó para dármelas— ...der!

—Yo no os entiendo, a las mujeres, ¿comprendes? La mía es igual, todo el santo día con el coño de las gafas, y digo yo, qué más os dará, si los ojos son míos, y yo veo de puta madre con las gafas sucias, ¿comprendes? —de pronto dejó de hablar, de gesticular, y cambió de tono—. ¿Puedo comerme otra?

Al humedecerlos con mi aliento, había descubierto que aquellos cristales sólo recuperarían su primitiva transparencia con agua y jabón, pero estaba tan empeñada en mi tarea que no entendí lo que me estaba preguntando.

—¡Ah! —y sonreí antes de empezar a frotarlos con el pico de mi blusa—. Otra rosquilla, dices... Cómete las que quieras, las he hecho para eso.

—Bueno, las que quieras no, Comprendes —pero el Afilador también fue a por la segunda—, porque a este paso vamos a tener que racionarlas.

—Así que a ti te llaman Comprendes —concluí por mi cuenta.

—¿Y cómo quieres que le llamemos? —sabía que era Galán, y que estaba muy cerca, justo detrás de mí, porque le estaba oliendo.

—Ya, si el nombre está bien elegido —le concedí, y seguí frotando los cristales sin parar, hasta que al mirarlos al trasluz, encontré un resultado aceptable—. Toma, Comprendes, póntelas, y no me digas que no ves mejor.

—Pues... no mucho, ¿comprendes?, qué quieres que te diga...

Madera y tabaco, clavo y jabón, limón verde y una pizca de pimienta, Galán me cogió del brazo para apartarse conmigo y hablarme casi al oído, sin perder de vista al Sacristán, que no me quitaba los ojos de encima.

—¿Quieres venir conmigo? Voy a interrogarte.

—Claro —qué bien, murmuré para mí misma mientras le miraba despacio, con las ganas que tenía yo de que me interrogara alguien en condiciones...

A las siete de la tarde subí tras él por las escaleras que conducían al piso de arriba y no volví a bajarlas hasta la una de la mañana, cuando tuvimos un momento de calma para darnos cuenta de que no habíamos cenado. Sin embargo, al entrar en un gabinete espacioso, amueblado como un despacho, que se abría a un dormitorio con balcones al exterior, lo primero que hizo fue cerrar la puerta que comunicaba ambas habitaciones. Luego se sentó detrás del escritorio, recogió dos mapas que estaban abiertos, los enrolló con cuidado, sacó papel y pluma de un cajón y no me hizo ninguna pregunta.

—Dame la pistola —su tono era amable, pero era una orden—. Ahora ya no te hace falta.

Eso era verdad, ya no tenía de quién defenderme, así que me la saqué del cinturón y se la di, pero no me gustó que me la pidiera.

—Gracias —él la metió en un cajón, lo cerró con llave, se la guardó en un bolsillo, y al mirarme, me dejó comprender que había advertido mi disgusto, pero no me pidió disculpas—. El coronel me ha pedido que te pregunte si no has oído nada más escuchando detrás de las puertas, en casa de tu hermano.

—Sí —levanté la barbilla y le miré desde arriba, para que viera que yo también sabía ser distante—. He oído muchas cosas.

Se las conté todas, empezando por las más recientes, la conversación de la biblioteca, los nervios de Ricardo, los datos que aportaba Garrido, la cólera de Ayuso, nombres propios, graduaciones, topónimos, cifras, cuerpos militares, y él me dejó hablar mientras anotaba lo que yo decía como un colegial responsable, un alumno aplicado que de vez en cuando me pedía calma, no te embales, por favor, y sonreía, no puedo ir tan deprisa como tú... Hablar me sentó bien, y aún me sentó mejor verle asentir al escuchar algunos datos, en Viella, ahora mismo, sólo tienen mil novecientos hombres, él movía la cabeza como si no le estuviera contando nada nuevo, saben que aquí sois cuatro mil, que estuvisteis acampados cerca de Tarbes, que tenéis casi el doble en la reserva, pero no se atreven a concentrar tropas porque les da miedo desguarnecer las fronteras, su cabeza me iba diciendo que eso también lo sabía, el comandante Garrido reconoció que hasta el último momento no tenían ni idea de por dónde ibais a pasar, porque estaban entrando rojos por todas partes...

—¿Quién es el comandante Garrido?

—Un hijo de puta —Galán me miró como si estuviera esperando a que se lo explicara, pero no lo hice, porque la profecía del espejo se había cumplido, y todo lo demás había dejado de ser importante—. Está al mando del primer batallón de Infantería de Lérida capital, y es íntimo del gobernador militar de la provincia, el teniente general Ayuso, un borracho senil, pero muy condecorado.

Y seguí hablando, contándoselo todo, las cosas importantes y las que no lo eran tanto, los nombres, los apellidos, el cargo y el aspecto de los hombres y las mujeres que solían asistir a las fiestas que Ricardo ofrecía en fechas señaladas, y él seguía escribiendo mientras me escuchaba, pero de una manera cada vez más sosegada, apuntando datos sueltos con una parsimonia que le dejaba ratos libres para mirarme, para sonreírme, para reírse conmigo de algunos detalles, y ya no me molestaba que me hubiera desarmado, ya había empezado a comprender que aquello era distinto de los comités, de las oficinas, las organizaciones políticas a las que había pertenecido durante una guerra que era de todos, pero en la que estaban luchando otros. Esto era un ejército y yo estaba dentro, sometida a la misma disciplina, la misma jerarquía que los soldados a los que había visto en el campamento que bordeaba el pueblo. Esa idea me dio calor, pero también me sugirió que había llegado el momento de callarme cuando vi al capitán recostado en la silla, con los brazos cruzados, mientras escuchaba la receta de las rosquillas que me había enseñado a hacer la hermana Anunciación.

—Lo siento —y me di cuenta de que me estaba poniendo colorada—. Te estoy contando mi vida, y eso ya no te interesa.

—Claro que me interesa —protestó en un tono risueño—. Me interesa mucho todo lo que dices, pero... Bueno, no sé si al mando le interesará tanto como a mí. Voy a bajar a informar al coronel, ¿de acuerdo? No te muevas, vuelvo enseguida —se levantó, fue hacia la puerta, y al abrirla, los dos descubrimos al mismo tiempo que la cena estaba lista—. Huele a patatas guisadas. ¿Quieres que te suba un plato?

—No, gracias. No tengo hambre.

No lo hagas, Inés.

Tardó casi media hora en volver. Durante su ausencia, debería haber pensado, antes que en nada, en mí misma. Debería haber analizado mi situación, mis expectativas, mi futuro inmediato, decidir si iba a quedarme allí, cerca del ejército, o si sería mejor aprovechar la posibilidad de marcharme a Francia cuanto antes, a esperar tranquilamente el desenlace. Debería haber pensado en buscarme un alojamiento, un trabajo incluso, por si aquello se alargaba, o pedir una lista de los ocupantes, que tal vez incluiría el nombre de algún viejo amigo. Yo conocía la guerra, y no era tonta. Me daba cuenta de que tenía muchas cosas en las que pensar, muchas decisiones que tomar, pero durante media hora, sólo logré darle vueltas a una frase. No lo hagas, Inés.

Había vivido un día largo, intenso, las horas tal vez decisivas de mi vida. Había logrado romper el cerco, escapar de mi prisión, vencer en la mínima y descomunal batalla de mi propio destino, pero al poner un pie en el borde del futuro, todos mis cálculos se habían trastocado, todos los números se habían rebelado, habían roto las tranquilizadoras cadenas de la aritmética para improvisar una peligrosa disciplina de cifras borrachas, insensatas. No lo hagas, Inés. Intenté reagruparlos, devolverlos a un orden anterior y diferente, someterlos al rigor de otras operaciones, quería fugarme, y me he fugado, quería reunirme con los míos, y lo he logrado, son cuatro mil y han invadido España, qué emoción, eso me decía, ¡qué emoción!, pero los signos de admiración no me ayudaban. La ortografía se había sublevado al mismo tiempo que las matemáticas, y sus símbolos estaban al servicio de otros números.

Yo era comunista, pero tenía veintiocho años. Yo era antifascista, pero llevaba cinco y medio encerrada en una cárcel, en un convento, en la ratonera predilecta del comandante Garrido. Estaba segura, convencida de mi causa, pero aquel día era el 20 de octubre de 1944. Los nervios no me dejaban pensar con claridad, pero me había acostado siempre sola, en el suelo, en una cama incómoda, en otra más mullida, todas las noches que se habían sucedido desde el 25 de marzo de 1939. En el instante en que pudiera volver a pensar con claridad, comprendería que el olor del capitán no era importante, pero el capitán olía a madera y a tabaco, a clavo y a jabón, por debajo, algo dulce y ácido, como la ralladura de un limón no demasiado maduro, por encima, algo que picaba en la nariz como una nube de pimienta recién molida. Eso era lo primero que había aprendido de él. Su olor había tenido la culpa de que mis manos obraran el prodigio de reconocer un cuerpo que no conocían, de que mi cabeza se acoplara a su cuello como si estuviera modelada para encajar en aquella y en ninguna otra curva, de que mi nariz supiera respirarlo mejor que el aire. Su olor tenía la culpa de que no lograra pensar con claridad.

—Y sed, ¿tienes? —no lo hagas, Inés—. He subido un poco de queso, del que has traído tú, que está muy bueno, para que no nos emborrachemos antes de tiempo...

Me miró como si hubiera descubierto la batalla que estaba librando conmigo misma, y sonrió, pero en lugar de volver al escritorio, decidió depositar las provisiones en una mesa baja colocada ante el diván donde el alcalde de Bosost debía de acomodar a sus visitas. Desde ese momento, todas mis palabras fueron inocentes, pero adquirieron un sentido extraño, rebelde, al brotar de mis labios, como si mi suerte estuviera echada.

—Pues, mira... Un poco de sed sí que tengo.

—Mejor —cuando me senté a su lado, me miró como si estuviera dudando entre servirme un vaso de vino o no, pero al final lo hizo.

Y al final, aparte de liquidar la botella, nos comimos todo el queso, que estaba buenísimo de verdad, y hasta nos fumamos un pitillo cada uno.

—Me habría encantado verte vestida de monja —murmuró mientras apagaba el suyo en un cenicero que me precipité a ponerle delante cuando vi que estaba a punto de sacudir la ceniza encima del plato del queso.

—No creas —yo estaba sentada de lado sobre una de mis piernas, y me incorporé sobre ella para inclinarme hacia delante y llegar al cenicero—. Estoy mucho más guapa sin hábitos.

Cuando giré la cabeza a la derecha, para mirarle, su cara estaba tan cerca de la mía que cerré los ojos. No lo hagas, Inés. Él me rodeó con sus brazos, pasando el derecho por debajo de mis axilas y el izquierdo por encima de mis caderas, como si fuera una niña grande. No lo hagas, Inés. Entonces me acomodó contra su cuerpo y me besó. Y todo lo que sabía, todo lo que pensaba y era capaz de decir, lo que había aprendido y lo que recordaba, lo que deseaba y lo que temía, se fundió en su lengua al mismo tiempo. Desde hacía más de cinco años, había pensado infinitas veces en lo que sentiría si alguna vez un hombre volvía a besarme, a abrazarme, a arrastrarme con él hasta una cama, y lo había imaginado como una especie de cataclismo, un diluvio universal, casi doloroso, una pasión física pero también sentimental, moral, ideológica, agridulce, cegadora y fría como la venganza. Eso era lo que iba a suceder, pero cuando Galán separó su cabeza de la mía, y me miró, y volvió a besarme, se me olvidó.

Las victorias militares trastornan a las mujeres. Unos días después, él me explicó la teoría del Pasiego, y yo estaba ya tan trastornada que le conté lo que me había pasado aquella noche, mientras sus dedos trabajaban deprisa debajo de mi ropa, encima de mi piel, una piel nueva que empezó a existir en aquel momento como nunca había existido la anterior. Yo ya no me acordaba de nada, pero mi cuerpo guardaba la memoria de la desolación, aquella soledad de aroma frío, musgoso, el hueco putrefacto del convento y la amargura de otra piel desconocida, vieja y hambrienta, que las caricias de Garrido erizaban contra mi voluntad. Mi cuerpo recordaba la tristeza y el pánico, mientras nacía de nuevo, terso y maleable, dócil a mi voluntad, tan sensible a la de aquel hombre, que le consintió levantarme con él sin dejar de besarme. Sus brazos me sujetaron para impedir que perdiera el equilibrio, sus manos me despojaron de la camisa, y sólo después, su cabeza me abandonó para que sus ojos pudieran mirarme de arriba abajo.

—Me gustas mucho, camarada —me miraba y se reía, yo le miraba y me reía mientras sus manos acariciaban los pechos, las caderas que volvían a nacer en las yemas de sus dedos—. Nunca he conocido a ninguna monja que me guste tanto como tú... —encajó los pulgares en la cintura de mis pantalones y los empujó hacia abajo para que yo pudiera salir de ellos levantando los pies con elegancia, como de un charco—. Y eso que estudié en un seminario.

Cuando pude volver a pensar con claridad, no perdí el tiempo calculando adónde habrían ido a parar mis propias previsiones, la solemne avidez de mi venganza, aquella nostalgia del placer que había estallado en pedazos bajo la presión de un placer real que se multiplicaba sin desvirtuarse, y a la vez era dulce, redondo, afilado, violento y luminoso, todo eso y más placer, una alegría limpia y salvaje. Después, todavía me reía sin saber por qué, y por eso, cuando pude volver a pensar con claridad, ni se me ocurrió seguir pensando.

—Vete a buscar el tabaco, ¿quieres?

Le miré, adiviné sus intenciones, sonreí y, mientras él sonreía, me levanté de la cama y fui desnuda hasta el gabinete. Al abandonarlo no habíamos apagado la luz. Cuando volví, había encendido además la lámpara de la mesilla que estaba a su lado, pero no me importó. Crucé la habitación sin apresurarme, y empezó a aplaudir antes de que tuviera tiempo para reunirme con él bajo las sábanas. Después me abrazó y me besó muchas veces, como si ni siquiera tuviera ganas de fumar, pero al rato, encendió un cigarrillo para darme la oportunidad de preguntar por la foto que había visto al volver, apoyada en la otra mesilla, una mujer morena cuya sonrisa me sobresaltó hasta que me fijé en sus hijos, una niña de unos diez años y un niño poco menor, cuyos ojos, pequeños y oscuros como botones de charol, eran tan brillantes que echaban chispas.

—¿Y esto? —la cogí para estudiarla de cerca y él se pegó a mí, como si le divirtiera mucho la cautelosa expresión de mi cara—. Son...

—¿Mi familia? —hizo una pausa que no me atreví a rellenar, y sonrió—. No. Son la mujer y los hijos del Lobo... Bueno, del coronel. Él está al mando de este sector y cuando llegamos, naturalmente se quedó con el mejor dormitorio.

—¿Y tú?

—Yo no tuve suerte en ningún sorteo, así que me tocó dormir en un catre de campaña, en un cuarto que está justo debajo de este —se rió y me besó en la mejilla, como si le divirtiera mucho recordar el estrépito de los muelles del somier, los golpes del cabecero contra la pared—, con Comprendes, con el Zurdo y con el Cabrero.

—Pero... —me incorporé en la cama para mirarle—. No lo entiendo. Has ido y le has dicho, cámbiame el sitio, así, por las buenas...

—Bueno, no exactamente. En realidad, te ha cedido el dormitorio a ti, aunque podríamos decir... —me miró, sonrió, me besó en un pezón, luego en el otro—. El Lobo es mi coronel. Él manda y yo le obedezco, pero fuera de la guerra, los dos somos muy amigos. Estuvimos en Argelès, luego trabajando en el mismo aserradero, luchando contra los alemanes, siempre juntos, y... En fin, los amigos se hacen favores, ¿no? Cuando he bajado, le he recordado que él era el único que dormía solo en esta casa y que a ti teníamos que meterte en alguna parte. Tampoco íbamos a mandarte a dormir con la tropa, después de habernos comido tus rosquillas, así que...

A finales de octubre, las noches en el valle de Arán ya eran muy frías pero mi cuerpo no protestó cuando él apartó la sábana, las mantas, para mirarlo otra vez, como si antes no hubiera tenido bastante.

—De todas formas, me conoce tan bien que cuando le pregunté si no íbamos a interrogarte, levantó una ceja y me dijo... —e hizo una pausa para crear expectación antes de romper a hablar con una voz prestada—, ¿qué pasa, que te ofreces voluntario?

No sabía imitar sólo el acento del coronel, también imitaba sus gestos, su manera de torcer la boca, de mirar hacia arriba, y me hizo reír, y se rió conmigo mientras su mano izquierda se paseaba por mis pechos, y me acariciaba el estómago, el vientre, antes de hundirse entre mis piernas.

—Pues ya sabes lo que opino yo de estas cosas —el coronel seguía hablando por su boca pero eran sus labios los que me besaban en la oreja, en el cuello, en el hombro, siguiendo el ritmo lento, codicioso, de sus dedos—, y ya os lo dije antes de venir, que no quería mujeres, que bastantes disgustos nos dieron en el 36... —hasta que todo cesó, las palabras, los besos, las caricias, y abrí los ojos y me encontré con los suyos, muy serios, muy cerca de los míos, antes de escuchar su verdadera voz—. Aunque si tú no hubieras querido, me habría ido a dormir abajo. Eres una mujer muy valiente. Y hace ya muchos años que aprendí a respetar a las mujeres valientes.

Pero yo quería, quería más, quería tanto que me volví hacia él, le rodeé con mis brazos, me aferré a su cuerpo y me pareció más grande, más suave, más duro, más caliente, y rodamos sobre la cama, primero hacia un lado, luego hacia el otro, mientras la emoción en la que me habían sumido sus palabras se integraba sin llegar a disolverse en otra mayor, repleta de colores, de matices que agudizaron mis sentidos hasta el punto de que sin dejar de sentir, de acunarme en su respiración y respirar la tumultuosa intensidad que el sexo imprimía al olor de su cuerpo, logré escuchar el escándalo de una cama que crujía como si todos los tornillos se estuvieran saliendo de las tuercas. En ese momento, yo estaba encima, y me paré, le miré, le vi levantar las cejas y luego negar con la cabeza, mientras me cogía por la cintura para darme la vuelta.

—¡Que se jodan! —porque yo estaba pensando en los que dormían justo debajo y él se había dado cuenta—. Pues ya ves...

Después, me propuso un asalto a la cocina. Era la una de la mañana, estaba muerto de hambre y escogió bien las palabras, porque dijo exactamente eso, vamos a asaltar la cocina, y antes de que me hubiera dado cuenta, ya se había vestido. Yo me puse los pantalones tan deprisa como pude y todavía me los estaba abrochando cuando me tiró su guerrera.

—Toma, póntela. Hace frío.

Bajamos por la escalera a oscuras, sin hacer ruido, atravesamos el zaguán con el mismo sigilo, para no despertar a los que tal vez ya habrían podido dormirse, y en la cocina encontramos un plato cubierto por otro, lleno de patatas guisadas con costillas. Las calenté en un cazo y, mientras su aroma me susurraba que tenía mucha más hambre de lo que había creído, me parecieron pocas para los dos, así que las vertí en un solo plato.

—Cómetelas tú —le dije mientras las ponía sobre la mesa—. Yo tengo bastante con un bocadillo.

—No —y cuando me dirigía a la despensa, me enlazó por la cintura para detenerme—. Vamos a comérnoslas entre los dos y luego, si acaso, nos hacemos dos bocadillos.

Arrimó una silla, se sentó a mi lado, y comimos las patatas del mismo plato, con el mismo tenedor. Él las repartió escrupulosamente, una pequeña para ti, una pequeña para mí, cortando los trozos más grandes por la mitad, y me cedió la última.

—Estaban buenas, ¿verdad?

—Sí, aunque para mi gusto les faltaba un poco de pimentón —y el pimentón me dio la clave—. ¿Sigues teniendo hambre?

Empecé para él uno de los chorizos que Ricardo no compartía ni siquiera con Ayuso, le hice un bocadillo, y me senté sobre la mesa.

—¡Qué bueno! —exclamó, después del primer mordisco.

—¿A que sí? —y sonreí, porque acababa de descubrir que me encantaba verle comer—. A mi hermano se los mandan directamente de Salamanca. Él estuvo allí durante la guerra, en una oficina de relaciones internacionales.

—Bueno, por lo menos no mataría a nadie.

—No estaría yo tan segura, ¿sabes? —pero no quise pasar de ahí.

No quise hablarle de Virtudes, no todavía, no aquella noche, no en aquel momento tan tonto y tan perfecto, porque miré hacia abajo y vi que mis pies se movían solos, que estaban bailando en el aire sin que yo me diera cuenta, en aquella cocina de pueblo iluminada por una triste bombilla que relucía como un sol de caramelo, una estrella secreta, privada, en el cielo de un planeta con dos únicos habitantes, un mundo pequeño y flamante donde no cabía el dolor, donde no había lugar para la soledad, ni para la tristeza. Por eso no podía hablar de ellas, no mientras le miraba, mientras le veía mirarme, hacerme de nuevo en cada segundo, una mujer nueva que no podía recordar, y no quería, nada que no pasara en aquel lugar, en aquel momento, en una esplendorosa versión de la realidad que excluía y anulaba todas las demás. Y él se dio cuenta. Tuvo que darse cuenta porque se desplazó sin levantarse de la silla hasta que estuvo delante de mí y, sin dar importancia al chirrido de las patas sobre los baldosines, como tampoco se la había dado yo, y sin dejar de sonreír, como yo sonreía, me desabrochó un botón, y luego otro, y otro más, y separó las solapas con las dos manos para esconder la cabeza entre mis pechos. Entonces, de repente, se abrió la puerta.

—¿Qué está pasando aq...?

Era un soldado muy joven. No tendría más de veinte años y no supo interpretar la escena que estaba viendo, una mujer despeinada, sentada sobre una mesa, cubierta con una guerrera que no podía ser suya, y el hombre decapitado que estaba frente a ella, sentado en una silla, aferrado a sus solapas, hasta que se irguió para mirarle con la misma extrañeza.

—Lo siento muchísimo, mi capitán —parecía un niño al que acababan de pillar copiando en un examen—, perdóneme, yo no sabía, lo siento mucho...

—No te disculpes, Romesco —Galán se dirigió a él en un tono amable, tranquilizador—. No has hecho más que cumplir con tu deber.

—Gracias, mi capitán.

Y esperamos a que se marchara, pero no lo hizo y se quedó quieto, como pasmado en el umbral de la puerta.

—¡Hala! —la mano que sujetaba mi solapa izquierda la abandonó un instante para moverse en el aire, como si pudiera alejarle por sí sola, y el pobre centinela abrió mucho los ojos al entrever mis pechos desnudos–. Ya puedes irte a seguir cumpliendo con tu deber.

–Sí, mi capitán –se cuadró, saludó y se fue tan deprisa que cuando volvimos a escucharle ya había cerrado la puerta–. A sus órdenes, mi capitán.

–Vámonos arriba –eso era otra orden, y era para mí.

–No, que tengo que recoger la cocina.

–No, mañana...

Al día siguiente, cuando abrí los ojos, era él quien estaba desnudo de cintura para arriba. Aún no había amanecido del todo, pero la luz que entraba por el balcón, una claridad blanca e imprecisa, contaminada por los restos de la noche que se resistía a desaparecer, era suficiente para él, que se afeitaba ante un palanganero colocado en un rincón, y fue suficiente para mí, conmovida a distancia por el trapecio perfecto de su espalda, los hombros redondos, mullidos, los brazos largos, con los músculos bien marcados. Disfruté en silencio de aquella imagen, y vi cómo se repasaba las patillas, como se lavaba la cara, como se la secaba y se ponía la camisa, segura de que él me creía dormida aún, pero cuando se dio la vuelta, ya estaba sonriendo, y el día que comenzaba crujió de placer en esa sonrisa.

–Buenos días.

Mientras se acercaba a la cama, escuché pasos, voces en el gabinete, pero él se sentó a mi lado, metió una mano debajo de las sábanas, las apartó poco a poco, y me besó en los labios con una inesperada delicadeza.

–Voy a negociar con el Lobo para que nos deje quedarnos aquí –me miraba a los ojos mientras su mano se paseaba por mi cuerpo, acariciándome con mucha suavidad–, pero el gabinete seguirá siendo su despacho, porque no hay otro, así que será mejor que te acostumbres a entrar y salir por la otra puerta –señaló con la cabeza la que daba al pasillo–, y todavía mejor que esperes a que nos hayamos marchado.

–Eso haré –prometí, con la voz aún dormida.

–Muy bien –devolvió las sábanas a su sitio para arroparme como a una niña pequeña y me besó otra vez—. Hasta esta noche.

Esas tres palabras me despertaron del todo, y me senté en la cama para verle salir, pero no tuve tiempo de asustarme, porque cuando ya tenía la mano en el picaporte, se volvió para decirme algo que me devolvió a ese mundo perfecto y recién nacido en el que no había lugar para la desgracia.

—Yo creía que en España ya no quedaban mujeres como tú.

Su sonrisa flotaba aún en el aire cuando escuché el ruido de un cerrojo que no lograría aislarme del escándalo que su aparición produjo en el cuarto contiguo, un rumor confuso de silbidos, palmadas, exclamaciones de júbilo o censura sobre las que destacó nítidamente una voz.

—¡Joder! Menuda nochecita, ¿comprendes?

Luego, volví a quedarme dormida. Debería levantarme, pensé mientras me hundía lentamente en una nube tibia y espumosa, y me dejé caer, me dejé absorber por la blandura de un sueño pesado, narcótico, un descanso tan profundo que al abrir los ojos me alarmé. Pero aunque ya era completamente de día, en el reloj de la pared todavía faltaban diez minutos para que dieran las ocho. Me envolví en una sábana, abrí la puerta y no escuché ningún ruido. Sin embargo, cuando volví del baño, los balcones estaban abiertos, la cama hecha y el cenicero limpio, encima de la mesilla. Empecé a oler a café, y a limpieza, antes de llegar a la mitad de las escaleras.

La responsable de la mitad de aquel aroma era una chica más joven que yo, que tenía los ojos muy despiertos y las mejillas sonrosadas, ese aterciopelado rubor, de aire y de agua, que la gente que vive en el campo conserva más allá de la infancia. Llevaba el pelo recogido en una coleta que explotaba en una moña de bucles castaños, pequeños y apretados, los pies desnudos en unas alpargatas negras, con las cintas muy limpias, y los brazos al aire. Parecía inmune al frío y estaba contenta, porque canturreaba mientras fregaba el suelo con movimientos enérgicos, casi violentos.

—Salud —le deseé, aunque no la necesitaba.

—Salud —me contestó, sonriéndome con toda la cara.

En la cocina encontré a una mujer enlutada que parecía de mucho peor humor, porque correspondió a mi saludo con un gruñido apenas articulado.

—¿Hay café hecho? —no me respondió—. ¡Qué bien! Voy a desayunar, si no le importa, estoy muerta de hambre.

Tampoco comentó nada a eso, pero dejó de limpiar los fogones para mirarme con los brazos caídos. Tenía el ceño fruncido, los labios apretados y ninguna intención de ser amable. Por eso, aunque tuve que abrir muchas puertas antes de encontrar lo que necesitaba, no quise darle la satisfacción de hacer ninguna otra pregunta, y al final, cuando recopilé un tazón, un plato, una cucharilla, un azucarero, el cuchillo que necesitaba para rebanar una hogaza de pan, un salero y una aceitera, lo puse todo en una bandeja y me fui a desayunar a la mesa grande, sin decir nada.

Un instante después, ya me había comido una rebanada de pan con aceite y sal, y había liquidado la mitad de un brebaje que apenas se parecía en el color al café que desayunaba en casa de mi hermano, pero que me supo mucho mejor. Entonces, la mujer de luto salió de la cocina y me hizo una pregunta a bocajarro, como si quisiera demostrarme que no era muda.

—¿Usted se queda aquí, señorita? —y no esperó a que me diera tiempo a masticar el trozo de pan que tenía en la boca—. ¿Se queda con ellos?

—Sí —le respondí tan pronto como pude.

—Pues yo me voy a mi casa, que tengo muchas cosas que hacer.

Se marchó tan deprisa que cuando llegó a la puerta iba corriendo, y yo me quedé parada, sin saber qué decir, hasta que el aceite de la tostada que tenía en la mano traspasó la miga para empezar a gotearme en la palma. Entonces, la chica dejó de fregar el suelo y vino en mi auxilio.

—No se preocupe, que se vaya, estaremos mucho mejor sin ella... —me tendió una servilleta que había sacado de un cajón del aparador, y levantó la voz—. Yo me quedo, desde luego. En mi casa no tengo nada que hacer y este es un trabajo como otro cualquiera. Y muy bien pagado, además.

—¿Por eso estaba ella aquí? —me miró como si no entendiera la pregunta y me expliqué mejor—. ¿Por el dinero?

—No —y se echó a reír—. Dinero le sobra. Ella sabe cocinar, y se ofreció porque... —miró a su alrededor, como si temiera que alguien nos estuviera escuchando—. Porque estaba muerta de miedo, esa es la verdad. ¿No ve que en el 39 sus hijos denunciaron a un montón de gente de por aquí? Y ahora, vaya a buscarlos, a saber dónde estarán, en su casa no, desde luego. Por eso vino, pero como ha visto que no mataban a nadie, pues...

—O sea, que ella cocinaba y tú limpiabas, ¿no? —asintió con la cabeza y un gesto de recelo que desapareció enseguida—. ¿Y te importaría seguir limpiando? Yo prefiero cocinar.

—Pues sí, mucho mejor, porque a mí la cocina no me gusta ni pizca.

—¿Cómo te llamas?

—Montse.

—Yo me llamo Inés, y si vamos a trabajar juntas, prefiero que me tutees.

Asintió con la cabeza, dando al mismo tiempo la vuelta y la conversación por terminada, pero antes de avanzar un solo paso, volvió a mirarme con una expresión tímida y traviesa a la vez.

—Usted... quiero decir, tú... ¿eres como ellos? —al escucharla, me eché a reír.

—¿Roja, quieres decir? —me dedicó una sonrisa tímida, incompleta, como si le diera vergüenza contestar a mi pregunta—. Sí, soy roja. ¿Tú no?

—Yo... yo no sé lo que soy. Mis padres no eran de nada y cuando empezó la guerra, tenía catorce años, pero... —empezó a mover la cabeza, para negar cada vez con más vehemencia—. Lo que sí sé es que no me gusta que me digan lo que tengo que hacer, ¿sabes? Y que estoy hasta aquí —y se llevó dos dedos a la cabeza para apresar un mechón de pelo entre las yemas— de que todo sea pecado, de que todo esté prohibido, y de que todo el mundo tenga derecho a meterse en mi vida.

—Pues ten cuidado, Montse, porque por ahí se empieza.

Cuando terminé de desayunar, saqué del bolsillo el paquete de tabaco que Galán había dejado en su mesilla para mí, encendí un cigarrillo y, antes de darme cuenta, volví a tenerla encima, mirándome con los ojos muy abiertos.

—¡Ah! ¿Pero también fumas?

—Sí. ¿Quieres uno? —sonreí—. Seguro que está prohibido.

—Ya, pero... —cedió a un acceso de risa nerviosa, que se desparramó en una serie de carcajadas breves y frenéticas—. Sí, vale... No, no, mejor... Bueno, creo que me lo voy a pensar un poco más.

Todavía no me había fumado ni la mitad del pitillo cuando vimos entrar a un soldado, tan joven como Romesco y más alto que Comprendes, que no se parecía a ningún otro porque tenía la cara llena de pecas y un pelo ambiguo, indeciso, que no acababa de ser ni castaño anaranjado ni naranja amarronado. Cuando se acercó, me fijé en que tenía, además, una muñeca vendada.

—¿Inés?

—Sí —me levanté y le tendí la mano—, soy yo.

—Salud. Vengo de parte del capitán Galán, bueno, exactamente de su parte no, lo que pasa es que esta mañana me ha encargado que me ocupe de ti, o sea, que me ponga a tu disposición, por si quieres dar un paseo, o una vuelta por el pueblo, o comprar cualquier cosa, no sé, es como si me hubiera nombrado tu escolta, ¿no?, porque me ha pedido que te proteja, que me encargue de que no te pase nada, nada malo, quiero decir, no creas que voy a meterme en tu vida... —hizo una pausa que no fui capaz de rellenar, porque nunca había conocido a nadie que hablara tanto, ni tan deprisa—. Es que como estoy herido, ¿ves?, bueno, tampoco mucho, es sólo que se me ha abierto la muñeca porque me hice daño cuando vinimos, nada, que me caí rodando al bajar, ya ves tú, qué tontería, si en Francia he estado tres años viviendo en el monte, subiendo y bajando cuestas todo el rato, tan pancho, y justo ahora, cuando volvía aquí, con las ganas que tenía —fingió desequilibrarse y pareció a punto de lograrlo de verdad—, ¡zas!, pues me caí y me hice polvo la mano...

Montse se echó a reír con tantas ganas que sus carcajadas me arrastraron sin remedio, pero él creyó que nos reíamos de su escenificación del accidente, y nos demostró que era capaz de reírse y de hablar a la vez.

—Total, que esta mañana, pues, claro, el capitán ha ido a ver a los de Sanidad, y le han dicho que lo mejor era que hoy no la moviera mucho, para no fastidiármela del todo, y por eso estoy aquí, porque Galán me ha encargado que viniera, ve con Inés y así haces algo, aunque a ver si te mejoras pronto, porque a este paso, vamos a tener que empezar a llamarte Mediahostia.

—¿Y cómo te llaman ahora? —le pregunté, después de dejar pasar un segundo para cerciorarme de que aquel había sido efectivamente el punto final.

—Bocas —a Montse le dio otro ataque de risa—. Me llaman el Bocas, porque dicen que hablo mucho, pero es que... —él la miró, me miró a mí, sonrió—. Si nadie habla, yo me aburro estando callado.

Eso era tan cierto que en los diez minutos que tardé en llevar la bandeja a la cocina para lavar y secar su contenido, me contó muchísimas cosas más.

—Porque el capitán también es minero, ¿sabes?, pero, claro, estuvo en la mina poco tiempo, porque en el 34, cuando la revolución, tuvo que echarse al monte y luego le sacaron en un barco, por Tazones, estuvo en Francia hasta que ganó el Frente Popular, y... —entonces, consciente de que era incapaz de parar aquel torrente por otros medios, levanté la mano derecha en el aire, y él reaccionó como si estuviera acostumbrado a ese procedimiento—. ¿Qué?

—Encima de la mesa he visto un par de libretas. Arranca una hoja, busca un lápiz y ven, que vamos a hacer inventario de la despensa.

La cocinera malhumorada era también muy poco previsora, porque la comida que había venido conmigo rellenaba casi todo el espacio ocupado, aunque encontré un saco de patatas por la mitad, algunos huevos, lechugas, cebolletas y un poco de tocino.

—Ahora no hables, que me distraes. Ve apuntando lo que yo te diga, anda. Harina, azúcar, sal, arroz, patatas, bacalao, huevos, carne, a ver qué hay... Café, bueno, lo que sea, y lentejas, garbanzos, judías... Cuatro kilos de cada, ¿no?, por lo menos...

Estábamos terminando cuando escuchamos un estrépito de botas en el zaguán.

—Dentro de diez minutos, esta casa tiene que estar vacía —pero el hombre que irrumpió en la cocina, un oficial con la cabeza rapada y un acento característico, que le impulsaba a abrir las aes y a zamparse las eses de todos los plurales, cambió de tono cuando me vio—. Hola, ¿has dormido bien?

—He dormido muy bien —le llamaban Zafarraya, era de un pueblo de Granada, y me dirigió una sonrisa cómplice, favorable, aunque no desprovista de malicia—, muchas gracias.

—Pues eso, que vais a tener que salir a dar una vuelta. Hemos hecho un prisionero importante y el coronel quiere interrogarlo aquí.

—Ya nos vamos, pero antes quiero consultarte una cosa... —Galán me había contado que era el asistente del Lobo, y pensé que no merecía la pena molestar al coronel para contarle que me había convertido en su cocinera.

—Me alegro mucho, porque la vieja era bastante antipática. Aunque —volvió a sonreír—, si te sale todo tan rico como las rosquillas, vamos a engordar.

—Para eso necesitaría conseguir provisiones, porque la despensa está vacía, pero no sé... —y pasé del singular al plural con una naturalidad asombrosa hasta para mí—. ¿Qué hacemos, compramos o incautamos?

—No, no, compramos, compramos, voy a darte dinero y cuando necesites más, me lo pides —se sacó de un bolsillo un fajo de billetes, separó doscientas pesetas y me las dio—. Desde luego —se quedó mirando al Bocas mientras meneaba la cabeza, un gesto de incredulidad pintado en la cara—, hay que ver, lo que sabe esta mujer...

Sabía mucho, tanto que mi conocimiento me congeló en el umbral de la puerta cuando vi bajar desde lo alto de la cuesta a un hombre que de lejos se parecía al comandante Garrido, y había llegado a inspirarme tanto odio, pero tanto miedo a la vez, que no fui capaz de decidir si me gustaba o me repugnaba la idea de que estuviera prisionero tan cerca de mí. Sin embargo, antes de comparar argumentos a favor y en contra de esa posibilidad, descubrí que el oficial de Infantería que se acercaba entre dos soldados, con las manos esposadas, no era él, y un instante después, hasta pude reconocerle. No sabía su nombre de pila, pero su apellido, Gordillo, y su grado, teniente coronel, estaban en la lista que había hecho Galán la noche anterior, cuando lo nuestro era todavía un interrogatorio. Adela me lo había presentado hacía unos meses, una tarde en la que apareció por la cocina para pedir un analgésico mientras dábamos de merendar a los niños, y nunca más había vuelto a tenerlo cerca, aunque espié sus llegadas y sus partidas desde la ventana de mi habitación, como hacía con todos, en la época de las reuniones previas a la derrota alemana. En aquella época, siempre parecía preocupado. Ahora, además, estaba pálido, tenía un rasguño en la cara y andaba mirando al suelo hasta que algo, quizás el aspecto de mis botas de amazona, le llamó la atención. Cuando levantó la cabeza, me miró, y vio que yo le miraba.

Los dos nos miramos en silencio durante un plazo que no pudo ser muy largo y seguramente fue muy corto, medio minuto, quizás menos, aunque a mí se me hizo eterno y él no debió experimentar algo muy distinto, porque al descubrirme, sus ojos recorrieron un camino accidentado, tortuoso, que los llevó del asombro al miedo, del miedo al rencor, del rencor al odio y del odio a la ira, donde se encontraron con los míos, que habían llegado al mismo sitio por un atajo que les ahorró las dos primeras estaciones de su penitencia.

—Te ha faltado tiempo para venir corriendo, ¿eh? —y hasta llegó a dedicarme una sonrisa torcida, desviada por la amargura—. Desde luego, cría cuervos...

No debería haberme dicho nada. No debería haber hablado, no debería haberse parado a mi lado, no debería haber osado sostener mis ojos con los suyos, porque sus palabras rompieron el hechizo, los cauces de una ira retenida por la costumbre de la cautividad, los torpes reflejos de un ratón enjaulado, paralizado por los límites de un laberinto de alambre. Quien estaba prisionero ahora era él, no yo. Aunque después a mí misma me pareciera mentira, no me resultó nada fácil comprenderlo, pero cuando lo logré, el asombro se desvaneció, y todo lo demás cambió de signo.

Di un paso hacia delante y adivinó mis intenciones. Cuando le escupí en la cara, apartó la cabeza, pero no pudo impedir que mi saliva rociara su cuello, su mandíbula. Entonces, uno de los soldados que le escoltaban le empujó con la culata del fusil mientras me miraba con una expresión difícil de interpretar, donde el reconocimiento se mezclaba con otras cosas, complicidad, sorpresa, quizás admiración, pero también, y sobre todo, piedad. Porque Gordillo no quiso obedecer a la primera, y mientras su guardián le golpeaba con más fuerza, yo sentí que lo hacía por mí, para mí.

—¡Tira! —por lo que yo hubiera podido vivir, por lo que me hubiera podido pasar, por lo que hubiera llegado a inspirar lo que estaba viendo en mis ojos.

Enseguida sentí calor, una mano que me apretaba el hombro izquierdo. El Bocas no se había movido de mi lado y me miraba en silencio, con un gesto preocupado, distinto al de su compañero, más pacífico y sin embargo, a su manera idéntico, muy alejado del estupor que mantenía a Montse con la boca abierta. Por fin, a golpes de culata, Gordillo entró en la casa con su humillación a cuestas, royéndole por dentro como me había roído a mí la mía durante tantos años, y mientras le seguía con la vista, descubrí que el Lobo estaba muy cerca, indiferente a su prisionero, mirándome él también.

—Espera un momento, Inés —en aquel momento me pareció más alto, más corpulento, y su voz emitió un sonido distinto, imponente, autoritario, casi fiero—. No te vayas todavía.

Levantó dos dedos en el aire y Zafarraya, que también parecía otro, serio, concentrado y tan tieso como si se hubiera tragado una barra de hierro, fue inmediatamente hacia él, mientras Gordillo se dejaba caer en una silla.

—No recuerdo haberte dicho que te sientes.

El Lobo esperó a que su prisionero se levantara antes de dar instrucciones a su asistente en un susurro. Después, mientras Zafarraya subía las escaleras, volvió a dirigirse a él.

—Puedes sentarte, si quieres.

Aquello fue demasiado para el teniente coronel Gordillo, que en lugar de aceptar esa oferta, intentó lanzarse contra su enemigo.

—¡Estáis locos! —sus guardianes le sujetaron para obligarle a sentarse, pero eso no le impidió seguir gritando—. ¡No tenéis ni idea de dónde os habéis metido! Los regulares ya deben estar en camino. Esto va a acabar muy mal.

—Así que los regulares, ¿no? —el Lobo se acercó a su prisionero andando despacio, se sentó en el pico de la mesa, empezó a liar un pitillo con mucha tranquilidad—. ¡Joder con el glorioso ejército nacional! No sois nadie sin los regulares, ¿verdad? Pues te voy a decir una cosa, pedazo de imbécil... —encendió el cigarrillo, se levantó, miró al teniente coronel desde arriba—. No has entendido nada, ¿sabes?, ni una mierda has entendido. Con regulares o sin ellos, esto no va a acabar mal, porque esto es lo de menos. Si no somos nosotros, serán otros, y si esos fallan, habrá otros después. Pero no dormiréis tranquilos nunca, ¿lo entiendes? Nunca.

Antes de que terminara de fumar, Zafarraya bajó las escaleras pisando con tanta fuerza como si sus botas llevaran suelas de piedra. Traía algo en la mano, y el coronel lo recogió sin dejar de mirar a su prisionero. Después, apagó el pitillo, le dio la espalda y vino hacia mí.

—Toma —era mi pistola.

—Ya no me hace falta —le respondí, sin decidirme a recuperarla.

—Lo sé —cogió mi mano derecha, puso el arma encima y la apretó con sus dos manos.

—Gracias —me la encajé en la cintura del pantalón y le devolví una mirada confusa, complicada por la emoción, pero él se limitó a sonreír.

—Cierra la puerta al salir, por favor. Y dile al centinela que avise al sargento Moreno de que, cuando le venga bien, puede mandar a alguien a buscar al comisario Flores, aunque no tengo ni idea de dónde estará. ¿Entendido?

Transmití sus órdenes sin vacilar, y sin saber tampoco hasta qué punto no había llegado a entender la última, pero en aquel momento, la tensión que había aflorado a los labios del Lobo al pronunciar el nombre del comisario no me pareció importante. Nada era importante después de lo que había pasado dentro de la casa, y mi revancha, mucho menos que su gesto. Porque era evidente que todos, Zafarraya, él mismo, los soldados que le acompañaban y los que trajeron a Gordillo esposado, habían procurado transmitir a su prisionero una imagen impecable, propia del estado mayor de un ejército experimentado y eficaz, disciplinado y temible. Su repentina marcialidad era muy diferente de la risueña escena que yo me había encontrado al llegar a aquella casa, la tarde anterior, pero en cualquier ejército habría ocurrido algo parecido, porque la guerra también es cuestión de propaganda, y de compañerismo. Y aunque estaba segura de que el Lobo había tenido en cuenta que su decisión de armarme serviría para darle otra vuelta de tuerca a la mortificación de Gordillo, eso no bastaba para justificar aquella prueba suprema de confianza, que me había convertido en uno de sus soldados. Mientras andaba por las calles de Bosost con la pistola guardada en el bolsillo, la emoción no me impidió advertir, sin embargo, que mi posición no había cambiado sólo para mí. La mujer enlutada debía de haberse apresurado a comunicar mi llegada a sus paisanos, porque la gente no me trataba como a una cocinera, ni para lo bueno ni para lo malo. Los vecinos del pueblo me miraban como a una ocupante más.

—¡Salud!

Un hombre joven al que le faltaban la mano y un buen trozo del antebrazo izquierdo, levantó el puño derecho en el aire para saludarme, cuando apenas nos habíamos alejado del cuartel general, y ese saludo rompió el silencio que había provocado mi encontronazo con Gordillo.

—¿Y este? —cuando bajé el brazo con el que le había devuelto el saludo, Montse frunció el ceño—. ¿Desde cuándo es rojo este?

—¿Le conoces?

—De vista. No es de aquí, vive en una granja, fuera del pueblo, pero que yo sepa... No sé, me extraña.

—Bueno, pero no es tan raro, porque la gente tiene mucho

284

miedo, se nota que la represión ha sido brutal —y cuando más me interesaba escuchar su opinión, el Bocas decidió ser sorprendentemente escueto—. Ayer, en los pueblos que tomamos... Todo el mundo tiene mucho miedo.

—¿Qué quieres decir?

—Pues eso. Que tienen miedo.

Esperé a que se explicara mejor, a que se lanzara a comentar sus propias palabras, como había hecho antes en el zaguán, en la cocina, pero no quiso pasar de ahí y se quedó callado, escogió callarse sin que Montse dijera una palabra, sin que yo levantara una mano en el aire, sin que nada ni nadie le obligara a hacerlo. Se calló, y en el repentino silencio de una calle desierta, dimos un paso, luego otro, otro más, y cuando le miré, vi que ni siquiera me estaba mirando. Caminaba con los ojos suspendidos en el horizonte, como si al fondo de la cuesta hubiera algo interesante, pero al fondo de la cuesta no había nada, a los lados, sólo casas con las puertas cerradas. No quise preocuparme por su parquedad, porque yo sabía más que él de la dureza de la represión, de los fecundos frutos del terror, del miedo que la gente respiraba, el miedo que comía y bebía, el miedo en el que se arropaba para dormir, y Bosost no podía ser una excepción. En cada paso que di por sus calles, aquella mañana, pude detectar ese miedo, aunque percibí también algún gesto aislado de simpatía, detalles discretos, sonrisas a medias, una mujer que se escondió tras la puerta de su casa para asentir con la cabeza al vernos pasar, sin que nadie la viera, y nos mandó después a su hijo para ofrecernos unos pollos limpios, casi regalados. Era muy poco pero también era muy pronto, concluí, y la hostilidad manifiesta de Ramona, la dueña del colmado mejor abastecido del pueblo, que fue poniendo encima del mostrador todo lo que le pedimos sin desfruncir el ceño, se vio compensada por las sonrisas que algunas muchachas dedicaron al Bocas, que tenía buena planta incluso empujando la carretilla que habíamos pedido prestada para transportar nuestras compras.

—Si es que aquí somos cuatro gatos, la mitad parientes, y contando a los mozos que murieron en la guerra, los que están en la cárcel, y los que aprovecharon para irse y no volver, pues...

–Montse me lo explicó sin levantar la voz–. Aquí casi no hay hombres jóvenes, solteros, ¿sabes? Y de repente llegan más de mil, así, de golpe, ¿y qué quieres? Pues más de una que se veía vistiendo santos está tonta perdida.

Ninguna tanto como su prima, la dependienta del bazar que era la otra tienda importante del pueblo, porque vendía de todo menos comida.

–¡Qué *fòrt* eres tú!, ¿no?

Mari hablaba un castellano mucho peor que el de Montse, que había vivido algunos años en Barcelona, en casa de una hermana casada con un andaluz, pero muy gracioso, porque tenía un acento cerradísimo, y en lugar de pararse a buscar las palabras que necesitaba, las sustituía alegremente por sus sinónimos en aranés. Sin embargo, al ver cómo la miraba, descubrí que el Bocas iba a entender su idioma a la perfección, así que les dejé tonteando mientras me paseaba por la tienda para echar un vistazo. Pero la prima de Montse no sólo era lanzada con los hombres. También era la vendedora más espabilada, la más perspicaz que yo había conocido nunca.

–Es *polit*, ¿eh? –la miré como si no la entendiera, y no por el adjetivo que había escogido, sino porque no creía haber mirado aquel vestido durante más de dos segundos–. Bonito, ¿verdad? –la perspectiva de vendérmelo la ayudó a encontrar las palabras justas–. Pues dentro tengo uno *pariér...*, lo mismo pero azul turquesa, que... Se lo voy a enseñar.

La puerta del cuartel general estaba abierta, el centinela nos confirmó que dentro no había nadie. Mejor, pensé, y subí corriendo al dormitorio con la intención de esconder mi botín, aquel vestido tan sugerente, tan favorecedor, tan pasado de moda, que no habría llamado la atención de nadie en otra época, cuando las mujeres podían ponerse guapas sin parecer indecentes, cuando resultar atractiva no estaba prohibido, cuando llevar un cuello tan original como aquel, con dos solapas pequeñitas que se cerraban con un botón casi en la garganta para enmarcar un escote redondo y ni siquiera muy profundo, no era pecado. Un vestido que, sin embargo, en el otoño de 1944 parecía un prodigio, un tesoro, un vicio escogido y clandestino.

No debería habérmelo comprado, me reproché mientras me lo ponía por encima para mirarme en el espejo y seguir regañándome, no debería haber cedido a aquella tentación, una frivolidad, una simpleza, pero tampoco podía dejarlo abandonado en su percha, porque aquella belleza de falda amplia, ondulante, mangas estrechas y cuerpo ceñido, era lo mismo que yo, una superviviente de la Segunda República Española que había llegado de milagro hasta aquel día, como si llevara más de cinco años en un almacén esperando a que yo fuera a rescatarlo, igual que el ejército de la Unión Nacional había venido a rescatarme a mí. Por eso, abrí el carmín que Mari me había regalado, lo probé en un dedo y me pinté con él los labios por encima, mientras me absolvía pensando en lo guapa que iba a estar y en que, al fin y al cabo, Zafarraya me había preguntado aquella mañana cuánto quería cobrar. Le había contestado que nada, porque no necesitaba nada, pero eso sólo era cierto antes de que empezara a necesitar aquel vestido. Él me había respondido que, de todas formas, me comprara lo que me hiciera falta, y desde que lo vi, aquel vestido era lo que más falta me hacía.

Había dejado la puerta del dormitorio abierta porque, al subir, no pensaba hacer ninguna de las tonterías que estaba haciendo delante del espejo, pero había asegurado a Montse, y al Bocas, que bajaría en un momento. Eso fue lo que hice cuando escuché un repentino estrépito de pasos y gritos, un rumor violento, confuso, que identifiqué con el sonido universal de las emergencias.

—¿Qué significa esto?

El comisario Flores giraba sobre sí mismo, como si estuviera furioso con el mundo en general, pero al verme me señaló expresamente con el dedo.

—¿Qué significa qué? —yo también miré a mi alrededor, pero no encontré nada que justificara su cólera.

—¿Dónde está el coronel?

—¡Y yo qué sé! —su mirada me recomendó que no le impacientara, y me expliqué un poco mejor—. La última vez que le vi fue aquí, pero de eso hace más de dos horas. Luego, he estado haciendo...

—No me refiero al Lobo —se acercó a mí, y fue más amable—. El coronel fascista, el prisionero, ¿dónde está?

—No lo sé —entonces recordé las palabras del Lobo, la extraña y perezosa fórmula que había escogido para mandar en busca de aquel hombre—. No sé nada de ese coronel fascista. Yo me he ido a hacer la compra, y cuando he vuelto, aquí ya no quedaba nadie. Y ahora, si me disculpas, me voy a la cocina —asintió con la cabeza y no dijo nada más—, que tengo mucho que hacer.

Yo sabía mucho, demasiado, pero por desgracia no sólo de tenientes coroneles, de comandantes fascistas. Pedro Palacios me había enseñado cómo podían llegar a ser las cosas en el otro bando, en el mío, antes de venderme con dos palabras. Durante el resto del día estuve muy ocupada, pero tampoco dejé de pensar un momento en Flores, en el Lobo, en Galán y en los demás, el espacio invisible, casi imaginario, que separaba a todos esos hombres delgados y atléticos de las carnes blandas de un civil uniformado que sin embargo había tenido que venir andando, igual que ellos.

Hasta que cayó la noche, estuve en la cocina, organizando la despensa, haciendo menús, cocinando. El Bocas me hizo de pinche y no dejó de hablar ni un momento, pero yo no le presté más atención que la imprescindible para contestarle con monosílabos mientras pensaba también en él, en lo que no había querido explicarme cuando íbamos andando al colmado de Ramona. Pues mi madre no le pone huevo duro a las croquetas, pues yo sí, ¿y para qué haces pisto si ya has hecho tortillas?, para que cada uno escoja lo que quiera, ¿y lo que sobre?, lo guardamos para mañana, que estará más rico, ¿y vas a hacer un bollo?, no, voy a hacer dos, uno con manzana y otro sin ella, Montse va a venir ahora para llevárselos al panadero, y así, mientras la despensa se iba llenando de fuentes, troceé los pollos, ¿y para qué guardas los despojos?, para hacer un caldo, pues no te va a dar tiempo, hoy no, pero mañana sí, y piqué dos cabezas de ajos para empezar a guisarlos sin dejar de pensar en lo que no podía ser otra cosa que un conflicto de autoridad, en la cima de una escala de mando de la que dependían miles de hombres armados que se estaban jugando la vida ahí afuera, sabiendo seguramente menos que yo.

Y Montse vino, se llevó los moldes rellenos de masa cruda, trajo los bollos cocidos, dorados, su superficie agrietada de puro crujiente, y seguí cocinando mientras me preguntaba por qué siempre tenía que ser así, siempre igual, cómo era posible que el coraje y la abnegación, el trabajo y el dolor de tantos, siguiera dependiendo aún de la ambición personal de unos pocos. Me acordé una vez más de la guerra, de la consigna del mando único, un millón de veces repetida y jamás acatada, ni siquiera entendida, y de la amargura de aquel capitán de artillería que me cortejaba como un caballero, la amargura en la que le acompañaba su comisario político, que era comisario pero no era imbécil, que sabía que lo único importante era ganar la guerra, y por eso se fiaba más de aquel militar de carrera, capaz, leal, seguro de sí mismo, que de los civiles que le daban órdenes desde un despacho. Cómo es posible, seguía pensando yo, que tantos años después, hayamos aprendido tan poco, cómo es posible que haber perdido una guerra no haya servido de nada, cómo es posible que sigamos igual después de haber ganado otra...

—¡Anda! —entonces llegó Comprendes, señaló al Bocas, y en lo único que pude pensar fue en que no me había dado tiempo a arreglarme—. No me digas que llevas todo el día con este. Pues te habrá puesto la cabeza como un bombo, ¿comprendes?

—No —miré al Bocas y le sonreí, pero no pude evitar que se sonrojara—, qué va. Me ha ayudado mucho. Pero ya se va, porque tiene una cita en el pueblo, ¿no?

Me miró con los ojos muy abiertos, asentí con la cabeza, y se quitó a toda prisa el mandil que le había obligado a ponerse encima del uniforme para ir derecho a la pila, a lavarse las manos.

—¿Qué pasa? —el teniente se le quedó mirando con una sonrisa y ninguna intención de dejar de tomarle el pelo—. ¿Se ha echado novia?

—Eso me temo —admití.

—Pues por su bien, espero que sea sordomuda, ¿comprendes? —y hasta el Bocas se rió, antes de que yo volviera a intervenir a su favor.

—No. Es muy parlanchina, y muy mona. Y por cierto, ¿qué tal os ha ido?

—Bien, mejor que ayer.

—¿Y Galán? —me atreví a preguntar por fin, sin controlar del todo una sonrisa boba, cuando el Bocas ya se había marchado.

—Está con el Lobo, interrogando a un prisionero conocido tuyo, por lo visto.

—¿Y lo sabe Flores? Porque antes ha venido en un plan...

—Ya —Comprendes me contestó tan deprisa como si no quisiera dejarme seguir—. Ahora está con ellos, así que tienen para rato, ¿comprendes?, porque eso significa que habrá que repetir cada pregunta dos veces, como mínimo.

—¿Quieres una croqueta?

—Claro que quiero.

Se comió tres en el rato que pasó conmigo en la cocina, casi una hora charlando y bebiendo vino, pero le prometí guardarle el secreto, igual que a los demás, que llegaron poco a poco para hacerlas desaparecer a tal velocidad que cuando la mitad de la fuente estaba vacía, guardé una docena entre dos platos. Hasta que llegó Montse, para poner la mesa, y casi a la vez, el Cabrero, que era a quien le había tocado ir más lejos.

—¡Mmm! —cerró los ojos para paladear la penúltima croqueta que quedaba en la fuente, y cuando los abrió, cogió mi cabeza con las dos manos y me estampó un beso en la frente—. Voy a proponerte para una condecoración, no te digo más. Me llevo la otra para el camino.

—¡Sí, hombre! —Comprendes protestó, pero no se lo impidió y yo aproveché para escabullirme.

Subí las escaleras a toda prisa y las bajé a tiempo de ver al Lobo y a Galán entrando por la puerta. A su alrededor, descubrí el mismo efecto óptico que había hechizado mis ojos la noche anterior, ese sol de caramelo que no brotaba de los pobres filamentos de ninguna bombilla, sino que, ahora me daba cuenta, nimbaba la cabeza del capitán como si toda la luz del mundo no bastara para iluminarle. Me pegué a la pared para verle andar, moverse, sin que él me viera, y ya no entendí cómo había podido clasificarle a primera vista como un hombre ni guapo ni feo, si mis ojos ya no sabían compararle con otro. Al rato, los suyos me encontraron y le empujaron hacia mí, obligándole a andar muy despacio mientras se paseaban por mi boca pintada, mi vestido azul turquesa, el vuelo de la falda que jugaba con mis piernas desnudas y los tacones que había cogido prestados de un armario. Aquellas sandalias eran de verano y me estaban grandes, pero daba igual. Desde la cabeza hasta la punta de los pies, yo estaba brillando y lo sabía, me sentía resplandecer mientras bajaba con la misma lentitud los escalones que faltaban, sin escuchar una conversación que quizás podría haberme ayudado a responder algunas de las preguntas que me habían atormentado durante toda la tarde. El Lobo hablaba con sus oficiales en el centro del zaguán, pero yo no les prestaba atención porque para mí, en aquella casa sólo había un hombre, y estaba concentrada en él, en la forma de sus labios, en el filo de sus dientes, en la curva de una sonrisa donde cabía el resto de mi vida.

—¡Qué guapa!

Y como si él también lo supiera, me tendió la mano derecha para ayudarme a salvar el último peldaño. Ese fue mi gran éxito de aquella noche, porque lo celebré mucho más que la velocidad a la que la comida fue desapareciendo de las fuentes, y más que la ovación que me obligó a levantarme a saludar después del postre.

—¿Estás muy cansado?

Terminé de secar el último plato, lo puse en su sitio, y al darme la vuelta contemplé una sonrisa maliciosa en los labios de Galán, que llevaba ya un rato apoyado en la mesa, con los brazos cruzados, esperándome.

—No —contestó, mientras me atraía hacia él para besarme en el escote.

—Es que he estado pensando... Como todavía es muy pronto, si no estás muy cansado, ni tienes mucha prisa... —me reí, le miré, se reía—. ¿Sabes lo que me haría mucha ilusión? Que me llevaras a ver nuestra zona.

—¿Nuestra zona? —y la huella de su risa encogió para dejar paso a una sonrisa que se desvaneció lentamente—. Nuestra zona... —repitió, como si no estuviera seguro de haber interpretado bien mis palabras.

—Sí, bueno, me refiero...

—No, no, si te he entendido —volvió a sonreír, pero esta vez tuve la impresión de que lo hacía porque se lo había ordenado expresamente a sus labios—. Lo que pasa es que... No sé cómo podríamos hacerlo. Ya es noche cerrada, todos los miradores están demasiado lejos como para ir andando, y... En fin, no creo que al Lobo le parezca buena idea que cojamos un camión sólo para dar un paseo a la luz de la luna.

—¿No? —y mientras le veía negar con la cabeza, encontré la solución—. Da igual. Yo tengo un caballo.

—¿Tu caballo? ¿Quieres que vayamos...? —se echó a reír, negando con la cabeza como si no pudiera creer lo que acababa de escuchar, pero aceptó después de un instante—. Bueno, si quieres. Es más descansado que ir andando, desde luego. Yo casi no sé montar, aunque supongo que tú...

—Yo monto divinamente —y mientras volvía a reírse, me puse en marcha—. Me pongo las botas y bajo en un momento, espérame aquí.

Y diez minutos después, recorríamos al paso las calles de Bosost.

—Monta atrás —le había dicho después de ensillar a *Lauro*, pero él no se movió—. ¡Vamos!

—Es que yo... Yo debería ir delante, ¿no?

—Si supieras montar sí, pero como no sabes... —señalé el estribo con un dedo y tendí el brazo derecho hacia él—. Pon el pie aquí, y dame la mano... Eso es. Ahora, agárrate bien —se pegó a mí y metió la mano izquierda dentro de mi escote para rodear después mi cintura pasando el brazo derecho por debajo del vestido—. ¿Qué, estás cómodo?

—Sí, pero como me vean mis hombres sentado aquí, en el sitio de las mujeres, se van a reír de mí.

—¿Sí? —contesté, tapándome bien con una manta para que nadie descubriera dónde tenía las manos—. No creo.

Nadie se rió de él, aunque casi todos los soldados con quienes nos cruzamos sonrieron al vernos pasar. Eran sonrisas limpias, cargadas de una envidia limpia y cómplice, que emanaba con naturalidad de nuestra imagen, porque éramos envidiables mientras avanzábamos despacio hasta el puesto de control, más deprisa después, o así al menos me sentía yo, envidiable, única, escogida entre todas mientras sus manos me sujetaban, su barbilla apoyada en mi hombro, su nariz rozándome la oreja, madera y tabaco, clavo y jabón para asegurarme que seguía estando ahí, que no se había esfumado como los fantasmas de mis viejos sueños infelices. En Bosost, a medida que la situación se fue tensando para producir días intensos, frenéticos, decisivos, capaces de albergar en unas pocas horas acontecimientos tan graves y contradictorios como los que no llegan a sucederse en algunas vidas completas, no tuve muchos ratos libres para darme cuenta de lo feliz que era, pero en aquel momento, mientras cabalgaba con Galán por un valle iluminado por una luna como un gajo de naranja, fui consciente de mi suerte.

El camino de tierra que habíamos seguido desde el pueblo se cruzaba con la carretera a pocos metros de un promontorio rocoso defendido por un parapeto de rocas pintadas de blanco. Mientras guiaba hasta allí a *Lauro*, empecé a distinguir pequeñas manchas de luz, que revelaban otros tantos pueblos, tal vez sólo masías, pobremente iluminadas.

—¿Todo esto es nuestro? —pregunté sin desmontar, volviéndome hacia atrás, para poder mirarle.

—Sí —liberó sus dos manos para ayudarme a cambiar de posición, hasta que me quedé sentada de perfil, mis dos piernas sobre su pierna derecha, mi cuerpo recostado contra el suyo, y me besó en los labios antes de añadir una aclaración que sonó como una disculpa—. Aunque de día, impresiona más.

—Da igual, es que he estado pensando... —me separé un poco de él, para poder mirarle—. Igual te parece una tontería, pero como pensar sale gratis, pues... Cuando tomemos Viella y vengan los reservistas, si los aliados ayudan y sale todo bien... ¿Tú qué crees? ¿Vamos a ir derechos a Madrid o vamos a tomar primero Barcelona?

Él abrió mucho los ojos y no contestó enseguida, porque en aquel momento sólo pudo pensar en una cosa. Parece mentira el daño que puede llegar a hacer algo tan inofensivo como la Pirenaica. Eso fue lo que pensó, pero no me lo contó entonces, ni después. Pasarían muchos años antes de que me confesara por qué tardó tanto en contestar a aquella pregunta.

—Bueno —le insistí—, ¿qué me dices?

—No lo sé, la verdad. No creo que eso esté decidido todavía.

—¿No? En fin, yo preferiría ir derecha a Madrid, porque soy de allí y me han prohibido volver, pero creo que sería mejor tomar antes Barcelona.

—¿Sí? —sonrió, y volvió a besarme—. ¿Y por qué?

—Porque está muy cerca, eso lo primero, y luego, porque así tendríamos una salida al mar. Eso es importante, ¿no?

—Importantísimo.

—Por eso —me animé—. Luego podríamos desembarcar en Valencia, y por la Mancha, que es territorio leal, llegaríamos a Madrid en dos patadas.

Al escucharme, se echó a reír, me abrazó con más fuerza y me besó muchas veces, besos rápidos, ligeros, en los labios, en las mejillas, en toda la cara.

—¿Qué? —le pregunté, un poco preocupada por su reacción, aquellos besos que parecían destinados a una niña pequeña y no a una mujer como yo—. ¿Estoy diciendo tonterías o es que no te gusta mi plan?

—Me gustas tú, Inés.

—¿Y mi plan?

—También.

—¿Y tú crees que si le pregunto al Lobo...? —pero no me dejó seguir.

—No, no, al Lobo es mejor dejarle tranquilo, que él... Bueno, ya se lo preguntaré yo cuando llegue el momento —se tomó su tiempo para volver a besarme de una manera distinta, que prometía otra noche difícil de olvidar, y pronunció sólo una palabra más—. Vámonos, que aquí hace un frío que pela.

Era verdad que hacía mucho frío, pero a pesar de eso hicimos el camino de vuelta más deprisa que el de ida, y cuando atravesamos el pueblo, ya no me fijé en los hombres que seguían charlando en las puertas de las tabernas, ni en si nos miraban o no. Llegamos al establo bordeando la puerta del cuartel general, y después de acomodar a *Lauro,* completamos el recorrido a pie. A aquellas alturas, los dos teníamos ya la misma prisa, pero Comprendes estaba sentado en el banco de la fachada, con una rosquilla a medio comer en una mano, la sombrerera de Adela a un lado, y al otro, un hombre al que me bastó con mirar una vez para estar segura de que le conocía, aunque no lograba recordar dónde le había visto antes.

—Creía que estaban racionadas —Galán señaló las rosquillas.

—Pues sí, pero algunos no tenemos otra manera de entrar en calor, ¿comprendes?

Los dos me miraron a la vez, pero yo no les presté atención, porque en aquel momento, el soldado levantó la cabeza y le reconocí a la luz de la bombilla que iluminaba la puerta.

—¡Jose! —y cuando se volvió a mirarme, ya estaba segura de que aquel hombre flaco, de gesto sombrío, era el resultado de ocho años de guerra sobre el miliciano pequeño y cejijunto, como una estampa clásica de campesino español, al que había conocido en la cocina de Montesquinza, en septiembre de 1936—. Tú eres Jose, el de Cuatro Caminos, ¿no?

—Sí —me dirigió una mirada desconcertada, que me recordó que no nos habíamos visto tantas veces y que, para él, aquella reunión habría sido sólo una más—. Yo me llamo Jose y soy de Cuatro Caminos, pero no sé...

—¿No te acuerdas de mí? Soy Inés, la amiga de Virtudes que era novia de Pedro Palacios —y al escuchar aquel nombre, me miró con más atención—. Nos conocimos en el verano del 36, en un piso de la calle Montesquinza...

—¡Ah, sí, claro, Inés! —pero no sonrió al pronunciar mi nombre—. Sí, claro que me acuerdo de ti —tampoco se levantó para saludarme—. ¿Cómo estás?

—Ahora bien —me apreté contra Galán y él me correspondió estrechando su abrazo, aunque no pudo eliminar un resquicio del frío que se desprendía de la reacción de mi viejo camarada, una sequedad que en aquel momento no fui capaz de interpretar—. Lo he pasado muy mal, como todos, ¿no?, pero ahora estoy bien. Me alegro de verte.

—Gracias a tus rosquillas, ¿comprendes? Se han hecho famosas hasta en el campamento... Ahora, que ya se lo he dicho a este —y le dio un codazo a Jose—, que como siga corriendo la voz, más que racionarlas, las voy a esconder, ¿comprendes?, y se acabó lo que se daba.

Agarró la sombrerera, se la puso encima de las rodillas y me sonrió. Había tanto calor en aquella sonrisa, y aquel calor me sentó tan bien, que me acerqué a él para hacerle una promesa.

—Cuando entremos en Madrid, Comprendes, voy a hacer cinco kilos de rosquillas para ti solo —y una pausa añadió solemnidad a mis palabras—. Te lo prometo.

Luego entré en la casa, crucé el zaguán donde algunos hombres charlaban o jugaban a las cartas y, a punto de empezar a subir por la escalera, me di cuenta de que Galán no venía detrás de mí. Volví sobre mis pasos hasta que le vi hablando con Comprendes en el quicio de la puerta. Él me vio, me señaló con el dedo y echó a andar hacia mí, muy sonriente.

—¿De qué te ríes?

—De Comprendes —pero sólo terminó la frase mientras recorríamos el pasillo del segundo piso, donde nadie podía oírnos—, que me ha regañado mucho por decirte que íbamos a llegar a Madrid, como si eso fuera tan fácil.

Cuando terminó de decirlo, ya me había levantado el vestido con las dos manos, me lo había arrugado por encima del pecho, y avanzaba hacia la puerta del dormitorio sin soltarme, sin dejar tampoco de recorrer mi cuerpo con las manos, obligándome a andar de espaldas hasta que me aplastó contra la puerta. Pero eso no amortiguó el comentario de Comprendes, ni borró de mi memoria sus palabras.

Lo que pasó después, fue algo más que una noche difícil de olvidar. Galán apartó la cama de la pared, para no oírlos, me dijo sonriendo, y ya no hablamos más, mientras cada una de las acciones, de los gestos, de los rituales que habíamos estrenado la noche anterior se cargaban de un significado nuevo, más complejo, más arduo y peligroso, porque no iba a ser fácil llegar a Madrid y aquella cama, sin haber dejado de ser el centro del mundo, había vuelto a ser lo que era antes, lo que había sido siempre, la cama del alcalde de Bosost, un pueblo ocupado por un ejército invasor y rodeado de territorio enemigo, una isla incierta, recién nacida, en un océano furioso y encrespado por una perpetua tempestad. Allí estaba yo, y conmigo, un hombre que me poseía con la misma intensidad, tanto entusiasmo como la noche anterior, pero me daba un placer que era distinto, más dulce, y en la misma proporción, más venenoso, raro y sublime como todas las cosas efímeras por naturaleza, todo lo que puede llegar a terminar antes de tiempo, lo que depende de un azar tan sutil que puede expresarse en un segundo, en un milímetro, en el suspiro que logra desviar la trayectoria de una bala.

En eso se había convertido mi vida y eso seguiría siendo durante mucho tiempo, por amor a aquel hombre que, al conocerme, sabía todo lo que yo aprendí aquella noche con él, por él, en sus cicatrices, sus pausas y sus silencios. No iba a ser fácil llegar a Madrid, nunca lo sería, más allá de las consignas, de las proclamas, del manifiesto de la Unión Nacional. Ellos lo sabían, pero Galán me había dejado hablar, había sonreído al escucharme, me había besado para alejar de mí su propia incertidumbre, para protegerme de su miedo, para mantener a raya, lejos de mí y de la cama donde nos amábamos, la amargura conocida y la que todavía nos arrasaría muchas veces la garganta. Yo me había lanzado a hablar como una tonta y él me había abrazado, me había sonreído, me había besado para que estuviera contenta, porque le gustaba verme contenta, allí, en el ojo del huracán, donde echábamos un polvo detrás de otro como si todo no se nos fuera a venir encima en cualquier momento. Y sin embargo, la repentina conciencia del peligro, la posibilidad de que aquella cuenta atrás no estuviera descontando días del triunfo definitivo, sino de una derrota que aún no sería la última, no enturbiaba nada de lo que estaba sucediendo entre nosotros. Al contrario, nos iluminaba con una potencia asombrosa y radical que extremaba todas las cosas para enfatizar su esencia, y hacía la materia más densa, el espíritu más aéreo, la piel más sensible, el sexo más feroz, y el corazón más rojo, más caliente. Porque no hay vida como la clandestinidad. Ni tan mala ni, sobre todo, tan buena.

Aquella noche comprendí todo eso, y que ni siquiera sabía cómo se llamaba el hombre que acababa de salir de mí y me acariciaba mirándome a los ojos, como si pudiera ver mi pasado a través de ellos.

—Háblame de tu novio —me ofreció la cómoda intrascendencia de una conversación propia de dos amantes primerizos, como si pretendiera arrancarme de la gravedad de mis reflexiones.

—¿De qué novio?

—Pues de ese que tuviste, Pedro como se llame, el que conocía al Piñón —y fruncí las cejas, porque no sabía de quién me estaba hablando—. El Piñón, el que estaba con Comprendes ahí fuera, hace un rato...

—¡Ah, Jose! Pues Pedro... Pedro Palacios, porque se apellidaba Palacios —¿y tú, cómo te apellidarás?, me pregunté—, era muy guapo, muy buen orador, muy atractivo para las mujeres... —hice una pausa para comprobar que no le gustaba nada lo que estaba oyendo—, y un traidor de mierda, un pedazo de cabrón que me denunció a la policía en abril del 39.

—¿En serio?

—Y tan en serio.

Le conté aquello y lo demás, cómo le había conocido, cómo me había deslumbrado, cómo me había toreado y lo que pasó después, aquellas mañanas en las que aparecía sin avisar para llevarme a la cama mientras Virtudes y las chicas estaban trabajando en el comedor, aquellas noches en las que me dormía con la luz encendida, esperándole, aunque ya me hubieran contado que estaba de juerga con una, o con otras, en la calle Echegaray, en la Corredera, en la Plaza Mayor, y que nunca me lo acababa de creer del todo.

—Y cuando Virtudes me contó que alguien le había visto entrando en un cuartelillo de Falange, con chaqueta y corbata, tampoco me lo creí. Imposible, le dije, la gente habla por hablar, todo el mundo está muerto de miedo... —entonces dejé de mirar al techo, le miré a él, y él me miraba—. Fue culpa mía. Tendría que haber hecho caso, aunque no quisiera creérmelo, tendría que haber sacado a los camaradas que tenía escondidos, pedir-

le a Virtudes que los escondiera en otro sitio, esconderme yo
con ella... Pero es que no me lo podía creer, no podía, te lo juro,
de él no, de Pedro, no. Los cuernos, los desplantes, las borra-
cheras, bueno, pero eso... Tanto no, pensé aquella noche, no
puede ser, porque creerlo sería lo mismo que admitir que mi
vida entera se ha ido a la mierda. Y lo que pasó a la mañana siguiente fue exactamente eso, que todo se fue a la mierda —y volví a mirar al techo, como si ya no pudiera seguir mirándole—. Le
trajeron con ellos, ¿sabes? Supongo que le obligarían a ir con
ellos, pero el caso es que allí estaba, en el descansillo de la escalera, señalándonos con el dedo. Y nos cazaron como a ratones,
a Virtudes, a mí y a los siete que teníamos en casa, uno detrás
de otro.

En aquel momento, él alargó la mano izquierda para posarla
sobre mi cara y obligarme a girarla, a mirarle, y me besó en los
labios.

—Cuando entré en la cárcel, hice circular su nombre y su descripción. Ya lo conocían, porque había entregado a más, bastantes, no sé cuántos, aunque nadie volvió a verle nunca más. No
sé en qué agujero se metería, pero se escondió bien, motivos tenía, desde luego, porque te juro por lo que más quieras que, si
hubiera podido, le habría matado yo misma —le vi sonreír de
una manera extraña, casi triste—. Te lo juro. Si le hubieran detenido, si le hubieran torturado, si le hubieran obligado a ver cómo
torturaban a su madre... Yo qué sé, tampoco sé qué habría hecho
yo, eso nunca se sabe, pero vendernos así, de aquella manera,
para salvarse él cuando ni siquiera estaba en peligro... Espero
que, por lo menos, no haya vuelto a dormir por las noches.

—Seguro que sí, que duerme mejor que nosotros —Galán volvió a besarme, y volvió a sonreír de una forma diferente, como
si quisiera absolverme de todas mis culpas—. De todas formas,
me alegro.

—¿De qué? —y me asusté durante una fracción de segundo.

—De todo. Hasta de que no lo mataras.

—¿Sí? —yo también sonreí, porque le había entendido—. ¿Y por
qué?

—Porque me alegro.

Dos días después, aquella conversación que, al empezar, no parecía tener otra función que la de consentirnos descansar un rato, y al terminar, había servido para que Galán se me declarara de una extraña manera, se volvería en mi contra, pero aquella noche, un instante antes de quedarme dormida, lo único que alcancé a preguntarme fue si a él, que aquel día había andado un montón de horas, y al día siguiente andaría quizás más, le convendría follar tanto. Me contesté que sí, porque si no, ni siquiera podría intentarlo, y me dormí riéndome de mi propia inquietud.

Todavía lo hicimos otra vez, por la mañana, antes de que él se reuniera con los demás y yo bajara disparada por las escaleras para tener el desayuno preparado a tiempo. Corté pan, embutidos, escaldé unos tomates, los pelé, los rallé, llené una fuente grande de huevos fritos con tocino, y aunque Zafarraya protestó al bajar, joder, Inés, vamos a engordar pero de verdad, para sonreírme un instante después, qué rico todo, ¿no?, se lo comieron tan deprisa que cuando saqué los bollos que había hecho con el Bocas la tarde anterior, sólo llegué a ver el fondo de loza blanca, grasienta. El Cabrero me bendijo con la boca llena, y el Sacristán abrió los brazos para gritarme, desde el fondo de la mesa, que dejara a esa birria de gaitero y me casara con él. Galán dejó de masticar por un instante, se volvió a mirarle, le dijo que con la gaita, de momento, pocas bromas, y siguió despachando en solitario la mitad del bollo con manzana. Mientras hacía mentalmente la lista de lo que iba a tener que volver a comprar, les miraba comer a todos, sobre todo a él, y me sentía tan bien como si lo que estaban comiendo me alimentara más que a ellos. Entonces llegó Montse, empezó a recoger la mesa, la ayudé a llevarlo todo a la cocina y cuando todavía no habíamos empezado a fregar, apareció el Bocas.

—Salud, ¿se puede? —dijo, aunque la puerta estaba abierta.

—Claro que se puede —y me alegré de verle sin la venda—, pasa.

—Que vengo a saludaros, para que sepáis que ya tengo bien la mano y que hoy no voy a poder quedarme a ayudaros, pero que si hace falta traer otra carretilla, podéis decirle a la tendera que la deje en la puerta, y cuando volvamos, os la acerco en un momento, porque no sé a qué hora vamos a llegar, pero no creo...

—¡Bocas! —y Comprendes asomó la cabeza por la puerta—. Nos vamos.

—Sí, si ahora mismo termino, sólo estaba diciendo...

—¡No! Nos vamos ya, ¿comprendes?

—Bueno, pues que me voy a tener que ir.

—Espera un momento —y ni siquiera me paré a quitarme el delantal—, que voy contigo. Vuelvo enseguida, Montse.

Cuando salí a la calle, él ya estaba subiendo la cuesta.

—¡Galán! —volvió la cabeza, se paró y tuve que echar a correr para alcanzarle.

—Creía que no querías despedirte de mí.

—No seas tonto —me colgué de su cuello, le besé, y después seguí con los dedos los contornos de sus solapas, para retenerlo todavía un instante—. Y ten mucho cuidado, por favor.

—Ayer no me dijiste eso.

—Ayer no —y volví a besarle—. Pero hoy sí te lo digo.

Nos quedamos quietos, callados, en medio de la calle, hasta que escuchamos la voz de Comprendes, ¡Galán, vámonos ya, que eres peor que el Bocas!, y él desprendió mis dedos de sus solapas y empezó a andar hacia atrás sin dejar de mirarme. Yo conté sus pasos, le vi darse la vuelta en el sexto, ponerse a la altura de Comprendes y alejarse de mí.

Cuando le perdí de vista, me prohibí a mí misma pensar en qué podría pasar después, y no lo logré. Pero nada habría podido prepararme para recoger sus pedazos tal y como volvió a mí aquella noche, roto por dentro, por fuera entero, sin un rasguño.

—¿No quieres que te saque unas sopas de ajo, por lo menos? —cuando les serví el primer plato a los demás, salí a verle y le encontré en la misma postura en la que le había dejado, sentado en el banco de piedra que había al lado de la puerta, con los brazos caídos, la cabeza apoyada en el muro, los ojos clavados en la casa de enfrente—. Me han salido muy ricas, te lo advierto. Perdigón ha dicho que están para cantarles coplas. De hecho, aunque no te lo creas, se ha arrancado a cantar por Angelillo después de probarlas.

—Sí, ya le he oído —amagó con sonreír, sin lograrlo del todo—. Es que él es muy flamenco. Y además, seguro que hoy ha tenido más suerte que yo.

Yo también había tenido un buen día, tranquilo y provechoso, o eso creía, y que había logrado resolver la cuestión de los suministros, que era lo que más me preocupaba.

—La verdad es que me estoy asustando —le confesé a Montse cuando me senté a desayunar a solas con ella en la casa vacía—, porque fíjate cómo comen. Me he quedado sin leche, sin patatas, sin fruta, sin tomates y con cuatro huevos. Y con lo pequeño que es este pueblo, no sé... ¿Tú crees que Ramona tendrá suficiente para vendernos todos los días lo mismo que ayer?

—Que sí, mujer, y si no tiene, lo buscará... Pues buena es esa para perderse dos pesetas. Claro, que lo mejor sería que le encargáramos la compra de un día para otro, ahora vamos a hablar con ella, pero dime una cosa... —bajó la cabeza, entornó los ojos, me miró de reojo y cambió de tono, como si lo que fuera a decir a continuación fuera mucho más importante, más grave y trascendental que la posibilidad de que nos quedáramos sin comida al día siguiente—. El Zurdo... ¿Por qué habla así?

—¿El Zurdo? —la miré y seguí sin entender lo que quería decir—. No sé. ¿Cómo habla?

—Pues así... —y se dedicó a hacer dibujitos en el mantel con el dedo índice—, con esa voz tan... Tan suavísima.

—¿Suavísima? —repetí, y luego me eché a reír—. Pues porque es canario, Montse. Los canarios tienen ese acento, todos hablan así.

—Ya, ya sé que es canario, aunque sea tan rubio, que es raro, ¿no? —y me miró, antes de lanzarse—. O sea, que habla así con todo el mundo.

—Eso no lo sé —y sonreí al ver cómo se sonrojaba—. Porque no sé cómo habla contigo.

—Conmigo... —me miró, y a pesar del incendio que la consumía, se echó a reír—. Mira, el día que llegaron, cuando vine a ofrecerme para trabajar, él fue quien salió a recibirme, ¿sabes? Al preguntarme cuánto quería cobrar, sonrió, sin venir mucho a cuento, la verdad, pero sonrió, y parecía que se me estaba declarando, en serio. Y anoche... Bueno, salimos a dar una vuelta, y otra vez tuve la sensación... —se rió, me reí con ella, y juntas nos reímos más todavía—. Te juro, Inés, que alguno se me ha declarado con la voz más rasposa.

—Y le dijiste que no.

—Sí, pero no por eso. Yo ni siquiera sabía que había hombres que no raspaban al hablar. Y por cierto, hablando de aquel, que era payés... —sacudió la cabeza, se irguió en la silla y cambió de tema—. También podríamos comprarle directamente a alguno, y nos saldría más barato.

—Ya, pero eso es lo que hacen los del campamento, y no vamos a meternos nosotras por en medio, ¿no?

Aquella mañana, Romesco estaba de centinela. Poco después de las diez, cuando salimos después de limpiar a medias, le avisé de que igual necesitábamos ayuda con la carretilla, y me dijo que no me preocupara, que ya mandaría a alguien a recogerla. Después, Montse decidió que lo mejor sería que fuéramos primero a ver a su prima, y ella no necesitó ni dos minutos para demostrarnos que era espabilada para algo más que para vender vestidos.

—De momento, lo que necesitáis es un *pòrc,* o sea... —nos dijo, con un acento en el que parecía pesar más el cansancio de pronunciar una obviedad semejante que la dificultad para encontrar un sinónimo que yo pudiera entender—. Un cerdo, se dice, ¿no?, un cerdo entero —insistió, ante el asombro que mantenía la boca de Montse, la mía, abiertas de par en par—. Un...

—Ya, ya, si lo he entendido —le dije cuando conseguí cerrarla—, lo que pasa es que, no sé, no se me había ocurrido.

—Pero ¿cómo vamos a comprar un cerdo ahora, Mari —su prima fue mucho más rotunda—, si todavía no estamos ni en noviembre?

Entonces, las dos primas se lanzaron a hablar en aranés, volviéndose hacia mí de vez en cuando para traducirme sus propios argumentos, una discusión en la que acabé poniéndome de parte de Mari, porque si no queríamos hacer matanza, pero sí tener la despensa llena de carne, daba igual que el animal aún no estuviera cebado del todo.

—Podemos adobar los lomos y las costillas, para que duren más —fui calculando por mi cuenta, para convencer a Montse—, asar las patas, e ir comiéndonos lo que se estropee antes, ¿no? Pero lo que no sé es dónde vamos a encontrarlo.

—Yo —Mari sí lo sabía—. Yo os lo busco, y hoy mismo, que sé dónde hay. Digo que es para mi casa, que nosotros no hemos *engreishat* ninguno este año, lo compro, se lo llevo al carnicero... —hizo el ademán de cortar algo, golpeando el mostrador con el canto de la mano en varias direcciones—, y ya está. Ya hace frío, y si lo guardáis en un sitio fresco...

—Y cuánto nos vas a cobrar, ¿eh? —pero Montse todavía no quiso darse por satisfecha—, que tú eres muy lista para todo, Mari.

—Lo que me cueste —volví a ver al Bocas empujando la carretilla—. Y lo que me cobre el carnicero. Ni un céntimo más.

Las dos primas se miraron en silencio durante un instante, y aquella mirada fue definitiva, mucho más relevante que la conversación que tuvimos después, el precio que calculamos por encima y el dinero que pagué por adelantado para salir del bazar de mucho mejor humor. Así, con la misma sensación de facilidad, de euforia justificada, entré en la tienda de Ramona, un zaguán oscuro que olía a especias, a escabeche, a laurel, un aroma denso y agradable que me compensó por el sombrío aspecto de su propietaria, una mujer que aparentaba más edad de la que debía tener, vestida con un hábito morado que no llegaba a ceñir un cordón sucio, que alguna vez debió ser dorado y ahora era de un indefinible tono ocre. El día anterior había sido muy antipática con nosotras, pero al volver a verla, decidí por su gesto hosco, la mirada altiva, la boca torcida de desprecio, que no debía de ser muy simpática con nadie. Sobre su cabeza, dos chapas grandes de metal, una Inmaculada Concepción y un Sagrado Corazón pintados con colores chillones, parecían bendecir tanta hostilidad.

—Buenos días, Ramona —no me contestó, pero yo insistí con el acento más amable—. Se acuerda de mí, ¿verdad? —y aunque no se molestó en asentir con la cabeza, seguí adelante como si no me estuviera dando cuenta de nada—. Pues el caso es que, a pesar de todo lo que le compramos ayer, necesito casi otro tanto de algunas cosas —miré una de las dos listas que había hecho antes de salir de casa—, harina, patatas, tomates, huevos... Bueno, aquí lo tiene.

Siguió mirándome con los brazos cruzados, sin hacer ademán de moverse.

—¿Quiere mirar la lista, por favor? —insistí, en un tono más serio.

—Es que tengo muy poca cosa, ya lo ve —contestó por fin.

—No —y me molesté en sonreír mientras miraba a mi alrededor—, lo que veo es que tiene muchas. Los estantes están llenos, ¿no?

—De conservas, eso sí, pero... —y por fin se dignó coger el papel y leerlo por encima—. Patatas y huevos, por ejemplo, no sé si me quedan. Y tomates... Aquí no hay, ¿verdad?

—A lo mejor hay dentro, Ramona —intervino Montse, con mucha más dureza que yo—. A lo mejor no le ha dado tiempo a colocarlo todavía.

—A lo mejor —admitió con desgana.

—¿Y le importaría ir a ver, por favor? —volví a insistir con una sonrisa que no se merecía.

Tardó un siglo en ponerse en marcha, otro en entrar en la trastienda arrastrando los pies como si no pudiera con ellos, y menos de dos minutos en salir, pero Montse no necesitó más para advertirme que lo estaba haciendo muy mal. Así, no, añadió, así no vamos a sacar nada, tú déjame a mí...

—Pues no, ya se lo había dicho —la tendera tensó los labios en algo que quería parecerse a una sonrisa—, no tengo nada.

Esa respuesta acabó con la paciencia de Montse, que me cogió del brazo izquierdo, lo apretó un momento para anunciarme que iba a tomar la iniciativa, y se inclinó sobre el mostrador.

—Mire, Ramona, usted y yo nos conocemos muy bien, ¿verdad?, desde hace muchos años. Y no es que le tenga aprecio, pero aunque sólo sea por eso, me gustaría explicarle algunas cosas. La primera es que, desde hace unos días, las cosas han cambiado mucho, no sé si se ha dado usted cuenta... —yo la miraba, la escuchaba, me preguntaba de dónde habría sacado tanto aplomo de repente, y no acababa de creer lo que estaba viendo, lo que estaba oyendo–. La tortilla se ha dado la vuelta, como se dice vulgarmente, y aquí ya no mandan los que mandaban, así que... Si nosotras, al salir de aquí, dijéramos una palabra –y levantó el dedo índice en el aire–, pero una sola palabra, no crea, en un santiamén se le llenaría la tienda de soldados, la llevarían presa y nos quedaríamos por las buenas con todo lo que tiene usted aquí –en ese momento, Ramona ya se había empezado a asustar, y no me extrañó, porque llegar a Madrid no iba a ser fácil y Montse me estaba asustando también a mí–. Usted lo sabe, porque ya se acordará de cómo logró quedarse con la única tienda del pueblo cuando acabó la guerra, ¿verdad? A mí no me gustaría decir esa palabra, porque no quiero nada suyo, y mucho menos que alguien piense que nos parecemos, pero si se niega a vendernos, le cerramos el negocio, eso por descontado. Tampoco nos importaría, no crea, porque mi amiga, aquí donde la ve, sabe conducir, y con pedirle la furgoneta a mi tío... Así que, si no quiere que su competencia empiece a ganar lo mismo que está usted perdiendo, deje de hacer tonterías y póngase a despachar, que es lo suyo –Ramona se fue para dentro sin perder ni un segundo en mirarnos, pero Montse todavía no había dicho la última palabra–. ¡Joder!

Después, se volvió a mirarme y la vi temblar entera, de arriba abajo. Temblaba de rabia, pero también de asombro, una oscura, espesa excitación, que brotaba del susto de haber sido capaz de llegar tan lejos, hasta un lugar desde el que no le iba a resultar fácil volver. Eso pensé yo, pero ella se frotó con fuerza la cara, respiró hondo varias veces, y sonrió antes de decir algo más, en voz baja, sólo para mí.

–Ya verás como esto sí que lo ha entendido.

Lo entendió tan bien que después de poner sobre el mostrador todo lo que le habíamos pedido, cogió la lista del día siguiente, la miró y asintió con la cabeza. Mientras tanto, Montse y yo llenamos la carretilla, pagamos la cuenta, y no necesitamos palabras para ponernos de acuerdo en que, después de aquello, nos sobraban fuerzas para llevarla a casa nosotras mismas.

Bajamos el primer tramo de la cuesta sin hablar, pero en la

primera curva, cuando Ramona ya no podía vernos ni saliendo a la puerta de su tienda, apoyé la carretilla en el suelo, me quedé mirando a Montse con la mezcla de miedo y de admiración que expresaba mejor lo que sentía, y sonreí.

—Te advierto que no sé conducir.

—Sí es por eso... Mi tío tampoco nos habría dejado la furgoneta —y se echó a reír—. Pero no te imaginas lo a gusto que me he quedado.

—Sí, claro que me lo imagino, lo que pasa... Tú eres de aquí, Montse. A ti, aquí, te conoce todo el mundo, y lo que me da miedo... —tomé aire y lo dije de un tirón—. Después de lo de hoy, si esto sale mal...

—No puede salir mal —y negó con la cabeza, varias veces—. No me digas eso, Inés.

—Pero es que puede salir mal —y me dirigió una mirada tan desamparada que me corregí enseguida—. No todo, eso no, yo creo que saldrá bien, pero a lo mejor, antes de echar a Franco, hay que irse de aquí, moverse a otra zona, replegarse, y entonces... ¿Qué vas a hacer tú?

—¿Y tú?

—¿Yo? —nunca lo había pensado, pero tampoco tenía mucho donde elegir—. Irme con ellos. Si quieren llevarme, claro, irme... A Francia o adonde sea. Pero yo soy de Madrid, estoy muy lejos de Madrid y no me dejan volver, Montse, no podría vivir allí ni queriendo. Tú, en cambio, eres de Bosost, y si el ejército se retira, ya no vas a poder seguir viviendo aquí sin que te pase nada —la miré con inquietud, pero no me dio la impresión de haberse asustado.

—Dame un pitillo, anda.

Se lo di, se lo encendí, le vi tragar una bocanada de humo, arrugar la boca en una mueca de repugnancia, toser varias veces, moviendo la mano para apartar el humo de su cara, y devolvérmelo enseguida.

—Toma, fúmatelo tú. ¡Qué asco! No sé cómo esta porquería os puede gustar tanto, de verdad —y mientras me miraba fumar, tomó una decisión—. Si esto sale mal, yo me voy contigo, Inés. Total, para lo que hay que ver aquí...

Cogió la carretilla, la llevó durante otro tramo hasta que apagué el pitillo para relevarla, y así fuimos avanzando hasta que Romesco pudo vernos desde la puerta del cuartel general, y vino corriendo a ayudarnos. Mientras nos regañaba por no haberle avisado, vi delante de la puerta a aquel hombre joven, manco, que había levantado el puño para saludarme la mañana anterior, para que Montse se preguntara en voz alta desde cuándo sería rojo.

—Salud, camarada —y mientras Romesco metía la carretilla en casa, le sonreí—. ¿Cómo estás?

—Bien, muy contento de que estéis aquí, la verdad, porque anda que... Pasar todo lo que yo he pasado, estando tan cerca de Francia. Si no fuera por mi madre, y por...

Levantó el muñón en el aire, y mientras Montse iba a devolverle la carretilla a Ramona, le pregunté si le habían herido en la guerra. Me contestó que sí, que en el Ebro, y que ya no servía para nada, pero que lo había estado pensando y le gustaría ayudarnos, aunque no sabía cómo. Yo le di algunas ideas. Mira a ver si puedes encontrar dos sacos de patatas, o unas docenas de huevos, o unos kilos de tomates, o unos pollos a buen precio, le dije, y Romesco se echó a reír. A estos no sé, añadí, señalándole con el dedo, pero a mí, desde luego, es lo que mejor me vendría. Arturo, que así se llamaba, me prometió que podía contar con él, mañana te traigo algo, añadió, no sé si podré encontrarlo todo, pero algo seguro que te traigo...

Cuando me metí en la cocina, pensé que era una exagerada, pero me animé enseguida. Si mis gestiones con Arturo tenían éxito y Ramona se portaba bien, podía freír los tomates que me sobraran y guardar la salsa en tarros herméticos, para conservarla más tiempo, patatas y cebollas nunca iban a sobrar, porque duraban mucho, el bacalao, ya no digamos, y huevos...

—Toma —justo cuando estaba pensando en eso, Montse puso encima de la mesa dos cestas que tenían veinticuatro cada una—. Mi prima. Que están recién cogidos, que se los ha comprado regalados a los mismos que le han vendido el cerdo, que sigue habiendo dinero de sobra y que esta tarde hacemos cuentas —se quedó mirando los huevos que le habíamos arrancado a Ramona, puso los brazos en jarras y me miró–. Así que, ya me contarás...

–Tocinos de cielo –le conté, después de pensarlo un minuto.

–¡Ah! ¿Pero tú sabes hacer eso?

–Claro, ¿no ves que yo aprendí a cocinar en un convento? Y mañana, merengues, para aprovechar las claras. Hacemos unas natillas para echárselas por encima, y así, como parece que leche también va a sobrar...

Antes de que terminara de decirlo, ya se había arremangado y estaba esperando a que le dijera lo que había que hacer. Estuvimos el resto del día juntas, en la cocina, y se nos pasó el tiempo volando. Montse era tan eficaz como el Bocas pero mucho más silenciosa, y como no me pedía explicaciones sobre cada cosa que me veía hacer, fuimos mucho más deprisa. A las cuatro de la tarde, cuando miré y remiré en todos los rincones sin encontrar unos moldes de repostería que me sirvieran, ya habíamos hecho el caldo para las sopas de ajo, dos empanadas grandes de atún en escabeche, que era lo único que Ramona confesaba tener de sobra, una fuente enorme de la ensalada de bacalao con cebolla y aceite de oliva a la que Montse llamaba *esqueixada* y yo llamé igual desde aquel día, y otra de croquetas, otra vez del jamón de mi hermano, porque del pollo de la noche anterior no habían sobrado ni las alas. Entonces salí a comprarle unos moldes a Mari, y aún no había encontrado una fórmula para aprovechar mi considerable excedente de patatas cuando la vi poner una olla encima del mostrador.

–El cerdo ya está muerto, abierto y desangrándose –me dijo, con una gran sonrisa de satisfacción–. ¿Quieres la prueba?

–¡La prueba! –repetí, y levanté la tapa de la olla para comprobar que, efectivamente, allí estaba.

Cuando le anuncié que ya teníamos carne para la cena y una buena excusa para freír un montón de patatas, Montse se llevó las manos a la cabeza. Va a sobrar comida, pronosticó, y yo le contesté que daba igual, que eso siempre era alegría. Sin embargo, no sobró nada, porque hubo más comensales de los previstos. El Lobo invitó a cenar a los tres hombres que habían llegado con Galán. Él, a cambio, ni siquiera quiso sentarse a la mesa.

—Deberías cenar algo —le dije un montón de veces—. Con las palizas que te pegas todos los días, no puedes acostarte con el estómago vacío.

—No tengo ganas —me contestó las mismas veces, cogiéndome de la mano para que no volviera a preguntarle si le molestaba que estuviera con él, como al principio.

Aquella tarde, ellos habían sido los primeros en volver, antes incluso de que Montse trajera las empanadas y los tocinos de cielo que había mandado al horno del panadero. Cuando escuché la voz de Comprendes en el zaguán, me puse muy contenta y salí de la cocina corriendo, pero al verle, mis pies se pararon de golpe en una baldosa, como si aquel trozo cuadrado de cerámica fuera la frontera de un abismo infranqueable. Yo ya conocía esa cara. Nunca la había visto en aquella cabeza, con aquellos rasgos, aquella nariz, aquellos ojos, las gafas tan sucias, pero la conocía, conocía la expresión muerta de su mirada, el tono macilento de la piel, el súbito hundimiento de unas mejillas que parecían haber envejecido años enteros en unas pocas horas y ese falso aire de serenidad que tal vez lograría engañar a otros, a mí no. Porque aquella era la cara de la derrota, y yo la había visto demasiadas veces.

—Por eso Galán no ha querido entrar, y se ha quedado sentado, ahí fuera —el Lobo vino a buscarme a la cocina y me contó lo que había pasado—. Deberías salir a verle, ¿sabes? Y tratarle bien.

—¿Por qué me dices eso? —protesté—. Yo siempre le trato bien.

—Ya, me lo imagino. Pero es que ahora está muy mal, muy desmoralizado, y yo no puedo quedarme sin él, Inés, no puedo permitirme que se hunda, y tampoco sé cómo evitarlo —le miré a los ojos y me di cuenta de que estaba hablando en serio—. Tú, seguramente, sí sabes.

Aquella confidencia me asustó, pero no tanto como el aspecto del hombre al que encontré sentado en el banco, con la espalda erguida, apoyada en la fachada de la casa, los ojos clavados en el muro de enfrente, y el gesto de desorientación absoluta de quien no sabe nada, ni quién es, ni cómo se llama, ni dónde está, ni qué hace, ni por qué, ni para qué. La cara de Galán no era la de un hombre derrotado, sino la de un hombre hundido, pero cuando intenté tratarle bien, no funcionó.

Tuve que tratarle mal para que empezara a reaccionar, tan mal que hasta me arrepentí, y cuando lo malo se convirtió en lo peor, le pedí perdón por las cosas que le había dicho. Él me respondió que no tenía nada que perdonarme, me rodeó con sus brazos, me besó, y en aquel beso se acabó todo, su desánimo, el mío, lo que había pasado aquel día y lo que pasaría al día siguiente, porque los días ya no contaban, ni siquiera contaban las horas, sólo aquel instante, la sucesión de instantes brevísimos, aislados, absolutos, a la que había quedado reducido el paso del tiempo. No hay vida como la clandestinidad, ni tan mala, ni tan buena. Yo tampoco había vivido nunca una vida como aquella, y una sola noche, ocho, diez horas repartidas entre el sueño y la vigilia, jamás había representado tanto para mí.

—Ahora sí que tengo hambre, ¿ves?

A las dos de la mañana, cuando bajé las escaleras, fui a avisar al centinela de que era yo la que iba a hacer ruido antes de meterme en la cocina. Freí un par de huevos, tres patatas y lo que había guardado de la prueba del cerdo para él, sonreí como una boba al verle devorar, y unas pocas horas después, nos levantamos como si el día anterior no hubiera pasado nada.

El que estaba comenzando sería mucho peor, sobre todo para mí, y sin embargo, al despertarme me sentí fuerte, casi eufórica, como si mi estado de ánimo ya dependiera solamente del ánimo del hombre que había dormido a mi lado. Los demás también se levantaron de buen humor, y con tanto apetito como el día anterior. Mientras les veía liquidar todo lo que iba poniendo encima de la mesa, volví a sentir la confusa satisfacción maternal que me había asaltado la mañana anterior, esa exaltación de las cosas pequeñas, pequeños elogios y grandes sonrisas, que puede llegar a convocar una tortilla de patatas, unas rebanadas de pan recién tostado, untado con tomate, aceite de oliva y sal, todo bien camuflado por unas lonchas de jamón, o una ensaladera de fruta fresca, recién pelada y cortada en trozos. Como había sobrado pan, aquel día también hice migas, con chorizo y torreznos, y eso fue lo que más les gustó. Se las comieron tan deprisa que les prometí hacer más al día siguiente, sin saber que aquella escena no volvería a repetirse, que ni ellos ni yo volveríamos a sentir esa clase de felicidad, tan elemental pero tan completa, en la misma casa, en mañanas más sombrías. Aún ignoraba eso, pero mientras les miraba, como mira una gallina a sus polluelos, me di cuenta de que me faltaba uno.

—¿Y el Zurdo?

—No ha dormido aquí —fue el Cabrero quien me lo dijo.

—No me extraña, ¿comprendes? Cualquiera duerme en esta casa.

—No creo que se haya ido para dormir más —el Cabrero sonrió—. Seguramente habrá dormido menos.

—Pues eso. Lo mismo me da, ¿comprendes?

Sonreí al oírle, y miré a Galán, y Galán me sonrió. El Lobo también sonreía, y aquella mañana no iba a quejarse de los disgustos que dan las mujeres, porque Galán estaba entero, porque había vuelto a ser él, mientras comía, y fumaba, y se reía con los demás. Él me había pedido que se lo devolviera y yo se lo había devuelto. Por eso, tampoco dijo nada cuando el Zurdo, con una sonrisa de oreja a oreja, entró en la casa y se sentó en su sitio entre los aplausos, los silbidos previsibles.

—¿Has desayunado?

—Sí —y ese simple monosílabo desató otra oleada de carcajadas a las que ni él ni yo prestamos atención—. Pero me tomaría otro café, ¿sabes?

Después, Montse y yo recordaríamos muchas veces aquella mañana, que fue el principio del resto de su vida y el final de la alegría, de aquella bendita, gloriosa, incomparable alegría de Arán, el signo de unos días que nos enseñaron a ser felices, porque ninguna de las dos había sido nunca tan feliz como en aquel dorado paréntesis de placer crujiente, fugacísimo, que no parecía tan importante mientras lo estábamos viviendo aunque nos vinculó siempre, para siempre, a todos los habitantes de aquella casa que nunca desaparecerá, que seguirá existiendo mientras quede uno solo de nosotros para recordarla. Lo que nos esperaba sería muy duro, muy amargo, pero nunca recordaríamos así aquella mañana en la que todo se echó a perder, el preludio de un día en el que yo iba a perder mucho más, tanto que no podía ni imaginar lo que se me venía encima cuando fui a la cocina a hacer más café para llenar la taza del Zurdo, y al salir, vi otro hueco en la mesa y a Jose en la puerta, hablando con Comprendes.

Qué raro, pensé, pero enseguida decidí que no lo era tanto, porque los hombres del campamento no solían venir a la casa, y menos aún a aquella hora, cuando deberían de estar preparándose para marchar, pero Jose era amigo de Comprendes, de Galán, desde la guerra. Así y todo, tuve que pensarlo despacio, como si necesitara convencerme a mí misma de su complicidad, porque su actitud me pareció extraña, y las cejas se me fruncieron solas al verlos a los dos allí, de pie, tan serios, mi viejo camarada moviendo los labios como si cuchicheara mientras controlaba la puerta con el rabillo del ojo, el destinatario de sus susurros asintiendo despacio con la cabeza, sin levantar los ojos del suelo. Hacían una pareja misteriosa, incompatible su sigilo, la gravedad de sus gestos, con los rostros satisfechos de quienes despachaban ya sin ganas, por pura gula, los restos del desayuno, aunque tampoco tuve tiempo de fijarme mucho en ellos, porque cuando acababa de dejar la cafetera en la mesa, Montse les embistió como un toro bravo para abrirse un hueco y cruzar el zaguán como una exhalación, sin levantar los pies del suelo.

—Pero, bueno, ¿y a ti qué te pasa?

Había arrimado una silla a la puerta de la despensa, lo más lejos posible de la que comunicaba la cocina con el resto de la casa, y se había sentado allí, con el cuerpo inclinado hacia delante, los codos apoyados en las rodillas, las piernas muy juntas y la cara oculta entre las manos, como una tortuga escondida en su caparazón. Al escucharme, levantó la cabeza y abrió una rendija entre los dedos, como si quisiera asegurarse de que estábamos solas, antes de dejarme ver el sonrojo que coloreaba una expresión radiante, y cuando empecé a reírme, ya se reía más que yo.

—¡Montse!

—¿Qué?

—No sé. Haz algo, levántate, mírame... —y me volvió a dar la risa—. Cuéntamelo.

—Ni hablar.

—¿No? Pues te advierto que ahí afuera ya lo sabe todo el mundo.

—Me lo imagino —y por fin se levantó—. Dame un pitillo.

—¿Otro? Pero si no te gustan —empezó a toser antes de que me diera tiempo a terminar la frase—. ¡Tíralo, Montse!

—Que no, que este me lo fumo entero. A estas alturas, ya, total...

Me miró, se echó a reír, y empezamos a oír voces, gritos, el eco sincronizado de muchas botas avanzando por la calle.

—Sabes lo que es eso, ¿no? —le pregunté.

—Sí, que se van.

—¿Y no quieres salir a despedirte?

—¿Yo? Ni loca —y se puso colorada mientras conseguía dar una calada con auténtica naturalidad—, ¿qué quieres, que me muera de vergüenza? Aunque... —hizo una pausa, y de nuevo logró fumar y no toser—. Dile que venga, ¿quieres? No creo que le importe, porque, vamos, es que, ya, sería lo último...

Estaba de pie, recogiendo sus cosas, y sonrió cuando le pregunté si no le importaba ir un momento a la cocina. El Cabrero, que estaba esperándole, resopló antes de apoyarse en la pared, como asumiendo que aquello iba para largo, mientras Galán y el Pasiego seguían sentados en el mismo lugar donde les había dejado, como si aquel ajetreo no fuera con ellos.

—¿Y vosotros? ¿No os vais?

Galán negó con la cabeza antes de responder.

—Nosotros vamos a ir con el Lobo a inspeccionar Viella.

—¿Sí? —y tardé un segundo en encontrar algo que añadir—. ¡Joder!

Él se echó a reír al escucharme, y me cogió de una mano para sentarme encima de sus rodillas. En ese instante pude ver a través de la puerta, y de las siluetas de los hombres que esperaban a que el Zurdo se despidiera de Montse, que el Lobo se había unido a la conversación de Jose y Comprendes, y ahora era él quien asentía con la cabeza, el gesto grave, a los susurros del primero, mientras el segundo les contemplaba en silencio. Estarán hablando de Viella, me dije, seguro que están hablando

314

de eso, pero tampoco dediqué mucho tiempo a aquella hipótesis, porque cuando giré la cabeza, vi la de Galán, muy cerca, y por primera vez desde que llegué a Bosost, tuve miedo.

Yo no conocía exactamente el plan militar, pero me lo imaginaba. Sabía que Viella era la clave desde que escuché a escondidas la conversación del comedor, la última noche que dormí en casa de Ricardo. Había memorizado los datos, las cifras, y no necesitaba más para estar segura de que mi destino, el de todos nosotros, dentro y, tal vez, también fuera del valle, dependería de lo que se decidiera aquella mañana, atacar la ciudad o no atacarla, tomar Viella o no tomarla. Hasta entonces, yo había tenido muy claro lo que había que hacer, pero en aquel momento, sentada encima de Galán, mis labios rozando los suyos, las dos opciones me parecieron igual de arriesgadas, igual de peligrosas, nefastas, porque la invasión fracasaría si el mando optaba por renunciar a su objetivo principal, pero la opción contraria supondría inevitablemente una batalla, algo más que los tiroteos de todos los días, esas ocupaciones en las que bastaba con rendir a cuatro guardias civiles que casi siempre salían con las manos detrás de la nuca al comprobar, en el primer intercambio de disparos, que el número de los asaltantes multiplicaba el suyo por varias cifras. Mil novecientos hombres son menos que la mitad de cuatro mil, pero siguen siendo mil novecientos pares de brazos, mil novecientos fusiles, mil novecientas balas por segundo durante todos los segundos que caben en muchas horas. Tomar Viella no sería fácil, y exigiría un combate duro, tal vez encarnizado, al precio de una larga lista de nombres propios, soldados muertos, cuerpos heridos, miembros mutilados, vidas destrozadas, y en la guerrilla, los jefes siempre van por delante de la tropa, siempre se exponen más que sus hombres.

—Y a ti... —Galán me cogió de la barbilla, me obligó a mirarle—. ¿Qué te pasa?

—Nada —y mi voz sonó tan falsa que no me la creí ni yo—. De verdad que no me pasa nada.

Hasta aquel momento, no había pensado en eso. Hasta aquel momento, ni siquiera se me había ocurrido pensar que el triunfo de aquella operación que había deseado, invocado, agradecido y elogiado tanto, pudiera quitarme más de lo que me había dado, porque el cadáver de Galán en un ataúd sería una tragedia más grave que no haberle conocido jamás. Por no pensarlo, miré al Pasiego, que sonreía mientras miraba a la puerta de la cocina, donde el Zurdo y Montse seguían acoplados en un beso interminable, y escuché al Cabrero, ¡coño, Zurdo, ya está bien!, y vi que, fuera, el Lobo se estaba despidiendo de Jose. Galán seguía pendiente de mí, pero no podía contarle lo que estaba pensando, que entre la invasión y él, entre España y él, entre la Historia y él, me quedaba con él. Nunca sería capaz de decir eso en voz alta, y él tampoco se atrevería a reconocer que le gustaba escucharlo, pero no podía arrancarme aquellos cálculos de la cabeza mientras me daba cuenta de que lo que estaba viviendo no había sido una aventura, ni una verbena, ni un baile de verano al aire libre, por más que yo lo hubiera vivido así, como si me hubiera tocado el premio gordo en una rifa. Por fortuna, antes de que me diera tiempo a recordar que a mí nunca me había tocado ningún premio gordo en ninguna rifa, todo lo que había permanecido inmóvil durante los últimos minutos, se puso en marcha a la vez.

—Salud —Romesco, limpio, repeinado y muy nervioso, entró en aquel momento y se quedó mirando los restos de tortilla que había en la mesa.

—Salud —le contesté, levantándome para coger una rebanada de pan y untarle la tortilla deshecha encima—. ¿Hoy no estás de guardia?

—No —aceptó el regalo con una sonrisa y le dio un mordisco antes de contestar—. Voy a ir a Viella, con el coronel. Es que yo soy de allí, ¿sabes?

El Zurdo por fin salió de casa y se cruzó en la puerta con el Lobo.

—Nos están esperando, tenemos que irnos ya —Comprendes se quedó fuera mientras Flores se bajaba de un camión que se detuvo a su lado—. Seguramente vendremos a comer, Inés.

—¡Qué bien! —miré a Galán, y le sonreí porque, pasara lo que pasara en Viella, no iba a pasar aquel día—. Aprovecharé para hacer fabada.

—¿Fabada? —él levantó mucho las cejas—. ¿Con las alubias de aquí?

—Ponles butifarra —sugirió Romesco.

—¿Butifarra? —Galán volvió hacia él sus cejas levantadas—. ¡Pues sí, eso era ya lo que nos faltaba! Mira, tú no des ideas...

—Que sí —el aranés insistió—, hazme caso, Inés, que salen muy ricas.

—¿Podemos irnos ya? —Flores interrumpió una conversación, impropia desde luego de un momento de trascendencia histórica, en un tono menos autoritario que impaciente—. ¿O vais a escribir entre los dos un recetario?

Serás imbécil, pensé, pero no dije nada, y me limité a besar a Galán otra vez antes de verles marchar. Luego, por más que busqué, no encontré en ninguna parte morcillas parecidas a las asturianas, pero me acordé a tiempo de que habíamos comprado un cerdo. No convenía comer la carne hasta el día siguiente, pero la oreja no requería tantas precauciones, y con ella, y un par de butifarras, hice unas judías blancas que salieron tan ricas como había augurado Romesco y más de lo que yo misma esperaba, aunque se les atragantaron a todos, porque cuando se sentaron a comer, ya tenían a Viella atravesada en el paladar. Pero yo no habría podido adivinarlo mientras enseñaba a Montse a espantarlas y ella me hacía preguntas todo el tiempo, como si se hubiera convertido en la reencarnación del Bocas, o estuviera tan distraída que no pudiera retener ni una sola palabra de las que le decía.

—Montse...

—¿Qué?

—Que las cueles y las remojes en agua fría.

—Ya. ¿Y ahora?

—Ahora hay que hervir agua otra vez.

—¿Otra vez?

—Claro, si te lo acabo de decir, mujer, hay que espantarlas tres veces.

—¡Ay, perdona, es que no me entero de nada! —se echó a reír, y lo hizo con tantas ganas que me arrastró a su risa—. Dime una cosa, Inés, tú... Antes de ahora, ya has estado casada, o algo, ¿no?

—Más bien algo —y le quité la cazuela de las manos para llenarla de agua–. Nunca he estado casada, pero durante la guerra viví con un hombre igual que si lo estuviera.

–Ya, es que... Yo creo que estoy trastornada, ¿sabes?, fíjate lo que te digo –y entonces fui yo la que se rió primero–, porque la verdad... No es que tenga miedo de que pienses mal de mí, Inés, no es eso, es que... Yo no soy así, en serio, nunca he sido así, ni siquiera cuando me fui a vivir a Barcelona, a casa de mi hermana, que me salieron pretendientes... –y movió la mano en el aire con los dedos apiñados, hacia arriba– a montones, te lo juro, y yo ni caso, pero ni caso les hacía, de verdad, y ahora, lo que me está pasando... Es que no lo entiendo, ni siquiera me lo creo, vamos. Debe de haberme trastornado todo esto, qué sé yo, tanto hombre, tanto uniforme, tanto fusil por todas partes, los guardias civiles presos y el disgusto que se ha llevado la Ramona, en fin... Que no es que me queje, pero todo esto me tiene fuera de quicio.

–Y el Zurdo, que es tan suavísimo.

–Pero de verdad –y nos reímos todavía más–, suavísimo, suavísimo, que empezó quejándose de cómo roncaba el Cabrero con esa voz que tiene, que parece un niño del coro de la iglesia, y cuando quise darme cuenta, se me había metido en la cama, y ni niño ni nada, claro, es que ni te lo imaginas...

–¿Y en tu casa?

–¿En mi casa, qué? En mi casa sólo está mi abuelo, sordo como una tapia, por desgracia... –se quedó callada, giró la cabeza, me miró–. Bueno, por desgracia tampoco –y las dos nos reímos más que antes.

Aquella mañana todavía fue sonrosada, luminosa como las mejores, los dorados frutos de aquel trastorno que había puesto boca abajo nuestras vidas, la vida del pueblo, también la de Arturo, porque cuando se me tiró encima para intentar besarme en el zaguán, ni se me pasó por la cabeza que alguien pudiera interpretar aquella escena como otra cosa que un puro trastorno.

–¡Déjame! –chillé, un instante antes de que el centinela, al que nunca había visto antes de aquella mañana, entrara corriendo–. ¡Que me dejes ya!

–¿Qué es esto? –me lo estaba preguntando a mí, y yo no supe qué contestarle, pero Arturo se apresuró a responder.

—Nada —y bajó la cabeza, como si se avergonzara de lo que había hecho, antes de disculparse—. Perdóname, no debería... Lo siento mucho —y se excusó después ante el centinela, como si fuera mi padre, mi hermano, alguien de mi familia—. Es que, por aquí no hay mujeres así.

Luego se fue corriendo, y yo me limité a asombrarme del éxito que tenía con los hombres últimamente, pero cuando el centinela me dejó a solas con Montse, le dije algo distinto.

—Mira, otro que está trastornado —y nos volvimos a reír mientras me daba cuenta de que había unas servilletas en el suelo, y las recogía para guardarlas en el cajón del aparador, antes de volver a la cocina.

Eso fue lo que pasó, o al menos, eso fue lo que yo creí que había pasado. Arturo había llegado a mediodía, con un amigo que empujaba un carrito con varios sacos llenos de patatas, cebollas, coles y verdura de distintas clases. Traían también un cesto lleno de huevos y muchas prisas. Su padre no sabe que os hemos traído esto, me dijo, y tiene que volver con los sacos antes de que se dé cuenta, yo me quedo fuera, a vigilar el carro... Y le creí, no tenía motivos para no creerle, así que no le eché de menos mientras Montse y yo colocábamos en la despensa todo lo que su amigo nos iba pasando. Tú eres la que paga, ¿no?, me preguntó al final. Le dije que sí y en ese instante dejó de tener prisa, porque tardó un buen rato en hacer la cuenta, pero el precio que me pidió era barato y se lo pagué sin rechistar. Luego, cuando le acompañé hasta la puerta, el centinela me preguntó dónde estaba el manco, y le dije la verdad, que no lo sabía, que me había dicho que se iba a quedar fuera, cuidando del carro. Pues ha entrado detrás de vosotros y no ha salido, me informó con el ceño fruncido. Volví a entrar, me lo encontré apoyado en la pared del fondo, al lado de la escalera, y no entendí lo que estaba pasando hasta que ya se había abalanzado encima de mí, para intentar agarrarme con su único brazo.

—Pues es una pena, ¿no? —se lamentó Montse cuando volvimos a estar solas y tranquilas, en la cocina—. Porque lo que nos ha traído está muy bien, y no creo que vuelva.

—Habrá que buscar a otro.

—Sí, y más vale que seas antipática con él —y nos reímos las dos a coro, otra vez, como si aquella mañana no sirviéramos para hacer otra cosa—, que no sé adónde vamos a ir a parar, con tantísimo trastorno...

Porque ni siquiera Montse, que había recelado de Arturo cuando le vio saludarme con el puño en alto, sospechó que aquel episodio pudiera interpretarse de otra manera, que él se hubiera escondido para algo que no fuera tener una oportunidad de quedarse a solas conmigo.

—Espera un momento, Galán —por eso, cuando escuché al Lobo, ni se me pasó por la cabeza que su petición tuviera algo que ver con el asalto de Arturo—. Quiero hablar contigo...

Yo les había visto llegar, entrar de uno en uno, más encolerizados que serios, pero cada uno de una manera distinta, Flores con el rostro coloreado de indignación, el Lobo con los labios tensos, las mandíbulas apretadas y la expresión de una fiera en sus ojos negros, acharolados, el Pasiego con la mirada clavada en sus zapatos y los puños cerrados, el Sacristán pegado a él como una sombra, Galán mordiéndose la lengua doblada entre los dientes, como hacía siempre que se enfadaba, y Comprendes mirándolos a todos, de uno en uno, con un gesto sombrío de preocupación. Trajeron consigo a cuatro oficiales más a quienes yo no había visto nunca, y ellos fueron más amables, los únicos que saludaron, que sonrieron al entrar y elogiaron la comida, hay que ver, menuda suerte tenéis por aquí, vamos a venir a comer todos los días..., aunque Galán me cogió de la mano y me la apretó cuando le pregunté si quería más, mientras negaba con la cabeza.

La tensión era tan abrumadora que creí que el Lobo sólo buscaba una oportunidad de serenarse, y de serenar a sus hombres, cuando retuvo a Galán, después de despedir a sus invitados. En aquel momento, casi las cinco de la tarde, Montse y yo ya habíamos terminado de recoger la cocina.

—Sube arriba y espérame —murmuró él en mi oído, antes de salir—. Ahora mismo voy.

Vi cómo el Lobo le ponía una mano en el hombro al atravesar la puerta, y sucumbí a un acceso de tristeza súbita, una sensación húmeda, mohosa, tan conocida como la cara con la que había visto llegar a Comprendes la tarde anterior. La derrota me pesó en cada pierna como una tonelada mientras subía por la escalera, muy despacio. Después, cuando me senté en la cama, intenté no pensar, no recordar, no reconocer ante mí misma que ya conocía el final de aquel cuento. No lo logré, y sin embargo, sólo dos horas después, mis peores presagios, y la invasión, y España, y la Historia, valdrían tan poco como la colección de canicas de un niño pobre. Porque fui capaz de adivinarlo todo, todo excepto que el mundo entero estaba a punto de desaparecer, de deshacerse entre mis dedos como un puñado de tierra seca.

Eran ya más de las siete cuando alguien llamó a la puerta con los nudillos. Cuando fui a abrir, volví a ver a aquella cocinera enlutada, malhumorada, que había aprovechado mi llegada para salir corriendo. Galán estaba tras ella, y no se molestó en atravesar el umbral para decirme lo último que esperaba escuchar de él.

—Recoge tus cosas, Inés —quizás por eso no logré reconocer sus ojos, ni su voz distante, cortés, semejante a la que había empleado para desarmarme en una tarde que parecía ya muy lejana—. Te vas a mudar a la casa de esta señora.

—Pero... —busqué frenéticamente una razón, y no la encontré— ¿por qué? ¿Qué ha pasado?

—Motivos de seguridad —él tampoco quiso mirarme—. En esta casa ya no puede vivir ningún civil. Son órdenes de arriba y no tengo tiempo para discutirlas contigo.

Antes de terminar de decirlo, ya había girado sobre sus talones y se alejaba por el pasillo.

—¡Espera un momento, por favor! —y no me esperó—. ¡Galán!

Salí corriendo detrás de él, y no le alcancé.

—Pero tú vendrás a verme, ¿no? —le grité al hueco de la escalera—. ¿Es que no vas a venir a verme?

Y el hueco de la escalera no supo contestar a esa pregunta.

Hasta aquel momento, creí que me quedaba Inés.

Hasta aquel momento, creí que aquel viaje me había dado algo que necesitaba. Si no un país, al menos una mujer donde vivir. Eso creía, y a eso me había agarrado al mirar Viella por última vez desde aquel mirador de la carretera, un instante antes de subir al camión que me devolvería a un territorio y a un calendario, una campaña que para mí ya no serían otra cosa que el cuerpo de una mujer. Mejor eso que pensar adónde iba en realidad aquel camión, adónde nos íbamos todos nosotros en él. Mejor eso y, una vez más, me cago en tus muertos, Jesús Monzón.

También creí que el Lobo lo sabía. Cuando me sacó de la casa, cuando me puso una mano en el hombro y lo apretó con sus dedos para guiarme un buen trecho cuesta arriba, hasta que llegamos a un lugar desde el que nadie podía oírnos, creí que sólo pretendía absolverme, asegurarme que se daba cuenta de lo mal que lo estaba pasando. Antes, en el mirador, no me había portado bien con él, pero aquella encerrona estaba siendo más dura para mí que para los demás. Y sin embargo, a pesar de lo que hubiera podido decir allí arriba, yo nunca me alinearía con Flores contra mi jefe. Ni siquiera había llegado a hacerlo aquella mañana, aunque el Pasiego y yo le hubiéramos dado la razón antes de escuchar las razones del Lobo. Él tenía que haberlo advertido, pero no me paré a extrañar tanta consideración. Quizás porque todo lo que sabíamos el uno del otro, lo que habíamos aprendido en aquellos malos tiempos que los dos interpretamos como los peores con la misma ingenuidad, no había bastado para enseñarnos a superar lo que nos tocó vivir el 23 de octubre de 1944.

—Galán, yo... —aquella decepción, aquel fracaso, tanta impotencia—. Siento mucho lo que voy a decirte. Lo siento en el alma, de verdad, pero no puedo hacer otra cosa.

Entonces me di cuenta de que estaba equivocado. El Lobo dio un paso hacia mí, se metió las manos en los bolsillos, miró al suelo, cogió aire, y no fui capaz de adivinar qué podría ser más grave que mis propios cálculos.

—Esta mañana un tipo ha estado registrando el cuartel general —y frunció el ceño, como si le doliera mirarme—. Se ha paseado por el piso de arriba y ha intentado forzar la cerradura del despacho. Lo han visto desde el campamento, por la ventana del pasillo.

—¿Y qué se ha llevado? —en realidad no me interesaba saberlo, sino acelerar aquella declaración lenta, costosa, que parecía llagarle la lengua en cada sílaba, con la que está cayendo, pensé, con la que se nos va a venir encima, ahora que hemos renunciado a tomar Viella.

—Nada. No se ha llevado nada porque no ha podido abrir la puerta. Sólo hay una llave y Zafarraya la lleva siempre encima, ya lo sabes... —giró la cabeza, miró hacia fuera, volvió a mirarme—. La cuestión no es esa. Lo importante es quién le ha dejado entrar.

—No te entiendo, Lobo —y sin embargo, ya había empezado a entenderle—, no sé por qué me cuentas...

—Ese hombre ha venido a ver a Inés —cuando pronunció ese nombre, volvió a respirar con naturalidad, como si se hubiera quitado un peso de encima—. Ella le estaba esperando. Ha venido con otro que traía un carro lleno de comida. Patatas, creo, y verdura, y una cesta con huevos, eso me ha contado el Ferroviario, que estaba de centinela. Él los vio entrar, y al rato, vio salir a Inés con uno de ellos, despedirle, darle las gracias. Ese, que tenía dos brazos, se marchó con el carro, y cuando el Ferroviario le preguntó a Inés por el otro, que era manco, ella le dijo que no sabía dónde estaba, que creía que se había quedado fuera. Fue a buscarle, y como no salía ninguno de los dos, el Ferroviario entró sin avisar, y en ese mismo momento vio que el manco se abalanzaba encima de Inés para intentar besarla. Ella se resistió, o... —torció la cabeza para mirarme de lado—. O por lo menos, hizo como que se resistía.

No puede ser, me dije, no puede ser. No podía ser, yo no podía aceptarlo, no podía creérmelo. No, repetí para mis adentros, no, no, y le di la espalda. Comprendes estaba subiendo la cuesta. Vi la expresión de mi cara reflejada en la suya, y me di cuenta al mismo tiempo de que mi cabeza llevaba un rato moviéndose de izquierda a derecha, para negarlo todo, y de que yo había sido el último en enterarme. Igual que los maridos cornudos de los chistes.

—Eso no significa nada, Lobo —me di la vuelta, volví a mirarle, intenté ganar tiempo mientras acumulaba argumentos a mi favor—. Absolutamente nada. Inés está muy preocupada por conseguir comida, yo lo sé, tú lo sabes, habla de eso todo el tiempo, y... ¿No te has enterado de que hasta ha comprado un cerdo vivo y lo ha mandado matar?

—Sí, ya me lo han contado —él vino hacia mí, me cogió por los brazos, asintió con la cabeza y siguió hablándome en un tono suave, sereno, que me cabreó más que el acento receloso del principio—. Lo sé todo, y a lo mejor tienes razón. Puede ser que él se haya aprovechado de ella, que la haya engañado. Y también puede ser que sólo buscara una ocasión para meterle mano, pero... Es que no es sólo eso, Galán.

—¿No? —y me solté con tanta violencia que él se apartó a la vez, como si intuyera el trabajo que me estaba costando no tirarme a su cuello.

—¡Eh, eh, eh! —Comprendes me sujetó por sorpresa, por los codos—. Un poco de...

—¡Suéltame, joder! —y a él sí le pegué en un brazo, antes de separarme de los dos con las manos abiertas en el aire—. No me toques, ¿está claro? ¡No me toquéis!

En ese momento, empecé a oler a Inés, a percibir su olor con tanta nitidez como si tuviera su vientre encima de la nariz. Me senté en el umbral de una puerta cerrada, me tapé la cara con las manos, y el olor se hizo más intenso. Tenía las manos secas, limpias, pero las encontré húmedas, pringosas. Las yemas de mis dedos tocaban en mi rostro una piel que no era mía, sino el producto de una larga hilera de tarros de crema sobre una superficie lisa, aún más sedosa gracias a ciertos pequeños accidentes de aspereza. Recorrí de memoria la rugosidad que sobrevivía en los codos, en las plantas de los pies, y una cicatriz muy fea, de forma vagamente redondeada, que marcaba su muslo izquierdo como el hierro de una ganadería. No me toques ahí, ¿por qué?, porque no, porque es horrible, me la hice a los catorce años, ¿sabes?, un día que el caballo me tiró y me arrastró un montón de metros. Me clavé un hierro que había en el suelo, y estaba oxidado, encima...

—No tengo nada contra ella, Galán. No estoy seguro de nada, pero creo que es demasiada casualidad. Toda la historia que nos ha contado no es más que una larga serie de casualidades...

Y en el ombligo tampoco me toques, ¡ah!, ¿no?, ¿y por qué?, no sé, me da frío, es como si se me saliera el calor del cuerpo por ahí... Escuchaba al Lobo, pero oía la voz de Inés, y después, ni siquiera eso, el ritmo de su respiración, que se iba agitando poco a poco, haciéndose cada vez más veloz, más sonora, hasta que abría la boca. Me había tapado la cara con las manos, pero la estaba viendo abrir la boca y la oía respirar de otra manera, los labios apenas entreabiertos al principio, luego más y más grande el hueco de su boca, las cordilleras gemelas de sus dientes, la lengua replegada, una oquedad oscura, rojiza, que parecía infinita, como si nada pudiera nunca rellenarla, y una vocal desconocida, que no era la a, ni era la e, abriéndose paso desde el fondo. Después, al final, se reía como una tonta. Como si le diera vergüenza haberse desnudado tanto. Eso era lo que más me gustaba de ella, cómo se reía al final.

—Era de los nuestros, sí, y después de la guerra fue a la cárcel, pero la sacó de allí un hermano falangista, qué casualidad, y se la llevó a vivir a cincuenta kilómetros de aquí, qué casualidad, y estaba escuchando la Pirenaica la noche que anunciaron la invasión, qué casualidad, y encontró a tiempo un caballo, una pistola, alguien que conocía el camino, qué casualidad, y ni siquiera es sólo eso...

Entonces, yo le metía un dedo en el ombligo, lo encajaba dentro de su ombligo, lo movía despacio y ella me dejaba hacer durante un instante. Me miraba con los ojos medio cerrados, una sonrisa rendida, los brazos abandonados, las piernas abiertas, y de pronto me daba un manotazo. Te he dicho que no me toques el ombligo. Luego se pegaba a mí, apresaba mis brazos con los suyos para impedir que volviera a intentarlo, y en ese momento su olor rellenaba ya todos los orificios, impregnaba todos los tejidos, humedecía todos los huesos de mi cabeza. Y dentro de mí no había otra cosa, no cabía otra cosa que aquella marea, aquel latido, una luz oscura, un fuego tibio, la piel de aquel cuerpo perfumado de sí mismo que sentía en todo mi cuerpo como una sombra cosida, puntada a puntada, sobre mi propia carne, mientras seguía sentado, inmóvil, con la cara tapada, las manos secas, húmedas, mis manos limpias, pringosas, y el Lobo hablando, y hablando, y hablando.

—El Piñón ha venido esta mañana a vernos. Le ha contado a Comprendes que, durante la guerra, Inés era la novia de un traidor, de un hijo de puta que entregó a mucha gente...

—A Inés —intervine sin ser muy consciente de que lo estaba haciendo, las palabras acudieron a mi boca, las fuerzas a mis piernas, y me destapé la cara, me levanté, me acerqué al Lobo—. Entregó a Inés, a una amiga suya a la que fusilaron después, y a siete camaradas que tenían escondidos en casa. Lo sé porque me lo contó ella misma.

—Yo también lo sé. Tú se lo contaste a Comprendes, y él me lo ha contado a mí. Te enteraste por ella misma, la misma noche que os encontrasteis con el Piñón, ¿no? Cuando descubrió que aquí había alguien que conocía su pasado, te lo contó entre polvo y polvo.

—Pero... —en ese instante, la duda penetró en mi interior, que no era más que un puro olor a Inés, como una lenta, espesa, perversa gota de ácido, y ni siquiera fui capaz de recordar en voz alta que había sido yo quien había preguntado, yo quien había estimulado aquella confesión—. Que fuera la novia de un traidor, no quiere decir...

—Que ella sea una traidora —completó el Lobo—. Sí, en eso tienes razón. Puede ser, otra vez, una casualidad. Pero ya van muchas, ¿no? Seis o siete seguidas. Una mujer joven, atractiva, llega aquí a caballo, como llovida del cielo, con tres mil pesetas y cinco kilos de rosquillas, un pasado turbio que no nos cuenta, una historia familiar muy sospechosa, y a la primera de cambio, se mete contigo en la cama, se emplea a fondo para que se te caiga la baba con ella, se convierte en nuestra cocinera, se sigue empleando a fondo para encandilarnos a todos desde el desayuno hasta la cena, y de repente, la puerta del despacho está forzada, un cabrón registrando el cuartel general y, al ser descubierto, ¿a quién usa para encubrirse?, ¿quién está con él mientras intenta aparentar lo que no es?

Hasta entonces, no me había dolido. Hasta entonces, sólo había sentido deseo, una imprecisa nostalgia del deseo, una punzada del peligro que planeaba sobre mi deseo para ponerme en guardia, pero que aún no me hacía daño, todavía no. Sin embargo, mientras el Lobo seguía enumerando casualidades, me vi a mí, no a Inés. Me vi por fuera, ya no desde dentro, y lo que vi, aquel pedazo de gilipollas que babeaba con los ojos cerrados y la boca abierta, me enfureció tanto que ni siquiera intenté responder a las respuestas de mi jefe.

—No estoy seguro de nada, Galán, de verdad que no —el Lobo había abandonado el tonillo irónico al que había recurrido para instruir el sumario, pero la sinceridad que detecté en su voz no me consoló—. Y si las cosas fueran de otra manera, habría hablado yo con ella para descartar mis dudas antes de decirte nada. Pero ni siquiera tengo tiempo para eso, y tú lo sabes. Esta situación es demasiado jodida como para perder el tiempo en sutilezas. Estamos aislados, vendidos, expuestos a cualquier cosa. No podemos permitirnos ni siquiera sospechar de alguien que está dentro, ¿te das cuenta? Y por más vueltas que le doy... Que te pidiera que le enseñaras los límites del territorio que controlamos, que se diera tanta prisa por escupirle en la cara a aquel oficial de Moscardó que la conocía... No sé, es demasiado, Galán.

Era demasiado, pero muy poco comparado con mi humillación. Ese fue el sentimiento más poderoso, el que desbancó a todos los demás y el único disolvente capaz de arrancar el olor de aquella mujer de mi cabeza. Porque yo ni siquiera me paré a sospechar de Inés, no me hizo falta. No necesité dudar, comparar mis dudas con mis certezas, para elaborar una decisión antes de tomarla. Nunca en mi vida me había sentido tan humillado. Me daba tanta lástima a mí mismo que me quedé sin fuerzas para recordar hasta qué punto se había empleado conmigo aquella mujer. La conciencia de mi credulidad, de mi inocencia, aquella alegría sin límites ni precauciones con la que había abierto las manos de par en par, igual que un niño al que le llueven dulces de una piñata, funcionó como una palanca capaz de invertir el proceso de mi pensamiento.

Así, logré ver a Inés como nunca la había visto, recordar gestos que no había contemplado, escuchar palabras que jamás había oído. Una mujer retorcida, pensé, y sonreí amargamente para mis adentros. Me hubiera gustado pegarme a mí mismo, liarme a hostias con mi propia cara, el cuerpo incauto que me había entregado sin condiciones a la amante más generosa, tan valiente montada en su caballo, tan voluptuosa retorciéndose en mi cama, tan dulce al despertar, que sólo un imbécil habría creído que fuera de verdad. Habría preferido pegarme una paliza de las buenas, abrirme los labios, hincharme los ojos, pero lo que hice tampoco estuvo mal. Logré hacerme bastante daño a mí mismo mientras convertía en defectos cada una de sus virtudes, hasta que conseguí abominar de lo que más me gustaba de ella. Eso era más fácil, me dolía menos que seguir recordando lo que sabía.

—Pues la detenemos —porque nunca en mi vida me había sentido tan humillado—. La detengo yo, si queréis —tan pequeño, tan tonto, tan despreciable—. Voy ahora mismo a por ella y la encierro donde me digáis.

Decir eso tampoco fue complicado, aunque Comprendes se asustara al escucharlo.

—Vamos a hacer las cosas bien, ¿comprendes? —porque se acercó a mí, me puso las manos en los hombros, me miró con las cejas arrugadas—. No hay por qué detenerla. Lo primero que tendríamos que hacer es ir a hablar con Montse, que ha estado en la casa, con ella, toda la mañana.

Antes de asentir con la cabeza, doblé mi lengua dentro de la boca, le clavé los dientes, recordé lo que mi amigo me había dicho en un aparte, cuando nos lo encontramos sentado en el banco de la fachada, al lado del Piñón, y tuve ganas de arrancármela de una puta vez.

—Anda que tú, también... Has ido a elegir el mejor momento para encoñarte, ¿comprendes?

La invasión se torció desde el principio, desde que parecía que nada estaba torcido. El primer día, todos estábamos demasiado emocionados como para darnos cuenta, y los aspectos prácticos del despliegue, ocupar Bosost, instalar el cuartel general, montar los campamentos, asegurar la intendencia, estudiar el plan asignado a nuestro grupo, nos mantuvo ocupados, excitados y en tensión, el estado ideal de un soldado. Además, por la noche, cuando nos fuimos a la cama, las transmisiones con Toulouse funcionaban, y no sólo para felicitarnos. También nos garantizaron desde allí que en los otros dos sectores todo se había llevado a cabo de acuerdo con el orden previsto. Angelita tenía razón, habíamos vuelto a la guerra, pero eso no nos inquietaba. La guerra era lo que mejor sabíamos hacer.

Las tropas bajo el mando del Lobo tenían encomendada la toma de las poblaciones al norte de Viella, y a eso nos dedicamos desde la mañana siguiente. Antes del mediodía, Comprendes y yo entramos a la cabeza de nuestros hombres, algo más de doscientos, en el pueblo que nos habían asignado, y ahí se empezó a torcer todo, aunque tomarlo fue tan fácil como quitarle un caramelo a un niño.

—Esto no me gusta —murmuré en dirección a Comprendes, aunque acabábamos de rendir el cuartelillo sin disparar una bala.

—¿No? —él se volvió a mirarme, muy sorprendido—. ¿Por qué?

—Pues... —y esperé a que mis hombres se llevaran a los cuatro guardias civiles que en ese momento salían a la calle con las manos encima de la cabeza—. No sé decirte por qué, pero no me gusta.

Porque el aire no tenía el aroma, la consistencia que debería haber tenido. Porque los vecinos no habían salido a mirarnos. Porque todas las puertas, todas las ventanas estaban cerradas, y ningún niño, ninguna mujer curioseando en la calle. Porque podía respirar su miedo a través del hueco de las cerraduras. Porque nadie me había abrazado, nadie me había sonreído, nadie había levantado el puño ni había aplaudido desde que llegamos allí. Porque yo me acordaba muy bien de cómo eran las cosas antes, y me daba cuenta de que ahora eran distintas, aunque no sabía cómo, ni por qué.

—Pues yo creo que ha salido todo muy bien, ¿comprendes?

—Sí... —le miré, le sonreí, me guardé mis razones para mí—. Tienes razón. Vamos a por el alcalde.

Toda la información que teníamos antes de llegar allí consistía en el número de guardias del puesto, muchos para un pueblo tan pequeño, pocos para estar tan cerca de Francia, suficientes para convencernos de que no nos esperaban, y la doble autoridad del hombre que reunía la condición de jefe de Falange y la de alcalde, aunque la suma de ambas responsabilidades no fue bastante para animarle a salir de su casa, a dar la cara.

—Buenos días, señora —después de un cuarto de hora de aporrear la puerta y llamar a gritos desde la calle, sólo conseguí vislumbrar un rostro femenino, desencajado, al otro lado de una mirilla antigua, cuadrada, que se abría hacia dentro como una ventana—. ¿Está su marido en casa?

—Pues no... —su voz era ronca, pero tan fina al mismo tiempo como un cabello a punto de romperse—. No está.

—¿Y no sabe cuándo va a volver? —estaba tan seguro de que me mentía que extremé la cortesía, por si él mismo podía escucharme—. Necesitaría hablar con él. Solamente eso, hablar, informarle de la situación. No va a pasarle nada malo, se lo aseguro. Él es la máxima autoridad de este pueblo, y me gustaría contarle qué estamos haciendo aquí, por qué hemos venido...

—Ya, pero yo no sé nada —cerró la mirilla a toda prisa, aunque seguí adivinándola a través de las rendijas.

—Verá usted, señora, la situación de España ha cambiado —no renuncié a la cortesía, pero mi voz se hizo más firme, más segura, porque estaba diciendo la verdad, lo que yo creía que era la verdad—. Franco tiene los días contados. Sus aliados han perdido la guerra y no podrán seguir ayudándole. Nosotros lo sabemos mejor que nadie porque en el 39 tuvimos que exiliarnos a Francia, porque allí hemos derrotado a los alemanes, y porque formamos parte del ejército aliado —entonces oí a lo lejos el estrépito de una carrera, una voz conocida llamándome a gritos—. Somos el ejército aliado y, créame, por favor, no hemos vuelto para hacerle daño a nadie...

—¡Mi capitán! —el Bocas me interrumpió cuando más entonado estaba, y esperé a que llegara a mi lado—, ¡mi capitán! —a que recuperara el resuello—, ¡tenemos un problema, mi capitán!

—¿Qué ha pasado? —pero, por una extraña inspiración, no me aparté de la puerta.

—¡El cura! Que se ha tirado por el balcón, el cura, ahora mismo, desde un segundo piso se ha tirado, el tío, que ha oído gritar, ¡que vienen los rojos!, ¡que vienen los rojos!, se ha puesto nervioso, y en vez de salir por la puerta, que habría sido lo suyo, digo yo, pues ha saltado por la barandilla, cinco o seis metros que habrá, por lo menos, y claro, pues debe de haberse roto algo, la tibia, la rodilla, qué se yo, él sólo dice que le duele mucho la pierna, pero no ha dejado que nadie se la mire y ahí sigue, un hombre mayor, que tendrá sesenta años, lo menos, y no podemos dejarlo ahí, tumbado en la calle, con la sotana levantada, quejándose, pero tampoco sabemos...

—¿Que no sabéis? —lo que me faltaba a mí ahora, pensé, el gilipollas del cura saltarín, mientras sentía el grosor de mi lengua doblada entre los dientes—. Pues yo te lo voy a decir. Lo primero, procurar no tocarme más los cojones, ¿está claro? Y luego, ¡pues qué vais a hacer, Bocas, parece mentira que me lo preguntes! Ir a avisar a los de Sanidad, ¿no? Ya se te podía haber ocurrido a ti solito.

—Y que le escayolen, ¿verdad? —me miró, y me limité a asentir con la cabeza para dejarle seguir hablando, porque vi con el rabillo del ojo que la puerta de la casa del alcalde se había abierto, y su mujer se había asomado tras la hoja entornada, para escuchar mejor—. Que le escayolen, o que le entablillen la pierna, que le miren bien, a ver qué tiene, porque se queja mucho, pero a lo mejor no es...

—Lo que sea, Bocas, me da lo mismo. Que lo curen, y después, le lleváis hasta la escuela, como a los demás. Y si no puede andar, lo cargáis entre dos en una silla.

—¿Van a curar al mosén?

Estaba tan pendiente de vigilar la sombra de la alcaldesa con el ojo derecho, que tuve que volverme para descubrir que ya se habían acercado algunas personas, entre ellas la que había hecho aquella pregunta, una mujer joven que llevaba a un niño de la mano y a otro en los brazos.

—Claro. ¿O es que aquí hay médico?

—Hoy no —me contestó la mujer—. Sólo viene los lunes y los jueves.

En ese momento la alcaldesa se asomó un poco más, y Comprendes me dio un relevo.

—Dígale a su marido que salga, por favor. Ya tenemos bastantes problemas, ¿comprende?

—Le prometo que no le va a pasar nada —insistí yo—. Se lo juro por mi madre. Piense un poco, mujer. Si hubiéramos querido hacerle daño —agarré el cañón de mi fusil y se lo enseñé, como si no lo hubiera tenido siempre delante—, no habríamos perdido ni un minuto en hablar con usted, ¿no lo entiende?

Me miró, asintió con la cabeza, muy despacio, y se fue para adentro sin cerrar la puerta del todo, para volver enseguida. Tras ella, apareció un hombre con poco pelo, blanco, despeinado, una camisa mal abrochada, coja desde el segundo botón, y una expresión de pánico que le prestaba un aspecto casi animal. Le di la mano para saludarle y, al margen de los motivos que pudiera tener para temernos tanto, volví a pensar que aquello no me gustaba. Lo mismo sentí un cuarto de hora después, al entrar en el aula más grande de la escuela de aquel pueblo, mientras recuperaba la imagen de otra escuela, otra aula, otro pueblo donde pronuncié palabras parecidas. Si me lo hubieran contado, no me lo habría creído. Tenía ante mí un auditorio mucho más numeroso que aquel pequeño grupo de oficiales alemanes. Estos eran civiles y entendían perfectamente mi idioma, pero me acogieron con la misma frialdad que habría esperado de un ejército enemigo. De ellos, no. De ellos, nunca.

Paseé la mirada por sus rostros antes de empezar a hablar, y apenas logré contemplar algunos ojos, porque la mayoría de los vecinos los tenían fijos en su regazo, como si no sintieran curiosidad por enterarse de qué les estaba pasando, o como si ya tuvieran preparada una respuesta para cualquier cosa que yo pudiera decirles. En la primera fila estaban los guardias civiles, el alcalde, su mujer, y dos señores vestidos con traje y corbata, un atuendo que destacaba sobre la ropa campesina, de trabajo, que llevaban los demás. Mientras tomaba aliento, volví a extrañar el aire, su tibia temperatura, su deshilachada consistencia, y busqué en los rostros que procuraban esconderse de mis ojos algún indicio, algún rastro de la antigua energía, el viejo coraje que aún calentaba mi memoria, pero no lo encontré.

Mis hombres me estaban esperando, sin embargo. Tiesos, formados, rodeando el aula como aquella vez, cada uno de ellos me miraba desde el lugar que tenía asignado. Pero ahora estoy en España, me obligué a pensar, estoy en mi país, un país que no se rindió, que no se resignó, que se desangró antes de perderlo todo... En los años que estuve preso en Francia había pensado en eso muchas veces, mientras veía cómo se venían abajo los franceses, cómo se derrumbaban bajo la menor presión, toda una línea Maginot cada casa de cada pueblo, de cada ciudad. Mientras los europeos iban entregándose a los alemanes como una voluntariosa manada de corderos desorientados, los españoles recordábamos, comparábamos nuestros recuerdos todos los días, nos aferrábamos al orgullo de haber caído con un fusil en la mano, luchando hasta el final, a la desesperada. Ese orgullo, lo único que teníamos, nos había sostenido, nos había alimentado, nos había levantado, nos había armado, y nos había empujado hasta una gran victoria que nos importaba exactamente una mierda. Porque habíamos luchado en Francia, pero no por Francia. En Francia, pero no para Francia. En Francia o donde fuera, pero sólo por volver, para volver a casa.

Los campos, las cárceles, el hambre, la intemperie, los trabajos forzados, la guerrilla y la guerra, todo lo que habíamos hecho, lo que habíamos sufrido, tenía un solo sentido. Habríamos dado más a cambio de una oportunidad como la que yo tenía aquella mañana, un pueblo español, una escuela española, una victoria española, pequeña, tierna como el brote de una rama en una mañana de abril, el primer grano de arena de la montaña del futuro. En todo eso pensé antes de empezar a hablar. Y en que tendría que haber estado eufórico, porque había pagado un precio muy alto para llegar hasta donde estaba. Todos habíamos pagado un precio muy alto, y sobre nuestros hombros pesaban los nombres, las historias de los que no habían podido acompañarnos, porque habían dado sus vidas a cambio de una oportunidad que no llegarían a tener.

Pensé también en ellos antes de empezar a hablar, a leer el manifiesto de la Unión Nacional Española, *ningún español honrado puede dejar de acudir al llamamiento de la Patria,* y al principio, todavía les miraba, *queremos que todos, fraternalmente unidos, puedan honrarse con su participación en la causa que hoy exige el esfuerzo unánime de la nación,* todavía esperaba un grito, un gesto, una sonrisa, *el desarrollo de la lucha tenaz de nuestro pueblo y la fatal derrota de Hitler hacen inminente el hundimiento de Franco y su Falange,* pero sólo veía cabezas agachadas, escuchaba solamente silencio, *y con ellos, el de todos cuantos han contribuido a prolongar el martirio de España,* y Comprendes estaba nervioso, el Bocas estaba nervioso, el Pollito estaba nervioso, *se acerca la hora de las batallas decisivas,* y no se movían, no hablaban, no se miraban, *debemos estar preparados, y preparados quiere decir unidos,* pero tampoco sabían mirarme a mí sin mover la cabeza, sin apartarse el cuello de la camisa de la garganta, removiéndose en la ropa como si la tela les irritara la piel, *unidos no en la espera pasiva que atrofia,* me estaba acercando al final de mi discurso y me sentía peor por ellos que por mí mismo, *sino en la acción combativa que fortalece,* porque presentía que lo que había sabido hacer con un comandante de la Wehrmacht iba a estrellarse contra la indiferencia de mis propios compatriotas.

—¡A la lucha! —aunque, cuando llegó el momento de gritar, grité—. ¡Abajo Franco y Falange! —y por fin, unas pocas voces respondieron a mis gritos—. ¡Viva la Unión Nacional de todos los españoles! —dos hombres, tres muchachos, una docena de mujeres se pusieron en pie para gritar conmigo—. ¡Viva la República!

Mis hombres gritaron a la vez, para hacer bulto, y se lo agradecí, pero no me sentí mucho mejor. Sin embargo, mientras la mayoría de los vecinos enfilaba la puerta en silencio, vi que al fondo se había formado un grupo y calculé que estaban esperando a que se despejara el aula para acercarse a mí. Cuando lo hicieron, más que calcular, estaba ya a punto de ponerme a rezar en latín, como en mis viejos tiempos de seminarista, pero por fortuna no tuve que llegar tan lejos.

—¡Salud! —un hombre de mi edad, vestido de jornalero, levantó el puño antes de darme la mano—. Me llamo Eusebio.

—Yo me llamo Martín —el que estaba con él, era algo más joven pero tenía el mismo aspecto—. Y de verdad que me alegro de veros...

Antes de responder a su saludo, ya me había dado cuenta, por sus acentos, de que ninguno de los dos era de allí. Eusebio era de un pueblo de Alicante, Martín, de uno de Segovia, y no se conocían de nada hasta que coincidieron en el valle de Arán. Los dos habían estado en la cárcel, el primero en Valencia, el segundo en Madrid, y todavía les había tocado hacer el servicio militar al salir. Al encontrarse en libertad, los dos habían tenido la misma idea, mudarse a una provincia fronteriza con Francia, buscar trabajo por allí, ahorrar un poco, y esperar a la primera ocasión para cruzar los Pirineos.

—¿Y qué vais a hacer? —me preguntaron, después de contarme todo esto—. ¿Vais a abandonar el pueblo o vais a dejar un retén?

—Desde luego, abandonarlo no, pero todavía no sé... No tenemos tropas suficientes para defender todos los pueblos sin perjudicar nuestras posibilidades de avanzar. Lo mejor sería armar a los hombres de izquierdas.

—No hay —me interrumpió Eusebio—. Mujeres hay bastantes, y chicos también, pero hombres... Yo no conozco a ninguno.

—Bueno, estamos nosotros —sonrió Martín.

—Y nosotros...

El que acababa de ofrecerse era casi tan alto como yo, pero no tendría más de quince años y parecía hablar en nombre de otros dos, tan críos como él y bastante más bajos.

—Puede contar con nosotros, capitán —insistió, con un acento aranés muy fuerte—. Somos tres. Ellos nos conocen. ¿O no? —añadió en un tono desafiante.

—Sí —Eusebio sonrió—. Claro que los conocemos. Y son muy buenos chicos, pero... —se inclinó hacia mí y bajó la voz—. Bueno, ya les estás viendo.

El portavoz, un guaje, habrían dicho en mi pueblo, tenía las piernas tan largas como el Bocas cuando le conocí, y la piel de la cara como una paella a medio hacer, algunos granos grandes, aislados, con la punta amarillenta, otros arracimados, pequeños y oscuros como lunares minúsculos. No me gustaba la idea de armarle. Nunca había sido partidario de armar a los adolescentes, por muy hombres que les hiciera parecer su estatura. Y no porque me pareciera más inmoral que la vida a la que les había abocado la miseria, al ponerles un azadón, en lugar de un fusil, entre las manos, antes de que dieran el primer estirón, sino porque no eran de fiar. Los niños, incluso los que estaban acostumbrados a trabajar como adultos, se ponían nerviosos, hacían barbaridades, no aguantaban la presión. Podían ser tan valientes como los hombres, pero eran más crueles, impacientes y muy irresponsables. En casos de extrema necesidad, prefería armar a las mujeres. Sin embargo, en los ojos de aquellos chicos había calor. Había dolor, y fe, mucho más de lo que yo había recibido de sus vecinos, los adultos que les habían visto nacer, crecer, sufrir, y levantarse de su silla para aplaudir mi discurso de aquella mañana, en un pueblo donde no quedaba ningún hombre de izquierdas.

—¿Sois huérfanos? —les pregunté, y dos de ellos, el alto y el que estaba a su izquierda, asintieron con la cabeza—. ¿De padre?

—Yo, de padre y de madre, que los fusilaron a la vez —respondió el que no había hablado todavía—. Vivo con mi abuela y mis hermanos pequeños.

—Yo no soy huérfano —precisó el tercero—. Bueno, creo que no, pero tampoco sé dónde está mi padre. Mi madre cree que salió cuando la retirada, pero... Hace cinco años que no sabemos nada de él.

—¿Cuántos años tienes?

—Diecisiete —y al contestarme, estiró el cuello, levantó la barbilla, intentó parecer más alto y más hombre a la vez.

—No —sonreí—. No tienes diecisiete. Dime la verdad.

Tenía catorce, sus amigos, quince, al más alto le faltaban dos meses para cumplir dieciséis, pero su determinación era la única señal alentadora que me iba a llevar de aquel pueblo.

—Bueno, vamos a hacer una cosa. Os voy a armar. A los cinco —los críos me miraron con una sonrisa que no les cabía en la boca—, y voy a dejar a diez hombres aquí. Pero vosotros —señalé a Eusebio, a Martín— sois responsables de los chicos, ¿de acuerdo? Que no hagan ninguna tontería. Guardias y vigilancia, sí, pero nada más. Y en el momento en que pueda mandaros refuerzos, los desarmáis y que se vayan a su casa.

—Has hecho bien, ¿comprendes?

Yo no estaba muy seguro de eso, pero cuando salimos del pueblo para volver andando a Bosost, mi lugarteniente aprobó aquella decisión en voz alta antes de que tuviéramos tiempo de dejar atrás las últimas casas.

—Aunque sean tan pequeños, si no los hubieras aceptado, se habrían desmoralizado, y habrían desmoralizado a sus familias, a sus madres, a sus hermanos, ¿comprendes? No van a correr ningún riesgo, pero así es posible que avergüencen a algunos vecinos, que den ejemplo, ¿comprendes? Porque es imposible que no haya ningún hombre de izquierdas en este pueblo. Que esté emboscado, puede, que no hable, que no se señale, pero que no haya ninguno... —hizo una pausa, me miró, levantó las cejas para subrayar su asombro—. ¿En España? —y él mismo negó con la cabeza, para responderse—. Yo, por lo menos, no me lo creo, ¿comprendes?

¿De dónde habrás sacado tú tanto optimismo?, pensé, pero le di la razón con la cabeza, me guardé mis preguntas para mí mismo, y al llegar a Bosost me limité a informar al Lobo de que habíamos alcanzado los objetivos.

El ambiente que se respiraba en el cuartel general era muy bueno. La sorprendente falta de resistencia de los guardias civiles, que habían abandonado los cuarteles con las manos en alto antes de que empezara el tiroteo, nos había dado una ventaja con la que no contábamos. Era, sin embargo, un dato ambiguo, difícil de interpretar. Los guardias habían abandonado su puesto por su propia voluntad, pero sin haberlo decidido previamente, sin que nadie les hubiera dado la orden de hacerlo, sin la menor intención de unirse a nosotros después. Todos declararon lo mismo, que se habían entregado porque no nos esperaban. Porque nadie les había avisado de que hubiera un ejército enemigo dentro de sus fronteras. Porque nadie les había pedido que resistieran.

Al escuchar otros relatos casi idénticos al que yo había hecho de aquel día, me di cuenta de que eso era lo que no me había gustado. Desde el punto de vista militar, la pasividad del enemigo representaba un regalo que compensaba con creces la indiferencia de la población. Eso era indiscutible, pero aún lo era más que sólo la desinformación general podía explicar a la vez la frialdad de las escuelas y la desconcertante resignación de los cuarteles. Sin embargo, no encontré un buen momento para compartir mi aprensión con ninguno de mis compañeros. Cuando ya estábamos a un paso de los bailes regionales, Perdigón cantando por alegrías, el Lobo comiendo butifarra negra con los ojos cerrados, el Sacristán haciendo en voz alta la lista de las novias que tenía desperdigadas por Aragón, total, a un paso, decía, y el Zurdo suspirando porque, pasara lo que pasara, él iba a ser el último en llegar a su casa, aparecieron dos soldados diciendo a la vez que teníamos una invitada y una prisionera. Como no se ponían de acuerdo, salí a curiosear, y me encontré en la puerta con mi propia versión de la patria perdida.

España medía un metro setenta. Nunca antes había sido tan alta, pero su estatura no era lo único que llamaba la atención en ella. Llevaba el pelo, liso, casi negro, recogido en un moño medio deshecho, algunos mechones sueltos, tan estratégicos como si los hubiera liberado con sus propios dedos, enmarcando su rostro. A partir de ahí, nada era previsible. España era guapa y no era guapa. Su rostro no encajaba del todo en la definición clásica de la belleza, pero estaba muy lejos de los dominios de la fealdad, aunque lo que más la favorecía era que ni Amparo, ni Angelita, podrían haberla despachado diciendo que era «una chica mona». Tenía los ojos oscuros, la piel bronceada, colores típicos en una cara atípica, angulosa, de huesos finos y expresión decidida, un rostro delicado pero no frágil, alargado pero nada espiritual. España podía presumir de nariz, estar contenta con su barbilla y celebrar aún más la desnuda elegancia de sus mandíbulas. A cambio, tenía una boca tan grande que no le daba opción a pintarse sólo el centro de los labios en forma de corazón, según la moda de la época, y para compensarla, una cabeza redonda, demasiado pequeña para tanta mujer, que desmentía sus pómulos eslavos. Mucho más indiscutible era su cuerpo.

España tenía un esqueleto interesante, poderoso, incluso vestida de aquella extraña manera, un cruce pintoresco entre señorita amazona y miliciana aficionada, botas y pantalones de montar, una camisa blanca con volantes en el pecho, una americana de terciopelo, un chubasquero muy usado, una manta sobre los hombros y una pistola bien visible, encajada en la cintura del pantalón. Hasta con tanta tela encima, adiviné que tenía los hombros anchos, aunque no tanto como parecían, unos pechos lo suficientemente rotundos como para abrir un hueco entre el tercero y el cuarto botón de una blusa que no le estaba pequeña, unas caderas prometedoras, a pesar del ridículo abultamiento de los pantalones, y las piernas muy largas. Eso fue lo primero que vi de ella, porque cuando salí, se había tapado la cara con el pico de la bandera, como si fuera un quinto obligado a besarla en el patio de un cuartel. Yo nunca había besado aquella bandera por la que llevaba diez años jugándome la vida, y aquel gesto me pareció excesivo, teatral, un poco histérico. Pero cuando le di las buenas tardes, España me saludó como un soldado de los de antes, llevándose el puño cerrado a la sien, y sus ojos me enseñaron que no había estado besando la bandera, sino limpiándose la cara con ella. Porque cuando salí a su encuentro, España estaba llorando.

Eso fue Inés para mí, un país cuyos límites coincidían exactamente con el que yo añoraba, la España que había poseído, a la que había pertenecido una vez y ya no sabía dónde encontrar fuera de mi memoria. Eso fue Inés desde que empezó a darme con creces, cada noche, todo lo que buscaba de día, en vano, fuera de su cuerpo. Una fuente de energía tan formidable que, si su beneficiario no hubiera sido yo, lo habría sido cualquiera de los hombres que se quedaron dentro de la casa, sin presentir lo que se estaban perdiendo. Aunque, tal vez, si se hubiera abandonado en otros brazos, su dueño no habría sido tan torpe como yo, ni habría provocado en ella la torpeza que contribuyó a que, en lugar de mover nuestras cabezas hacia fuera para separarlas, las moviéramos hacia dentro, y a la vez, para darnos un cabezazo sonoro, doloroso y mutuo, antes de soltarnos.

Luego, cuando la acompañé adentro, mientras la oía hablar, explicarse, contar que había venido a caballo, que nos había traído tres mil pesetas y cinco kilos de rosquillas, que estaba dispuesta a hacer lo que fuera con tal de que no la devolviéramos, la miré, miré a los demás, y comprendí que estaban pensando lo mismo que yo. Aquella mujer encajaba como un guante en nuestras esperanzas, y su llegada le daba sentido, consistencia, a la invasión. Porque habíamos cruzado la frontera para luchar por gente como ella, al lado de personas como ella, y en su nombre. Veinticuatro horas después de nuestra llegada, cuando cualquier desarrollo, cualquier presentimiento de felicidad era aún posible, Inés fue nuestra primera voluntaria, la primera que vino a nosotros libre y espontáneamente, sin que hubiéramos tenido que reclutarla ni convencerla, sin que hubiéramos salido a buscarla. Sería también la última, pero antes de que empezáramos a sospecharlo, yo estaba ya tan encoñado como un niño pequeño y no demasiado listo.

—¿Qué tal? —porque al día siguiente, cuando volvimos a Bosost y nos encontramos al Lobo, esperándonos en la puerta del cuartel general, sólo pensaba en eso.

—Muy bien —y ni siquiera me di cuenta de que no tenía buena cara—. Mucho mejor que ayer.

Era verdad, porque aquel día no habíamos tenido curas saltarines ni alcaldes escondidos debajo de la cama. En el valle de Arán se habían enterado por fin de que estábamos allí, de quiénes éramos y de qué pretendíamos. Ya sabían cómo hacíamos las cosas, y aunque el entusiasmo seguía siendo excepcional, el miedo se había ido transformando poco a poco en simple tensión, una actitud expectante de hostilidad encubierta por parte de algunos, y aparente simpatía por parte de otros. En la intersección de ambas distancias, los nuestros empezaban a dejarse ver como si la boca de un cuentagotas se hubiera dilatado hasta el humilde punto de dejar escapar su contenido de dos en dos unidades, y no ya en una sola dosis cada vez.

Fuera de mí, las cosas no habían mejorado mucho. Dentro, en cambio, eran tan distintas que cada dos por tres se me escapaba la risa sólo de pensarlo. Mientras encañonaba a los guardias civiles, mientras leía el manifiesto de la UNE, mientras atisbaba con el rabillo del ojo la reacción de los vecinos, de mis soldados, mientras organizaba a los hombres que iba a dejar allí y armaba a los civiles que iban a quedarse con ellos, era consciente en cada segundo del volumen de mi sexo, que crecía, y disminuía, y volvía a crecer a su aire, sin consultarme ni dejarme nunca tranquilo del todo.

Tenía que tomar muchas decisiones en muy poco tiempo y no pensaba conscientemente en Inés, pero cualquier idea, cualquier palabra que pudiera decir para expresarla, procedía a la fuerza de una caverna carnosa y sonrosada, de paredes elásticas, brillantes, que me había acolchado el cráneo para suplantar el lugar de mi cerebro. No tenía otra cosa dentro de la cabeza. Procuraba ignorarlo para evitar una reacción en cadena, el fulminante efecto que cualquier imagen nítida, deliberada, provocaba en el otro órgano rebelde de mi cuerpo, pero mis ojos veían a Inés donde no estaba, mis oídos oían su voz sin escucharla, las yemas de mis dedos la tocaban al tocar el aire, y Comprendes tenía que darme un codazo en las costillas para que acabara las frases que empezaba. Entre unas cosas y otras, estaba muy entretenido conmigo mismo. Por eso le dije al Lobo que me había ido mucho mejor que el día anterior, y no le mentí.

Luego me di cuenta de que el aire que escapaba del cuartel general estaba envuelto en un aroma antiguo y doméstico, un olor que me devolvió a Asturias, a la cocina de mi madre. Cerré los ojos para apreciarlo mejor e identifiqué sin vacilar la causa de aquel fenómeno, calabacines, tomates, cebollas. Pisto, aposté, y mi madre no solía hacerlo. Inés, imaginé, y no me hizo falta abrir los ojos para ver sus manos, cortando, pelando, picando, la expresión atenta de su rostro, los ojos concentrados en la sartén, una cuchara de madera en una mano, la boca entreabierta... Bien pensado, lo más seguro era que cocinara con la boca cerrada, pero en aquel momento estaba ya tan agotado de sujetarme a mí mismo, que decidí dejarme ir.

—¿Adónde vas, Galán? —y cuando la voz del Lobo me detuvo, tenía una erección de las que hacen daño.

—Adentro, a saludar —su dedo índice negó en el aire—. Si todo ha ido muy bien, en serio, Lobo, pregúntale a Comprendes, o ya te lo cuento yo, dentro de un rato.

—Que no, que no es eso. Hoy hemos hecho prisionero a un oficial del estado mayor de Moscardó. Yo ya lo he interrogado esta mañana y no le he sacado gran cosa, pero cuando Flores se ha enterado, se ha puesto como una fiera. Me ha obligado a repetir el interrogatorio y ha pedido que tú estés delante, así que... Lo demás tendrá que esperar.

Lo demás, Inés, atacarla por la espalda, levantarle la falda, meter las manos debajo de su ropa, aplastarme contra ella mientras no le quedara más remedio que seguir dándole vueltas al pisto con una cuchara de madera, y disfrutar de su desconcierto, el nerviosismo que le impediría atendernos a mí y a su guiso al mismo tiempo, había dejado de ser urgente antes de que el Lobo terminara la frase. El comisario había logrado en un instante lo que nada, ni las dos caminatas de aquel día, ni la Guardia Civil, ni el mitin de la escuela, ni la reacción de mis hombres, ni la de aquellos pocos a los que había logrado reclutar, había conseguido antes. No me gustaba Flores, no me fiaba de él, y aún me fiaba menos de la súbita predilección que demostraba por mí. Porque yo era amigo de Jesús, no suyo. Yo le debía a Jesús la lealtad que se merece un amigo, a él ninguna. Y no dudaba de que el Lobo sabía todo esto tan bien como yo, pero mientras mi sexo se autoexiliaba al limbo de los placeres aplazados, busqué una manera de asegurárselo.

—Yo no tengo ningún interés en estar en ese interrogatorio, Ramón —él asintió con la cabeza, para asegurarme a su vez que me creía—. Más bien, me da mucho por culo tener que irme ahora. Así que eso tienes que decidirlo tú. Si quieres que vaya, te acompaño. Si es por Flores, que se joda. Para mí, aquí no hay más jefe que tú, ya lo sabes.

—Lo sé, Fernando, lo sé... —vino hacia mí, me dio una palmada en la espalda, me empujó hacia delante con la misma mano—, pero yo también prefiero que estés delante. Primero, por tener la fiesta en paz. Después, porque este individuo, Gordillo se llama, estaba en la lista de Inés. Flores se me quejó anoche, y se ha vuelto a quejar esta mañana, de la hospitalidad con la que le hemos abierto los brazos a una aventurera, una señorita de Madrid, hermana de un falangista, y al escucharle, Juanito ha hecho un chiste, ya sabes cómo es. Sí, hombre, le ha dicho, sólo faltaría que ahora nos quedáramos sin cocinera, a ver si los demás vamos a pagar las consecuencias de que tú tengas ese culo de panadero... —sonreí, porque podía imaginarme perfectamente la expresión de Zafarraya, esa mala *follá* congénita a la que debía la asombrosa habilidad de poner siempre el dedo en la llaga, sin llamar a las cosas por su nombre ni levantar la voz—. Y ya te puedes imaginar que no le ha gustado nada que se metiera con su culo. Pero tampoco le ha gustado que defendiera a Inés.

—Claro. Porque, hasta sin pensar mal, él no puede entender esto —mi coronel me dio la razón con la cabeza—. Porque no es un militar, no sabe nada de la guerra. Él no ha venido aquí a luchar, sino a controlarnos. Y para sentirse seguro, necesitaría que todo estuviera planificado, cuadriculado, intervenir en cada asunto, en cada detalle, y que nadie tomara decisiones sobre la marcha. Pero esto no es así, esto no es una sede del Partido...

—Precisamente por eso quiero que vengas. Porque creo que es mejor que seas tú, tan amigo de Monzón, quien le explique a Flores que ya conocíamos a Gordillo, y lo que Inés te contó de él. Pero, además...

Hizo una pausa, aceleró el paso sin dejar de guiarme, volvió la cabeza para comprobar que no había nadie cerca.

—Hoy no he podido hablar con Toulouse.

—¿Qué dices? —entonces fui yo quien se paró, y le cogí de los hombros para obligarle a mirarme.

—Lo que oyes —estaba tranquilo, serio, y no me mentía—. Yo

no he podido. Flores dice que él sí, que ha informado con normalidad, pero yo siempre he encontrado problemas en la línea. En Transmisiones están seguros de que la avería es francesa, pero el caso es que no ha habido manera de conectar. Y estamos a 21, lo sabes, ¿no?

—Pinocho —y eso era lo mismo que decir el túnel de Viella, nuestra retaguardia, la garantía con la que contábamos para avanzar sobre la ciudad.

—Tú lo has dicho. Y no sé nada. No tengo ni idea de cómo están las cosas a estas horas, si el túnel es nuestro o del enemigo. Pero me apostaría cualquier cosa a que Flores sí lo sabe. Y prefiero que vengas conmigo, porque él no desconfía de ti, y cuatro ojos ven más que dos.

Sin embargo, mis ojos y los del Lobo vieron lo mismo. El comisario nos recibió con una expresión ofendida, a medio camino entre el reproche y la indignación, que me pareció tan falsa como si la hubiera ensayado delante de un espejo. Se estaba defendiendo, y al verme la cara, no se animó a incluirme en su defensa. En eso acertó, porque la amargura que impregnaba sus preguntas, ¿es que yo no pinto nada aquí?, ¿es que no formo parte de la escala de mando?, ¿no merezco siquiera que se me informe de lo que está pasando?, me pareció tan retórica como su sintaxis, una artimaña, y no de las más hábiles, para eludir nuestras preguntas. Tampoco nos dio opción a hacer ninguna. Él mismo eligió el momento de hablar y el de callarse, y un instante después, giró sobre sus talones con aires de mariscal napoleónico, para entrar por delante de nosotros en la sala donde nos esperaba el oficial de Moscardó. Pues sí que tiene el culo gordo, pensé, cuando me dio la oportunidad de contemplarlo. Pensé también que lo del túnel se había jodido, pero no me atreví a decírselo al Lobo.

El interrogatorio fue, de principio a fin, una gilipollez. El prisionero estaba cabreado, el coronel estaba cabreado, yo estaba cabreado. Flores, en cambio, siguió jugando al mariscal de campo. Mientras formulaba una pregunta detrás de otra, recorría la habitación a pasitos cortos, con las manos unidas a la espalda y un gesto de furia contenida arrugándole los labios en una mueca ambigua, que inspiraba más repugnancia que temor, aunque era más ridícula que otra cosa. Así fueron pasando los minutos, quince, treinta, cuarenta y cinco. Hasta que el Lobo se cansó.

—Comisario, ¿podemos hablar un momento, por favor? —y por si acaso, le cogió con suavidad de una manga antes de dirigirse a él con mucha más cortesía de la que yo habría empleado.

Salieron juntos de la habitación y no pude escuchar lo que hablaban, aunque me lo imaginé. El prisionero se negaba a declarar, iba a seguir negándose por mucho que Flores repitiera una y otra vez las mismas preguntas, y antes de cruzar la frontera, ya habíamos decidido renunciar a cualquier otro procedimiento.

El domingo previo a la invasión, el Lobo convocó una reunión en su casa, y ya no hubo paella, ni mujeres, pero a cambio vinieron Tijeras, el Afilador, Perdigón y el Botafumeiro, el estado mayor de Bosost al completo y todos de uniforme. Hasta nueva orden, no quiero volver a veros vestidos de civil, nos había anunciado por teléfono. Aunque le obedecí, mi aspecto no le gustó.

—¡Hay que joderse con el romanticismo!

—Pero si no pasa nada, Lobo, la verdad es que no entiendo...

—¡Mi coronel! —me interrumpió cuando todavía no me había dado tiempo a completar mi defensa—. A partir de ahora, mi coronel, si no te importa.

—Muy bien, pues mi coronel —me cuadré, saludé, el Cabrero se rió, dejó de reírse cuando el Lobo lo fulminó con la mirada—. Los galones que llevo son muy importantes para mí, mi coronel. Son los únicos que siento míos de verdad. Seré un romántico, un sentimental y hasta un gilipollas, si quieres, pero me gustaría volver a España con ellos, porque con ellos salí.

—Pues no puede ser —pegó un puñetazo en la mesa, y estaba tan furioso que al Cabrero le volvió a dar la risa, aunque se tapó la boca a tiempo—. Porque esos galones tan preciosos para ti, interrumpen la escala de mando.

—Eso tampoco es así, Lobo... —el Pasiego, que sí llevaba puestas sus insignias francesas, de comandante, acudió en mi auxilio.

—¡Mi coronel!

—Bueno, pues mi coronel. Tampoco es así, mi coronel, porque ni lo que tú mandas es un regimiento, ni el Zurdo, Galán, Tijeras, Perdigón y yo mandamos exactamente cinco batallones, ni Zafarraya va a mandar una sección, por muy teniente coronel que hayas conseguido que le nombren...

—Eso me da igual. Lo que yo no puedo tener es este caos de estado mayor, con un montón de capitanes, otro montón de tenientes, un solo comandante y hasta un brigada —y entonces miró al Botafumeiro, que ya llevaba un rato con las barbas en remojo—. ¡Joder, Bota, parece mentira!

—Vale, vale... —y levantó las manos en el aire para pedir paz—. Esta misma noche me autoasciendo a capitán, no te preocupes.

—¡No te autoasciendes, hostia! —volvió a pegarle a la mesa y se hizo daño—. ¡Ya eres capitán!

—Que sí, Lobo... Digo, mi coronel.

—Vamos a hacer un trato, mi coronel —me animé a proponer en ese punto—. Lo del Bota, vale, porque un brigada no pinta nada en un estado mayor. Pero a mí me gustaría entrar en España siendo capitán. Y en el primer instante que tenga libre después de tomar Viella, me pongo las insignias de comandante. Me las coso yo mismo, si hace falta. Y dos días más tarde, cuando nos asciendan a todos, las de teniente coronel. Te lo juro por lo que más quieras.

—¡Hay que joderse con el romanticismo! —clavó los codos en la mesa, se sujetó la cabeza con las manos, la meneó varias veces, e hizo una de sus típicas asociaciones de ideas, tan abruptas como fulminantes—. Y por cierto... —antes de seguir, se volvió para mirar al Sacristán—. Supongo que no hace falta que os recuerde la cantidad de disgustos que nos dieron las mujeres en el 36, ¿verdad? Pues eso. Que no quiero verlas ni en pintura, ¿está claro? Ni a una sola, quiero ver.

—¿Y por qué me lo dices a mí? —el Sacristán protestó—. A ver, por qué...

—Porque sí, Pepe, porque hace mucho tiempo que nos conocemos.

Comprendes, que estaba sentado a mi derecha, me dio un codazo para señalarme al Zurdo, tan invisible para el Lobo como de costumbre, por más que fuera tan juerguista como el Sacristán y llevara galones de capitán siendo tan comandante como yo.

—Y ese cabrón... Yo no sé cómo lo hace —Antonio se dio cuenta y nos sonrió desde la otra punta de la mesa—, pero se libra siempre de todo, ¿comprendes?

Aquel murmullo alertó al Lobo, que se volvió con el dedo extendido, preparado para señalarme.

—Y a ti te digo lo mismo.

—¿Y al Zurdo? Porque a él nunca le dices nada, ¿comprendes?

—El Zurdo es más responsable —sentenció el Lobo, o sea, nuestro coronel, mientras el responsable sonreía con esa cara de niño rubio de ojos azules que le servía para engañar a cualquiera—. Y ahora, vamos a hablar de las cosas importantes.

Lo eran tanto que no volvimos a interrumpirle. Las normas fijadas para nuestra actuación dentro del territorio nacional eran tan indiscutibles como el plan militar. No volvíamos a España para vencer, sino para convencer, y eso implicaba un trato exquisito, fraternal y cortés al mismo tiempo, con la población civil. Éramos un ejército de ocupación, pero a la vez no lo éramos, porque no íbamos a invadir una nación extranjera, sino nuestro propio país, y eso implicaba una manera peculiar de hacer las cosas.

—Que le quede muy claro a todo el mundo —nos advirtió el Lobo, y ninguno sonrió, nadie se atrevió a hacer bromas, ni chistes, al escucharle—. No pienso tolerar el menor acto de pillaje, la más leve tentativa de abuso de las mujeres ni, muchísimo menos, un solo acto indiscriminado de represalia. No volvemos a España para tomar represalias, ¿entendido? Espero que vuestros hombres se lo aprendan de memoria. Y me dan igual las historias que les cuenten los civiles, las escenas de odio o de venganza que puedan contemplar, lo que hayan podido sufrir los nuestros en los pueblos por donde avancemos, y hasta los hijos de puta que puedan llegar a ser los fascistas que hagamos prisioneros. Porque, por descontado —y levantó el dedo índice de la mano derecha en el aire—, vamos a hacer prisioneros. Los únicos fusilamientos que estoy dispuesto a firmar son los de los soldados que se atrevan a tomarse la justicia por su mano, y hasta los de quienes permitan que alguien se la tome en su presencia. No voy a consentir, de ninguna manera, ejecuciones sumarias, torturas, ni malos tratos a civiles, sean quienes sean, hayan hecho lo que hayan hecho, o lo reclame quien lo reclame con las lágrimas temblándole en los ojos... –hizo una pausa, nos miró, uno por uno, y de nuevo se detuvo en el Sacristán–. Por muy guapa que sea, por muy buena que esté, y por muy bien que haga las cosas que mejor sepa hacer. ¿Está claro?

–Clarísimo –y el Sacristán ni siquiera se quejó de que hubiera vuelto a dirigirse a él.

–No se trata de que yo no tenga ganas de devolver las hostias, sino de demostrar por todos los medios posibles que nosotros somos la legalidad –remachó el Lobo de todas formas–. Aprendéroslo bien, porque ya va siendo hora de que en el resto del mundo se enteren de una puta vez. Nadie nos ha regalado nunca nada. Nadie nos ha puesto jamás las cosas fáciles, y no podemos permitirnos ni un solo error, porque no podemos contar con nadie. La solidaridad, el internacionalismo y el amor a España, se quedan en los mítines, en las pancartas y en la fachada de la Sociedad de Naciones, pero nunca llegan hasta los despachos. Ninguno de vosotros necesita que yo se lo recuerde.

Esa era la verdad más indiscutible de todas las que se pronunciaron en aquella reunión. Nadie nos había regalado nunca nada, todos lo sabíamos y Flores no era una excepción. Por eso, cuando me quedé a solas con aquel teniente coronel fascista que tenía la cabeza baja y los ojos fijos en sus pies para no devolverme la mirada, estuve seguro de que a Pinocho se le habían torcido las cosas. El comisario había insistido en alargar un interrogatorio infructuoso para escurrir el bulto, pero aún no me desanimé, no quise desanimarme. La guerra es impredecible, escapa a la lógica de las fechas, de los mapas, de las correlaciones de fuerzas y las ofensivas trazadas con tiralíneas. La guerra es caprichosa, caótica, rebelde. De lo contrario, nunca habríamos podido aguantar casi tres años frente a un ejército profesional, más poderoso, mejor armado y con una escala de mando impecable, tan jerarquizada y completa como la que el Lobo echaba de menos desde el verano de 1936. En una guerra, siempre puede pasar cualquier cosa. Eso también lo sabíamos todos, incluido el teniente coronel Gordillo, que no entendía los motivos de que le hubieran dejado a solas conmigo, y pasó un rato muy malo hasta que el Lobo abrió la puerta para reclamarme.

—¿Capitán?

Me cuadré antes de contestarle.

—A sus órdenes, mi coronel.

Me hizo un gesto con la cabeza y, al salir, ya no vi a Flores.

—Vámonos a cenar, anda —y me sonrió—, que tú, desde luego, te lo has ganado.

Gané algo más, porque cuando entré en el cuartel general y descubrí a Inés bajando por la escalera, el tumulto de mi sexo trepó hasta mi corazón sin ceder un milímetro del terreno conquistado. Llevaba un vestido que parecía nuevo, unas sandalias de verano y los labios pintados de punta a punta, palpitando entre las comisuras como una promesa generosa, coloreada y carnal. Parecía más mujer y más joven a la vez, porque el tejido azul se ceñía a sus brazos, a sus hombros, a sus pechos, como ningún traje de amazona, pero se había sujetado el pelo como suelen hacerlo las niñas pequeñas, con unas horquillas a ambos lados de la frente. Sin embargo, ninguno de estos detalles aislados me emocionó tanto como su conjunto. Aposté conmigo mismo a que se había comprado el vestido aquel mismo día, y me enterneció imaginarla en aquel pueblo tan pequeño, sin aceras, sin tiendas, sin escaparates, buscando ropa imposible de encontrar, y arreglándoselas para encontrarla. La primera vez que la vi, no pude adivinar que iba a gustarme más desnuda que vestida. Después de descubrirlo, jamás se me habría ocurrido imaginar que un vestido sobre su desnudez pudiera llegar a conmoverme tanto.

—¡Qué guapa!

Le ofrecí una mano para ayudarle a bajar el último escalón, y mis oídos siguieron captando por su cuenta la conversación de los demás. Las revelaciones del Lobo sobre sus dificultades para hablar con Toulouse, impregnaban con un tono familiar las respuestas del Pasiego, del Zurdo, de Comprendes. Yo conocía aquel acento, el cansancio de la confusión, del desánimo, y podía oírles, pero no lo reconocí, porque no podía escucharles. La noche acababa de empezar y llegaría mucho más allá de los postres de una cena espléndida, como la que ninguno de nosotros estaba acostumbrado a probar en un cuartel.

—Ya puedes tenerla contenta, camarada —después de ovacionar a Inés, que tuvo que levantarse y saludar, el Pasiego declaró que, para ser justos, deberían aplaudirme también a mí, y Zafarraya aprovechó la ocasión para susurrarme una advertencia—. Porque como tengamos que volver al rancho del campamento, vas derecho a un consejo de guerra. El que avisa no es traidor.

Nos reímos tanto como habíamos disfrutado de la cena antes, pero aún quedaba mucha noche por delante. Para los demás, Inés sería, desde aquel mismo momento, una bendición del cielo en forma de cocinera. Yo me seguí llevando sorpresas que me fueron atando más y más a aquella mujer imprevista, tan imprevisible al mismo tiempo que, después de preguntarme si estaba muy cansado, no me llevó a la cama, sino a inspeccionar el frente.

—Pero ¿tú estás tonto, o qué?

Y al volver, cuando ella le prometió que iba a hacerle cinco kilos de rosquillas para él solo, al día siguiente de que entráramos en Madrid, Comprendes se me quedó mirando como si nunca me hubiera visto antes.

—Pero ¿cómo se te ocurre decirle que vamos a llegar a Madrid? —se levantó y se apartó unos metros conmigo, para que el Piñón no oyera cómo me regañaba—. Es lo más irresponsable que he oído en mi vida, ¿comprendes?

—Ya, pero tú...

Tú no has estado allí, dije sólo para mí. Tú no has ido con ella a caballo hasta el mirador de arriba con las manos escondidas debajo de su ropa, y no has visto cómo su entusiasmo encendía media docena escasa de luces mortecinas. No la has visto sonreír, no la has besado, no has escuchado el cuento de la lechera, tomar Barcelona, salir al mar, desembarcar en Valencia, atravesar La Mancha y llegar a Madrid en dos patadas. Tú no sabes, Comprendes, porque no la has mirado, no has sucumbido a esta inexplicable borrachera de sentimientos opuestos, casi contradictorios, que me tiene empalmado como un asno y con los ojos blandos a la vez. Todo eso tendría que haberle dicho, y lo más probable es que ni siquiera así lo hubiera entendido. Porque yo tampoco lo entendía muy bien.

—Además, yo no le he contado nada —por eso, opté por resumir—. Se lo cuenta todo ella solita, y se pone muy contenta. Me gusta mucho. Y me gusta verla contenta.

—Anda que tú, también... Has ido a elegir el mejor momento para encoñarte, ¿comprendes?

Podría haber protestado. Podría haberle recordado que él tampoco había tenido el don de la oportunidad. Podría haberle dicho, ya sabes, hoy por ti, mañana por mí, ayer en Francia, hoy en España, pero no tenía tiempo que perder. Aún ganaría mucho más antes de que amaneciera. Y al día siguiente, cuando creí que lo había perdido todo, Inés volvió a estar allí para lo peor, con el mismo fervor, la misma intensidad con la que hasta entonces había sabido estar para lo mejor.

El 22 de octubre de 1944, yo había vivido ya muchos días malos. Me había hundido muchas veces en la tristeza, en el fracaso, en la rabia, en los puestos fronterizos, en la arena de la playa de Argelès. Conocía la derrota mejor que la victoria, y sin embargo, no encontré en mi memoria nada comparable a aquel anonadamiento. De la moral revolucionaria, el arrollador impulso de la Historia, la inercia liberadora de las masas, ni me acordé. Lenin había dicho que la paciencia debía de representar la principal virtud de un comunista. Pero también había dicho que su primera obligación consistía en mirar a su alrededor y tratar de comprender la realidad.

—Ten mucho cuidado, por favor —me pidió Inés al despedirse de mí.

—Ayer no me dijiste eso.

—Ayer no —y me sostuvo la mirada sin soltar las solapas de mi guerrera—. Pero hoy sí te lo digo.

Aquellas palabras me pusieron de buen humor, mucho antes de que el sol hiciera una aparición tan espectacular como si hubiera decidido amanecer sólo para mí.

Cuando salimos del pueblo y la carretera empezó a empinarse, las copas de los árboles nos escamotearon la luz. La humedad que la noche había posado en los helechos que crecían al borde del monte, contribuía a crear el efecto de un túnel descubierto, una penumbra agitada, cambiante, que olía a tierra mojada y mordía como el frío del invierno. Mientras avanzaba, sólo podía escuchar el eco de mis pisadas, multiplicado por la respuesta de las botas de mis hombres, el susurro disperso de conversaciones lejanas y, de vez en cuando, el rumor del agua que se movía dentro de la cantimplora que llevaba enganchada en el macuto. Comprendes caminaba a mi lado y se me quedaba mirando de vez en cuando, pero yo no le devolvía la mirada, no tenía ganas de hablar. Me encontraba bien. Me gustaba estar allí, caminar en aquella penumbra húmeda y fría, apurar una armonía solitaria, efímera, que tenía las horas contadas pero se aferraba a su naturaleza como si ignorara que el sol viajaba por el cielo, que se movía deprisa, codiciando el centro, para acabar con ella en un instante. Me encontraba bien, y no necesitaba nada que estuviera fuera de mí para seguir estando bien. No todavía.

—Cuéntame algo —Comprendes me dio un codazo cuando llevábamos una hora y media de marcha—, que me aburro, ¿comprendes?

—¿Sí? Pues vete con el Bocas, que seguro que te entretiene.

—Que no, que prefiero hablar contigo...

—Ya, pero hoy yo no tengo ganas de hablar —le miré, le vi resoplar, sonreí—. Lo siento, Comprendes.

Media hora después, el sol empezó a filtrarse entre las copas de los árboles, y sólo entonces empezó a hacer un buen día. El cielo estaba azul, despejado, limpísimo, y la visibilidad era tan buena que, al fondo, las montañas se recortaban sobre el horizonte con la precisión de una fotografía. La carretera empezó a describir curvas más y más amplias mientras se desprendía de su monótona escolta vegetal, y al alcanzar un mirador natural, decidí dar el alto, veinte minutos para descansar y beber agua. El pueblo al que nos dirigíamos estaba al otro lado del monte. Trepé hasta unas peñas próximas a la cima para comprobar si podía verlo, y cuando ajusté los prismáticos a mis ojos, contemplé algo muy distinto.

La vertiente opuesta estaba explanada en la base por la construcción de una pista forestal. Una serpentina de tierra rojiza, apisonada, de la anchura suficiente para que transitara por ella un camión, desembocaba en un ensanchamiento donde había un centenar de hombres trabajando. Un tercio de ellos se dedicaba a limpiar y allanar el tramo recién terminado. Otros tantos picaban y desescombraban el sucesivo. Por delante de ellos, y todavía serán asturianos, calculé, sonriendo para mis adentros, otro grupo barrenaba la montaña. Repartidos entre todos ellos, unos quince soldados de Infantería, cada uno con un subfusil ametralladora montado entre las manos, les vigilaban paseando, sin demasiado interés.

Cuando vi todo esto, dejé caer a la vez los prismáticos y los párpados, y me obligué a contar hasta diez. No puede ser, me dije, no te hagas ilusiones, pero mi corazón no debió escucharlo, porque siguió latiendo muy deprisa, con tanta fuerza como si pretendiera romperme las costillas. Volví a ajustar las lentes antes de acoplarlas a mis ojos, y el aire me picó en la nariz, el silencio del monte se hizo sonoro, ruidoso, cada músculo de mi cuerpo se tensó en la misma fracción de segundo. Convoqué toda mi atención para volver a mirar aquella escena. Buscaba una trampa, un error, cualquier indicio que desmintiera la interpretación que mis ojos habían impreso en mi cerebro. No lo encontré.

Los detuve en cada uno de los soldados, tan inofensivos desde el otro lado de los cristales de aumento como una colección de figuritas de plomo, y comprobé que no estaban a las órdenes de un oficial, sino de un simple sargento. Ese detalle confirmó mi impresión de que en Arán no nos esperaba nadie, en una situación muy diferente a la estampa de un simple cuartelillo de pueblo. Porque ni siquiera nosotros, ni siquiera en el verano del 36, cuando aún éramos mineros, campesinos, albañiles o panaderos, y no todavía soldados, nos habríamos permitido una chapuza semejante. Yo llevaba cinco años viviendo fuera de España, pero era español, y sabía cómo se hacían las cosas en mi país. Lo que estaba viendo, sólo podía interpretarse de una manera, y ni en mis mejores sueños habría podido concebir un golpe de suerte semejante.

Miré hacia abajo, hacia mis propios hombres, y aunque estaba seguro de que desde el otro lado no habrían podido oírme, renuncié a gritar para reclamar a Comprendes. No estaba dispuesto a correr el menor riesgo, y por eso, cuando me reuní con ellos, puse la mano encima de una peña.

—Ven aquí, Bocas —existía una mínima, remotísima posibilidad, de que, desde el último extremo de la explanada, alguien, con unos prismáticos más potentes que los míos, pudiera vislumbrar una silueta en aquella curva, pero no estaba dispuesto a arriesgar ni eso—. Hasta que yo diga lo contrario, tú te quedas en esta peña, y que nadie pase de aquí. Ni un paso, ¿está claro?

—Sí, mi capitán, no se preocupe. O sea, que tenemos que estar resguardados contra la curva, como si dijéramos, de aquí hacia mi izquierda, ¿no?

—Justo —aprobé con la mano derecha extendida hacia él—, y cállate ya, que no tengo tiempo que perder. Comprendes, ven conmigo.

—Pero ¿qué pasa?

—Ahora lo verás.

Cuando llegamos arriba, le pasé mis prismáticos y no quise anunciarle nada, porque todavía me costaba trabajo creérmelo. Y eso fue lo primero que dijo él, al mirar hacia abajo.

—No me lo puedo creer, ¿comprendes?

Luego me devolvió los prismáticos, se quitó las gafas y, por primera vez en mi vida, le vi limpiarse los cristales con un pico de la camisa.

—Es imposible —repetía mientras tanto, meneando la cabeza como si le hubieran dado cuerda—. No puede ser verdad, no puede ser. Nosotros nunca tenemos tanta suerte, ¿comprendes?, nosotros no, sería la primera vez... No sólo haría falta que Dios existiera, sino que además hubiera decidido cambiar de bando, ¿comprendes? Trae, anda.

Volvió a ajustar las lentes para mirar más despacio, de izquierda a derecha, y reconstruí sin dificultad la secuencia de su mirada, los sectores en los que estaban divididos los trabajadores, el número y la posición de sus guardianes, aquel milagro insólito de un dios desconocido, camarada.

—Es un destacamento penal... —murmuró al fin, y levantó la cabeza, sonrió—. ¡Un destacamento penal! —repitió, en voz alta—. ¿Te das cuenta?

—¡Claro que me doy cuenta! —y me eché a reír.

—Pero es... —volvió a llevarse los prismáticos a la cara—. ¡Es increíble!

Era increíble, inconcebible, una carambola a infinitas bandas, el más sofisticado retruécano del destino. Lo que nos habíamos encontrado por casualidad, de camino a un pueblo al que nunca llegaríamos, no era ni más ni menos que un destacamento penal, una brigada penitenciaria de trabajadores, una compañía de presos dispuestos a redimir su pena trabajando gratis para la España de Franco. Y esos presos sólo podían ser de una condición. Antiguos combatientes del Ejército Popular o, en otras palabras, nuestros, de los nuestros.

—¿Cuántos dirías tú que son? —me preguntó sin soltar los prismáticos.

—Unos cien, ¿no? Los he contado antes, por encima.

—Cien o más, ¿comprendes? —y por fin se los despegó de los ojos, me los devolvió, se puso de pie—. ¡Joder! Ya puedes estar contento.

—Sí —y volví a sonreír—. Aunque no sé cómo nos las vamos a arreglar para armarlos a todos.

—Bueno, que todos los problemas que tengamos sean como ese, ¿comprendes?

Mientras bajaba la cuesta, fui dándole vueltas a la cuestión del armamento, y hasta me entretuve en imaginar mi regreso a Bosost, a la cabeza de una columna de más de trescientos hombres, un empujón que los demás necesitaban tanto como yo. Podía permitírmelo, porque nuestra superioridad numérica era tan abrumadora que habría garantizado el éxito en cualquier circunstancia. En aquella, además, todas las ventajas estaban de nuestra parte.

—Cambio de planes —anuncié a mis suboficiales, mientras dibujaba un croquis en la tierra con un palo—. Vamos a bajar por donde hemos subido, en orden y en silencio, para rodear el monte por la base. El objetivo es liberar a los prisioneros de un destacamento penal que está construyendo una carretera al otro lado del monte.

—¿Qué?

Varios hicieron la misma pregunta a la vez, pero me limité a explicarles la situación por encima y ninguno volvió a interrumpirme, como si hubieran comprendido a la vez que no teníamos tiempo para perderlo en detalles. Decidí dividir mis fuerzas en ocho grupos, atacar los tres sectores de la obra por el norte y por el sur al mismo tiempo, y situar uno en cada extremo para cerrar la explanada, aunque no creía que el enemigo ofreciera resistencia. Las obras estaban bordeadas por montones de tierra y de cascotes que ofrecían parapetos útiles para cubrirse, y esperar a que los grupos destinados a las posiciones más alejadas llegaran hasta ellas. Al comenzar la ascensión, fijé el ataque para una hora más tarde.

—Y no creo que vayamos a tener muchas más oportunidades como esta —advertí a los jefes de cada grupo antes de dividirnos—. Así que vamos a aprovecharla bien.

Sesenta minutos después, salí de detrás de un montón de arena, y vi a Comprendes avanzar hacia mí, y al mismo ritmo, desde el otro lado de la explanada.

—¡Alto! —grité, mientras le ponía a un soldado la pistola en la nuca—. Tira el fusil, levanta las manos y no hagas tonterías, o te vuelo la cabeza.

Me obedeció antes de que tuviera tiempo de terminar de decírselo, y miré a mi alrededor para comprobar que todos mis hombres habían cumplido su parte de la misión. Cuando Machuca inmovilizó al sargento, le hice un gesto con la cabeza al Castañas, para que se ocupara de recoger las armas del enemigo, dejé a mi prisionero a cargo del Bocas, y avancé hasta el centro de la explanada para dirigirme a los prisioneros. Antes de empezar a hablar, les miré y vi que me estaban mirando con los ojos muy abiertos, la boca de par en par, las herramientas de trabajo aún entre las manos. Me sonreí por dentro, y dirigí una sonrisa a los que estaban más cerca de mí, pero no me la devolvieron.

—¡Camaradas! —y durante una fracción de segundo, llegué a darme cuenta de que había previsto acercarme a los más próximos, darles la mano, saludarles, y de que no lo había hecho–. Somos los representantes de la Junta Suprema de la Unión Nacional Española, una plataforma que integra a todas las fuerzas democráticas comprometidas en la lucha contra la tiranía de Franco. ¡Uníos a nosotros!

Hice una pausa y no escuché nada, miré a mi alrededor y nada se movió, me pregunté qué estaba pasando y no fui capaz de responderme.

–El momento de las batallas decisivas se acerca –pero seguí hablando, gritando, deshaciéndome en cada grito, derramando todo cuanto tenía en cada una de las sílabas que pronunciaba–. Mussolini ha caído ya, la derrota de Hitler es inminente, la dictadura de Franco toca a su fin. El mundo entero vuelve a mirar a España. El ejército aliado, del que hemos formado parte en Francia, no va a tolerar esta situación durante mucho más tiempo. Con su ayuda, y la de todo el pueblo español, pronto la Unión Nacional podrá tomar el poder para restablecer la República y las libertades...

A aquellas alturas, ya habían empezado a correr.

Antes de que me diera tiempo a pronunciar la mitad de mi discurso, los que estaban más lejos habían tirado ya el pico, la pala, y habían empezado a huir, monte arriba.

Mientras hablaba, mientras repetía la fórmula de una verdad en la que hasta hacía un instante había creído a ojos cerrados, y que resonaba ahora en mis oídos como la cáscara de una consigna, pura propaganda hueca, los veía saltar como conejos, esconderse entre los matorrales, asomar un instante y desaparecer de nuevo, cada vez más lejos de mí. Mis hombres los miraban, me miraban, volvían a mirarlos, y no sabían qué hacer. Yo tampoco, porque no sabía cómo retener a los que huían, ni ordenar a mis hombres que abrieran fuego contra aquellos fugitivos que eran nuestros, de los nuestros. Hasta que llegó un momento en el que, por no poder, ni siquiera pude seguir hablando. Dejé una frase a medias para asistir en silencio a aquella desbandada, aquella imagen tristísima, una realidad tan dolorosa, tan vergonzosa, tan insoportable de admitir, que intenté refugiarme en un error que no creía haber cometido.

–No lo entiendo... –murmuré, y miré al Bocas, que me devolvió una mirada desamparada mientras mantenía una pistola imperturbable contra la cabeza del hombre al que yo había desarmado–. Parecía un destacamento penal.

–Y es un destacamento penal –me contestó el soldado, tan joven que debía de ser un recluta, con un acento gallego muy marcado y una serenidad que tampoco logré comprender en aquel momento–. Son presos políticos, republicanos.

–Pero no puede ser –y me hubiera gustado estar solo, ser un soldado raso y estar solo, para sentarme encima de una piedra, taparme la cabeza con las manos y echarme a llorar–. No puede ser...

Por no seguir mirando mi propio desconsuelo en los ojos del Bocas, levanté los míos hacia el monte, y vi una ladera repleta de figuras grises que se movían deprisa. Corrían tanto, por una pendiente tan empinada, que tropezaban y se caían cada dos por tres. Pero se levantaban sin perder tiempo y seguían ascendiendo, cubriéndose con los árboles, con las peñas, trepando y trepando, huyendo despavoridos en todas las direcciones, deteniéndose apenas para mirar hacia atrás de vez en cuando, como animales torpes, asustados.

Esos eran los nuestros, de los nuestros. Esos eran los que no nos habían vitoreado, los que no habían dejado escapar ningún suspiro, ningún grito de júbilo, ni una sola palabra de alivio, los que no habían celebrado su libertad antes de escapar a toda prisa de nosotros. Esos eran los nuestros, los que huían de los suyos, nosotros, los hombres que los habían liberado, los que habían cruzado la frontera para derrocar al tirano que los mantenía presos, cautivos condenados a trabajos forzados por haber luchado una vez a nuestro lado. Preferían ese cautiverio a la libertad que les habíamos ofrecido, la libertad de volver a luchar, con las armas en la mano, por su propio futuro, por el futuro de sus hijos. Y yo no podía aceptar eso, no podía. Para mí, en aquel momento, no eran sólo ellos, no eran sólo cien. Para mí, mientras los veía huir, eran todos, lo eran todo. El fracaso de mi vida entera, el final de mi última esperanza, el hundimiento definitivo. Así me sentía, sumergido en un pantano donde apenas podía respirar por la nariz, mi boca llena de barro y el deseo de estar muerto, de caer fulminado por un rayo y estar muerto, de dormir, y morir, y dormir, y no despertar jamás.

Lenin había dicho que la primera obligación de un comunista consistía en comprender la realidad. Ante aquella realidad, la paciencia no era una virtud, ni siquiera un defecto, sólo un chiste que no tenía ninguna gracia. Por eso no me moví, no reaccioné, no dije nada. El Bocas lo hizo por mí.

—¡Venid aquí, gilipollas, que sois gilipollas! —y soltó al soldado, avanzó hasta el centro del claro, abrió los brazos, siguió chillando—. Nosotros somos republicanos, igual que vosotros, hemos venido de Francia para liberaros, imbéciles, ¿me oís? Hemos cruzado la frontera por vosotros, coño. Anda, que a quien se lo cuentes... Esto es para no creerlo, desde luego. Pero ¿adónde vais? Me cago en la leche, ¡volved aquí ahora mismo! Pero ¿qué os habéis creído? ¿Qué íbamos a ser nosotros y qué íbamos a pintar aquí, si no fuéramos rojos? ¡Joder! Pero ¿qué queréis, seguir estando presos? ¿Eso es lo que queréis, pudriros aquí, allanando este monte a golpes de pico? Os hemos dado la oportunidad de volver a ser libres, ¿es que no lo entendéis? Os hemos liberado, ¡hostia!, ¿por qué salís corriendo? ¿Adónde vais, a que os cacen los fascistas como si fuerais conejos? ¡Volved aquí, joder! —al llegar a ese punto, se le quebró la voz y empezó a negar con la cabeza, los puños apretados, impotentes, al borde de sus brazos rígidos—. ¡Que volváis aquí de una puta vez!

Su desolación me hundía más, y más, hasta que me hundió tanto que consiguió ponerme en marcha. Comprendes llegó antes, y le puso una mano en el hombro mientras la voz más indesmayable del ejército de la Unión Nacional se iba haciendo más gruesa, más ronca, gutural como una inminente contraseña del llanto.

—Lo siento, mi teniente —y cuando se volvió a mirarle, le brillaban los ojos—. Ya sé que hablo demasiado.

—Hoy no, Bocas —Comprendes le pasó el brazo por los hombros y se los apretó un instante—. Hoy has dicho lo que tenías que decir. Ni más ni menos, ¿comprendes?

En ese momento, el soldado gallego con el que había hablado antes, se acercó a mí, haciendo con las manos algo que, en mi aturdimiento, no supe interpretar.

—Yo me paso, me voy ahora mismo con vosotros —y sólo al escucharle me di cuenta de que se estaba arrancando las insignias de la guerrera—. A mí me han obligado a hacer la mili, pero soy de los vuestros, bueno, yo y toda mi familia. Mi padre era socialista, y hasta que lo fusilaron, secretario general de la UGT de mi pueblo, Covelo, en Pontevedra, no sé si...

Le miré como si no entendiera lo que me estaba diciendo, como si nunca hubiera visto a un chico como él, unos veinte años, ni muy alto ni demasiado bajo, el pelo castaño, los ojos marrones, los dientes blancos, todo tan corriente, tan extraño a la vez. Él se dio cuenta y se calló de pronto. Me miró y le seguí mirando, y me ordené a mí mismo hablar con él, darle la bienvenida, interrogarle, aferrarme al menos a sus ojos, tan corrientes, tan limpios, tan extraños, capturar aquella mirada para poder seguir mirando el mundo a través de ella. Pero no fui capaz de moverme. No logré hacer, decir nada, y él se asustó, frunció las cejas, torció la cabeza.

—Puedo quedarme con vosotros, ¿verdad?

—Claro que sí —y al escuchar mi propia voz, sentí que llevaba callado mucho tiempo, días, semanas, meses enteros—. Perdóname, claro que puedes quedarte, bienvenido, es que... —volví a mirarle—. Es que no entiendo nada.

—No me extraña —admitió, dándome la razón con la cabeza—. Yo tampoco lo entiendo. Pero tengo dos compañeros que seguro que se pasan conmigo. Si quiere, voy a buscarlos.

—Muy bien —me habría gustado sonreír, pero ni siquiera me atreví a intentarlo—. Y luego, os vais a hablar con aquel teniente.

Me volví para señalar a Comprendes y le vi mirando al monte en la dirección que el Bocas señalaba con un dedo, un punto por el que parecían bajar algunos de los hombres que habían huido antes.

—¿Cómo te llamas? —le pregunté después.

—Domingo Porriño Fernández —recitó, con el tono de un alumno que se presenta a su maestro el primer día de clase.

—Gracias, Domingo —le ofrecí la mano y apreté con fuerza la suya entre mis dedos—. Gracias.

El Churrero, porque antes de que terminara aquel día, el Pollito le habría bautizado con ese nombre —de Porriño, porras, de porras, churros, y de churros, Churrero, mi capitán—, echó a andar hacia dos soldados que estaban juntos, esperándole, con las solapas limpias ya de insignias franquistas. Mientras le veía hablar con ellos, calculé el entusiasmo que me habría inspirado aquella escena si las cosas hubieran sido distintas, o si hubieran sucedido en mi país, y no en aquel que había suplantado su nombre, su espacio en todos los mapas, pero que ya no era el mismo, porque en él no ocurrían las mismas cosas. Sólo entonces logré calibrar una amargura tan extensa que había sido capaz de sobrepasar su propia naturaleza incorpórea, moral, para posar un regusto a podrido en mi paladar.

No podía huir de lo que sucedía dentro de mí, pero me puse en marcha para no llegar a ninguna parte. Eché a andar casi sin darme cuenta, tres pasos a la derecha, tres a la izquierda, y a la derecha, y a la izquierda otra vez, como una fiera enjaulada. Mientras tanto, los cuatro arrepentidos a los que el Bocas había distinguido antes que nadie, bajaron del monte de uno en uno, andando despacio y con mucha cautela, como si no hubiéramos visto la prisa que se habían dado en subir. Al llegar a la explanada, se pararon ante un montón de escombros y me miraron. Yo me quedé quieto para devolverles la mirada, pero no debió de gustarles lo que leyeron en mis ojos, porque decidieron dirigirse a Comprendes.

—¿Es verdad lo que ha dicho el chaval antes?

El que hacía de portavoz, acento arrastrado, seguramente madrileño, muy delgado, con la piel del color del cuero oscuro y poco pelo en la cabeza, no debía ser mucho mayor que yo, treinta y dos, treinta y tres años a lo sumo. Los dos hombres que lo flanqueaban tenían una edad, un aspecto semejante, aunque por detrás de ellos, como si pretendiera parapetarse tras sus cuerpos, asomaba un hombre más menudo que no cumpliría ya los cuarenta.

—¿Que si es verdad? —Comprendes puso los brazos en jarras

para mirarle desde arriba, como a un insecto–. Pero vosotros ¿qué os habéis creído que...? No os entiendo, ¿comprendes?

–Es que... –y bajó la cabeza, como si se sorprendiera de sentirse avergonzado–. Es que nosotros no sabíamos quiénes erais, teníamos miedo, podía ser una trampa...

–¿Una trampa? –aquella palabra le hizo estallar por fin–. ¿Los de Franco iban a venir a soltaros diciendo que eran rojos? ¡Vamos, no me jodas!, ¿comprendes?

En ese momento, el mayor de los cuatro se atrevió a salir de su escondite, avanzó unos pasos, levantó la cabeza para mirar a Comprendes y le habló con una vocecita tímida, tan miedosa como el piar de un jilguero.

–Perdón, yo quería preguntar... ¿Es verdad que estamos libres? –mi lugarteniente no quiso darle la satisfacción de asentir–. Lo digo porque, en ese caso... Yo puedo irme a mi casa, ¿verdad?

–¡Sí, vete a tu casa! Pero vete corriendo, ¿comprendes? ¡Empieza a correr ahora mismo si no quieres que te mande yo de una hostia!

No será verdad, me dije, no será verdad, pero le vi subir a la misma velocidad que antes, atropellarse con sus propios pies, caerse, levantarse y seguir corriendo.

Ojalá te cojan y te fusilen, cabrón, pensé, y eso tampoco podía ser, yo no podía estar pensando eso, y sin embargo, tampoco podía pensar en otra cosa. Mis pies volvieron a ponerse en marcha, tres pasos a la derecha, tres a la izquierda, y a la derecha, y a la izquierda otra vez, y obligué a mis ojos a vigilarlos, aunque no pude evitar que se elevaran por su cuenta, de vez en cuando, hacia el monte del que no bajó ningún hombre más. Podría haber ordenado a los míos que fueran a buscarlos, podría haber enviado a los tres que habían tenido la decencia de bajar, para que subieran a convencer a sus compañeros, pero me sentía demasiado indignado, demasiado hundido hasta para eso. No me cabía en el cuerpo ni un gramo más de amargura, y no hice otra cosa que seguir andando como una fiera dentro de una jaula, una máquina averiada, un autómata sin más objeto que su propia decepción. Así fue pasando el tiempo fuera de mí, como una magnitud ajena al instante que me había congelado por dentro.

—Siete hombres, ¿comprendes? Cuatro soldados y los tres que han bajado, y armas para otros nueve. Eso es lo que hay.

Le miré como si no pudiera entender de lo que me estaba hablando y me sorprendió su entereza, el ánimo que había logrado conservar cuando yo ya ni siquiera habría sabido identificar el agujero por el que se había colado el mío. No era la primera vez que ocurría, ni sería la última. Los dos compartíamos el misterioso talento de conservar la calma por turnos, un don que nos había salvado la vida más de una vez, pero que aquel día no serviría para rescatarme de un peligro que empezaba y terminaba en mí mismo.

—Te vas a arrancar la lengua, ¿comprendes? —ni siquiera me había dado cuenta de que me la estaba mordiendo, pero me encogí de hombros igual—. Vamos, Galán, si lo piensas, no está tan mal. Siete voluntarios, ¿comprendes? Ningún día hemos llegado a reclutar tantos.

—¿Qué ha pasado aquí? —pero yo no estaba dispuesto a dejarme consolar por aquellos miserables cálculos—. ¿En qué clase de país de mierda se ha convertido España? Esos que han salido corriendo eran nuestros hombres, ¿me oyes?, los mismos que hace cinco años se habrían dejado matar por una orden tuya, por una orden mía... Ahora prefieren estar en una cárcel de Franco a luchar a nuestro lado. Y no me lo puedo creer, Comprendes —porque hasta aquel día, yo aún había podido aferrarme al orgullo de haber nacido, de haber luchado en España, pero nunca más podría volver a hacerlo—. Eso es lo que pasa, que no me lo creo.

Fue Inés quien me lo explicó, muchas horas después.

—Es que estás equivocado, Galán...

Aquella noche, cuando volvimos a Bosost, no quise entrar en el cuartel general. No me apetecía mirar a mis camaradas a la cara, asistir a las explicaciones de Comprendes, mostrarme fuerte y risueño, animoso y paciente como un buen comunista. El Lobo intentó recordarme cuál era mi obligación, y le mandé a la mierda. Me miró, y comprendí al mismo tiempo que no iba a insistir pero que tampoco iba a tirar la toalla, eso nunca, jamás. Cuando entró en la casa, me quedé fuera, sentado en el banco. Volvió a estudiarme desde el umbral, y aposté conmigo mismo a que Inés no tardaba ni cinco minutos en salir. Gané aquella apuesta y todo me siguió dando lo mismo.

La miré, y vi cómo me miraba. Arrugó las cejas y me di cuenta de que no necesitaba más para comprender cómo me sentía. También de que ella, eso nunca, jamás, iba a considerar la posibilidad de rendirse. Esa apuesta también la habría ganado. Risueña y fuerte, paciente y animosa como la mejor comunista, fue ejecutando en orden, paso a paso, cada una de las instrucciones de un manual que yo me sabía de memoria antes de que ella empezara a deletrearlo. Primero me abrazó, me besó, me dio apoyo, calor, la seguridad de que siempre estaría de mi parte.

—¿Te molesto? ¿Quieres que te deje solo? —y después, cuando consiguió que le respondiera que no me molestaba, se empeñó en hacerme comer—. ¿Quieres que te saque unas sopas de ajo? Me han salido muy ricas, de verdad...

—No lo dudo —ya había oído a Perdigón, proclamando que estaban para cantarles coplas y cantándoselas él mismo, sin perder tiempo—. Pero no tengo hambre.

—Pues te hago otra cosa, lo que quieras... ¿Qué te apetece? Deberías cenar algo —distinguía la preocupación en su voz, y sabía que era auténtica, pero me seguía dando igual—. Con las palizas que te pegas todos los días, no puedes acostarte con el estómago vacío.

—No, de verdad, no es eso. Las sopas de ajo me gustan mucho, pero ahora no tengo hambre.

—Bueno, pues vente conmigo mientras...

—Que no —sacudí con suavidad el brazo del que intentaba tirar de mí hacia arriba—. Prefiero quedarme aquí.

Entró a servir el segundo plato, y volvió a salir, y volvió a entrar, y salió otra vez, para agotar lo poco que me quedaba de la principal virtud de un comunista.

Yo había fracasado, tenía derecho a sentirme fracasado. Había tenido mala suerte, y lo menos que podían hacer por mí era reconocerlo, dejarme en paz. Inés me gustaba mucho. Me gustaba que me besara, que me abrazara, que me metiera mano mientras se apretaba contra mí con esos ojos de cordero que me decían, lo que quieras, como quieras, todas las veces que quieras, pero en aquel momento no, de aquella manera no, porque se lo hubiera pedido el Lobo, no.

Yo había fracasado y necesitaba sentirme fracasado, pasarme la moral revolucionaria por el forro de los cojones, aunque fuera sólo por unas horas, sólo aquella noche. A la mañana siguiente, estaba dispuesto a levantarme, a sonreír, a volver a ser paciente, fuerte, animoso, y a leer aquel puto manifiesto todas las veces que hiciera falta, pero hasta entonces necesitaba que me dejaran en paz. Fracasado, solo, y en paz. No era mucho pedir, aunque nadie pareciera dispuesto a concedérmelo. Cuando Inés volvió a salir con un plato entre las manos, creí que ya no tenía fuerzas ni para eso, pero doblé la lengua dentro de mi boca y me la mordí a conciencia. Estaba tomando impulso para mandarla a la mierda, pero detecté en el tono de su voz que su actitud había cambiado, y la miré con curiosidad por primera vez en aquella noche.

—Ya está bien, Galán.

Me dio la impresión de que estaba enfadada conmigo. Luego, como si quisiera demostrarme que había acertado, se sentó a mi lado, a una distancia suficiente para no rozarme, y empuñó una cuchara como si fuera un puñal.

—Toma —desprendió un trozo del postre que había traído consigo, y la levantó en el aire—. Abre la boca porque esto sí que te lo vas a comer. Es un tocino de cielo, lo he hecho yo.

Su acento, su actitud, la determinación que tensaba sus labios, me interesaron más que ninguna otra cosa que hubiera visto o escuchado desde que volví a Bosost aquella tarde, pero ni así me abrieron el apetito.

—Ya te he dicho que no tengo hambre —al salir de mis labios, aquellas palabras adquirieron por su cuenta un acento áspero, más severo de lo que me habría gustado, pero Inés ni se inmutó.

—Me da igual —acercó la cuchara a mi boca, como si estuviera alimentando a un niño pequeño, y tanteó mis labios con ella hasta que logró que los despegara por un reflejo involuntario—.

¿Sabes lo que decía mi abuela? Que al cielo no le hace falta el hambre —después golpeó mis dientes con el canto de metal hasta que los abrí, y deslizó la cuchara dentro.

—Está muy bueno —reconocí, porque era verdad, estaba muy bueno—. Guárdamelo y mañana me lo desayuno.

—No. Te lo vas a comer ahora mismo —cogió mi mano izquierda, me puso el plato encima y me encajó la cuchara en la otra mano—. Vamos.

Lo último que habría esperado de aquella noche cargada de mimos y de consignas, de besos maternales y promesas de manual, era una escena como aquella, aquella Inés furiosa que me daba órdenes. Su actuación no formaba parte de ningún repertorio escrito por otros, y por eso me gustó. Mientras me preguntaba hasta dónde estaría dispuesta a llegar, llené la cucharilla, me la llevé a los labios y disfruté a mi pesar de la lenta explosión del azúcar en el paladar, la textura concentrada, melosa, de la yema dulcísima impregnando con su espesura mi lengua, mis dientes, mis encías, con un sabor capaz de permanecer en toda mi boca después de haber desaparecido garganta abajo. Al verme, ella se animó a sonreír, pero aquel gesto cargado de melancolía, una tristeza que afirmaba y desmentía a la vez la curva de sus labios, tampoco se correspondía con ninguna reacción que yo hubiera podido esperar.

—Es que estás equivocado, Galán... Lo que te ha pasado no es tan raro, porque aquí nadie vive en paz. No estamos en un país pacificado, sino en un país ocupado. Hasta que no entiendas eso, no entenderás...

—Tú no estabas allí, Inés —la interrumpí, y ya logré reconocer mi verdadera voz, igual que acababa de reconocer la suya—. No les has visto correr, salir huyendo monte arriba, como conejos asustados.

—Y tú no has estado aquí. No has visto cómo nos rompían todos los huesos, una vez, y otra, y otra más. Cinco años de palizas, uno detrás de otro, cinco años seguidos, y nosotros cada vez más encogidos, más pequeños, más cobardes —hizo una pausa para mirarme, y entonces, para demostrar que estaba dispuesto a respetar lo que decía, cargué en la cuchara lo que quedaba en el plato y me lo comí de un bocado—. Eso es lo que ha pasado aquí, y tú has tenido la suerte de no tener que verlo. Desde Francia, eso no se ve.

—Sí, es verdad —y después de darle la razón, dejé el plato en el banco, me levanté, la miré, y contraataqué con mis propias razones—. Pero, si eso es así..., ¿quieres decirme para qué he venido? ¿Para qué hemos cruzado la frontera, eh? Dímelo tú, que parece que lo sabes todo.

Ella también se levantó. Se acercó a mí, me cogió de los brazos, me sostuvo la mirada y no se arrugó.

—Has venido porque eso era lo que tenías que hacer.

No, pensé. No, Inés, por ahí no, y negué con la cabeza, lamentando por dentro aquella frase hecha, la consabida píldora de responsabilidad histórica que más podía tocarme los cojones en aquel momento. ¡Qué pena! Ibas tan bien, me habría gustado añadir, tan bien, pero la firmeza con la que pronunció la consigna suprema me sacó de quicio antes de tiempo.

—¡Eso, lo mismo que el Lobo! —y fui mucho más ramplón, más vulgar de lo que me habría gustado—. Te advierto que él ya me ha soltado ese discursito, ¿sabes? Así que te lo puedes ir ahorrando.

Me solté de ella e intenté alejarme, pero no me lo consintió. Aún le quedaban palabras por decir, y a mí me aguardaba la sorpresa de escucharlas.

—¡No! —también la de descubrir que estaba más cabreada que yo—. ¡No te equivoques, Galán! El Lobo es igual que tú. Él también viene de Francia, él también se da mucha lástima a sí mismo, él tampoco sabe de lo que estoy hablando. El Lobo no ha estado en una cárcel de Franco, no le han detenido, no le han humillado, no le ha denunciado su hermano, ni su novia, ni su mejor amigo, no ha tenido que aprender cómo han sido las cosas aquí, ¿te enteras?, como siguen siendo...

Hablaba muy deprisa, con la vehemencia de quien no necesita comunicarse, sino escupir, vomitar un veneno que le está haciendo daño, y me miraba como si pretendiera taladrarme, subrayando con los ojos cada sílaba. Yo la escuchaba en silencio, aturdido por el asombro, consciente sin embargo de que ya había logrado hacerme un agujero y deslizaba por él, una tras otra, frases artilladas, explosivas, capaces de estallar en mi pecho como una secuencia de cargas de dinamita. Pero lo más extraño no era eso. Antes de que llegara al final, empecé a sospechar que no hablaba sólo para mí, que lo estaba haciendo también por ella misma. Y esa fue su arma secreta, decisiva.

—Al Lobo nadie le ha puesto nunca una pistola en la cabeza, ¿sabes? Ni él, ni tú, habéis tenido que oír cómo le quitaban el seguro a una pistola apoyada en vuestra cabeza, para obligaros a hacer cosas que no queríais hacer, y no habéis tenido que hacerlas, y no os habéis sentido igual que una mierda después. Así que no me vengas con tonterías. ¡No tenéis ni idea de lo que decís, ninguno de vosotros, ni idea tenéis! Pero yo sí lo sé, porque yo he pasado por todo eso, ¿me oyes? Por eso, y por cosas peores.

Se alejó unos pasos, se apartó el pelo de la cara, tomó aliento. Parecía haber terminado, pero cambió de opinión. Volvió a acercarse a mí, me agarró con las dos manos del cuello de la camisa, y me atrajo hacia ella como si quisiera besarme. En lugar de eso, me soltó de golpe y añadió algo más.

—Yo he tenido que pasar por cosas que tú ni siquiera te imaginas.

En eso estaba equivocada, porque sí me las imaginaba. No las sabía, pero las estaba viendo pintadas en su cara, las estaba escuchando en el ritmo entrecortado de su respiración, aquel jadeo de animal acosado que era más elocuente que las palabras. Sus ojos brillaban como un charco sucio, opaco y poco profundo, agitado por un temblor que me avergonzaba. Para huir de sus advertencias y de mi propia, súbita vergüenza, miré hacia la casa y me di cuenta de que llevábamos un rato discutiendo a gritos. El ruido había atraído hasta la puerta al Lobo, a Flores, a Comprendes, al Zurdo, y todos seguían allí, muy quietos, muy atentos. Cuando el coronel cerró los ojos, comprendí que Inés había seguido la dirección de mis ojos con los suyos, pero el inesperado aumento de su auditorio no la amilanó. Al contrario.

—Que me oigan —volvió a mirarme y asintió con la cabeza—, no me importa. Lo que digo es la verdad. Yo he cruzado el infierno para llegar hasta aquí, pero tú no tienes derecho a hablar así, a pensar así, tú no, ¿te enteras? Ninguno de vosotros tiene derecho a rendirse, eso lo primero.

—Yo podría... —contarte una historia muy parecida, Inés, eso iba a decir, pero no dije nada.

Avancé un paso, dos, llegué hasta ella. Le aparté un mechón de pelo que tenía suelto sobre la frente, y se lo coloqué con cuidado detrás de la oreja. Con el mismo dedo, le acaricié la cara, el cuello, intenté adivinar cómo reaccionaría, qué respondería si yo le hablara de mis propias humillaciones, de mis cárceles, de mis cicatrices. Pero no tenía sentido que nos enzarzáramos en una competición sobre lo peor, y además, los dos sabíamos que ella tenía razón. Todo lo malo que a nosotros hubiera podido sucedernos fuera, dentro habría sido peor. La hostilidad, la inclemencia, la crueldad de los campos extranjeros, nunca habría podido llegar a ser tan intensa, tan refinada, como la venganza de nuestros compatriotas. Inés pareció leerlo en mis ojos, porque atrapó el dedo con el que la acariciaba, mi mano entera, y la mantuvo entre las suyas mientras terminaba de hablar.

—España está llena de gente como yo, Galán. Gente que habría dado cualquier cosa, media vida, por salir de aquí en el 39, y que tuvo que quedarse para abarrotar las cárceles, para escuchar sus sentencias de muerte, para dormir durante treinta años en una baldosa y media de suelo sucio, con el cuerpo lleno de heridas gangrenadas, comidas por la sarna. ¿Y cómo quieres que estén? Pues muertos de miedo, claro. ¿Cómo no van a tener miedo, si les han pegado tanto que ya no se acuerdan ni de quiénes son? Pero otros están de pie, siguen estando de pie y os están esperando —apretó mi mano, y adiviné que no estaba muy segura de que fuera a gustarme lo que me iba a decir—. Yo os he estado esperando durante cinco años, así que a mí no me preguntes para qué has venido. Si no lo sabes, lo mejor que puedes hacer es volver a marcharte.

La miré y no dije nada, pero ella supo leer en mis ojos. Estábamos tan cerca que no tuvo que mover los pies para dejarse caer sobre mí, pero no me abrazó hasta que sintió mis brazos alrededor de su cuerpo.

—Lo siento —murmuró entonces—. Lo siento, de verdad —y parecía a punto de echarse a llorar—. No sé por qué te he dicho todas esas cosas, ni siquiera lo entiendo, no debería haberte hablado así, tú no te lo mereces, yo sólo quería que comprendieras... Lo siento, perdóname.

—No pasa nada —apreté mi cabeza contra la suya y la mecí como si fuera un bebé—. No tienes por qué pedir perdón. No me has ofendido, Inés.

Seguimos así, quietos y abrazados, hasta que el último de nuestros espectadores entró en la casa. Sólo después la besé. En aquel momento, me sentí muy orgulloso de Inés. Ella volvió a estar a la altura de mi orgullo.

—Lo que he dicho antes no era una frase hecha —y separó su cabeza de la mía para mirarme—. Yo sé mejor que nadie que has hecho lo que tenías que hacer. Porque yo estaba muerta y ahora estoy viva, Galán.

A las dos y media de la mañana, ya me había convencido de que el ejercicio de moral revolucionaria al que me había entregado en las últimas horas me convenía mucho más que seguir fracasado, solo, en paz, y sentado en un banco. Cuando anuncié que estaba a punto de morirme de hambre, Inés también se puso muy contenta. Lo he dejado todo preparado, no te muevas, me dijo, no tardo nada, y fue verdad. Diez minutos después, subió con una bandeja, una botella de vino, media hogaza de pan y una fuente con huevos y patatas fritas, acompañados por una carne rojiza y tierna, sabrosa y especiada, que al principio no supe identificar.

Mientras la masticaba, aquel sabor me fue devolviendo a mi infancia, a algunas mañanas de invierno y fiesta en las que los niños no íbamos a la escuela, aunque no vinieran marcadas en rojo en los calendarios. Al saborear el último bocado, cerré los ojos y sentí las manos de mi madre, húmedas y heladas de agua del río, acariciándome la cara. Cuando volví a abrirlos, Inés estaba arrodillada sobre la cama, mi guerrera abierta, sus pezones erizados por el frío, las piernas desnudas, los pies embutidos a cambio en unos calcetines gruesos, de lana. Me miraba como si esperara una respuesta muy importante, y no pude resistirme a la incestuosa perfección de aquel momento.

—No me digas que has hecho matanza... —murmuré, y se echó a reír.

—Bueno, no exactamente —hizo una pausa y negó con la cabeza, como si ni siquiera ella misma pudiera creer en lo que iba a decir—. Pero sí he comprado un cerdo.

—¡Un cerdo! —dejé la bandeja en el suelo para enroscarme alrededor de su cuerpo y apoyar mi cabeza en su regazo—. ¿De verdad has comprado un cerdo? ¿Entero?

—Y verdadero —ella se inclinó hacia delante, apartó mi cabeza de su vientre, me peinó con los dedos, se retorció hasta que logró llegar a mis labios con los suyos—. Me lo ha encontrado la novia del Bocas, la prima de Montse, sabes, ¿no?

—Un cerdo —volví a decir, pero ni así acabé de creérmelo—. Has comprado un cerdo.

—Sí, no sé... Me ha parecido buena idea.

—Lo es —entonces logré sonreír, me incorporé, la arrastré conmigo debajo de las sábanas—. Es una idea extraordinaria.

Y me faltó valor para decirle que lo más extraordinario de todo era su fe, su confianza en que íbamos a permanecer en España, en Arán, en aquella casa, el tiempo suficiente para comernos un cerdo entero. Pero quizás más extraordinario aún fue que, a pesar de todo, y sobre todo de la imagen de los presos que huían monte arriba, impresa en un rincón de mi memoria del que nada ni nadie podría desalojarla jamás, Inés consiguiera ponerme de buen humor. A la mañana siguiente volví a encontrarme bien, y celebré tanto como los demás la ausencia del Zurdo.

—¡Joder con el responsable! —protestó el Sacristán—. No, si al final, el único que no se va a estrenar aquí soy yo...

—Con lo guapo que eres —añadió Tijeras.

—Sobre todo eso, ¿comprendes? —y aquel fue el momento que escogió el Lobo para derivar la conversación hacia un final imprevisto.

—Le voy a dejar aquí, al mando, porque hoy no se podrá contar con él para nada... —asintió con la cabeza, como si quisiera darse la razón a sí mismo, y luego miró al Pasiego, por fin a mí—. Vosotros venís conmigo. Vamos a ir a Viella, a echar un vistazo.

La expresión deliberadamente coloquial que nuestro jefe había escogido no aligeró la repentina gravedad que nos mantuvo a todos quietos y en silencio hasta que el Zurdo entró por la puerta. Después, mientras bromeábamos y nos reíamos todos juntos, cada uno siguió pensando por su cuenta y nadie se atrevió a compartir sus pensamientos con los demás. Yo volví a ver a un centenar de hombres huyendo a trompicones por una ladera pero, como si mi cabeza fuera una balanza, compensé esa imagen con la de un cerdo abierto en canal, desangrándose lentamente. La hora de la verdad había llegado, y lo que se decidiera aquella mañana, decidiría todo lo demás.

Ocupar Viella no sería fácil. Requeriría una auténtica batalla, pero eso era lo de menos. La derrota resultaría insoportable. La victoria, por más que la deseáramos con todas nuestras fuerzas, abriría un paréntesis de incertidumbre, una tensión larga, peligrosa, que deberíamos aprender a soportar. Franco no iba a dejarse arrebatar España, su ejército no permanecería indiferente a nuestra presencia durante más tiempo. Mientras los aliados celebraran reuniones, tendríamos que volver a resistir, y éramos expertos en resistencias, pero nuestra experiencia no iba a ponernos las cosas más fáciles. Sin embargo, si lográbamos entrar en la ciudad, abrir sus puertas a un gobierno provisional, el fracaso del destacamento penal no volvería a atormentarme, y el cerdo de Inés dejaría de ser una extravagancia.

Mientras pensaba en todo esto, vi que Comprendes se levantaba, que salía a la calle, que al otro lado de la puerta estaba el Piñón, pero no les presté atención. Estaba más pendiente de ella, de sus propios cálculos, la súbita preocupación que ablandó los rasgos de su cara cuando se sentó sobre mis rodillas para mirarme como si nunca antes se le hubiera ocurrido pensar que yo era un soldado, que podía morir en cualquier momento. Le pregunté qué le pasaba y no me quiso contestar, pero siguió balanceándose encima de mí, colgada de mi cuello como una niña asustada. Sus mimos eran ahora tan sinceros como calculados habían sido los de la noche anterior. Entonces, Comprendes llamó al Lobo, el Lobo salió fuera, le vi hablar con el Piñón por la ventana, pero seguí disfrutando de Inés, de su habilidad para ser muchas mujeres distintas en una sola.

Aquella misma tarde, después de comer unas judías blancas que no se parecían a una fabada pero estaban casi igual de ricas, llegué a creer que aquel prodigio tenía una explicación muy sencilla. Inés era una traidora y yo un pardillo, un tonto fácil de engañar. Ella sabía darme lo que necesitaba en cada momento porque estaba entrenada para fingir, y yo sólo tenía que abrir la boca para que se me cayera la baba por las comisuras. El Lobo no tenía nada contra ella, ni falta que le hacía. Él era comunista, como yo, como Comprendes, como el Piñón. La sospecha formaba parte de nuestra condición, de nuestra naturaleza, tanto como la virtud de la paciencia, y mucho más que la tarea de comprender una realidad que a menudo se escapaba de nuestros ojos desenfocados, empañados por los reflejos de esa lente metódica, universal, que deformaba todas las cosas.

Inés me gustaba mucho, me gustaba tanto que ni siquiera sabía explicarlo. Precisamente por eso, mis argumentos para defenderla se agotaron muy pronto. Para llegar a ser un buen desconfiado, es preciso aprender a sospechar sobre todo de lo bueno, siempre antes de lo mejor que de lo peor, y yo no fui capaz de pararme a pensar, a razonar en voz alta. Ni siquiera se me ocurrió preguntar dónde estaban los que nos la habían metido dentro, de qué les había servido, si ni siquiera había podido abrirles la puerta del gabinete. La noche anterior, me habían faltado fuerzas, ánimo, para interpretar el papel risueño y paciente que se esperaba de mí. Aquella tarde, después de comer, me sobró a cambio entereza para condenarla, sin pruebas ni falta que me hacían. Después, cuando tuve que cargar con esa culpa, intenté defenderme ante mí mismo y no tuve mucho éxito, ni siquiera conmigo mismo. Pero quizás fuera cierto, al menos parcialmente cierto, que me vengué en Inés de la decepción de aquella mañana. Quizás, todos nos vengamos en ella de la trampa en la que habíamos quedado atrapados.

Teníamos Viella al alcance de la mano. Cuando nos bajamos del camión en un recodo de la carretera, mientras caminábamos hasta el mirador sobre el que llamaba la atención una vieja señal de tráfico, la chapa oxidada sobre la que apenas se distinguía el símbolo de las vistas panorámicas, la ciudad estaba tan cerca que casi daba vértigo mirarla. Me acerqué a la barandilla, contemplé a distancia las casas, los coches, las figuritas animadas que cruzaban las calles y las plazas, y por primera vez de forma consciente, desde que crucé la frontera, pensé en el glorioso futuro que esperaba a Monzón. Ahí está, Jesús, me dije, aquí estamos. Y sonreí, porque en aquel momento todo parecía muy fácil.

El Lobo había subido con Flores hasta una plataforma excavada en la roca, a la que se accedía por unos escalones resbaladizos, muy estrechos. Cuando llegaron los oficiales del sector sur, nos pidió que nos acercáramos y le tendió sus prismáticos a Romesco, que aquella mañana, para volver a ver su pueblo, aunque fuera de lejos, se había lavado y peinado con colonia, como si fuera a una boda. Las manos le temblaban cuando se llevó las lentes a los ojos, y tardó un rato en arrancar a hablar.

—Está todo muy tranquilo, mi coronel —carraspeó para que su voz se asentara en su tono de siempre, mientras movía la cabeza para orientarse en un panorama que conocía de sobra—. Estoy viendo el cuartel, la comandancia de la Guardia Civil... En la calle no hay tropas. Tampoco veo fortificaciones nuevas, parapetos...

—¿Hay tiradores en las alturas?

—Desde aquí no veo ninguno, mi coronel. Lo que veo... —su voz se derrumbó y volvió a recobrarse en un instante—. No. Nada.

Siguió mirando hacia la ciudad en silencio y el Lobo se acercó a él, frunció el ceño, le tocó en el brazo.

—¿Qué has visto, Romesco?

—Pues es que, me ha dado la impresión... —se separó los prismáticos de la cara y la voz le tembló más que las manos—. Creo que he visto a mi abuela, mi coronel, tendiendo ropa en el balcón de su casa, pero, claro, eso no es importante, así que...

El Lobo asintió con la cabeza y todos sonreímos a la vez, como si la abuela de Romesco no fuera una mujer, sino una válvula capaz de aligerar nuestra impaciencia.

—¿Algo más?

—Bueno, sí, que es día de mercado. En la plaza de abajo estoy viendo los puestos, las mujeres comprando con sus cestas...

—¿En serio? —Romesco asintió con la cabeza y el coronel extendió la mano derecha en el aire—. A ver, trae aquí.

Durante unos segundos, todos los hombres de aquel promontorio parecimos contagiarnos a la vez de la naturaleza rocosa, inerte, del suelo que pisábamos. El Pasiego, que acababa de liarse un cigarrillo, lo sostuvo entre dos dedos de la mano izquierda, el chisquero en la derecha, como si se hubiera congelado o estuviera posando para un escultor, o ambas cosas a la vez. Tenía los ojos fijos en el Lobo, el aliento suspendido en su veredicto, igual que el mío, el de los demás. Los signos externos de la vida, la acción, el movimiento, se habían detenido en todos nosotros a la vez, porque Romesco había dicho una palabra que sonaba igual que un grito. ¡Al ataque!

Esta misma tarde, Lobo, le rogué con los labios cerrados. Hoy, mejor que mañana, porque no hay tropas en la calle, porque están desprevenidos, porque ni siquiera han tenido la precaución de suspender el mercado semanal. Esta misma tarde, pero él seguía mirando por los prismáticos, mucho más sereno de lo que debería estar, como si no supiera que nosotros no éramos troyanos, que los fascistas no nos esperaban escondidos dentro de un caballo. Hay mercado, repetía para mí y le gritaba a él con los labios sellados, congelados por los nervios y el asombro. Hay mercado, coño, mercado, ¿sabes lo que significa eso? Ni siquiera les preocupa controlar las calles, despejarlas de civiles, impedir que entren y salgan furgonetas. Esta tarde, Lobo, y me entretuve en calcular los tiempos, en distribuir nuestras fuerzas, en hacer mi parte del trabajo. Hoy, mejor que mañana...

—Sí, hay mercado —el coronel lo admitió en voz alta antes de dejar caer los prismáticos sobre su pecho—. Estoy seguro de que tienen a sus hombres acuartelados pero, por lo demás, es como si no supieran que estamos aquí.

Se levantó, nos miró, se sacudió el polvo de los pantalones y me vine abajo. Le conocía tan bien que adiviné, antes de que hablara, antes incluso de que se moviera, que no íbamos a atacar Viella aquella misma tarde.

—Bueno, pues... Vámonos —se dio la vuelta y bajó el primer peldaño—. Ya hemos visto lo que teníamos que ver.

—¿Qué? —la voz de Flores sonó como una detonación, mientras el Pasiego seguía paralizado, tan inmóvil que todavía no había encendido el pitillo—. ¿Cómo que vámonos?

El Lobo giró sobre sus talones, le miró, levantó la barbilla. Ya había calculado que le tocaría pelear, pero había venido preparado.

—He venido a recoger información, y he recogido la que necesitaba. Si quieres quedarte aquí, allá tú. Yo me vuelvo al cuartel general.

—No —Flores se acercó a él, su actitud tan amenazante como el tono de su voz—. No puedes marcharte así como así, no te lo voy a permitir. Ahí abajo está Viella, tu objetivo, y está desprotegida, hay mercado, ya lo has visto. Tienes que atacar, Lobo, está clarísimo.

—Yo decidiré cuándo ha llegado el momento de atacar, si no te importa —y su voz se endureció—. No sé si te acuerdas de que quien manda aquí soy yo.

—Perdona, no quería ofenderte, pero es que no entiendo... —el comisario reculó, retrocedió unos pasos, intentó ganar tiempo, hallar otro camino para llegar al mismo sitio—. Yo creo que no vamos a encontrar un momento mejor. Retrasar el ataque es dar opción a los franquistas a enviar refuerzos en cualquier momento. Hay que aprovechar la ocasión, no sabemos cuándo...

—Efectivamente —el Lobo avanzó los mismos pasos que Flores había retrocedido—, no sabemos nada. Ese es el problema.

—No, Lobo, eso no es cierto. Sabemos que Viella está ahí, mírala. Sabemos que es posible tomarla, que podríamos lograrlo ahora, hoy, no sé si mañana, hoy sí, eso es lo que estamos viendo, ¿o es que tú no lo ves? —se volvió a mirarnos, y nos encontró dándole la razón con la cabeza—. Eso es todo lo que tienes que saber, que Viella está ahí, que puedes tomarla, que debes tomarla... —y con una astucia que me pilló desprevenido, me señaló con el dedo—. Díselo tú, Galán.

—Tómala, Lobo —me incliné hacia él con una vehemencia que habría podido resultar agresiva si mi voz hubiera tenido un tono menos suplicante—, tómala ya, hoy, esta misma tarde, con dos cojones, ahora que no nos esperan, ahora que piensan que no nos vamos a atrever...

Él me dirigió una mirada intensa, pero no hostil. Tenía un gesto preocupado, extrañamente amargo al mismo tiempo. No se decidió a decirme nada, y en el silencio que se abrió tras mis palabras, escuché el chispazo del chisquero del Pasiego, el ruido que hicieron sus labios al aspirar el humo, e inmediatamente después, su voz.

—Galán lleva razón —y me puso la mano izquierda en el hombro antes de seguir hablando—. Tómala, ahora, ya, lo antes posible. Es la capital del valle. Todo lo que hemos hecho no servirá de nada si no la tomas.

—Escucha a tus hombres, coronel —Flores insistió con suavidad—. Todos piensan lo mismo.

—Tómala, Ramón —volví a rogar—. Ya que estamos aquí, vamos a hacer algo grande.

En ese instante, el Lobo al fin reaccionó. Sacudió al mismo tiempo la cabeza y los hombros, consiguió desprender de sus ojos la gasa imaginaria, grisácea, melancólica, a través de la cual nos había mirado hasta hacía un instante, e incluso sonrió.

—Cuando llegue el momento —hizo una pausa y volvió a bajar el mismo peldaño que ya había bajado antes, dando la conversación por terminada—. Lo haremos cuando llegue el momento.

—¿Y cuándo va a llegar ese momento? —la pregunta de Flores le detuvo antes de que llegara a la mitad de la escalera—. No te entiendo, Lobo. ¿Qué te pasa, por qué dudas? No vamos a encontrar una oportunidad mejor que esta.

El Pasiego me quitó la mano del hombro, Comprendes se acercó a mí por el otro lado, y me di cuenta de que los tres habíamos detectado a la vez la misma alerta. Las preguntas de Flores, la suavidad con la que había infiltrado en ellas el verbo dudar, el tono irónico, amable en apariencia, de su última intervención, había deslizado una batalla verbal que había vuelto a ser de dos, desde el terreno de la guerra hasta el de la política, y más precisamente, al de la política del PCE. El Partido era nuestra casa, la de todos nosotros, por eso habríamos reconocido hasta con los ojos cerrados cada uno de sus recovecos, sus sótanos y sus desvanes, sus curvas y sus atajos. Todos. Ramón Ametller Rovira, alias el Lobo, tan bien como los demás, porque el comisario no le había llamado inepto, ni cobarde, porque había preferido sugerir que estaba dudando, y eso era lo mismo que invitar a que sospecháramos de él en público.

—¿No, eh? —pero el Lobo sabía hablar el mismo lenguaje, y se puso a su altura muy deprisa—. ¿Y tú, cómo sabes tanto? ¿Por qué estás tan seguro de lo que dices, y de que no podemos esperar hasta mañana?

—Sé lo mismo que los demás, lo que te están pidiendo tus propios oficiales. Todos queremos lo mismo, menos tú —y se tiró de cabeza a una charca de aguas turbias—. Parece que tienes tus propios planes. ¿O lo que tienes son tus propias fuentes de información?

En ese momento el Sacristán bajó de la peña donde se había sentado para pegarse a nosotros, y yo volví a acordarme de Jesús Monzón, en un sentido en el que nunca antes lo había hecho. La violencia de mis primeras conclusiones me asustó, y sin embargo, antes de que el Lobo aportara argumentos para confirmarlas, adiviné que eran ciertas. No deberían haberme sorprendido tanto, pero no pude evitarlo. Y aunque no llegué a percibir dentro de mí ningún indicio de un verdadero conflicto de lealtades, la desilusión me hizo más daño que las palabras que estaba escuchando. Yo quería a Jesús, le admiraba. Siempre había estado de su parte, de la parte de su ambición, que era compatible con la mía, con la de todos. La lealtad, la admiración, el afecto, no se pueden tirar al borde del camino de buenas a primeras, como si fueran un peso muerto, una maleta vieja, inservible, o al menos, yo no supe hacerlo. Pero tampoco logré mantenerlos intactos mientras el Lobo llegaba a las manos con Flores, Viella cercana e indefensa, tentadora e intacta bajo nuestros pies.

—Lo que yo tengo es la obligación de velar por la suerte de mis hombres —el coronel aún conservaba la calma—. Y no voy a arriesgar sus vidas sin estar seguro de que puedo sostener una posición después de tomarla. Para atacar, tendría que saber qué está pasando ahí fuera, y no lo sé, porque hace dos días que no puedo hablar con Toulouse, ni de día ni de noche. No descuelgan el teléfono a ninguna hora. Así que no tengo información, ni buena ni mala.

—Eso no tiene nada que ver. Tú eres un militar, no un político —Flores hizo una pausa antes de echar mano de su último recurso—. Tu deber es cumplir órdenes. Y tus órdenes son tomar Viella.

Cuando terminó de decirlo, giró la cabeza para mirarnos, como si esperara que le aplaudiéramos. Por eso, no vio venir al Lobo, que se le plantó delante en dos zancadas, le agarró de las solapas y le atrajo hacia sí, para hablarle desde tan cerca como si quisiera rematar cada frase con un cabezazo.

—Si quieres llegar a viejo —nunca en mi vida le había visto tan furioso—, no se te ocurra volver a recordarme, en tu puta vida, cuál es mi deber. ¿Me oyes?

—¡Suéltame! —el rostro de Flores revelaba que él tampoco esperaba tanta violencia, pero el Lobo no aflojó los puños.

—Que si me has oído —y le zarandeó un poco más.

—Sí, te he oído.

—Me alegro —sólo entonces le soltó, dándole un empujón que le hizo trastabillar—. Porque yo sé de sobra cuál es mi deber. ¿Está claro? Lo sé mejor que tú. Mejor que nadie.

Luego dejó caer los brazos, respiró hondo, y se volvió a mirarnos mientras Flores se recomponía la camisa, la guerrera, el rostro sudoroso, la mirada torva, desafiante y temerosa a la vez.

—Sé cuál es mi deber, pero también sé lo que me prometieron en Toulouse, antes de venir —y eso nos lo estaba contando a nosotros—. Que nunca me dejarían solo, y ya estoy solo. Que recibiría miles de voluntarios, y no han llegado. Que tendría enlaces, y no he visto a ninguno. No he escuchado ni una palabra de la huelga general que iba a darnos la bienvenida, y mi mujer, que es la única mujer con la que he logrado hablar en Toulouse, tampoco ha escuchado ni ha leído una sola noticia de protestas, manifestaciones a nuestro favor, ni disturbios de ninguna clase, en ninguna parte. Me aseguraron que estaría en contacto permanente con la organización del interior, y no han mandado a nadie para contactar conmigo, ni con ningún otro mando de ningún sector. Soy militar, pero no soy tonto, y no voy a atacar Viella en estas condiciones. No voy a hacerlo hasta que no me entere de qué ha pasado con el túnel, hasta que no sepa dónde está Pinocho, cómo están las cosas en mi retaguardia. Si es verdad que en Lérida, en Zaragoza, en Barcelona, en Madrid no se está moviendo nada, que nadie cuenta con nosotros ni sabe que estamos aquí, ¿para qué vamos a atacar? ¿Qué sentido tiene tomar una ciudad con cuatro mil hombres, para que el enemigo la cerque al día siguiente con diez, con veinte, con treinta mil? Hemos venido hasta aquí para derrocar a Franco, no para jugar a los soldaditos. Y tengo las mismas ganas de entrar en Viella que vosotros, pero mientras no cambien las cosas, no contéis conmigo para dar una orden que puede terminar en una masacre.

En ese momento fue cuando me atreví a creer que todavía me quedaba Inés, que aquel viaje me había dado algo que necesitaba. Si no un país, al menos una mujer donde vivir. Porque después de escuchar al Lobo, las pocas esperanzas que me quedaban se desplomaron de golpe. Llevaba demasiados años haciendo la guerra. Había escuchado ya demasiados discursos. Había perdido demasiadas batallas. Conocía muy bien el mecanismo de la derrota, la maquinaria de aquel agujero minúsculo que sabía agrandarse hasta el infinito para devorar cualquier sueño, por inmenso que sea, en una ínfima fracción de segundo.

Lo sabía todo pero me lo guardé para mí, y exactamente igual hicieron los demás. Bueno, todavía puede pasar cualquier cosa, ¿comprendes?, sí, es demasiado pronto, quién sabe si mañana..., por supuesto, sí, y Pinocho tendrá que aparecer, antes o después..., hombre, no se lo habrá tragado la tierra, si el túnel no fuera nuestro, ya nos habríamos enterado, ¿comprendes?, eso está claro... Esto último lo dije yo y estaba tan claro como una mierda, pero mis camaradas asintieron con la cabeza y la misma vehemencia con la que yo había asentido antes a sus fantasías. Después, como si mentirnos en todas las direcciones, por dentro y por fuera, los unos a los otros, íntima y públicamente, nos hubiera tranquilizado de verdad, subimos al camión en silencio, y en silencio volvimos a Bosost.

Por el camino, decidí que yo era el más desgraciado y, a la vez, el más afortunado de los oficiales del ejército de la Unión Nacional Española. Porque era amigo de Jesús, pero había encontrado a Inés. Si ella no hubiera estado allí, la certeza de que Monzón nos había mentido, de que nos había engañado para que nos precipitáramos por nuestro propio pie en una trampa que aún podía resultar mortal, y de que lo había hecho sólo para disponer de una pequeña posibilidad de hacerse con el poder, tal vez habría podido terminar conmigo. Que el hombre más inteligente, más simpático, más valiente y con más talento de cuantos yo había admirado nunca, hubiera sido capaz de planear una jugada tan brillante y tan sucia al mismo tiempo, me habría hundido si no hubiera podido agarrarme a Inés, si ella no hubiera servido para mantenerme a flote.

Cuando bajé de aquel camión, lo único que deseaba era meterme en la cama con ella, abrazarla, cerrar los ojos y olvidarme de todo lo que pudiera existir fuera de aquellas sábanas. Y celebré que aquellas judías blancas, que no se parecían a una fabada, estuvieran tan ricas, porque ya sabía que iba a pasar mucho tiempo antes de que pudiera volver a comer fabes en Asturias. Por lo demás, el ambiente de la comida resultó tan difícil, tan espantosamente tenso y sombrío, que me levanté antes de que estuviera hecho el café, pero el Lobo no me dejó marchar.

–Espera un momento, Galán –y tuve que volver a sentarme–. Quiero hablar contigo...

Media hora después, me ofrecí a detener a Inés, a ir a por ella y a encerrarla donde me dijeran. Luego, lo único que pude pensar fue que Dios existía.

Existía, pero nunca iba a cambiar de bando, el muy hijo de puta.

A las cinco y media de la mañana, aún no era de día. Hacía frío.

Durante las últimas horas no había sentido otra cosa, sólo frío, un hielo implacable, avariento, que brotaba de mí para impregnar todo lo que me rodeaba y retornar crecido, más intenso y feroz, tan poderoso como una glaciación súbita, la negra desolación de un hielo negro, hielo y húmedo, helado pero vivo, sus dientes puntiagudos ávidos de morder, de desgarrar, penetrando en mi piel como el vaivén de un cuchillo oxidado que aserraba los músculos, los huesos, los cartílagos, su blanca lengua arrasando lo demás, deteniéndolo todo, paralizando el ritmo de la vida, mi corazón un pedazo de hielo, mi cuerpo un helado vestigio de mi amor, mi amor un triste charco de sangre congelada, derrumbada en una silla fría, en una casa fría, aquel comedor feo y negro, negro y triste, y la sopa fría, tristísima, de mi destierro.

—¿No quiere más?

Era una niña. Tan alta como la dueña de la casa y más corpulenta, pero una niña, con la cara redonda, los mofletes mullidos y sonrosados, tersos, y la frente, la nariz, tapizadas de granos. Tenía las manos fuertes, los dedos hinchados, la piel áspera, rojiza y tirante, pero ni siquiera era una adolescente, sólo una niña grande, doce años vestidos de luto, el raído borde de su vestido asomando bajo una bata a cuadros muy desgastada, las alpargatas también negras, las piernas desnudas y un acento extraño, muy lejano y sin embargo familiar, el acento de Eugenia, la portera de mi casa de Montesquinza.

—¿Me llevo el plato, entonces?

Antes de asentir con la cabeza, la miré un momento y descubrí la costumbre de una tristeza demasiado vieja para una cara tan joven, una pena amarillenta que entonaba muy bien con aquella habitación de muros deslucidos, muebles de madera ahumada, las sillas desparejas y, en el techo, una araña de muchos brazos y sólo dos bombillas pequeñas, como enfermizas llamas de cristal. Una niña extremeña con las manos quemadas por la lejía era lo único que faltaba aquí, pensé mientras miraba las placas de metal grabado, una Sagrada Cena y unas Bodas de Canaán, que colgaban en las paredes del comedor donde mis anfitriones habían liquidado sin hablar, él sorbiendo a cambio cada cucharada, un tibio sopicaldo de fideos. Al rato, la niña volvió con tres platos, una tortilla francesa de un huevo en cada uno, y el dueño de la casa se sintió en la obligación de disculparse.

—Nosotros comemos muy poco, porque, a nuestra edad, figúrese...

—No se preocupe —le contesté, mientras su mujer me miraba por el rabillo del ojo—. No tengo hambre.

Pero ya había empezado a comerme la tortilla, sosa como todas y con poca sal, cuando se abrió la puerta para dejar pasar a otros dos niños, el mayor ya un muchacho, el menor, más pequeño que la criada. No había más que verlos para comprender que eran hermanos. Tampoco hacía falta fijarse mucho en ellos, los pantalones sucios de barro, las uñas negras, y tierra en las camisas, en el pelo, en las alpargatas, para adivinar a qué se dedicaban.

—Con permiso, señor, y que aproveche —el mayor inclinó la cabeza, el pequeño se escondió detrás de él—. Ya hemos dado de comer a las mulas.

Él tampoco era de Bosost, ni del valle, no era catalán, ni siquiera aragonés, pero su acento era distinto al de la niña, y cada una de sus palabras incrementó la presión del aire sobre mi cabeza, el peso de una atmósfera enrarecida y turbia, tan miserable como la tortilla que dejé por la mitad mientras presentía que nunca tendría ganas de volver a comer.

—Muy bien —mi anfitrión asintió con la cabeza, satisfecho—. Pues a cenar, y luego a la cama, ¿eh?, que a las cinco hay que estar de pie.

Con una sopa de fideos y una tortilla de un huevo, concluí, y mis conclusiones debieron asomarse a mi cara, porque volvió a disculparse.

—Son buenos chicos, ¿sabe?, pero hay que estar encima de ellos, porque no les gusta trabajar... —cuando parecía dispuesto a justificar esa afirmación, su mujer terminó de doblar su servilleta y se levantó.

—Nosotros nos acostamos ya. Aquí nos levantamos con las gallinas. Y nunca tomamos postre, pero si quiere una pera...

Me dieron las buenas noches, se las devolví, y me quedé sola con los muebles ahumados y la lámpara tullida, la violencia de los objetos, de los gestos y las palabras, que se derramaba sobre mi tristeza para sumar la incalculable temperatura de un frío definitivo.

Yo no me merecía lo que había pasado y no entendía nada, ni siquiera podía imaginar cuál había sido mi culpa, qué había hecho yo, qué había dicho para que los ojos de Galán se volvieran de hierro, mineral su garganta, aquella voz metálica, dura, infranqueable como los barrotes de una celda, puntiaguda como la espada de fuego que me había expulsado del paraíso. Yo era inocente, sólo sabía eso, que era inocente, que no había dicho nada, no había hecho nada excepto tratarles bien, a todos y a él más que a ninguno, esa era mi culpa, hacer unas sopas de ajo que estaban para cantarles coplas y chillar de placer después, sólo eso, y no era la primera vez que se me venía encima una desgracia injusta, no era la primera vez que me maltrataban sin que lo mereciera, para apartarme a la fuerza del lugar al que pertenecía, pero nunca me había dolido tanto. La traición de Pedro Palacios, fea y sucia, tenía un sentido, feo y sucio también, pero sentido. La suya no, porque no tenían derecho a tratarme así, a hacer conmigo lo que habían hecho. Ninguno, y él menos que ninguno.

Eso sí lo sabía con certeza, que nunca me habían hecho tanto daño, porque las heridas que inflige el enemigo se pueden soportar con la cabeza alta, sin dudar, sin descreer de lo que se sabe, de lo que se siente, pero las que abre un amante no se cierran jamás, y yo amaba a Galán. En la helada compañía de aquel frío infinito lo comprendía mejor que en la tibieza narcótica de su piel mullida, dulce, un sol de caramelo nimbando su cabeza. Le amaba entonces, a solas, en una noche negra y helada, más que en ninguna, la nostalgia de su cuerpo más poderosa que su cuerpo, el deseo tan intenso en la ausencia que sólo deseaba no haberlo sentido jamás, para no tener nada que recordar. E intentaba pensar, consolarme pensando que apenas le conocía, que una semana antes no formaba parte de mi vida, y que no era él, madera y tabaco, clavo y jabón, limones verdes y un grano de pimienta recién molida, lo que latía detrás de aquel amor. Intenté pensar que ni siquiera era amor, sólo un espejismo de mi corazón maltrecho, las esperanzas perdidas que él había levantado, como si pudiera sostener el universo entero con una sola mano mientras empleaba la otra en acariciarme, cuando nuestros caminos se cruzaron por azar, sólo por azar. Eso intentaba pensar, pero me daba igual, porque el origen del dolor no afectaba al dolor, su naturaleza no lo disminuía.

Mientras sentía que la cabeza iba a estallarme por el esfuerzo de repasar, una y otra vez, todas las acciones, las frases, los gestos que hubiera podido hacer en el día de mi desgracia, ya sabía que había una explicación obvia, y que no era buena. También sabía, y demasiado bien, cómo eran las cosas en mi bando, y que un ataque de cuernos, la incomprensible conjura de un centinela dispuesto a contar que Arturo y yo nos habíamos besado con pasión, habría provocado una crisis diferente a aquella cuyo aroma, clásico y pestilente, poco elaborado, parecía surgir de una única y clásica palabra, traición. Si hubieran sido celos, lo habríamos arreglado los dos solos, gritos, lágrimas, ofertas y juramentos detrás de una puerta cerrada. Yo me habría arrastrado con ganas, ojalá hubiera podido arrastrarme ante él. Eso llegué a pensar, y por no seguir pensándolo, recogí los platos y los llevé a la cocina.

—¡Uy, señorita, deje eso, que ya lo hago yo!

Mientras la niña me los arrancaba de las manos, vi que los dos hermanos jugaban con un botón, impulsándolo por turnos con un movimiento de los dedos como si fuera una canica, para intentar colarlo entre dos migas de pan, sobre el mantel de hule de la mesa donde habían cenado.

—¡Gol! —el mayor simuló un grito mientras alzaba los brazos en el aire.

—No, no ha sido gol, ha sido poste —se quejó el pequeño, señalando el hule con un dedo—. La portería llegaba hasta aquí, ¿ves?, hasta esta florecita. Lo que pasa es que el balón ha chocado con el poste y lo ha movido.

—Pues eso, poste y luego gol.

—No, ha ido fuera, fuera... ¡Eres un tramposo, Matías!

Volví al comedor para quitar los vasos y el mantel, que sacudí con cuidado sobre el cubo de la basura.

—Deje eso, señorita, por favor... —insistió la niña—. Es mi trabajo.

—No me llamo señorita —aclaré, mientras me resignaba a que no se dejara ayudar—. Me llamo Inés. ¿Y tú?

—Yo me llamo Mercedes García Rodríguez —me contestó mientras terminaba de sacudir el mantel, pero antes de doblarlo, dio un respingo, cerró los ojos y se mordió los labios, como si estuviera arrepentida de algo—. ¡Hala, ya me he vuelto a equivocar! —y entonces me miró—. Es que ahora no me llamo así. Me llamo Mercedes Rodríguez Calvo, eso es.

—¿Y qué ha pasado con el García? —le pregunté al rato, mientras cogía un paño y empezaba a secar los platos que iba fregando.

—Es que... ¡Pero estese quieta, señorita, en serio, que me van a regañar!

—¿Quién? Si están los dos durmiendo... —y señalé el escurridor con la barbilla—. ¿Los pongo ahí?

—Bueno, sí, póngalos... —y la vi sonreír por primera vez—. Gracias.

—De nada. ¿Y el García?

—Pues, el García... Es que, como a mis padres no les casó un cura, pues, ahora, por lo visto, resulta que no estaban casados... —dejó de fregar para explicarse mejor—. O sea, que casados sí estuvieron, porque yo he visto la foto, que mi madre estaba embarazada y me decía, mira, sí tú también estabas, y se señalaba la tripa, que no se le notaba, pero ella lo sabía, claro, lo que pasa... —y volvió a hundir las manos en el agua, sacó un plato, lo aclaró—. Pues que ahora esa boda no vale, que no estaban casados, pasa. O algo así, no sé... Total, que ahora me apellido sólo como mi madre.

—Pero eso es mentira, Mercedes —al escucharme, soltó el plato que estaba fregando, y la loza hizo ruido al caer sobre el fondo de la pila—. Anular los matrimonios fue una decisión política, pero sólo cambia las cosas por fuera, no por dentro. Pueden quitarte el García en los papeles, pero tus padres estaban casados y tú tienes que saberlo. Por ti, pero sobre todo por ellos.

—A mi padre lo fusilaron, señorita... Digo, Inés. Y mi madre, la pobre... Bastante tiene encima, para preocuparse por los apellidos.

Siguió fregando y aclarando en silencio, un plato, dos, tres. Yo los secaba, la miraba, y me asombraba verla tan entera, una mujer de doce años recogiendo la cocina, mientras dos hombres que no sumarían muchos más de veinte entre los dos, nos miraban en silencio, con los ojos muy abiertos.

—¿Y dónde está tu madre, Mercedes? ¿Por qué no estás con ella?

—Se quedó en Zafra, con los pequeños. Es que en casa no había para tantos, y... A mí me mandaron a servir aquí las del Auxilio Social —volvió la cabeza para señalar a los niños—. A ellos también, pero son de un pueblo de Toledo.

—Urda —Matías pronunció su nombre sin que yo se lo preguntara, cuando me volví a mirarles—. ¿Lo conoce? —negué con la cabeza—. Pues tiene un Cristo muy nombrado, ¿sabe? De allí somos Andrés y yo.

Andrés acababa de cumplir nueve años, pero Matías siempre le había echado dos encima para que no los separaran, porque estaban solos, bueno, casi solos, añadió. Su padre había muerto en la guerra, y el cadáver de su madre amaneció tirado en una era al día siguiente de que cayera su pueblo. Tenían una hermana mayor en alguna parte, y un tío en Francia. El resto de su familia seguía en Urda.

—Pero lo están pasando muy malamente, y por eso, cuando nos dijeron de venir, Andrés no quería, porque es un cagado y todo le da miedo, pero yo dije que sí. Lo hago casi todo solo, porque él es muy pequeño, pero como el amo no nos ve, pues... No es que estemos bien, pero mal tampoco estamos.

Matías aún no tenía catorce, pero hablaba como una persona mayor. La gravedad de sus juicios, esa responsabilidad precoz y forzosa que encogía sus hombros y oscurecía su mirada, me pareció más dura, más cruel que su historia. Entonces recordé aquel lema, ni un hogar sin lumbre, ni un español sin pan, y cómo me impresionó su acierto la primera vez que lo leí. Qué bueno, pensé, y lo comenté en la cárcel, con mis compañeras del Socorro Rojo, tendría que habérsenos ocurrido a nosotras, ¿cómo no se nos ocurriría una cosa así? Ni un hogar sin lumbre, ni un español sin pan, una frase sencilla, elemental, pero capaz sin embargo de transmitir fe, calor, una modesta y, por tanto, verosímil confianza en un modesto porvenir sin hambre, sin frío. Aquel era el lema del Auxilio Social, ni un hogar sin lumbre, ni un español sin pan. Lo demás, lo que estaba aprendiendo aquella noche, no se leía en ninguna parte.

—A la cama —y chasqueé los dedos para que comprendieran que hablaba en serio—. Vamos, los tres a la cama, que ya recojo yo todo esto. ¿Es que no estáis cansados? —Andrés se levantó, se estiró, bostezó, asintió con la cabeza—. Yo no tengo sueño.

Cuando se fueron, metí las dos manos en el agua, helada como el mundo, y dediqué toda mi atención al estropajo, al jabón, la efímera resistencia de la grasa. Estaba más triste que antes y sin embargo mejor, más entera, como si la cantidad de tristeza que me cabía hubiera llegado a su límite, mi desolación, a anularse a sí misma. Mientras limpiaba el fregadero, había comprendido ya que no era eso, sino la certeza de que, por mucho que pudiera pasarme todavía, mi destino nunca sería tan negro como el de aquellos niños. Tenía muchas cosas que hacer, pero acabé con todas, y no me quedó más remedio que meterme en una cama helada para empezar a tiritar. Era normal, porque en aquel cuarto no había calefacción, ni una triste estufa, así que me levanté, me puse otro jersey, otros calcetines, volví a la cama y no logré entrar en calor. Tampoco quería llorar, porque llorar cansa y no sirve de mucho, pero mis ojos lo decidieron por mí, se abandonaron al llanto durante mucho tiempo, me obligaron a llorar por Galán, por los niños a los que acababa de conocer y por aquellos a quienes no conocería jamás. Por eso lloré, porque mis ojos quisieron, pero no logré dejar de temblar, sólo llorar, y el llanto me dio sueño, y dormí un rato hasta que el frío me despertó otra vez, y volví a llorar, y volví a dormirme, y al despertar, mis ojos volvieron a ser útiles, disciplinados y dóciles, secos. Seguía estando muerta de frío, pero ya ni siquiera lo sentía.

A las cinco y media de la mañana, aún no era de día y Bosost parecía un pueblo abandonado de calles desiertas y puertas atrancadas. No me crucé con nadie por el camino, pero antes que la fachada del cuartel general, distinguí de lejos al centinela. A tanta distancia y a la luz de una sola bombilla, no era fácil que me reconociera, pero me metí por la calle paralela para vigilar la casa. Desde aquella esquina se veía el balcón de nuestra habitación. Al otro lado de esas persianas, estaría él, solo en la cama, y pude verlo como si estuviera a su lado, las sábanas, la manta, los barrotes dorados de la cama, una Madonna de Rafael enmarcada con un listón dorado sobre mi mesilla, el palanganero al fondo y, en primer plano, su cuerpo, una cicatriz muy fea, como un tronco con dos ramas torcidas, en el brazo derecho, y el pie izquierdo al aire, porque lo sacaba de la cama antes de dormirse.

Por aquel hueco se fue también mi aplomo. Allí, escondida como una espía en el portalón de aquel establo, me pregunté a mí misma qué pensaba hacer y no supe responderme mientras una luz se encendía en la planta baja. Casi al mismo tiempo, escuché una pisada, y otra, y otra más, cada vez más cerca. Abandoné mi escondite, avancé por una calle que desembocaba en la fachada del cuartel general sin hacer ruido, y al principio me sentí tan expuesta como si me estuviera ofreciendo a una pistola nerviosa, codiciosa de un cuerpo donde hacer blanco, pero reconocí a tiempo el origen, la naturaleza de aquellas pisadas que no venían del pueblo, sino del camino por el que los dos nos habíamos alejado una noche a caballo. Antes de verle, supe que era él. Volví a preguntarme qué iba a hacer, volví a comprobar que no tenía ninguna respuesta para aquella pregunta, di un paso, otro más, llegué a la esquina y le vi venir, andando despacio. Él me vio, pero apenas me miró. Se pegó al lado derecho de la calle para apartarse de mí y siguió andando, más deprisa. Aquello no fue fácil, nada fácil.

—¡Galán! —cuando pasó a mi lado sin volverse, me pareció extraño pronunciar su nombre, extraño el cuerpo de aquel hombre que no volvía la cabeza, extraña mi voz, reclamándole—. ¡Galán, espérame!

No me esperó. Iba derecho a la casa, la casa estaba cerca, y si entraba dentro, ya no habría nada de que hablar. Por eso corrí hacia él, le enganché de la camisa y le rodeé con mis brazos por detrás. Pero no llegué a estar abrazada a él ni un instante, porque lo primero que hizo fue apartarme de su cuerpo con las manos, y sólo después, por fin, se dio la vuelta.

—¿Qué quieres? —y fue como si no le conociera de nada, como si nunca hubiera visto a aquel hombre, como si no supiera por qué no había dormido.

—Mira, yo no sé lo que te han contado... —olía a madera y a tabaco, a clavo y a cansancio, y la explicación obvia no era la buena, pero no tenía otra—. Yo no conocía de nada a ese chico, te lo juro, pregúntaselo a Romesco, él estaba delante cuando le conocí, vino a decirme que quería ayudar y le pedí comida, eso fue lo único que hice, pedirle que nos trajera comida, Romesco lo sabe, sabe que no le conocía, y ayer, cuando se me tiró encima, me lo sacudí tan deprisa como pude, esa es la verdad y tienes que creerme, créeme, por favor, por lo que más quieras, yo...

—Te has acostado conmigo sin conocerme de nada, ¿no? —le miré, y lo que vi en sus ojos me enseñó que la noche anterior apenas había aprendido algo de la naturaleza del frío—. Así que no hace falta que me des explicaciones. Puedes acostarte con otro, con cualquiera...

—No me hables así —murmuré, y apenas logré escucharme a mí misma, como si aquellas palabras me hubieran dejado sin aire en los pulmones.

—¿Por qué? Es la verdad —sus labios se curvaron en una mueca retorcida, que quizás quisiera ser una sonrisa pero no llegó a tanto—. No necesitas conocer a un hombre para meterte en la cama con él, desde luego...

—¡No me hables así! —descubrí que hasta sin aire en los pulmones podía gritar y me lancé sobre él con los puños cerrados, para estrellarlos contra su pecho una, dos, tres veces—. ¡No me digas esas cosas! No me hables así porque tú no piensas eso, no lo crees, no puedes decirlo, sabes de sobra que... —yo creía que en España ya no quedaban mujeres como tú, recordé, y no supe por dónde seguir.

—Lo único que sé —sujetó mis brazos con sus manos para privarme hasta del consuelo de pegarle— es que he picado como un pardillo. Eso sí que lo sé.

—¿Que has picado? —y ni siquiera logré sospechar a qué se refería—. ¿En qué has picado? No te entiendo.

—¿No? —me soltó del todo y dio un paso hacia atrás—. Pues lo que no entiendo yo es qué hacía ese tío ayer, registrando la casa, mientras tú le cubrías desde la cocina, con el pretexto de llenar la despensa de patatas.

—¿Que yo...? —mis pies trastabillaron por su cuenta mientras me doblaba por la cintura, la boca abierta, los brazos muertos, un asombro tan inmenso que ni con todo el cuerpo podía albergarlo—. ¿De verdad crees que hice eso? —me alejé de él sin controlar mis pasos, mis ojos moviéndose sin cesar, sin hallar un punto donde fijarse—. ¿Qué yo le cubría mientras...? No puede ser —le miré, me miró, y me di cuenta de que estaba empezando a dudar—. No puede ser, dime que no es verdad —pero por eso, porque ya dudaba, cuando intenté avanzar hacia él, se dio la vuelta—. Es imposible, no puedo creerlo... —entró en la casa—. Es que no me lo creo, ¿me oyes? —y levanté la voz—. ¡No me lo creo!

Todavía di algunos tumbos más, moviéndome sin objeto, sin dirección, mis pies trazando un caos de curvas sin sentido, eses de bailarina borracha más allá de los límites de la peor borrachera. Al principio, ni siquiera lograba procesar las palabras que acababa de escuchar. Comprenderlas resultó peor, mucho peor, más asqueroso que lo que hubiera podido imaginar yo sola en los días de mi vida. Dar tanto, entregar tanto, sufrir tanto y haber sido tan feliz durante tan poco tiempo, sólo había servido para que al final pensaran que ni siquiera era una impostora, una pusilánime o una cobarde, sino una infiltrada, el enemigo en casa, una mala puta capaz de hacer cualquier cosa sólo para engañarles, para hacerles daño, para abrirle la puerta a sus verdugos cuando menos lo esperaran. Eso era lo que pensaban de mí y no me habían dado la oportunidad de hablar, de defenderme, eso no, eso nunca, porque nosotros no hacíamos las cosas así, mejor la inquietud que ablanda, la incertidumbre que destroza los nervios, la expulsión fulminante antes que nada, y después, el miedo de no saber, de no entender jamás lo que está pasando.

—Inés...

Montse volvía de su casa con el Zurdo, y al escuchar su voz, dejé de pensar en círculo, de moverme como una peonza, y me enderecé despacio, me quité el pelo de la cara, la miré, la vi acercarse, dar un paso, después otro, antes de que su amante la cogiera por la cintura, para besarla en la cabeza y apartarla de mí. Ella hizo un gesto extraño con la mano, a medio camino entre un saludo y una caricia en el aire, pero él no me miró y el centinela dejó de hacerlo cuando nos quedamos solos en la calle. Mientras le miraba yo, rígido, tieso como si tuviera el cuello escayolado, terminé de comprender mi condición, una mujer transparente, incorpórea y sordomuda, a la que no se podía mirar, ni hablar, ni escuchar, ni siquiera ver por muy cerca que estuviera. En ese instante, y aunque la comprensión no alivió ni un ápice mi sufrimiento, mi razón se recuperó, y cuando Montse me contó lo que había pasado, ya lo sabía todo, o casi todo. Lo había adivinado yo sola, agazapada en el portalón de aquel establo, mientras les veía salir, reunirse con sus hombres, despedirse hasta la noche. El Zurdo fue el último en marcharse, pero cuando atravesó la puerta, Galán todavía estaba allí, mirando en todas direcciones, y era evidente que me estaba buscando, pero más evidente todavía que no me iba a encontrar. Me pegué a la puerta hasta que escuché a Comprendes reclamándole, recordándole a gritos el nombre del pueblo al que deberían llegar antes de la hora de comer.

El ruido, pisadas, voces, algún motor que se alejaba, se fue amortiguando hasta cesar por completo, pero no me moví hasta que distinguí la silueta de Montse en el umbral de la puerta, un paso por detrás de la línea visual del centinela. Entonces salí de mi escondite, me dejé ver y le hice una seña para que me esperara. Salí del pueblo, atravesé el Garona por un puente alejado de las casas, rodeé el campamento por detrás y tardé casi una hora en llegar hasta la ventana de la cocina. No vi a Montse, pero cuando golpeé con los nudillos en el cristal, vino enseguida.

–¡Inés! –y estaba tan nerviosa que no atinó a abrirla a la primera–. Inés, ¿qué ha pasado? Espera un momento, que ahora mismo salgo...

–No, no salgas. Es mejor que no te vean hablando conmigo –y no la dejé preguntar por qué–. Escúchame, Montse, tranquilízate, eso lo primero. Necesito saber qué pasó ayer, cuando me echaron de aquí.

–¿Te echaron? –y abrió mucho los ojos–. Yo creía que...

–Sí, me echaron, y creo que sé por qué. Luego te lo cuento, pero primero quiero que me cuentes tú... –la vi cerrar los ojos, ponerse seria, asentir con la cabeza, y no terminé la frase.

–Yo estaba en mi casa. Habíamos recogido ya, te acuerdas, ¿no? El Zurdo todavía no había vuelto, y llegaron el Lobo, Comprendes y Galán... –lo único que no había podido adivinar por mi cuenta era que habían forzado la puerta del despacho, que habían visto a Arturo andando por el piso de arriba–. Y me preguntaron que si creía que tú estabas de acuerdo con él, y les dije que no, porque... Tú no le conocías de nada, ¿verdad, Inés?

–No, Montse, claro que no –tampoco pude entender cómo había podido ser tan imbécil, picar de aquella manera, una pardilla yo, la más pardilla, deslumbrada por la luz de aquellos días y aun más por la luz de aquellas noches, como si el mundo entero sólo pudiera moverse en la dirección correcta, la que mi vida había recuperado–. Te juro que no le conocía de nada.

–Lo sabía –me sonrió, y su sonrisa fue el primer indicio de

que el calor seguía existiendo, aunque todavía estuviera fuera de mi alcance–. Lo sabía.

—¿Y les oíste hablar entre ellos?

Meneó la cabeza para darme a entender que preferiría no contármelo, pero yo era inocente, ella mi amiga, y así salieron a relucir Pedro Palacios y una larga serie de casualidades de las que nunca había sido consciente. Cuando creí que habíamos terminado, descubrí que no me lo había contado todo.

—Y luego, Galán, pues... —pero arrugó los labios y se resistió a volver a abrirlos–. Nada.

—No, nada no. Luego, ¿qué, Montse?

—Luego... Luego, Galán le pegó una patada a una carretilla, que debió de hacerse polvo el pie, y dijo, pues la detenemos, la detengo yo, si queréis, voy ahora mismo a por ella y la encierro donde me digáis... No llores, Inés.

—No estoy llorando —era sólo que se me caían dos lágrimas de los ojos–. Sigue, por favor.

—Pues eso, nada más. Me dieron las gracias y se marcharon. Y por la noche, cuando vine, yo creía que seguías aquí, arriba, con Galán, porque no le vi, y pensé, pues habrán tenido una bronca, y... —dejó la frase a medias y miró a sus espaldas–. Espera aquí un momento. Viene alguien.

Cerró la ventana y me senté en el suelo, para unir los fragmentos hasta que integraron un relato completo, pero eso, Galán ofreciéndose a detenerme, a encerrarme donde le dijeran, no fue lo peor. Lo peor era que les entendía, que podía entender su recelo, sus sospechas, me hacía mucho daño pero podía entenderlo, y al llegar a ese punto, ya había descubierto dos verdades más. La primera era que nunca lograría resolver aquel problema a mi manera. La segunda, que sólo lograría arreglarlo a la suya.

—Inés, ¿sigues ahí? —y eso era lo que iba a hacer, arreglar aquello como lo haría uno de ellos–. Era el carnicero... ¿Y qué hago yo ahora con el cerdo?

El cerdo, pensé, y sentí lo mismo que si acabara de caérseme encima, el cerdo...

—Filetes —pero yo era su amiga, y no podía dejarla sola–. Dile que te haga filetes de aguja, que para fritos tendrán demasiada grasa, pero guisados, con aceitunas, por ejemplo, salen muy buenos...

Y nunca, durante el resto de mi vida, descubriría de dónde saqué la serenidad suficiente para explicarle la receta paso a paso mientras ella la iba apuntando en un papel, y hasta para recomendarle al final que escurriera muy bien las aceitunas y tuviera cuidado con la harina, porque si la salsa salía demasiado espesa, el plato se echaba a perder.

—Dile que te limpie los lomos —añadí todavía—, que trocee las costillas, y que lo traiga todo. Lo guardas en la despensa, en el sitio más fresco, en una fuente bien tapada con un paño limpio, y esta noche, o mañana, cuando vuelva, lo adobamos entre las dos.

—Porque vas a volver, ¿verdad?

—Claro. Bueno, si tú me ayudas... —asintió con la cabeza y con tanto énfasis como si quisiera asegurarme que podía pedirle cualquier cosa—. Pues sube arriba, ¿quieres? En el maletero del armario, entre dos mantas, tiene que haber una pistola. Tráemela. Es mía.

—No, ni hablar —me dedicó una mirada espantada antes de empezar a negar con la cabeza—. Una pistola no. ¿Qué vas a hacer?

—Tú, tráemela, Montse, por favor. No pienso suicidarme, si eso es lo que estás pensando.

—¿Suicidarte? —mi última afirmación sólo había logrado asustarla más todavía—. ¿Pero cómo voy a pensar yo...? Tú te has vuelto loca.

—No —y de repente me sentí tan fuerte que volví a sonreír—. Yo voy a ir a por Arturo. Voy a ir a por él de todas formas, lo tengo decidido y eso es lo que voy a hacer. Con mi pistola, si tú me la traes, o sin ella, y entonces será peor, aunque yo siga teniendo dos brazos y él uno solo. Así que tú verás.

Me quedé mirándola y dejé que me mirara, hasta que la expresión de mi cara la convenció mejor que mis palabras.

—¡Ay, madre mía! —y volvió a cabecear, más despacio—. Madre mía, madre mía... Madre mía.

Pero sin dejar de invocar a su madre, se apartó de la ventana, salió de la cocina y volvió con mi pistola en la mano.

—¡Joder, Inés! Yo no debería hacer esto —me la puso en la mano con una inquietud casi maternal—. Si te pasa algo...

—Ya me ha pasado, Montse —respondí, mientras comprobaba que nadie había vaciado tampoco el cargador—. Me ha pasado lo peor que podía pasarme. No tengo nada que perder. Sólo hace falta que me digas dónde vive el manco.

—Espera un momento. Ahora sí que salgo.

—Que no, de verdad, que... —pero ya había cerrado la ventana.

Vino corriendo y nos abrazamos sin hablar, un abrazo muy fuerte que duró mucho tiempo, balanceándonos como lo que éramos, dos crías asustadas, porque las dos teníamos mucho miedo, aunque ella lo demostrara y yo no. Me explicó cómo se llegaba a la masía, y nos despedimos sin hablar, pero cuando salí del establo llevando a *Lauro* de las riendas, todavía estaba allí para decirme adiós con la mano.

Avancé muy despacio para salir del pueblo por una callejuela desierta, y seguí caminando campo a través, bordeando una loma antes de atreverme a montar. Suponía que en aquella dirección, que sólo conducía a Les, a Canejón, y por fin a Francia, no habría controles, pero vi uno en la carretera, y seguramente ellos me vieron a mí aunque no pudieron pararme, porque cabalgaba lejos de cualquier camino, por la falda del monte. Así, me desorienté, y tardé algún tiempo en identificar el cerro del que Montse me había hablado, pero todo lo demás fue sorprendentemente fácil, y cuando distinguí la masía, en un claro cercado por un bosque muy espeso, no vi movimiento ni escuché ningún ruido, aunque eran cerca de las diez de la mañana. Los árboles llegaban casi hasta la tapia, y dejé a *Lauro* atado a uno de ellos mientras me acercaba con tanta cautela que hasta fui escogiendo el lugar en el que iba a poner cada pie antes de posarlo, aunque pronto descubrí que mis precauciones habían sido excesivas. La casa tenía todas las contraventanas aseguradas, la puerta trasera atrancada aunque saliera humo por las chimeneas. Al esconderme tras el portillo de madera que la comunicaba con el pinar, pude ver una serie de barracones alargados, establos o gallineros, con las puertas tan cerradas como si aún no hubiera amanecido, y un poco más allá, un huerto donde, a aquellas horas, tampoco era lógico que no hubiera nadie trabajando.

El Lobo tenía razón. Los masoveros debían pertenecer al Somatén porque tanto abandono no tenía sentido, y aquella casa a oscuras, blindada contra las miradas ajenas a media mañana, menos aún. Allí dentro tenía que haber algo que justificara tantas precauciones, armas, hombres armados, y al pensarlo, sentí la tentación de abandonar, tal vez lo habría hecho si no se hubiera abierto la puerta para dejar salir a los dos hombres que habían ido a buscarme a Bosost la mañana anterior. El que había llegado tirando del carro fue derecho al tocón de un árbol que tenía un hacha clavada en el centro. Mientras tanto, Arturo, con la misma cesta de mimbre en la que me había traído los huevos enganchada en el muñón del brazo izquierdo, fue derecho al barracón más alejado de la casa. Yo me moví con sigilo, pegada a la tapia, hasta que alcancé un punto desde el que podía ver la puerta por donde había entrado Arturo, abierta, la de la casa, cerrada, y el tocón donde el criado de la masía, porque eso debía ser, convertía un tronco en astillas suficientes para llenar el serón que había traído consigo. Después, volvió a dejar el hacha clavada en el tajo, entró en la casa y cerró la puerta por dentro.

¿A que me caigo?, me pregunté a mí misma. Empuñé la pistola, respiré hondo y conté hasta tres. ¿A que engancho un pie en una piedra y me abro la cabeza? Busqué un saliente en la tapia para impulsarme, me senté encima para no correr riesgos, y tanteé con el pie hasta encontrar un punto de apoyo. ¿A que ahora me descubren, a que me disparan, a que me matan? Busqué la protección de los barracones, avancé pegada a ellos para que no me vieran desde la casa, la puerta atrancada, las contraventanas cerradas, y así, apostando conmigo misma y con el corazón desbocado, llegué a lo que resultó ser un gallinero, entré en él y me escondí detrás de la puerta.

Esto no puede salir bien, me dije, no va a salir bien, mientras le estudiaba a distancia. Arturo llevaba ropa de trabajo, un jersey azul con un roto grande en el cuello, otros más pequeños, como picotazos, repartidos por todas partes, y unos pantalones muy desgastados, los bolsillos dados de sí, flotantes y ahuecados como una bolsa vacía en cada pierna. Allí no podía llevar un arma, y en la cintura de los pantalones tampoco. O alguien había metido aquel jersey en agua caliente, o lo había heredado de un pariente más menudo que él, porque apenas llegaba a taparle el estómago. Cuando estuve segura de que yo llevaba en la mano un arma de fuego cargada con cinco balas y él, sólo una cesta de mimbre, me sentí reconfortada, aunque no dudé menos que antes de mis capacidades. Ajeno a mis cálculos, Arturo recogía los huevos con la mano derecha para colocarlos en el cesto. ¿Y ahora qué?, me pregunté cuando terminó, y volvió sobre sus pasos para echar a andar hacia mí. ¿Y ahora, qué?, pero estaba manco, no ciego, y distinguió una sombra junto a la puerta, porque se paró, frunció las cejas, abrió los labios. Va a gritar, comprendí, y que no podía consentir que abriera la boca.

—Manos arriba —le exigí en voz baja, saliendo de mi escondite con la pistola por delante. Él levantó la única que tenía y dejó caer el otro brazo para que la cesta se estrellara contra el suelo, todos los huevos rompiéndose a la vez—. No te muevas, no hables, y haz sólo lo que yo te diga. Más te vale, porque no me cuesta nada pegarte un tiro, como te puedes figurar.

Caminé hacia él muy despacio y vi cambiar la expresión de su cara, la sorpresa cediendo espacio al pánico a toda prisa. Me tenía miedo. Al descubrirlo, mi propio miedo empezó a aflojar, y aunque en ningún momento dejé de temblar por dentro, al menos conseguí aparentar por fuera el aplomo suficiente para dar órdenes.

—Abre la boca.

La abrió enseguida, y la rellené con un trapo que no estaba muy limpio, pero era el único que encontré por allí. Cuando terminé de embutirlo y retorcerlo entre sus dientes, seguía estando muy nerviosa, y sin embargo mi nerviosismo había cambiado de signo. Ya no se asemejaba a ninguna sensación que hubiera probado antes, porque nunca en mi vida había hecho nada ni remotamente parecido, y aquella excitación cercana a la euforia, un optimismo insensato que a mí misma me parecía peligroso mientras no lograba reducirlo, controlarlo, evitar que se desparramara por mis venas como una droga, era nueva para mí. Tengo que pensar, me advertí a mí misma, tengo que pensar y no meter la pata, porque sólo lograré salir de aquí si consigo hacer las cosas bien, en orden.

—Dame la llave del gallinero —obedeció sin rechistar y me la guardé en el bolsillo—. Muy bien. Ahora, bájate la manga del brazo izquierdo.

Cuando lo hizo, le cogí la mano derecha, se la pegué en la espalda, y le até la muñeca con la manga vacía, haciéndome un lío con la tela, mis dedos y la pistola, antes de conseguir apretar un nudo corriente. Las jaulas de las gallinas estaban cerradas con un trozo de soga fijado entre los barrotes. Abrí dos, uní las cuerdas entre sí, y luego, mientras los animales cacareaban sin decidirse a saltar al suelo, me coloqué a la espalda de mi prisionero y atravesé el cañón sobre la cara interior de su antebrazo derecho, manteniéndola sujeta con el pulgar mientras trabajaba con los otros dedos.

—Sólo tienes una mano, te acuerdas, ¿verdad? —movió la cabeza para asentir—. Pues no hagas tonterías, no vaya a ser que te quedes sin ella.

Eso fue lo que me salió peor, atarle, porque no sabía, nunca había atado a nadie, excepto a Adela y a su doncella, que ya estaban sentadas. Eso había sido fácil, porque bastaba con dar vueltas alrededor del respaldo de las sillas, pero se me ocurrió a tiempo que atar la mano de Arturo a su manga vacía no era tan distinto a preparar un pollo para meterlo en el horno, y eso fue lo que hice, dejando un cabo de cuerda colgando, como si necesitara deshacer el nudo sin estropear las patas, un churro que daba pena verlo, la verdad.

—Y ahora, pedazo de cabrón, te vas a venir conmigo —cuando su atadura me pareció fea pero segura, me acerqué a él y le apoyé la pistola en el cuello—. Vamos a salir los dos muy despacio, sin hacer ruido, y te voy a llevar a Bosost para que expliques lo que pasó ayer, ¿entendido? —giró apenas la cabeza para mirarme, y hundí el arma en su cuello un poco más—. Que si lo has entendido —asintió con la cabeza y mucho cuidado—. Pues eso. Le vas a contar al coronel que yo no te conocía de nada, que me tendiste una trampa y por qué, y para qué. Como hagas cualquier gesto extraño, cualquier movimiento que no me guste, te dejo en el sitio... —me moví para mirarle de frente, la pistola apoyada en su pecho—. Te lo juro por mi madre. Me crees, ¿verdad? —volvió a mover la cabeza, me creía—. Pues vamos.

Antes de salir del gallinero, asomé la cabeza y comprobé que nada había cambiado. La casa seguía estando cerrada, el terreno desierto, ni siquiera un perro a la vista. Salí, moví la pistola en el aire para indicarle que saliera, cerré la puerta con llave y, él por delante, yo parapetada tras su cuerpo, fuimos avanzando, cubriéndonos con los muros de barracón en barracón. Todavía no habíamos alcanzado el más cercano al portillo cuando escuchamos el ruido de un motor y los dos levantamos a la vez la cabeza.

Le obligué a cruzar los metros que nos separaban del último parapeto y, antes de que pudiéramos dar dos pasos, oímos, aún mejor que el rumor del coche que se acercaba, el eco de puertas que se abrían, chirridos, pisadas, voces de hombres llamándose unos a otros. Calculé que desde el otro extremo de la pared podría ver algo, y vi más de lo que me habría gustado desde que una furgoneta negra derrapó en la arena y se detuvo frente a mí, ante media docena de hombres que la estaban esperando. Dos de ellos levantaron una trampilla que, en la fachada lateral del edificio, debía de dar acceso a un sótano o una bodega, mientras un señor de unos sesenta años, tan parecido a Arturo como si fuera su padre, y con el impreciso aspecto de ser el amo de todo aquello, aparecía por la esquina del porche con una gran sonrisa en la cara. El conductor de la furgoneta salió a abrir las puertas traseras y los hombres de la masía echaron al suelo unas cuantas balas de paja, después una lona, y por fin el verdadero cargamento que esperaban, cajas de madera y sacos abiertos, munición y fusiles, pensé, antes incluso de ver las ametralladoras que montaron en el suelo para guardarlas con lo demás. Entonces ya había visto bajar al acompañante del conductor, un hombre muy alto, muy grande, con un abrigo negro y una boina, de los que se despojó antes de apartarse a un lado para hablar con el masovero.

En ese instante, me olvidé de Arturo, de la pistola, del lugar en el que estaba, el momento en que vivía, y me tapé la boca con la mano izquierda, pero fue sólo un instante. Ya no me estaba jugando mi amor, mi honor, el éxito que parecía dispuesto a coronar mi audacia, la vuelta al paraíso del que había sido expulsada injustamente. Ni siquiera me estaba jugando la vida, porque lo que podría llegar a pasarme sería peor que la muerte, mientras Alfonso Garrido, vestido con su uniforme, le ofrecía tabaco a su anfitrión, encendía un pitillo, echaba un vistazo a su alrededor para que yo renunciara a seguir mirándole y me pegara a la pared como una lapa. Luego, sin pensar mucho en lo que hacía, le quité el seguro a la pistola, la apoyé en la nuca de Arturo, y le acaricié con el cañón, muy lentamente, toda la cabeza, hasta que llegué a la coronilla para hacerla descender con la misma lentitud.

—Pórtate bien y no hagas tonterías. Acabo de quitarle el seguro a la pistola, lo has oído, ¿verdad? Así que no te muevas, ni respires siquiera...

Ya están aquí, fue lo primero que pensé cuando pude volver a pensar, ya han llegado, más allá del pánico que aquel hombre lograba inspirarme a distancia, y del asco que me amargó repentinamente la boca para desatar una alarma incontrolable que acabó con todo, el miedo, la euforia y los nervios, para devolverme a un temblor antiguo. No podía consentir que mi prisionero se diera cuenta, y por eso seguí acariciando su cabeza con mi pistola, una y otra vez, hasta que me atreví a asomarme de nuevo. Garrido había desaparecido. Debía de haber seguido al dueño de la finca hasta la casa, porque sólo alcancé a ver a los hombres que habían descargado las armas, bajando por la trampilla para cerrarla por dentro después. Un segundo más tarde, todo estaba tan desierto, tan silencioso como al principio, excepto por la furgoneta negra, las balas de paja tiradas por el suelo. Arturo seguía a mi lado, tan quieto como si estuviera muerto, tan dócil como un niño pequeño.

—¿Tienes la llave del portillo? —le pregunté, y negó con la cabeza—. Pues lo siento por ti, pero si no quieres que te mate, vas a tener que saltar la valla...

Volvió a negar, con más vehemencia, y me di cuenta de que movía mucho el brazo derecho, como si quisiera señalar algo con el índice extendido. Fui haciéndole preguntas, él contestándolas con la cabeza, hasta que me enteré de que había una llave escondida entre dos piedras. La encontré sin dificultad, abrí el portillo, lo cerré, me la guardé en el bolsillo donde estaba ya la del gallinero, y le guié hasta *Lauro,* que, una vez más, me miró como si me estuviera esperando.

Volví a poner el seguro de la pistola con disimulo antes de montar, y sin dejar de encañonarle desde arriba con la mano derecha, me eché hacia atrás, le pedí que pusiera un pie en el estribo, le agarré de la axila, le impulsé y estuvimos a punto de caernos los dos, pero Arturo sabía montar, y yo supe aguantar su peso hasta que se enderezó sobre la silla, siempre delante de mí. Salimos a galope entre los pinos y tardamos muy poco en encontrar la carretera que yo había esquivado con tanto afán en el camino de ida.

—Trae —le quité la mordaza, la miré con asco, la tiré al suelo—. Siento mucho haber tenido que usar este trapo tan sucio, pero no había otro.

Él no se molestó en contestar, yo se lo agradecí y seguimos cabalgando a un trote vivo, pero no tan rápido como para alarmar a los centinelas, que pudieron darnos el alto con mucho tiempo.

—¿Inés? —el jefe del puesto era Romesco—. Pero ¿qué haces tú aquí?

—Yo... —le miré, le sonreí, y por fin me sentí a salvo—. Es muy largo de contar. Mira, coge a este, llévaselo al Lobo, y dile que lo he traído yo. Él lo entenderá. Y le dices también que cuando estábamos en su casa, que le pregunte a Montse, que ella sabe dónde es, ha llegado una furgoneta camuflada que transportaba un montón de armas. Dentro del coche había un comandante del ejército vestido de civil, y los hombres de la masía estaban esperándole. Lo han guardado todo en la bodega, fusiles, ametralladoras y munición, pero tropas no he visto. ¿Te acordarás de todo?

Romesco pidió ayuda para bajar a Arturo del caballo, y se

quedó mudo de asombro al ver el nudo que inmovilizaba su única mano.

—¡Joder, parece el pavo de Navidad a punto de entrar en el horno!

—Sí, bueno, es que no he sabido hacerlo mejor, vosotros le ponéis ahora unas esposas, o lo que sea. Y otra cosa... ¿Por dónde se va a Vilamós?

Bordeé el pueblo para esquivar el primer puesto de control y a la altura del segundo, en pleno campo ya, me saludaron con la mano desde muy lejos, como si el Lobo hubiera tenido tiempo de ordenar que no me detuvieran. Cabalgué casi en solitario hasta las inmediaciones de Arrós y encontré el desvío antes de cruzarme con ningún vecino. La carretera de Vilamós era, al mismo tiempo, una de las más hermosas que había recorrido en mi vida y la maldición del ingeniero que la diseñó, a juzgar por las agudas, incontables curvas que la torturaban. Sin embargo, y sin llegar a ser nunca recta, su trazado mejoraba algo en el último tramo, mientras la silueta del pueblo, cuestas y más cuestas bordadas de tejados de pizarra negra, permanecía visible en el horizonte durante intervalos cada vez más largos.

Antes de llegar a las primeras casas, vi que la placa con su nombre exhibía todavía el yugo y las flechas que los soldados siempre eliminaban, tapando o doblando el metal, inmediatamente después de detener a los guardias civiles, pero tal vez no habían tenido tiempo, no eran todavía las dos de la tarde. El lugar donde había desmontado por última vez para que *Lauro* descansara y bebiera agua, no estaría a más de tres kilómetros y decidí dejarle allí, para tapar aquel símbolo con sus riendas y encontrarlo con facilidad a la vuelta. Entonces, por segunda vez en una sola mañana, escuché el silencio, y su sonido me sobrecogió.

Mis oídos no fueron capaces de percibir ruido alguno, voces, pasos, el eco de ningún ser vivo, humano o animal, cerca o lejos de mí, en aquel pueblo donde todas las contraventanas estaban cerradas, las puertas atrancadas, los perros escondidos tras los gruesos muros de piedra de unas casas que habrían parecido deshabitadas si no fuera por el humo que escapaba de las chimeneas. Empecé a subir una cuesta, muy despacio, y me asaltó por sorpresa el rebuzno de un burro, un estrépito agudo, tres veces repetido, que me provocó una inquietud tan instantánea como el sonido de una alarma. El campanario de la vieja iglesia románica, armonioso y elegante, esbelto, muy hermoso, se recortaba sobre la irregular silueta de los techos de pizarra como la única referencia posible. En Bosost, la plaza donde estaba la parroquia era el único lugar llano de un barrio de casas trepadoras, un milagro de equilibrio sobre un terreno tan escarpado como una montaña rusa, y el perfil de Vilamós no era distinto, pero no me resultó fácil llegar hasta la iglesia.

—¿Adónde va? —un cabo apostado en una esquina volvió su arma contra mí—. Váyase a casa, ande. Hoy es peligroso andar por aquí.

—Yo no soy de este pueblo —le contesté mientras descubría a otros hombres, otros fusiles repartidos por toda la calle—. Vengo de Bosost, del cuartel general. Tengo que ver al capitán Galán.

—Ahora no. No puedo dejarla pasar.

Me acerqué a él para descubrir que, pese a su corpulencia, era demasiado joven para llevar en la guerra mucho tiempo. Tenía una cabeza enorme, las cejas, los pómulos, las mandíbulas muy marcadas, y sobre un acento del norte, un casi imperceptible soniquete francés, semejante al que había detectado ya en otros soldados de veinte años, como el Bocas, o Romesco, que no eran conscientes de la híbrida naturaleza de sus úes, la cantarina finura que adelgazaba el final de cada palabra que pronunciaban. Aún no sabía que le llamaban el Tarugo pero, descontando la ambigüedad de su acento, con aquella cabeza y aquel cuerpo, dentro de poco daría miedo. Sin embargo, aún debía de estar acostumbrado a obedecer a su madre.

—Sí, tengo que verle —y me puse seria para insistir en un tono solemne, ligeramente maternal—, es muy urgente. El ejército ha llegado ya. Está armando al Somatén en los pueblos de los alrededores. El coronel ya lo sabe. El capitán tiene que saberlo también.

Cuando pregunté por el camino de Vilamós, esperaba encontrar un paisaje completamente distinto, el pueblo tomado, controlado, los vecinos reunidos en la escuela, Galán leyendo el manifiesto o comiendo con sus hombres, tomando quizás un vino en la taberna. Al verme aparecer, se quedaría atónito, tan desorientado que no sabría por dónde empezar a hacer preguntas, pero yo se las ahorraría todas al contarle de un tirón lo que había hecho aquella mañana, lo que había descubierto yo sola, lo que ahora sabían gracias a mí, y daría un taconazo en el suelo antes de darle la espalda, recoger a *Lauro* y volver a Bosost dando un paseo, a tiempo para aceptar las excusas del coronel antes de encerrarme con Montse en la cocina, hasta que fuera él quien viniera de rodillas a pedir perdón. Eso era lo que esperaba encontrar en Vilamós, para eso había ido hasta allí, y la distancia que separaba mis cálculos de la realidad debería haber bastado para animarme a cambiar de idea, pero ni siquiera me paré a considerar aquella posibilidad.

—El capitán está arriba, en la plaza —me explicó aquel muchacho—. Al llegar, el cuartelillo estaba vacío, el ayuntamiento también. Creemos que están en el campanario y que van a oponer resistencia. El tiroteo puede empezar en cualquier momento.

—Me da igual —procuré que mis palabras sonaran como una orden—. Tengo que ver al capitán. Cumplo un encargo del coronel.

—A su propio riesgo —asentí con la cabeza—. Si le pasa algo...

Pero él mismo me acompañó hasta la plaza, avanzando delante de mí mientras nos cubríamos con las paredes de las casas. Yo andaba otra vez con la pistola en la mano pero ya no tenía ni pizca de miedo, porque me bastaba recordar de dónde venía, para sucumbir a un razonamiento defectuoso, perverso, todo un espejismo de sensatez. Si no me había pasado nada en Can Fanés, pensaba, si Garrido ni siquiera se había enterado de que estaba allí, menos me iba a pasar ahora. Era un disparate, una barbaridad, pero todavía iba a correr riesgos mayores.

La plaza, una explanada de forma irregular, estrecha y alargada, estaba bordeada por edificios que se habían ido levantando por su cuenta, sin integrarse en ninguna disciplina preconcebida, y rodeada de soldados que ni siquiera pestañeaban. Mientras les miraba, los pies como clavados en el suelo, los brazos tensos, sosteniendo un fusil que parecía una prolongación natural de sus propias manos, las piernas flexionadas, listas para saltar, y la cabeza tan rígida que ni siquiera la movieron para mirarme, me parecieron los habitantes de un pueblo encantado, un ejército paralizado por el hechizo de una bruja poderosa. Pero el aire se ensució, se hizo espeso, turbio de repente, y cada segundo empezó a pesar también en mis piernas. Hasta aquel día, para mí la guerra había sido una sirena sonando en medio de la noche, boquetes abiertos en el asfalto de las calles, disparos en la Casa de Campo, cristales rotos en los escaparates y la primera página de todos los periódicos, pero nunca había respirado esa atmósfera metálica que va cuajando lentamente en el tiempo denso, plomizo, que antecede a las batallas. Y sin embargo, no tuve miedo, ni siquiera cuando empecé a sentir que el aire me picaba dentro de la nariz.

—El capitán está detrás de la fuente —el Tarugo señaló hacia un rincón donde sólo se veía un murete blanco con varios caños de los que manaba el agua que iba a parar a una balsa de piedra, como un abrevadero—. Puede llegar por detrás, bordeando esas casas. Si quiere, la acompaño.

Le di las gracias, rechacé su oferta y emboqué una callejuela que transcurría en paralelo a la plaza, más soldados, a los que ahora sólo veía de espaldas, apostados en las esquinas opuestas de los edificios que fui dejando atrás hasta que topé con una pared que me cortó el paso. Giré a la izquierda, avancé unos metros por otra calle estrecha, paralela a la anterior, y al llegar a la primera bocacalle, miré a la derecha y vi, antes que a nadie, al Bocas, apoyado en la pared de una casa muy bonita, las contraventanas de madera clara, barnizada, contrastando con los muros de piedra oscura. En un balcón lateral, tras una balaustrada de madera festoneada de geranios rojos, Galán miraba hacia el campanario con unos prismáticos. La fuente estaba delante, casi alineada con el lado derecho de la iglesia, y tras ella, Comprendes miraba también hacia la torre. No me lo pensé, y crucé la calle corriendo.

—El ejército de Franco ya está aquí —le solté a bocajarro, para no darle opción a preguntar—. Lo he visto.

Él me miró con la boca abierta, miró a Galán, que no me había descubierto aún, volvió a mirarme, y empujó las gafas sobre su nariz hasta que tropezaron con su entrecejo, como si en aquel momento dudara de todo, de sus ojos, de sus lentes, y hasta de su miopía.

—¿Pero tú de dónde sales? —preguntó de todos modos.

—Yo... —resoplé—, no tengo tiempo para darte explicaciones, pero les he visto. He visto a un comandante del ejército en una furgoneta llena de armas, a unos dos kilómetros al norte de Bosost. No sé cómo ha podido llegar hasta allí, pero allí estaba. Tropas no había, pero igual vienen por detrás. Por eso he venido, para avisaros. No esperaba encontrarme esto así, y...

No llegué a terminar la frase porque en aquel momento, en una plaza donde la vida parecía haberse extinguido, un pueblo que parecía un decorado, una fotografía de sí mismo o el recuerdo del último de sus habitantes al abandonarlo para siempre, un ruido vulgar, difícil de confundir, estalló en el silencio como un trueno en el manso cielo azul de una tarde de verano.

—Eso ha sido un portazo, ¿comprendes?

—Sí —había sido un portazo, y los dos nos asomamos con cuidado para contemplar el mismo paisaje de puertas atrancadas, ventanas cerradas, que unificaba todas las casas del pueblo.

Pero enseguida, al otro lado de la plaza, volvió a abrirse una puerta situada bajo un letrero con una cruz roja y grandes letras negras, médico, y se mantuvo abierta gracias a la determinación de un hombre vestido con traje y corbata, de unos treinta años, que sujetó el picaporte mientras forcejeaba con una mujer de su edad, embarazada de muchos meses. La puerta siguió abierta mientras el hombre la abrazaba para apartarse con ella al interior. Un par de minutos más tarde, cuando volvimos a verlos, la mujer se había tapado la cara con las manos, y él, sin llegar a alinearse con el umbral, para no servir de blanco a los tiradores de la iglesia, nos miró y señaló a la torre con un dedo.

—En el campanario... —susurré—. Nos quiere decir qué hay dentro... —entonces levantó cuatro dedos en el aire, y a continuación, dibujó algo parecido a la silueta de un tricornio sobre su cabeza—. Cuatro guardias civiles...

—Y tres soldados, ¿comprendes? —completó él, después de que marcara el número tres y se llevara la mano a la sien, para hacer el saludo militar—. ¿Y esto? —me preguntó mientras el médico se tocaba las solapas de la americana, simulaba sostener una escopeta en el aire, levantaba cuatro dedos, después cinco, y movía la mano derecha de un lado a otro, con los dedos abiertos.

—Civiles armados —respondí—, cuatro o cinco, no está seguro.

Mientras le veía encoger los hombros, dejar caer los brazos y abrir las manos como si quisiera pedirnos perdón por no saber nada más, Comprendes se volvió hacia la izquierda y le hizo una seña a Galán para que se reuniera con nosotros. Al verle, comprendí que no sólo me había visto, sino que había tenido tiempo de sobra para formarse un criterio sobre mi aparición, porque me estaba mirando con la lengua doblada dentro de la boca y se la mordía como pocas veces. Permaneció un instante inmóvil, enseñándome los dientes como si quisiera asegurarse de que los estaba viendo bien, antes de descolgarse por el balcón con una agilidad asombrosa.

—Tú no te muevas de aquí —le dijo al Bocas antes de correr hasta la fuente, y al llegar, como todo saludo, me dio un codazo—. ¡Quita de ahí!

—¿Lo has visto? —le preguntó Comprendes.

—Bien no. Me ha parecido que había alguien haciendo señas...

Antes de que tuviera tiempo para valorar lo que el médico nos había contado, un chico que aún no tendría veinte años salió de detrás de una de las casas que estaban al otro lado de la iglesia, y nos miró desde la única esquina de la plaza que los hombres de Galán no habían cubierto, porque los tiradores de la torre podían batirla con todas las ventajas. Llevaba una escopeta de caza, de madera, tan vieja que parecía un trabuco, colgada del hombro, una camisa blanca y alpargatas en los pies. Llevaba también una luz transparente prendida en los ojos, los labios tirantes, el cuerpo en tensión. Nos miró, miró al campanario, volvió a mirarnos, y me di cuenta de que sabía lo que iba a hacer y no lo sabía, de que lo había pensado bien y no lo había pensado, de que era un chico con una escopeta y no lo era, porque en aquel instante era sólo su propósito, una idea acariciada noche tras noche en la imprecisa frontera del sueño y la vigilia, un formidable vehículo de su propio rencor, de su rabia, el odio que le inspiraba un ansia feroz, tan absoluta que no le dejaba medir los metros, los minutos, la hostilidad objetiva, implacable, de un tiempo y un espacio que le codiciaban. Yo nunca había respirado aquel aire caliente, picante, que seca la nariz e irrita las encías para arder en la garganta como un zumo de guindillas. Nunca me había bañado en las aguas estancadas de unos segundos tan largos como vidas enteras de un tiempo elástico, perezoso, capaz de dilatarse hasta el infinito del presente, del pasado, y contraerse después en el instante en que un solo dedo aprieta un gatillo. Aquel charco de inquietud, cálido y turbio, era nuevo para mí, y sin embargo, al mirar a aquel chico sólo pude pensar en una cosa, no lo hagas, no lo hagas, por favor, no lo hagas, mientras Galán y Comprendes negaban a la vez con la cabeza como si fueran dos péndulos de un mismo reloj que sólo supiera decir no, no, no, en cada segundo.

Entonces, una voz de mujer gritó dos veces el mismo nombre, Joanet, y luego algo más, un par de frases que deberían haberme resultado incomprensibles y traduje en cambio a la perfección, porque aquella debía de ser la voz de su madre, y la angustia que la atormentaba habría sonado igual en cualquier otro idioma. Yo, que no entendía el aranés, la entendí como si hablara en mi propia lengua mientras le pedía a su hijo a gritos que se estuviera quieto, que se diera la vuelta, que no hiciera tonterías. Ni el miedo ni el sufrimiento necesitan traducción, pero los hijos desobedecen a las madres en todos los idiomas, y aquel chaval no fue una excepción. Miró hacia atrás una vez, dos, y cuando la figura pequeña y regordeta de una mujer de luto apareció al fondo de la calle, volvió a mirarla y salió corriendo.

—¡No! —Galán se irguió completamente, sacó la cabeza por encima de la fuente, movió en el aire el brazo derecho—. ¡No! ¡Vuelve atrás! ¡Vuelve...!

Corría tan deprisa que por un momento pensé que lo iba a conseguir. Alguien disparó desde el campanario y no le derribó, alguien gritó desde allí, ¿quién ha sido?, con una voz temblorosa de cólera, alguien, esta vez de los nuestros, les llamó hijos de puta mientras Galán y Comprendes abrían fuego para intentar cubrir el último tramo de su carrera, y el mundo estalló de pronto, pero su explosión no impidió que una bala se incrustara en la espalda del corredor, que cayó de bruces en el suelo, a unos pocos pasos de la fuente.

—¡Me voy a cagar en Dios! —Galán no sabía que aquel disparo no lo había matado, tampoco que no llegaría vivo al día siguiente—. ¡Comprendes, cúbreme! Voy a rodear la iglesia con unos cuantos, para atacar desde dentro... ¡Bocas! —pero antes de que se fuera, le cogí del brazo y le obligué a mirarme.

—Dame un fusil.

—¿Un fusil? —y si no se desgarró la lengua en aquel momento, ya no se la desgarraría jamás—. ¡Dos hostias es lo que tendría que darte, que no sé qué estás haciendo aquí, aparte de estorbar!

Eso me dijo, y se marchó, le vi reunirse con el Bocas, rodear la casa bonita, llamar a otros hombres, marchar ante ellos mientras Comprendes se unía a un grupo que había atravesado un carro en medio de la plaza para meterse debajo y disparar sin cesar sobre el campanario, aquella torre tan elegante, tan airosa, sus siete ventanas, tres pares de vanos de tamaño decreciente y una pequeñita como la aspillera de un castillo sobre la puerta, vomitando fuego sin parar. Yo me quedé detrás de la fuente, sola y desarmada, intentando comprender lo que ocurría, lográndolo sólo a medias, hombres que corrían para cambiar de posición o reptaban sobre el suelo de piedra, una explosión, otra más, y siempre disparos y más disparos, gritos de voces desconocidas, ¡a cubierto!, ¡por aquí!, ¡no!, ¡mira!, hasta que la puerta de la iglesia se abrió desde el atrio para que alguien chillara desde allí, ¡vamos!, y otro respondiera desde fuera, ¡estamos dentro!

Todavía escucharía muchos más disparos antes de ver una bandera blanca en una de las ventanas del campanario, y poco después, a Galán en la que estaba justo debajo, ordenando que cesara el fuego. Al rato, empezaron a salir soldados de la iglesia, muchos más de los que yo había creído ver entrar, y entre ellos, el Bocas, con una herida muy aparatosa en un brazo.

—¡Joder, Mediahostia! —Galán se le quedó mirando al pasar por su lado, mientras los últimos sacaban a cuatro prisioneros indemnes, un soldado y tres civiles con los brazos en alto, y otros tantos heridos.

—Esto no es nada, mi capitán, de verdad que no, sólo un rasguño, mucha sangre, pero nada grave, me lo he mirado bien y lo sé, porque además, acuérdese de aquella vez que me hirieron en Chambord y me apañé yo sólo para curarme, porque es lo que yo tengo, que sangro mucho pero luego se me cierran las heridas muy deprisa, yo creo que debe ser porque mi abuelo...

—Cállate ya, coño, que te reventarán la cabeza un día de estos, y seguirás hablando como una cotorra después de muerto.

No estaba contento, no podía estarlo. Había ganado una batalla minúscula, una victoria carísima, tres bajas sin contar al muchacho que agonizaba en el suelo, varios heridos, demasiados para haber tomado aquel pueblo tan pequeño, tan incrustado en la montaña que, al principio, cuando avanzaban frontalmente sobre Viella, ni siquiera habían considerado la posibilidad de desviarse para apoderarse de él. Cinco días después de pasar la frontera, las cosas habían cambiado mucho también en Vilamós, hasta en Vilamós, y Galán se daba cuenta. Ni siquiera se molestó en mirarme mientras cruzaba la plaza para reunirse con Comprendes, que estaba acuclillado junto al cuerpo de aquel chico, mientras el médico lo examinaba con una expresión que sólo servía para acrecentar el llanto de su madre, a la que dos vecinas sujetaban por los brazos, como si temieran que fuera a desplomarse.

—¿Cómo está? —preguntó al llegar.

—Muy mal —se llamaba Carlos Pardo y no era de por allí, sino de un pueblo de Cuenca al que le habían prohibido volver—. Habría que llevarle a la cama, aunque es peligroso moverle.

Al escucharle, él asintió, la madre sollozó, y Comprendes, que nunca se mordía la lengua, que nunca la doblaba ni blasfemaba a gritos, que jamás se acostaba sin cenar ni se pegaba con el aire, porque nada le sorprendía y se burlaba de casi todo, escogió aquel momento para perder el control.

—Vamos —y cogió a Galán del brazo para tirar de él hacia la iglesia.

—¿Adónde? —él, de quien habría esperado mucho antes aquella reacción, no se movió, y conservó la calma por los dos mientras Comprendes se alejaba unos pasos, se daba la vuelta, volvía a su lado, le miraba a la cara.

—¿Tú le has visto bien? —señaló con el dedo hacia los hombres que improvisaban una camilla junto al cuerpo del muchacho malherido.

—Sí, le he visto bien —y en su manera de decirlo, aprendí que no era la primera vez que mantenían una conversación como aquella.

—¿Y entonces? —Comprendes se sujetó la cabeza con las dos manos, cerró los ojos, volvió a abrirlos, levantó la voz—. ¡Es un crío, Galán, un niño! Todavía no le ha crecido la barba, y ya le han disparado por la espalda. Primero matarían a su padre, ¿comprendes? Primero a su padre, o a su hermano, y ahora, a él. ¿Es que no vas a tomar represalias?

—¿Represalias? —Galán también chillaba y, aunque todavía no entendía por qué, me di cuenta de que estaba tan furioso como Comprendes, aunque siguiera teniendo todos los nervios en su sitio—. ¿Contra qué? ¿Contra quién quieres que tome represalias? Estamos solos en el culo del mundo, ¿me oyes?, jugándonos la vida sin saber por qué, para qué, qué estamos haciendo aquí, dónde está todo eso que nos íbamos a encontrar, mujeres con ramos de flores, fábricas vacías, pancartas en la entrada de los pueblos, las masas asaltando los cuarteles para venir corriendo a unirse a nosotros y esa huelga general de la que nadie sabe una mierda... ¿Y tú quieres que tome represalias? ¿Y para qué van a servir? ¿Me lo quieres decir?

—No te entiendo —empezó a andar hacia atrás, para alejarse de él.

—¿No? Pues yo no te entiendo a ti —pero Galán avanzó los mismos pasos hasta que volvió a tenerlo delante—. ¿Qué quieres, hacer una escabechina para que los periódicos de medio mundo vuelvan a decir que no somos más que una partida de asesinos? ¿Eso es lo que quieres? ¿Te parece que no hemos tenido ya bastante?

Comprendes siguió retrocediendo y esta vez Galán le dejó ir, llegar hasta el centro de la plaza, abrir los brazos, levantar la cabeza, chillarle al campanario como si sus piedras tuvieran ojos para verle, oídos para oírle.

—¡Fascistas, hijos de puta! —su voz resonó como el trallazo de un látigo sobre el mudo pavimento de una plaza muda—. ¡Esta es la justicia de Franco, asesinar a niños por la espalda!

—¿Y qué? —Galán le interpeló con una pregunta amarga, cargada de ironía—. ¿Has arreglado España ya, te has quedado contento?

A aquellas alturas, estaba claro que España no tenía arreglo, y sin embargo, los insultos de Comprendes tuvieron el mérito de resucitar a un muerto, una consecuencia que ninguno de los dos logró apreciar. La apreció yo por ellos, y fue pura casualidad, una simple e inocente asociación de ideas.

—Galán... —intenté avisarle.

Si él no hubiera mencionado los periódicos de medio mundo, jamás se me habría ocurrido tenerlos en cuenta. Y si no le hubiera preguntado a Comprendes si no había tenido ya bastante, tampoco me habría acordado de Virtudes, de Madrid, del 19 de julio de 1936, del Cuartel de la Montaña. Si no hubiera pensado en el Cuartel de la Montaña, no habría mirado hacia la bandera blanca que ondeaba en lo alto del campanario. Y si no la hubiera mirado, nunca habría visto que había dejado de ondear.

—Galán... —pero él no quiso volver la cabeza hacia mí.

Toda la tela estaba ahora dentro de la ventana, como si algo tirara de ella. Me fijé mejor y no vi nada más, e inmediatamente después, el esfuerzo de una mano ensangrentada, unos dedos aferrándose al trapo blanco. Sin perderlos de vista, me fijé en un fusil que alguien había dejado apoyado en una pared. Hacía más de siete años que no tenía uno entre las manos y nunca había disparado sobre blancos en movimiento, sólo latas, botellas, cascotes, lo que hubiera podido encontrar aquel capitán de artillería que me enseñó a manejar armas en el solar de un chalé bombardeado, cerca de mi casa. ¡Muy bien, Inés!, recordé, ¡muy bien!, y nos reíamos, cuando te vengas conmigo a Córdoba, voy a enseñarte a disparar cañones...

Nunca me fui con él a Córdoba, ni disparé un cañón. Tampoco había vuelto a coger un fusil, pero cuando vi asomar un arma idéntica junto a la bandera blanca del campanario, me agaché para recoger el que había visto antes y se me ocurrió pensar que aquello debía ser como montar en bicicleta, una destreza que nunca se pierde.

—¡Galán, mira! —no me quedó más remedio que pensarlo—, ¡Galán, por favor! —porque ni siquiera chillando logré que me mirara.

Al apoyar el arma en mi hombro, extrañé la presión de la culata, pero no dudé, no vacilé un instante mientras le quitaba el seguro, buscaba un ángulo de tiro y apuntaba a un hombre malherido, la cabeza, las manos, el uniforme manchados de sangre, los movimientos bruscos, mal coordinados, de quien apenas puede tenerse en pie. En un esfuerzo agónico, sacó un brazo por el alféizar de la ventana, se incorporó sobre un codo y sujetó su fusil, para apuntar hacia Galán y Comprendes, que seguían discutiendo a grito pelado, sin más armas que su respectiva indignación, en el centro de la plaza. Yo nunca había tirado sobre un blanco en movimiento, pero cuando le vi inclinar la cabeza hacia su izquierda para acercar el ojo a la mirilla, apunté a su hombro derecho y apreté el gatillo.

Me acordé de todo, excepto de abrir las piernas y prepararme para aguantar el retroceso del cañón, pero mientras me tambaleaba, el estruendo metálico de una campana atronó en el aire de la plaza para revelarme que había hecho un blanco desastroso. El disparo se me había desviado hacia arriba más de un metro, pero antes de que tuviera tiempo de volver a apuntar, escuché otra detonación. Un tirador más certero que yo, acertó al moribundo de tal manera que se desplomó hacia atrás, y su fusil, al caer al suelo, se disparó solo, dejando un impacto redondo, visible a distancia, en el muro de piedra.

—¡Hostia!

El Bocas, que estaba apoyado en la torre, y el Tarugo, que le vendaba el brazo, me miraron con cara de alucinados, antes de descubrir que yo no era la única persona en la plaza que tenía un fusil entre las manos. Machuca todavía no había soltado el suyo cuando echó a andar hacia mí. Mientras me resignaba a aceptar que no era lo mismo darle a una lata a medio metro, que a un tirador agazapado en la ventana de un campanario, comprendí que su puntería había resuelto el desaguisado provocado por mi torpeza.

—Menos mal que le has dado a la campana —al llegar a mi lado, sonrió—, porque si no... Ni lo había visto, la verdad.

Galán y Comprendes necesitaron más tiempo para enterarse de lo que había pasado, pero cuando se reunieron con nosotros, los dos me miraban con los ojos igual de abiertos. Al afrontar su asombro, descubrí que estaba agotada, pero mi cansancio no era sólo físico. Ya no necesitaba hablar con ellos, explicarles lo que había pasado, ni qué estaba haciendo allí. Lo único que quería era marcharme, salir lo antes posible de Vilamós, de Arán, de España, y no volver a ver un uniforme militar en lo que me quedaba de vida.

—Esta mañana he ido a buscar al manco —por eso resumí todo lo que pude—. Quería traértelo, para que te contara la verdad, pero cuando estábamos en su casa, he visto llegar a un comandante del ejército en una furgoneta camuflada, llena de armas, y me he imaginado que te interesaría saberlo. Por eso he venido corriendo —me quité la correa del fusil del hombro y se lo di—. No para estorbar.

Él me miró, cerró los ojos, volvió a abrirlos, abrió también la boca.

—Inés...

—He dejado el caballo en la entrada del pueblo —añadí, al comprobar que no era capaz de decir nada más que mi nombre—, podéis usarlo para trasladar a los heridos. Yo me vuelvo andando. Supongo que, aunque tenga mala puntería, ya no seré sospechosa, ¿no?

Se tapó la cara con las manos y le di la espalda para avanzar entre dos confusas hileras de hombres pasmados, que me miraban a la vez sin decir nada. Su silencio me escoltó hasta que salí del pueblo, pero volví a escuchar la voz de su jefe antes que ninguna otra.

—Si andas tan deprisa, lo único que vas a conseguir es cansarte antes.

Llevaba casi una hora andando al mismo ritmo cuando me dio alcance. Había bajado montado en el estribo del coche donde el médico de Vilamós abandonaba el pueblo, transportando a tres soldados heridos en el asiento trasero. Junto a él, su mujer llevaba sentada en las rodillas a una niña pequeña que me sonrió moviendo la mano en el aire. Le devolví la sonrisa, el saludo, y sólo cuando su cabeza morena y sonriente desapareció, camino de Bosost, me volví a mirar a Galán.

Él me miraba con una expresión que no logré descifrar del todo, sus ojos anclados en una intersección casi perfecta de sentimientos dispares, incluso antagónicos, vergüenza, admiración, inquietud, orgullo, desazón, una sombra muy parecida al miedo, una luz muy parecida al amor. Parado al borde de la carretera, en el mismo lugar donde se había bajado del coche con dos fusiles al hombro, basculaba ligeramente sobre sus piernas. Esperaba que me acercara a él, pero no le complací.

—Toma —se resignó a tomar la iniciativa mientras me tendía uno de los dos fusiles que había traído consigo—. Y perdóname.

Eso fue todo lo que dijo, perdóname, con una naturalidad sorprendente, como si ya estuviera todo hecho, todo dicho, como si no tuviera nada que añadir a aquella palabra liviana, ingenua, pálida, perdóname, un niño que le da un codazo a otro, que falla un gol, que rompe un plato y no dice más que eso, perdóname, lo mismo que había pensado decirle yo cuando salí a su encuentro sin saber aún qué había hecho, qué había dicho, qué era lo que tenía que perdonarme. Perdóname, cuando aún no sabía lo que pensaba de mí, cuando aún no había escuchado que me había acostado con él sin conocerle de nada, ni que unas horas antes había estado dispuesto a detenerme para encerrarme donde decidieran los demás.

—Bueno, ¿qué? ¿Me perdonas?

Y hasta se atrevió a sonreír, a insinuar una sonrisa tímida, apenas ensayada, pero una sonrisa a la que no me dio la gana de responder. No quise coger el fusil y tampoco encontré nada que decir, así que me volví y seguí andando, recontando en voz baja las heridas que no estaba dispuesta a que viera sangrar. Él tuvo que correr para ponerse a mi altura, acopló su paso con el mío y me recomendó que no anduviera tan deprisa, pero no le hice caso. Entonces añadió algo más.

—Y si no comes, tampoco vas a llegar muy lejos... —giré la cabeza hacia la izquierda y vi de nuevo su mano tendida hacia mí, y en ella, un paquete de papel de estraza que no me decidí a aceptar—. Tú me has dado de comer muchas veces —insistió—. Déjame darte de comer esta vez.

Qué cabrón eres, pensé, pero le miré y ya no pude pensar ni siquiera eso. Aparté mis ojos de los suyos como si me quemaran, cogí el paquete, lo abrí, y al oler su contenido, una tortilla francesa con jamón y unas cuantas rodajas de tomate metidas en media hogaza de pan, me di cuenta de que estaba muerta de hambre. Hasta aquel momento no me había preocupado por eso, pero eran más de las cinco de la tarde, llevaba doce horas de pie, había capturado a un hombre, había disparado sobre otro, había recorrido a caballo más de veinte kilómetros y ni siquiera había desayunado. Cogí el paquete, le di las gracias e, inmediatamente después, la espalda, para ir a sentarme en el borde de la carretera, mirando hacia las montañas, mis pies enterrados entre la hierba alta que bordeaba el asfalto, y comí muy deprisa, tanto que me atraganté, y tuve que hacer una pausa que él aprovechó para acercarse y ofrecerme agua. Después, como si ya hubiera hecho lo más difícil, se sentó en la hierba, frente a mí.

—Lo siento, Inés —me dijo, cuando le devolví la cantimplora—. Lo siento muchísimo, yo... Ni siquiera sé cómo explicarte lo mal que estoy. Lo siento en el alma, de verdad, y entiendo que estés enfadada conmigo, ¿cómo no voy a entenderlo, si me has salvado la vida?

—¿Yo? Si ni siquiera le he acertado...

—Eso es lo de menos. Perdóname, por favor, dime que me perdonas aunque no me hables nunca más —y se dio cuenta antes que yo de lo que pasaba en mi cara—. No llores, Inés, por favor, no llores...

Se acercó a mí, se abrazó a mis piernas, apoyó la cabeza en mis rodillas y siguió hablando mientras yo comía sin dejar de llorar, sin lograr tampoco aplacar un hambre que parecía crecer en cada bocado, mientras sus hombres se acercaban, nos rebasaban, se alejaban por la carretera, y entre ellos, pasaba *Lauro,* tirando de un carro.

—No deberíamos haber sospechado de ti, y yo menos que nadie, es culpa mía, no debería haber sospechado de ti, pero estamos tan solos, tan nerviosos, sin saber qué estamos haciendo aquí, sin saber qué está pasando ahí fuera... Lo que le he dicho antes a Comprendes es verdad. Todo está saliendo mal, al revés de como debería salir. No tenemos nada de lo que nos prometieron. No ha pasado nada de lo que nos juraron que iba a pasar, y cada día nos sentimos más débiles, más solos, rodeados por peligros que no conocemos, de los que ni siquiera sabemos cómo defendernos... Es para volverse loco, nos estamos volviendo locos, eso es lo que pasa...

Estuvimos así mucho tiempo, mientras la tristeza de la tarde caía sobre nosotros, yo sentada en el borde de la carretera, él abrazado a mis piernas hasta que todo se acabó, el llanto, el hambre, las palabras, sus argumentos y mi resistencia. Seguramente, ya le había perdonado cuando le acaricié la cabeza, cuando metí mis dedos en su pelo y le dije que deberíamos seguir antes de que la noche se cerrara del todo. Seguramente, ya le había perdonado, pero no sabía cómo decírselo, cómo explicarle que podía entenderlo todo, aceptar las razones de su soledad, de su miedo, esa desconfianza tan cercana a la estupidez, esa estupidez cerrada herméticamente al aire, a la razón, como las celdas sucias donde florecen los mohos y la locura, pero que no quería volver a tocarle, que volviera a tocarme, porque tenía la piel abierta, porque las heridas me escocían y sus dedos las agravarían, porque avivarían el dolor en lugar de aliviarlo. En Vilamós, ni siquiera me había dado cuenta de lo maltrecha que estaba. En Vilamós, mientras el aire me picaba en la nariz, mientras el enemigo disparaba desde la torre, mientras él se comportaba como lo que era, un minero asturiano en guerra, para abrir el hueco justo, con la dinamita justa, en la pared de la iglesia, yo no era importante, pero en el camino de vuelta, todo era distinto. Él no necesitó que se lo explicara, porque se levantó sin hablar, y sin hablar caminó a mi lado durante más de una hora, hasta que Comprendes vino a buscarnos.

Andábamos juntos y separados por la carretera, muy cerca y muy lejos a la vez, vigilándonos mutuamente con el rabillo del ojo, él pegándose con el aire y mordiéndose la lengua a cada rato, cuando vimos unos faros que se acercaban. Comprendes había recogido al grupo más rezagado, que nos sacaba un par de kilómetros de ventaja, y nos esperó en el lugar más cercano donde pudo dar la vuelta con el camión. Galán abrió la puerta de la cabina y me invitó a subir, pero rechacé su oferta y le indiqué con la mano que subiera él primero. Comprendes me saludó en un susurro, con cara de circunstancias, y no le contesté mientras me disponía a mirar por la ventanilla hasta que llegáramos a Bosost, porque el camión llevaba la trasera cargada de hombres y avanzaba muy despacio, pero el trayecto era ya tan corto que cuando Galán lo intentó otra vez, ya distinguíamos a lo lejos las luces del pueblo.

—Oye, Inés —antes había rozado el meñique de mi mano izquierda con los dedos de su mano derecha, para asegurarse de que le mirara, aunque allí dentro no se veía gran cosa—. Bueno, lo que te he dicho esta mañana de... Eso también lo siento mucho, que se me haya calentado tanto la boca, porque... En fin, hablo de eso que... Ya sabes, ¿no?

—No —le mentí, mientras mis ojos, habituados ya a aquella penumbra, reconocían sus labios temblorosos, vacilantes.

—Hablo de eso de que... Lo de que tú... —y hasta vi que se limpiaba la cara con una mano, como si hubiera roto a sudar de repente—. Bueno, tú sola no, o sea, yo también, porque... Me refiero a lo de que los dos nos hayamos acostado sin conocernos... Pues mucho, ¿no?, de antes, y... Que ya has dicho tú que no te dijera eso porque yo no podía pensar así, que no te lo creías, y bueno, que tenías razón, ¿sabes?, porque la verdad es que yo nunca...

—Galán —pronuncié su nombre sin alterarme.

—¿Qué?

—Vete a la mierda —y tampoco me alteré al decir eso.

Él asintió varias veces con la cabeza, los ojos cerrados, los labios apretados, el gesto serio, compungido, de un niño pequeño que acepta un castigo que se tiene bien empleado, pues bueno, pues sí, pues me voy a la mierda, antes de que Comprendes intentara interceder a su favor.

—Mujer, yo creo que tampoco...

—¡Tú te callas!

Entonces sí levanté la voz, y volví a mirar por la ventanilla, pero su dedo meñique siguió posado en el mío mientras mi nariz se abría de pronto para oler a madera, para oler a tabaco, para oler a clavo, y a jabón, un fondo ácido y dulce al mismo tiempo, como la ralladura de un limón no demasiado maduro, y una punta que picaba en la nariz, como el rastro de la pimienta recién molida. Reconocía el olor del hombre que estaba a mi lado, y reconocí sus manos, tan grandes, su tacto áspero y suave a la vez, el volumen del brazo que rozaba mi brazo, mientras el aire de aquel camión se volvía denso y caliente, mientras su presencia lo impregnaba de una nube de incienso imaginario, perfumado, espeso. Por eso dejé de mirarle, pero al cerrar los ojos, comprobé que era peor. Abrí la ventanilla, saqué la cabeza por ella, y al entrar en el pueblo, vi antes que nadie a dos niños que movían los brazos en el centro de la calle, para parar el camión.

—Mercedes —murmuré, cuando los reconocí—, y Matías... ¿Pero qué hacéis vosotros aquí?

—Esperarla. Le he dejado la cena hecha —y Mercedes me abrió una puerta por donde escapar—, que se habrá quedado helada, pero...

Aquella noche, había guisado un puré de verduras que estaba mucho más rico que la sopa de la noche anterior o, al menos, yo lo ataqué con muchas más ganas después de abrazarles y mandarlos a la cama con un beso. De segundo, había patatas con costillas de cerdo, un incremento de calorías tan notable que me hizo sospechar que mis anfitriones habían leído en mis ojos lo que pensaba de ellos, y se habían asustado de mis conclusiones. También me comí las patatas muy deprisa, y cuando me levanté a fregar los platos, Galán estaba mirando ya por la ventana.

—¿Qué quieres? —repetí la misma pregunta que él me había hecho por la mañana, mientras me comía la pera que había rechazado veinticuatro horas antes, pero ni siquiera así logré disimular del todo una sonrisa.

—Mira, Inés, yo ya no sé qué más hacer —él también sonrió, y también intentó disimularlo, bajando la cabeza para rascársela con mucho empeño—. Te he pedido perdón de todas las maneras que conozco, y en este pueblo no hay nada, ya lo ves. No puedo comprarte bombones, ni llevarte a bailar, que tampoco es que sepa bailar, pero... En fin, tú ya sabes lo que yo sé hacer —volví a sonreír y ya no me importó que me viera—. Así que he venido a preguntarte que qué más quieres, porque como no me ponga de rodillas...

—No —tiré el corazón de la pera al suelo y fui hacia él—, de rodillas no.

A partir de ahí, todo fue muy fácil, abrazarle, besarle, adivinar la intención de las manos que me recorrieron de arriba abajo para apresar mis muslos e izarme como si me hubiera vuelto ingrávida, cruzar las piernas alrededor de su cintura y dejarme llevar, dando tumbos cuesta abajo, hasta que nos chocamos con un muro que él no pudo ver, tan concentrado en mí estaba. Hasta allí me llevó en brazos. Desde allí fuimos andando, no sé cómo, porque yo no miraba y no escuchaba, no veía nada fuera de mí, no sentía nada más allá de mi boca, porque de repente todo mi cuerpo era boca, todo mi cuerpo labios, toda mi piel, de la cabeza a los pies, las comisuras de mis labios, la punta de una lengua que era yo y lo era todo, y que no veía nada, pero lo sentía todo con esa forma extremada, radical, de sentir que es propia de la boca, de los labios. No sé cómo logramos volver a casa, porque yo era sólo boca, y él sólo dientes, pero al llegar arriba, hasta las sábanas de franela que me habían enseñado que las resurrecciones siempre son más felices que los nacimientos, me dejé anonadar por la perfección de aquel mundo pequeño y suficiente, la estrella líquida, recién nacida, que brillaba en cada centímetro de mi piel, de la suya, sólo labios, dientes todavía.

—No sabes cómo te eché anoche de menos —Galán trajo de vuelta las palabras, aunque me mantuvo apretada contra él mientras hablaba, como si no quisiera que le viera en el trance de pronunciarlas—. Con lo furioso que estaba, que te habría matado, y la rabia que me daba echarte tanto de menos...

—Pues menos mal que no me mataste, ¿no? —me separé de él, me incorporé sobre un codo para mirarle, y me di cuenta de que mis ojos, aquellos ojos tontos, frívolos e insufribles, que me crecieron en Arán, habían fabricado dos lágrimas nuevas, pero no me impidieron sonreír.

—Menos mal —él cerró los suyos, me dejó besarle, me devolvió el beso, me miró con atención, sonrió también—. Porque si no... ¡A ver quién me iba a hacer ahora a mí dos huevos fritos!

El tradicional asalto nocturno a la cocina terminó de poner las cosas en su sitio, porque al entrar, vi en la mesa que había junto al fogón una cacerola de aluminio cubierta por un paño y me sorprendió que el cerdo hubiera dado tan poco de sí, pero al mirar en su interior descubrí que Montse me había dado la bienvenida a su manera, dejando preparadas las migas del día siguiente.

—No te atiborres —le recomendé al ponerle el plato delante—, porque mañana va a haber migas para desayunar.

—No te preocupes —me enlazó por la cintura, me apretó contra él, apoyó la cabeza en mi estómago—. Mañana voy a tener hambre de sobra.

Y la tuvo. Por segunda noche consecutiva, dormí mucho menos de lo que habría debido, pero mi cuerpo no necesitaba ni un segundo más de reposo, porque me levanté tan fuerte, tan descansada como si cada hora de sueño se hubiera multiplicado varias veces por sí misma, y cuando volví a encontrarme a solas en la cocina, preparando el desayuno, estaba tan contenta que el Lobo me sorprendió riéndome entre dientes.

—Inés... —me miraba con una expresión abrumada de seriedad, que entonaba muy bien con su flequillo repeinado, los surcos del peine tan perceptibles todavía como el olor de la colonia en la que se había empapado—. Lo siento. Lo siento mucho, todo fue culpa mía, nunca habría debido...

—No, por favor. Ayer ya escuché eso demasiadas veces —y le sonreí—. No me digas nada, no hace falta.

—Claro que hace falta, yo... Te debemos mucho, ¿sabes? Cuando asaltamos la masía, y vimos la cantidad de hombres que se habían concentrado allí, y el arsenal que tenían en la bodega... En fin, que espero que me perdones, aunque... —se paró en seco, para mirarme con atención—. Hay una cosa que no entiendo. ¿Cómo lo hiciste? —fruncí las cejas y se explicó mejor—. Lo del tío aquel que me trajo Romesco atado como un pollo.

—¡Ah, pues...! Lo de atarle, es que no supe hacerlo de otra manera, y lo demás... Bueno, tenía mi pistola.

—¿Tu pistola? —y abrió mucho los ojos—. ¿Galán no te la quitó? —negué con la cabeza—. ¡Joder! Debería arrestarle.

—Sí, hombre, eso era lo que me faltaba, ya...

Entonces, el Cabrero entró en la cocina con el gesto urgente, apresurado, de quien tiene algo imprescindible que hacer, para venir derecho hacia mí, coger mi cabeza con sus manos y besarme en la frente, como había hecho la primera vez que se comió una de mis croquetas.

—Que sepas que se lo dije, que le dije que la estaba cagando, que era imposible que a una traidora le saliera tan buena la comida —y se volvió para señalar al Lobo con un dedo—. ¿Te lo dije o no?

—Sí —su jefe lo reconoció con un acento desganado—. Me lo dijo.

Se marchó sin decir nada más, como si no le apeteciera ahondar en las razones de su equivocación, y yo me quedé mirando al Cabrero, que había nacido una semana antes que yo pero parecía mayor, porque tenía la piel curtida, menos morena que oscura, y al borde de los ojos, algunas arrugas tiesas, tan decididas como los rayos de sol que pintan los niños, para completar un aspecto propio de su apodo y absolutamente impropio de un cocinero.

—¿En serio? —asintió con la cabeza—. ¿Y por qué lo sabes? ¿Tú cocinas?

—¿Yo? —me miró con los ojos muy abiertos—. Por supuesto que no... —pero me contó una historia que nunca podría olvidar.

El Cabrero era el penúltimo hijo del menor de ocho hermanos, y su abuela, ya una anciana cuando él iba a su casa todas las mañanas para recoger las cabras que le devolvía al atardecer. Ella le recompensaba con un premio especial, que era al mismo tiempo un secreto entre los dos. Poco antes de que apareciera con el rebaño, se iba al huerto, escogía unas cuantas hojas de limonero, todas tiernas, pequeñas, del mismo tamaño, y se encerraba en la cocina a hacer paparajotes, un dulce barato aunque muy trabajoso, difícil de conseguir, porque no es fácil rebozar las hojas de limonero, ni freírlas sin que se rompa la cobertura dorada, crujiente, que se rocía con azúcar antes de que se enfríe. Pero la abuela del Cabrero era una maestra, y cada tarde, le hacía a su nieto unos paparajotes deliciosos, porque sabía que le encantaban, aunque nunca se le ocurrió imaginar que al verla tan vieja, tan encorvada, subiéndose a una escalera para llegar a las ramas más altas de los árboles y afanándose en la cocina después, él pensara siempre lo mismo, pobrecica, con lo mayor que está, darle tanto trabajo y total, para no comerme las hojas... Hasta que una tarde, los paparajotes le amargaron el paladar y se atrevió a preguntar, pero, abuela, ¿no te cansas? Y en vez de decirle que sí, o quedarse callada, ella le miró, se echó a reír y le hizo otra pregunta. ¿Te cansas tú de venir a por las cabras? Pues yo tampoco, ¿y sabes por qué? Porque te quiero. Si no te quisiera, los paparajotes me saldrían tan malos que me pedirías pan con manteca para merendar.

Después, todas las veces que algo o alguien me devolvió a la emoción de aquellos días amargos y dulcísimos, recuperé siempre aquel instante, el instante en que abracé al Cabrero, en el que me dejé abrazar por él, en aquella cocina mía y prestada donde pasaron tantas cosas memorables. Estuvimos abrazados un rato, sin hablar, y sin hablar, como si ninguno de los dos tuviera nada que añadir, nos separamos. Él salió para reunirse con los demás, y yo, sabiendo ya que nunca, por muchos años que llegara a vivir, dejaría de tener presente la lección de su abuela, le di la última vuelta a las migas.

Antes, había pelado peras y manzanas, las había cortado, había rallado tres tomates, había rebanado una hogaza de pan, había untado las rebanadas con aceite y sal, y les había puesto por encima lo que pude rebañar del jamón que había traído de casa de

Ricardo. En el último momento y en dos sartenes a la vez, freí una docena y media de huevos y un par de butifarras, y cuando empecé a sacar las fuentes a la mesa, me los encontré a todos sentados y calladitos, como una clase de párvulos castigados sin recreo, con la excepción del Cabrero, que atacó la comida con mucha tranquilidad, y de Galán, que me tocó el culo cuando pasé a su lado. Entonces llegó Montse, me vio, me sonrió, y se quedó parada en medio del zaguán, su figura recortándose sobre la lechosa claridad del amanecer, la luz recién nacida que entraba por la puerta para fabricar otro recuerdo difícil de olvidar.

—¿Qué tal? —le pregunté—. ¿Cómo te salieron los filetes?

—Buenos, y muy tiernos. Tenías razón, aunque la salsa me quedó demasiado espesa.

—Te lo advertí.

Su respuesta consistió en salvar la distancia que nos separaba en tres pasos, para abrazarme con la misma decisión, y hasta con más fuerza que el Cabrero antes, y allí, en el centro del zaguán, nos balanceamos como si las dos niñas asustadas del día anterior, necesitaran celebrar a la vez que habían perdido el miedo al mismo tiempo, sin saber que el miedo nos estaba esperando, agazapado en los pliegues de las horas inmediatas, para dejarnos sentir sus zarpazos antes de que el sol coronara el cielo. Estábamos viviendo el único momento feliz de aquel día, un momento tan feliz como los que ya no se repetirían al día siguiente, el último del tiempo que aún pasaríamos en Arán, pero cuando nos separamos, yo sentí exactamente lo contrario, que lo bueno había vuelto a empezar, y volví con Montse a la rutina, a la cocina, sin comprender lo que estaba viendo al ver al Sacristán despedirse de nosotras con la mano, desde la puerta, antes de salir andando con sus dos pies, sus dos piernas intactas. Como todas las mañanas. Como nunca jamás.

Todavía pasarían cosas peores aquel día que amaneció cargado de besos, de abrazos, de sonrisas, una alegría que se consumió, como el último cohete de un castillo de fuegos artificiales, cuando le llevé a Mercedes las tres rebanadas de pan con tomate que había guardado para ella y para los niños. Su felicidad, el júbilo instantáneo, incondicional, que resplandeció en sus ojos al morder el jamón, fue el último reflejo de la mía. Cuando nos despedimos de ella, aún no logramos escuchar nada. Aquel ruido, como un zumbido impreciso, aún lejano pero capaz de crecer muy deprisa, se enredó en el eco de nuestros pasos mientras volvíamos a casa.

—¿Qué es eso? —me preguntó Montse.

—No lo sé —contesté, pero sí lo sabía.

No puede ser, me dije, no puede ser, me estoy confundiendo... Y para desmentirme, tres aviones de caza, uno en punta, otros dos escoltándolo a derecha e izquierda, dibujaron un triángulo perfectamente regular por encima de nuestras cabezas. Al verlos, Montse se tapó la cara con el delantal. Yo los seguí con la vista hasta que desaparecieron en el horizonte.

—Esos eran... De guerra, ¿no? De los que tiran bombas.

Se le había puesto la cara blanca, e imaginé el color de la mía mientras las dos nos mirábamos sin hablar, sin movernos, pálidas y rígidas como dos estatuas, dos bloques de piedra dura, fría, que no querían comprender ni podían expresar lo que estaban pensando.

—Bueno —y mientras mentía, estaba convencida de que decía la verdad—, esos aviones son más rápidos que los otros. Los habrán mandado para reconocer el terreno, porque tres, solos, tampoco pueden hacer gran cosa...

Así logramos ponernos en marcha, volver a andar las dos al mismo ritmo, y hasta fingir que habíamos olvidado lo que acabábamos de ver.

—Oye, Montse, ¿en casa tenemos limones? —pero yo sólo podía pensar en aquellos aviones.

—¿Limones? —y ella tampoco podía pensar en otra cosa—. No creo. ¿Por qué me lo preguntas?

—Porque estoy pensando... Yo creo que, de momento, los lomos del cerdo vamos a dejarlos como están, sin adobarlos, ¿sabes? Por lo menos, uno. El otro, lo vamos a cortar en filetitos y los vamos a aliñar.

—Para comerlos enseguida, ¿no? —lo preguntó con tanta naturalidad como si no hubiera adivinado que yo temía que no nos diera tiempo a comérnoslos de otra manera—. ¿Esta noche?

—Sí —y con la misma naturalidad pregunté yo—. ¿No te parece?

—Claro —asintió con la cabeza y mucho brío—. ¿Para qué vamos a esperar? ¡Qué tontería! Estará más rico ahora, ¿no?, más fresco.

—Dentro de un rato, los ponemos en un cacharro hondo, con sal, aceite, zumo de limón y unos ajos cortados en rodajas... —y mientras enumeraba los ingredientes, moviendo mucho las manos, como si necesitaran explicación, me fui sintiendo mejor—, los dejamos macerar, dándoles una vuelta de vez en cuando, y a la plancha, simplemente, no sabes lo ricos que están.

—Seguro. Y no se parecen nada a los de anoche.

—No, porque podemos servirlos de entrada. Son capaces de comerse dos o tres, y luego cenar, ya sabes. Pero necesitamos limones.

—Puedo preguntarle a la Celina, que trae fruta de Viella de tapadillo —lo había dicho muy deprisa y no se tomó mucho más tiempo para aclararlo—. Para no ir donde Ramona, ¿no?, mejor...

—Sí —entonces fui yo quien asintió con brío—, mucho mejor.

—Pues vete tú a casa, si quieres, y yo...

—No, yo voy contigo —y seguí hablando como si me hubieran dado cuerda—. También podríamos asarlo, el lomo, digo, pero como pienso asar las patas, mañana quizás, pues... Y no quiero que el panadero piense que soy una aprovechada, porque esta tarde vamos a hacer magdalenas.

—¡Magdalenas! Qué bien, qué ricas.

La verdad era que no quería separarme de Montse, no quería quedarme sola, no quería saber, no quería pensar, no quería darme cuenta de nada, sólo cocinar, encerrarme en la cocina y ensuciar todos los cuchillos, todas las sartenes, todas las cacerolas, para lavarlas, y secarlas, y ensuciarlas otra vez. Eso era lo único que podía hacer, poner toda mi atención, mi habilidad, mi capacidad de trabajo, al servicio de mi amor, cocinar con amor, por amor, derramarme entera sobre los fogones, para combatir las siluetas de aquellos cazas. Cocinar, pensé, cocinar, decidí, cocinar es lo importante, tengo que cocinar muchos platos salados y dulces, contundentes y ligeros, de cuchara y de tenedor, vaciar la despensa y volver a llenarla para conjurar el peligro, para proteger a los hombres que tienen que volver a casa a comérselo todo, para salvar mi amor, por amor, cocinar todo el día.

—¿Y naranjas? —le pregunté a Celina cuando nos trajo los limones—. ¿Tienes? Pues dame... Tres kilos, por lo menos.

—¿Y para qué las quieres? —me preguntó Montse, poniendo mucho cuidado en no dejar de sonreír.

—Las ralladuras se las voy a poner a las magdalenas. Y después, voy a cortarlas en rodajas para echarles azúcar, aceite y canela, mucho de todo, ¿sabes? —y a pesar del aplomo en el que había decidido hacerse fuerte, abrió los ojos más de la cuenta al escucharme—. Ya sé que suena raro, pero están buenísimas, porque sueltan mucho zumo, y hacen un almíbar... En el convento las hice muchas veces.

Después las haría miles de veces más, para que aquel día siempre viviera conmigo, para tener siempre entre las manos el fruto de aquellas horas frenéticas que pasaban por los relojes con tanta lentitud como si cada segundo llevara colgando una bola de hierro, un lastre incompatible con la velocidad de mis movimientos, de mi pensamiento, la energía con la que arrastraba a Montse de un lado a otro para que ella me siguiera al mismo ritmo, con una sola respuesta entre los labios.

—Vamos a la carnicería, ¿quieres? Voy a ver si compro unos despojos de pollo y hago unas sopas de ajo como las del otro día.

—¡Ah! Muy bien.

—Tenemos verdura de sobra, y patatas, pero como voy a hacer tortillas...

—¡Ah! Muy bien.

—Si no se las comen esta noche, se las desayunan mañana. Y creo que también vamos a hacer una *esqueixada,* para aprovechar el bacalao...

—¡Ah! Muy bien.

—Y a lo mejor me animo y hago unos pimientos rellenos de segundo... ¿Te acuerdas de que le compramos a Ramona tres latas grandes?

—¡Ah! Muy bien.

A Montse todo le parecía muy bien, tanto que tampoco quiso separarse de mí en ningún momento, y no volvimos a ver los aviones, pero sí sus efectos, los efectos de las tropas a las que acompañaban, en las caras de los hombres con los que nos cruzamos, en el silencio compacto, sin risas, sin bromas, que llegaba hasta la cocina, ni una palabra acompañando al eco de los tenedores que batían huevos en los platos, al chisporroteo del aceite caliente, los chorros de agua y el chirrido de los estropajos sobre la loza. Yo tampoco hablaba, sólo cocinaba, pelaba cebollas, patatas, zanahorias, espumaba el caldo, amasaba, rehogaba, rellenaba, freía, guisaba sin hablar, sin saber cómo interpretar aquel silencio, bueno o malo, que hacía temblar las manos de Montse mientras rallaba las naranjas hasta la pulpa sin darse cuenta, y hacía temblar las mías para que se me resbalaran los cuchillos una y otra vez, por más empeño que pusiera en secarme los dedos en el delantal. Ella hablaba sola, en un murmullo, yo ni siquiera eso, pero cociné más, mejor que nunca. Aquel día, Montse aborreció la cocina para siempre, pero yo descubrí que cualquier desgracia me dolería menos si me pillaba cocinando.

Así estaba cuando me sobresaltaron aquellos gritos, ¡paso!, ¡paso!, y mientras Montse salía a toda prisa, terminé de rellenar el pimiento que tenía entre las manos, y hasta me las lavé antes de ver al Sacristán tumbado en la mesa donde comíamos, con una pulpa informe de carne y sangre donde antes estaban sus pies, más sangre manando de su cabeza, y al Pasiego ensangrentado, con las mandíbulas desencajadas, la boca abierta, la camisa empapada de una sangre que parecía suya, pero manaba del hombre acostado sobre el tablero. Antes de que me diera tiempo a comprenderlo, el médico de Vilamós, que se había instalado en la casa de su colega de Bosost, uno de aquellos vecinos que se habían largado sin llevarse consigo nada más que su pánico, entró corriendo para escuchar un relato inconexo, entrecortado por el esfuerzo del hombre que había subido la cuesta con su compañero a hombros mientras el camión iba a recoger a otros heridos, una granada, de pronto, mala suerte, se ha golpeado en la cabeza con una roca al caer...

—Necesito que alguien vaya a buscar a mi mujer.

—Voy yo —se ofreció Montse.

—Muy bien. Cuéntale lo que ha pasado, dile que me traiga el serrucho, y... —pero al descubrir que su interlocutora se había puesto pálida, decidió resumir—. Bueno, ella sabe, fue mi enfermera durante la guerra. Que traiga también anestesia, morfina o mejor, las dos cosas, lo que encuentre...

Yo no quiero comer, no tengo hambre, me advirtió el Pasiego cuando se sentó conmigo en la cocina, después de lavarse y ponerse una camisa limpia, la suerte del Sacristán temblándole en los ojos todavía. Claro que vas a comer, le repliqué, rehuyendo su mirada, son las tres de la tarde. Entonces apareció el Lobo, ¿qué ha pasado?, y ni él ni Zafarraya querían comer, pero también comieron, porque yo ya había cortado un solomillo en trozos, ya había pelado unas cuantas patatas, las había cortado, estaba a punto de ponerlas a hervir. Mientras el Pasiego repetía su relato con más calma y más detalles, tripliqué la cantidad, nos han cogido por sorpresa, hice la carne a la plancha, con poco aceite, procurando que quedara jugosa por dentro y dorada por fuera, ha sido un infierno, eran muchos más que nosotros, disparaban desde arriba, con ametralladoras, picaba una cebolla, la rehogaba en el aceite de la carne con un poco de harina, exprimía dos naranjas pensando que era una suerte haberlas comprado, añadía su zumo a la salsa, no entiendo cómo han podido llegar hasta allí, es un fallo demasiado gordo, Lobo, ha debido empezar la desbandada, le daba unas vueltas, añadía un buen chorro de coñac, la flambeaba, hemos salido bastante bien parados, no creas, hemos retrocedido sin demasiadas bajas hasta un cerro, les hemos aguantado bien, y dejaba que la salsa espesara a fuego lento mientras trituraba las patatas, mientras las trabajaba con un chorro de aceite y otro de leche, moviéndolas sin parar con una cuchara de madera, cuando me he venido, había cesado el fuego y mis hombres estaban seguros, a cubierto, la situación estable, pero ahora tenemos un frente, te das cuenta, ¿no?, hasta que el puré estuvo a punto, y lo repartí en tres platos, con dos trozos de solomillo cada uno, la salsa por encima, así que tienes que decidir qué hacemos, si mantenemos la posición o nos retiramos, lo que tú decidas, porque lo del Sacristán, corté pan, abrí una botella de vino, y le puse a cada uno su plato delante, lo del Sacristán no tiene remedio...

—A comer.

—No, de verdad, yo no puedo...

—Sí puedes —porque en el borde de mis párpados brillaban las mismas lágrimas que estaba viendo en los suyos—. Tienes que comer, Pasiego.

Mientras nos mirábamos, la mujer del médico entró corriendo en la cocina, la bata ya más roja que blanca.

—¿Alcohol tenemos?

—¿Vale esto? —me volví, cogí la botella de coñac que había usado para flambear la salsa, asintió con la cabeza, se la di, y cuando salió, tan deprisa como había entrado, volví a mirarles—. Comed, por favor. La carne es del cerdo que compré, está muy buena...

—¿Y tú? —preguntó el Lobo.

—Yo tengo que hacer la cena.

Media hora después, la enfermera volvió a entrar, cansada, sudorosa, pero mucho más tranquila.

—Su amigo está muy grave y no va a volver a andar sin ayuda, pero tampoco se va a morir. Ha perdido mucha sangre, aunque los torniquetes estaban muy bien hechos. Mi marido quiere hablar...

Pero Zafarraya ya se había desabrochado el botón de la manga izquierda, se la había subido y estaba andando hacia la puerta.

—Soy donante universal.

—¿Seguro? —le preguntó el médico.

—Y tan seguro —se echó a reír y señaló al Lobo—. Toda la sangre que tiene este en el cuerpo es mía.

—Es verdad —el Lobo sonrió—. Es agarrado para todo, menos para eso.

—Ya ves tú, el catalán fue a hablar...

El médico no tenía tiempo para bromas. Yo tampoco, porque les escuché sin mirarles, pendiente del Sacristán, dormido sobre la mesa, dos vendajes blancos, inmaculados, alrededor de sus piernas, el primero un poco más abajo de la rodilla derecha, el segundo a la altura del tobillo de su pierna izquierda, otro cubriéndole casi por completo la cabeza. Aquellas vendas destacaban por su limpieza en un lugar estampado de manchas rosas de todos los tonos, del más pálido al más intenso, sangre en la manta sobre la que estaba el herido, sangre en la bata del médico, en la de la enfermera, sangre en la mesa, en las sillas, en el suelo de aquella habitación que tenía todas las ventanas abiertas de par en par, en el intento de ahuyentar la pestilencia a carne quemada que había dejado en el aire la cauterización de las heridas.

—Vamos a transfundir directamente —Zafarraya se sentó en una silla, con el brazo estirado, muy tranquilo, pero cuando el médico estaba a punto de pincharle, se le quedó mirando—. ¿Y tú cómo estás? ¿Has comido?

—¡Claro que he comido! —sonrió mientras me miraba, para que yo le sonriera a la vez—. En esta casa, como para no comer.

—Muy bien. Voy entonces... —pero antes miró al Lobo—. No nos vendría mal otro donante.

—Ahora mismo —y el Lobo se puso en marcha enseguida, con tanta prisa como si se reprochara a sí mismo no haberlo pensado antes.

Aparte de traer al Novillero, que entró muy tranquilo y con los dos brazos ya arremangados, el Lobo cedió al herido su dormitorio, un cuarto pequeño pero con una ventana, que era un trastero antes de que Galán y yo le echáramos del dormitorio del piso de arriba. Mientras sus compañeros lo trasladaban, la mujer del médico volvió a su casa, Montse, que se había quedado cuidando de su hija, a la nuestra, y a media tarde, ya nos había dado tiempo a limpiarlo todo, aunque en el cacharro donde maceraban los filetes que había aliñado por la mañana, quedaban menos de la mitad. Había hecho montaditos para todo el mundo, Montse, el médico, Zafarraya, el Novillero, el Lobo, el centinela y al final, cuando el Sacristán ya estaba fuera de peligro, el zaguán limpio, vacío de hombres, y él sentado en una silla, esperando a que su compañero se despertara, también para el Pasiego.

—No te lo vas a creer, pero ahora, de repente, tengo mucha hambre.

Le preparé una bandeja y al llevársela, me lo encontré volcado sobre el herido, acariciándole la frente con una gasa. Al verme, se enderezó corriendo, tiró la gasa al suelo, como si no supiera qué estaba haciendo con ella entre las manos, dejó la bandeja en la silla donde estaba sentado, y me dio otro de los abrazos memorables de un día que yo habría preferido no tener que recordar. Pero cocinar era importante y seguí cocinando, no dejé de hacerlo, de ensuciar todos los cacharros para lavarlos y ensuciarlos otra vez, al principio con Montse y después, cuando vi entrar al Cabrero con una caja de cartón llena de magdalenas recién cocidas, sola. Ella había salido corriendo cuesta abajo para reunirse con el Zurdo, que había llegado andando con sus propios pies, sus piernas intactas, igual que sus brazos, sus dedos, su cabeza, y así, silenciosos y preocupados, pero enteros, fueron llegando los demás, todos menos Flores, que mandó a un soldado a avisar de que iba a quedarse a dormir en el puesto de mando de López Tovar, todos menos Comprendes, menos Galán, que no llegaban, que no habían llegado aún cuando Montse apareció por la puerta con el Zurdo, cerca ya de las nueve de la noche, mientras yo terminaba de limpiar lentejas sólo por entretenerme, por tener algo que hacer.

—Voy a llevarle unas magdalenas a los niños. Pon tú la mesa, ¿quieres?

Podría haber tardado menos de cinco minutos, pero hice el camino de ida muy despacio, me entretuve un rato hablando con ellos, los invité a desayunar al día siguiente, y aún tardé más tiempo en volver, pero a las nueve y veinte no habían llegado todavía.

—Si les hubiera pasado algo, a estas horas lo sabríamos ya —el Lobo parecía muy seguro de lo que decía, pero no le creí, no conseguí creerle.

Todos estaban sentados a la mesa y tenían hambre, pero en aquel momento eso me daba lo mismo. Y sin embargo, logré volver a la cocina, freír los filetes que quedaban, darle a Montse las tortillas que habíamos hecho, una fuente de croquetas, la *esqueixada*, y terminar la sopa, cuajar los huevos, probarla, servirla con cuidado mientras calentaba los pimientos a fuego lento, y en cada fracción de segundo pensaba lo mismo, ya, ahora mismo vendrán, voy a contar hasta tres, uno, dos, tres, pero ya, antes de que llene este plato, antes de que llene este otro, antes de que hierva la salsa, voy a contar hasta diez, uno, dos, tres, cuatro, cinco, y habrán vuelto, seis, siete, ocho, nueve, ahora, ya, están a punto de entrar por la puerta, diez, voy a contar otra vez, uno, dos, tres... Todo eso hice, tantas veces conté, tantos platos serví, y no llegaron.

A las diez y cuarto, dejé las naranjas en el centro de la mesa, cogí una manta, un paquete de tabaco, salí a la calle y nadie me preguntó adónde iba. Ha sido un fallo muy gordo, Lobo, ha debido empezar la desbandada, las palabras del Pasiego se fundían en mi memoria con el estrépito de los aviones mientras recorría las calles de Bosost, llenas de hombres que aún bebían, que aún hablaban y se reían, y por no oírles apreté el paso, seguí andando hasta que salí del pueblo, y unos metros más allá del último letrero, encendí un pitillo, y luego otro, y otro más, mientras contaba mis pasos. Cuando escuché el ruido de unas botas que se acercaban a un ritmo lento, desganado, había cruzado la carretera ochenta y tres veces.

—¡Galán! —grité con todas mis fuerzas.

—¡Viene por detrás! —me respondió una voz que no era la suya.

—¡Galán! —y seguí gritando mientras corría—, ¡Galán! —mientras me tropezaba con sus hombres—, ¡Galán! —mientras el aire me picaba en la nariz—, ¡Galán! —hasta que me contestó.

—¿Inés? —el tono de su voz, apagado como una vela a punto de consumirse, debería haberme advertido de que había pasado algo malo, pero seguí corriendo, gritando, sin querer saberlo, sin pensar en nada.

—¡Galán! —cuando le encontré, me abracé a él y cerré los ojos—. Galán, por fin... —pero él apenas se paró para besarme, me rodeó con sus brazos sin llegar a detenerse, y siguió andando con su brazo izquierdo alrededor de mi cintura, mirando hacia delante—. ¿Qué ha pasado?

Él no me lo quiso contar, pero la luna bastó para explicármelo. Comprendes llevaba un brazo vendado, en cabestrillo, y

434

tras él, en unas parihuelas improvisadas, el Bocas parecía dormido. Estaba muerto. Había caído a media tarde, en una emboscada que les sorprendió en el camino de vuelta a Bosost. No fue la única víctima de la invasión de Arán, no fue la única baja de aquel día, ni siquiera de aquella brigada. Galán perdió otros hombres el 25 de octubre de 1944, pero la guerra, que es feroz, que es cruel, caprichosa, despiadada, es también tan injusta que ninguno nos dolió tanto como él.

Cuando llegamos al cuartel general, yo seguía llorando por el Bocas, él no. No le vi llorar aquella noche, mientras le contaba al Lobo lo que había pasado, mientras iba conmigo hasta la casa del médico, mientras se sometía a la operación de donar casi medio litro de sangre, porque aquella noche hacía falta tanta que Carlos Pardo no sabía ya de dónde sacarla. No le vi llorar cuando me abrazó antes de dormirse, ni después, al borde del amanecer, mientras descubrí que estaba tan despierto como yo. Entonces, yo tampoco lloraba, y sin embargo, lo que sentí formó parte de un duelo raro y extenso, sincero, aunque tan ambiguo que la memoria del Bocas se mezcló en él con mi propio futuro, la vida que me esperaba después de aquel día. Porque mientras volvía a verme en casa de mi hermano, bajo la limitada protección del cariño de Adela, a merced de los caprichos de Garrido, o en un convento distinto, tan frío como el que conocía, tal vez en una cárcel como aquella en las que había visto a mis compañeras mientras se les morían los bebés en los brazos, lo único que deseé con todas mis fuerzas fue un hijo de Galán. Desde que llegué a Bosost, ni siquiera había pensado en esa posibilidad, una complicación descomunal pero un camino, una razón, una semilla de futuro y la huella del amor más extraño, más poderoso y benéfico de mi vida, una pasión tan breve, tan concentrada e intensa que jamás se marchitaría. Eso pensé mientras deseaba un hijo de Galán, un niño que se le pareciera, que me lo recordara, que permaneciera en mí, a mi lado, cuando él se marchara.

La hora de la amargura comenzó con el entierro del Bocas, Miguel Silva Macías, que había nacido en Fabero, país del Bierzo, provincia de León, en 1923, para ir a morir en un paraje sin nombre conocido del valle de Arán, veintiún años después. Fue un mal comienzo para un día peor. Cuando volvimos a casa, Matías y Andrés me estaban esperando en el banco de la puerta, y no supieron explicarme por qué no habían entrado, pero lo comprendí enseguida, al ver la expresión confusa, a ratos sombría, a ratos temible, de los oficiales que habían vuelto del cementerio antes que nosotros, de los que entraron después para sumar nuevas versiones de un único gesto donde se mezclaban la rabia y la desolación, la furia y la tristeza. Era, una vez más, la cara de la derrota, la misma impotencia, la misma incredulidad, la misma resistencia a aceptar la verdad que todos habíamos visto ya demasiadas veces.

—Sentaos aquí —acomodé a los niños en dos sillas libres, entre Galán y Comprendes, y me obligué a sonreír—. ¿Qué queréis tomar? ¿Leche?

—Sí —Andrés contestó enseguida—. Y magdalenas, como las de ayer. Y pan con salchichón... —cogió una rebanada de la fuente y me miró con una ansiedad que hizo sonreír a aquellos hombres tristes—. Puedo, ¿no?

Mientras tanto, Matías me miraba sin pestañear, en sus ojos oscuros la misma gravedad, la misma precoz sabiduría que me había sobrecogido la noche que le conocí, un adulto de catorce años que había comprendido la verdad, que se acababa lo que se daba, los desayunos, las cenas, la esperanza. No fui capaz de afrontar aquella mirada, no quise sostenerla, responder sin palabras a las preguntas que leía en ella, y me fui corriendo a la cocina, pero allí tampoco encontré una salida.

—¿Qué está pasando, Inés? —Montse me agarró de los brazos para que tampoco pudiera escapar de su angustia—. ¿Qué va a pasar?

Negué con la cabeza y me solté con suavidad, cogí un cazo, lo llené de leche, la puse a calentar, y al volverme, la vi tan perdida, tan sola, tan igual a mí, que alargué las manos para abrazarla, hasta que volvimos a estar unidas como dos niñas asustadas en una sola mujer.

—No lo sé, Montse. Lo único que puedo decirte es que hoy se van a quedar aquí. No van a salir de Bosost, he oído a Galán comentarlo con Comprendes en el cementerio, pero a mí no me ha contado nada y no me he atrevido a preguntarle, esa es la verdad —y era la única—. Las cosas no están saliendo muy bien, ya lo sabes. Y por lo visto, están esperando a alguien para decidir... qué van a hacer.

—¿Se van a ir?

—No lo sé, Montse —sus ojos se llenaron de lágrimas y me miré en su tristeza como en un espejo—. Estoy igual que tú. Te juro que no lo sé.

—Se van a ir —afirmó, y lo repitió como si necesitara ir haciéndose a la idea—. Se van a ir... ¡La leche! —añadió entonces—. ¡Que se derrama!

No la entendí, no logré comprender lo que gritaba, ni por qué me quitaba de en medio como si la estorbara para lanzarse sobre el fogón. No entendí nada hasta que la vi apartar del fuego un cazo coronado por una orla de espuma blanca que se hundió de repente, sin llegar a rebosar el borde. Era yo quien la había puesto a calentar, quien habría tenido que estar pendiente de ella, yo, que todavía era la cocinera de Bosost, que debería serlo mientras los míos siguieran viviendo en aquella casa. Por eso, serví la leche en dos tazones, se la llevé a los niños, volví a por más cuando llegó Mercedes, y me fui a preguntarle al Sacristán si le apetecía desayunar.

—¿Cómo estás? —incorporado en la cama, con una camisa blanca y la cabeza vendada, me pareció más guapo que nunca.

—Jodido —pero sonrió, como si quedarse inválido a los treinta años tampoco fuera para tanto.

—¿Y aparte de eso?

—Pues, aparte de eso, más jodido, pero... Ahora no tengo fiebre.

—¿Quieres un poco de leche? —negó con la cabeza—. ¿Y una tortilla? —volvió a negar—. He hecho migas, pero no creo que te convengan.

—No, no tengo hambre. Luego, cuando venga el médico, le pregunto... —y cuando ya estaba a punto de levantarme, me cogió por la muñeca—. Oye, Inés, menos mal que no dejaste al Gaitero para casarte conmigo, ¿eh? Menudo negocio habrías hecho.

Me incliné sobre él y le besé en la mejilla. Cuando levanté

la cabeza para mirarle, él la agarró con su mano izquierda, pegó su boca a la mía, y me devolvió el beso.

Aquel día de muchas lágrimas, fue también un día de muchos besos, como si los abrazos ya no fueran suficientes, como si todos necesitáramos más, dar más, recibir más, besarnos para protegernos, para reconocernos, para sentirnos seguros. Toma, el Afilador, que era muy bromista, le dio a Andrés dos magdalenas cuando ya se estaban despidiendo, llévatelas para el camino, y el niño le preguntó, ¿y si se enfada el coronel?, no pasa nada, ¡ah, no!, ¿y por qué?, pues porque yo soy general, ¿es que no me ves? Los dos se echaron a reír, pero el adulto puso una condición, me tienes que dar dos besos, eso sí... Yo también besé a Andrés, besé a Mercedes, a Matías y al Afilador, que me enlazó por la cintura mientras los niños salían por la puerta, para besarme a su vez. Montse también me besó, me voy a dar una vuelta con este, y nos besamos, nuestros besos más fuertes, más sonoros, de los que hacían ruido, y besé también al Zurdo en la mejilla, sin pensarlo, y él sonrió, me besó mientras Galán nos miraba desde la mesa, con una expresión melancólica, triste pero apacible a la vez. Fui hacia él, me senté a su lado y le besé muchas veces, tengo que ir a poner las lentejas, le dije al final, salpicando de besos todas mis palabras, vuelvo enseguida, y él me besó en la boca, un beso largo antes de dejarme ir, bueno, pero no tardes... Cuando salí de la cocina, en la mesa sólo quedaban tres hombres, y uno se levantó enseguida, para llevarme hacia las escaleras. Desde allí, vi al Lobo, con los hombros encorvados, los ojos clavados en el tablero, y a Zafarraya a su lado, pendiente de él, como si intuyera lo solo que llegaría a sentirse su amigo aquel día.

El coche llegó hacia la una de la tarde, cuando ya nos había dado tiempo a todo, besarnos, desnudarnos, quedarnos dormidos, despertarnos, vestirnos, besarnos mucho más e incluso, bajar las escaleras de vez en cuando para echarle un vistazo a las lentejas, aunque eso lo hice yo sola, para volver corriendo a su lado. Estaba a punto de hacerlo otra vez cuando escuché el ruido del motor y los pasos de la gente que atravesaba el umbral, tres hombres vestidos de paisano y una mujer a la que no reconocí, porque ni siquiera la miré. No pude mirar nada, ver nada, entender nada, después de identificar al que encabezaba la comitiva, un chico apenas mayor que yo, no muy alto, no muy flaco, con gafas redondas y el pelo ondulado, cuyo nombre me había acompañado durante tres años, su firma al pie de mi carné de la JSU. Y contemplé mi asombro en los ojos de los oficiales que fueron entrando en la casa muy despacio, perdiéndose en sus pasos, tan desorientados como una expedición de viajeros sin mapas y sin brújulas en un país extranjero. Hasta que el Lobo volvió la cabeza, me buscó con los ojos, me encontró, y movió la cabeza hacia arriba para hacerme una seña.

—Ya han venido —subí la escalera corriendo, pero me aseguré de cerrar bien la puerta antes de acercarme a la cama—. Santiago Carrillo está abajo.

Él cerró los ojos, apretó los párpados, los aflojó antes de volver a abrirlos. Luego me miró.

—¿Carrillo? —me preguntó, como si antes no me hubiera oído bien.

Asentí con la cabeza y le vi incorporarse muy despacio. Luego se estiró la camisa, se la metió dentro del pantalón, se acercó a mí, y me besó en los labios antes de bajar las escaleras tan deprisa como yo las había subido. Fui tras él y presencié a distancia su escueta ceremonia de bienvenida, antes de esconderme en la cocina, porque si habían venido a llevárselo, a arrancarlo de mi vida, no quería saludarlos, no quería saber quiénes eran, cómo se llamaban, cuáles eran las razones que les habían traído hasta nosotros tan tarde, tan a destiempo, cuando mi amor ya no tenía remedio. Y sin embargo, tuve que darles de comer, porque cuando escuché el ruido de un coche que se alejaba, salí al zaguán para encontrarme a dos desconocidos, y a la mujer que los acompañaba, sentados en un extremo de la mesa, ellos tranquilos, hablando entre sí, ella doblada sobre sí misma, con los brazos cruzados bajo el pecho, la cabeza baja, el rostro oculto bajo el ala de un sombrero que no se había molestado en quitarse. El Lobo se había ido con Carrillo a ver a López Tovar, la reunión sería en su puesto de mando, no en el nuestro, pero los demás se habían quedado conmigo, Zafarraya también, porque distinguí su cabeza rapada entre el remolino de hombres que entraban y salían del cuarto más pequeño de la casa, con la excusa de hacerle una visita al Sacristán y el verdadero propósito de hablar entre ellos. No se escondían, y los visitantes se estaban dando cuenta de todo mientras la atmósfera se impregnaba de un espesor rojizo, caliente, pura violencia, como un improvisado remolino de polvo preluidando una tormenta, tensando por sus dos extremos el hilo frágil, transparente, al que había quedado reducida una normalidad que parecía incapaz de conservar su forma. Nadie sostenía un arma entre las manos, pero el aire me picaba en la nariz, tanto o más que en la plaza de Vilamós.

Seguramente los han dejado aquí por eso, calculé, para prevenir un motín o, al menos, para poder contarlo después. En aquel instante, Montse, que no había querido acompañar al Zurdo antes, entró por la puerta y cruzó el zaguán taconeando con una furia desconocida para mí, tal vez incluso para ella. La cogí del brazo para llevarla a la cocina, y cuando estuvimos solas, abrí una botella de vino, llené dos vasos, le ofrecí uno.

—Vamos a brindar —era lo último que esperaba, pero levantó su vaso en el aire sin dudarlo—. Por nosotras, Montse. Porque, pase lo que pase a partir de ahora, siempre me alegraré de haberte conocido, y... —en ese instante, se me quebró la voz, y me limité a chocar mi vaso con el suyo—. Por nosotras.

Me bebí el vaso de un trago y me sentí mejor. Ella vació el suyo a la misma velocidad, lo dejó en la mesa, me miró.

—Llevo toda la mañana pensando en lo que me dijiste cuando salimos de la tienda de Ramona, ¿te acuerdas? —asentí con la cabeza—. Bueno, pues... No me arrepiento de lo que he hecho, ¿sabes? No me arrepiento de haberme juntado con el Zurdo, de habérmelo llevado a mi casa a dormir, de que se haya enterado todo el mundo... No me arrepiento.

—No —sonreí—. Yo tampoco.

—Voy a poner la mesa.

—Sí. Ve a ponerla.

Se iban. Nadie nos lo había dicho, nadie estaba seguro de lo que iba a pasar, nadie debía de haber asumido aún la responsabilidad de la retirada, pero Montse lo sabía y yo también. Las dos sabíamos que se iban y nada más, las dos ignorábamos por igual qué iba a pasar con nosotras, pero yo no quería pensarlo, y ella tampoco, como si las horas que teníamos por delante valieran por toda la eternidad. En ese pensamiento me refugié, queda mucho tiempo, y lo conté para mí misma como un avaro recuenta su tesoro, toda la tarde, una noche entera como mínimo, todavía puede pasar cualquier cosa... Así pude concentrarme en la comida, planificar las sobras de la noche anterior para sacarlas antes o después de las lentejas, y estofarlas, probarlas, asombrarme de lo buenas que me habían salido sin haberles prestado apenas atención, mientras la cocina empezaba a llenarse de hombres que, por una vez, no estaban interesados en meter los dedos en ninguna fuente, ahora, ¿no?, ahora sí, ¿y por qué no ha venido nadie antes?, para que nos dejáramos matar nosotros solos, ¿comprendes?, no fuera a ser que esto saliera bien y ellos acabaran siendo los padres de la patria... Hablaban y bebían, hablaban y fumaban, y volvían a hablar, y a beber, y a fumar, y yo les oía aunque no quisiera escucharles, les oía aunque no quisiera entenderles, no quería saber nada pero seguía oyéndoles, y sentía que mi cabeza se rompía, que estaba a punto de estallar por la presión de tanto humo, tantos vasos que chocaban, tantos puntos suspensivos, tanto amor. Cuando decidí que ya no podía más, los mandé a todos a la mesa y me obedecieron como una familia de niños bien educados. Entonces, me estiré el delantal, llené la sopera de lentejas, y al salir de la cocina los encontré a todos muy juntos, apiñados en el extremo de la mesa opuesto al que ocupaban los enviados del Partido. En medio, habían dejado un espacio vacío equivalente a dos sillas por cada lado, que aproveché para posar la sopera y volverme a mirarlos.

—He hecho lentejas estofadas —proclamé, con el acento de madre universal que brotaba de mi garganta en el instante en que los veía a todos sentados, esperándome—, pero anoche sobró mucha comida. Hay pimientos rellenos, *esqueixada*, una tortilla entera, otra por la mitad y unas cuantas croquetas, así que, de momento... ¿Quién va a querer lentejas?

Todos levantaron la mano, y empecé a servirles mientras

Montse iba sacando de la cocina las fuentes que había dejado preparadas, hasta que se quedó a mi lado, con un plato entre las manos.

—Para el Sacristán —cuando terminé, me lo puso delante—. He ido a preguntarle y también quiere lentejas —el Pasiego se levantó, pero ella movió la mano hacia abajo—. Yo se lo llevo, Román, sigue comiendo.

Al escucharla, sonreí por dentro, en la misma dirección en la que debió sonreír el Pasiego al escuchar su nombre de pila, el auténtico, el de antes de la guerra, el que usaba con el don por delante cuando daba clases de latín, el que sólo conocían los íntimos. El suyo y el del Sacristán eran los dos únicos nombres verdaderos que conocíamos, porque cuando Pepe estaba al borde de la muerte, había nombrado varias veces a su compañero, vete, Román, iros todos, dejadme aquí, yo ya estoy listo, para que él se negara a hacerle caso, que no, Pepe, que no, que yo me quedo contigo porque tú no te vas a morir... Montse no había usado aquel nombre por capricho, ni por un descuido. Lo había elegido para subrayar el abismo que dividía la mesa en dos sectores, para proclamar en qué lado estaba ella, en qué lado iba a quedarse para siempre, pasara lo que pasara aquel día, al día siguiente. Estábamos todos tan mal, ellos tan furiosos, nosotras tan asustadas, que cualquier gesto, cualquier mimo, la mano de Montse rozando la mejilla del Pasiego al pasar junto a él, la cabeza del Pasiego descansando un instante sobre aquella mano, adquiría de pronto un valor inexplicable. Por eso, y porque justo entonces cambió el turno de guardia y el centinela que abandonaba su puesto entró a despedirse, hice algo que nunca había hecho antes, algo que nunca habría sentido la necesidad de hacer si no hubiera escuchado sin querer la conversación de la cocina.

—¿Quieres quedarte a comer, Hormiguita?

Era un soldado raso, y no se atrevió a aceptar mi oferta hasta que el Zurdo le dio permiso con un movimiento de la cabeza. Mientras le servía antes que a mis invitados, les vigilé con el rabillo del ojo, y sólo cuando me aseguré de que lo habían visto todo bien, cambié la sopera de dirección.

—¿Y vosotros? ¿Queréis comer?

De toda la gente que había en aquella casa, Inés, me contaría Manolo Azcárate después, nadie me dio tanto miedo como tú, y los dos nos reíamos mucho mientras él seguía contando, y mira que yo tenía motivos para tener miedo, y de todos, además, pues, bueno, a pesar de que la mitad de los oficiales estaban comiendo con la pistola en la cartuchera, de que no tenía ni idea de lo que me podía pasar cuando volviera con Santiago a Francia, de que tampoco sabía cómo iba a reaccionar Carmen, cuando te volviste a mirarme y me preguntaste si quería comer, es que me cagué de miedo, te lo juro... Eran camaradas, mis camaradas, y no debería haberles tratado tan mal, pero estaba más asustada que ellos. Por eso, cuando les miré, la mirada de la Medusa, decía Manolo, ninguno se movió enseguida. Después, los hombres fueron levantando sus platos hacia mí, tímidamente, mientras la mujer permanecía inmóvil.

—¿Y tú? —le pregunté al ala de un sombrero—. ¿No quieres comer?

Negó con la cabeza, pero un segundo más tarde cambió de opinión y levantó en un solo movimiento los ojos y el plato hacia mí. En ese instante, el cazo se me escurrió de entre los dedos y chocó con el fondo de la sopera, que estaba vacía. Acababa de ponerle cara, historia, a Carmen de Pedro, y no me lo podía creer. Por eso, saqué el cazo vacío de la sopera sin dejar de mirarla, y a punto estuve de servirle aire sin darme ni cuenta.

—Se han acabado —pero me corregí a tiempo—. Ahora traigo más.

Antes de entrar en la cocina, reconocí el ruido de los pasos de Galán, tras los míos. Cuando me preguntó qué pasaba, le respondí con otra pregunta, porque me resultaba imposible admitir que aquella vieja conocida de Madrid, la chica que abría la puerta y nos ofrecía un vaso de agua cuando iba con mis compañeras del Socorro Rojo a la sede del Comité Central, fuera la mujer de Monzón, la delegada del Buró Político, la que daba las órdenes desde Toulouse. Era tan increíble que dudé de mis ojos, de mi memoria, y la saludé con la remota esperanza de que me desmintiera.

—Perdona, no te había reconocido, antes. Con ese sombrero...

—Yo a ti sí —y asintió con la cabeza, como si pretendiera disipar todas mis dudas—. Tú eres Inés no sé qué, la del Socorro Rojo de Montesquinza, ¿no? —yo también asentí—. No has cambiado nada.

—Claro que he cambiado. Todos hemos cambiado.

Mis palabras quedaron flotando sobre la mesa, y después nadie dijo nada más. Me llevé los platos sucios, saqué otros limpios, el postre, y no escuché otra cosa que el ruido de los tenedores, de los vasos posándose en el mantel, los mecheros que se encendían por todas partes. Cuando la mesa estuvo despejada, Montse sacó sin consultarme una botella de coñac, otra de anís y una garrafa del orujo que hacía su abuelo. Vamos a emborracharnos, pensé, pues mira qué bien, y cuando volví a salir, después de recoger la cocina, comprobé que las botellas estaban casi vacías y Perdigón cantando fandangos. Le había escuchado otras veces y siempre me había asombrado la potencia de aquella voz en un cuerpo tan pequeño. Le había escuchado otras veces desde que el sabor de unas sopas de ajo hizo brotar una copla de su garganta, pero las protestas de aquella noche —¡joder!, qué pesado eres, macho, yo soy gallego, ¿me oyes?, no tengo por qué aguantar esto, ¡pues anda que yo, que soy de Bilbao!— no tenían nada que ver con el silencio en el que sus camaradas le escuchaban ahora, como si necesitaran que siguiera cantando, que no dejara de cantar para que la tristeza que nos aplastaba se disolviera en la conmovedora amargura de su voz.

—Ahora por soleares, Perdigón —pidió el Cabrero.

Y cantó por soleares y nadie habló, nadie se quejó, nadie hizo otra cosa que escucharle, y fumar, negar con la cabeza y vaciar una copa detrás de otra. Yo también me serví un vaso de orujo, me bebí la mitad de un trago y miré a mi alrededor con el paladar arrasado, una sensación que hizo vibrar la maravillosa voz del Perdigón en mi garganta. Galán estaba sentado en una butaca, y me llamó con la mano. Me acomodé encima de él, vacié el vaso, apoyé la cabeza en su hombro y le advertí en un murmullo que me estaba quedando dormida. Duérmete, me contestó, y me rodeó con sus brazos. Estaba agotada, pero el origen de mi cansancio no era físico. No estaba cansada por lo que había hecho, sino por haber sentido tanto, tantas cosas a la vez, en tan poco tiempo. Escuché la voz de Galán, pidiéndole a Montse una manta para taparme, y después dormí profundamente durante una hora que me pareció una noche entera. Al despertar, descubrí que Perdigón ya no cantaba y que era Galán quien se había dormido. Me quedé un rato mirándole, y luego me levanté con cuidado, le tapé con la manta, fui a hacer café. Cuando el Lobo volvió en el mismo coche que se lo había llevado, ya había empezado a atardecer y estábamos todos muy despiertos.

La ceremonia de las despedidas fue escueta, silenciosa, porque Carrillo no llegó a bajarse del coche y sus acompañantes apenas musitaron unas palabras colectivas, desganadas, desde el umbral, donde el coronel esperó a que se perdieran de vista para avanzar hasta el centro de la habitación y disparar, sin concedernos siquiera el consuelo de un preámbulo.

—Nos vamos —sus ojos, pequeños y redondos, seguían siendo negros, pero habían perdido el brillo de los botones de charol que relucían en su cara la primera vez que le vi—. Mañana, al amanecer, repasamos la frontera. El orden de la operación, igual que cuando vinimos.

Nunca llegaría a saber lo que sentí en aquel momento. Apenas podría recordar que mis venas se vaciaron de golpe, que las piernas no me sostenían, que me quería morir, que había empezado a morirme. Tambaleándome, busqué una pared donde apoyarme y miré sin ver, vi sin mirar la absoluta quietud de aquel instante, las figuras inmóviles de una docena de hombres partidos por la mitad entre lo que sabían y lo que deseaban, entre lo que les convenía y lo que deseaban, entre lo que les esperaba y lo que deseaban, hasta que Galán, la lengua doblada, sus dientes mordiéndola dentro de la boca, dio un paso hacia delante, luego otro, y otro más, le va a pegar, y me asusté, se van a pegar... Montse vino corriendo, se apoyó en la pared, a mi lado, y se tapó la cabeza con el delantal para no verle, tan cerca del Lobo que parecía a punto de comérselo o de besarlo en la boca.

445

—¡No! —pero no hizo más que gritar—. No nos vamos. Me toca los cojones lo que hayáis decidido en esa reunión, ¿me oyes? ¡No nos vamos!

—Galán... Párate a pensar lo que estás diciendo, por favor.

El Lobo hablaba en un tono sedante, parecido al que él mismo había escogido en la plaza de Vilamós, la tranquilidad de quien sabe que lleva razón y ni siquiera niega que existan razones para la rabia, para la desesperación de quien se empeña en sostener lo contrario, pero sólo espera a que la tempestad amaine. La semejanza de sus voces me hundió más que las palabras que pronunciaban, pero Galán no quiso aceptarlo todavía.

—No nos vamos —insistió, más sereno en apariencia—. No podemos irnos. No podemos abandonar, no podemos regalarles España otra vez.

—¿Y qué te crees, que a mí me gusta? ¿Que estoy deseando volver a Francia? ¡No me jodas, anda!

—Pero es que... No... —Galán se apartó de él, empezó a andar en círculo, dibujó uno completo alrededor del Lobo antes de seguir—. No hemos planificado esto bien. No lo hemos hecho bien. Hay que encontrar una manera, tiene que haber... Esta zona no es propicia para nosotros.

—Ese no es el problema, Galán, y tú lo sabes. Si la gente nos hubiera apoyado, todo habría sido distinto, aquí, en Toulouse, en todas partes. Si la gente nos hubiera apoyado, sólo dependeríamos de nosotros mismos.

—Pero aquí no hay fábricas, no hay jornaleros, la población no está politizada. ¡Si hubiéramos desembarcado en Asturias! Mira que os lo dije...

—¡Escúchame de una vez, Galán! —el Lobo fue a por él, le cogió por los brazos, le obligó a mirarle—. España ya no es nuestro país, te guste o no, esa es la verdad. Los españoles que nosotros conocimos ya no existen. Están todos muertos, o en la cárcel, o tienen tanto miedo que no saben ni cómo se llaman.

—¡Eso no es verdad! —él se zafó con tanta fuerza que su contrincante estuvo a punto de perder el equilibrio—. En el monte hay un ejército, decenas de miles de hombres que sí saben quiénes son, que nos están esperando...

Y eso fue lo que me hundió del todo. Mientras Galán repetía su propia versión del discurso con el que yo había intentado consolarle una noche en la que él no quería saber nada, excepto que los presos a quienes acababa de liberar habían salido huyendo monte arriba como conejos, comprendí la medida de mi desgracia, la desgracia de mi amor y de mi amante, la desgracia de España, mi pobre país aterrorizado, humillado, cada día un poco más pequeño, más encogido, más cobarde, su pequeña gente harta de sufrir, y nuestra propia desgracia, aquel círculo vicioso de energía y desesperanza, de fe y desconsuelo, en el que nos íbamos intercambiando los papeles, las mentiras, a medida que nos fallaban las fuerzas o las recobrábamos, aferrados todos al mismo poste, el mástil tambaleante de un barco que hacía agua, eso éramos nosotros, hasta que alguien gritaba ¡tierra! sin verla, y no la veía, pero los demás sí, los demás la veíamos donde no existía, y hasta se la enseñábamos con el dedo, ¡tierra!, y no había tierra, sólo aire, la aérea inexistencia de la nada, sobre ella pisábamos, pero no era tierra, y el aire cedía, y nos caíamos, nos hacíamos daño, aunque siempre había alguien para levantarse, para levantarnos, y cuando uno se rendía, otro volvía a empezar.

—Tienes razón, Lobo —por eso, el Pasiego abrió su propio frente mientras Galán se dejaba caer en la butaca donde me había acunado un rato antes, en la misma habitación, en un mundo distinto—. No podemos irnos así como así. No podemos tolerar que nos mangoneen de esta manera, y siempre porque sí, porque lo dicen ellos, que son los que mandan, y nosotros, a callar y a obedecer, eso no puede ser...

—Lo sé, Pasiego, lo sé. Y tenías que haberme oído...

—¡No! —y aquel profesor de latín que nunca decía una palabra más alta que otra, empezó a chillar como un energúmeno—. No sigas por ahí, porque a mí también me toca mucho los cojones esa reunión, ¿me oyes? ¡No quiero más palabras, estoy harto de palabras!

—¿Sí? ¡Pues vas a tener que oír algunas más! —el Lobo se fue a por él, pero Zafarraya llegó antes a sujetarle—. Yo no he planeado nada, no he decidido nada, no soy responsable de lo que ha pasado aquí, y lo dejé bien claro antes de venir. Os dije que no me fiaba un pelo, ¿o no os lo dije? —les fue mirando, uno por uno, y uno por uno agacharon la cabeza—. Pero vosotros queríais venir. Todos queríais venir y lo demás os importaba una mierda, el plan es cojonudo, el plan es cojonudo... Y qué queréis que haga ahora, ¿eh? ¿Qué queréis?

Montse estaba llorando. Lloraba bajito, ahogando los sollozos en su delantal y ellos no la escuchaban, absortos como estaban en su propia derrota. Yo sí, porque mi fracaso era el suyo, pero no tenía fuerzas para consolarla.

—Esto se ha acabado —el coronel lo confirmó en voz alta—. No podemos elegir. Mañana por la noche, los regulares estarán aquí. Pero en Europa, la guerra no se ha terminado todavía. Cuando Hitler capitule, los aliados...

—Los aliados no van a hacer una mierda por nosotros, Lobo —terció Galán desde su butaca—. Nadie ha hecho nunca nada por nosotros, ya lo sabes.

—Nunca es una palabra demasiado grande. Es posible que dentro de un año, quizás antes, volvamos aquí, con respaldo aliado y todas las garantías.

—No, Lobo, no —insistió Galán—. Eso es un cuento chino, y tú lo sabes.

—Volváis o no, yo me quedo —Comprendes, que había permanecido en silencio, comiendo rosquillas sin parar, cogió la última y le dio la vuelta a la sombrerera de Adela para sembrar el suelo de azúcar—. Yo soy un luchador y he venido a luchar. Mala suerte, ¿comprendes?, pues ya será mejor.

—Nosotros también nos quedamos —Tijeras se acercó a Comprendes y le dio una palmada en la espalda—. Ya lo tenemos hablado.

—Sí —completó el Afilador—. En Francia no se nos ha perdido nada.

—Yo me lo voy a pensar —pero hasta yo sabía que el Cabrero, como Zafarraya, estaba enamorado de una francesa—, aunque, igual...

Entonces repetí para mí la frase del Lobo, esto se ha acabado, y mientras la tensión se aflojaba, mientras volvían a sonar los mecheros, los chorros de licor sobre el fondo de los vasos, los pasos de las botas sobre las baldosas, comprendí lo que significaba en realidad. Se iban. Era verdad que se iban, que se marchaban igual que habían venido, que se llevaban lo que habían traído, que nos abandonaban a nuestro destino. Y en ese instante, dejé de sentir que me moría para empezar a desear mi propia muerte.

—Pero si os vais... —hablaba como si estuviera borracha y no lograba reconocer mi voz—. Si os vais... —andaba como si estuviera borracha y no sabía hacia dónde iban mis pies—. ¿Qué va a ser de Mercedes García Rodríguez, si os vais?

Todos se me quedaron mirando a la vez. No me entendían, y yo no entendía que no me entendieran, porque estaba perdida, estaba acabada, estaba furiosa y no entendía nada mientras me chocaba con los muebles, y miraba al Lobo, a Galán, sin saber lo que veía, porque sólo podía escuchar los sollozos de Montse, más violentos ahora que mis palabras habían vuelto a imponer un silencio tan sólido que me hería en los oídos.

—¿Qué va a ser de Matías, de Andrés, que están tan lejos de casa, que no tienen a nadie en el mundo, si os vais? —ninguno quiso responder a esa pregunta—. Son de un pueblo de Toledo que tiene un Cristo muy famoso... —pero Galán se tapó la cara con las manos mientras la voz se me rompía en la garganta, para caerse al suelo y hacerse pedazos en cada sílaba—. Ahora no me acuerdo del nombre.

Subí las escaleras corriendo, entré en el que todavía era mi cuarto, cerré la que todavía era mi puerta, abrí el que todavía era mi armario, y al coger mi pistola, las manos me temblaban, me temblaban las piernas y los párpados, pero ya daba igual, ya todo daba igual, y me senté en el borde de la cama, recordé que aún tenía cinco balas, me pregunté qué más tenía y no encontré nada en mis manos vacías, en mi cuerpo hueco, en mi memoria despedazada.

No tenía ningún motivo para seguir viviendo.

Cuando lo comprendí, me recordé a mí misma, aquella madrugada, y ya no pude creer que fuera cierto lo que había sentido, lo que había pensado, no logré creer que hubiera sido yo esa mujer que deseaba con todas sus fuerzas un hijo de Galán, un niño desgraciado, una niña desgraciada, una criatura condenada a vivir sin culpa y sin esperanza en el país que amaba tanto, que odiaba tanto, que era el único que tenía y donde me había quedado sin fuerzas, sin ganas de seguir estando viva.

—Inés... —Galán abrió la puerta, la cerró, vino andando hacia mí.

—No —le interrumpí, y abandoné la pistola en mi regazo para coger sus manos con las mías, las miré, las abrí, las cerré, conté sus dedos, los acaricié mientras hablaba—. No me digas nada, no quiero escuchar nada. Voy a hablar yo, quiero pedirte un favor, pero antes... Necesito saber cómo te llamas.

Le miré a la cara, y lo que vi me gustó tanto, me pareció tan hermoso, tan deseable, tan digno de ser amado durante una vida entera, que estuvo a punto de hacerme flaquear.

—Me llamo Fernando —esperarle no ha sido buena idea, pensé, no es una buena idea—. Fernando González Muñiz.

—Fernando... Me gusta, así que... Hazme un favor, Fernando, el último —le miré otra vez, a través de unas lágrimas que ya no me pesaban, que no me estorbaban ni me daban vergüenza—. Mátame.

—No —y sonrió, a pesar del brillo líquido que empañaba sus ojos.

—Sí, mátame —no pude aguantar su mirada y volví a sus manos, tan grandes, su tacto áspero y suave, qué mala suerte, pensé, qué mala suerte—. No me dejes viva, no quiero quedarme aquí, no quiero ver lo que va a pasar ahora, no quiero verles llegar... Eso no, otra vez no, no quiero volver a verlo, volver a estar delante, prefiero morirme —levanté sus manos con las mías, me cubrí la cara con ellas y olí a madera, olí a tabaco, a clavo y a jabón, la última vez, me advertí, la última—. Tengo veintiocho años pero ya he vivido mucho antes de ahora, ¿sabes?, y tú has sido... —apreté sus manos contra mis ojos, la ralladura ácida y dulce de un limón no demasiado maduro, contra mi boca, y una nube de pimienta negra recién molida excitó mi nariz—. Mi abuela decía que al cielo no le hace falta el hambre. Por eso es mejor que me mates tú.

—No —pero cogí la pistola, se la puse entre las manos, las apreté a su alrededor.

—Sí, haz eso por mí, por favor —dejé de tocarle y sentí frío, un viento helado congelando mi sangre, escarchando mis huesos uno por uno—. Lo haría yo, ya lo intenté una vez, no creas que soy cobarde. Lo haría yo, pero es que... —tenía tanto, tanto frío—. Si estás tú aquí delante, me va a dar mucha pena morirme.

Él lo hizo todo muy deprisa. Comprobó que la pistola tenía el seguro echado, alargó una mano, la dejó en la mesilla, usó las dos para incorporarme, me abrazó con fuerza.

—No voy a matarte, Inés —y me besó en los labios, en las mejillas, en las sienes, en la frente, en el pelo, en la boca otra vez—. Te voy a sacar de aquí.

(Después)

Toulouse, un día de primavera, seguramente mayo de 1945, poco después de la capitulación de Berlín.

La guerra ha terminado. Ella ha vuelto.

Está aquí, y para recibirla, Toulouse se ha puesto de fiesta. Los habitantes genuinos de la ciudad, los que aquí nacieron y aquí van a morir, los que no están deseando abandonarlo todo, casa, trabajo, bienestar, para volver con las manos vacías al pobre y polvoriento país del que salieron huyendo, no entienden este ajetreo de españoles endomingados que se atropellan por las aceras.

Los hombres caminan erguidos, incómodos en su único traje bueno, el de las bodas y los entierros, siempre oscuro, muy desgastado pero aún más limpio, las solapas de las americanas tristemente brillantes de tan usadas, por más que la parienta las haya protegido del calor de la plancha con un paño blanco, húmedo. La raya del pantalón es, a cambio, perfecta, y la camisa resplandece, de puro inmaculada, en esta jornada de huelga para las corbatas. Aunque muchos de ellos, empleados de banca, camareros, dependientes, oficinistas, se vean obligados a usarlas en los días laborables, las corbatas son para los señoritos, y ellos presumen hoy de no llevarlas puestas mientras caminan con la camisa abierta, la cabeza alta, las manos en los bolsillos del pantalón y un pitillo encendido colgando de los labios.

Las mujeres jóvenes, las que no desafían a su propio infortunio vistiéndose de negro todas las mañanas, también se han puesto su vestido bueno, aunque los suyos son de colores claros, con cuerpos camiseros, no muy ajustados, y faldas ceñidas, pero tampoco tanto. En el preludio del luto que las atrapará antes o después, todas llevan ropa de mujer decente y zapatos discretos, de medio tacón, una rebequita más o menos entonada sobre los hombros y el monedero en la mano, o un bolso, más viejo aún que el traje de su marido, colgando del codo. Donde más se han esmerado es en el pelo, aunque no han pisado una peluquería desde que viven en Francia. ¿Para qué? Son españolas. Eso significa que todas tienen un cestito con sus pinzas, sus rulos, sus avíos y, quien más y quien menos, una amiga peluquera, una vecina que se da mucha maña con el secador, una cuñada que estuvo de aprendiza en su pueblo, antes del 36. Toulouse también ha sido hoy un ajetreo de mujeres subiendo y bajando escalones con un paño sobre los hombros y la cabeza envuelta en una toalla, o repleta de rulos sujetos por una malla erizada de horquillas. Y luego, laca, mucha laca, eso que no falte, laca y más laca hasta que el pelo parezca una peluca, un casquete de ondas rígidas como las olas de un mar de cartón piedra, en el que alguna andaluza audaz se habrá atrevido incluso a dibujar con el dedo un caracol sobre su frente. Ya nadie lleva esos peinados de los años treinta, nadie excepto ellas, que han elegido vivir en un paréntesis, un tiempo detenido y sin tupés, como si esos rollos de pelo, armados con algodón en rama, que se llevan en España, no fueran más que otra versión del enemigo.

Tienen de quien aprender. A despecho de la moda moscovita, Ella ha vuelto igual que se marchó, con el pelo más blanco, eso sí, pero la misma onda aplastada sobre la misma esquina de la frente, el moño bajo, pequeño, dos discretos pendientes de oro con una perlita colgando de cada oreja, y las ropas de luto, blusa holgada, falda informe, negro sobre negro, que sin dejar de ser su gran creación intemporal de Sí Misma, son ahora, a la vez, la contraseña de un dolor íntimo y hondo. En la primavera de 1945 la estampa de Dolores Ibárruri es también un homenaje a la memoria de Rubén, el mayor de los dos hijos a quienes logró sacar adelante desde la miseria del hogar de un minero vizcaíno, aquella casa que Julián y ella construyeron con sus propias manos. Había tenido más hijos, pero uno se malogró antes de nacer, y otras tres, todas niñas, nacieron sólo para morir poco después.

En esa desgracia terca y negra, Pasionaria había acompañado

a cientos de miles de mujeres españolas, el dramático coro de un país asolado por los ataúdes blancos, los cadáveres mínimos de los hijos muertos, víctimas de su hambre y del hambre de sus madres, de su enfermedad y de las enfermedades de sus madres, de su pobreza y de la pobreza de sus madres. Esa ha sido también su historia hasta el 3 de septiembre de 1942, sólo seis meses después de ascender al cargo de secretaria general del Partido Comunista de España. En el atardecer de ese día, el único de sus hijos varones que había sobrevivido, teniente del 13 Regimiento de la Guardia del 62 Cuerpo del Ejército Rojo de la Unión de Repúblicas Socialistas Soviéticas, cae derribado por una bala alemana mientras dirige el avance de una unidad de ametralladoras por los andenes de la Estación Central de Stalingrado, a los veintiún años. Héroe de la batalla que cambia el curso de la guerra mundial para decidir el destino del mundo, su madre tendrá que resignarse a la compañía de los discursos pronunciados en idiomas que no entiende, los toques de silencio en cementerios sembrados de lápidas blancas, todas iguales, las banderas ondeando a media asta, las condecoraciones póstumas y las placas de bronce en las fachadas de algunos edificios oficiales.

Hoy, en este cálido día de la primavera de 1945, van a acompañarla a cambio los suyos, los comunistas españoles que se apresuran por las calles de Toulouse. Mientras van a su encuentro, la recuerdan cómo era antes de la derrota, antes de la tragedia colectiva y de su trágico epílogo personal. Y avanzan por las aceras sin perder de vista a sus hijos vivos, pequeños, vestidos de domingo ellos también, los niños requetepeinados, como si sus madres les hubieran arado el cráneo con un peine de púas finas, para aplastarles el pelo con colonia después, aunque ni siquiera así pueden competir con sus hermanas, las rayas dividiendo sus cabezas en dos hemisferios tensos e idénticos, los cabellos recogidos en la disciplina de unas trenzas perfectas, tiesas, tirantes, un castigo inmerecido que en algún caso obtendrá su recompensa.

—¡Uy, pero qué rica! Y tú ¿cómo te llamas?, vamos a ver... —porque Dolores se fijaría en esta, o en aquella, para sonreír y acariciarle la cara antes de dirigirse a sus padres—. ¿Es vuestra esta preciosidad? Pues ya estaréis contentos, ¿eh? ¿Qué tiempo tiene?

Los suyos respiran tranquilos al comprobar que la bala que mató a Rubén Ruiz Ibárruri no ha acabado con su madre, Madre con mayúscula y por antonomasia, madre universal también con la minúscula de los mimos, las caricias que reparte hoy, y repartirá muchos otros días, entre sus nietos simbólicos, los hijos de sus hijos, Madre Dolores, que lo es de tanto, de tantos, que ha logrado regresar del frío, del llanto y de esa desolación tan absoluta como la orfandad, pero más cruel, que provoca la pérdida de un hijo joven y sano, con la ternura intacta, tendida entre los labios.

La sonrisa de Dolores, su alegría, inspira muchos malos poemas a partir de este momento. Muchos malos poetas y otros buenos, algunos hasta buenísimos, cantarán tenazmente a su sonrisa, la inagotable fuente de energía que nutre el sueño de una España libre, justa, mejor. Esa es otra de las grandes creaciones de Pasionaria, uno de sus hallazgos más admirables, más perdurables también. Ningún otro dirigente comunista, en ningún país, en ninguna época, llevará tan lejos el permanente elogio de la alegría en condiciones tan permanentemente adversas. Esa es la receta de Dolores para sobrevivir al franquismo, vivir de la alegría, masticarla despacio cuando no hay nada más que llevarse a la boca, abrigarse con ella para sentirse libre en la última celda de la cárcel más lóbrega, armarse de alegría para resistir lo irresistible, para soportar lo insoportable, para afirmar lo imposible, como ella lo resiste, como ella lo soporta, como sabe afirmar su inmarcesible sonrisa.

No escribas poemas tan tristes. Dolores regaña con una firmeza maternal sólo en apariencia, a un buen poeta español, Eugenio de Nora, en los años más feos, más duros, más tristes de cuantos le tocaría vivir, nosotros no somos, no podemos ser tristes. Y el pobre Eugenio de Nora, atrapado en la tristeza sin límites de vivir en España, en la tristísima cárcel que es España durante la década de 1940, aprieta los dientes del cuerpo, y los de la conciencia, para lanzarse a escribir poemas alegres, a cantar con la alegría que no siente, que no puede sentir, la sonrisa universal de Pasionaria.

Esa es la consigna, alegría. Para no acusar los mordiscos del destino, la muerte, el hambre, la farsa intolerable de los tribunales, el frío de los paredones al amanecer, la tenaz crueldad de una derrota que renace en la luz de cada mañana. Alegría para no venirse abajo, para no ablandarse, para no ceder al desánimo, para soportar las caídas, para caer con entereza, para aguantar la tortura con la boca cerrada en los sótanos de las comisarías.

—Me llamo... —Simón, Juana, Lucio, Soledad, y tantos, y tantos, y tantos, y todavía tantísimos nombres más—. Pertenezco al Partido Comunista de España y no os voy a decir nada más.

Alegría. Golpes. Alegría. Palizas. Alegría. Huesos rotos. Alegría. Quemaduras. Alegría. Descargas eléctricas en los genitales, en los pezones, en los labios, en las plantas de los pies. Alegría, alegría, alegría.

—Me llamo... —y el nombre ya sólo se entiende a medias, porque con tantos huecos en las encías y los labios hinchados, abiertos, rojos como fresones, el detenido o la detenida no articula bien las sílabas—. Soy miembro del Partido Comunista de España y ya sabéis que no os voy a decir nada más.

Habrían merecido una suerte mejor. Todos, también Ella, que fue capaz de convencerlos de que la alegría se come y se bebe, de que podían abrigarse, dormir en ella, porque no necesitaban más para aguantar, para resistir, para negarse a la tristeza que respiraban todos los días. Pero vivir no es sencillo, y vivir en la clandestinidad, muy complicado. La clandestinidad es el dominio del gris, que allí ni siquiera es un color, sino una exhaustiva escala de tonos intermedios, el ambiguo jardín donde lo mejor y lo peor del ser humano acierta a brotar de la misma raíz. En la legalidad, es relativamente fácil ser bueno, admirable, generoso, digno de ser recordado como tal, aunque muy pocos lo logren. En la clandestinidad, las sombras se alargan, los peligros se afilan, los sonidos se distorsionan, los enemigos brotan como níscalos en un bosque otoñal después de un chaparrón. Entonces, hasta la alegría se convierte en un arma de doble filo, un cuchillo puntiagudo, suspendido de una cuerda muy fina.

El irrevocable mandato de la alegría sirve para mantener fuerte y unido, vivo y cohesionado, al único partido político que se opone activamente a la dictadura de Franco desde abril de 1939, cuando es declarado ilegal en todo el territorio nacional, hasta abril de 1977, cuando es legalizado de nuevo en el mismo ámbito. Durante treinta y ocho años seguidos de clandestinidad, los comunistas españoles no dejan de luchar ni un solo día, y lejos de librar batallas simbólicas, congresos en países tropicales o conferencias en universidades extranjeras, se juegan la vida en el interior, en los montes y en las plazas, en las calles y en las fábricas, en las instituciones y en las universidades españolas. El precio de aquella lucha es astronómico e insignificante al mismo tiempo, porque por cada comunista que cae, se ofrecen más de dos para cubrir su puesto. Y así todos los días de cada semana, todas las semanas de cada mes, todos los meses de cada año, durante treinta y ocho años seguidos, uno detrás de otro.

Sin embargo, el deber de la alegría llega tan lejos que alcanza a desmentir a Lenin: la primera obligación de un comunista consiste en comprender la realidad. Cuando termina la Segunda Guerra Mundial, la realidad española es más triste que nunca, pero al regresar a Francia, desde Moscú, Dolores se mantiene imperturbable en la alegría de ser comunista, una presunta bendición en la adversidad que apareja indudables ventajas para su autoridad. Porque la alegría militante, este fervor sin fisuras, también sirve para reprimir el análisis, para maquillar las contradicciones, para sujetar a las bases en una férrea disciplina y atajar las discrepancias antes de que lleguen a producirse. Para resistir lo irresistible, desde luego, pero también para mentir y para mentirse, para ver condiciones revolucionarias donde cada vez las hay menos, para mirar al futuro con un optimismo progresivamente insensato. Y, en consecuencia, para resolver cualquier intento de disensión doblemente interna —porque siempre los plantean camaradas de la dirección, y porque esos camaradas siempre dirigen el Partido del interior, nunca el del exilio— con una renovada llamada a la alegría frente al pesimismo, que no es más que cansancio, soberbia, derrotismo.

—Los camaradas que trabajan en España están tan pegados a la realidad del país, que no tienen distancia para advertir su situación prerrevolucionaria, que desde aquí distinguimos con toda claridad.

Aparte de producir extraordinarios juegos de perspectiva, aquel proceso es responsable de errores de apreciación muy graves. Tanto, que aceleran de forma decisiva la –por otra parte, seguramente irreparable– decadencia del PCE en los primeros tiempos de la Transición democrática.

Pero esa es otra historia.

La que se cuenta en este libro, llega en apariencia a su final en el luminoso día de la primavera de 1945 que Dolores Ibárruri ha escogido para regresar a Toulouse y recorrer sus calles como una imagen sacada en procesión. Ella lleva ya algún tiempo en Francia, su avión aterrizó en París a finales de abril, pero sólo hoy, al volver a pisar esta ciudad, la capital simbólica de la España exiliada, de la España comunista del exilio, ha vuelto de verdad. A partir de ahora, durante algo más de tres años, Dolores vivirá en París, pero viajará a Toulouse para pasar temporadas que hará coincidir con sus grandes apariciones públicas. Así podrán mirarla, admirarla otras veces, los hombres que hoy corren a su encuentro con un traje oscuro y un pitillo colgando de los labios, las ancianas enlutadas, las mujeres jóvenes muy bien peinadas, los niños a los que llevan de la mano. Para los militantes de base, los que pagan su cuota y hacen lo que se les dice, ella es mucho más que la secretaria general de su partido, un icono, un ídolo, un símbolo universal de la lucha de su patria y del porvenir de la Humanidad. Pasionaria es tan grande que no llegan a advertir conflicto alguno entre su regreso y la gestión de Jesús Monzón. Al fin y al cabo, pensarían si acaso los más suspicaces, Dolores eligió a Carmen, y Carmen eligió a Jesús. Y mira, ahí está ella, tan contenta...

Tienen razón. Aunque resulte difícil de creer, Carmen de Pedro, aquella chica tan vulgar, la insignificante mecanógrafa del Comité Central que recibió el Partido de manos de Dolores Ibárruri hace cinco años, para entregárselo a Jesús Monzón en el instante en que él –en el verano de 1939, más bien ¡Él!– decide posar sus ojos sobre ella, forma hoy parte, tácita o expresa, del sonriente cortejo que acompaña a Pasionaria por las calles de Toulouse. Este es uno de los detalles más inverosímiles, más asombrosos y rocambolescos de una historia real que supera con creces la capacidad de fabulación de cualquier autor contemporáneo de *thrillers* políticos. Porque lo interesante no es que Carmen vuelva a estar en gracia con el Buró Político del PCE, seis meses después de haber sostenido como una fiera la invasión del valle de Arán, y con ella, los intereses políticos de Monzón, desde la sede de Toulouse. Lo verdaderamente increíble es por qué. O, para ser más precisos, gracias a quién.

En los cuentos infantiles tradicionales, como los que recopilaron Charles Perrault en Francia a finales del siglo XVII, o los hermanos Grimm en Alemania a principios del XIX, las princesas, casi siempre medievales, reciben en algún momento de su vida, a menudo en la cuna, la visita de un hada madrina que les otorga un don, un regalo inmaterial, tan precioso que les salvará la vida. Carmen de Pedro no era una princesa. No nació en un palacio, no la bautizó un arzobispo, tal vez ni siquiera un simple párroco, y no se celebró un fastuoso banquete para festejar su nacimiento. Pero para entender qué pinta hoy, aquí, sonriendo a la sonrisa de Pasionaria, hace falta imaginar a un hada madrina muy especial, un espíritu bienhechor y heterodoxo, plebeyo, audaz, omnipotente y, sobre todo, comunista, que la hubiera bendecido en la cuna con el precioso don de encontrar a un dirigente dispuesto a sacarle las castañas del fuego un segundo antes de que suene la campana.

—Hola, Carmen, ¿cómo estás?

El 25 de octubre de 1944, cuando va a abrir la puerta y se encuentra con Santiago Carrillo en el umbral, ni siquiera ella misma habría dado un céntimo por el futuro político de Carmen de Pedro. Carrillo, al que no ha vuelto a ver desde la primavera de 1939, llega a Toulouse procedente de París, donde sus consultas han dado un resultado bastante esclarecedor. En la sede del Partido Comunista Francés los militares apoyaban tan abiertamente la acción de sus camaradas españoles, que ya habían empezado a reclutar voluntarios. El Buró Político, integrado por dirigentes civiles curtidos en el juego dialéctico más popular del estalinismo, el sacrificio de la táctica en aras de la estrategia, e inspirados por un gran galápago de incontables conchas, André Marty, mantenía sin embargo una actitud de neutralidad, a la espera de otras indicaciones de Moscú. Esa actitud precipita el fin de la invasión del valle de Arán sólo después de que el gran error de Jesús Monzón la haya abocado ya al fracaso.

Si el 25 de octubre de 1944 Viella hubiera estado en manos republicanas, los representantes del gobierno provisional cruzando la frontera, Carrillo no habría podido hacer otra cosa que celebrarlo en público, más allá del cauteloso criterio del PCF. Pero los jefes del ejército de la UNE han descubierto muy pronto que les han engañado, y sienten que han entrado por su propia voluntad no ya en España, sino en una ratonera cuyo fondo no alcanzan a divisar. Y el día 21, Emilio Álvarez Canosa, Pinocho, uno de los mandos guerrilleros más experimentados, más condecorados y prestigiosos de las fuerzas españolas integradas en la Resistencia francesa, respira el aire del túnel de Viella, decide que no le gusta, y se da la vuelta.

Si le hubieran ordenado que cruzara los Pirineos para asestar un golpe de audacia, en condiciones dudosas y con plena conciencia del peligro que implica, lo más probable es que hubiera asumido el riesgo de atacar el túnel. En los últimos años, en Francia, él y muchos de sus compañeros han afrontado peligros semejantes. Pero ni a Pinocho, ni a los demás, les han propuesto una operación de esas características. Nadie les ha advertido que se trata de una oportunidad irrepetible pero sin garantías, una aventura que puede culminar en una gesta heroica con las mismas probabilidades que tiene un buen jugador de billar de hacer una carambola difícil. Ellos juegan bien al billar, pero esperaban algo muy distinto, una marea humana de aliento y gratitud que los llevara en volandas si no hasta, al menos sí hacia Madrid. Eso es lo que les han prometido, y lo único que encuentran es miedo. Asombro, recelo y pánico. El fin de sus esperanzas. El fracaso de sus vidas. Una encerrona intolerable, imperdonable. O, en el menos dramático de los casos, la humillante sensación de quien ha invertido hasta su último céntimo en hacerse un frac a la medida, para descubrir a destiempo que nadie le espera en la fiesta a la que creía haber sido invitado.

Santiago Carrillo, recién llegado a Francia, no puede saber todo esto, pero lo que sabe es suficiente para convocar todo su aplomo en el instante en que llama al timbre de la sede de su partido en Toulouse, para enfrentarse a Carmen de Pedro cara a cara.

—Hola, Carmen, ¿cómo estás?

La pobre Carmen estaría muy mal, y más que nada, temblando como una hoja. No es para menos, porque la han pillado con las manos en la masa. Unas horas después, sin embargo, logrará estar mucho peor. El joven cachorro de dirigente, que se limita a actuar en esta ocasión como el largo brazo de Pasionaria, ya goza del instinto político que le permitirá mantenerse en la cumbre del Partido durante tres décadas, flotando con gesto impasible sobre crisis de las más variadas especies. Él ha abandonado sus ocupaciones para emprender un viaje accidentado, urgente e imprevisto, con el primordial propósito de afirmar la autoridad del Buró Político sobre la dirección monzonista. Abortar la invasión representa un objetivo secundario. Lo fundamental es que la militancia francesa en general, y el ejército de la UNE en particular, advierta sin margen de duda posible que quienes nunca deberían haber dejado de hacerlo, han vuelto a mandar en el Partido. Por eso decide que no le conviene cruzar los Pirineos a solas.

El 26 de octubre de 1944 Santiago Carrillo entra en España a la cabeza de una comitiva integrada por la flor y nata del monzonismo francés, Manolo Azcárate, Manuel Gimeno y, por supuesto, Carmen de Pedro. Si alguien no hubiera afirmado ya, antes de aquel día, que una imagen vale más que mil palabras, cualquier oficial de la UNE podría haberlo exclamado, sin ser ni siquiera consciente de estar componiendo una frase feliz, al contemplar los rostros sumisos, humillados, de quien aún es oficialmente la compañera de Jesús Monzón, y de sus dos colaboradores más cercanos, flanqueando a Carrillo en el instante de atravesar la puerta del cuartel general.

La escenificación es impecable, el golpe de efecto, abrumador. Pero Carrillo, que se ha asegurado la docilidad de sus camaradas insumisos volcando sobre ellos reproches de una extrema gravedad, se comporta como un poli bueno con los mandos militares que acataron con entusiasmo las órdenes de aquellos. Si en Toulouse ha hablado de irresponsabilidad, y de responsabilidades, de inconsciencia, de ambición, de deslealtad, de las graves consecuencias de una chapuza tramposa y prematura, en Arán se limita a pintar un paisaje realista de la situación. Los aliados no apoyan, los españoles ignoran lo que está pasando aquí, el ejército de Franco, en cambio, lo sabe tan bien que ya se ha puesto en marcha, habéis sido víctimas de la megalómana conspiración de un arribista, un aventurero sediento de poder y dispuesto a trepar a cualquier precio, incluido el de vuestro exterminio, ya sabéis que me parecéis admirables, que contáis con todo mi apoyo, con el apoyo de Dolores, y... El último que salga, que apague la luz.

Así fue. En Arán se apaga una luz que permanecerá desconectada durante más de treinta años, para que, en Toulouse, las aguas del partido hegemónico del exilio republicano español vuelvan a su cauce. La recanalización resulta mucho más complicada, más arriesgada y dificultosa, que la interrupción de las operaciones de Arán, tanto que ni siquiera hay expulsiones. Por un lado, el partido que Monzón ha creado en Francia es mucho más importante de lo que se intuía desde Moscú, y está más que consolidado. Por otro, el fracaso de Arán no basta para arruinar su prestigio ni siquiera entre los militares, que saben muy bien que están furiosos, pero no seguros de quiénes son en realidad los deudores de su furia.

En la primera parte de sus memorias, *Derrotas y esperanzas*, que no sólo es el principal, sino prácticamente el único testimonio directo de aquellos acontecimientos que sobrevivió a los rigores del invierno estalinista, Manolo Azcárate recuerda la incómoda ambigüedad que, de vuelta en Toulouse tras el fracaso de Arán, preside sus relaciones con la dirección, unos pocos años antes de que su amistad con Jesús adquiera la pública categoría de pecado mortal que acabará desembocando en lo que él denomina su semiexpulsión. Ni en el otoño de 1944, ni en los años siguientes, llegan a tomarse medidas disciplinarias graves contra el equipo de Monzón. Sin embargo, durante este periodo, sus colaboradores siguen formando parte, en teoría, del aparato del PCE, sin ser invitados a ninguna reunión, sin recibir ningún encargo, sin desempeñar ningún papel. Nadie, nunca, ha sabido explotar el silencio, gestionarlo, dilatarlo, infiltrarlo entre sonrisas pálidas y palmadas paternales, con tanta maestría como la dirección de un partido comunista.

Azcárate se siente hasta el final amigo de Monzón. Mientras puede, está a su lado, y cuando escribe sus memorias, en la última década ya del siglo XX, todavía le quiere, le admira, comparte y defiende sus puntos de vista. Por desgracia, o quizás por la costumbre de un temor fermentado durante más de la mitad de su vida, ni siquiera entonces se atreve a contar del todo una historia que sólo él habría podido contar, pero sí se asegura de que su lealtad a Jesús aflore por encima de cualquier cautela. Azcárate es amigo de Monzón, y tiene que pagar el precio de esa amistad, pero el navarro nunca ha delegado sus responsabilidades en él ni, muchísimo menos, se han acostado juntos durante cuatro años. Sin embargo, si Carmen de Pedro está hoy en Toulouse, asistirá al retorno de Dolores, la procesión triunfal donde a nadie se le ocurre preguntar ni por Azcárate ni por Gimeno, a pesar de que ella, y nadie más, ha sido la amante de Jesús, su chica, su instrumento, la escalera por la que trepó hasta la cima saltando los escalones de tres en tres. ¿Qué ha pasado? Ni Manolo Azcárate ni Manuel Gimeno tuvieron nunca un hada madrina alocada, promiscua y marxista, dispuesta a convertir en una carroza la calabaza que encontrara más a mano.

En noviembre de 1944, cuando la situación en Toulouse está ya relativamente controlada, la militancia apaciguada por la ausencia de represalias, Santiago Carrillo decide que ha llegado el momento de averiguar cómo andan las cosas en España. Él, por la cuenta que le trae al Buró Político, no puede moverse de Francia, pero en Madrid, donde Jesús Monzón sigue instalado en su chalé de Ciudad Lineal, dirigiendo el Partido del interior como si no hubiera pasado nada, está todavía Agustín Zoroa. El propio Carrillo lo ha recomendado hace cinco meses para desempeñar una misión de enlace entre ambas direcciones, la de Madrid y la del exilio, que es mucho menos inocente de lo que se pretende. Zoroa cruza la frontera con la oculta intención de socavar la autoridad del dirigente navarro, pero lo cierto es que no hace gran cosa en ese sentido.

Jesús Monzón, que fue demasiado hombre para Carmen de Pedro, es también demasiado líder para Agustín Zoroa, que no puede cumplir el principal encargo con el que llega a Madrid. Ni siquiera consigue ponerle nervioso. Monzón es consciente de su fortaleza, de los cimientos que la sostienen, y de que, cuando llegue el momento de echarse la Historia a la cara, podrá hacer más reproches que los que le toque recibir. La invasión de Arán ha sido un fracaso, sí, con su correspondiente lista de víctimas, muertos, heridos, prisioneros, pero los políticos no valoran el éxito de sus operaciones en esos términos, y él siempre podrá alegar que sus órdenes no se han cumplido, diluir su responsabilidad entre la de muchos, argumentar que el fin de la invasión justificaba sobradamente sus medios. El Buró Político no tiene nada más contra él en dos países, España y Francia, donde comunista español significa monzonista español, y donde eso sólo ha sido posible después de que sus miembros deslumbraran a su propia gente con el brillo de su ausencia. En noviembre de 1944, Santiago Carrillo sabe todo esto, pero prefiere escucharlo de los labios de su hombre de confianza. Reclama a Zoroa para que le informe de la situación en el interior, y el propio Monzón, con toda tranquilidad, se ocupa de preparar su viaje. Así llega a Toulouse un hombre de aspecto sorprendentemente parecido al de su presunto rival. Y en ese instante, una varita mágica empieza a revolotear en el aire.

Agustín Zoroa es más joven que Jesús Monzón, pero, en la misma proporción que este en 1939, cuando llega a Toulouse aparenta más años de los que ha cumplido. También es más guapo de cara, aunque nada en sus ojos, grandes, bonitos, llega a producir la menor perturbación en el espectador de sus fotografías. Zoroa es guapo y tiene cara de buen chico. Monzón, y ahí es previsible que resida gran parte de su encanto, no lo es, pero insinúa todo lo contrario. Aparte de eso, los dos son igual de grandes, altos, anchos, corpulentos, un tronco robusto en lugar del cuello, la cabeza muy grande, la frente despejada, entradas hasta la mitad del cráneo y el poco pelo superviviente de color castaño. Además, deben hablar con un acento similar, porque uno es de Pamplona y el otro, de Bilbao. Las coincidencias entre ambos llegarán mucho más lejos en los primeros días de diciembre de 1944.

—Carmen, yo... Quiero hablar contigo.

Cuando llega a Toulouse, Agustín no ha visto nunca a la antigua mecanógrafa del Comité Central de Madrid. Él no sólo es más joven que Monzón, también ha hecho su carrera política en el exilio, y no se sabe que tenga pareja conocida, ninguna mujer que se haya quedado atrás, en España o en México. Nada de esto basta para explicar lo que va a ocurrir, porque en el sur de Francia en general, y en Tolosa la Roja en particular, viven miles de muchachas solteras y españolas, entre las que habría podido elegir una compañera adecuada, más o menos guapa, atractiva, divertida, cariñosa y sin pasado, conveniente para su porvenir en el Partido, confortable para su posición en el mundo, una chica tan joven e inocente como él.

—Verás, Carmen, yo quiero preguntarte una cosa...

Pero Agustín Zoroa se enamora de Carmen de Pedro. Entre todas las comunistas españolas de Toulouse, va a enamorarse precisamente de la más incómoda, la más desprestigiada, la más peligrosa. Una mujer marcada por su pasado, que no sólo ha cometido el error de apostar todo cuanto tenía a un caballo perdedor, con lo que eso implica cuando el premio de la carrera no es otra cosa que el poder, dentro y fuera del Partido, sino que además, ha babeado generosamente en público, durante años, mientras se ofrecía a otro hombre. Monzón es el gran traidor de la temporada, desde luego, pero además, antes de alzarse con ese papel, ha sido otro hombre, otras manos, otra boca, otro sexo, y Carmen, una mujer usada. En un entorno tan machista como la realidad, que no la teoría, del Partido Comunista de España en los años cuarenta, es difícil imaginar una elección más peliaguda.

—Pero, el chico este que te has traído... —le preguntarían a Carrillo algunos de sus viejos camaradas, con el mismo gesto con el que le darían una palmada en la mano a su hijo, si le vieran recoger del suelo un caramelo chupado—. ¿Está tonto, o en la inopia? Porque, vamos, una de dos...

Seguramente, ni siquiera Santiago sabe qué contestar. Agustín no sólo es su protegido. También se ha convertido en el candidato de Dolores para reemplazar a Monzón en la dirección del Partido del interior. En estas circunstancias, con un poco de imaginación y otro poco más de malevolencia, puede resultar fácil sospechar que el Buró Político está detrás del amor de Zoroa, que es la propia dirección la que le induce a fingirse enamorado de esa mujer, y que él se limita a acatar una orden a la que no puede resistirse. Pero un análisis objetivo de la situación, indica que sus superiores no ganan nada con esta boda. Al contrario. Es más lógico pensar que, si el horno estuviera para bollos, que no es el caso, los superiores de Zoroa habrían intentado disuadirle de una unión que, en la ambigüedad del momento, no les queda más remedio que tragarse. De lo contrario, en 1994, Azcárate no tendría ningún motivo para no contarlo, como no lo ha contado ninguno de sus camaradas, ni antes ni después.

Carmen, en sí misma, sigue careciendo de valor. Nunca ha pintado un pimiento, y sólo por eso fue escogida en la primavera de 1939. Toda la luz que esta mujer logra emitir en su vida es un reflejo de focos inmediatos, pero ajenos, Pasionaria primero, Monzón después, y en diciembre de 1944, ni eso. Carmen está separada físicamente de Jesús desde que, en marzo del año anterior, él la manda a Ginebra antes de marcharse a Madrid. Aunque los militantes de base lo ignoren, la sustituye por otra mujer, una comunista valenciana llamada Pilar Soler, unos pocos meses después, y hasta le escribe una carta para comunicárselo expresamente, en lugar de confiar en que la noticia llegue a sus oídos por la más lenta vía del cotilleo. Si la ruptura no se hace pública es porque Carmen no quiere. Después, aquella mujer sucesivamente insignificante, todopoderosa e insignificante otra vez, demuestra que se siente tan unida de por vida a Jesús Monzón, que miente, engaña, conspira y sostiene por él, para él y en su nombre, la caprichosa aventura en la que ocho mil hombres se van a jugar la vida para que uno solo conserve una oportunidad de mantenerse en el poder, para que una sola mujer tenga una oportunidad de recuperar el amor de ese hombre.

La vieja y nueva, eterna dirección del PCE, decide no tomar represalias sobre el equipo de Monzón pero, como se verá cinco años más tarde, esta es sólo una decisión provisional, aconsejada por las circunstancias. Incluso después del fiasco de Arán, e incluso estando ausente, Jesús es demasiado fuerte, demasiado popular y prestigioso, como para atacarle de frente. La situación recomienda prudencia, y la prudencia consiste en esperar, pero la simbólica leprosería en la que se confina a los dos Manueles, Azcárate y Gimeno, y a la que es lógico pensar que Carmen estaba también destinada, demuestra que la clemencia del Buró Político respecto al monzonismo francés —porque su actitud frente al español, como también se verá, va a ser muy distinta— constituye, desde el primer momento, una virtud relativa. Los culpables pagarán antes o después, aunque aún no está decidida ni la fórmula, ni la fecha, ni la gravedad de su castigo.

En este laberinto, la relación de Carmen con Zoroa no reporta ninguna ventaja, y Jesús no va a dolerse de que le arrebaten a una mujer que, a estas alturas, es más bien un problema que le quitan de encima. A Carrillo tampoco le conviene dar una imagen de blandura con la principal cómplice de Monzón, la más culpable de todos los partidarios que le han sostenido en Francia. Y, puestos ya a imaginar, la salvación de Carmen implica el riesgo de que, permaneciendo en una posición próxima a la dirección, pueda reverdecer su amor por Jesús cuando este acuda a Toulouse a rendir cuentas. Lo mejor para la dirección es que Carmen de Pedro se desvanezca, que desaparezca sin hacer ruido para recluirse discretamente en un lugar alejado de los focos y las preguntas de los curiosos, pero el regreso de Zoroa impide que la chica de Monzón alcance en este momento el que será, en efecto, su destino definitivo sólo después de 1950.

Porque Agustín toma una decisión que la devuelve al primer plano del exilio comunista español en el sur de Francia. Él no está tonto, ni en la inopia, pero sí enamorado de Carmen, y es un hombre valiente, lo bastante como para actuar en consecuencia. Por eso, a principios de diciembre, quizás todavía en noviembre, poco más o poco menos de un mes después de la invasión de Arán, se aparta con ella a un sitio discreto, donde nadie pueda oírles, y le hace una pregunta.

—¿Quieres casarte conmigo?

Entonces, esta chica del montón, que a los veintiocho años

ya ha vivido tanto, vuelve a mirar a un hombre alto, corpulento, acogedor como una casa, y vuelve a pensar que es un regalo del cielo, el final de todas sus preocupaciones, la solución a todos sus problemas. Su hada madrina ha rizado el rizo, y ella no va a ser menos.

—Sí, quiero.

La Historia inmortal hace cosas raras cuando se cruza con el amor de los cuerpos mortales. Cuando se cruza con el amor de la carne de un hombre en la trayectoria de una mujer despechada, no hace ya cosas raras, sino rarísimas. Antes de que termine 1944, Agustín Zoroa y Carmen de Pedro se casan en Toulouse. Azcárate, que no aclara si él asistió o no, describe su boda como una ceremonia discreta, casi secreta, sin banquete ni apenas invitados. No es para menos. Pero tampoco hace falta nada más. Así, dos hombres españoles de aspecto físico parecido, altos, anchos, cabezones, calvos y corpulentos como buenos chicarrones del norte, se suceden en el pequeño cuerpo de una sola mujer, española también, antes de reproducir el mismo rito, en idéntico orden de precedencia, respecto a la posesión del cargo de secretario general de la organización clandestina del PCE en el interior, para cerrar el círculo del poder ortodoxo de un partido español ilegal en España, a través de un continente desgarrado por una guerra mundial.

La Historia inmortal hace cosas raras cuando se cruza con la naturaleza de los cuerpos mortales, pero el deseo no es la única atribución de la carne capaz de trastornarla. Antes de que el azar vuelva a complicar la relación de los cuerpos con la Historia, Agustín Zoroa goza en Toulouse, durante los tres primeros meses de 1945, de los beneficios de una ley no escrita que se ha respetado, y se seguirá respetando escrupulosamente mientras dure el exilio antifranquista. En la clandestinidad, las lunas de miel son sagradas. Agustín sigue siendo el elegido para reemplazar a Jesús, porque una esposa más o menos afortunada no es suficiente para cambiar los designios del Buró Político, en un país repleto de fervientes monzonistas más o menos emboscados. Eso significa que, antes o después, tendrá que irse a Madrid, y a partir de ese momento nadie sabe lo que será de él, qué destino le espera, si logrará volver, o no, a Toulouse, una, varias veces, o ninguna. Las circunstancias han cambiado tanto que no es previsible que esta vez Carmen insista en acompañarle. Lo más probable es que le tiemblen las piernas sólo de pensar en la hipótesis de un encuentro de dobles parejas en un chalé de Ciudad Lineal, así que ella también se dedica a disfrutar del momento, apurando cada instante de una felicidad precaria, una paz con fecha de caducidad.

Este es el panorama que Dolores Ibárruri se encuentra al volver a Francia en la primavera de 1945. Su antigua colaboradora, aquella mosquita muerta que le salió rana, la recibe como esposa del bueno de Agustín, como si Jesús Monzón no hubiera pasado por su vida, como si no hubiera puesto boca abajo, primero, en sentido literal, a ella, y después, en otro no tan figurado, a todos los demás. Zoroa ya no está a su lado. En las últimas semanas del invierno, ha vuelto a Madrid, con una carta en la que Carrillo, actuando por última vez en esta crisis como el largo brazo de Pasionaria, conmina a Jesús a viajar a Toulouse para discutir la política del Partido. En su ausencia, Carmen sigue estando casada con, y por tanto blindada por, el nuevo secretario general del PCE del interior.

—¡Carmen! Cuánto tiempo... —Dolores no debe disfrutar nada de su reencuentro, pero tiene preocupaciones más urgentes que coger por banda a esta Mesalina de vía estrecha—. Y enhorabuena, por cierto, que ya me he enterado de que te has casado.

Vicente López Tovar, comandante en jefe del Ejército de la Unión Nacional Española que cruzó los Pirineos en octubre, para invadir el valle de Arán de acuerdo con el plan militar y las directrices políticas diseñadas por Jesús Monzón, también ha venido hoy a saludar a Pasionaria. No le ha pedido a nadie que le acompañe, y sin embargo, no está solo. Los jefes militares que actuaron bajo sus órdenes en aquella operación han venido por su propia voluntad, para rodearle en un solo silencio expectante. El fuerte sentimiento corporativo que se incentiva en las aulas de las Academias Militares funciona en la guerrilla de manera semejante, bajo la etiqueta más plebeya del compañerismo. La cuenta que le van a pasar a Vicente será más fácil de pagar si puede compartirla con los amigos.

Eso es lo que esperan estos hombres tiesos, taciturnos, apiñados en un grupo compacto, que en este momento no conceden ningún valor a las palabras de comprensión, pero aún más de circunstancias, que Carrillo les dedicó antes de que abandonaran España. Ellos son comunistas, y conocen por experiencia la temperatura a la que hierve el agua en la dirección de su partido, el tiempo necesario para que los procesos internos alcancen su punto de ebullición. Por eso están tan inquietos. Y mientras contemplan en silencio las sonrisas de Pasionaria, envidian quizás la acrobacia del azar que ha librado a Carmen de Pedro, su responsable política en Toulouse, entre el 19 y el 27 de octubre de 1944, de la cólera de Dolores. Todavía no han descubierto que a ellos les librará una novedad de naturaleza muy diferente.

A su regreso de Moscú, donde ha podido contemplar de cerca el virtuosismo de un gran maestro, Dolores Ibárruri ha perfeccionado otra de sus grandes creaciones, un hallazgo feliz que la sobrevivirá tanto o más que su aspecto de mujer del pueblo, con su moño, y su luto, y sus pendientes dorados con una perlita colgando. En este momento ya ha decidido situarse por encima de las políticas concretas, cotidianas, de la organización que preside.

En la primavera de 1945, entre sus camaradas de Toulouse, Pasionaria ya no forma parte del Partido Comunista de España, no lo dirige, no lo representa, no pertenece exactamente a él. Pasionaria *es* el Partido Comunista de España. El Partido es Pasionaria, y por tanto, su imagen es la de todos, su prestigio, el de la causa, los aciertos de los demás, sus aciertos, y sus errores, ninguno. Madre universal de los comunistas españoles de todos los tiempos, ella no puede cometer errores, no puede asumirlos, ni mancharse las manos desatascando las tuberías del subsuelo. Para eso, manda por delante a los fontaneros, pero en noviembre de 1944, seis meses antes de su triunfal regreso a Francia, el jefe de la cuadrilla volvió de Madrid para avisar de que la avería era muy grave y salvar, de paso, a la tonta de Carmen de Pedro. Y mientras un hombre de su tamaño le aguanta todavía el pulso con una determinación, una soltura a las que no está acostumbrada, esta mujer sin estudios, que se ha levantado sobre sí misma leyendo por las noches, después de hacerle la cena a su marido y de acostar a los niños, comprende que nada le conviene más que hacerse la tonta.

—¡Vicente!

Al acercarse a López Tovar, su sonrisa se ensancha, sus brazos se abren en el aire, el júbilo hace brillar sus ojos para que el destinatario de tan inmensa alegría se pregunte qué está pasando.

—¡Vicente!

Lo que pasa es que la obra de Monzón es una organización digna de alabanza, una inversión demasiado rentable, un beneficio demasiado evidente, una herencia tan valiosa que sería estúpido renunciar a sus ventajas por una venganza que, total, tampoco es que corra prisa. El agua se calienta despacio, antes de empezar a hervir, en la dirección de un partido comunista. Por eso, esta mujer tan inteligente siempre, y aún más en la adversidad, ha escogido una fórmula oblicua, incluso retorcida, y sin embargo airosa, para reconocer los méritos de su adversario. Así, el trabajo de Jesús, el fecundo fruto de su talento, se convertirá en el marido imaginario que, sin intervención de hada madrina alguna, le sacará las castañas del fuego a los oficiales de su ejército.

—¡Ay, Vicente! —porque por fin va a por él, le mira a los ojos, le agarra por los antebrazos y le aprieta fuerte, para manejarle como sabe ella manejar a los hombres—. ¡Pero qué partido tan hermoso habéis hecho en Francia!

Ni que fuera tonta. Eso sí que no. Eso, nunca jamás.

Dolores ha llegado a Toulouse levitando sobre el suelo, su inmaculado candor de Virgen María del proletariado internacional a salvo de las salpicaduras de cualquier sucio charco de este mundo. Sólo después de dejar esto muy claro para todos los hombres de traje oscuro, todas las mujeres muy bien peinadas, elige a un militar, y no a un político, para absolver en público de sus pecados al PCE de Francia, el admirable capital del que, en este instante, acaba de apropiarse. Sabe que los militares se han sentido utilizados por Monzón y que, si llega el caso, les resultará sencillo escudarse en la obediencia que le debían. Pero, al mismo tiempo, y por más que Jesús sea hoy, más que nunca, el gran

474

ausente, no podrá evitar que quienes la escuchan concluyan que el verdadero destinatario de su admiración, ese cálido elogio de manos fuertes y sonrisa dulce, es el único autor del partido que se ha encontrado al bajar del avión, su enemigo, su rival, Jesús Monzón Reparaz, que sigue estando mucho más cerca que ella de la Puerta del Sol. De hecho, aunque ni Dolores, ni ninguno de sus colaboradores, lo reconocerá jamás, el PCE del exilio, y el del interior, evolucionan desde entonces a partir de la hermosa organización de Monzón, cuya estructura, más allá del nombramiento de personas de confianza para todos los cargos, no llega a desmontarse.

Mientras su secretaria general se aleja para saludar a otros camaradas, el comandante en jefe del Ejército de la UNE se vuelve hacia sus oficiales para compartir con ellos una conclusión más urgente.

—Menos mal —confiesa en un susurro que reproducirá después, en muchas ocasiones, con la misma sonrisa—, porque la verdad es que los tenía aquí...

El ademán con el que acompaña esta expresión, apresando un pellizco de piel de su garganta entre el dedo pulgar y el índice de la mano derecha, resulta tan elocuente como la pirueta verbal a la que Pasionaria ha recurrido para zanjar sus responsabilidades.

Así termina en Toulouse este día de primavera de 1945 que parece poner punto final a una historia cuyas consecuencias aún se dilatarán algunos años, antes de esfumarse por completo de la memoria colectiva. Pero eso todavía no lo saben los comunistas españoles que se disuelven, para retornar apaciblemente a sus hogares, mientras Dolores se retira a descansar, sola o con Francisco Antón, de quien no consta si la acompañó o no en esta jornada. Carmen de Pedro, protegida por la poderosa sombra de su marido, se va también a casa, mientras su hada madrina, exhausta, la pobre, después de tanto trajín, se dispone a dormir un sueño merecido. El mismo camino emprende López Tovar, aunque él quizás se detendrá en algún bar, para invitar a sus oficiales a una copa y brindar por su asombrosa absolución. Mañana será otro día, pensarían todos, antes de acostarse. Efectivamente, lo es, porque el día siguiente es el primero, desde la primavera de 1939, en el que Dolores Ibárruri vuelve a tomar públicamente decisiones en Francia sobre los asuntos del PCE.

Sin embargo, ha tomado ya la más importante en Moscú, antes incluso de que el 7 de mayo de 1945, en Reims, el general Jodl firme, en nombre del almirante Dönitz, instituido por Hitler en su testamento como póstumo jefe del gobierno del Tercer Reich, el Acta de la Rendición Militar de Alemania. A mediados de marzo decide llamar a capítulo a Jesús Monzón, que debe regresar a Toulouse y, si llega antes que ella, esperarla allí. La secretaria general del Partido Comunista de España quiere hablar, cara a cara, con el jefe de la Junta Suprema de la Unión Nacional Española para dejar claro, de una vez por todas, que ya se han acabado las direcciones provisionales en el seno del comunismo español, a un lado o al otro de los Pirineos. Pero esa entrevista nunca llega a celebrarse.

Cuando Agustín Zoroa le entrega la carta donde la nueva o, para ser más exactos, la restablecida dirección del Partido requiere su presencia en Toulouse, Jesús Monzón responde con otra, que se resume en una frase que basta a su vez para definir el carácter, la naturaleza del hombre que la escribió. «Yo soy el único responsable de todo, lo bueno y lo malo, que se haya hecho en Francia.» Con esa declaración, inspirada tal vez por la inclusión de su mujer, Pilar Soler, y de quien había sido su mano derecha en España, Gabriel León Trilla, en la convocatoria procedente de Toulouse, Monzón pretende seguramente proteger a Azcárate, a Gimeno, y al resto de los miembros de su equipo, tanto político como militar, que se han quedado allí, pero también defenderse a sí mismo, alegando la calidad del trabajo realizado, un mérito del que sin duda es muy consciente. Por eso, porque sabe que lo primero es mucho más importante que lo segundo, alude de forma expresa, con la enfática colaboración de dos comas, a lo bueno y a lo malo, después de reclamar para sí todas las responsabilidades. Esto es lo único que podemos saber con certeza. A partir de aquí, las especulaciones, hipótesis, acusaciones y sospechas, se disparan en todas las direcciones.

Si se tratara de un personaje de ficción, y no de una persona real, sólo un narrador muy torpe escribiría que, despúes de redactar esa frase, Jesús Monzón se siente paralizado por el miedo. Que esté asustado es muy razonable, que el pánico se apodere de él, no. Pilar Soler explica más tarde que, si tarda algunos días en ponerse en marcha, es porque pretende realizar el viaje él solo, despúes de dejarla en un lugar seguro, dentro de España. Ella, que sí tiene miedo por él, y esto es más verosímil, se niega, y al final, en los primeros días de abril de 1945, los dos salen juntos de viaje. En fin, el amor y la Historia inmortal, ya se sabe.

Jesús Monzón tiene motivos para tener miedo, pero su carácter, su naturaleza no hacen verosímil que lo demostrara. Que intente ganar tiempo para pensar, para reunir información, para definir su defensa contra los cargos que van a recaer sobre él, es otra cosa. Jesús Monzón tiene motivos para tener miedo porque es un dirigente comunista, porque sabe cómo se hacen las cosas en los partidos comunistas, porque él mismo ha recurrido a su oscura, pero eficaz tradición, para limpiar su camino de competidores, y porque, como en 1945 no puede ser de otra manera, no es ni más ni menos estalinista que sus adversarios de la dirección. Pretender lo contrario es una ingenuidad que ni siquiera le favorece, porque le aísla de la realidad de su tiempo, convirtiéndole en un pálido, fantasmagórico, y sobre todo, incomprensible espectro. Sin embargo, él no es el único que tiene miedo. En Toulouse, también hay camaradas con motivos para temer a Jesús Monzón.

La primera de la lista es, una vez más, la señora de Zoroa, que opta siempre por la solución más fácil, la que suelen elegir los pobres de espíritu, y en ningún momento intenta defender su propia obra, ese hermoso partido que ha forjado al lado de Monzón. Resituándose a toda prisa en el ala radical de la ortodoxia, se apresura a convencerse a sí misma de que sólo ha sido la víctima inocente de un perverso y demoníaco seductor, una desprevenida jovencita que ni siquiera se lo ha pasado bien mientras él la conducía con pulso experto por los sórdidos sótanos del vicio. La pobre Carmen reniega de su amor como si fuera una infamia, olvida el precio de la invasión de Arán antes que nadie, y hasta llega a creer que ha escapado, sana y salva, del campo de minas que ella misma ha sembrado, el rosario de bombas que le estallará debajo de los pies cuando menos se lo espere. Ella sería la primera con motivos para temer a Jesús, pero no la única. Santiago Carrillo tampoco debe de tener muchas ganas de medirse en persona con Jesús Monzón. Porque Pasionaria, de acuerdo con su nueva e inmaculada concepción, no tiene previsto descender hasta el nivel de una bronca en la que se ha reservado el más prestigioso y descansado papel de juez. En consecuencia, su colaborador más próximo no sólo será el encargado de acusar, sino también de recibir unos reproches que no van a llegar hasta el olímpico trono desde el que la legendaria personificación del Partido presidirá las sesiones. Y hasta sin contar con que las bases del exilio francés siguen siendo extremadamente sensibles al argumento del abandono en que las sumió la dirección, al irse de vacaciones más o menos lejos de una guerra que se veía venir, el carisma de Monzón, que tan calurosos recuerdos ha sembrado en el sur de Francia, le convierte, como mínimo, en un adversario duro de pelar.

—A Monzón le vendió Carrillo —esa es una de las principales especulaciones que se barajan todavía hoy—. Fue un chivatazo y él lo organizó todo, se las arregló para que lo detuvieran.

Porque, efectivamente, Jesús Monzón Reparaz es detenido por la policía en junio de 1945, en Barcelona, durante una operación en la que van cayendo, antes y después que él, más de veinte jóvenes comunistas catalanes, entre ellos quienes le han acogido en lo que no iba a ser más que una breve etapa de su viaje, y resulta ser la última de su existencia de dirigente clandestino. Su estancia en Barcelona se alarga durante más de dos meses porque se entretiene en acabar de formarlos, en mejorar su estructura, en dotarles de planes, de objetivos, y hasta en fundar con ellos un periódico clandestino, como si no pudiera resistir la simple contemplación de unos pocos militantes descoordinados, o como si llevara el don de la organización inscrito en los genes.

Son ellos, sus últimos discípulos, quienes caen y le arrastran en una caída de la que se libra su compañera, que está escondida en otra casa. En su declaración ante la policía, Jesús no la llama por su verdadero nombre, sino por el alias con el que es conocida en la clandestinidad, Elena Olmedilla. La auténtica Pilar Soler logra escapar del cerco de una manera peculiar y literaria, como la protagonista de un lance de novela costumbrista. Cuando escucha el sonido del timbre en la casa donde está alojada, se esconde detrás de la puerta de su habitación y, al comprobar que los visitantes son dos policías, sale del cuarto llevando en la mano un orinal, con el que se abre paso entre los agentes, los ojos púdicamente fijos en el suelo, en su rostro una expresión azarada, propia del malestar de quien se ve obligada a proceder, contra su modestia, a evacuar aguas menores en presencia de extraños. Así baja al patio, tira el orinal y sale corriendo. Cuando la policía empieza a sospechar de su tardanza, ya ha ido al encuentro de los militantes del PSUC que la ayudarán a pasar la frontera.

Pilar Soler llega a Francia, y es alojada por la dirección de su partido en una casa de la que no sale hasta después de haber informado por escrito de su etapa como compañera y colaboradora de Monzón en Madrid. Eso es exactamente lo que hace, desde la más escrupulosa lealtad hacia Jesús. Después, se esfuma en un anonimato en el que su predecesora, Carmen de Pedro, no tardará muchos años en acompañarla. Santiago Carrillo cuenta en sus memorias que Pilar Soler sigue militando en el Partido, en Francia, durante muchos años y que colabora en numerosos proyectos, pero no consta que jugara un papel relevante en ninguno de ellos. Este detalle podría apoyar la tesis de un oportuno chivatazo de la dirección, si no fuera porque la redada policial que hace caer a su amante arranca, nada más y nada menos, del mes de junio de 1944, y su progreso, de caída en caída, está perfectamente documentado en los archivos policiales de la época. Esa circunstancia desmiente por igual las otras dos grandes hipótesis sobre lo que sucedió el 6 de junio de 1945, en Barcelona.

—Monzón se hizo detener a sí mismo porque era un cobarde, y un traidor —esta es la primera—, y porque no tuvo cojones para ir a Francia, a explicarse con Dolores mirándola a los ojos.

El policía que le detiene declara que al principio le cuesta trabajo creer en la suerte que ha tenido, al pescar a un pez tan gordo en lo que parecía una simple redada de pececillos temerarios y desorientados. Pasando esto por alto, los partidarios de la hipótesis de lo que podríamos denominar su autodelación, insisten en que, al identificarle, y averiguar que el verdadero nombre del secretario general del Partido Comunista de España en el interior incluye uno de los apellidos más ilustres de Pamplona, los policías no le torturan, ni siquiera le pegan ni le insultan, tratándole en todo momento como lo que es, un señor.

Este sorprendente tratamiento podría reforzar su postura, si no fuera porque, incluso en los primeros momentos de la primavera de 1939 —cuando cae, por ejemplo, Matilde Landa, que será sometida a presiones tan insoportables que culminan, en 1941, con su suicidio en la cárcel de Palma de Mallorca, sin que, entretanto, nadie le haya tocado un pelo—, los comunistas de buena familia han recibido siempre el mismo trato respetuoso, que se reproducirá en las décadas de los cincuenta y los sesenta, cuando entre los detenidos empiecen a proliferar los vástagos de grandes familias franquistas o los hijos de miembros de las fuerzas armadas de la dictadura. Además, Jesús Monzón no denuncia a nadie. Al margen de las debilidades de la organización que le acoge en Barcelona, y que determinan su detención, las consecuencias de su caída comienzan y terminan en él mismo. Sus apellidos tampoco impiden que sea condenado a muerte, una pena que su familia consigue conmutar, gracias a la intercesión de un obispo amigo de toda la vida, por treinta años de cárcel.

—Porque él mismo tuvo que dar el chivatazo para salvar la vida —esta es la segunda de las hipótesis que atribuyen a Jesús Monzón la responsabilidad sobre su propia detención—. Tuvo que hacerlo porque sabía que, si llegaba a Francia, lo iban a liquidar, como liquidaron después a Trilla.

Jesús Monzón tenía motivos para tener miedo, pero no era un cobarde, nunca lo fue. En el momento de su detención tiene muchos partidarios, muchos argumentos con los que defenderse, tantos que, quizás, si su condena a muerte, después a treinta años de cárcel, no hubiera dejado muchas manos completamente libres, el destino de Trilla podría haber sido distinto o, al menos, su vida más larga. Pero, además, si hubiera optado por traicionarse a sí mismo, un señor como Jesús Monzón nunca se habría hecho detener el 6 de junio de 1945, un día en el que su caída se complica con un grave problema personal.

La Historia inmortal hace cosas raras cuando se cruza con la carne de los cuerpos mortales, y mientras permanece escondido en Barcelona, a la espera del enlace que le ayudará a cruzar los Pirineos, la carne mortal de Jesús Monzón decide manifestarse de una manera rabiosa, con una saña tan inoportuna como desairada. De hecho, la policía lo halla en la cama, con cuarenta grados de fiebre debidos a una infección muy poco presentable, un contratiempo impropio de un hombre tan elegante como él. Desde hace bastante tiempo, Monzón tiene un divieso en el ano, un forúnculo enorme, tenaz y muy doloroso, que escoge el peor momento, el de una fuga a pie, a través de una cordillera montañosa, para llegar a su apogeo. Y es por esa razón, porque no puede levantarse de la cama, por la que, tal y como machaca la dirección del Partido una y otra vez en los años sucesivos, no acude a la cita con su enlace.

Hasta sin contar con ese purulento accidente, en el fiel de la balanza, a idéntica distancia de un número equitativo de versiones intermedias, está el azar, la imperfección congénita de los seres humanos, la traicionera confianza en su buena estrella que acompaña a quienes se arriesgan una y otra vez sin pagar jamás por su osadía, y el destino burlón de los toreros que han matado a centenares de toros de cinco años, seiscientos kilos y dos pitones afilados como puñales, para acabar partiéndose el cuello en una plaza de tientas, cuando una vaquilla mocha, frágil como una jovencita vestida de blanco, les pega un revolcón durante una capea festiva, dominguera.

La única hipótesis que parece verosímil de cuantas se manejan en los poquísimos, especializadísimos círculos cuyos miembros aún saben quién fue Jesús Monzón Reparaz, es la determinada por la combinación de la mala suerte con una larga y fecunda redada policial, y así lo establece su único biógrafo hasta la fecha, Manuel Martorell, después de haber investigado cuidadosamente el desarrollo de aquellos acontecimientos. Más allá del azar, que pese a su, en teoría, imprevisible naturaleza, desarrolla casi siempre una irritante tendencia a favorecer a quienes son más poderosos de antemano, con independencia de que lo merezcan o no, la involuntaria colaboración de la policía franquista en la tranquilidad del Buró Político del PCE cierra el capítulo de las impensables conexiones que perforan, como un laberinto de túneles entrecruzados, el subsuelo de la invasión del valle de Arán.

La detención de Monzón, además de quitarle un peso de encima a Santiago Carrillo, aportaría al espíritu de Dolores Ibárruri una paz no muy distinta a la que Francisco Franco experimenta en su despacho del Palacio de El Pardo siete meses antes, cuando le pone el capuchón a la pluma con la que acababa de firmar un montón de ceses. A principios de noviembre de 1944, Sir Samuel Hoare sólo espera un relevo que, a mediados de diciembre, le deparará la propina de un título nobiliario, con el que su Majestad Británica recompensa sus madrileños desvelos por los intereses de su patria. Y por estas mismas fechas, Stalin, su espíritu libre de enojosas perturbaciones españolas, vuelve a contemplar con serenidad el avance de sus ejércitos sobre Berlín.

Después, se hace el silencio.

Durante más de sesenta años no hay nada más, sólo silencio, una tácita condena a la inexistencia de una campaña militar que no existe para nada, para nadie. En ese punto confluyen las estrategias de todos los centros de poder que se ven implicados en una operación que pudo haber cambiado para siempre el destino de España.

Franco no quiere volver a oír hablar, en lo que le queda de vida, de aquel susto de muerte que revela una de las más tenaces deficiencias de su régimen. Porque ni entonces, ni en lo sucesivo, logra evitar que los Pirineos sean un coladero, una frontera tan simbólica como la verja de un jardín que los comunistas saltan y vuelven a saltar, en una y otra dirección, cuando y como les da la gana.

La dirección del Partido Comunista de España, por razones igual de evidentes, hace lo que puede, que es casi todo, para que no se hable del valle de Arán, ni de las circunstancias del ascenso de Monzón, ni de las causas que lo hacen posible, ni de su gestión al frente del Partido en Francia y en España, ni de la actuación de los miembros del Buró Político, ni antes, ni durante, ni después de la invasión. Y nadie ha sabido nunca gestionar el silencio con tanta maestría.

Los aliados, tanto en la época en la que el poder de Hitler bendice su unión como inmediatamente después, cuando su victoria común les permite ya reconocer hasta qué punto son enemigos, se guardan mucho de incluir la invasión en sus relatos de la última etapa de la Segunda Guerra Mundial, y aún más de las crónicas de sus, en teoría, espinosas relaciones con el régimen de Madrid, aquel dictador fascista tan desagradable al que, de una u otra manera, siendo más o menos conscientes de las decisiones que están tomando, apuntalan entre todos en el poder durante el mes de octubre de 1944.

En el silencio, perece la memoria de unos cuantos miles de hombres que arriesgaron su vida por la libertad y la democracia de su país. Ellos aportan el único elemento íntegramente positivo de este episodio. Mientras en las alturas, muy por encima del nivel de sus cabezas, los poderosos deciden su suerte, los hombres de la UNE no hacen más que lo que creen que tienen que hacer. En el contexto de un conflicto mundial que sigue deparando su trocito de gloria a héroes tan dudosos, tan accidentales como Klaus von Stauffenberg o el falso general Della Rovere, hoy nadie los recuerda porque nadie sabe que existieron, ni el precio que pagaron por ajustar sus acciones a su conciencia.

La Historia con mayúscula la escriben siempre los vencedores, pero su versión no tiene por qué ser eterna. Algunos países europeos, como Polonia o Hungría, han sabido integrar el fracaso de sus luchadores por la libertad en el patrimonio de su orgullo nacional, asumiendo que ciertas derrotas, lejos de implicar deshonor, pueden ser más honrosas que muchas victorias. Pero España es un país anormal, que circula a su aire, a trompicones, en dirección contraria a la del resto de las naciones del continente. Por eso, aunque parezca mentira, nadie se ha tomado nunca el trabajo de hacer un censo de los invasores de Arán, una lista con los nombres de los hombres que entraron y otra con los nombres de los que salieron, ni de comparar ambas.

Aquel intento le costó la vida a un número todavía, tal vez

para siempre, indeterminado de soldados del ejército de la Unión Nacional Española. Ninguna cifra puede aceptarse como definitiva, porque el recuento de bajas varía en proporciones drásticas según las fuentes. Ciento veintinueve muertos es el dato que más se repite, aunque a juzgar por los testimonios de los supervivientes, se puede aventurar casi con certeza que no fueron tantos. Los números que se manejan para evaluar las pérdidas en el otro bando son abrumadoramente inferiores, pero también mucho menos fiables. El ejército franquista procuraba no declarar bajas, porque anteponía la propaganda a las honras fúnebres. Y en operaciones contra la guerrilla, sus mandos tenían órdenes de encoger, hasta el límite de lo verosímil, el número de los hombres que habían perdido, y eso sólo cuando no podían ocultarlo del todo.

Ciento veintinueve, algunos más o muchos menos, los soldados de la UNE que no lograron salir vivos de Arán, murieron para que nadie lo sepa. La Historia con mayúscula de los documentos y los manuales los ha barrido con la escoba de los cadáveres incómodos, hasta esconderlos debajo de la alfombra que marca el sendero que condujo a su patria hacia el futuro, y allí siguen, cubiertos de polvo, rebozados en pelusas.

Encima, sobre una sólida arpillera tejida con lana de buena calidad y colores cálidos, brillantes, se leen los nombres de los héroes útiles, públicos, confortables, los hombres y mujeres que consagraron su vida a consolidar, junto con su futuro personal, la libertad y la democracia de España.

III
El mejor restaurante español de Francia

—¡Inés! —fue Amparo quien me llamó, desde la barra—. ¡Sal un momento, que aquí te buscan!

En febrero de 1945, trabajaba en una cocina más pequeña y más fea que la del alcalde de Bosost, pero mía.

La Taberna Española de la Rue Saint-Bernard estaba instalada en un local de geografía muy complicada, dos cuartos más o menos cuadrados, dispuestos entre sí casi en diagonal, y comunicados por un paso tan estrecho que los clientes tenían que entrar al del fondo en fila india. A la izquierda estaba la barra, y justo detrás, un pasillo largo y estrecho que desembocaba en un espacio trapezoidal, difícil de aprovechar. Aquella era mi cocina, un prodigio de organización donde cada sartén y cada cacerola, cada espumadera y cada cuchillo, estaban siempre donde yo había decidido que estuvieran, entre otras cosas porque no cabían en ningún otro lugar. Tampoco había sitio para poner una mesa pero en el único hueco libre había una silla, y encima, un espejo pequeño, colgado en la pared, junto a la puerta, que a primera vista era el único objeto inútil en una habitación explotada hasta el punto de que la silla no servía para sentarse, sino para llegar a los ganchos clavados al borde del techo. Sin embargo, y a pesar de las apariencias, el espejo era indispensable, porque en aquella cocina no podía trabajar con el pelo suelto, ni recogido en ningún moño que me favoreciera. El gorro blanco que las autoridades sanitarias me obligaban a calarme hasta las cejas justo después de lavarme las manos, me sentaba tan mal, que cuando Amparo daba un grito por la ventanita que comunicaba la barra con la cocina, para anunciarme que tenía visita, me lo quitaba antes de llegar hasta el espejo, y sólo salía después de haberme despegado el pelo del cráneo, ahuecándomelo sobre la frente y las orejas hasta que lograba reconocer mi cara.

—¡Inés! —por eso, Amparo casi siempre tenía que insistir.

—Que sí, que ya voy... —por eso y porque, hasta aquel día de febrero de 1945, solía ser Galán quien me estaba esperando al otro lado de la puerta.

Aquella cocina tan rara y tan pequeña fue el broche que cerró el círculo de mi vida nueva, no tan esplendorosa como aquella a la que creí dirigirme al escapar de la casa de Ricardo, pero mucho mejor que cualquiera de las que me habrían esperado si no hubiera robado un caballo a tiempo. Quizás por eso me gustó desde la primera vez que la vi, con lo fea que era.

—Y esta cocina... —y me volví a mirar a dos mujeres a las que aquella tarde también veía por primera vez—. ¿Por qué no la usáis?

El 30 de octubre de 1944 Galán decidió volver a la vida, una existencia que había permanecido suspendida, como los puntos que aplazan el final de una historia o un grano atascado en el cuello de un reloj de arena, desde que llegamos juntos a Toulouse, a su habitación del hotel Les Arcades. Entonces, al anochecer del día 27, yo creía que ya había pasado lo peor.

Nunca habría podido cruzar sola. Cuando el camión en el que nos marchamos de Bosost desembocó en la carretera donde algunos viejos amigos franceses, viejos expertos también en la internacional, incondicional solidaridad con la República Española, habían venido a esperarnos, intenté consolarme pensando en eso, que en los viejos tiempos de Pont de Suert, por mucho ejercicio que me hubiera obligado a hacer, jamás habría llegado a prepararme para cruzar la cordillera. De pie, en la caja del camión, miraba a mi alrededor, y sólo podía distinguir a lo lejos una monótona muralla de rocas escarpadas, piedras y más piedras, cuestas y más cuestas, y todavía más piedras, y todavía más cuestas, y más piedras y más cuestas siempre iguales, en las que habría sido incapaz de orientarme.

—Ya estamos en Francia —un paisaje siempre idéntico, antes de que Galán me apretara contra él, para besarme en los labios, y después de que le devolviera el beso—. ¿Cómo estás?

—Bien —le sonreí para que se lo creyera, pero no lo conseguí. Él se dio cuenta de que estaba mal, aunque, concentrado en sus propias sensaciones, seguramente no tuvo ganas ni tiempo que dedicar a las raíces de mi malestar. Me había salido con la mía, pero me dolía más pensar que estaba huyendo, que me marchaba de España por la puerta trasera de un nuevo fracaso. Aquella partida, que durante cinco años había anhelado más que ninguna otra cosa, se había convertido en un juguete roto, un bombón envenenado, un deseo muerto por asfixia antes de nacer. Eso fue lo que sentí, y no júbilo, al entrar en Francia, y sin embargo, aunque ni siquiera yo lograra creerlo después, la verdad es que llegué a estar muy bien aquella noche.

—*Salut, copain!* —un hombre con uniforme militar, una insignia con la estrella de tres puntas de las Brigadas Internacionales prendida en el pecho, abrazó a Galán al borde de la carretera—. *Bienvenu encore, malheureusement...*

Tenía el pelo canoso, casi blanco, la nariz muy larga y un atractivo intenso, indefinible, que fue la primera cosa que me llamó la atención después de cruzar la frontera. Nunca le confesé a Galán que a la luz tenue, amarillenta, de aquel día de otoño, Ben Laffon me había parecido muy guapo. Nunca más volví a encontrarle tan atractivo, pero en aquel momento ese detalle fue importante porque me reveló que, por encima de todo, el desconsuelo, el agotamiento, y ese hábito de la derrota al que nunca lograríamos acomodarnos como a una costumbre, yo estaba viva, y lo seguiría estando durante muchos años en un país que no era el mío, pero sí el de aquel hombre que, después de esperar hasta que se organizaron los turnos de transporte con la lenta, caótica confusión de los fracasos, nos llevó a Toulouse en su propio coche, un viejo modelo americano que tenía también tres plazas en el asiento delantero. El Zurdo, Montse y el Lobo se sentaron detrás, Galán al lado del conductor, y yo junto a la ventana aunque, después de comer un *cassoulet* con los demás oficiales de Bosost, en un pueblo todavía pegado a la frontera, me acurruqué contra él porque estaba tiritando, aunque fuera no hiciera demasiado frío. Ben puso la calefacción hasta que el ambiente del coche se caldeó, y cuando salimos a la carretera, empezó a caer una lluvia menuda, igual de monótona a un lado y al otro de los cristales, fuera, sólo gotas de agua, dentro, un rosario de imprecaciones feroces que no remontaban el nivel de un murmullo. Han sido los maricones de París, esos cobardes de mierda, escuché a mi izquierda en una lengua expresiva, fronteriza, algunas palabras en francés, otras en español, mientras sentía que los párpados me pesaban como una gruesa cortina de terciopelo, esos son los que han tenido la culpa...

—Inés —la voz de Galán me espabiló después de un rato que había durado casi dos horas—. Despiértate, Inés, hemos llegado a Toulouse.

Al abrir los ojos, lo primero que contemplé fue su rostro, y no me sorprendió recordar que no existía nada que me gustara tanto mirar, pero después vi por la ventanilla un paisaje que me emocionó mucho más de lo que esperaba. Habíamos llegado a Toulouse, y eso significaba que, en primer lugar, estábamos en un atasco, un contratiempo propio de una ciudad, una aglomeración de edificios y de calles, de ruidos y de humos, de teatros y de tiendas, restaurantes, farolas, casas de muchos pisos y personas que andaban deprisa por las aceras, una ciudad más pequeña que Madrid, pero una ciudad, semejante a aquella en la que yo había nacido, en la que había crecido, en la que había sido feliz y desgraciada durante veintitrés años, hasta que el infortunio se la tragó de un bocado y me engulló a mí con ella.

Desde el 28 de abril de 1939 hasta el 27 de octubre de 1944, descontando los minutos del mediodía de junio de 1941 que invertí en recorrer el tramo de acera que mediaba entre la puerta de la cárcel de Ventas y un coche, había vivido lejos de las ciudades. Había pasado cinco años y medio recluida en recintos cerrados al contacto con el exterior, y Pont de Suert, aquel pueblo bonito y montañoso, grande sólo en comparación con Bosost, con Vilamós, y cuya calle principal recorrí tantas veces desde la mercería hasta el estanco, desde el tinte hasta la panadería, era lo más cerca que había estado de una ciudad en todo ese tiempo. Tuve que llegar a Toulouse para darme cuenta de cómo las echaba de menos, cuánto necesitaba sus calles pavimentadas, las luces que las alumbraban, el ruido, el ajetreo, el humo de los coches, y los escaparates. Nunca, hasta que volví a verlos, se me había ocurrido pensar que los escaparates tuvieran el poder de conmoverme tanto, pero mientras veía los focos y los maniquíes, las sofisticadas pirámides de cruasanes sobre los tapetes de encaje que recubrían los anaqueles de cristal de las pastelerías, los expositores repletos de libros nuevos y los destellos fugaces que escapaban de las vitrinas de las joyerías, me dejé arrebatar por una emoción que ni siquiera yo supe explicarme. En aquel momento comprendí que allí podría ser feliz, que iba a ser feliz viviendo en Toulouse, aquella ciudad que me adoptó durante un breve viaje en coche, antes de que yo tuviera tiempo de pensar en adoptarla a ella. Y nunca dejé de echar de menos Madrid, nunca dejé de echar de menos España, pero cuando Ben aparcó delante del hotel Les Arcades, si alguien me hubiera advertido que llegaría un día en el que comenzaría a echar de menos aquella ciudad en la que no había elegido vivir, le habría creído.

—¿Has visto? —Montse, que sólo había pasado una temporada en la periferia de Barcelona, estaba más impresionada que yo—. ¿Y aquí vamos a vivir? Pero si esto debe ser un hotel carísimo...

Sobre la fachada de un edificio imponente, una gran pancarta de tela roja, enmarcada por los colores de la bandera francesa, en el extremo superior, y los de la tricolor republicana en el inferior, advertía en ambos idiomas que aquel edificio y sus instalaciones habían sido incautados por la Unión Nacional Española. Antes de la guerra, Les Arcades había sido un hotel de lujo en un emplazamiento privilegiado, en el centro de Toulouse. Siguió siéndolo, pese a los soldados que montaban guardia en la puerta, mientras el estado mayor del Ejército francés corrió con los gastos de alojamiento de los oficiales de la UNE que habían pertenecido a las Fuerzas Francesas del Interior, hasta la capitulación de Berlín. Cuando se consumó la derrota de Alemania, tres cuartas partes de las habitaciones estaban ya vacías, sus ocupantes resignados a instalarse en Toulouse para afrontar un largo exilio. Y sin embargo, a pesar de que lo primero que hice, después de encontrar un trabajo, fue buscar una casa, aquella tarde aprecié la bienvenida de las gruesas alfombras y las arañas de cristal.

Después, para completar mi inconfesable, por burguesa, felicidad, me encontré con que el comandante Galán, que al pasar la frontera había recuperado su grado en el escalafón militar francés, disponía de una suite en un extremo de la segunda planta, cerca de las dos habitaciones comunicadas entre sí donde instalamos a los niños después de una merienda-cena que culminaron repitiendo dos veces tarta de chocolate. Estaban tan cansados que Montse y yo decidimos acostarlos pronto, y subimos con ellos, les abrimos las camas, llenamos la bañera y establecimos un turno para que se bañaran, antes de bajar al bar, donde unos pocos hombres, los nuestros entre ellos, bebían en un silencio capaz de absorberse a sí mismo, disolviendo de paso el grosor de las alfombras y el brillo de las lámparas, el mármol de las chimeneas y el cuero envejecido de las butacas.

Entonces volví a tener frío, y el coñac no me devolvió el calor. En una penumbra de luces amarillas, indirectas, encontré a Galán más viejo de repente, y más cansado, más solo de lo que nunca me había parecido en la modesta casa de pueblo donde nos conocimos. Mientras le veía beber, fumar, beber, encender otro cigarrillo y seguir bebiendo con los ojos perdidos en ninguna parte, empecé a acusar la verdadera naturaleza de aquel lujo ajeno y agresivo, casi hostil, una endeble cáscara dorada que enmascaraba nuestra miseria como una capa de purpurina mal aplicada, grietas que se resquebrajaban antes de tiempo para revelar los agujeros que una manada de termitas había abierto en una madera vieja e inservible, hueca, capaz de convertirse en polvo a la menor presión. Él siguió bebiendo, fumando sin mirarme, y estaba tranquilo, entero. Nadie que le viera por primera vez adivinaría lo que se le estaba moviendo por dentro, y quizás por eso, lo que aprendí en su gesto me inspiró a la vez mucha ternura y mucho respeto, una combinación de sentimientos contradictorios cuya intensidad se anuló mutuamente. Cada segundo de su silencio me dolería mientras su cuerpo estuviera separado del mío, pero no me atrevía a tocarle, y le dije en un susurro que iba a ver cómo estaban los niños para que se limitara a asentir con la cabeza. La realidad, una materia tan terca que no se dejaba comprar con dinero, que no se ablandaba con colchones mullidos ni se relajaba con baños de espuma, me esperaba, impasible, en una habitación de la segunda planta.

Poco más de veinticuatro horas antes, apenas diez minutos después de salvarme la vida, Galán se desembarazó con suavidad de mis brazos, me besó en los labios y se levantó de la que aún era nuestra cama, sin haber dejado nunca de ser la cama del alcalde de Bosost.

—Tengo que volver abajo, habrá que decidir muchas cosas...

Se metió la camisa dentro del pantalón, se estiró la guerrera tirando del borde con las dos manos y empezó a andar hacia la puerta, pero se volvió a mirarme antes de alcanzarla.

—Te voy a dar un consejo, Inés —y sus labios se curvaron en algo que no llegó a ser del todo una sonrisa—. No te quedes quieta, cánsate. Procura cansarte todo lo que puedas. Es lo mejor, y además... Tendremos que cenar, ¿no?, y cenar bien, porque mañana será un día muy largo. Piensa en eso, porque cuanto más te canses, más dormirás, y todo lo que duermas, te vendrá bien. Hazme caso, que sé de lo que hablo.

Las agujas de los relojes no podían haber recorrido más de un cuarto de circunferencia desde que subí corriendo unas escaleras que no contaba con volver a bajar con mis propias piernas, pero el panorama que me encontré en la planta baja era tan distinto del que había contemplado antes como si todos estuviéramos viviendo de repente en otro día. Mientras les veía, el Lobo sentado a la cabecera de la mesa, Zafarraya de pie, a su lado, los demás apiñados a su alrededor, atendiendo a los dibujos que su jefe trazaba con el dedo sobre un mapa, me miré por dentro y tampoco pude reconocerme en la mujer que había querido morir aquella misma noche. Me alegré mucho de estar viva, porque todavía tenía algunas batallas que ganar.

Aquella noche deberíamos cenar bien y así cenamos, tarde, pero muy bien, ensalada, pan con tomate, la mitad del embutido que quedaba en la despensa, croquetas de huevo duro, y un estofado pantagruélico de carne con patatas y verduras que serví con rebanadas de pan frito a un lado, dos huevos escalfados encima, y un éxito que nunca he conseguido repetir. Este está muy bueno, pero como aquel... Eso me dijeron una y otra vez quienes lo habían probado, y siempre tuve que darles la razón. Durante años, hice memoria muchas veces, intenté reconstruir, balda por balda, las últimas provisiones de aquella despensa, apunté en muchos papeles los ingredientes, las proporciones y los condimentos de aquel guiso en el que puse todo lo que tenía a mano, pero también, seguramente, lo que había dentro de mí. Ese debió ser el secreto, porque volví a hacer muchos estofados con carne de cerdo, y tomates, y pimientos, y cebollas, y zanahorias, y alcachofas, y guisantes, y patatas, y aceite, y vino, y sal, y pimienta, y laurel, perejil, romero, pan frito a un lado y huevos escalfados por encima, pero ninguno me salió como aquel, porque nunca los hice con tanto amor, con tanta desesperación al mismo tiempo. Tampoco volví a cocinar jamás con tanta rabia.

Cuando la cacerola empezó a hervir, Montse entró sin decir nada. Tenía la cara muy pálida, los ojos inflamados, sombras rosáceas en los párpados, en las mejillas, pero al mirarme, sonrió.

—El Zurdo me ha pedido que me vaya a Francia con él —su voz se contagió, misteriosamente, de la misma suavidad que la había seducido—. Y me voy a ir. ¿Tú?

—Yo también me voy.

Su brazo me estrechó un momento, y luego, tan deprisa que ni siquiera pude devolverle el abrazo, se separó de mí, fue a buscar su delantal, se lo puso y me preguntó si picaba los huevos duros. Le dije que sí y durante un rato, su compañía, la canción que canturreaba mientras estrellaba el cuchillo sobre la tabla, el borboteo de una salsa hirviendo a fuego lento y el rítmico, sordo eco de una cuchara de madera que se movía en círculos dentro de una sartén, raspando el fondo sin detenerse, crearon de nuevo un espejismo de normalidad, como si aquel día no hubiera pasado nada. Pero sí había pasado. Cuando la ebullición del estofado se estabilizó, la bechamel ya estaba enfriándose y los tomates recién rallados, empecé a contar con el dedo huevos y patatas, para apartarlos en el fondo de la mesa. Después, reuní con ellos una cinta de lomo entera y la mitad de una pieza de tocino.

—¿Qué haces? —Montse no lo entendió.

—Estoy apartando lo que hace falta para el desayuno de mañana —y señalé la despensa—. ¿Han sobrado magdalenas?

—Sí, hay unas pocas, pero... ¿Y lo demás?

—Se lo vamos a regalar a los cocineros del campamento —mientras la veía asentir, la recordé aquella mañana en la que me preguntó si yo era roja antes de confesarme que ella no sabía lo que era—. No pienso dejar aquí ni una puta corteza de mi cerdo. Ni una cebolla. Ni una patata. Ni las cáscaras.

Entre las dos organizamos en un momento una procesión de soldados, cargados con sacos, cajas y un par de lomos de bacalao, que interrumpió la concentración de los hombres que fumaban y discutían alrededor de un mapa.

—Y otra cosa... —me atreví a preguntarle al Lobo después de explicarle lo que estaba viendo, mientras Montse, con una repentina autoridad que ya había dejado de sorprenderme, les mandaba despejar el tablero para poner la mesa—. Aparte de nosotras dos, ¿vais a llevaros a más civiles? Lo digo por los niños que han venido a desayunar esta mañana —él clavó los codos en la mesa, se sujetó la frente con las manos, empezó a negar, muy despacio—. Son muy pequeños y trabajan como animales, yo creo...

—No empecemos, ¿eh? —y se irguió sólo después de interrumpirme—. No empecemos. No me pongas las cosas más difíciles, por favor te lo pido.

Pero los dos sabíamos que no podía negarse, y cuando fui a verles, Matías aceptó por los tres. A la mañana siguiente, Montse y el Zurdo los trajeron consigo, y su hermano se ocupó, a cambio, de ponernos las cosas difíciles a todos.

La noche anterior, nos habíamos acostado muy pronto, después de cenar. Yo me quedé dormida casi al instante, pero me levanté aún más temprano. Hacía mucho frío, pero como tampoco tenía interés en ahorrar carbón, encendí la cocina enseguida, dejé la puerta abierta, para que calentara la habitación más deprisa, y empecé a pelar cebollas, patatas, las corté, las rehogué, y seguí trabajando, friendo el chorizo, el tocino que iba a añadir a las migas, tan atenta a los sonidos de la casa que se desperezaba como a las orlas de huevo batido que se rizaban lentamente, para trepar por las paredes de la sartén. No quería pensar en nada, y no me resultó difícil hasta que Andrés empezó a llorar.

—Pero, bueno... —Montse se sentó en una silla, le cogió en brazos, le acomodó sobre sus rodillas para mirarle a la cara, y el llanto del niño se fue haciendo un poco más estruendoso en cada etapa—. ¿Pero no habíamos hablado ya, tú y yo? ¿Es que no quieres ir al colegio? ¿No quieres aprender a escribir, y a hablar en francés, y a hacer cuentas, y experimentos?

—¡No!

—¿No? ¿Y tampoco quieres tener unos cuadernos muy bonitos, y una cartera nueva, y un plumier, y muchos lapiceros de colores? ¿Qué quieres, quedarte aquí para no aprender nada, y ocuparte de las mulas toda tu vida, hasta que empieces a rebuznar y te conviertas en una mula tú también?

Yo les miraba desde el umbral, vigilando de vez en cuando al Lobo, que estaba apoyado en una pared con una expresión sombría, temible, atravesada en la cara.

—Pero ¿por qué no quiere venir? —para no incrementarla, me dirigí a Matías sin levantar la voz—. No lo entiendo. ¿Tú le has explicado...?

—¡Todo! —tenía la cara pálida, los ojos húmedos, y una expresión desencajada, mucho más conmovedora, más digna de compasión que el llanto de su hermano—. Se lo he contado todo. Le he dicho que a padre le gustaría que nos fuéramos con vosotros, que eso es también lo que madre querría que hiciéramos, que aquí no dejamos nada nuestro, pero como es un cagado, y todo le da miedo... —y tan precoz, tan adulto como era, hizo una pausa por no hacer un puchero—. Antes de venirnos fue igual, que no quería, que no, que no, que él no se iba del pueblo. Entonces sí quería ir a Francia, a buscar al tío Andrés, el hermano de mi padre, entonces sí, que no podíamos, y ahora...

Al escuchar eso, Zafarraya se levantó, le dio una palmada en la espalda, se fue derecho a la cocina.

—Pero, vamos a ver... —y se quedó mirando al niño que lloraba con los ojos muy abiertos—. ¿Y tú, cómo no me has dicho antes que eras el sobrino pequeño de Andrés? ¡Anda que, si lo llego a saber...!

Y mientras el crío se destapaba la cara muy despacio, los que estaban sentados, esperando un desayuno pendiente de la voluntad de sus nueve años, fueron sonriendo, uno por uno.

—¿Tú conoces a mi tío?

—¿Que si lo conozco? —Zafarraya se echó a reír con tanta naturalidad que Andrés no pudo hacer otra cosa que desfruncir el ceño—. ¡Pero si hicimos la guerra juntos! Bueno, ahora hace ya un tiempo que no lo veo, porque como él no ha podido venir, pues... Pero, mira, te voy a decir... Tu tío es español, ¿a que sí? Y habla con un acento igual que el tuyo, porque sois del mismo pueblo, ¿a que también? Tendrá... Treinta y pico años, como yo, más o menos, ¿no? —su interlocutor asintió, muy serio todavía—. Pues claro que sí, hombre, y tú te llamas Andrés por él, que si no recuerdo mal, se llama así por tu abuelo, ¿o no? —y sin dejar de mover la cabeza, el niño sonrió—. ¡Acabáramos! Y lo que no sé es cómo no me he dado cuenta antes, porque os parecéis, ¿eh?, no creas, sólo que él es mucho más alto que tú, pero tiene el pelo castaño, ni muy rubio ni muy moreno, y los ojos, así..., marroncillos, el cuerpo más bien delgado, la piel curtida de trabajar en el campo. ¿A que tengo razón? Pues ya puedes espabilar y sentarte a desayunar de una vez, porque como tu tío se entere de que has estado con nosotros y no has querido venirte a Francia, la bronca que me va a caer va a ser pequeña, ¿sabes?

Pero Andrés sólo tenía nueve años, y lo demás fue mucho más difícil. El Sacristán se fue despidiendo de todos nosotros antes de salir sentado, a la sillita de la reina, entre dos soldados de paisano. El Pasiego, vestido con un traje de pana, nos abrazó de pie, reservando el último abrazo para un hombre de tez oscura, vestido con un uniforme militar de comisario, que se bajó del coche que había venido a recoger al Sacristán y al Pasiego para llevarlos hasta una masía, cerca de Tremp, donde estarían escondidos hasta que el Partido encontrara la manera de sacarlos de España. Yo nunca había visto al recién llegado, pero me di cuenta de que su presencia conmocionaba al resto de los habitantes de la casa, sobre todo al coronel, que se fue derecho a por él con una expresión tan intensa que por un momento creí que iba a pegarle.

—¡Gitano! —pero lo que hizo fue abrazarle.

—¡Lobo! —y él le devolvió un abrazo igual de estrecho—. ¡Me cago en la hostia!

—Pero ¿qué haces tú aquí? —Zafarraya les abrazó a los dos, y cuando se separaron, los tres estaban igual de emocionados.

—Ya que no me dejaron venir con vosotros —y empezó a abrazar por turnos a todos los demás—, he pensado que, por lo menos, vamos a marcharnos juntos, ¿no?

El Gitano, que no era gitano, sólo muy moreno, venía desde Es Bordes, un pueblo más grande que Bosost, al sur de Viella. Galán empezó a contarme que él era el comisario que deberían haberles asignado porque el Lobo, Zafarraya y él habían estado siempre juntos, desde el 36, pero no me enteré de qué pintaba Flores en aquella historia, porque la aparición de Comprendes, que bajó las escaleras vestido de pastor, le enmudeció en la mitad de una frase.

—Hasta aquí hemos llegado, ¿comprendes? —los dos se abrazaron en silencio, durante un rato largo, y no se soltaron del todo mientras se hacían las últimas recomendaciones—. Cuéntale a Angelita que el Lobo no me ha dejado quedarme mucho tiempo, que se porte bien, ¿comprendes? Dile que la quiero mucho, que la echo de menos, que no piense mal de mí, que ella es muy capaz, que es sólo que... Que es que me pongo malo de pensar en volver a rendirme, ¿comprendes? —hizo una pausa para volver a abrazarle—. Y si no puedo llegar para el parto, y es niño, que le ponga Miguel, ¿comprendes?

—Bueno, pero tú cuídate mucho...

Después, nos despedimos del Afilador, de Tijeras, vestidos igual que él, con ropas viejas, igual de cochambrosas, y salí hasta la puerta para verlos marchar. El Lobo no ordenó la retirada hasta que estuvo seguro de que todos los hombres que se quedaban habían podido salir del pueblo sin contratiempos. Entretanto, yo me despedí del caballo que había sido mi mejor compañero, un camarada leal, casi un arma, más que un guardaespaldas.

—Te voy a echar de menos —le dije en un susurro, mientras le acariciaba el cuello, el lomo, notando la sangre que abultaba sus venas en la punta de los dedos–, pero no te preocupes. Ricardo te encontrará, te llevará de vuelta a Pont de Suert, y yo nunca olvidaré que no habría podido hacer nada sin ti, *Lauro*...

Cuando salí del establo, me volví y él levantó la cabeza para quedarse quieto, mirándome, como si quisiera despedirse de mí. Aquella mirada inauguró una borrasca que iría creciendo, afirmándose en cada paso, la lluvia fría que me anegó por dentro hasta que la temperatura del hotel Les Arcades estableció el clima de lo que sería el resto de mi vida.

Eso también me lo enseñaron los niños, porque cuando subí a verles, por no ver a Galán, tan solo y tan perdido en cada cigarrillo que encendía, en cada copa que apuraba, me encontré a los dos hermanos muertos de risa, botando sobre sus camas mientras se tiraban las almohadas a la cabeza. Pero en el dormitorio contiguo, Mercedes estaba sentada en el borde de la cama, con un camisón de franela muy usado, los brazos muertos y la mirada perdida, ausente, de una ciega. Aquella mañana había aparecido en el cuartel general con un hato donde transportaba todas sus propiedades, una muñeca vieja, una foto enmarcada de sus padres, una muda de ropa interior, un delantal, un pañito de ganchillo que le había regalado su abuela, y una caja de hojalata, que una vez había sido de galletas y ahora estaba llena de botones, de cromos, viejas insignias y las baratijas que había ido comprando de año en año, de puesto en puesto, en las fiestas de su pueblo. Por la noche, al entrar en su habitación, me fijé en que aún estaba en el suelo, abierto, pero sin deshacer.

–Y tú también, vamos, acuéstate... –y cuando la miré con atención, no supe por dónde seguir–. ¿Qué te pasa, Mercedes?

–Nada –yo solía decir lo mismo cuando se me caían de los ojos lágrimas tan grandes como las que estaba viendo caer de los suyos–. Nada, de verdad. Es sólo que... Me he puesto triste.

Me senté a su lado, le pasé un brazo por los hombros y no reaccionó a mi abrazo.

–¿Y por qué estás triste?

–No sé, es que... Se me han roto las alpargatas, y tengo frío, y... Me siento rara aquí, tan mal vestida... Es como si este sitio no fuera para mí. Me da pena.

—¡Pero no te preocupes por eso, mujer! —cometí la ingenuidad de sonreír y la rodeé con los dos brazos—. Mañana salimos a comprar ropa, ya lo había pensado, lo he hablado con Montse hace un momento.

—Ya... —pero aquella noticia no la reconfortó—. Gracias —porque entonces empezó a llorar en serio.

—Mercedes... —y yo no fui capaz de adivinar las razones de su llanto—. ¿Qué te pasa?

Tardó algún tiempo en contestar. Antes, se abandonó a sus sollozos, logró imponerse a ellos, dejó de jadear, volvió a respirar por la nariz, se limpió la cara con las manos. Después, habló con los ojos clavados en los pies, sin dejar de retorcerse los dedos de la mano izquierda con la derecha.

—Es que me acuerdo de mi madre, de mis hermanos, en Zafra, y yo aquí, sola, tan lejos, con todo el chocolate que he comido, en esta cama tan buena, y pienso en el frío que hará en mi pueblo, y... Me da mucha pena.

Yo no podía hacer nada para arreglar eso. Nada de lo que yo pudiera hacer, nada de lo que pudiera decir o pensar serviría para remediarlo, y sin embargo, hablé y hablé con ella, para ella, durante mucho tiempo, minutos enteros haciéndole promesas que no podría cumplir, embaucándola con mentiras que tampoco lo eran del todo, porque no había otra verdad a mi alcance. Escribiremos a tu madre, Mercedes, le diremos que busque un teléfono al que podamos llamarla desde aquí para que hables con ella, intentaremos reclamarla, hablaremos con algún camarada francés que esté en el gobierno, le pediremos que le conceda un pasaporte, ya verás, con un poco de suerte, dentro de poco, igual hasta está aquí, contigo... Era mentira, y no era mentira, porque lo único importante era que se tranquilizara, que pudiera dormir y se levantara con ánimos por la mañana, no la verdad. Eso era lo que iba pensando yo mientras le contaba un cuento de hadas, no tan diferente de los que me había contado a mí misma durante años, *aquí, Radio España Independiente, estación pirenaica,* esa era nuestra vida, la mía y la de la hija de un fusilado que se había apellidado García antes de dejarla huérfana hasta de sus apellidos. Esa era nuestra vida y no había nada que hacer, no podíamos hacer nada excepto contarnos cuentos, y contárselos a los demás para hacer habitable aquel desierto devastado hasta el subsuelo, la pena negra en la que nos había tocado vivir y en la que no podíamos permitirnos el lujo de pensar que mejor habría sido morirse, mientras tuviéramos un cuerpo capaz de sentir hambre y sed, de acusar el frío, el calor, de reclamar el sueño.

Cuando logré meter a Mercedes en la cama, mullirle la almohada, arroparla bien, me había convertido en toda una exiliada comunista española, una representante más de la fabulosa estirpe de creadores, ilustradores y consumidores de fantasías, que lograrían alimentarse y dormir, trabajar y ser felices durante treinta años, a fuerza de encaramarse sobre una nube sonrosada, aislada de la dura realidad del suelo, donde ni las verdades eran verdad ni las mentiras lo eran del todo. Sólo así, mientras parecía que navegábamos sin brújula por un mar ficticio de olas de cartón piedra, conseguiríamos llegar a ser también una tenaz estirpe de supervivientes, y nuestra propia vida, la victoria decisiva.

Aquella misma noche, tuve la ocasión de debutar en las múltiples variedades de mi flamante naturaleza, y sin embargo, cuando Galán vino a buscarme, sólo me sentía culpable de haber arrastrado hasta el sur de Francia a aquella niña extremeña que no le había pedido a nadie que la sacara de España. Me preguntaba quién me habría mandado a mí meterme en su vida, en la de Matías, en la de Andrés, con qué derecho les había animado a seguirnos, cómo había podido contarles tantas mentiras en tan poco tiempo. La lógica de la invasión, el cuartel, los fusiles, los uniformes, la necesidad de retirarse en orden y a tiempo, quedaban ya muy lejos de aquel hotel de Toulouse, una ciudad extranjera en un país extranjero, donde la sangre no llegaba al río y aquella lluvia triste, que no dejaba de caer, entonaba sobre los cristales una canción ajena, el ritmo de un destierro semejante al abandono. Bajo la luz templada del pasillo de un hotel francés, el desesperado arrebato que había impulsado mis cálculos, mis acciones del día anterior, me parecía un alarde de insensatez, un exceso censurable, incomprensible.

–No –pero eso también lo arregló Galán–. Entiendo lo que te pasa, pero no debes pensar así, Inés. Has hecho lo que había que hacer. Ahora no vivirá más lejos de su madre, y tú lo sabes. A más kilómetros, sí, pero no más lejos, y cuando quiera volver, podrá hacerlo. Mientras tanto tendrá un futuro, una vida mucho mejor que la de una criada en Bosost, por ese lado, puedes estar tranquila. Eso sí que lo hacemos bien –en ese instante, dejó de mirarme–. Yo creo que es lo único que sabemos hacer bien.

Hasta ahí llegó la energía de Galán, una entereza que logró evocar con precisión el auténtico sabor de una sopa de fideos y una tortilla de un huevo. Hasta el instante en el que traspasamos juntos la puerta de otro dormitorio prestado, provisional, fue más fuerte que yo, y todavía se ocupó de mí un buen rato antes de venirse abajo, pero yo no me di cuenta, porque estaba demasiado absorta en el balance de mi propia suerte. Desnuda en una cama grande de sábanas limpias, crujientes, acurrucada contra un hombre desnudo que seguía dándome placer sin hacer otra cosa que estar simplemente a mi lado, tumbado boca arriba, tocándome con la punta de los dedos y una pereza que le impedía hablar, moverse, tuve la debilidad de pensar en mí, y no en España. Recordé que dos semanas antes, sólo dos semanas antes, estaba prisionera en Pont de Suert, acariciando la quimera de una fuga improbable mientras acechaba la sombra de Alfonso Garrido por las esquinas de los pasillos. Así era mi vida sólo unos días antes, y aquella noche, sólo unos días después, estaba en Francia, en una suite de un buen hotel, en la cama con Galán. Por eso, a pesar de todo, me sentí tan afortunada que me apreté contra su cuello y se lo fui contando, casi sin darme cuenta.

–Daría cualquier cosa por ver la cara de mi hermano en este momento –mis labios sonrieron solos al imaginarlo–. Te lo digo de verdad, cualquier cosa. Cuando empiece a buscarme y no me encuentre... Eso sin contar con la que les va a caer encima a todos ellos –volví a sonreír–, porque se habrán quedado con el miedo en el cuerpo, eso seguro. Y los alemanes no se han rendido todavía –pero al mover la cabeza para acomodarla mejor sobre su pecho, me di cuenta de que podía ver mi cara, la suya, reflejadas en el espejo de la cómoda, y algo más que no logré descifrar enseguida—. Cuando acabe la guerra, ya veremos, ¿no te parece? Entonces...

Nunca llegué a pronosticar lo que pasaría cuando acabara la guerra. Galán lloraba sin hacer ruido. Las lágrimas se le caían de los ojos, le rodaban por las sienes, empapaban la sábana sin que hiciera nada por impedirlo. Él no quiso explicármelo, yo no me atreví a preguntar, y así amaneció el 28 de octubre de 1944. Cuando se puso el sol, todavía no había encontrado ningún motivo para salir de la habitación y así amaneció el 29, hasta que a media tarde, después de comerse un bocadillo que le subí del comedor, se puso el uniforme y me informó, en un tono más seco que neutral, de que a las cinco tenía una reunión.

—¿Qué planes tienes tú? —me preguntó después.

—Pues... No sé. Iré con Montse y con los niños a dar una vuelta, a lo mejor les llevamos al cine. Pero volveremos aquí para cenar. ¿Tú...?

—No lo sé —fue hacia la puerta, agarró el picaporte, lo empujó hacia abajo—, pero no creo que nos veamos... —y como si acabara de apreciar el equívoco significado de sus últimas palabras, soltó el picaporte, vino hacia mí, me besó en los labios, pero no sonrió—. Lo que quiero decir es que no me esperes para cenar, porque seguramente llegaré muy tarde.

Montse y yo estuvimos haciendo tiempo en el restaurante hasta que nos avisaron de que iban a cerrar. Luego, intenté esperarle despierta y no lo logré. Tampoco le sentí llegar, pero al día siguiente, por la mañana, aprendí en su manera de abrazarme que aquello, lo que fuera, había pasado ya. Esa era la contrapartida de los bonitos cuentos que nos contábamos, un requisito más de nuestra implacable manera de sobrevivir. Las caídas eran fulminantes, pero provisionales, porque, desterrados de todo como estábamos, no podíamos permitirnos largas estancias en ningún otro lugar, menos aún en la melancolía.

—¿Qué pasa? —y sonrió.

Hasta aquel momento sólo le había visto desnudo o con uniforme, dos variedades que le favorecían tanto que se hacían justicia entre sí, pero cuando salí del baño, me lo encontré vestido de civil, con ropa fea, barata, unos pantalones grises, una camisa clara, una americana de mezclilla y, en el centro, dominándolo todo, un jersey espantoso de lana marrón, estampado en el delantero con grandes rombos rojos y azules.

—Nada, que es la primera vez que te veo vestido así.

—¿Así? —frunció el ceño, luego sonrió—. ¡Ah, de paisano! ¿Y no te gusto?

—Tú sí —me acerqué a él y rodeé su cuello con mis brazos, para que no se ofendiera por lo que iba a decirle—, tú me gustas de todas las maneras, Fernando. Pero esos rombos... Son feísimos, ¿sabes?

—¿Sí? —parecía muy sorprendido—. Espera, que tengo otro —fue a la cómoda, abrió un cajón, y sacó un jersey muy parecido al que llevaba puesto, el fondo verde billar, los rombos, más pequeños, amarillos, naranjas y granates—. ¿Te gusta más este?

—No, déjalo —porque, aunque pareciera difícil, era todavía más feo que el que llevaba puesto—, ¿para qué te vas a cambiar?

—Tampoco te gusta, ¿no?

—No es eso. Es que están pasados de moda.

—¿Sí? Pues me los compré en agosto, al llegar aquí... ¡Ah! —y cuando creía que ya nos íbamos, cerró la puerta y añadió algo más—. Prefiero que no me llames Fernando, ¿sabes? Me gusta más que me llames Galán, sobre todo si hay gente delante. Cuando estemos solos, puedes llamarme como quieras.

—Cuando estamos solos —le cogí del brazo, sonreí, y no le di importancia a lo que en aquel momento me pareció una simple carantoña— es cuando me gusta llamarte Galán...

Lo primero que hicimos después de desayunar, fue ir de compras. Yo escogí, y él pagó, dos jerséis lisos, uno rojo, fino, y otro más grueso, de color tostado y aspecto remotamente militar, que tenía mangas ranglan y unos corchetes a un lado del cuello que permitían levantarlo o dejarlo abierto. Intenté comprarle también una chaqueta pero se negó, ¿por qué?, si esta está muy nueva, aunque accedió a salir de la tienda con uno de sus jerséis nuevos, los rombos sepultados en el fondo de la bolsa, para enseñarme Toulouse a su manera, explicándome por qué me llevaba a determinados lugares, calles, plazas, cafés donde había vivido algo que le apetecía contarme. Luego, cogimos un taxi para ir a comer al restaurante de un hotel pequeño, extraño, una antigua villa rodeada de árboles frondosos, como una isla de elegancia en un suburbio. Cuando aún no me había sacudido del todo un regusto de malestar, consecuencia del estruendoso choque de mis gustos de señorita de buena familia con un jersey cuya mera existencia representaba una sórdida perversión estética, aquella exquisita elección me sorprendió.

—Aquí comí hace poco, con una mujer más fea que tú —me explicó con una sonrisa, antes de abrir la carta—. Y esta mañana, cuando me has obligado a cambiarme de jersey... No sé, he supuesto que te gustaría —puedo tener mal gusto, pero no soy tonto, interpreté, y de pronto, no encontré dónde meterme—. No te pongas colorada, Inés —él se estaba divirtiendo mucho, sin embargo—. La ropa me da igual, siempre me he puesto lo primero que he encontrado en el armario... Te he traído aquí para hablar de cosas más importantes.

Se puso serio, me cogió de la mano y la apretó un momento antes de preguntarme qué pensaba hacer. No le entendí. Fue más preciso, y le confesé que había venido a Francia con él para quedarme con él, si es que él quería quedarse conmigo. Lo primero que me dijo fue que él sí quería. Lo segundo, que me encargara de buscar una casa.

—Hace mucho tiempo que no tengo una casa, ¿sabes?, más de ocho años rodando por ahí, sin saber ni siquiera dónde voy a dormir. El hotel está bien. Es cómodo, y tengo una habitación grande, y eso, pero ya que no hemos podido quedarnos en España... Me gustaría vivir en un piso bonito, que tenga luz, y macetas en los balcones, una casa en la que pueda andar descalzo y desayunar en pijama.

—A mí también —y me enterneció aquella imagen tan sencilla de una vida ficticia, porque la nuestra iba a ser mucho más complicada de lo que yo era capaz de imaginar en aquel momento.

—Búscala tú, ¿quieres? Yo estos días voy a estar muy liado, de reunión en reunión...

Entonces llegó el camarero, pedimos la comida, y me extrañó no haberme preguntado nunca a qué se dedicaría Galán en

Francia, si tendría algún trabajo, algo que hacer después de haber estado empleado durante tantos años en hacer sólo la guerra.

—Bueno, en estos momentos... —me contestó—. Estoy disponible.

Claro, pensé para mí mientras asentía para él con la cabeza, claro, si es militar... Aquel adjetivo, disponible, estaba tan ligado a la única profesión que le había visto ejercer, que bastó para saciar mi curiosidad, pero a él todavía le quedaban cosas importantes que decir.

—Y también he estado pensando que tú... —hizo una pausa para escoger con cuidado las palabras—. Deberías buscarte un trabajo, Inés. No es que corra prisa, no es eso, porque yo todavía cobro un sueldo del Ejército francés. No sé durante cuántos meses más lo seguiré cobrando, pero me han pagado atrasos y ahora tengo bastante dinero. Sin embargo, si vamos a montar una casa...

—Claro, claro —repetí, esta vez en voz alta—. Por supuesto que voy a buscarme un trabajo. Ya lo había pensado, no creas. En estos dos últimos días, he tenido mucho tiempo para pensar, ¿sabes?

—Ya —me sonrió—. Lo siento.

—No hay de qué.

Después del postre, miró el reloj, se bebió el café de un sorbo, y decidió que, si queríamos dormir la siesta, y yo quiero, añadió, tendríamos que marcharnos ya.

—La mujer del Lobo ha organizado una fiesta... Bueno, igual sería mejor decir un funeral de bienvenida, en su taberna, a partir de las siete y media.

Yo tenía mucha curiosidad por conocer aquel local y sobre todo a sus dueñas, de las que tanto había oído hablar, pero antes de encontrarme con ellas, descubrí en una pastelería pequeña y coqueta, cerca de la plaza del Capitolio, que había otras mujeres en aquella ciudad.

—*Bonjour, Nicole.*

—*Hélas, mon capitaine! Mais, quel grand plaisir de vous revoir!* —y le sonrió con un gesto mucho más elocuente que sus palabras—. *Vous êtes, vraiment, très méchant. Il y a deux semaines, je crois, de votre dernière visite...*

506

Porque Galán, que aquel día me había contado tantas cosas, no me había dicho nada de la jovencísima dependienta que empezó a coquetear con él en el mismo instante en que le vio atravesar la puerta.

—*Donc...* —levantó las pinzas en el aire con una expresión traviesa—. *Laissez-moi deviner, vous voulez un demi-kilo de ces petits gâteaux russes, n'est-ce pas?*

—*Pas du tout, Nicole* —y al escucharle hablar en francés, llamando a aquella chica por su nombre, no sentí celos de ella, pero sí de que no me dejara llamarle Fernando—. *Aujourd'hui, j'aimerais mieux un kilo de gâteaux assortis.*

—*Bien sûr, mon capitaine!*

—Pero, bueno, ¿y esto? —le pregunté en cuanto se dio la vuelta.

—Ten cuidado, que entiende el español —me contestó él, riéndose entre dientes—, la tengo muy bien enseñada.

Desde que le conocí, había vivido tan deprisa que hasta aquel momento ni siquiera se me había ocurrido que él, a la fuerza, habría tenido que tener otra vida, otras mujeres en España y en Francia, antes de encontrarse conmigo en Bosost. Averiguaría algo más muy pronto, aquella misma tarde, aunque los indicios de su vida previa perdieron importancia cuando entré en un lugar destinado a convertirse en uno de los grandes escenarios de mi vida.

—¡Anda, coño! —al llegar a la Taberna Española, nos dimos casi de bruces con un hombre vestido con unos pantalones azul marino y una camisa jaspeada, que era el Lobo, aunque parecía la mitad del coronel que yo había conocido en Bosost—. ¿Y esta mariconada? —señalaba con el dedo los corchetes del jersey que Galán acababa de abrirse.

—Ya ves —contestó él, y los dos se rieron al mismo ritmo.

No pude defenderme porque en ese instante, un montón de mujeres se había arremolinado ya a mi alrededor, para curiosear con el pretexto de saludarme. La única excepción fueron las dos que llevaban puesto un delantal y prefirieron esperar hasta el final, cuando ya habían podido cotillear también los hombres. Nunca las había visto, pero sabía quiénes eran, aunque si no me hubiera fijado a tiempo en la fotografía que el Lobo había colocado de pie, en su mesilla, antes de que le echáramos del dormitorio del alcalde de Bosost, su estatura me habría llevado a asignarles una pareja equivocada.

La más baja, que estaba embarazada de muchos meses y de muy mal humor, era la mujer de Comprendes. Tenía más o menos mi edad, cinco o seis años menos que Amparo, que era casi tan alta como yo y varios centímetros más que su marido. Angelita, menuda y frágil, era guapa de cara, una belleza delicada, un tanto antigua, como de Inmaculada pintada por Murillo, excepto por el pelo, oscuro, fuerte, que le caía por la espalda como una cascada de bucles brillantes. Amparo no era fea, pero tenía la cara demasiado redonda, los huesos enterrados bajo mejillas musculosas y un precoz indicio de papada, aunque en su cuerpo, aquella rotundidad se convertía en una virtud. Tenía la cintura, las caderas muy bien marcadas a pesar de la abundancia de su carne, dura, y tan apretada que el Lobo decía que era imposible darle un pellizco. Quizás por eso, de vez en cuando le daba un azote en el culo al pasar por su lado, una afición a la que tardé en acostumbrarme, porque me resultaba muy difícil conciliar la imagen del coronel al que había conocido en Bosost con aquella mano que solía desencadenar un torrente de quejas en valenciano. Aquella noche no. Aquella noche, Amparo no protestó por nada, porque estaba muy contenta de que el Lobo hubiera vuelto a Toulouse, y tampoco se conformó con dedicarme un saludo convencional. Después de plantarme en cada mejilla una larga serie de besos pequeños y sonoros, me cogió por los hombros, me volvió a mirar, aprobó con la cabeza y fue enumerando mis virtudes en voz alta.

—Una chica española, soltera, joven, morena, cocinera y comunista —y mientras yo calculaba cómo habrían sido las mujeres que no cumplían ninguno de aquellos requisitos, se volvió hacia Galán, para aclarar con quién estaba hablando—. ¿Pues sabes lo que te digo? Que ya iba siendo hora, guapo.

Con eso, estuvo todo hecho. Nunca en mi vida volvería a asistir a un bautismo tan rápido, ni tan eficaz. Angelita me cogió del brazo para confirmarlo, y mientras señalaba a Galán con la otra mano, ninguna de las dos nos dimos cuenta de que estaba explicándome algo que iba a convertirse, y muy pronto, en una parte fundamental de mi vida.

—Un sinvergüenza, ahí donde le ves... Bueno, igual que su amigo porque, anda que... —y resopló como un toro enfurecido, para revelar un carácter que yo tampoco habría logrado deducir a simple vista—. ¡A quién se le ocurre quedarse en España sin necesidad, estando yo como estoy!

—Angelita, por favor —él intentó apaciguarla sin mucha convicción—. Sebas no está en España para irse de juerga, ¿sabes? Ya te lo he explicado.

—Sí, me lo has explicado, me lo has explicado... Y cuando tenga el niño, ¿qué, eh? ¿Qué hago? ¿Me lo traigo a trabajar?

—Ya nos arreglaremos —Amparo, de quien habría parecido más lógico esperar un estallido semejante, había nacido en cambio con el don del sosiego, una capacidad prodigiosa para pacificarlo todo—. Tú no te preocupes.

—Puedo venir yo —al escucharme, las dos se me quedaron mirando a la vez, como si hubiera dicho algo incomprensible, y me expliqué mejor—. Cuando Angelita tenga el niño o incluso antes, si queréis. Tengo que buscarme un trabajo, y soy cocinera, así que... —y como ninguna de las dos decía nada, avancé un poco más—. Aquí habrá una cocina, ¿no?

—¡Uf! Tanto como eso... —Amparo meneó la cabeza para enfatizar sus dudas—. No sé yo.

Entonces me llevaron a ver aquel pasillo largo y estrecho que corría en paralelo tras la barra, la cocina que hasta aquella noche habían utilizado solamente como almacén, porque era más cómoda que el sótano. Cuando les pregunté por qué no la usaban, Angelita se me quedó mirando con la boca abierta.

—¡Ah! Pero... ¿Tú crees que podrías cocinar aquí?

—¡Pues claro! —y sonreí—. He cocinado en sitios peores.

—No me lo creo —Amparo negó con la cabeza.

—Bueno, la verdad es que... —tuve que admitir un par de matices—. Tan pequeños y tan incómodos, no —y ellas sonrieron conmigo—, pero peores, desde luego que sí. Y además, si esto es una taberna española... Deberíais poner tapas, ¿no?

—¡Y las ponemos! —Amparo se echó a reír—. Aceitunas sevillanas, pinchos de escabeche con pimientos del piquillo, berenjenas de Almagro, sardinas en aceite... Nos pasamos el día abriendo latas.

—No seas así, mujer —su socia soltó una carcajada antes de mirarme y completar la lista—. También ponemos huevos duros que nos traemos de casa, con un trozo de anchoa por encima.

—Bueno, pues si no queréis...

—¡No, no, no! —Angelita me demostró en ese instante que tenía la mejor cabeza para los negocios de todas nosotras—. Claro que queremos. Si tú te apañas con esto, ya ves, mucho mejor. Hasta ahora, casi siempre vienen hombres solos, a beber, pero si damos tapas buenas, podrán venir con sus mujeres, traer a los niños, y el comedor del fondo, que ahora casi no lo usamos... —y los engranajes de una calculadora congénita, perfectamente engrasada, empezaron a trabajar entre sus sienes.

Cuando volvimos a la fiesta, Galán se levantó como si estuviera inquieto por el resultado de mis gestiones.

—¿Qué, te han contratado? —asentí con la cabeza, y me besó, me abrazó con un gesto de preocupación—. Qué bien, eso es lo mejor para los dos, sobre todo para mí.

Luego me besó otra vez, un beso largo, profundo, que desató una oleada de silbidos en nuestros espectadores, y ya no tuve tiempo de investigar el sentido de sus últimas palabras, porque mientras tanto había llegado el Zurdo, con Montse, que tuvo que soportar su propio escrutinio, y unos minutos más tarde, entró por la puerta el Perdigón con su mujer, Hélène, una francesa de origen antillano que parecía más andaluza que Angelita. Después, volví a la cocina un par de veces, yo sola, para llevarme la alegría de descubrir un horno enmascarado por una pila de cajas de cerveza e ir haciéndome una idea del espacio, y entre unas cosas y otras, se me olvidó preguntarle a Galán por qué tendría él que alegrarse más que yo de que hubiera encontrado trabajo enseguida.

Al día siguiente, volví a la taberna a media mañana para pactar mis condiciones, un trato que resultó tan sencillo como todos los que pusieron mi vida boca abajo en tres o cuatro días. A ellas les pareció bien que me tomara las dos semanas que habría previsto dedicar, a partes iguales, a aprovechar la disponibilidad de Galán para estar en la cama con él, a buscar una casa luminosa y bonita, con balcones en los que poner macetas, a limpiar y acondicionar mi nueva cocina, y a escoger proveedores en los mercados de la ciudad. A mí me pareció bien que el restaurante funcionara como una cooperativa donde todas las socias trabajaban las mismas horas y se repartían a partes iguales lo que quedaba después de restar los gastos de los ingresos. Amparo me advirtió que, cuando se pusiera de parto, habría que cubrir a Angelita, porque estaba sola, Comprendes en España, y yo le pedí a cambio que, si no tenía otro compromiso, contratara a Montse para sustituirla cuando ya no pudiera venir a trabajar. En total, la reunión no nos llevó más de diez minutos. Después, Angelita me comentó que había visto un cartel, *À louer,* en un edificio con muy buena pinta, en la mismísima plaza de San Sernín. Aquel piso, oscuro, con habitaciones pequeñas y un pasillo angosto, interminable, no me gustó, pero desde el balcón, vi un cartel idéntico en una esquina. No me dio tiempo a ir a verlo aquella mañana, pero volví con Galán un par de días después, y aunque era más grande de lo que necesitábamos, y más caro de lo que yo había calculado que nos convenía, a los dos nos encantó, porque casi todas las habitaciones daban a la calle, y el salón, con tres balcones estrechos, tan próximos entre sí que creaban el efecto de una cristalera, recibía toda la luz de la plaza.

—Yo la alquilaría —pero, a pesar de todo, me sorprendió que fuera capaz de tomar tan deprisa una decisión como aquella—. Ahora mismo.

—¿Sí? Pues... —su firmeza me desconcertó—. ¿Y no sería mejor esperar, ver otros pisos?

—No, ¿por qué? Hace muchos años que no tengo una casa, ya te lo dije, y esta me gusta mucho. No necesito ver más —a partir de ahí, y aunque el señor que nos la había enseñado no podía oírnos, prosiguió en un susurro—. Vamos a alquilarla, pero tú no hables. Déjame a mí, y luego te lo explico.

La agencia inmobiliaria estaba a la vuelta de la esquina, demasiado cerca para hacer preguntas. Después, cuando aquel hombre terminó de desplegar formularios sobre la mesa con una sonrisa radiante, Galán, con una expresión no menos jubilosa, se fue sacando del bolsillo un montón de documentos que parecían auténticos, con fotos auténticas y un nombre falso, un pasaporte de refugiado, un permiso de residencia, un talonario de cheques y un certificado de una empresa de maderas de Bagnères de Luchon, cuyo propietario, Monsieur Émile Perrier, acreditaba que Monsieur Carlos de la Torre Sánchez, nacido en Cartagena (Murcia), en 1913, era el director de su oficina comercial en Toulouse.

Al salir de allí, me pegué a él, le cogí del brazo y apreté la cabeza contra su hombro antes de echar a andar. No me atrevía a decir en voz alta lo que estaba pensando, y él tardó un rato en decidir que quería saberlo.

—¿No vas a preguntarme nada?

—Sí —me paré, le miré, lo que estaba pensando era que todo aquello era demasiado bueno para no tener un precio—. ¿Cuándo te vas?

—No lo sé —me sonrió—. Estoy disponible, ya te lo dije, pero supongo que podré quedarme contigo unos tres meses, hasta finales de enero, más o menos.

—¡Ah! —asentí con la cabeza y toda la serenidad que me quedaba—. Mucho tiempo, todavía... Y luego, te mandarán a España, ¿no?

—Claro. Aquí ya no hay nada que hacer —sonrió de nuevo—. Pero volveré. Y volveré a marcharme, y volveré a venir, ya sabes cómo son estas cosas.

—Ya, por eso no quieres que te llame Fernando. Y por eso querías hacerlo todo tan deprisa, ¿no? Encontrar un trabajo para mí, una casa, alquilarla...

—No, para marcharme, no. La he alquilado para vivir allí contigo... No llores, Inés.

—Si no lloro —yo también sonreí, antes de limpiarme los ojos con las manos—. Mira, ¿ves? No estoy llorando.

Me preguntó si quería que nos acercáramos a la taberna a saludar, y le dije que no, que quería irme al hotel y no volver a salir hasta dentro de tres meses. Él se echó a reír, y yo volví a llorar, y a decirle que no estaba llorando, hasta que nuestros áni-

512

mos se contrapesaron mutuamente, como los brazos de una balanza bien educada, y a la mañana siguiente, los dos nos levantamos de buen humor, muertos de hambre. Debería haberme recordado a mí misma que el hombre que me sonreía desde el otro lado de la almohada estaba a punto de convertirse en un clandestino, pero no me dio la gana de ser consciente.

En la clandestinidad, que es la peor, y sobre todo, la mejor de las vidas posibles, sólo se puede vivir de una manera. Antes de quedarme sola por primera vez, aprendí a apoderarme de cada minuto, cada hora, cada día que pasaba, y a pensar que mañana no, mañana nunca. Mañana era una palabra, un plazo, un concepto que dejó de existir para mí. Sólo existía hoy, ahora, en este mismo momento. Ese era el único tiempo verdadero, el único que lo sería en muchos años, ahora, un presente rabioso que apenas alcanzaba a proyectarse en un futuro siempre lejano, un plazo que comenzaría mucho, pero mucho después de mañana, esa palabra hueca e inútil, temible y odiosa, que no podía pensar, y por lo tanto, ni siquiera decir, porque para mí, el futuro sólo sería hoy, otro hoy que empezaría el día que él volviera.

Aquella vez, la primera, mañana significaba febrero de 1945, y por eso, febrero de 1945 dejó de existir. Y el 15 de noviembre de 1944, cuando empecé a trabajar, comprendí por qué eso era lo mejor para los dos. Encerrada en aquella cocina tan pequeña, tan incómoda, subiéndome y bajándome de la silla sin parar mientras disfrutaba del bullicio, la creciente frecuencia con la que Amparo me cantaba los pedidos desde la barra, febrero se alejaba un poco más, en lugar de acercarse un poco más cada día. Lo que había aprendido en Bosost, seguía sirviendo en Toulouse. Fuera de una cocina, todo sería peor que dentro, y lo peor, siempre menos malo si me encontraba cocinando. Galán y yo no hablábamos nunca de febrero. Ni siquiera cuando los dos sabíamos que febrero acechaba detrás de las palabras que pronunciábamos.

—Oye, Inés, los papeles que te ha hecho Amparo, el permiso de trabajo, y eso... ¿los tienes tú? —Asentí con la cabeza—. Dámelos.

—Bueno —y fui a mi mesilla, a buscarlos—. Toma, pero no sé... Ella ya lo ha arreglado todo.

—Ya, pero yo los necesito para otra cosa.

A primeros de diciembre, todavía no habían florecido los geranios en los balcones, pero ya vivíamos juntos en una casa que se inundaba de luz por las mañanas, y esa no era la única novedad. Yo me encontraba bien, muy fuerte pero un poco rara, porque no había vuelto a tener la regla desde mediados de octubre, antes de marcharme de Pont de Suert. No quise decírselo antes de estar segura, y él pegó primero.

—Ten —me devolvió los papeles y se quedó mirándome, esperando otra vez que comentara algo—. ¿No vas a preguntarme para qué los quería?

El 24 de enero de 1945 cociné para el banquete de mi propia boda. No era la primera vez que preparaba en la taberna una comida para mucha gente. Lo había hecho ya un mes y medio antes, para celebrar el regreso del Pasiego y del Sacristán, y lo hice unos días después, cuando el Partido nos encargó la cena de fraternidad con la que celebrábamos a nuestra manera la Navidad, sin necesidad de mencionar jamás esa palabra. También cenamos todos juntos en Nochevieja. En los primeros minutos de 1945, Angelita, que había parido dos semanas antes y se animó a venir con el bebé por no quedarse sola en casa, se sentó en la silla de la cocina para darle de mamar, y desde allí nos dedicó una advertencia que se convertiría en un clásico.

—Chicas, os voy a decir una cosa y os la digo muy en serio. ¿Vamos a abolir la propiedad privada? Pues muy bien, ojalá, pero mientras no la abolamos... Aquí estamos perdiendo dinero —se cambió de pecho a Miguelito, el mayor de los Migueles que se llamarían así en memoria del Bocas, y sonrió—. En cuanto pueda salir a la calle de paseo con el niño, voy a empezar a mirar restaurantes que estén en traspaso, a ver si encontramos un local que tenga un comedor hermoso y una cocina en condiciones. Porque, con el éxito que estamos teniendo, si nos organizamos bien..., nos podemos forrar.

Había empezado haciendo tapas clásicas, tortillas de patatas, empanadas de lomo, croquetas, boquerones en vinagre, solditos de Pavía, ensaladilla rusa. Tuvieron mucho éxito, y no sólo porque la clientela, casi exclusivamente española, estuviera empa-

514

chada de encurtidos y conservas de pescado, sino porque mis comensales de Bosost se dedicaron a hacerme una propaganda que nunca habríamos podido pagar, entre los camaradas que no habían llegado a comer en aquella casa. Así, unos días antes de que se marchara Angelita, Montse empezó a venir a mediodía para servir las mesas del comedor del fondo, donde ya teníamos clientes fijos que venían a comer, aunque fuera sólo a base de tapas, todos los días. Uno de ellos, Pascual el Ninot, entró en la cocina sin avisar, cuando yo ya había demostrado que sabía hacer algo más que freír croquetas. Habíamos estado juntos un par de veces, porque era amigo de Galán, y me caía muy bien. Sabía que estaba soltero y que había resistido heroicamente todos los envites casamenteros de Amparo, obsesionada por emparejarle aunque sólo fuera porque él era de Alboraya, y ella de Catarroja. Sabía también que había luchado en Francia con Pinocho, y que con él, en la brigada que no tomó el túnel de Viella, había entrado en España en octubre. Sabía que trabajaba en una fábrica de componentes de automóviles, y que vivía en una pensión, pero hasta aquella noche no me había enterado de lo mal que comía.

—Verás, Inés, yo... quería pedirte un favor —y se frotó la frente con la mano, como si no supiera por dónde seguir—. Yo estoy encantado de venir aquí a comer, porque no me gusta nada como guisa mi patrona, pero como los fritos, por muy buenos que estén, acaban cansando, y yo, además, soy muy friolero... Supongo que tienes mucho trabajo, y tampoco es que te pongas a asar un cabrito todos los días, pero, si las haces para ti, o si algún día te sobrara tiempo... ¿Tú no podrías hacerme unas sopas de ajo de esas que cuenta el Perdigón que te salen tan ricas, o unas lentejitas? En fin...

Así, la Taberna Española empezó a servir a mediodía unos menús que tuvieron todavía más éxito que las tapas y la virtud de solucionar un problema doméstico común a todas las socias, porque nuestros maridos empezaron a venir a comer también todos los días. A partir de entonces, aprendí a moverme en aquella cocina como un pez en el agua, y por eso, cuando Galán me dijo que le gustaría que nos casáramos antes de marcharse, no consideré siquiera la posibilidad de celebrar la boda en otro sitio.

—Ni hablar —al escucharme, Amparo se llevó las manos a la cabeza—. No puede ser, ¿cómo vas a hacer una cosa así? Ese día, tú tienes que estar...

—Ese día, cuanto más ocupada esté, mejor para mí.

Porque todos los clandestinos que tenían una mujer se casaban antes de marcharse. Porque todos sabíamos que lo hacían para que no hubiera problemas con los contratos de alquiler, los apellidos de los hijos, la titularidad de los negocios. Para que pudieran cobrar una pensión si pasaba lo peor. Para que pudieran volver a España, instalarse en una ciudad determinada, buscar un piso cerca de una cárcel, y conseguir permiso para visitarles, si pasaba lo menos malo, con independencia de que lo peor se perfilara o no en el horizonte. Porque yo tenía una casa alquilada, un embarazo de tres meses, una fecha asignada para casarme con un hombre que iba a cruzar clandestinamente la frontera.

—Lo tengo todo pensado, en serio —continué, para tranquilizar a Amparo, como si ella fuera la novia y yo su cocinera—. He convencido a Galán para que nos casemos por la tarde, así que me puedo venir por la mañana, temprano, y dejarlo todo preparado. Ya tengo pensado el menú. Voy a hacer un consomé, que se puede calentar mientras sacamos los entremeses, un rape alangostado con dos salsas, que se puede preparar con mucha antelación, y una aleta de ternera rellena con aceitunas, pimientos, jamón y huevos duros, que se sirve fría y está buenísima. Y así, mientras os coméis el rape, sólo hay que calentar la salsa y montar el puré de patatas en un momento.

—Bueno, pero eso no lo haces tú —se resignó por fin.

—Bueno, pero tú tampoco, que seguro que se te agarra... —y ya no le quedó más remedio que reírse.

El 24 de enero de 1945 no fue el día más feliz de mi vida. Tenía demasiado miedo de perder a Galán, y me costaba demasiado esfuerzo tragármelo, pero todo, y no sólo la comida, salió muy bien, aunque pocas veces en mi vida llegaría a trabajar con menos concentración. Mi cocina se convirtió, sucesivamente, en una peluquería, mientras una vecina de Angelita, que se daba mucha maña, me llenaba la cabeza de rulos, una sastrería, mientras Hélène, que era modista, me arreglaba sobre la marcha un vestido de satén negro que me había comprado en las rebajas pero parecía hecho a la medida cuando terminó de ajustármelo, una tienda de ropa, mientras me probaba encima del delantal media docena de chaquetas que me trajeron entre unas y otras, hasta que entre todas decidimos que ninguna me sentaba tan bien como la torera de terciopelo de María Luisa, la mujer del Gitano, una floristería, mientras una prima de Sole me enseñaba varios ramos y prendidos con gardenias, con rosas, con orquídeas, para que escogiera el que más me gustara, y de nuevo en una peluquería, cuando, después de cortar la carne, vestida ya, y maquillada por Montse, la vecina de Angelita me hizo un moño alto, airoso y elegante, sobre el que colocó con mucha gracia un diminuto casquete redondo, rematado con una malla que proyectó sobre mis ojos una sombra sofisticada, muy favorecedora.

–¡Qué guapa!

Un cuarto de hora más tarde, cuando me reuní con Galán en la puerta del ayuntamiento, escoltada por una legión de mujeres perfectamente vestidas, peinadas y pintadas para la ocasión, sonreí al calcular el asombro que habría congelado el apacible gesto de los hombres que nos contemplaban, si hubieran asistido al caos de guisos, rulos, trajes y zapatos del que veníamos. Veinte minutos después, cuando salí de aquel edificio del brazo del capitán Galán, alias Carlos de la Torre Sánchez pero también Ramiro Quesada González, el nombre que aparecía en el pasaporte con el que había llegado a casa de Carlos de la Torre Sánchez un par de días antes, volví a sonreír con más motivos. Acababa de casarme con Fernando González Muñiz, nacido en Gera, concejo de Tineo, provincia de Oviedo, en 1914, pero hasta que escuché aquel nombre, la verdad era que no las tenía todas conmigo.

El 24 de enero de 1945 no fue el día más feliz de mi vida, pero sí uno de los más emocionantes, aunque esa condición se acrecentaría hora tras hora, como si manara de un pozo inagotable, hasta la madrugada del 2 de febrero, cuando me cansé de fingir que estaba dormida, y me di la vuelta en la cama para descubrir que Galán estaba tan despierto como yo, mirándome.

–No sé si he sido capaz de explicarte alguna vez cuánto te quiero –le dije, y él primero cerró los ojos, luego sonrió, por último volvió a abrirlos–. Pero quiero que sepas que ninguna mujer, en este mundo, puede querer a un hombre más de lo que yo te quiero a ti. Ninguna, nunca. Es así de sencillo, y necesito que lo sepas, que te lo aprendas bien, y si pasa cualquier...

No me dejó seguir y yo se lo agradecí. Ninguno de los dos volvió a hablar hasta que el despertador sonó a la misma hora de todas las mañanas. Después, nos despedimos como él quería.

–Me voy a trabajar –y me siguió hasta el recibidor, me abrazó, me besó como todas las mañanas–. Ten mucho cuidado.

–Sí –y se limitó a sonreír–. Hasta pronto.

Eso fue todo. Quedaba lo peor, y siempre sería menos malo si me pillaba cocinando. Por eso, al llegar a la taberna, me quité el abrigo, me puse el delantal, escurrí los garbanzos y puse un cocido en el fuego. No sabía a qué hora se marchaba, ni por qué medio, ni si iba solo, ni quién lo acompañaba. Él no me lo había dicho y yo no se lo había preguntado. Nunca lo sabría, como tampoco sabría cuándo, qué día, a qué hora, de qué manera volvería.

Aquel día, aparte del cocido, ofrecimos otro menú de dos platos, caldo gallego y bonito con tomate, de postre, fruta, natillas y tocinos de cielo, un dulce que siempre me amargaba el ánimo, aunque aquel día nada me entristeció tanto como la cara de Montse, que revoloteaba a mi alrededor para estudiarme sin despegar los labios. Pretendía calcular cómo se sentiría ella tres días después, pero no se daba cuenta de que cada una de sus miradas, cada uno de sus suspiros, me hundía un poco más en la certeza de que Galán se había marchado ya.

–Montse –Amparo, que lo comprendió enseguida, hizo lo mejor para las dos–. ¿Por qué no te quedas en casa mañana y pasado, y aprovechas...? He hablado con Lola y no le importa venir. Y así... Bueno, ya sabes.

El Zurdo, que no había podido arreglar a tiempo los papeles para casarse con ella, también se marchaba a España. Éramos una cooperativa en todo, también en eso, y a Lola, la chica que nos echaba una mano los fines de semana, cuando la taberna se ponía de bote en bote, ni siquiera se le habría pasado por la cabeza decirnos que no. Aquel día, Montse y yo salimos juntas y nos despedimos en la esquina de siempre con un abrazo estrecho y silencioso. Ella no volvería al trabajo hasta cuatro días después, pero yo volví a las siete de la tarde, cuando decidí que no aguantaba ni un minuto más, sola en aquella casa tan bonita, tan luminosa, con macetas de geranios en todos los balcones.

—Pero ¿qué haces tú aquí? —Amparo se preocupó al verme llegar.

—Nada, que... —pero me daba vergüenza explicárselo a través de la barra—. Que he pensado... He venido por si queréis que os haga la cena.

Así, la Taberna Española empezó a servir también cenas, una carta de tapas elaboradas y platos ligeros que enseguida convocó a nuestros clientes más fieles también por la noche. Entre ellos, estuvieron desde el principio Matías y Andrés, que encontraron un hogar inesperado cuando el Sacristán volvió a Toulouse.

—Es que yo, estando como estoy, ya no creo que vaya a casarme...

Una semana después de su regreso, vino a comer y se sentó en la que nosotras llamábamos «la mesa de la familia», tres o cuatro juntas, en realidad, que todos los días montábamos y reservábamos sin saber cuántos de los hombres de Bosost iban a venir a ocuparla. Aquel día había estado casi completa, pero cuando el Lobo se marchó para llevar a sus hijos de vuelta al colegio, Pepe esperó a que se marcharan Galán y el Zurdo, el Pasiego, el Botafumeiro y los demás, antes de mandar a Montse a buscarme. Nos anunció que tenía que hablar con nosotras de algo muy importante, pero ninguna de las dos adivinamos adónde quería ir a parar después de aquel preámbulo.

—Por eso he pensado que, si a vosotras os parece bien, me voy a llevar a los niños a vivir conmigo. Ellos necesitan a alguien que los cuide, ¿no?, y yo también necesito que cuiden de mí. Además, así, nos hacemos compañía. Conozco a una mujer que puede venir a limpiar un par de veces a la semana. Ellos comen en el colegio, para cenar, podemos venir aquí, y para lo demás, ya nos las arreglaremos...

—No, Pepe —Montse fue más rápida que yo—. Nosotras te lo arreglaremos todo, tú no te preocupes.

Cuando Matías y Andrés se marcharon del hotel, Mercedes ya vivía en casa de Germán el Tranquilo, que era de Almendralejo y había conocido a su padre, anarquista, en el comité de enlace de su comarca. A María la Tranquila le llamó la atención el acento de la niña en la misma fiesta en la que yo encontré trabajo, la invitó a comer al día siguiente, y las dos se entendieron tan bien que Mercedes sólo volvió al hotel a recoger su ropa. Yo me alegré por ella, pero no me alegraba menos cuando el Sacristán entraba por la puerta con sus muletas, y un niño a cada lado, todas las noches.

En febrero de 1945, aquel mes maldito, empecé a vivir en la taberna más que en mi casa, y mis socias, mis clientes, me ayudaron a soportar la ausencia de Galán como una familia adoptiva, flamante y benéfica. Aquella solidaridad, que fluía en todas las direcciones como un río de incontables brazos, me trajo también, de vez en cuando, regalos inesperados.

—¡Inés, sal un momento, que aquí te buscan!

Antes de que empezara marzo, y con él, el tiempo a descontar para que Galán volviera, ya no tanto los días transcurridos desde su partida, Amparo me llamó dos veces desde la barra.

—Estuve con él antesdeayer, ¿comprendes? —aquel fue el primer regalo, pero habría llorado de emoción al volver a verle, al poder abrazarle otra vez, hasta si no me hubiera traído ninguna noticia—. Lo he encontrado un poco más gordo, aunque ya adelgazará, eso seguro, ¿comprendes?, pero por lo demás... Está estupendamente.

Cuando me separé de él, abracé a Angelita con la misma intensidad, y ella me apretó entre sus brazos para demostrarme que entendía muy bien por qué lo hacía. Después, al cerrar la taberna, me quedé en la cocina para hacer unos cuantos kilos de rosquillas y celebrar así el regreso de Comprendes, que volvió muy contento, todavía más cansado, y sobre todo delgadísimo, como todos los que tenían la suerte de volver.

No había pasado ni una semana cuando Amparo volvió a llamarme, ¡Inés, sal un momento, que aquí te buscan!, justo después de haberme reclamado una ración de calamares con la misma prisa, las mismas palabras, la entonación de siempre. Aún no le había dado tiempo a recoger el plato de la ventana y ya parecía otra mujer, tan nerviosa como si estuviera contemplando una escena extraordinaria. Para mí, un mes después de mi boda, sólo había una escena digna de aquel adjetivo, y era imposible, yo lo sabía, pero no pude evitar que se me disparara la cabeza, y me preparé para salir como si le estuviera oyendo hablar al otro lado de la barra. Me lavé las manos, me quité el gorro, me arreglé el pelo delante del espejo, me pellizqué las mejillas y sonreí, pero Galán nunca llegó a contemplar esa sonrisa. En su lugar, Carmen de Pedro, muy arreglada y con un aspecto tan rutilante como si hubiera vuelto a nacer otra vez desde que nos vimos en Bosost, sólo cuatro meses antes, me devolvió una parecida, tan amplia y tan crujiente que cualquiera habría pensado que no nos conocíamos.

—Perdona —me disculpé, como si la curva de mis labios representara una ofensa para ella, quizás porque en aquel momento, y aun sin quererlo, volví a ver al Bocas como si lo tuviera delante—. Creía que eras mi marido.

—No, yo... Bueno, quería saludarte, y... —su aplomo se había desvanecido en un instante— presentarte al mío —dio un paso atrás para dejarme ver al hombre que la acompañaba—. Agustín... —él me tendió la mano derecha y yo se la apreté por un impulso puramente mecánico, desmenuzando todavía su condición, sin acabar de comprenderla del todo—. Esta es Inés, la mujer del capitán Galán.

—La cocinera de Bosost —supuso él, un hombre guapo, joven pese a las entradas que le ventilaban el cráneo, como éramos todos jóvenes en aquella época, y con el aire inequívoco, autoritario y distante, de estirpe soviética, que distinguía a los dirigentes políticos de los militares, al menos de los que vivían en Francia y eran, paradójicamente, mucho menos rígidos.

—Pues sí —y me esforcé por sonreír—. Eso es justo lo que soy.

—Inés y yo somos viejas conocidas, de los tiempos de Madrid —ella hizo el mismo esfuerzo, y sonrió también mientras señalaba mi cuerpo, mi vientre apenas abultado por cuatro meses de embarazo–. Y por cierto, me he enterado de que estás esperando –asentí con la cabeza–. Enhorabuena, porque, además, debe de ser español.

–Bueno, españoles serán todos, pero, por lo que dice el médico, parece que a este nos lo trajimos de Arán, sí...

–¡Carmen!

La aparición de Lola, que salió en aquel momento de la cocina con los brazos abiertos, me permitió apartarme un poco, y pensar en lo que estaba viendo. Porque si me lo hubieran contado, no habría podido creerlo.

En febrero de 1945, en la Taberna Española de Toulouse cocinaba la mujer de un oficial del ejército de la Unión Nacional, que era yo. Había dos camareras fijas en la misma situación y, tras la barra, cogiendo reservas, asignando mesas, poniendo copas y haciendo cafés, la mujer de uno de los jefes de aquel ejército. Entre todos los locales que servían comidas en aquella ciudad, ninguno era menos propicio para que Carmen de Pedro fuera a comer con su flamante marido. Cuando Montse llegó al restaurante y vio a Lola abrazando a Carmen, y a ella tan sonriente, tan feliz, tan recién casada, se hizo evidente que ninguno habría sido tampoco más peligroso.

–Hace falta tener poca vergüenza.

Aunque nadie nos llamaba todavía «el dúo de bombos», Montse también había pasado la frontera embarazada, más o menos de los mismos días que yo. Sin embargo, justo después de la marcha del Zurdo, empezó a pasarlo mal por las dos. La soledad, que no afectó a mi embarazo, empeoró el suyo, y aquel día, cuando vino a trabajar, tenía tan mala cara que la mandamos a casa, a comer y a descansar un rato. Por eso llegó sólo en el segundo turno, y no vio a Carmen sentada en una mesa, mirando a su marido a los ojos, pero le dio lo mismo encontrarla a punto de marcharse, con el abrigo ya puesto.

–Mejor dicho, lo que hace falta es no tener vergüenza –tampoco volvería a tener náuseas después de increparla en voz alta, desde el centro del comedor, con los brazos en jarras–. Después de lo que ha pasado, venir aquí a comer, como si tal cosa...

Mientras la escuchaba comprendí que, por muchos años que

llegara a vivir, por muchas cosas graves, importantes, trascendentales, que pudieran pasarme después de aquel día, nunca llegaría a olvidar aquel momento. Y que si era verdad que la memoria se vaciaba un instante antes de la muerte, si era verdad que proyectaba a toda velocidad las imágenes fundamentales de una vida antes de apagarse para siempre, algún día volvería a verlo todo como lo estaba viendo entonces desde la puerta de la cocina, Montse de pie, en el centro del comedor, con el abrigo puesto, sus ojos como alfileres, como agujas, como clavos tenaces y oxidados crucificando a Carmen en el madero de su culpa, y Angelita detenida entre dos mesas, con una bandeja en la mano, antes de soltarla y acercarse a Montse, antes de abrazarla desde atrás, colocando una mano sobre su hombro para que ella la apretara con la suya sin decir nada, sus dos cabezas juntas, sus dos pares de ojos perforando el aire al mismo tiempo, tan quietas que parecían una sola estatua, una escultura clásica y terrible, la efigie de una hidra con dos cabezas y el don de petrificar cualquier superficie sobre la que se posara su mirada. Eso fue lo que vi, eso y el cementerio de Bosost, los apresurados entierros del último día, Miguel Silva Macías, 1923-1944, las lágrimas del Zurdo, las lágrimas de Comprendes, las lágrimas de un Sacristán que ya no tenía pies ni dos tobillos, la cabeza vendada y una voz que no parecía la suya, vete, Román, vete, marchaos de una vez, dejadme aquí. En aquel instante, volví a contemplar todas aquellas lágrimas, y las de Galán, tan sigilosas que apenas había llegado a verlas reflejadas en el espejo de una cómoda.

Nunca podría olvidar ese momento, nunca, Angelita, que se había jugado la vida tantas veces en la Francia ocupada antes de conocerme, y Montse, que ni siquiera sabía qué era ella exactamente cuando la conocí, plantadas como un solo árbol inmenso en el centro de la taberna, mientras tres hombres de aspecto corriente, pantalones oscuros, chaquetas de mezclilla, tres jerséis de punto sobre tres camisas blancas, dos con corbata y uno sin ella, asentían con la cabeza y el cuerpo tenso, las piernas preparadas para saltar, cada uno desde una mesa distinta. Carmen ni siquiera sabría quiénes eran, yo sí. Yo les conocía, y sabía lo que significaba para ellos la violencia de aquella escena tan lenta, tan quieta, silenciosa como el aire que sucede por un instante al trueno, a los relámpagos que arrastran las tormentas, el Ninot, que había entrado en Arán con Pinocho, el Tranquilo, que había pasado por el Aneto para desplegar a sus hombres en la sierra de Alcubierre, y al fondo, en la mesa de la familia, el Gitano, que quiso volver de España con sus camaradas después de que, en nombre de aquella mujer, le hubieran prohibido ir con ellos.

Carmen apenas los conocía, quizás no habría podido reconocerlos ni siquiera si los hubiera mirado, pero no los miraba, no me miraba a mí, no miraba a Lola, ni siquiera miraba a su marido, que nos miraba a todos con una expresión alucinada, las pupilas dilatadas por el asombro, esa expresión altiva, soberbia, para la que el idioma español ha creado una frase tan eficaz, mucho más brillante que cualquier adjetivo, usted no sabe quién soy yo. Eso era lo que estaba pensando Agustín Zoroa, que Montse y Angelita no sabían quién era él, a quién estaban maltratando. No se podía creer lo que esas dos simples camareras le estaban haciendo a su mujer, a la mujer que estaba casada con él, el dirigente destinado a ocupar el puesto de Monzón, a convertirse en el secretario general del interior, pero aquella vez, Carmen de Pedro necesitó algo más que la protección de un hombre dispuesto a salvarla.

—Montse... —yo tampoco podía, ni siquiera quería salvarla, pero lo que estaba viendo en su cara me impulsó a intervenir.

—¿Cómo que Montse? ¿Qué pasa, que a ti el embarazo te está afectando al cerebro?

—¡Montse! —pero Amparo lo dijo más alto, con su peculiar acento autoritario, que era suave e inflexible al mismo tiempo—. Déjalo ya... —y todo se disolvió tan deprisa como había empezado.

Después, cuando Montse me pidió perdón, y yo le pedí perdón, y ella le pidió perdón a Amparo, y Amparo se lo pidió a su vez, hasta que Angelita dijo que ya valía, que nos diéramos todas por perdonadas y nos pusiéramos a trabajar, porque con tantas disculpas se estaban amontonando los pedidos, todavía no entendía muy bien lo que me había pasado. Carmen se había ido corriendo con la cabeza baja, los ojos fijos en las baldosas del suelo, y Agustín había salido detrás de ella, andando más despacio y amenazándonos a todos con la mirada, pero eso me había dado igual. No le tenía miedo. Nunca me dio miedo, si acaso compasión, jamás tanta como aquel día, pero mucha menos que la que me inspiró su mujer.

Yo pensaba lo mismo que los demás, que Carmen era culpable, tan culpable como Monzón aunque fuera mucho más tonta, aunque se lo hubiera jugado todo por él, para él, que nunca la habría correspondido de la misma manera, porque nunca la había amado con la intensidad enloquecida, terminal, suicida, del amor que recibía. Yo pensaba lo mismo que los demás, y me quedé tan pasmada como ellos cuando me enteré de su boda con Zoroa, una noticia que hizo aflorar a mis labios una versión cualquiera del exabrupto que escuché tantas veces, ¡joder!, ¡coño!, ¡la hostia!, como si ninguno de nosotros encontrara una fórmula adecuada para traspasar la barrera del asombro. Yo pensaba lo mismo que los demás, pero comprendí a tiempo que aquel día Carmen no había querido desafiarnos, sino enseñarnos un camino para pensar en ella de otro modo, ofrecernos un puente para cruzar el río de interjecciones malsonantes que se desbordaba de ventana en ventana, de terraza en terraza, de portal en portal, cada vez que salía con su marido a la calle para afirmar una verdad en la que nadie podía creer.

Para eso había venido, para eso había escogido la mesa más visible, para eso había estado haciéndole carantoñas a Zoroa entre plato y plato, y se había atrevido a saludarme a mí, que entonces era todavía, y sobre todo, la cocinera de Bosost, la hermana de un falangista que había llegado galopando, con tres mil pesetas y una sombrerera llena de rosquillas, al cuartel general del Lobo, la que hacía migas para desayunar y, por las noches, unas sopas de ajo que estaban como para cantarles coplas, la que había cazado a Galán, primero follando como ya no follaban las mujeres en España, y después, errando el tiro para acertarle a una campana que acabó salvándole la vida. Esa era yo, y era famosa, tanto como para expedir certificados públicos de salvación. Eso creía ella y para eso había venido, para decirme, mírame, ¿ves?, ya no soy la misma de hace tres meses, ya estoy en gracia otra vez, soy una más de vosotras, igual que vosotras, la buena esposa de un buen comunista.

Cuando volví a la cocina, ya sabía que nunca podría olvidar la humillación que vi en sus ojos, la súplica que acechaba detrás de aquel aplomo flamante e imposible, la desolación culpable que lo arruinó en una fracción de segundo, y su vergüenza, una vergüenza que le correspondía sólo a ella, de la que nadie podría nunca absolverla y que logró conmoverme, sin embargo. Nunca llegaría a entender bien a aquella mujer. Nunca comprendería su cobardía, la indigna solución que le permitió escapar del callejón sin salida al que la había llevado su amor, aquella boda apresurada que resolvió un desengaño con otro engaño, después de haber renunciado a Jesús sin pelear, sin habérselo echado siquiera a la cara. Siempre sospeché que, cuando se casó con Zoroa, Carmen seguía enamorada de Monzón, que habría vuelto a sacrificar cualquier cosa, su posición, su salvación, su futuro, si él la hubiera llamado a su lado. Eso era lo que pensábamos algunos, otros, que ni siquiera la había movido el despecho, que había actuado por puro oportunismo. Pero aquel día, yo adiviné otra parte de la verdad mientras Montse y Angelita, y el Ninot, y el Tranquilo, y el Gitano, la miraban de lejos, de perfil. Estaba tan cerca de ella que logré ver su miedo como si fuera un bulto, una excrecencia, un tumor sólido y maligno asomando a su rostro, la sombra de un pánico brutal que jadeaba como un animalillo inválido, aterrorizado, solo, desde el fondo de sus ojos, pobre Carmen.

—¿Y Jesús Monzón? —por la tarde, cuando nos quedamos solas, Amparo formuló en voz alta la pregunta que todas habíamos hecho para nosotras mismas mientras trabajábamos como si nada hubiera alterado la rutina de todos los días—. ¿Sabrá lo que ha pasado, que Carmen se ha casado con otro, que ese otro es Zoroa? Me gustaría saber qué piensa de todo esto.

—¿Que qué piensa? —y Lola, que acababa de demostrarnos que era la única que conocía bien a Carmen de Pedro, contestó sin vacilar—. Te lo digo yo. Jesús, que lo sabe todo, está ahora mismo en Madrid descojonándose de risa. Pero descojonado vivo, vamos, como si lo viera...

Aquel episodio no tuvo consecuencias. Unos días después, supimos que Zoroa había protestado, que había exigido que Montse se disculpara, que desagraviara a Carmen en el mismo lugar y en las mismas circunstancias que había escogido para ofenderla, pero que alguien le dijo que no jodiera, que lo que más le convenía era quedarse callado y dejarlo estar, porque no estaba el horno para bollos. En aquellos momentos, para el horno en el que se cocía la dirección del Partido, el cabreo de Agustín representaba un pan barato, un riesgo insignificante en comparación con la empanada que podría desencadenar el cabreo de los camaradas del Zurdo, los hombres que, en su ausencia, defenderían a su dama para arrastrar consigo la indignación de todo el Ejército de la Unión Nacional, de López Tovar hacia abajo, y devolver relieve, contraste, color, a la memoria de las víctimas de Arán, aquellos cadáveres que flotaban en el limbo de las responsabilidades que a nadie le convenía asumir.

Son cosas de mujeres, le dirían, una agarrada sin importancia, nada grave, pero cuando las cosas fueron de hombres, se resolvieron de la misma manera. Si el Sacristán había logrado volver a Toulouse sano y salvo, fue porque, menos de una semana después de la retirada, el Lobo acompañó a su jefe a una reunión donde nadie le esperaba y exigió un plan de evacuación para los dos oficiales que había dejado en España. Después de escucharle con mucha educación, los políticos le miraron, le sonrieron, y le dijeron, camarada, en estos momentos, eso no es prioritario. El Lobo les devolvió la sonrisa, sacó la pistola de su cartuchera, la puso encima de la mesa con un gesto apacible, hasta amistoso, calculadamente pacífico, pero la puso encima de la mesa, y arrimó una silla para sentarse en ella. Pues yo siento discrepar, camaradas, opinó por fin, pero a mí me parece que en estos momentos no hay nada más prioritario. Y un mes y medio más tarde, el Pasiego volvió a coger al Sacristán en brazos para abordar la lancha que los recogió de madrugada, en una cala desierta al norte de Cadaqués, y los llevó hasta el pesquero francés que los desembarcaría en un pueblecito cercano a Perpiñán unas horas más tarde.

Al día siguiente, yo misma asé un cabrito para celebrarlo, y me dio tanto trabajo que creí que era la última en abrazar a los recién llegados, pero cuando volví a la cocina, vi a Lola en el umbral, retorciendo un trapo entre las manos mientras me miraba con una expresión errónea, dulce y ansiosa, tan carnal que no podía estar destinada a mí. Entonces giré la cabeza para descubrir que tenía al Pasiego pegado a los talones.

—Lola... —él llegó hasta ella y la besó en las mejillas con una naturalidad impropia del incendio que desataron sus labios—, ¿cómo estás?

—Bien —ella se tapó la cara con el trapo antes de sonreír—. Muy contenta de verte.

El Pasiego retocó la posición de las gafas sobre la nariz, sonrió a su vez, se dio la vuelta, se sentó al lado de su legítima y no volvió a acercarse a Lola, pero tampoco dejó de mirarla. Desde aquella noche, yo también miré con más atención a aquella chica que siempre me había parecido especial, de entrada por su físico, porque no era una belleza, pero sí una mujer interesante, con un cuerpo flaco, escurrido, casi andrógino excepto por los pechos, grandes y redondos, aún más llamativos en relación con su delgadez, y un rostro afilado, pero atractivo, que declaraba nítidamente su origen mestizo de gitana rubia, la primera condición heredada de su padre, gitano por los cuatro costados, la segunda de su madre, que había nacido en Río Tinto, fruto del matrimonio de un capataz inglés con una nativa de padre escocés. Aquella mezcla, que explotaba en el aire cada vez que el Perdigón la reclamaba para que le acompañara con las palmas, se mantenía en un estado de combustión sostenida mientras trabajaba muy bien y muy deprisa, pero sin despegar apenas los labios, como si tuviera muchas cosas en las que pensar. Ese silencio clamoroso, cargado de ruido, era el único rasgo que tenía en común con el Pasiego, que solía estar tan callado como ella, sin dar tampoco nunca la impresión de estar obligado a hacerlo por no tener nada que decir. Quizás por eso, no me extrañó descubrir que había algo entre ellos, aunque me equivoqué al calcular que no tendría consecuencias. En el verano de 1945, cuando volví a pillarles, descubrí mucho más que una historia de amor que terminaría llevándose el matrimonio de la Pasiega por delante.

El Zurdo y Montse, que no consiguieron arreglar los papeles a tiempo para casarse en el otoño del 44, decidieron hacer coincidir su boda con la Virgen de agosto, y la celebramos en nuestro nuevo restaurante, una semana antes de abrirlo al público. Aquel día, yo volví a trabajar para ocuparme del banquete, después de tener una niña que nació el 17 de julio, exactamente nueve meses después de que escuchara la noticia de la Operación Reconquista en un noticiero de la Pirenaica, pero diez días antes de lo que había previsto el médico. Galán seguía en España, bien, según lo que me habían ido contando unos y otros, así que, cuando llegó el momento, Angelita se sentó a mi izquierda, y Amparo, a mi derecha, me cogió de la otra mano y me animó a decir barbaridades, tú di lo que se te ocurra, cariño, que yo soy valenciana y no me asusto de nada... El parto fue bueno, y el 22 de julio ya estaba levantada, haciéndome la comida, cuando escuché la puerta de la calle, que había dejado sólo encajada para que el timbre no despertara a mi hija, que acababa de dormirse.

—¡Estoy en la cocina! —avisé a la que viniera a verme, antes de que el eco de unos pasos sobre el parqué del recibidor, me dejara sin aliento.

—Pero, bueno... —y Galán, muy contento, muy cansado, y muy delgado, asomó la cabeza por el umbral—. ¿Tú no salías de cuentas la semana que viene?

Aquel verano fue el mejor de mi vida, y no sólo porque Angelita hubiera encontrado, a la vuelta de la esquina, un local estupendo y razonablemente barato, con una cocina tan grande que al principio tenía la sensación de perderme en ella. Lo habría sido incluso si ella no hubiera decidido —lo tengo todo pensado y está clarísimo, chicas, hay que aprovechar la publicidad gratuita— que tenía que llamarse Casa Inés, y llevar debajo, como un reclamo o un imprescindible apellido, una frase que me seguiría emocionando incluso cuando consiguiera atravesar la puerta sin pararme a leerla sobre el toldo, «la cocinera de Bosost». Aquel verano fue el mejor de mi vida porque Galán había vuelto, porque había conocido a su hija Virtudes, porque cuando abría los ojos por la mañana, lo encontraba dormido a mi lado.

Nunca viviría un verano más feliz. Tampoco llegaría nunca a alegrarme tanto de no tenerlo cerca como el 16 de agosto, cuando la fiesta terminó.

Igual que en nuestra boda, aquella noche vino todo el mundo. En el comedor no cabía un alfiler, y mi cocina nueva se quedó que daba miedo verla, pero no me importó. Después de servir los entremeses, me quité el delantal y me senté al lado de Galán, a cenar y a celebrar la fiesta con los demás, aunque me levantaba de vez en cuando para ver cómo iban las cosas por allí dentro, y siempre encontraba la cocina casi perfecta, y a Lola fregando, limpiando, recogiendo.

—Pero ¿qué estás haciendo? —le dije varias veces—. Deja eso para luego y ven conmigo, mujer.

—No, de verdad, déjalo —y ella se resistió una vez tras otra—, si estoy mejor aquí.

—Pero ¿cómo vas a estar mejor aquí? ¡Que es la boda de Montse, Lola, haz el favor de salir ahora mismo!

—Es que hoy no tengo el cuerpo para fiestas, en serio...

—¿Cómo que no?

Al final, la saqué a empujones, la senté a mi lado, y no la dejé volver a levantarse. Ella se dio por vencida, pero apenas comió, bebió mucho y fumó sin parar, sin mirar nunca hacia el rincón donde el Pasiego, sentado al lado de su mujer, no comía nada, bebía mucho y fumaba sin parar, sin dejar tampoco de mirarla. Por eso, cuando la Pasiega se levantó para ir al baño y Lola me avisó de que iba un momento a la cocina, no le dije nada. Él fue detrás y no volvió, su mujer salió del baño y él no había vuelto, se sentó en su silla, miró a su alrededor y entonces sí que me levanté, y hasta me dio tiempo a escuchar el final de una conversación.

—Pues esta misma tarde, con haberme dicho que no... —él lo dijo en un tono tranquilo, sereno.

—¡Vete a tomar por culo, cabrón! —ella no.

Eso habría sido todo si el Pasiego, al cruzarse conmigo, no llevara pintada en la cara una sonrisa transparente, reveladora de que ningún insulto le había sentado mejor en su vida. Lola, en cambio, estaba tan alterada que ni siquiera se había dado cuenta de que les había escuchado, y al verme, salió conmigo sin rechistar, se sentó a mi lado, y no volvió a moverse hasta que quitamos las mesas para que bailaran Montse y el Zurdo, y después los demás, Galán y yo, también el Pasiego con su mujer. Antes de que pudieran dar un paso al compás de la música, se metió para dentro y no se lo impedí.

Al final, cuando Galán vino a decirme que iba a llevar a los novios a su casa, ya había limpiado tanto, y con tanta furia, que sólo quedaban algunos vasos sucios, pero me quedé a acompañarla, y después de cerrar, salí con ella a la calle, a dar una vuelta. Necesito que me dé un poco el aire, me dijo, y lo entendí. La seguí sin decir nada en la dirección opuesta a la esquina donde había quedado con mi marido un cuarto de hora después, y enfilé tras ella el callejón al que daba la puerta trasera del restaurante, un pasillo estrecho con muchos cubos de basura y un par de portales aislados, para darme cuenta de que la pobre Lola se conformaba con dar una vuelta de verdad, rodeando simplemente la manzana.

Era un recorrido muy humilde, aunque no logramos completarlo nunca. El callejón estaba mal iluminado, pero antes de llegar a su mitad, distinguimos la sombra de un bulto confuso contra la puerta trasera de nuestro local. Si hubieran escogido cualquier otro edificio, quizás hubiéramos pasado de largo sin ver nada, pero nos asustamos, y no porque pensáramos que fueran ladrones. Si lo hubieran sido, se habrían asustado más que nosotras y habrían echado a correr, pero tampoco era solamente eso. Aquel bulto apenas se movía y era extraño, extraña su quietud, su perfil, su silencio, su tamaño. Por eso seguimos andando, y ellos debían estar tan absortos en lo que hacían, que cuando nos oyeron ya era tarde. Cuando el Ninot, que había sido uno de los últimos en dar el banquete por terminado, se volvió hacia nosotras, y nos reconoció, y cerró los ojos, y bajó la cabeza, y se apoyó tan largo como era contra la puerta de metal, ya habíamos visto su mano derecha apresando una polla que a mí, quizás por la sorpresa, pero seguramente porque era verdad, me pareció enorme, y que, sin margen de discusión alguno, estaba tiesa, dura como una piedra, pidiendo más, igual que los ojos turbios, los labios abiertos, húmedos, a medio besar, de su propietario, un chaval marroquí que no tendría más de veinte años y trabajaba en la frutería donde comprábamos todos los días.

En ese momento cogí a Lola del brazo, nos dimos la vuelta y nos alejamos de allí deprisa, pero sin correr.

—Yo no voy a contar nada de lo que acabamos de ver —proclamé sin mirarla, casi sin pensarlo, aunque mi memoria evocó por su cuenta la cara del Lobo, ardiendo de furia, mientras de mis oídos brotaba una letanía, la única palabra que sabrían pronunciar una y mil veces sus labios tensos, expulsión, expulsión, expulsión—. Ni a mi marido, ni a nadie, nunca. Y si tú cuentas algo, y alguien me pregunta, diré que es mentira, que yo no he visto nada —y por fin la miré—. Lo entiendes, ¿verdad?

Ella me devolvió una mirada que me pareció incrédula, antes de que me diera cuenta de que era más burlona que otra cosa.

—Yo soy de Cádiz —sentenció, y sólo al rato, por si eso no hubiera sido bastante, se explicó mejor—. Lo único que espero es que Pascual tenga más arte que yo para gastar lo que tenemos entre las piernas —volvió a mirarme, y sonrió—. Que parece que sí, porque, lo que es tener, tenía lo suyo y lo de su vecino, el chiquillo...

Nos echamos a reír al mismo tiempo, y después, a ninguna de las dos nos costó trabajo recuperar el tono de una conversación normal.

—No sabía que fueras de Cádiz, Lola, yo creía que eras de Huelva...

—No, de Huelva era mi madre. Yo soy de Cádiz, bueno, de un sitio que se llama Torrebreva, que no lo conocerás ni de nombre, porque ni siquiera es un pueblo, sólo cuatro casas juntas alrededor de una venta... Está cerca de Rota, entre Chipiona y Sanlúcar de Barrameda.

—Ya —asentí, más tranquila—. Y por cierto, tú no sabrás hacer albóndigas de rape, ¿verdad?

—¿Yo? —y se me quedó mirando, muy sorprendida—. Claro que sé.

Y claro que sabía. Sabía hacer albóndigas de rape y muchas cosas más. Escoger un brindis, por ejemplo.

El Ninot tardó más de dos meses en estrenar Casa Inés, y tuvo mucho cuidado en esperar a que Galán volviera a marcharse a España antes de hacerlo. Cuando volvió, a mediados de octubre, entró sin saludar, aunque él había sido uno de los principales responsables del éxito de nuestro negocio. Por eso le pedí a Amparo que me avisara en el momento en que pidiera la cuenta, y antes de que se la llevaran, me quité el gorro, salí al comedor, me senté en su mesa y llamé a Lola.

—Yo te lo quería explicar, Inés —empezó a balbucir, la mirada humillada, fija en los cuadros del mantel, el miedo temblándole en la voz—, porque lo de la otra noche no es lo que parece, de verdad que no. Yo, antes, nunca... De verdad que...

—Cállate ya, Pascual, que mira que te gusta hablar —y me volví hacia Lola—. Trae tres copas y la botella de coñac, la buena, ¿quieres?, que vamos a brindar.

—¿A brindar? —él por fin me miró, con el terror pintado en la cara—, ¿y por qué? —pero Lola me había entendido.

—Vamos a brindar por los hombres —le dijo en un susurro, mientras llenaba las copas—, por lo malos que son y por lo buenos que están, los hijos de la gran puta... Por ti, Ninot, y por mí, que falta me hace —y me señaló con la suya en el aire—. Por esta no, que tiene de sobra, no hay más que verla.

—¡Sí, seguro! —protesté—. Sobre todo ahora, que acabo de quedarme otra vez a dos velas.

—Cuando quieras, te las cambio sin mirar —me replicó ella—, las velas, digo.

—Yo también te las cambio —y Pascual sonrió por fin, mientras hacía chocar su copa con la mía.

Entonces, como si las albóndigas de rape estuvieran suspendidas del hilo de aquella crisis, me acordé de que Lola y yo teníamos una cita pendiente, y se ofreció a enseñarme a hacerlas el lunes siguiente, cuando el restaurante estuviera cerrado. Quedamos a las seis y me llevé a Virtudes, que era muy buena y estuvo dormida en su cochecito todo el tiempo que Lola necesitó para explicarme lo que había que hacer, y hasta para contarme una parte de mi propia vida que yo ignoraba.

—No fue culpa de ella, te lo digo en serio.

A solas en la cocina, con todas las puertas cerradas, se había atrevido a preguntarme cómo conocí al Pasiego, pero lo que en realidad quería saber era si le había escuchado, o no, hablar de su situación, si había contado o no en voz alta, delante de mí, los planes que tenía para el futuro. Le respondí que no a todo, porque era la verdad. Hasta que él mismo no me presentó a su mujer, ni siquiera me había enterado de que estuviera casado. Lola se puso tan contenta al escucharlo que la conversación fluyó con mucha naturalidad hacia mi propia historia con Galán para desembocar en la de Carmen de Pedro y Jesús Monzón, aquel amor que había cambiado mi vida y estuvo a punto de cambiar la de todos.

—Mira, yo entiendo que no podáis ni verla —fue ella quien se apresuró a sacar el tema, como si nunca hubiera olvidado la escena de febrero, ni el papel, un tanto desairado, que le había tocado jugar en ella—. Lo entiendo muy bien porque, después de lo de Arán, vuestros maridos, que estuvieron allí, y Montse, y tú, todo eso... Pero el que daba las órdenes era él, Inés, no te equivoques. Él era el que sabía, el que pensaba, el que decidía. Carmen era una mandada, así de claro, bueno... Tan claro tampoco, porque estaba loca por él, esa es la verdad, pero chiflada, estaba, enamorada como una niña de quince años, no te lo puedes ni imaginar... Yo lo sé porque la conocía bastante, ¿sabes?, desde el principio. Una hermana de mi madre, que había emigrado antes de la guerra y se había casado con un francés, me ayudó a encontrar un piso, y como me sobraba una habitación, Carmen se la quedó. Pagábamos el alquiler a medias, y hasta que se fue a vivir con Jesús, estuvimos muy bien las dos, la verdad.

—¿Y Jesús?

—Jesús... —volvió a quedarse inmóvil, clavó los ojos en el techo, y me pregunté si no habría estado ella también enamorada de él—. En aquella época, Jesús no era nadie, la prueba está en que no lo mandaron a ningún sitio y todos los demás se marcharon, pero todos, uno detrás de otro, ya lo sabes. La única que se quedó aquí fue Carmen, y... Pasó lo que tenía que pasar. Ahora, que te voy a decir una cosa, no sé qué pensarás tú... —el tono de su voz fue adelgazando hasta apagarse en las últimas sílabas, y me miró como si se arrepintiera, negó con la cabeza, empezó a hacer otra albóndiga—. ¡Bah!, nada.

—No, nada no —y la cogí por la muñeca, para obligarla a parar—. Qué pienso yo, ¿de qué?

—Si no era nada, una tontería, total...

—Que no.

Porque yo también era comunista y, sin saber lo que iba a decir, sabía perfectamente lo que había pasado, el miedo instantáneo a decir alguna inconveniencia que le había soldado los labios de repente, el proverbio que la había paralizado, tensando todos sus músculos a la vez en medio de una conversación entre amigas, en la cocina de un restaurante vacío, con todas las puertas cerradas. Mejor callar que arrepentirse después. Eso era lo que había pasado, y me dio rabia, siempre me daba rabia, aunque yo me aplicara aquel principio tanto como los demás, aunque yo también hubiera aprendido a vivir con, y en, y desde, y por, y para, y según una organización que era mucho más que un partido político. Pobres, vencidos, desterrados como estábamos, el Partido era lo único que teníamos, lo único que habíamos conservado después de perderlo todo, nuestra única casa, nuestra única patria, nuestra familia, un mundo completo por el que había que sonreír, animar a sonreír a los demás, ofrecer la mejor cara a la adversidad y no perder jamás el control. Yo también había aprendido a guardarme mis opiniones para mí misma, a no perder nunca mi miedo de vista, me sabía de memoria esa lección, pero me daba rabia, porque había sido mi libertad, y no otra cosa, lo que me había hecho comunista. Por eso, y aunque la idea de que me expulsaran me inspiraba el mismo terror que a los demás, en determinadas condiciones de intimidad, de seguridad, o en auténticas emergencias, como el secreto del Ninot, incumplía todas las normas y, cuando se me pasaba el susto, me sentía mucho mejor.

—Mira, Lola, aquí estamos las dos solas, y puedes decir lo que quieras, ¿sabes?, porque en esta cocina mando yo. Y yo tengo veintinueve años, pero he vivido mucho. A mí me han pasado muchas cosas raras en esta vida, por eso no le voy nunca con cuentos a unos y a otros. Y tú deberías saberlo mejor que nadie.

Ella todavía se lo pensó unos instantes. Luego levantó la cabeza, miró a la pared, al mármol, a la masa que estaba trabajando en aquel momento.

—No es lo mismo, y tú lo sabes.

—No es lo mismo, ¿qué?

—Pascual en un callejón, con el pedazo de mandado que tenía el moro aquel, que daba gloria verlo... —me miró antes de dejar caer una albóndiga en la harina—. Y Jesús Monzón. No tienen nada que ver, reconócelo.

—Lo reconozco —admití—, pero tú y yo sí somos las mismas, ¿o no?

—Supongo.

—No, no lo supongas —respondí, sin molestarme en disimular que aquel verbo me había ofendido—. Si sólo lo supones, prefiero que no me cuentes nada —cogí un poco de masa, la moldeé como le había visto hacer a ella, y se la enseñé—. ¿Así está bien?

—Sí, está muy bien. Ahora tienes que pasarla por la harina, y lo que quería decir es que... —me miró, cogió aire, habló por fin—. Bueno, que a mí siempre me pareció muy injusto cómo trataba el Partido a Jesús, porque con otros de buena familia no lo hicieron. Además, creo que fue un error, y gravísimo, encima —asentí con la cabeza, y ella se animó—. Porque, vamos, que sea comunista yo, que nací en Torrebreva, en una choza con el suelo de tierra, pues... ¿Qué mérito tiene? Pero él tenía mucho que perder, y lo perdió todo, y no quisieron tenérselo en cuenta. Para Jesús, habría sido muy fácil quedarse en Pamplona, a pegarse la gran vida, o venirse aquí en el 36, con el dinero de su familia, pero él se quedó, hizo la guerra con la República hasta el final, cruzó la frontera igual que los demás, y... No sé si me entiendes.

—Claro que te entiendo. Yo soy de una familia muy rica, de falangistas de Madrid.

—¿Ves? —me sonrió—. Ahí lo tienes, y eso...

—Sí —la interrumpí sin devolverle la sonrisa, porque yo había estado en Arán, y sabía que las cosas no eran tan fáciles—, pero yo no he organizado ninguna conspiración para quedarme con el poder dentro del Partido, no me he metido en ninguna cama para trepar, no he engañado a nadie, no me he ido a Madrid a mentir a los que estaban aquí, no he montado una invasión para que coincidiera con una huelga general revolucionaria que me he inventado yo misma, no han matado a ningún camarada por mi culpa, no he dejado al Sacristán en una silla de ruedas, ni soy la responsable de que un montón de guerrilleros estén encerrados en las cárceles de Franco, y eso sin contar con los que ni siquiera llegaron a estar presos porque los fueron asesinando por el camino, así que...

—Que sí, que sí... Que sí —y levantó las manos en el aire, los dedos embadurnados de harina y de huevo, como si la estuviera apuntando con una pistola—, que tienes razón, que sé que tienes razón. No te estaba comparando con él, sólo quería decir... Mira, Inés, no es fácil hablar de Jesús. Ni siquiera es fácil entenderle, porque era muchas cosas a la vez. La verdad es que yo no he conocido nunca a nadie como él, ni para lo bueno, ni para lo malo. A nadie.

—Lo siento —dije a destiempo, porque era yo la que le había tirado de la lengua y no debería haberle hablado así.

—No pasa nada —ella negó con la cabeza, como si quisiera asegurarme que era consciente de los riesgos de aquella conversación, y seguimos trabajando, navegando sobre palabras menos peligrosas que el silencio, hablando solamente de lo que estábamos haciendo, compartiendo trucos, recetas, comparando el rape con la merluza, el pescado blanco con el azul, hasta que el plato estuvo a punto.

—¿Quieres que te diga la verdad? —me preguntó Lola entonces—. ¿La verdad de esta cocina en la que tú mandas y yo puedo decir lo que quiera?

Meneó la cacerola donde hervían las albóndigas que habíamos hecho juntas, probó la salsa, apagó el fuego, y me miró.

—Sí —contesté, después de pensármelo más tiempo del que me habría gustado—. Quiero saberla.

—Jesús Monzón era la hostia, esa es la verdad. Pero la rehostia era, qué quieres que te diga. Carmen se enamoró de él, sí, y yo también, y Manolo, y Gimeno, y Domingo, y Ramiro, y Comprendes, y el Sacristán, y tu marido. Tu marido más que ninguno, por cierto, eso lo sabes, ¿no? —hizo una pausa para mirarme, yo asentí con la cabeza y ella siguió adelante, más tranquila—. Todos nos enamoramos de Jesús. No como Carmen, desde luego, pero confiábamos en él, le admirábamos, le queríamos, le necesitábamos, para qué te voy a mentir. Cuando él empezó a ocuparse de todo, nosotros estábamos solos y jodidos como nunca, abandonados, perdidos... Carne de cañón, ¿lo entiendes?, así nos sentíamos, unos miserables españolitos de mierda, desamparados del todo, por todos, esperando a que los nazis nos cazaran uno por uno, para matarnos o para regalarnos a Franco, a ver si se divertía un rato matándonos él mismo. Eso éramos, carne de cañón, hasta que llegó Jesús y dijo que no.

Y Lola, que había empezado a hablar en un murmullo aunque siguiéramos estando las dos solas en aquella cocina, levantó la voz un instante antes de que la emoción se la quebrara, y siguió hablando, recordando en un tono distinto, claro y desafiante, con los ojos húmedos, un gesto estremecido.

—Cuando ya estábamos medio muertos, de miedo, de asco, de desesperación, llegó Jesús y nos dijo que no, que ni hablar, que estábamos vivos y muy vivos, que teníamos mucho que hacer y que íbamos a hacerlo sin pensar en el pasado ni en el futuro, pensando sólo en el día siguiente. Y eso para nosotros fue... —cerró los ojos mientras movía la cabeza, pero encontró las palabras precisas para explicármelo—. Como resucitar, así fue, como volver a vivir, como recuperar la fe, la confianza, todo, en el peor momento de nuestra vida. ¿Que Jesús Monzón trabajaba para él? Pues sí, no te digo que no, pero ¿es que no es eso lo que hacen todos, siempre? Aunque fuera en su propio beneficio, Jesús trabajaba para el Partido, y lo levantó, nos levantó del suelo cuando más hundidos estábamos, y lo hizo todo él solo. Con dos cojones, además, porque aparte de saber lo que él sabía, hacía falta tener muchos cojones para organizar a los comunistas españoles aquí, en Francia, con los nazis hasta en la sopa. Él nos demostraba todos los días que le sobraba lo que les faltó a los demás cuando salieron corriendo. Y te podría decir otra cosa...

Se calló un momento, se limpió los ojos, se encogió de hombros, asintió con la cabeza y siguió hablando.

—Pues sí, mira, te la voy a decir... Todo lo que el Partido Comunista es ahora mismo, en Francia y en España, es mérito de Jesús Monzón, y todo lo que pueda llegar a ser, lo mismo. Lo que nos diferencia de los socialistas, de los anarquistas, de los republicanos, es que cuando estábamos igual de perdidos, igual de derrotados, abandonados a nuestra suerte en un país extranjero, ocupado por extranjeros, nosotros tuvimos un Monzón, y ellos no. Eso fue lo que pasó, y ahora, que digan lo que quieran. Porque él usurpó el poder, sí, desde luego, nadie puede negarlo. Él enamoró a Carmen para usurpar el poder, y en cierto modo, hasta la chuleó, aunque eso era lo que a ella le gustaba, eso que tampoco se te olvide, ella habría dado cualquier cosa por seguir así con él toda la vida, porque desde el principio, desde que vivían aquí, Jesús le ponía los cuernos que daba gusto y a Carmen todo le parecía bien, hacía como que no se enteraba, como si no viera nada, ni oyera nada, ni supiera nada más que lo que él quería que viera, que oyera, que supiera. Yo comprendo que esa no es manera de llegar al poder, pero lo que hizo después con aquel poder, fue exactamente lo que había que hacer, y lo mejor que nos podría haber pasado. A cada cual, lo suyo, ¿no? Pues esa es la verdad.

Terminó de hablar, se cruzó de brazos, me miró, clavó sus ojos en los míos como si fueran alfileres, y un instante después, se desinfló.

—No le cuentes a nadie lo que acabo de decirte, Inés —me dijo, y parecía otra vez a punto de llorar—, ni siquiera a tu marido, por favor, porque como se entere de esto quien yo me sé... Para qué queremos más. Es lo que me faltaba, ya...

—Que no, mujer —fui hacia ella, la abracé y quizás por eso, menos de un año después, fui la madrina de su boda—. No te preocupes.

Lola y yo volvimos a estar solas, y a hablar a solas de muchas cosas, muchas veces, pero ninguna de las dos volvió a mencionar jamás a Jesús Monzón. Aquella noche, montamos una mesa en el comedor y nos cenamos las albóndigas que habíamos hecho juntas como si no hubiera pasado nada. Nos habían salido muy ricas, como me saldrían a mí siempre que las hiciera para los clientes de Casa Inés, en casa nunca, porque a Galán no le gustaban.

—Pues sí que... —después de probarlas, apartó el plato con el ceño fruncido y una expresión de disgusto que no entendí—. Menuda manera de estropear un pixín.

—¿Pero qué pixín ni qué pixín? Que esto no es un pixín, que es un rape francés, a ver si te enteras.

—Me da lo mismo —pero nunca le convencí—, yo sé lo que me digo, y a mí me gusta el pixín entero, no triturado, que es una salvajada, pobre animal, si te viera mi madre...

Porque, de todo lo que pasó en mi cocina aquella tarde, lo único que me atreví a contarle cuando volvió, fue que había aprendido a hacer albóndigas de rape.

Aquella mañana, en el desayuno, Inés me contó que el Ninot no había aparecido el día anterior por el restaurante. Ni a comer, ni a cenar.

—Nunca había faltado sin avisar —estaba preocupada—. ¿Tú crees que le habrá pasado algo?

Negué con la cabeza y no quise ir más allá. En octubre de 1965 yo tenía cincuenta y un años, y Pascual, casi diez más. Ya era mayorcito para echar una cana al aire sin darle explicaciones a nadie. Y además, aunque llevara veinte años dándole de comer, mi mujer no era su madre.

—Estará por ahí... —concluí, después de negarme a telefonear a su pensión para preguntar por él, porque sabía que no le habría gustado—. Tiene sesenta años, Inés. Sabe cuidarse solo, no te preocupes.

Cuando llegué a mi despacho, ya se me había olvidado. Después, mi secretaria me pasó una llamada de Vigo. Nuestro agente tenía problemas para situar en un barco una carga de centollos congelados que ya teníamos colocada en París. Nos habíamos comprometido a entregarla cinco días más tarde, y un camión frigorífico para tan poca cosa subiría mucho el precio. Así que, como tu amigo de Madrid no nos eche una mano... Cuando me lo sugirió, ya estaba buscando el teléfono de Guillermo García Medina en la agenda que tenía sobre la mesa.

—Buenos días —me contestó Juana, su secretaria de siempre, que, como siempre, no dio señales de reconocerme—. Querría hablar con don Rafael Cuesta, por favor. De parte de Gregorio Ramírez.

En los primeros días de diciembre de 1948 entré en España como un señor, con un pasaporte falsificado, tan admirablemente como de costumbre, a nombre de Gregorio Ramírez de la Iglesia. Mi viaje se había pospuesto dos veces por razones de seguridad, y aunque había disfrutado de siete meses seguidos con Inés y con mis hijos, la inactividad había llegado a angustiarme tanto que celebré mi partida como si estuviera a punto de emprender un viaje de placer. Quizás por eso, el destino me castigó como nunca antes.

Desde el fracaso de Arán, trabajaba para el Partido como enlace entre la dirección del exilio y la organización del interior. Fue mi manera de quedarme dentro, el camino que elegí para no ponerme malo sólo de pensar en volver a rendirme, como había dicho Comprendes cuando nos despedimos en Bosost. El trabajo clandestino me gustaba, me mantenía ocupado, excitado y en tensión, el estado ideal para un soldado. Era una vida peligrosa, pero buena para mí. Para Inés, que tenía que tirar sola de todo, el trabajo, la casa, los niños, era inofensiva y mucho peor, aunque nunca me pidió que la dejara. No habría podido hacerlo sin traicionarse a sí misma, y yo lo habría entendido, tal vez ni siquiera la hubiera querido menos por eso. Sin embargo, una parte esencial de la emoción, de la excitación de mi trabajo, consistía en pensar en ella, íntegra, sólida, duradera como una roca de granito, caliente y mullida como su cuerpo sobre el colchón de plumas que me esperaba al otro lado de la frontera. Yo me marchaba, pero me la llevaba conmigo. Nunca estuve tan enamorado de mi mujer como cuando la dejaba en Toulouse para convertirme en otro hombre, que cada vez tenía nuevos apellidos, otra dirección, una edad distinta, pero que siempre la amaba más que yo. Nunca la quise tanto. Ni siquiera cuando volvía a mi casa para descubrir que tenía una vida incomparablemente mejor de la que había podido recordar en las camas frías de las casas de otros.

Hasta que aquel viaje se torció, la balanza de mi vida estuvo equilibrada. Entre febrero de 1945 y mayo de 1948, crucé la frontera cinco veces, alternando tres documentaciones distintas, unas mejores, otras peores. Mis estancias en España duraban alrededor de seis meses, mis vacaciones en Toulouse, más o menos la mitad.

Esta regularidad venía impuesta por la naturaleza de mi misión, que consistía en inspeccionar las guerrillas que estaban activas, enlazarlas entre sí, y volver a informar de la situación. No era un trabajo sencillo, porque me obligaba a moverme sin parar y a penetrar a pie en sierras donde las contrapartidas de la Guardia Civil no eran más peligrosas que la desconfianza de mis propios camaradas, cada vez más solos, más acorralados, más desconsolados por el precio que sus familias pagaban en el llano cada día. Pero aunque más de una vez tuve que romper un cerco a tiros, nunca me detuvieron, porque nadie era tan desconfiado como yo. Jamás, mientras fui clandestino, dejé de obedecer a mi séptimo sentido. Tampoco olvidé nunca aquella enseñanza de Machuca, siempre es preferible hacer el ridículo a meter la pata, que escuché tantas veces en el Luchonnais.

También tuve presente esa enseñanza en Madrid, al entrar en la confitería de la plaza de Canalejas que ya había usado como estafeta otras dos veces. Aquella mañana de mayo de 1949 también me entretuve mirando el escaparate, para atisbar cualquier señal extraña o imprevista en el interior, pero no vi nada. Quizás, en aquel momento no lo había. Quizás, estaba cansado y, sobre todo, deseando marcharme. Llevaba seis meses en España, más de dos en la capital, la ciudad de mi mujer, un escenario en teoría más seguro que ningún otro pero del que yo recelaba a cada paso. No era más que un espejismo, y lo sabía. Sabía que ninguna ladera escarpada, frondosa, repleta de árboles y de rocas, me ofrecería una cobertura semejante a la de un andén subterráneo abarrotado de gente. Pero yo era un hombre del monte, y la posibilidad de salir corriendo monte arriba me inspiraba aplomo, una seguridad que parecía desvanecerse en las escaleras de cualquier estación de metro.

Antes de empujar la puerta pensé en Inés, que no sabía dónde estaba y me ametrallaría a preguntas cuando se enterara. Quizás por eso no vi lo que debería haber visto. Aquel viaje se había torcido desde el principio, desde que me enteré de que no iba a salir en agosto, para que me dijeran después que en octubre tampoco iba a ser. Así fueron acumulándose semanas, quincenas, meses de días torpes, vacíos, un desperdicio de tiempo ocioso en el que no tenía nada que hacer mientras me daba cuenta, como nunca antes, de que mi vida entera dependía de mi mujer en aspectos que no tenían nada que ver con el amor. Aunque yo cobraba del Partido un sueldo mensual que no llegaba ni para pagar el alquiler, Inés era la que ganaba dinero de verdad, la que lo mantenía todo. Y cada día que pasaba en Toulouse sin hacer nada, ese todo me iba incluyendo un poco más también a mí.

Durante los tres últimos años, mientras yo iba y venía de España sin aportar un céntimo a la economía familiar, el restaurante empezó a llenarse hasta los martes por la noche. Eso, más que un problema, había sido siempre una noticia que celebrar. Lo fue hasta que mis últimas vacaciones se alargaron tanto que dejaron de parecerlo, y los sucesivos aplazamientos de mi partida me mostraron mi vida bajo una luz que no me favorecía. Por eso me había alegrado tanto en diciembre del año anterior, cuando estrené a Gregorio Ramírez de la Iglesia, su pasaporte recién fabricado, todavía caliente al llegar a mis manos. Y sin embargo, ningún viaje se me hizo nunca tan pesado.

Ya tenía programada la vuelta, y había decidido quedarme en Francia una temporada para montar cualquier cosa, algún negocio a medias con un camarada de los que no se movían de Toulouse, antes de volver a viajar, si es que tenía la oportunidad de seguir haciéndolo después de que el Partido hubiera decidido abandonar la estrategia de la lucha armada. Ese era el detalle que había acabado de torcerlo todo, del todo. Yo sabía mejor que nadie hasta qué punto la situación se había hecho insoportable para los de arriba, pero la perspectiva de trabajar en tareas políticas, en entornos poco conocidos para mí, no me apetecía demasiado, aunque tampoco podía descartar que, pasado un tiempo, la tentación de la clandestinidad volviera a resultarme irresistible. Supongo que era todo eso, y el cansancio de la penúltima cita, lo que tenía en la cabeza cuando entré en aquella confitería. Si el destino me estaba guiñando el ojo, desde luego me pilló mirando hacia otro lado.

—Buenos días.

No sabía si aquel dependiente con gafas era el único enlace con el que contábamos en aquel negocio, pero al entrar, descubrí que no estaba solo. Al fondo, ante la cortina de terciopelo que separaba la tienda del obrador, dos hombres miraban las tartas que había en una vitrina. Uno de ellos estaba demasiado cerca de la otra dependienta, rubia, treinta años, resultona, para ser un simple cliente. Como ella no hablaba, ni le sonreía, pese a que el muslo izquierdo del hombre rozaba descaradamente su trasero, calculé que lo más probable era que aquella indecorosa proximidad se debiera a que él la estaba apuntando con una pistola, oculta tras el abrigo que llevaba en el brazo.

—Buenos días, señor —me respondió el chico, añadiendo una coletilla que no recordaba haber escuchado otras veces.

Antes de bajar la vista hasta el mostrador, me di cuenta de que estaba muy nervioso. Entonces, el hombre que no estaba rozando a la chica se apartó de la cortina y avanzó despacio, como curioseando el mostrador opuesto al que yo tenía delante, hasta que se colocó detrás de mí. Y no tuve que pensar dos veces, ni siquiera una sola, que iba a abandonar la contraseña.

¿Tienen violetas?, debería haber preguntado. Claro, ¿cómo las prefiere, de caramelo o escarchadas?, deberían haberme contestado. Escarchadas, mejor, debería haber rematado yo. El chico me habría hecho un paquete con papel de regalo y, después de cobrarme los dulces, me los habría entregado dentro de una bolsa de papel con un sobre encajado en el fondo. Dentro, estarían los textos que yo debería entregar a un impresor clandestino después de examinarlos y aprobar, o corregir, su contenido, de acuerdo con las consignas que me habían enviado desde Toulouse, por un medio desconocido para mí, unos días antes. Luego, habría vuelto a mi pensión sin más tareas pendientes que acudir a una cita de despedida con la persona que fuera a relevarme y cuya identidad tampoco conocería hasta que la tuviera delante, hacer las maletas y regresar a casa.

—¿Puedo ayudarle?

Cuando el dependiente, con la cara tan blanca ya como los merengues que reposaban a su izquierda, sobre una bandeja, volvió a interesarse por mí, ya había comprendido que sólo tenía una opción, y que si era capaz de ejecutarla con éxito, Inés habría vuelto a salvarme la vida.

—Vísteme de señor.

—¿Qué?

Tres días antes de mi primer viaje, mientras pensaba en mi equipaje, eché de menos aquel jersey marrón, con rombos rojos y azules, que había desaparecido de todos los cajones. Tampoco había vuelto a ver ni rastro de su compañero color verde botella. Ella los había quitado de en medio para sustituirlos por otros más discretos, antes de emprenderla con mis americanas. Yo me ponía todo lo que me compraba por tenerla contenta, pero hasta aquel momento no se me había ocurrido que podría sacarle partido a sus gustos.

—Sí —me expliqué mejor—. Imagínate que, cuando esté dentro, algún día me conviene parecer un amigo de tu hermano... ¿Cómo tendría que vestirme?

Al escucharme, sonrió. Fue la primera vez que sonrió de verdad en varios días, antes de levantarse para vaciar el contenido de mi armario sobre la cama, separando cada prenda para examinarla con atención, antes de tirarla sobre la almohada o colocarla con cuidado en el otro extremo. Pero sus silencios se fueron alargando a medida que se acentuaba una mueca de disgusto.

—No es suficiente —y negó con la cabeza antes de explicarse—. Necesitas, por lo menos, tres cosas que no tienes. Un buen abrigo, un buen sombrero y un par de corbatas de seda natural. ¿Cómo andamos de dinero?

En el invierno de 1945, el dinero todavía era asunto mío. Por eso intenté negarme, le dije que no, que ni hablar, que no iba a gastarme ni un céntimo en esas mamarrachadas, pero ella fue inflexible.

—Muy bien, pues entonces nos olvidamos —y fue doblando con cuidado todo lo que había desplegado antes—. Porque, si vas bien vestido pero sin abrigo y sin sombrero, lo único que vas a conseguir es llamar la atención.

El abrigo, largo y grueso, de un tejido extraño, que parecía tener pelo pero no era de piel, pesaba sorprendentemente poco para lo que abultaba. De un color marrón acaramelado, «camel», lo llamó Inés en sus conversaciones con el dependiente, era carísimo, pero me gustó. Sin embargo, habría preferido ahorrarme el sombrero, no sólo por la puñalada del precio, sino por su inutilidad. Nunca los había usado, no me gustaban. Quizás por eso me costó tanto trabajo aprender a ponérmelos.

—No, hombre, así no... —ella se partía de risa ante el espectáculo de mi torpeza—. No es una gorra, ¿sabes? Tienes que encajártelo por aquí, y bajar un poco el ala, así, levantándola por este lado... Muy bien. Ahora tú sólo...

Perdí una noche entera aprendiendo a ponerme el sombrero, y en ningún momento conseguí verme guapo, ni apuesto, ni distinguido, por mucho que Inés discrepara de mi opinión. Pero eso había ocurrido en enero de 1945. En mayo del 49 no renunciaba a él salvo en las ocasiones en las que pudiera perjudicar a mi cobertura. Ya tenía varios, de invierno, de entretiempo y de verano. Aquel día había entrado en la confitería con el más adecuado. Llevaba sobre los hombros una gabardina inglesa que me había comprado yo solo en una tienda de la Gran Vía. Sabía que, sólo por ir vestido así, mi aspecto habría infiltrado una considerable dosis de incertidumbre en los cálculos de los policías que me estaban esperando. Pero, además, el roce del fieltro sobre mi frente, la crujiente tiesura de la tela sobre mis hombros, me ayudaron a interpretar el papel que más me convenía.

—Si está buscando algo en concreto... —y eso fue lo que empecé a hacer justo después de que el dependiente se ofreciera a ayudarme.

—No, por favor, atienda a este señor —y me volví para comprobar que, efectivamente, el que no estaba interesado en la rubia, se encontraba justo a mi espalda—, que ha llegado antes que yo.

—No se moleste —percibí el desconcierto en su voz—. Sólo estoy mirando.

—¡Ah! Pues... tengo que hacerle un regalo a mi suegra, y me he fijado en esas bomboneras que tienen ahí —el chico se volvió y cogió una caja de cristal tallado, pero le corregí sobre la marcha—. No, esa no. Me refería a las que están más arriba, las de metal, esas, sí, ¿le importaría enseñármelas?

Eran dos esferas de un metal esmaltado, quizás bronce, con una técnica de nombre francés. Se lo había escuchado a Inés alguna vez, pero en aquel momento no conseguí recordarlo. Descarté la más grande, decorada con un motivo vagamente chino, porque la tapa se levantaba del todo. La más pequeña, que era a su vez un globo terráqueo, tenía un broche metálico por delante que permitía desprender el hemisferio norte y sustentarlo sobre una bisagra que parecía sólida. La sostuve entre las dos manos, celebrando su peso, y me acerqué al escaparate, como si quisiera apreciarla a la luz del día.

—Creo que me voy a llevar esta —proclamé en voz alta mientras estudiaba de reojo la luna que protegía del aire de la calle las tartas y pasteles dispuestos a diversas alturas en anaqueles de cristal, sobre una meseta de madera cuya altura no llegaba a medio metro—. La otra es más femenina, ¿no?, pero los colores son más apagados... —enfrente de la confitería, al otro lado de una acera por la que pasaba un río de gente, había un semáforo que en aquel momento estaba en verde—. Esto es esmalte, ¿verdad?

—Sí —me volví a mirar al dependiente y al comprobar que estaba recuperando el color, comprendí que él no había sido el traidor—. *Cloisonné.*

—Claro, *cloisonné* —lo pronuncié con un acento impecable, mientras el semáforo destellaba en ámbar, antes de recurrir a una frase típica de Inés que siempre me había parecido una gilipollez—. Gracias, había olvidado la palabra. Pues sí, me voy a llevar esta, pero no me gustaría regalarla vacía... ¿Con qué le parece que podríamos rellenarla?

Un instante después, el semáforo ya en rojo, me pareció ver el piloto verde de un taxi libre a través de los cuerpos que pululaban por la acera. Ahora, decidí.

—Pues tenemos... —ahora, mientras el dependiente se acercaba a las cajas de cristal rellenas de dulces de todos los colores, ahora—. Caramelos, bombones, *marrons...*

Antes de que le diera tiempo a decir *glacés,* levanté el brazo derecho en el aire, tiré la bombonera con todas mis fuerzas contra la luna del escaparate, y me abalancé sobre él, pisando tartas, pasteles, cajas de bombones y bandejas de bartolillos, para agrandar el hueco con mi cuerpo. Al atravesar el cristal, me protegí la cabeza con los brazos cruzados sobre la cara. Creí haber salido indemne, no como el pobre señor al que la bombonera había derribado sobre la acera, provocando un remolino de transeúntes caritativos que bordeé deprisa, por la derecha, mientras levantaba la mano para llamar la atención del taxista que, en efecto, esperaba a que se abriera el semáforo. Al entrar en el coche, vi que la suela de mi zapato izquierdo estaba pringada de una masa rosácea, en la que se distinguía un rizo de nata montada y un par de fresones aplastados. Cuando me acomodé en el asiento, sentí un dolor tan agudo en el costado derecho, que no reconocí mi voz en la que pronunciaba una dirección a la que nunca había tenido que recurrir hasta entonces.

—Buenos días —fui corrigiendo mi posición despacio, con cuidado, pero el dolor no cesó—. Al mercado de la calle Santa Isabel, por favor.

—¿Qué ha pasado ahí? —me preguntó él mientras arrancaba—. Parece que han roto la luna de la pastelería esa, ¿no?

—Pues... —me recliné en el asiento, estirando el cuerpo todo lo que pude, y el dolor aflojó ligeramente—. Yo no he visto nada.

En total, mi fuga no había durado más de dos minutos, pero cuando llegamos a Antón Martín ya sabía que no había salido bien del todo. Al notar el contacto de un líquido caliente y espeso en mi mano derecha, me sacudí la gabardina de los hombros y me la coloqué por delante. Pretendía taponarme la herida, pero me corté con un filo antes de lograrlo, y decidí esperar. Por fortuna, el taxista no era hablador, Lavapiés no estaba lejos, y el paseo del Prado, tan despejado como la calle Atocha. Pagué la carrera con mucha torpeza y la mano izquierda, y salí del coche apretando los dientes. Esperé a que su conductor se perdiera cuesta abajo, y crucé andando muy despacio, vigilando mis pasos, las gotas de sangre que, más allá del parapeto de la gabardina, goteaban sobre mis zapatos, despacio al principio, más deprisa cuando enfilé por fin la calle Buenavista. Al entrar en el portal del número 16, ya no podía andar erguido. El dolor me obligó a mirar mis propias huellas, nata, crema, mermelada y sangre, a lo largo de tres pisos de escaleras en penumbra. Al llegar arriba y tocar el timbre de la puerta marcada con la letra D, estaba a punto de desmayarme.

—Las naranjas, en invierno...

El hombre que me abrió la puerta, me sostuvo por las axilas antes de que pudiera terminar la contraseña. No llegué a perder el conocimiento por completo, pero tampoco estuve consciente del todo durante los minutos siguientes. Luego me contaron que les había encontrado comiendo y habían recogido a toda prisa para tenderme sobre el mantel, y yo conservaba un vago recuerdo de aquella escena. Pero no recordaba haberles advertido que limpiaran la escalera, y al parecer, lo hice. Lo que nunca podría olvidar fue la forma triangular del cuchillo de cristal que tenía clavado en el vientre, ni lo que dije cuando vi que la dueña de la casa hacía ademán de quitármelo.

—No... —eso fue lo que dije—. No, es mejor...

—¡Ay, madre mía! —y eso fue lo que dijo ella cuando dejó escapar un chorro de sangre que salpicó hasta la lámpara—. ¡Madre mía, madre mía!

A partir de ahí, ya no recordaría nada hasta que me desperté a oscuras en una cama desconocida. Sentí algo extraño en el brazo derecho, y a tientas comprobé que estaba conectado a un tubo. Sentí también un dolor extenso, amortiguado, que sin dejar de existir en el presente, era a la vez un recuerdo y un presentimiento del mismo dolor. Su compañía me bastó para comprender que no podía levantar la voz, ni golpear la pared para llamar la atención. No podía hacer otra cosa que dormir, y eso acabé haciendo, una y otra vez, hasta que en uno de mis despertares comprobé que hacía calor. Me destapé y me di cuenta de que tenía mucha hambre, pero no pasó nada, sólo un tiempo parsimonioso, lento como las gotas de suero que entraban en mis venas sin anunciarse, hasta que sentí la necesidad de volver a taparme. En ese momento se abrió la puerta. Mis ojos, entumecidos por la oscuridad, se dolieron al percibir una luz amarillenta, el pobre resplandor de un farolito que alumbraba un pasillo.

—¡Vaya! Ya estás despierto... —una voz de mujer me devolvió de nuevo al mundo—. Menos mal, menudo susto. ¿Cómo te encuentras? ¿Tienes hambre?

—Muchísima.

—No me extraña. Llevas muchos días sin comer nada —me sonrió antes de levantarse—. Espera un momento, ahora mismo vuelvo...

Cuando lo hizo, trajo consigo una bandeja y, pegado a sus faldas, a un niño de unos doce años que se quedó en la puerta, mirándome.

—Es mi hijo Rubén —su madre, cuarenta y tantos, baja, regordeta, era agradable y olía a productos de limpieza—. No te preocupes, está muy acostumbrado...

Por la forma en la que me ayudó a incorporarme y me enganchó una servilleta en el cuello de un pijama desconocido, antes de colocarme la bandeja sobre las piernas, me di cuenta de que ella no estaba menos acostumbrada que su hijo a ocuparse de huéspedes como yo.

—¿Podrás comer tú solo? —asentí con la cabeza y ataqué una sopa de cocido—. Hoy no me atrevo a darte nada más. A ver qué dice el médico...

El 18 de julio de 1936, Guillermo García Medina ya había terminado la carrera de Medicina, pero le faltaba un año para completar la especialidad. La guerra triplicó ese plazo, y le ofreció una docena larga de especialidades donde elegir, pero en su caso, los vencedores no estuvieron dispuestos a reconocer ni una cosa ni la otra. Él se enteró a tiempo, antes de reclamar un título que le habría mandado derecho a la cárcel por un delito de adhesión a la rebelión, y se resignó a no ejercer su oficio. Se equivocaba. Cuando yo le conocí, llevaba más de ocho años ejerciéndolo clandestinamente.

—Todavía no le he cambiado la cara a nadie —me comentó con una sonrisa la primera vez que le vi—, pero todo se andará...

Había aparecido al borde de la medianoche, vestido de oficinista, con un maletín más acorde con su aspecto que con el instrumental que transportaba. Un año mayor que yo y algo más alto, delgado desde siempre, de los de antes de la guerra, llevaba unas gafas redondas, pasadas de moda, y tenía la piel cetrina, la cara larga, un vago aire de caballero antiguo pintado por El Greco. De entrada, su aspecto le habría hecho parecer serio, incluso adusto, si él no lo hubiera desmentido en menos tiempo del que yo tardé en pensarlo. Le gustaba hablar, tenía un sentido del humor inquebrantable, y el don de inspirar confianza desde el primer momento.

—¿Sabes lo que ha pasado? —por eso le pregunté lo que no me había atrevido a preguntarle a mi anfitriona—. ¿Dónde se ha parado?

—¿Dónde se ha parado... —él dejó de examinar mis heridas para mirarme con los ojos muy abiertos— qué?

—La caída.

—¿La caída? —meneó la cabeza y regresó a mi vientre—. No sé nada de eso. Pregúntaselo a Carmen, o a Cipri. Yo no soy comunista.

—¿No? —él sonrió a mi asombro.

—No. Es que, verás... —hizo una pausa, corrigió la posición de sus gafas, me miró—. Aunque parezca mentira, algunos millones de personas en el mundo no somos comunistas, ¿sabes? —me reí, y me dolió—. No te rías. Te he dicho que no te rías. No te conviene hacer movimientos bruscos.

—Pero, entonces, si no eres comunista... ¿Qué haces aquí?

—Bueno... —y se encogió de hombros antes de responder—. Tú tenías el hígado desgarrado, el vientre lleno de cristales, y una hemorragia interna de tres pares de cojones. Yo diría que necesitabas un médico, ¿no? Y yo no soy comunista, pero médico sí que soy.

—¡Joder! —cuando escuché aquel diagnóstico, su ideología dejó de inquietarme—. ¿Me vas a operar?

—No. Te he operado ya —y volvió a sonreír—. Dos veces. La recuperación será muy lenta, pero vas a salir de esta.

Guillermo García Medina, antifascista sin partido, no era comunista, pero sí uno de los mejores camaradas que yo tendría en mi vida. Generoso y constante, valiente, leal como el que más, fue mi principal contacto con el mundo durante los seis meses que tardé en volver a Toulouse. Sin él, nunca lo habría logrado, porque Cipriano y Carmen, los dueños de aquel piso reservado para casos de auténtica emergencia, no sólo no tenían contacto directo con la organización del Partido. También tenían prohibido enlazar con ella.

—Nosotros no sabemos nada —me explicó él cuando le pedí ayuda—. Ese es nuestro trabajo, estar aquí y no saber nada.

Su función se limitaba a esconder a clandestinos en apuros, esperar a que apareciera un hombre como yo, alojarle, alimentarle, curarle, y ayudar a que se recuperara para que dejara libre su casa lo antes posible. Sólo aquel aislamiento absoluto podía preservar la seguridad de aquella casa que contaba con una protección adicional, porque la hermana pequeña de Carmen estaba casada con un guardia civil, héroe de la Cruzada. Eso, y que el teléfono del médico les había llegado muchos años antes, escrito en una tarjeta postal sin remitente, fue todo lo que pudieron contarme. Yo entendí que, a partir de ahí, tendría que buscarme la vida sin la ayuda de nadie. Y no lo tenía fácil.

Aparte de lamentar la pérdida de mi abrigo, que se había quedado en una pensión de la calle Hortaleza con el resto de mi equipaje, no podía ponerme en contacto con ninguna de las personas con quienes había trabajado en los últimos meses. No sabía si, más allá de la luna de la confitería, había habido, o no, una caída, ni hasta dónde había llegado. Ni siquiera estaba seguro de no haber hecho el ridículo una vez más, pero si los hombres de quienes había escapado eran policías, habían tenido tiempo de sobra para retener mi cara y, a aquellas alturas, mi descripción circularía ya por todas las comisarías. Existía una posibilidad de que, incluso así, no hubieran llegado hasta la pensión donde me había registrado como Gregorio Ramírez de la Iglesia, identidad desconocida para el dependiente con gafas, pero aunque mi respetable patrona hubiera preferido quedarse con mis cosas a denunciar mi desaparición, no podía cambiar la foto del pasaporte y salir con él. Por eso, después de meditarlo mucho, confié en que el camino más largo resultara el más corto de los posibles, y cuando volví a ver al médico, le pedí un favor.

—¿Te importa que le escriba una carta a mi mujer, en una clave que no te comprometa, y que ponga en el remite tu nombre y tu dirección? —él frunció el ceño, como si no entendiera el sentido de aquella pregunta—. En este momento no me atrevo a usar ninguna identidad. Es posible que en Correos conozcan mi dirección de Toulouse, y comprueben la del remitente.

–No, no me importa, pero... –entonces asintió con la cabeza–. Ya, es para que sepan que estás aquí, ¿no? Puedo escribirla yo mismo, si quieres.

Abrió su maletín y sacó un papel de cartas con un membrete que me llamó la atención, el dibujo de un camión circulando por una carretera. Tuve la sensación de que ya lo conocía, y al girar la cabeza hacia la mesilla, comprobé que la cuartilla donde Carmen consultaba mi tratamiento era idéntica.

–¿Y ese papel? –volvió a mirarme como si no me entendiera–. Parece...

–De una empresa de transportes –me confirmó–. Yo trabajo allí. Ya te conté que no tengo un título oficial de médico, ¿no?

–Sí, pero eso nos lo pone todo mucho más fácil –me entusiasmé tanto que me incorporé con brusquedad, y mi cicatriz protestó–. Mi mujer trabaja en un restaurante. Puedes escribir allí, como si ella estuviera esperando un envío... Tiene que ser algo asturiano, unas botellas de sidra El Gaitero, por ejemplo, que era el nombre que yo tenía en el monte.

–Muy bien. Puedo decirle que no se preocupe, que ya las he localizado, pero que como son muy frágiles, se las estoy guardando para enviárselas sólo cuando esté seguro de que van a llegar en buen estado.

–Perfecto –con tantos años de clandestinidad a cuestas, yo no lo habría hecho mejor.

–¿Cómo se llama tu mujer?

–Inés Ruiz Maldonado, pero escribe mejor Inés de la Torre Sánchez.

–No sé cómo no os armáis un lío –sonrió–, con tanto nombre falso... ¿Y el restaurante?

–Casa Inés –y por motivos que yo ni siquiera podía imaginar, su sonrisa se ensanchó hasta traspasar la frontera de la risa–. Boulevard d'Arcole...

–Cincuenta y dos, ¿verdad?

–No –respondí, con un hilo de voz–. Cincuenta y cuatro, pero... ¿Cómo lo sabes?

–Porque es clienta mía. No hace ni un mes que le envié noventa litros de aceite de oliva.

Cuando me lo contó, debería haberme cabreado. De hecho, volví a doblar la lengua dentro de la boca para mordérmela con fuerza por primera vez en mucho tiempo. No era para menos. Desde que empezó a cocinar en la taberna hasta que nos despedimos por última vez, Inés no había dejado pasar ni una semana entera sin darme el coñazo con aquel tema. Pero, vamos a ver, me decía una vez, y otra, y otra más, machacándome siempre al mismo ritmo, como si mis oídos fueran dos dientes de ajo en un almirez, ¿es que nosotros no mandamos gente a España continuamente? ¿Y en España no tenemos a nadie que pueda mandarme unos bidoncitos de nada? Yo qué sé, ochenta litros, cien... ¿Qué es eso para un camión?

Al principio, ni siquiera sabía si enfadarme o sonreír ante aquella extravagancia, aunque ni siquiera se me pasó por la cabeza la posibilidad de complacerla. Yo no podía utilizar la organización del Partido para tener contenta a mi mujer, pero ella, que debería haberlo sabido tan bien como yo, nunca se dio por vencida. Una dictadura nunca sería motivo suficiente para obligarla a abandonar. Por eso, al enterarme de que había aprovechado mi ausencia para montar una red que, a través de un desconocido de Jaén, llegaba hasta el hombre que sonreía al borde de mi cama, pensé que estaba salvado. No pasó mucho tiempo antes de que él mismo me lo confirmara.

−No, si al final, voy a acabar afiliándome a ese partido tuyo, aunque sólo sea porque es lo único que funciona bien en España...

Habíamos calculado que la carta tardaría entre cinco y siete días en llegar a su destino. El octavo, al salir del trabajo, una desconocida le preguntó la hora, y mientras él miraba el reloj, añadió que estaba interesada en unas botellas de sidra. Después le cogió del brazo para andar por la calle, y no estaba nada mal, añadió, no creas, hasta que entraron en un café. La chica escogió una mesa aislada y allí, sin dejar de sonreír, ni de aparentar que pretendía conquistarle, le contó todo lo que yo necesitaba saber.

La caída se había parado casi antes de empezar. El pobre dependiente ignoraba que su amante, la rubia resultona que estaba casada con el dueño, lo alternaba con un repartidor que le gustaba más, quizás porque era un golfo y siempre necesitaba dinero. Él fue quien dio el chivatazo. La rubia le había contado que el chico era comunista sin prever lo que podía pasar. No le gustaba la policía, pero en el momento en que llamó a su puerta, se asustó y se ofreció a colaborar. Nuestro camarada, que se había dejado sonsacar por ella el día y la hora de la cita, aguantó después lo que se le vino encima sin despegar los labios. No había habido ninguna detención más, aunque la red a la que pertenecía se había desactivado por razones de seguridad. A pesar de todo, yo debería permanecer, durante un plazo indefinido, en la absoluta inexistencia en la que había vivido durante el último mes.

—He quedado con ella pasado mañana —y el doctor García sonrió, para sugerirme que su trabajo le daba aquellas alegrías de vez en cuando—. Va a traerme la llave de la carbonera de un edificio de oficinas que tiene cuatro portales, dos a la Gran Vía y dos a Desengaño. Va a estar en obras todo el verano, y el capataz es de los vuestros. Luego, ya veremos...

A finales de noviembre de 1949, cuando faltaban menos de diez días para que se cumpliera un año de mi ausencia, me detuve ante una puerta de cristal serigrafiada con un letrero que había temido no volver a ver jamás, «Casa Inés, la cocinera de Bosost». En ese momento tuve tanto miedo como en mayo, en aquel taxi donde comprobé la consistencia espesa, caliente, de mi propia sangre. Tal vez, incluso más. Había vuelto, pero no me lo creía, y tampoco sabía si querrían creerlo detrás de aquella puerta. Me sentía otro, un hombre lejano, más viejo, distinto de aquel que solía entrar en aquel local como en su casa. Al ponerme de puntillas, para atisbar el interior por encima del visillo de encaje que lo protegía de la curiosidad de los transeúntes, vi a una mujer colocando flores en las mesas. La conocía desde hacía muchos años, no habría podido no reconocerla, y sin embargo, dudé de mis ojos. Estaba allí, y al mismo tiempo muy lejos, tanto como si la estuviera viendo en una película, una estampa antigua de colores deslucidos, apagados, marchitos.

Sólo había pasado un año, pero aquel viaje se había torcido desde el principio y la inquietud que siempre sentía al volver, una desazón que otras veces se había diluido en el aguafuerte del nerviosismo, la tensión del viaje de regreso, se había multiplicado por una cifra mucho mayor que dos. Sólo había pasado un año, pero durante más de la mitad, yo había permanecido rigurosamente fuera del mundo, muerto, como muerto. Para un cadáver, un año es mucho tiempo. Para mí, fue demasiado cuando lo medí con los laureles que me recibieron en aquella puerta.

Inés se había empeñado en ponerlos ahí, flanqueando la entrada en dos macetas enormes de barro rojizo, porque eran bonitos, decía, hasta elegantes, y además, cuando crezcan, me van a venir muy bien... Al marcharme, eran dos matas frágiles, raquíticas, sus ramas casi desnudas, unas pocas hojas tiernas, amarillentas y endebles, apenas más consistentes que los pétalos de las flores. Cuando volví, me los encontré convertidos en dos matorrales no muy altos, pero sí espesos, hojas recias, olorosas, de un definitivo color verde oscuro. Ellos no me habían echado de menos, y tampoco sabía cuántas cosas más habrían crecido o cambiado, cuántas habrían nacido o habrían muerto en mi ausencia. El miedo a descubrirlo me paralizó, llegó a congelar mi mano sobre el picaporte, pero estaba lloviendo, había logrado volver a casa, y mi casa no era una acera de Toulouse. Por eso, y porque un viento helado que ya no podía romperlas, zarandeaba las ramas de aquellos laureles como si tuviera alguna razón para odiarlos, el hombre que era yo, y el que ya no estaba muy seguro de seguir siendo, entramos a la vez en Casa Inés.

—*Après, s'il vous plaît* —Angelita, que acababa de colocar el último florero, se limitó a despacharme con el discurso al que recurrían para ahuyentar a los mendigos—. *Maintenant, nous n'avons rien pour vous. La cuisine est encore fermée...*

Yo me propuse decir su nombre, pero mi voz no acertó a fabricar ningún sonido, y avancé despacio en su dirección, para escuchar la misma excusa en nuestro propio idioma.

—Que venga luego, cuando cerremos, que ahora no tenemos nada —por fin levantó la vista, dejó de verme, empezó a mirarme—. ¿No ve que la cocina...? ¡Ay, Dios mío! —y en la expresión de su rostro, aprendí que mi aspecto era mucho peor de lo que suponía—. ¡Inés! ¡Inés, sal, corre!

Había llegado hasta allí en un camión de la empresa en la que trabajaba Rafael Cuesta, el seudónimo bajo el que el doctor García ocultaba su identidad por razones que me dejó imaginar. Aquel verano, mientras pasaba los días en una carbonera limpia y fresca, bien ventilada pero sin más compañía que los libros y los periódicos que él mismo me prestaba, llegué a echar de menos a Rubén, que era muy pesado pero jugaba bien al ajedrez. En la carbonera no tuve visitas, ni de día ni de noche. Durante las horas de luz, tampoco me atreví a utilizar nunca la salida de emergencia que comunicaba mi escondite con un callejón. A cambio, cuando caía la noche y el edificio se quedaba vacío, salía para estirar las piernas y procuraba andar todo lo que podía. Escogía siempre calles anchas, transitadas, a veces Alcalá, hasta El Retiro, a veces el paseo del Prado, hasta Atocha, a veces la Castellana, hasta los Altos del Hipódromo, o Gran Vía abajo, hasta el Campo del Moro.

Aquellos paseos me sentaban bien, aunque me obligaban a negociar con mi hambre. El capataz me traía, cada lunes y cada jueves, un paquete de comida con lo justo para que no pasara demasiada. Al atardecer, solía golpear la puerta con los nudillos, me preguntaba si estaba bien, si necesitaba algo, y se marchaba enseguida, después de sacar mis provisiones de la bolsa en la que llevaba sus herramientas. Mi dieta, además de escasa, era monótona, sardinas en lata, arenques ahumados, algo de fruta, queso, galletas, y siempre, siempre, un paquete de carne de membrillo. Nunca le pregunté por qué me traía tanto membrillo, que era barato, pero no más que otras cosas que jamás se le ocurrió echar en la bolsa. Seguramente, a él le gustaba. Yo siempre había creído detestarlo, pero aquel verano lo devoré con auténtico placer. Después, cuando intenté volver a comerlo, comprobé que seguía detestándolo.

La carne de membrillo no daba para muchas alegrías, pero el doctor García, que era quien me había mandado andar, también se ocupó de eso. Nos encontrábamos cada dos o tres noches, cada vez en un lugar distinto, que habíamos acordado en nuestro encuentro anterior, y paseábamos juntos. Después, con el argumento de que no podía consumir calorías sin reponerlas, me invitaba a tomar algo en alguna taberna del centro, oscura y pequeña, discreta y popular, donde yo solía pedir lo más barato que hubiera. Hambriento como estaba, era incapaz de resistirme a la tentación, pero con el estómago lleno, me resentía de aquel abuso que se prolongaba semana tras semana, sin que ni él ni yo alcanzáramos a distinguir su final.

—¿Qué? —él se reía cuando le confesaba que me sentía culpable—. ¿Un pincho de tortilla? ¿Un chorizo frito? Ya ves, ni que me fuera a arruinar por eso.

Entretanto, hablábamos y hablábamos. Yo le contaba mi vida, y él me contaba la suya, que en algunos momentos hasta me parecía más inverosímil, más aventurera que la mía, aunque nunca hubiera estado en el frente y no se hubiera movido de Madrid. Entretanto, las cosas fueron cambiando sin que cambiara nada para mí, y en septiembre, cuando los oficinistas volvieron al trabajo, él me encontró uno para ir tirando. Tenía que dejar libre la carbonera, y una de las secretarias de su empresa, Juana, una mujer callada, discreta, viuda de un republicano, alquilaba habitaciones. Vivía con sus padres en una casita baja, cerca del Manzanares, en una colonia apartada donde a ninguno de los vecinos le llamaría la atención un nuevo huésped.

—Allí estarás bien, pero yo no puedo pagarte el alojamiento, el sueldo no me da para tanto. He hablado con Rita, y...

—¿Rita?

—Sí —sonrió—. La chica de las botellas de sidra. Se llama Rita.

—Vaya... —pero eso no quiso contármelo.

—El caso es que ya sé cómo vamos a sacarte de aquí. La empresa para la que trabajo no se dedica solamente a hacer transportes dentro de la península. El dueño está muy bien relacionado con el Régimen, y algunos de sus clientes, todavía mejor. Así que, untando algunas manos, aquí y allá, nuestros camiones entran de vez en cuando en España cargados de productos libres de aranceles. A la ida van llenos, para no llamar la atención, pero descargan cerca de la frontera y no suelen pasar por la aduana. Rita ha hecho averiguaciones y resulta que tenemos un camionero de fiar. En la próxima expedición irregular, yo me encargaré de ponerle de conductor, pero no tengo ni puta idea de cuándo ocurrirá eso. Mientras tanto, puedo colocarte en el almacén y hablar con Juana, para que te alquile por semanas una habitación. Vas a sacar lo justo para comer y pagar el alquiler, pero...

No hay vida como la clandestinidad. Ni tan buena ni, sobre todo, tan mala. En 1949, cuando me despedí de ella para siempre, tuve ocasión de verle todas las caras. La de Guillermo García Medina me acompañaría durante el resto de mi vida. Y casi veinte años después, cuando tuve la oportunidad de devolverle el favor, seguí sintiéndome en deuda con él.

—¿Y tú nunca has pensado en marcharte dentro de un camión? —la última noche le invité a cenar en su restaurante favorito—. Lo tendrías muy fácil.

—Pues lo he pensado muchas veces, no creas, pero siempre tengo a algún paciente esperándome en un sótano, o en una buhardilla —sonrió—. Siempre hay alguien con las tripas fuera en alguna parte, alguna mujer a punto de parir, un herido de bala, un detenido al que han soltado con la cabeza abierta... Me gusta ser médico. Eso es lo que sé hacer.

—Pues no sé cómo voy a poder pagarte todo esto.

—Ya me has pagado, y por adelantado. Si no hubieras atravesado un escaparate con el hígado, este verano me habría muerto de aburrimiento —y se animó a añadir un par de frases que, con ligeras variaciones, yo ya había escuchado, e incluso pronunciado cientos de veces—. Esto me sienta bien, ¿sabes? Es lo único que me hace sentirme bien.

—Ya... Yo tengo un amigo que dice que no hay vida como la clandestinidad. Ni tan mala ni, sobre todo, tan buena.

—Y tiene razón —levantó su copa para brindar conmigo.

—¿Sí? —le devolví el gesto sin mucha convicción—. No estaría yo tan seguro...

Después, me acompañó al almacén y me presentó a Herminio, el camionero, que ya había abierto un pasillo entre dos murallas de cajas de patatas para que yo llegara hasta el fondo y me sentara con la espalda pegada a la cabina. Cuando me deseó buena suerte, ya no pude verle la cara. Antes de poner el motor en marcha, entre los dos habían vuelto a colocar en su lugar las cajas que faltaban, y así, emparedado entre patatas, por si nos paraba la Guardia Civil, llegué hasta La Junquera. El trayecto duró toda la noche y buena parte del día siguiente, pero no fue tan espantoso como temí al principio, porque Herminio levantó la trampilla que comunicaba la cabina con la trasera e hizo todo el viaje con las ventanas abiertas, para dejarme respirar y avisarme con antelación de las paradas. Antes de descargar las patatas, se metió por un camino forestal y aparcó entre los árboles para volver a abrir el mismo pasillo por el que había llegado hasta allí.

—Quédate aquí. Ahora vuelvo a buscarte.

Le ayudé a completar otra vez la carga del camión y le esperé menos de una hora. Entonces empezó lo peor. Cuando volvió, en la trasera sólo había unos cuantos sacos vacíos. Los apartó para levantar una tapa que había en el suelo y mostrarme un habitáculo de metal, oscuro y sofocante, que estaba diseñado para transportar herramientas y una segunda rueda de repuesto.

—Ni se te ocurra abrir los ojos —me recomendó cuando ya estaba incrustado en él, intuyendo que aquello iba a ser peor que cruzar a pie—. Ciérralos, piensa en algo agradable y a ver si no encontramos mucha cola en la aduana...

Se desvió de su ruta para acercarme hasta Toulouse, pero me dejó muy lejos del centro y se me olvidó pedirle prestada una moneda para telefonear. Sólo llevaba pesetas en los bolsillos y no encontré dónde cambiarlas, así que llegué al restaurante andando bajo la lluvia. Cuando llegué, me dolían todos los huesos. Hacía meses que no me cortaba el pelo, me había dejado la barba para dificultar mi identificación, y vestía ropas extranjeras, livianas, unos pantalones con peto y una chaqueta sin solapas de mahón azul oscuro, el uniforme de obrero madrileño que me entregaron cuando empecé a trabajar en el almacén. Sin embargo, Inés me vio al salir de la cocina, y aquella vez, ni siquiera se quitó el gorro antes de venir corriendo.

—¡Galán! —ella había engordado, sobre todo en los pechos, redondos, llenos, mucho más grandes que la última vez que la vi—. ¡Galán!

Aspiré el olor dulzón, inconfundible, de la leche, y por una vez se me llenaron los ojos de lágrimas antes que a ella.

—Pero ¿qué te ha pasado? —porque antes de alcanzarme, frenó, como si al verme de cerca, hubiera descubierto que yo ya no era el hombre al que esperaba—. Te has quedado en la mitad, estás en los huesos...

Tendió las manos hacia mí mientras me miraba con una extrañeza casi dolorosa. Luego, al principio con cuidado, como si temiera hacerme daño, derribarme con la punta de los dedos, me acarició el pelo, la cara, los brazos. Yo me quedé quieto, mirándola hacer, sin atreverme siquiera a tocarla mientras veía sus manos, tan limpias, su delantal blanco, inmaculado, y esa cara redonda, misteriosamente sonrosada e infantil, que se le ponía cuando amamantaba, cada vez más sucias, tiznadas con la mugre de mi viaje, manchas pardas de tierra, manchas negras de grasa, y otras distintas, húmedas, del color del barro que crea la lluvia al disolver el polvo.

—No me toques —eso fue lo primero que le dije después de un año de ausencia, y al mismo tiempo, la apreté contra mí—. Te estoy poniendo perdida.

—Pero ¿cómo no voy a tocarte? —sus ojos, sus labios temblaron a unos milímetros de los míos, hasta que mi boca desesperada se encontró con la suya, la reconoció, se dejó reconocer por ella—. ¿Cómo no voy a tocarte si estás aquí? —y volvió a besarme, y volvió a decirlo—. Estás aquí —y siguió besándome, diciéndolo sin parar—. Estás aquí, aquí, estás... ¡Amparo!

—¿Qué? —la mujer del Lobo estaba muy cerca, pero Inés volvió a gritar.

—¡Me voy a mi casa!

—Bueno, mujer...

Juana tenía cuarenta años y la carne triste. Estaba muy delgada, casi escuálida, pero no era sólo eso. Tenía cara de pájaro, el pelo frito, estratificado en diversos tonos de amarillo, las puntas tan achicharradas como si acabara de bajarse de un poste de alta tensión, la raya oscura. Pero tampoco era eso, ni que se pintara siempre las uñas y los labios del mismo tono rosa, nacarado, infantil. La tercera noche que dormí en su casa, se perfumó de arriba abajo con una colonia barata, de esas que vendían a granel en los bazares de todo a noventa céntimos, antes de meterse en mi cama sin decir nada. Yo estaba despierto y ella se dio cuenta porque me vio girar la cabeza hacia la puerta, y hasta le pregunté qué pasaba, antes de comprender lo que estaba pasando. Llevaba un camisón ajado y ridículo, largo hasta los pies, con todos los botones abrochados y unos volantes pequeños, muy rizados y muy juntos, en el lugar donde otras mujeres tenían pechos. Los suyos no llegaban a abultarlo más allá de los pezones, y le hacían parecer una niña vieja. Después, cuando se tomó una confianza que yo nunca le di, cambió aquel camisón por otros más cortos, de tirantes, con puntillas roídas por el uso, igual de deslucidos pero más crueles, porque revelaban lo que era en realidad, una mujer de piel triste, más triste cuanto más desnuda, triste su perfume, triste la cinta con la que se sujetaba el pelo, y su deseo, poderoso y humilde al mismo tiempo, triste, y más triste todavía. Cuando se corría, dejaba escapar unos quejidos sofocados, agudos, una especie de *i* intermitente, a medio camino entre un pitido y el chillido de un mono, que eran el colmo de la tristeza.

—Hemos tenido otro hijo, ¿sabes? —Inés me dio la noticia en la puerta, antes de abrir el paraguas, y sólo después me miró a la cara—. Un niño.

—Ya me he dado cuenta.

—Por las tetas, ¿no? —asentí con la cabeza y se echó a reír mientras se apretaba contra mí—. Le he puesto Fernando, por si no volvías...

Y cuando apenas habíamos echado a andar, se paró de repente, volvió a mirarme y ya no pudo verme bien.

—Qué alegría que estés aquí —tampoco se limpió las lágrimas, pero rodeó mi cuello con sus brazos y me besó—. Estaba muerta de miedo, ¿sabes? Tenía tanto, tanto miedo de que no volvieras...

Al llegar a casa, conocí a Fernando en los brazos de Mercedes, aquella cría de Bosost que, al borde de 1950, estaba a punto de cumplir veinte años, estudiaba para maestra, y se sacaba unos francos haciendo de niñera por las tardes. A sus hermanos mayores no pude verlos todavía. Amparo había mandado a su hija a buscarlos, para que se los llevara a dormir a su casa y no nos estorbasen. Después de quitarle el bebé para dármelo a mí, mira, Fernando, este es tu padre, ¿lo ves?, Inés le dijo a Mercedes que podía marcharse ella también. Luego, mientras yo procuraba aprenderme los diminutos rasgos de aquella criatura que sólo tenía tres meses pero siempre se llamaría Fernando González, igual que yo, su madre nos dejó solos.

Reapareció a los diez minutos, envuelta en una bata de raso de color rosa pálido que siempre le había sentado muy bien. Se había quitado los zapatos para ponerse unas zapatillas que hacían juego con la bata. Se había recogido el pelo en uno de esos moños altos que sabía rematar sacándose unos pocos mechones estratégicos que parecían casuales, y la favorecían más que ningún otro peinado. Se había pintado los labios de rojo y todavía le había dado tiempo a hacer un montón de cosas más, abrir los grifos de la bañera, rociar el fondo con unas sales verdes que olían a manzana, y colocar el cochecito del niño en el pasillo, al lado de la puerta del baño.

—Trae, dámelo —lo besó en la cabeza, besó mis labios, volvió a besarle—. Es muy bueno, ya verás...

Juana necesitaba un hombre y yo, conservar la vida. Ella me deseaba o, más exactamente, deseaba algo que podía obtener de mí como mejor le convenía, sin tener que salir a buscarlo por las calles, sin llamar la atención de nadie sobre su ansiedad, sin comprometer su precaria reputación de viuda de un rojo. Lo mío era más sencillo, sólo miedo. Ella lo sabía, pero no le importaba. Se metía en mi cama sin hablar, y sin hablar, buscaba mi sexo y no lo encontraba, pero tampoco tenía prisa. Yo estaba en sus manos, y los dos lo sabíamos. Ella hacía lo necesario para recordármelo, y yo había tenido amantes menos aplicadas, mucho menos devotas, pero mi cuerpo nunca había sido tan ingrato con ninguna. Su carne era fría como la de un pez, más triste que la del membrillo, pero no me daba tregua, y al final, me las arreglaba para acabar haciendo lo que tenía que hacer, siempre a oscuras, con los ojos cerrados, respirando por la boca para no oler el triste perfume que enmascaraba apenas el tristísimo aroma de su cuerpo. Ella no pedía más. La primera vez, al terminar, intentó abrazarme y sacudí el hombro sin decirle nada. Le di la espalda y se marchó sin hablar. Por la mañana, cuando me senté entre sus padres para desayunar en la cocina, me dedicó una sonrisa triste, que le coloreó de tristeza las mejillas y deslizó entre mis huesos un frío repentino, que hizo aún más amargo el sabor de la achicoria que bajaba por mi garganta.

Después de acostar al niño, Inés me desnudó. Me metí en la bañera y entonces, con la misma energía, la misma dedicación que la había visto emplear con nuestros hijos, me enjabonó el cuerpo, frotándome bien con una esponja, y me lavó la cabeza, repitiendo la operación varias veces. Mientras tanto, no dejaba de hablar. El escote de su bata se abría, se cerraba, me dejaba ver el surco de sus pechos apretados por la tensión de sus brazos, y ella hablaba y hablaba, moviendo la lengua al mismo ritmo que las manos que amasaban mi cabeza, para salpicar la suya cada dos por tres de burbujas de espuma blanca. Se las limpiaba con los dedos húmedos y seguía hablando, no dejó de hacerlo, alternando siempre las noticias más graves con novedades domésticas, intrascendentes. Que Vivi estaba aprendiendo a leer. Que la úlcera de estómago del Lobo le estaba amargando la vida. Que habían condenado a muerte al dependiente de la confitería donde yo me había librado por los pelos. Que su abogado no tenía muchas esperanzas de que se la conmutaran por treinta años. Que a Miguelito le habían regalado un triciclo y corría que se las pelaba por el pasillo. Que se rumoreaba que el Partido iba a abrir un proceso contra los monzonistas. Que lo único que se sabía con certeza era que no pensaban meterse con los militares. Que el parto de Fernando había sido tan bueno, tan rápido que ni siquiera le habían dado puntos. Que después de la carta de Guillermo, nadie había vuelto a contarle nada de mí. Que no sabía si estaba vivo o muerto, o si había conocido a otra mujer en España. Que no podía imaginarme cuánto me había echado de menos.

Cuando dijo esto último, el agua, que había ido vaciando y rellenando sin cesar, ya estaba limpia. Para celebrarlo, se quitó la bata y se metió en la bañera conmigo.

—Estás guapo con barba, ¿sabes?

Ella escogió el momento. Despegó su vientre del mío, balanceó apenas las caderas, y sin dejar de mirarme a los ojos ni levantar las manos de mis hombros, las hizo descender en el ángulo exacto, para montarse encima de mí como si pretendiera demostrarme que ninguno de los dos servíamos para otra cosa.

—Pero creo que luego te voy a afeitar, porque así no pareces tú, sino un brigadista inglés de aquellos, tan raros...

Mi habitación no tenía cerrojo. Algunas veces pensé en colocar la cómoda contra la puerta, pero nunca me atreví. Juana hablaba poco. Desde fuera, parecía mansa, amable, porque obedecía cualquier indicación de sus padres como si fuera una orden, acatando sus caprichos sin discutir, con una docilidad inconcebible en una mujer de su edad. Sin embargo, en el fondo de sus ojos pequeños, arratonados, latía una veta oscura, una sombra de dureza mineral. Su impasibilidad, esa miserable conformidad con la que aceptaba lo poquísimo que yo le daba, me convenció de que podría llegar a ser despiadada. También era astuta, y no abusaba demasiado. Nunca vino a verme dos noches seguidas, aunque al principio, cuando alternaba mi condena y mis indultos, a veces me hacía el dormido. Ella se retiraba después de un rato, pero mi pereza no tardó en tener consecuencias. La mañana siguiente a la tercera noche que la dejé plantada, tuve que irme al trabajo sin desayunar. Se había acabado el pan, la leche, el carbón para encender la cocina. Y por la tarde, cuando volví, mientras servía la cena, comentó en voz alta que debía de haber pasado algo, porque había visto mucha policía por la calle. Llegué a fantasear con matarla, pero no podía permitírmelo. Tampoco podía buscarme otro alojamiento sin arriesgarme a que me denunciara, a que denunciara incluso a Guillermo si yo desaparecía sin avisar, así que me dediqué a cultivar con ahínco otra clase de fantasías. Si hay que follar, se folla, me discipliné a mí mismo, ¿desde cuándo eso es un problema? Había pasado muchas temporadas en el monte y años enteros en un campo de concentración, era un experto, pero nunca había almacenado tantas bocas, tantas lenguas, tantas mujeres desnudas con los pezones de punta y las piernas abiertas, dentro de mi cabeza, con tan poco provecho ni durante tanto tiempo. Aquel otoño, negocié con mi polla mucho más duramente de lo que había tenido que negociar con mi hambre el verano anterior.

Cuando salimos de la bañera, Inés me secó con mucho cuidado, me colocó delante del espejo y me afeitó.

—¿Quieres que te corte el pelo?

—No —me eché a reír y me asombró volver a ver la risa en mi propia cara—. Que me dejarás hecho un Cristo, de trasquilones.

—¡Qué va! Si he aprendido muy bien, ya verás... —me dio la espalda para ir hacia el armario y volvió con un peine en la mano izquierda, unas tijeras en la derecha, y una sonrisa triunfal en los labios—. Me ha enseñado esa vecina de Angelita que se da tanta maña, y ahora se lo corto yo siempre a los niños, lo que pasa... A ver, siéntate aquí.

Me acercó un taburete antes de descolgar el espejo de la pared para encajarlo en el lavabo y poder ver toda mi cabeza.

—Sólo te voy a cortar estas greñas tan horrorosas que tienes por aquí detrás, ¿vale? Luego, te vas a ver al Peluca y que te repase él bien.

—A ti te voy a repasar yo bien...

—Pues sí, mira, qué buena idea —y fue ella la que se echó a reír—. Porque no te imaginas la falta que me hace.

Pero todavía me cortó las uñas de los pies antes de consentir que nos fuéramos a la cama.

—¿Qué estás haciendo? —me preguntó cuando me tumbé en la otra punta.

—Te miro —y alargué una mano para acariciar la silueta de su cuerpo, vuelto hacia mí—. Antes no he podido verte bien.

Ella cerró los ojos y me dejó hacer. Yo los mantuve abiertos todo el tiempo, hasta que cada pliegue de aquella piel suavísima, los pequeños accidentes de aspereza que la desmentían en los codos y en un pedacito de su muslo izquierdo, aquella cicatriz tan fea, de forma casi circular, que parecía el hierro de una ganadería, se superpusieron con ventaja a mis recuerdos. Así, su olor, sus manos, su boca, fueron borrando sus viejas imágenes, despojándome del mezquino capital de mi pobreza. Y la Inés a la que yo me había aferrado para sobrevivir, estalló en pedazos, como una funda vieja, inservible, incapaz de aprisionar por más tiempo a una mujer que fue más mía, más poderosa que mi memoria, durante aquella noche larga, violenta y dulce.

—¿Ves? Ya le has despertado —a medianoche, el niño empezó a llorar—. Tanto chillar, tanto chillar...

—No es por eso, tonto —estaba bromeando, pero ella me lo explicó igual—. Es que le toca comer.

Le cogió de la cuna sin llegar a levantarse, y me dio la espalda para amamantarlo. Durante unos minutos, sólo escuché su voz, un susurro casi inaudible, pautado por el eco del esfuerzo del niño, un ruido de succión que sólo se interrumpía de vez en cuando para dar paso a un suspiro inesperado, como si necesitara pararse a descansar, tomar aliento. Después, su madre se dio la vuelta sobre las sábanas con él, sus manos pegándolo con suavidad a su cuerpo, y lo acostó con cuidado entre nosotros dos, para acunarlo entre sus brazos. Le vi mamar del otro pecho, su cabeza tan pequeña, su mano derecha, mínima y perfecta, apoyada en él, para asegurarse de que no se le escapaba, y me emocioné mucho. Inés se dio cuenta. Se le cayó una lágrima del ojo derecho, pero no se molestó en advertirme que no estaba llorando.

Llegó un momento en el que ya ni siquiera me ponía nervioso, y sin embargo, me resultó más fácil aprender a empalmarme sin ganas que aficionarme a Juana. Así, por lo menos, acababa deprisa, siempre fuera. Una noche, en la cena, se lamentó con su boquita de niña vieja de que no podía tener hijos, pero yo no me fiaba ni mucho ni poco de sus pequeñas astucias, y míos, desde luego, no iban a ser. Mi semen era lo único que podía hurtarle a mi miedo, el último reducto de soberanía donde aún tenía una oportunidad de hacerme fuerte y resistir. Por lo demás, había que follar, y se follaba. Eso no era un problema. Mis noches tampoco habían sido nunca, y nunca volverían a ser, tan sórdidas, tan feas como aquellas que atravesé sin verla, sin sentirla, agarrándome al cabecero de la cama para no tener que tocarla, desprendiendo el cuerpo en el que penetraba de una cara que nunca besaba, de un nombre que nunca decía, mientras me movía en su interior como lo que era, un hombre desarmado, acorralado, que sólo luchaba por conservar la vida.

En 1949, me acostumbré a comer membrillo, a Juana no. Y aunque no la hice feliz, logré funcionar satisfactoriamente, encontrar dentro de mí una tecla capaz de convertirme en una má-

quina potente, insensible y bien engrasada. Aprendí a follárme-
la sin placer, sin dolor, sin pagar siquiera el precio de odiarla.
Jamás creí que llegaría a compadecerla, pero eso fue lo que
ocurrió cuando Fernando terminó de mamar y su madre se levantó desnuda de la cama para pasearse por la habitación con él
en brazos.

—¿Y tú, qué? —cuando el niño eructó, Inés lo metió en la
cuna, me sonrió, y aquella sonrisa acabó con todo—. ¿No tienes
hambre?

Pero no todo fue tan fácil como volver a cenar huevos fritos
en la cocina, a la una de la mañana.

Mi carrera de clandestino había terminado. En mayo de 1949,
rompí por última vez un cerco, y con él, cualquier posibilidad
de que mi vida siguiera siendo la mejor, la peor de las posibles.
Al salir como un acerico de aquella confitería de la plaza de Canalejas donde no había metido la pata ni había hecho el ridículo, me convertí al mismo tiempo en un héroe y en un montón
de cenizas. La primera condición me mantuvo ocupado menos de
un mes. La segunda hizo de mí un cesante. Quemado a los treinta y cinco, tenía tres hijos que mantener, una mujer que nos mantenía a los cuatro, ningún oficio y menos beneficio. Hacía más
de quince años que no bajaba a una mina y, aparte de eso, lo
único que sabía hacer era la guerra.

El camarada que había fabricado la documentación de Gregorio Ramírez de la Iglesia, me pidió que se la devolviera. En su
taller, con las persianas bajadas, examinó el pasaporte a la luz de
un foco tan potente como la lente de aumento que llevaba encajada en el ojo derecho. Fue acariciando sus hojas, de una en una,
y las miró al trasluz, por los dos lados, antes de arrancarlas casi
con ternura. Luego, sostuvo un momento la cédula entre los dedos, como si estuviera meditando la posibilidad de indultarla, y
negó con la cabeza antes de cortarlo todo por la mitad, cada mitad por la mitad a su vez, y enviar los fragmentos al fondo de
la papelera. No valían para nada. Yo tampoco. El Partido celebró mi regreso, me organizó un par de homenajes, publicó un
reportaje sobre mi fuga en *Nuestra Bandera,* y me despidió entre
sonrisas paternales y palmaditas en la espalda. No esperaba otra

cosa. Cuando descanses, y te recuperes, ven por aquí, a ver qué podemos hacer por ti... Descansé, me recuperé, me cansé de descansar, de recuperarme, y no fui.

En mi casa, las cosas habían cambiado en unas proporciones naturales, comprensibles. Volvía a haber un bebé y sus hermanos mayores cada vez hacían más ruido. Eran más sucios y más desordenados, pero también más divertidos. Eran niños, y daban el coñazo, y yo era su padre y tenía que aguantarlos, jugar con ellos, reírme de sus ocurrencias, llevarlos los domingos a montar en bici y castigarlos de vez en cuando. También me cansé de eso, ni más ni menos que los otros padres que conocía. De su madre no. De su madre no me cansé nunca, y sin embargo, unos meses después de mi regreso, cuando ella no estaba dentro, la casa se me caía encima.

En otras circunstancias, habría seguido trabajando para el PCE. No durante mucho tiempo, porque después de haber sido clandestino durante cinco años, las tareas burocráticas me interesaban aún menos que antes, pero seguramente habría acabado refugiándome en su seno hasta que me saliera algo mejor. En aquel momento ni me lo planteé. Ellos tampoco vinieron a buscarme. En el Partido, las cosas no habían cambiado como en mi casa. Algunos aspectos de esa evolución, como el abandono de la lucha armada, un cambio de estrategia imprescindible desde que los vencedores de la Segunda Guerra Mundial nos dejaran tirados una vez más, eran tan comprensibles como el crecimiento de mis hijos. Pero otros eran mucho más difíciles de aceptar.

—Mira, quiero proponerte una cosa... Pero tienes que dejarme hablar hasta el final, ¿de acuerdo? —y en ese momento, los dos nos dimos cuenta de que aquello no iba a salir bien—. Hemos tenido una reunión, y Amparo ha vuelto a quejarse de que no da abasto. Está desbordada. Hace tiempo que necesitamos un gerente, y a mí se me ha ocurrido...

—¡Inés, por favor! —y bajó la cabeza para no ver cómo me mordía la lengua—. Pues sí, era lo que me faltaba, después de aguantar a su marido tantos años, que ahora Amparito me diera órdenes.

En enero de 1950, cuando Jesús Monzón llevaba cuatro años y medio en la cárcel, la dirección del Partido por fin se atrevió con él. Ese fue el propósito al que destinaron todas sus energías mientras yo descansaba y me recuperaba, el montaje de uno de aquellos fantasmales procesos a los que se habían vuelto tan aficionados. Una acusada principal, Carmen de Pedro, ningún abogado defensor, todos los demás, fiscales. Y no me gustó.

—Pues no es un mal trabajo, ¿comprendes? Yo llevo allí casi tres años, y estoy contento. No es que el sueldo sea gran cosa, pero las comisiones...

—Pero tú eres más simpático que yo, Sebas, más paciente. A ti te gusta hablar, estar rodeado de gente. Yo no sirvo para vender coches, en serio.

Aquel proceso recrudeció la úlcera que el Lobo sufría desde el otoño de 1945, cuando empezó a correr por Toulouse el rumor de que el asesino de Gabriel León Trilla, la mano derecha de Monzón en el interior, había sido Cristino García Granda. Aquel nombre le hizo un agujero tan grande en el estómago que, después de cinco meses, cuando volví de España y me enteré, lo encontré todavía desencajado. No se trataba sólo de que Cristino fuera íntimo amigo del Gitano, ni de que él lo conociera desde nuestra guerra. Era algo más, y era peor. ¿Y si me lo hubieran encargado a mí? No contesté a esa pregunta, y me hizo otra. ¿Y si te lo hubieran encargado a ti? Yo nunca habría matado a Gabriel, respondí. Estaba diciendo la verdad, pero en Casa Inés, rodeado por todas partes de camaradas con los oídos bien abiertos, me faltaron huevos para levantar la voz. Me sentí tan mal, tan cobarde, que añadí algo más, yo he sido tan monzonista como él, nunca lo he ocultado, pero el Lobo no se dejó convencer por mis susurros. Es muy fácil decir eso, ¿sabes?, porque lo que él estaba diciendo también era verdad, es muy fácil decirlo aquí, ahora, en esta mesa, con una copa en la mano. Así, lo único que conseguimos fue que al Gitano se le saltaran las lágrimas. ¡Me cago en la hostia! Pero ni siquiera él levantó la voz para hacerse a sí mismo la pregunta que no había llegado a brotar de nuestros labios cerrados como ostras. Pero ¿por qué han tenido que encargárselo a él, precisamente a él? Y, en el mismo murmullo, llegó a una conclusión que los demás tampoco nos atrevimos a compartir jamás con nadie. ¡Qué hijos de puta! Después nos enteramos de que Cristino se había negado a matar a Trilla con sus propias manos. Soy un revolucionario, alegó, no un asesino, pero al final, tras muchos forcejeos, transmitió la orden de ejecución a dos de sus hombres. Aquel epílogo no nos consoló. Después, a principios de 1946, Cristino fue detenido, fusilado casi inmediatamente. Y Francia cerró la frontera como represalia por la ejecución de un héroe de la Resistencia, para cuadrar el círculo de nuestra desolación.

—He hablado con Émile Perrier... —el Zurdo levantó las manos en el aire, para que no protestara antes de tiempo—. Ya sé que tú no querías, pero comimos juntos el otro día, estuvimos hablando, y me dijo que le llamaras, que buscaría la manera de hacerte un hueco...

—Pero si acabo de volver a casa, Antonio, he estado un año entero fuera, y la idea de pasarme la vida viajando, como tú, de un lado para otro... No valgo para representante. Y tampoco sé nada de maderas.

Cuando se consumó el macabro aviso para navegantes que convirtió al mejor de todos nosotros en un asesino, estaba a punto de cumplirse el primer aniversario de la invasión de Arán, pero sólo habían pasado cuatro meses desde la rendición de Alemania. Todas las espadas estaban en alto todavía. Aún teníamos esperanzas de que los aliados derrocaran a Franco, o de que, al menos, nos dejaran volver a intentarlo, y por eso, cada uno se aguantó como pudo con su dolor de estómago. Lo demás, que Trilla fuera un traidor, que por eso, y no por miedo, se negara a venir a Francia a informar, que resultara demasiado peligroso para la organización del interior como para dejarlo vivo y expulsarlo sin más, nunca nos lo creímos. Nosotros no. A nosotros nos sobraban elementos para comprender aquella lógica sangrienta y, más allá de la teoría, los cadáveres de los camaradas a quienes habíamos enterrado con nuestras propias manos antes de retirarnos de Arán. Nuestros muertos eran las víctimas de Trilla, las víctimas de Monzón. Y sin embargo, quienes los desenterraron del limbo de los héroes incómodos para agitarlos como una bandera ante nuestras narices, los habrían sacrificado con la misma alegría si eso les hubiera servido para ganar la partida que perdió Jesús. Por eso, todavía me gustó menos que los utilizaran para aplacarnos. Pero nosotros éramos militares, la guerra era nuestro oficio. En la guerra, se mata y se muere. La guerra es cruel, y siembra crueldad, es temible, y siembra miedo, es arbitraria, y siembra arbitrariedades. La guerra es también, a veces, el precio de la libertad, de la justicia, del futuro. Por eso, en la guerra hay que tragarse cosas que en la paz dan arcadas. Y en septiembre de 1945 estábamos en guerra. En enero de 1950, no.

—Me voy a España dentro de dos meses —el Cabrero era el único que seguía en la brecha—. Estoy hasta los cojones de mi suegro, porque además, no se puede ser más rácano, pero si quieres mi furgoneta para ir tirando...

—No, Manolo, déjalo.

—Claro —y se echó a reír—. ¿Cómo vas a querer, con lo que acabo de decirte? Pero ya sabes lo exagerado que soy. Tú, piénsatelo, y si acaso...

—Que no, de verdad. Gracias, pero no me apetece ser pescadero.

En enero de 1950, no hacía falta putear a Carmen de Pedro. No después de haber bendecido su boda con Zoroa, de haber vuelto a admitirla en la dirección como a la esposa de un dirigente, de haber comprobado el entusiasmo con el que se apresuraba a arrastrar a Jesús por el barro a la menor insinuación. Quizás, precisamente por su deslealtad, lo mereciera, pero no hacía falta. Monzón había jugado y había perdido. Había perdido y había pechado con las consecuencias. Cuando le detuvieron, podría haber cantado. No lo hizo. Cuando le condenaron a muerte, podría haber ofrecido un trato a cambio de un indulto. No lo hizo. Cuando su familia recurrió a sus viejas influencias para lograr que le conmutaran la pena capital por treinta años, podría haber pagado con delaciones una reducción de condena. No lo hizo. Nunca lo hizo, ni siquiera cuando se enteró de que, tres meses después de su caída, dos hombres de Cristino habían matado a Gabriel por la espalda, como dos jodidos navajeros, en un descampado de Madrid. Jesús no había abierto la boca ni para pedir perdón, y a pesar de todo, y de los muertos de Arán, yo no era sólo de los que lo celebraban. Aunque seguían faltándome huevos para decirlo en voz alta, yo era, además, de los que opinaban que otros tenían más pecados que hacerse perdonar. Pero, por más que no se hubiera arrepentido, a pesar de que no se hubiera sometido ni humillado en ningún grado ante sus enemigos, la figura de Jesús Monzón no implicaba ningún riesgo para la organización, ni en Francia ni en España. No existía ninguna razón objetiva para putear a Carmen de Pedro, para humillarla en público, para divertirse un rato zarandeando por dentro y por fuera, hasta llegar a la ropa interior, a una mujer que ya no tenía un marido que la defendiera. Aquel proceso no era más que teatro, un auto sacramental alrededor de una hoguera encendida, la escenificación pública de un poder que nadie discutía. No hacía falta. Y menos, cuando no habían tenido cojones para venir a por nosotros.

—¿Gregorio?

—¿Perdón? —porque en julio de 1950, hacía mucho tiempo que nadie me llamaba por ese nombre.

—Gregorio, soy Herminio —entonces lo entendí—. ¿Te acuerdas de mí?

Estaba en Toulouse, quería verme, y era difícil que hubiera podido encontrar un momento peor. Mi desmoralización había tocado fondo. Unos días antes, al levantarme, me había jurado solemnemente a mí mismo que iba a aceptar la próxima oferta que me hicieran, pescadero, representante, vendedor, o lo que fuera, sin discutir el sueldo ni las condiciones. Me dio hasta vergüenza que Herminio me encontrara en casa a la una de la tarde, con una mano encima de la otra y Fernando gateando por el pasillo, para que Inés se ahorrara la guardería. Pero al entrar, me dio un abrazo y no hizo ningún comentario. Después, aceptó una cerveza y me pidió un favor que me arregló la vida.

Acababa de comprarse un camión, y quería preguntarme si conocía en el sur de Francia alguna empresa de importación que fuera seria y pagara bien. No era previsible que los franceses volvieran a cerrar la frontera, pero tampoco iba a resultarle fácil establecerse por su cuenta. Si yo pudiera darle algún contacto, él podría dedicarse a transportar productos españoles cobrando menos que una empresa grande, y ganando mucho más que su sueldo actual. Le pregunté adónde iba y me contestó que a Holanda. Le pedí que volviera a pasar a la vuelta, y cuando se marchó, vestí a Fernando, lo senté en su silla y me eché a la calle. Durante cuatro días, hablé con todas las personas, españolas y francesas, de las que me fiaba dentro y fuera de Toulouse. Cuando Émile me dijo que sí, descolgué el teléfono y marqué un número de Madrid.

—Dígame —volví a escuchar la voz de Juana, pero tampoco aquella vez hablamos más de lo imprescindible.

—Quiero preguntarte una cosa, Rafa —Guillermo, a cambio, se alegró mucho de volver a escucharme—, pero necesito que seas sincero conmigo...

Antes de que me diera tiempo a terminar, se ofreció a jurarme por lo que yo quisiera que, lejos de perjudicarle, le iba a hacer un favor. Y de la hostia, añadió. Los encargos de Inés nunca eran lo suficientemente importantes como para llenar ni una furgoneta, y cada vez le resultaba más difícil colocarlos.

—El día menos pensado, alguien me va a preguntar por qué me tomo tantas molestias por tan poca cosa. Y no es sólo eso. Aparte de Francisco, puedo pasarte algunos clientes más.

—¿Francisco? —le pregunté, porque me había perdido.

—Sí, hombre, el de Jaén. El que compra el aceite...

—Pero ¿ese no era Pepe?

—Antes —y se echó a reír—. Antes era Pepe. Ahora es Francisco.

—¡Ah! —apunté su nombre y su teléfono en un papel—. ¿Y los otros?

—Pues... Rita. Te lo puedes imaginar.

—¿Sí? —lo que no imaginaba yo era que las cosas hubieran llegado tan lejos—. ¿Y qué tal?

—Bien, pero discutimos mucho —volvió a reírse—. Está empeñada en convertirme, y se pone muy pesada. Yo ya le he explicado que perdí la fe hace muchos años, pero no hay manera... Últimamente, cada vez que la veo, me toca rezar el rosario antes de merendar.

—Pues lo siento por ti —le dije cuando pude dejar de reírme—. Aunque a lo mejor, ella tiene más suerte que yo.

—Hombre, no creo, pero qué quieres que te diga... Como predicadora, tiene méritos muy superiores a los tuyos, Gregorio. Es mucho más convincente.

Empecé en el salón de mi casa, con el camión de Herminio, que tampoco se llamaba Herminio, sino Pablo, y setecientos litros de aceite de oliva que mi mujer me ayudó a colocar entre sus colegas españoles, italianos y armenios, antes de que la carga pasara la frontera. Oficialmente, aquella importación no la hice yo, sino Émile Perrier. Sin embargo, antes de que llegara el camión, retiré sin contratiempos de la ventanilla del consulado español en Toulouse una licencia librada a mi verdadero nombre. Cuando ya no lo esperaba, la clandestinidad volvió a enseñarme su mejor cara, y hasta me devolvió una parte de lo que me había quitado. Para las autoridades franquistas, Fernando González Muñiz era un simple oficial de milicias del Ejército Popular, uno más de los que se habían retirado en febrero del 39 y no había vuelto a dar señales de vida hasta la fecha. No tenían nada contra él, y menos todavía contra las divisas en las que iba a pagar sus operaciones.

—Lo tuyo sí que es bueno, ¿comprendes? No querías ser vendedor, ni representante, ni repartir pescado... ¿Y qué haces ahora? Comprar, vender, representar y repartir. Pescado, entre otras cosas, ¿comprendes?

—Ya, si tienes razón —nunca se la quité—. Pero esto me divierte.

Quizás por eso me fue tan bien. A mediados de los años cincuenta, ya era el primer importador de aceite de oliva español de Francia, pero importaba muchas otras cosas, productos de primera calidad y muy baratos, desde algodón, muebles, carbón y zapatos, hasta conservas de todas clases, zumos, espárragos, mermeladas, pimientos del piquillo, encurtidos, aceitunas, tomate, atún, sardinas, mejillones, berberechos... Los aduaneros españoles, en su bendita ignorancia, nunca me echaron atrás un cargamento. Aquel negocio era lo más parecido al trabajo clandestino que podía hacer sin poner los pies al otro lado de la frontera y, como solía decir Angelita, mientras no abolamos la propiedad privada, cuanto más dinero ganemos, mejor para todos. Yo nunca dejé de formar parte de ese todo, pero seguí estando al margen de los que tomaban las decisiones, hasta que el Lobo me llamó por teléfono una mañana.

—Ya sé que estás muy liado, pero necesito que me hagas un hueco para que nos tomemos una copa —hablaba en el mismo tono que usaba cuando era mi coronel, pero 1954 estaba a punto de expirar—. Tengo que hablar contigo.

En la primavera de 1951, volví a salir con Fernando todas las mañanas, una escena que no volvería a repetirse hasta que acabó la carrera y empezó a trabajar conmigo. Ya no podía seguir haciéndolo todo solo, ni en casa. Necesitaba una oficina, una secretaria, una línea de teléfono, dejar de ser un agente, empezar a ser una agencia. Cuando Ramón volvió a darme una orden, tenía agentes asociados en muchas capitales de provincia, dos secretarias, tres empleados, una participación en lo que ya era la empresa de transportes de Herminio y, por fin, unos ingresos superiores a los de mi mujer.

—El otro día me llamó Miranda —lo que quería contarme el Lobo, era que mi partido se había acordado de mí—. Me preguntó qué pasaba contigo, se quejó de que nunca vas por allí, de que apenas te ven, de que estás raro, perdido...

—Pero eso no es verdad. El domingo pasado nos encontramos en el restaurante a la hora de comer —asintió con la cabeza, como si no necesitara que se lo recordara, pero lo hice igual—. Tú lo sabes porque estabas comiendo en la misma mesa que yo.

—Ya, bueno... —sonrió, y se encogió de hombros—. Qué me vas a contar. Yo le dije que tenías mucho trabajo, y me respondió que precisamente por eso le preocupaba no saber de ti. Me explicó que desde que somos ilegales en Francia, todo se ha puesto más difícil. El Partido ya no puede tener propiedades, alquileres, imprentas, cuentas corrientes... Oficialmente, el PCE no puede hacer nada con sus siglas. Por eso necesitan testaferros, personas de confianza, titulares de empresas o fundaciones que dejen vías aprovechables para que las cosas sigan funcionando en

Francia y, sobre todo, en España. En pocas palabras, les interesa invertir en tu negocio.

—Ya —lo entendía muy bien—. Pero a mí no me interesa que inviertan.

Tomé aire y se lo expliqué lo mejor que pude. Yo era comunista, siempre había sido comunista, y me iba a morir siendo comunista. Me había jugado la vida por el Partido durante muchos años, y en caso de extrema necesidad, lo más fácil era que me la volviera a jugar. Pero ni ese era el caso que se estaba dando, ni me gustaban las cosas que estaban pasando. La organización de combate a la que yo me había afiliado cuando era casi un niño, no se parecía a aquel ministerio de oficinistas vestidos de gris, que sólo sabían guardarse las espaldas mientras cuchicheaban por las esquinas. Tú no sabes ni la mitad, eso no es lo que me han contado a mí, algún día te enterarás de la verdad, tú sólo sabes una parte de la historia, el criterio de la dirección no es ese, ten cuidado con lo que vas diciendo por ahí, te lo estoy aconsejando como amigo, por ahí no, Galán, Fulanito no es de fiar, por ahí tampoco, no te conviene que te vean tanto con Menganito, yo que tú, no pondría la mano en el fuego por Zutanito... Me tenían hasta los cojones de cuchicheos, y hasta más arriba de ciencia ficción, el próximo congreso va a ser importantísimo, se va a fijar una línea trascendental, tienes que leer la ponencia política, es un documento clave, pone los pelos de punta, por fin vamos a abordar el problema del mercado de cereales, los camaradas han preparado un informe de primera... Yo les leía a mis hijos, por las noches, cuentos más elaborados y mucho mejor escritos. Si no podía seguir trabajando dentro, y eso era lo mismo que optar por el suicidio, prefería seguir pagando una cuota proporcionada con mis ingresos y mantenerme en el discreto anonimato de la base.

—Mañana, en cuanto llegue al despacho, yo mismo llamaré a Miranda. Estoy dispuesto a colaborar en todo lo que haga falta, a poner la agencia entera a la disposición del Partido —resumí—. Pero no quiero deberles favores. Prefiero que ellos me los deban a mí.

El Lobo asintió con la cabeza, y me atreví a decirle algo que no le había contado ni siquiera a mi mujer.

—No sé si lo entenderás, pero a veces pienso que, si viviera en España, me marcharía del Partido mañana mismo.

—Claro que lo entiendo —y mientras removía un antiácido en medio vaso de agua, sonrió—. Si viviera en España, yo me habría marchado ayer.

Ninguno de los dos nos marchamos nunca, ni las cosas volvieron a estar tan mal como en la primera mitad de los años cincuenta. No fue sólo la muerte de Stalin. Fueron más bien las huelgas de tranvías, las de estudiantes, unas protestas que iban adquiriendo consistencia, un relieve suficiente como para aparecer en la prensa francesa, y sobre todo, las visitas cada vez más frecuentes de comunistas españoles de veinte años, que nos miraban, y nos tocaban, y nos reverenciaban como si fuéramos imágenes de santos. Ellos, más que el cambio de la línea política de una dirección que fue capaz de pasar del estalinismo a la reconciliación nacional como si no hubiera pasado nada, nos devolvieron la ilusión que habíamos perdido entre delirios y cuchicheos, pero ninguno de mis camaradas sacó tanto partido de su perseverancia como yo.

A pesar de mis intenciones, acabé debiéndole al Partido casi tantos favores como los que le había hecho. En una simbiosis admirable, que rebasó todos mis cálculos, nuestro beneficio mutuo me permitió incrementar la oferta y, en proporción, el número de mis agentes en España, todos comunistas, igual que mis proveedores, mis clientes, los conductores, los dueños de los camiones que cruzaban la frontera forrados hasta los topes de propaganda, y hasta los funcionarios que, al revisar su carga, sabían dónde no había que mirar. Sólo hubo una excepción, y siempre fue Guillermo García Medina.

—¿Algún problema con los plátanos?

En la primavera de 1965, el Zurdo había vuelto a España después de más de quince años de ausencia. Su misión era tan clandestina como la última, cuando pasó andando para recoger a unos guerrilleros en la provincia de Huesca, las condiciones, a cambio, muy distintas. En Canarias, el Partido tenía una organización muy potente y una dirección muy frágil, jóvenes inexpertos que caían en cascada, como una fila de fichas de dominó por una pendiente. Era la consecuencia de un crecimiento que había desbordado las posibilidades de los cuadros concentrados en las grandes ciudades. También una putada, porque de una isla no se puede salir corriendo, pero cuando le ofrecieron irse a vivir a Las Palmas, para dirigir el Partido en el archipiélago desde allí, no se lo pensó dos veces, y yo le entendí.

—Mira por dónde, después de tanto lloriqueo —mientras le llevaba al aeropuerto, fui recordando en voz alta las quejas en las que se había atrincherado la primera noche que dormimos en Bosost—, vas a volver a casa antes que yo, Antoñito.

—Pues sí —él sonrió—, eso parece...

Después me contó que antes iba a pasar una temporada en Madrid y le di el teléfono de Guillermo, pero hasta que él no me preguntó si los plátanos habían llegado bien, no me había enterado de que se habían visto.

—No. Los plátanos han llegado a tiempo, pero me acaban de llamar de Vigo... —mi secretaria abrió la puerta, me explicó por señas que tenía otra llamada importante, y le contesté de la misma manera que no podía atenderla—. Tenemos un problema con ciento veinte kilos de centollos congelados, que hay que entregar en París antes de cinco días, y se me había ocurrido... Tú no tendrás por ahí un huequecito en un camión frigorífico, ¿verdad?

—¡Joder, macho, cada vez me lo pones más difícil! Déjame mirar, a ver qué se me ocurre...

No colgué el teléfono, pero tapé el auricular con la mano y me volví hacia mi secretaria, que seguía esperando.

—Es don Sebastián, y dice que es muy urgente.

—Ahora no puedo. Dile que ya le llamo yo cuando termine.

—Es que no está en su despacho.

—Bueno, pues que me vuelva a llamar dentro de diez minutos.

Cuando Guillermo encontró una solución, me acordé de mandarle un beso a Rita, pero no de que Inés hubiera echado de menos al Ninot aquella mañana. Llamé a Vigo para anunciar que, si los centollos estaban en Santander el día siguiente a las seis de la mañana, el mismo camión que los recogiera los entregaría en París con cuarenta y ocho horas de antelación sobre el plazo límite, y apenas tuve tiempo de colgar cuando el teléfono sonó otra vez. Era Comprendes.

—Malas noticias —y el tono de su voz me gustó tan poco, que no me atreví ni a preguntar—. El Ninot, ¿comprendes?

—¿Qué ha pasado?

—Un infarto.

—No me jodas —pero no pudo complacerme.

—Fulminante, ¿comprendes? Se ha muerto sin enterarse.

El día anterior también había faltado al trabajo sin avisar y nunca lo había hecho antes. Por eso, aquella misma mañana, uno de sus compañeros hizo lo que yo no había querido hacer. Cuando llamó a la pensión, su patrona se asustó. Hacía más de veinticuatro horas que no le veía, y ni siquiera le había echado de menos. Es que él madrugaba tanto que a veces ni le veía por la mañana, nos explicó después, y como nunca cenaba en casa, pues... Al encender la luz de su habitación, se dio cuenta de que Pascual parecía dormido, pero estaba muerto. La vida se le había escapado en un instante, sin consciencia y sin dolor, ni la menor inquietud asomándose a un rostro que ya no era sonrosado, pero seguía siendo redondo, armonioso como el de un muñeco de sesenta años.

Todos lloramos su muerte. La lloramos tanto, y tan sinceramente, que sólo la intensidad del dolor que compartimos podría explicar que nos riéramos tanto después de su entierro.

—¡Pobre Ninot! —empezó Comprendes, con la gafas empañadas todavía—. Qué maricón era, y qué mal lo pasaba, ¿comprendes?

—Bueno, menos cuando se lo pasaba bien —apunté yo.

—Eso sí —y Zafarraya remató con una sonrisa—, porque cuando se lo pasaba bien, se lo pasaba de puta madre, el tío...

Toulouse le había despedido con una mañana mediterránea, tibia y soleada, rara ya a mediados de octubre, y al salir del cementerio, ninguno de nosotros quiso separarse de los demás. Por eso nos fuimos siguiendo unos a otros hasta las inmediaciones del Capitolio, y entramos en fila india en un café. El salón era grande y estaba casi vacío, pero nos apiñamos en un ángulo, como si no hubiera espacio suficiente, y desde allí, cada uno echó de menos a los que ya no estaban. En días como aquel, siempre nos faltaban camaradas, amigos ausentes. Algunos para mal, como el Cabrero, encerrado en El Dueso, o el Tranquilo, preso en Carabanchel. Otros para bien, como Romesco, que seguía escondido pero milagrosamente libre en Asturias, o el Zurdo, que ya estaba en Las Palmas, con Montse y sus hijos. Y otros, el Bocas, Tijeras, el Afilador, el Tarugo, Hormiguita, ahora también el Ninot, para siempre. A cambio, Zafarraya nos había dado una alegría viniendo desde Lyon, aunque al Lobo no le gustó que aprovechara la primera ocasión para reírse con nosotros.

—No me lo recordéis —pero su reacción me sorprendió mucho menos que la de mi mujer—. Por favor os pido que no me lo recordéis.

Antes de que terminara de decirlo, Inés ya se había vuelto hacia mí, para esconder la cabeza en mi cuello y clavarme en el brazo derecho todos los dedos de las dos manos, con tanta fuerza que me dejó sentir el filo de sus uñas a través de la doble barrera de la camisa y la americana. No entendí por qué se comportaba así. Aparté su cabeza de mi cuerpo, sostuve su cara por la barbilla, la miré, y al verla con los ojos cerrados, los labios apretados, un rubor incomprensible en las mejillas, aún lo entendí menos.

—Pero, bueno... —mientras me preguntaba qué podría haberla puesto en aquel estado, escuché en la voz del Pasiego, una por una, las palabras que estaba a punto de decir—. ¿Y a ti qué te pasa?

Su mujer miraba a la mía con los ojos espantados, las manos cruzadas sobre la boca, apretándose una con otra y las dos contra los labios, con tanta fuerza como si se le fuera a escapar un demonio entre los dientes.

—Anda que, a quien se lo cuentes... —pero el saldo de tantas precauciones fue un murmullo tan inocente como difícil de interpretar.

—Desde luego —Inés movió la cabeza de arriba abajo, y empecé a entender de qué estaban hablando—. Hay que ver lo listas que somos, ¿eh?

—¡Ah, pero...! ¿Vosotras lo sabíais?

—Claro —Inés lo reconoció en un tono propio de una disculpa—. Nosotras lo sabíamos, pero pensábamos que vosotros no teníais ni idea.

—¿No? —aquello sí que me sorprendió—. ¿Y desde cuándo creéis que somos gilipollas?

—Un momento —Amparo levantó las manos en el aire mientras su marido usaba las suyas para taparse la cara—. ¿Qué significa nosotras?

—Inés y yo —precisó Lola, y al escucharla, Angelita se volvió hacia Sebas.

—¡Ah! ¿Pero es que el Ninot era maricón de verdad?

—No, de mentira, ¿comprendes? Los años bisiestos, solamente.

—¡Ay, hijo, y yo qué sé! Creía que era una manera de hablar, que estabais de broma. Como nunca habéis dicho ni una palabra de esto...

Si hubiera dependido del Lobo, que se ponía nervioso y daba golpecitos en la mesa para llamarnos a todos al orden cada vez que se acercaba el camarero, habríamos enterrado a Pascual dos veces en la misma mañana.

—Bueno, a ver si os calláis de una vez —eso sería lo que le habría gustado—. Vamos a hablar de otra cosa.

—No —pero después de escuchar a Inés, yo no podía estar callado—. Vamos a hablar del Ninot. ¿Qué va a pasar? —y moví un dedo en el aire para englobar en un solo movimiento a mi mujer y a la del Pasiego, que ya se habían recuperado del susto—. Nada. Ya lo estás viendo.

—¿Que no pasa nada? —él me desafió con la mirada, y no jugó limpio—. No, qué va, todos presos en aquel campo de mierda, sin techo, sin agua, sin comida, y el Ninot jodiendo como una puta con los senegaleses aquellos...

—No lo cuentes así, Lobo —y me paré a morderme la lengua antes de seguir—. No lo cuentes así, porque no fue así.

—¡Ah! ¿No? Pues ya me dirás...

—Pues sí, te lo voy a decir, porque parece que no te acuerdas... En primer lugar, no fueron todos los senegaleses, fue un senegalés, uno solo —me paré a levantar un dedo en el aire, y vi a Comprendes asintiendo con la cabeza para darme la razón—. En segundo lugar, tampoco es que se lanzara sobre el primero que se tropezó, porque llevábamos en Argelès casi un año, quizás más. Todos éramos muy jóvenes, estábamos hartos de machacárnosla a todas horas, y más de uno, y más de dos, y tú lo sabes de sobra, y si quieres, te recuerdo los nombres en voz alta...

—No hace falta, gracias.

—Bueno, pues entonces ya te acordarás de que se lo hacían entre sí por puro aburrimiento. Y en tercer lugar... Hiciera lo que hiciera, el Ninot no jodía como una puta, porque no se exhibía y nadie le vio jamás.

—No, eso es verdad, no jodían en público, pero todo lo demás, sonrisitas, miraditas, paseítos... —y buscó aliados con la mirada antes de concluir—. Sólo les faltaba hacer manitas.

El Gitano, Perdigón, Botafumeiro y el Sacristán asintieron con la cabeza y más o menos énfasis, pero ni el Pasiego ni Zafarraya los imitaron. Eso le sorprendió, pero no tanto como el tono que escogió Comprendes para desbaratar sus aspavientos.

—Mira, yo siempre sabía cuándo venía el Ninot de estar con el negro, ¿comprendes?, se lo veía en la cara, pero de lo jodido que estaba —y siguió componiendo un epitafio sincero y triste, con unas pocas palabras sencillas, fáciles de entender—. Se tumbaba en el suelo, se tapaba la cara con los brazos, se quedaba quieto horas enteras, y yo pensaba... Hay que joderse, para uno que podría estar disfrutando, y es el que peor lo pasa de todos. ¿Y para esto hemos dejado de creer en Dios? ¡Vamos, no me jodas, menuda mierda de vida!, ¿comprendes? —tenía razón, tanta razón que había hecho falta que Pascual se muriera para que él dijera aquellas palabras en voz alta—. Estaba muerto de miedo por si alguien se enteraba, por si te lo contaban, y cuando me pillaba mirándole, me juraba que había sido la última vez, la última, que nunca más... ¡Joder!

El Lobo le miró un momento, en silencio. Luego, cuando dejó de representar su papel para volver a ser él mismo, todos nos dimos cuenta de que, aunque se hubiera dejado matar antes que reconocerlo en voz alta, él también estaba conmovido por las palabras que acababa de escuchar.

—¿Y qué te crees, que yo no estaba muerto de miedo? —por eso se defendió con la verdad—. Yo tenía tanto miedo como el Ninot, y hasta más, fíjate, porque lo sabía todo, desde el principio, todo, y mi obligación habría sido expulsarle. Eso es lo que tendría que haber hecho, expulsarle, y expulsaros después a vosotros dos, a ti y a Galán, por defenderle.

—Ya estamos como siempre, Ramón, cojones... —Zafarraya meneó la cabeza al ritmo de su desaliento—. Mira, un día de estos te voy a regalar un traje de árbitro y un pito, para que te entretengas.

—Siempre tan ingenioso, Juanito —pero él también se había reído.

—Ya, es lo que tengo... Pero es que es verdad, Lobo, ni tanto ni tan calvo. Ni lo de estos dos —y Zafarraya volvió a señalarnos a Comprendes y a mí, pero sólo para repetir aquel chiste tan bueno, tan viejo que ya se nos había olvidado—, que estaban todo el rato de cachondeo, venga a decir que desde que había llegado a Argelès, el Ninot lo veía todo negro... Ni lo tuyo, macho, que sólo abrías la boca para decir que nos ibas a expulsar a todos. Y menos mal que la sangre no llegaba al río, porque... ¡La de camaradas que se fugaron de Argelès gracias a los polvos que echaron el Ninot y el negro aquel!

—Y la de chocolate que comimos, ¿comprendes?

—Eso tenemos que reconocerlo, Lobo —hasta el Gitano, que en el instante en el que terminaba de masticar su onza, abría los ojos y juraba en voz alta que nunca más, porque él era comisario y tenía una responsabilidad, se acordaba del sabor de aquel chocolate—. Siempre repartía entre los demás esas tabletas suizas tan ricas que el negro le regalaba. Y él no las probaba ni siquiera cuando tenían almendras. ¡Qué buenas estaban!

—¿Sí? ¡Qué héroe! A costa de haberle dado por el culo a un senegalés...

—Bueno, no era así exactamente —y casi todos lo sabíamos, pero una vez más, Zafarraya fue el único que se atrevió a decirlo—. Lo del orden, o sea, eso de dar y tomar, digo. Lo sé porque yo... Les vi una vez. Y estaban escondidos detrás de una empalizada, ¿eh?, no es que... Y además, me di la vuelta enseguida, pero, claro, lo del color de la piel... Era fácil distinguir.

—¡Pues peor me lo pones!

—Ni mejor ni peor, Lobo, no me jodas. A estas alturas, qué más dará...

—Coño, Zafarraya, te estás pasando —y le fulminó con la mirada—. Yo creía que estabas de mi parte.

—Y lo estoy —pero su amigo ni se inmutó—. Yo habría preferido que el Ninot no fuera maricón, ¿qué te crees? Y al principio me daba cosica pensarlo, no creas, no me gustaba nada, esa es la verdad, que ni siquiera me acercaba mucho a él, como si me lo fuera a pegar. Y aquel día, cuando los vi juntos, por la noche no me podía dormir, pero después... Ya somos muy mayores, Lobo. ¿Y por qué estamos hoy aquí? Pues porque era un tío de puta madre, ¿o no? Era valiente, leal, generoso, buena persona, buen amigo, buen camarada. Tenía ese defectillo, sí, pero...

—¡Defectillo, defectillo! Te voy a dar yo a ti defectillos...

—Ya está bien, Lobo.

Eso lo dije yo, y lo dije en serio, ni siquiera enfadado, pero en serio, y todos se me quedaron mirando a la vez.

—Si a Sebas no le importa, os voy a contar cómo conocimos nosotros al Ninot.

A finales de 1937, poco antes de la batalla de Teruel, Del Barrio tendría que haber acompañado a Modesto al cuartel general de Gustavo Durán. En el último momento decidió cancelar el viaje y enviarnos a nosotros en su lugar. Modesto, que ya había estado allí otras veces, se conocía el percal y entró por la puerta como Pedro por su casa. Pero nosotros, que acabábamos de cumplir veintitrés años y no teníamos ni idea de dónde nos estábamos metiendo, nos llevamos el susto de nuestra vida. Aquel estado mayor era Sodoma, y de propina, Gomorra, resumí. Comprendes sonrió. No dejó de hacerlo mientras yo iba recordando en voz alta a todos aquellos hombres, unos rubios, otros morenos, unos más afeminados, otros más recios, algunos muy peludos, pero todos altos, apuestos, atléticos, bronceados, y el Ninot, el más guapo de todos.

—Así que estaba en el estado mayor de Durán... —se asombró el Lobo.

—Pues claro. Por eso no te lo hemos contado nunca, ¿comprendes? Bueno, y por no contar que los dos apretamos el culo, empezamos a rezar todo lo que sabíamos y nos quedamos lo más cerca posible de la puerta —me miró y fui yo quien asintió esta vez—. Como dos gilipollas, ¿comprendes?

Era verdad que nos habíamos portado como dos gilipollas, pero si aquella reunión no hubiera durado tantas horas, ni siquiera nos habríamos dado cuenta. Nos habríamos marchado de allí muy aliviados, sin haber sabido nunca dónde habíamos estado en realidad. Los oficiales de Durán se dieron cuenta de todo, y se dedicaron a asustarnos, a jugar con nosotros, a meternos miedo para reírse después, como suelen reírse los adultos de los niños pequeños, hasta que su jefe los miraba. Eso bastaba para que volvieran a comportarse como oficiales de estado mayor pero al rato, alguno volvía a rozarnos al pasar a nuestro lado, a fingir que se chocaba con nosotros sin querer, y todos, a veces también Durán, sonreían a la vez. Entonces, era Modesto quien tenía que mirarle para que recobrara la compostura, y mientras tanto, aquella reunión se alargaba, y se alargaba, y se seguía alargando. Al caer la tarde, no había terminado todavía. Era ya noche cerrada cuando Modesto miró el reloj y decidió que íbamos a quedarnos a dormir allí. Bueno, si cabemos, añadió. Claro que cabéis, contestó Durán, aquí dormimos todos juntos, quitamos la mesa y ponemos unos colchones en el suelo... Pues yo esta noche no me acuesto, me susurró Comprendes al oído. Yo tampoco, le contesté en el mismo volumen. Sin embargo, a la hora de cenar, no nos quedó más remedio que sentarnos donde nos dijeron. El cocinero era otro chico, en aquella casa no había una mujer ni en pintura, pero la comida era buena, la conversación semejante a la de cualquier otra noche. Hablamos, como siempre, de la guerra, de lo que se estaba haciendo bien, de lo que se estaba haciendo mal, de los errores que se deberían corregir, de los obstáculos que impedían que se corrigieran...

—Y cuando quise darme cuenta —recordé en voz alta, para el

Lobo y para los demás–, tuve que reconocer que ningún jefe me había impresionado tanto como Durán, ni siquiera Modesto. Ninguno me había parecido nunca tan inteligente, tan audaz, tan capaz de ganar la guerra. Era maricón, ¿y qué? Mejor nos habría ido con muchos más maricones como él, y muchos menos machos como El Campesino. ¿O no?

–Puede ser –el Lobo cerró los ojos, apretó los labios y trituró su respuesta entre los dientes–. No lo sé.

–Claro que lo sabes, ¿comprendes? Lo sabes tan bien como los demás. Y si no... ¿Por qué a Durán no le pasó nada? ¿Por qué no lo expulsaron, por qué no le quitaron el mando, por qué no le impusieron otro estado mayor? Era comunista, ya lo sabes, y la mayor parte de sus oficiales, tan comunistas como él, ¿comprendes? Pero además eran demasiado buenos como para renunciar a ellos. Eso lo sabes tú, lo sé yo, y lo sabían hasta los rusos, Lobo.

Aquella noche, yo fui el más pesimista de todos. Cuando me desprendí de la extrañeza que había sobrevivido a la aprensión en la que sedimentó aquel susto de muerte, me convertí en el aguafiestas de la cena. Muchos años después, en la soleada placidez de un café de Toulouse, también desmenucé en voz alta el último fruto de mi desconcierto. Hay que joderse, porque aquella conclusión me amargó el postre, aquí están todos estos maricones, hirviendo de ardor guerrero, deseando acabar con los fascistas a mordiscos, dispuestos a correrlos a capones hasta el mar, y yo, venga a llevarles la contraria. Ellos se veían ya en Zaragoza, y su fe era tan irresistible que acabó sacándome del hoyo, tirando de mí hacia el Ebro. Me hizo bien verles así, tan seguros, tan decididos. Me gustó escucharles, oírles hablar con tanta energía, una firmeza que fulminó mi escepticismo y llegó a ponerme de buen humor mientras bebía y me reía con ellos. Aquella noche cambió mi manera de ver muchas cosas, gracias, entre otros, al Ninot. Y cuando me lo encontré en Argelès, comprendí que él había tenido más motivos que yo para ganar aquella guerra.

–¿Y qué querías? –le pregunté a mi coronel en la mañana de su entierro–. ¿Que lo señalara con el dedo? ¿Que te lo pusiera en una bandeja, para que lo machacaras? No. Yo no podía hacer eso, Ramón. Y si no he contado esto antes, ha sido porque a él no le gustaba hablarlo con nadie, no porque me dé vergüenza. No me avergüenzo de haber luchado en el mismo ejército que Gustavo Durán, al revés. Me dan vergüenza otras cosas. Esa, no.

—¡Joder, Galán! —protestó el Lobo, con un gesto apesadumbrado, en el que pesaba toda la vergüenza de la que yo acababa de renegar—. Lo estás contando de una manera que...

—Lo estoy contando como fue. Ni más ni menos.

—Pues no, porque te saltas la mitad de la historia. Parece que ya no te acuerdas de los problemas que causó en Argelès, la desmoralización... —no encontró en ninguna parte un final digno de aquel principio, pero al mirar a su alrededor, se tropezó con el único hombre que no había intervenido todavía—. Coño, Pasiego, y tú también podrías decir algo, que eras el que más me presionaba para que arreglara aquello.

—Yo hablo muy poco, Lobo, ya lo sabes.

Después, tal vez por aligerar el ambiente, o por recurrir a una fórmula que le consintiera aplazar su opinión, se volvió hacia Lola y la invitó a revelar el secreto que Inés y ella habían guardado durante tantos años.

—Ya —y cuando terminaron de contarnos el fin de fiesta de la boda del Zurdo, el Pasiego sonrió—. ¿Y cómo dices que tenía la polla el moro aquel?

—Así —Lola se levantó, se colocó la mano izquierda en la tripa, para que hiciera de tope, y estiró la derecha todo lo que pudo.

—Ya sería menos.

—Pues no, mira por dónde... —su mujer se volvió hacia él como una furia, y todos adivinamos por dónde iba a seguir—. Me acuerdo muy bien, porque aquella noche tenía con qué comparar, ¿sabes? Que ese mismo día, a la hora de comer, un cabrón se había presentado en mi casa diciéndome que se había cogido media jornada libre para que estuviéramos juntos antes de ir a la boda. Y a las siete menos diez, después de haber estado toda la tarde en la cama conmigo, me soltó a cincuenta metros escasos del ayuntamiento como si le hubiera dado un calambre, me dejó atrás sin despedirse, se colgó del brazo a su mujer, que le estaba esperando en la puerta, y si te he visto, no me acuerdo —al llegar a ese punto, muy cercano al final de una historia que todos habíamos escuchado muchas veces y él muchas más, Román era quien más se reía—. Claro, que tú no te acordarás... ¡Ah, no, quita! Por supuesto que te acuerdas. Tienes que acordarte tan bien como yo, porque aquel cabrón eras tú.

—¡Joder, Mariloli! Ya está bien, ¿no? Llevas veinte años regañándome por lo mismo. ¿Cuándo piensas parar?

—Cuando se me olvide. O sea... —hizo una pausa para mirarle—. ¡Nunca, jamás, en mi puta vida!

Y tras ese colofón, se cruzó de brazos, muy enfurruñada, muy graciosa, muy tiesa en su silla. El Pasiego se la quedó mirando, sonrió, se acercó a ella, le pasó un brazo por los hombros. Lola se soltó, él la rodeó con los dos brazos, la apretó fuerte, logró hacerla sonreír, y sólo después respondió a la pregunta que no había contestado todavía.

—Es que yo soy muy lento, Lobo, ya lo ves. Sólo acierto a la segunda. Y es verdad que en Argelès estaba de acuerdo contigo, no lo niego, pero creo que nos equivocamos. Yo, por lo menos, estaba equivocado —hizo una pausa para señalarme con la cabeza—. Ellos son los que tienen razón.

A finales de 1937, en la provincia de Teruel, hacía un frío de muerte. Sin embargo, después de cenar, salí afuera, a despejarme un poco y fumarme un cigarro. Ya no tenía miedo. Por un lado, la idea de dormir dentro, entre aquellos hombres, me seguía inquietando, pero por otro, estaba seguro de que ninguno iba a hacerme proposiciones. Me equivocaba. Uno de ellos salió detrás de mí con una manta, y se sentó a mi lado, en el poyo que había junto a la puerta.

—Alegra esa cara, hombre —me echó la manta por encima de los hombros y sonrió—, que eres demasiado guapo para estar tan triste.

Yo no supe qué decir, pero él no se dejó desanimar por mi silencio. Lió un cigarrillo, lo encendió, y después de aspirar el humo, me miró.

—¿Te apetece que nos acostemos? —estaba muy tranquilo.

—No —yo me puse tan nervioso, en cambio, que me atraganté sin saber con qué—. No, no, yo... No.

—Pues es una pena —él siguió sonriendo, como si no me hubiera tomado muy en serio—, porque se te iban a quitar todas esas tonterías de la cabeza.

—A lo mejor —logré responder por fin—, pero mis tonterías son mías y ya les tengo cariño, así que, si no te importa...

—Hombre, importarme, sí que me importa —y se echó a reír—, pero qué le vamos a hacer.

Y no pasó nada más. Cuando volvimos a entrar, el cuarto entero era una cama y sólo había un espacio libre, así que nos tumbamos el uno al lado del otro, nos dimos las buenas noches, luego la espalda, y me dormí enseguida. Por la mañana, después de desayunar, nos abrazamos para despedirnos. Y no le volví a ver hasta que acabó la guerra.

—Aquel hombre era el Ninot —Inés me miró como si ya lo hubiera adivinado—, pero no le dije nada a Comprendes a la mañana siguiente, ni después. Nunca se lo he contado, ni a él, ni a nadie. Pascual no volvió a mencionar aquella noche. Y, por descontado, yo tampoco lo hice.

—¿Y por qué me lo cuentas a mí ahora?

Al salir de aquel café, nos habíamos ido a comer al restaurante. Inés había estado un rato en la cocina, supervisándolo todo, y se había sentado a comer a mi lado. A comienzos de los años sesenta, Casa Inés ya se había anexionado el local contiguo, una antigua tienda de alfombras que multiplicó su superficie por algo más del doble para convertir la vieja mesa de la familia en un comedor privado, que no era el único. La cocina había crecido en la misma proporción, y mi mujer ya no trabajaba como antes, aunque le gustaba tanto cocinar, que muchos días se encerraba a hacerlo todo sola. Le molestaba mucho que se lo dijéramos, pero esa manía suya de no soltar nunca del todo el mango de las sartenes, creaba fricciones constantes entre el personal de Casa Inés, un conflicto en el que consiguió que nadie se sintiera nunca tan agraviado como su propia hija. Vivi no había querido ir a la universidad, pero se estaba formando en algunas de las mejores escuelas de cocina francesa. Entre curso y curso, intentaba trabajar con su madre y se pasaban el tiempo discutiendo, pero Inés no aflojaba ni con ella.

—Yo lo siento mucho, de verdad, pero esta cocina es mía y aquí mando yo. Si alguien no está a gusto... El mundo está lleno de restaurantes.

Antes de que terminara de decirlo, Vivi salía dando un portazo, Inés se arrepentía, iba a buscarla, hablaban, se pedían perdón, se reconciliaban. Y después, al volver a casa, cuando su madre se encerraba en el baño, mi hija venía a verme, muy sulfurada, y me arrastraba hasta la otra punta de la casa.

—No se puede ser más soberbia, papá —aunque no se atrevía a levantar la voz—. De verdad, yo no sé para qué estudio tanto, si no me deja hacer nada, ni a mí, ni a nadie. Todo hay que hacerlo como ella dice, sin cambiar ni una coma de sus recetas... No te rías, ¿por qué te ríes? Claro, si tú la consientes, así no hay manera...

—¿Que yo consiento a tu madre?

—Todo el rato —y ponía los ojos en blanco, como si no pudiera creer que aquella pregunta hubiera brotado de mis labios—. Más que a ninguno, y no pongas esa cara de tonto, porque lo sabes de sobra, papá.

El día del entierro del Ninot, Vivi ya había encontrado a un hombre que la consintiera, y su madre había aprendido a delegar en ella de vez en cuando. Por eso se levantó de la mesa con los demás, y sólo entró en la cocina un momento, para felicitar a nuestra hija por la comida.

—¿Qué te pasa? —me preguntó mientras volvíamos andando a casa.

Entonces, muy cerca de la baldosa en la que ella se había parado bajo la lluvia en noviembre de 1949, me detuve yo bajo el sol de otoño para mirarla, sostener su cabeza con las manos y besarla en la boca con mucho cuidado, dieciséis años después. Y ya no volvió a hacerme ninguna pregunta, hasta que me preguntó por qué le había contado lo que pasó aquella noche en Teruel, entre el Ninot y yo.

—Porque estoy muy orgulloso de ti.

Esa había sido mi vida. Saber y hacer como que no sabía. Saber y no hablar. Saber y callarme, saber y no olvidar, saber y, si acaso, escoger. La vida me había convertido en un almacén de secretos. Secretos que sólo podía compartir con Comprendes, secretos que no podía contarle a Comprendes pero sí al Lobo, secretos de los que el Lobo nunca podría enterarse, secretos para compartir a solas con el Pasiego, secretos que sólo me atrevía a descargar sobre los hombros del Zurdo, otros que el Cabrero me confiaba a mí y a nadie más, y Zafarraya advirtiéndome que el Sacristán no podía enterarse de lo que me iba a contar, porque bastante tenía encima ya, el pobre... Esa había sido mi vida, nuestra vida, la de todos nosotros. Pero nunca se me había ocurrido que también pudiera compartir eso con Inés, la mujer a la que había preservado de todos mis secretos durante más de veinte años, los mismos que llevaba consintiéndola. Por eso me había emocionado tanto al descubrirlo.

—Pues hay más, ¿sabes? Porque el día que Lola me enseñó a hacer albóndigas de rape, en el 45, sería, ¿no? Sí, en el 45...

Estábamos solos en casa, en la cama, como si no hubiera pasado el tiempo, como si no hubiéramos tenido hijos, como si todavía nos asombrara encontrarnos juntos y desnudos debajo de una sábana. Aquella también había sido mi vida, nuestra vida, y yo fui muy feliz aquella tarde. Cuando Inés terminó de contarme lo que había ocurrido en realidad en su cocina, me eché a reír. Ella se me quedó mirando con una sonrisa ambigua, sembrada de inquietud, pero no se atrevió a preguntarme nada, y la abracé para atraerla hacia mí, hasta que nuestras narices se rozaron.

—¿Tú sabes quién fue el último de todos nosotros que vio a Jesús Monzón libre, en su casa de Madrid?

Cuando Ramiro Quesada González entró a desayunar en el bar La Parada, hacía mucho frío, sobre todo porque él no era un señor, y por lo tanto, no podía usar el fabuloso abrigo de Fernando González Muñiz que descansaba en su maleta. Eran las ocho de la mañana del 14 de marzo de 1945, pero en los Picos de Europa, el invierno se reía de los calendarios que prometían la primavera para una semana después.

—Hay que ver, Ramiro... —Virgilio, el dueño del bar, también se rió de mí cuando entré con las solapas levantadas–. ¡Qué blandos sois los de Madrid!

En marzo de 1945, yo me llamaba Ramiro Quesada González, y había nacido en Navalcarnero, provincia de Madrid, casi dos años después de que Fernando González Muñiz naciera en Gera, concejo de Tineo, provincia de Oviedo. Ramiro Quesada trabajaba para una empresa de productos lácteos, y había establecido su base en Vega de Liébana casi tres semanas antes, para negociar con los ganaderos de la comarca. Ya había terminado su trabajo, porque yo había terminado el mío. En la cartera que Ramiro llevaba siempre encima, había una libreta llena de anotaciones tan inocentes como pulcramente caligrafiadas, nombres, direcciones, número de vacas, litros de leche, fechas, plazos, pagos. Era una clave que sólo yo podía descifrar, una medida de seguridad suplementaria a la que nunca acudía. Mi memoria era un archivo tan pulcro y bien organizado como la libreta de Ramiro Quesada.

Aquel viaje, el primero que hice después de Arán, tenía dos etapas. El propósito de la primera era inspeccionar las guerrillas del norte y cambiar impresiones con sus hombres sobre la situación. En Cantabria, había terminado ya. Tenía prohibido poner un pie en Asturias, donde seguía viviendo demasiada gente que me conocía, pero pensaba ponerme en marcha dos días más tarde, para pasar por el sur de Galicia y el norte de León, siempre con la misma cobertura, ese que compra leche para una fábrica de Madrid. Más tarde, ya en mayo, me movería hacia el oeste y después de pasar por las sierras de Cuenca y Teruel, cruzaría la frontera por el Pirineo de Huesca, para llegar a Toulouse con tiempo de sobra para ver nacer a mi hijo mayor. No lo conseguí.

Aquel día, antes de terminar el desayuno, un parroquiano de Virgilio al que sólo conocía de vista, se paró a mi lado, apoyó la mano izquierda en la mesa en la que yo estaba desayunando y, con la derecha, se calzó bien un zapato que le molestaba. Cuando se fue, había un papelito doblado debajo de mi tostada. Me lo guardé en el bolsillo y no lo abrí hasta que volví a estar solo, en el cuarto de mi pensión. Jesús quiere verte. Eso era todo lo que decía aquella nota, que Jesús quería verme, y debajo, una dirección de Madrid. Me la aprendí de memoria, quemé el papel en el cenicero y salí a dar una vuelta. Al volver, le dije a mi patrona que seguramente tendría que quedarme algún día más, porque no había encontrado una solución. En marzo de 1945, mis camaradas me daban más miedo que la policía de Franco.

Ramiro Quesada González podía viajar a Madrid en tren y alojarse en cualquier hotel pequeño, discreto, no demasiado céntrico. Eso no resultaría peligroso para él, porque su documentación era buena. Pero Fernando González Muñiz no podía arriesgarse a incumplir sus órdenes y marcharse a Madrid por su cuenta, para visitar a Jesús Monzón, sin la protección de una coartada convincente. No sabía cómo estaban las cosas por allí y ni siquiera tenía la certeza de que aquella cita no fuera una trampa.

Agustín Zoroa había trabajado con Jesús antes de la invasión, pero su luna de miel había coincidido con la mía en el tiempo y en el espacio. No sólo me conocía, sino que me reconocería sin vacilar si me viera de lejos, andando por la calle en una ciudad donde yo no tenía motivos para estar. Cuando me marché, él seguía viviendo en Francia, pero su destino era relevar a Monzón, y ni siquiera podía descartar que fuera él mismo quien abriera la puerta de la casa a la que me había convocado aquel desconocido. En ese caso, podría cruzar los dedos y decir que había acudido a la cita porque el Partido me había mandado a inspeccionar el trabajo en el interior y carecía de información suficiente para decidir que la llamada de Jesús no tuviera que ver con mi misión. Eso podría colar, o no. En realidad, no habría mentido, aunque mi información, con ser poca, me sobraba para estar seguro de que nada me convenía tanto como ignorar que había visto a un hombre al que le molestaba un zapato. No acepté esa posibilidad ni siquiera como sugerencia. Jesús me había llamado y yo no iba a decepcionarle, pero tampoco podía marcharme del valle de Liébana sin un plan diseñado de antemano.

Al atardecer, subí al monte. Estuve allí dos días, bajé al llano, y volví a subir. Visité los campamentos más grandes y en los dos conté la misma historia. Que alguien del otro grupo le había oído decir a un enlace que los jefes de la guerrilla del centro se quejaban de que los mantuviéramos al margen. Que después del fracaso de la invasión, nadie había ido a verles. Que estaba pensando en acercarme a dar una vuelta por allí, pero no tenía manera de contactar con la organización de Madrid. En el primer campamento, sólo pudieron decirme que les parecía muy buena idea. En el segundo, un santanderino que se había echado al monte después de cumplir condena en la cárcel más abarrotada de la capital, me dio una dirección.

—No sé si servirá, pero hace un año era buena...

No era mucho, pero algo era. Al día siguiente, estudié los horarios de los trenes a Madrid, me despedí de Vega de Liébana y me marché a Santander. Viajé de noche y llegué a la estación del Norte a una hora indecente para visitar a nadie, pero Ramiro Quesada González echó a andar, y se decidió por un hostal pequeño, discreto y no demasiado céntrico, cerca del mercado de Legazpi. Los dos dormimos un par de horas y yo llegué hacia las once a un edificio antiguo, con la fachada apuntalada, que estaba en una bocacalle de la Carrera de San Francisco.

No había vuelto a Madrid desde la primavera de 1937, en plena guerra. Como si el destino tuviera interés en que no lo olvidara, antes de entrar en aquella casa me fijé en que su fachada estaba aún acribillada a balazos, la primera planta, vacía. Los balcones de la izquierda tenían los cristales rotos, y en los de la derecha, un cartel añoso, quemado por el sol, anunciaba que una vez, hacía mucho, mucho tiempo, aquel piso había estado en alquiler. El aspecto del inmueble, en una ciudad donde la gente se mataba por una vivienda libre, me hizo suponer que el edificio había sido declarado en ruinas. La puerta estaba abierta, pero en algunos balcones se veían geranios, plantados en latas grandes de escabeche o de aceitunas.

En el portal también se había combatido. Las huellas de las balas llegaban hasta la escalera. Me quedé un momento mirándolas, imaginando quiénes, cuándo, habrían atacado o se habrían defendido allí, y sentí un escalofrío mientras la puerta volvía a chirriar. Empecé a subir por la escalera despacio, sin mirar hacia atrás, y no logré identificar el origen de los pasos que sucedían a los míos como un eco torpe, desacompasado, más pesado que lento. Al llegar al rellano, miré de reojo hacia mi izquierda y vi a una mujer embarazada, su vientre enorme, tan bajo que parecía a punto de descolgarse y la obligaba a andar como un pato, con las piernas muy abiertas. Venía de hacer la compra, porque traía una cesta en cada mano. De una de ellas, sobresalía un manojo de acelgas, verde y tieso como un penacho de plumas.

—Déjeme ayudarla —tenía un aire familiar, un aspecto parecido al de alguien a quien yo hubiera conocido antes, y quizás por eso me precipité a bajar a toda prisa los peldaños que ya había dejado atrás—, por favor...

—Muchas gracias —ella abandonó su carga entre mis manos con una sonrisa de alivio—. No me queda nada, ¿sabe? —y se acarició la tripa con las suyas—. Y la verdad es que ya no puedo más.

Fuimos subiendo juntos las escaleras, ella muy despacio y agarrándose a la barandilla, yo siempre un escalón por debajo. Así superamos el primer piso, el segundo, el tercero, y al llegar al cuarto, se paró en la misma puerta a la que yo tenía previsto llamar.

—Muchas gracias —repitió, sonriendo otra vez—. Usted, ¿adónde va?

—Yo... —tomé aliento antes de preguntar con cautela—. ¿No se llamará usted Manolita, verdad?

—Sí —se echó a reír y su risa sonó como la campanilla de la pastelería de Nicole—. ¿Cómo lo sabe?

Sonreí, la miré un momento, y por fin descubrí a quién se parecía. Me recordaba a Montse, tal y como era cuando llegamos a Arán. Tenían más o menos los mismos años, pero su edad no las asemejaba tanto como la incauta curiosidad que brillaba en sus ojos.

—Yo... —por eso decidí fiarme de ella, porque se parecía a Montse y no me tenía miedo—. Yo vengo de parte de un viejo amigo tuyo que se llama Anastasio, y que te conoció cuando acabó la guerra...

Debería haberme dicho que no conocía a nadie que se llamara así, que no sabía quién habría podido darme las señas de su casa, que si no me marchaba inmediatamente, iba a llamar a la policía. Eso era lo que esperaba, lo que ella debería haber hecho para que yo le pidiera que me escuchara sólo un instante. No tenía contraseña, pero sí la oportunidad de reemplazarla con una extravagante crónica sentimental. Lo del huevo de Pascua sólo puedo saberlo yo, me había dicho Anastasio. Pero ni siquiera tuve que mencionarlo.

—¡Claro, Tasio! —porque se alegró mucho al escuchar ese nombre—. ¿Y cómo está?

Después abrió la puerta, me dejó entrar en una casa llena de luz y de gente, me presentó a su madre y a tres de sus hermanos, y me ofreció un vaso de agua, porque no tenía otra cosa. Volvió a reírse al confesarlo, como si le hiciera mucha gracia su pobreza, y cuando le dije que necesitaba hablar a solas con ella, me condujo por el pasillo hacia una terraza interior, que estaba en la otra punta de un ático que se caía a pedazos, sin dejar de sonreír.

—Pues has tenido suerte de encontrarme aquí, ¿sabes? —las placas de escayola que se habían desprendido del techo dejaban a la vista, aquí y allá, manojos de esparto seco, blanquecino—, porque desde que salió de la cárcel, mi madre no quiere saber nada...

Era muy joven. Muy joven y muy amable. Muy cariñosa, muy generosa, y cuando se reía, su garganta parecía una campanilla.

—Ten cuidado —me recomendó después—. No digas nada delante de ella.

—La que tienes que tener mucho cuidado eres tú, Manolita. Mira, yo... —escogí con cuidado las palabras, para no ofenderla—. Yo te agradezco muchísimo que me hayas acogido, pero no deberías haberlo hecho, ¿sabes? No puedes abrirle tu puerta a la gente así como así. Es muy peligroso. No deberías fiarte de nadie. Ni siquiera de mí.

—Tonterías —pero no la ofendí, ni conseguí inquietarla—. Si aquí nunca viene nadie.

—Bueno, he venido yo.

—¡Claro, hombre! —y volvió a reírse—. Pero tú eres amigo de Tasio...

Así caían, pensé yo. Como moscas. Y sin embargo, a Manolita la protegía el escudo de su propia inconsciencia. Porque nadie, ni siquiera el más imaginativo de los agentes de inteligencia en la mejor borrachera de su vida, se habría atrevido a sospechar de sus contactos.

—Tú estate mañana, a las ocho de la tarde, en un bar que hay en la calle de la Victoria, al lado de las taquillas de los toros, La Faena se llama... —me miró un instante con atención—. Ve vestido igual que hoy y espera a que se te acerque alguien que se queje en voz alta de lo cara que está la vida. Haz todo lo que te diga. Y no te asustes.

—¿De qué? —pero se encogió de hombros y no me quiso contestar.

Al día siguiente, a las ocho en punto de la tarde, la barra de La Faena estaba repleta de taurinos, aficionados modestos en su mayoría, alguno gordo, con puro y sortija de oro en el anular, pero ninguno a disgusto con los precios de las entradas. Pasaron diez minutos y no entró nadie más. Cuando ya estaba a punto de marcharme, la puerta se abrió para dar paso a un grupo que acaparó instantáneamente la atención de todas las personas que estábamos allí. Todos nosotros, con independencia de nuestro sexo, nuestro oficio, nuestra edad, nuestra condición o el nombre que figurara en nuestra documentación, miramos a la vez al mismo sitio.

Ellas eran tres, llamativas, guapetonas y sonoras, porque al entrar, levantaron un estruendo rítmico, casi musical, con sus zapatos de baile, chapas metálicas en los tacones y una goma cruzada sobre el empeine. Iban vestidas de calle, pero de una calle extranjera, lejana y pecaminosa, porque llevaban jerséis muy ceñidos, cinturones anchos estrangulando su cintura y faldas con rajas que se abrían a cada paso. Su maquillaje habría cooperado para asignarles una profesión que no ejercían, si no hubieran llevado encima mucho más de lo imprescindible para que cualquier espectador adivinara que trabajaban sobre un escenario. Sus cabezas coronadas por unas peinetas enormes, el pelo untado con toda la brillantina que les había sobrado después de dibujarse una familia entera de caracoles sobre la frente, llevaban grandes pendientes de colores, a juego con las bolas de los collares que se bamboleaban sobre sus escotes.

Él parecía una copia barata de Miguel de Molina, desde el sombrero cordobés hasta la puntera de las botas, sus suelas tan artilladas como los tacones de sus compañeras. Lo demás, traje negro, chaquetilla corta, pantalón alto, ceñido, y camisa roja con lunares blancos, tampoco era mucho más masculino. Llevaba, además, una funda de tintorería de la que asomaban un montón de volantes de todos los colores. Al entrar, mientras las chicas se sentaban en una mesa, oteó la barra, se abrió paso a codazos, y se colocó a mi lado, poniendo mucho cuidado en no mirarme.

—¡Qué barbaridad, qué caro está todo! —no puede ser, me dije—. Cualquier día, a estas pobres les va a costar más el tinte que los trajes.

Es imposible, repetí para mí mismo, no puede ser, mientras él pedía cuatro cafelitos, con leche y un repentino acento andaluz. No debía, no podía, no tenía que ser, pero así era. Después de desplomar su carga de volantes sobre la barra, volvió hacia mí su cara, tan maquillada como la de las mujeres a las que acompañaba, y fingió una exagerada expresión de escándalo.

—¡Anda, mira quién está aquí! El niño perdido... —yo le sostuve la mirada sin saber qué hacer, y él lo hizo todo por los dos—. ¡Sí, tú, tú...! ¿Quién iba a ser, si no? Te lo has pensado mejor, ¿no? Hay que ver, todos sois iguales. Pero vete a verla, hombre, que está ahí, ahí mismo, en esa mesa...

Le seguí el juego y todo fue muy fácil. Dejé una moneda sobre la barra, y al darme la vuelta, una de las flamencas levantó los dos brazos en el aire para llamarme. Se levantó para cederme su asiento, muerta de risa, y la que estaba a su derecha, me miró, movió la cabeza de un lado a otro, puso los brazos en jarras y me indicó algo muy fácil de hacer.

—Pídeme perdón, ¿no? —lo que más me sorprendió, fue lo mucho que le divertía aquella situación.

—Perdóname —al escucharme, sonrió, me cogió de un brazo, tiró de él hacia abajo y me obligó a sentarme a su lado.

—¡Ay, Dios mío! ¿Por qué tendrá una que ser tan buena?

Inmediatamente después, se volcó encima de mí, me abrazó, pegó su cabeza a la mía y me habló al oído.

—Mañana, a la una de la tarde, en el quiosco de periódicos de la plaza de Santa Bárbara. Tienes que llevar en la mano una bandeja de pasteles. Se llama Vicente. Él te encontrará —luego levantó la voz—. Bueno, pues vete, vete, hay que ver, qué prisas... —sus amigas parecían divertirse tanto como ella—. Pero ven a buscarme a la salida, ¿de acuerdo?

La próxima vez que vea a Manolita, la mato. Eso fue todo lo que pude pensar al salir de La Faena, y sin embargo, cuando mi lengua empezó a quejarse de la presión de mis dientes, tuve que reconocer que nunca había contactado con una célula más difícil de detectar. Mi siguiente contacto resultó ser un hombre ni joven ni viejo, ni alto ni bajo, ni guapo ni feo, ni gordo ni delgado, un tipo tan convencional que no llamaba la atención de nadie. Al encontrarme con él, se me ocurrió que quizás, sólo por eso fuera ya más vulnerable, pero al menos, no necesitó fingir que me besaba para citarme con Paco el Catalán al día siguiente, en un café de la glorieta de San Bernardo.

Si el Catalán se extrañó de mi visita, se guardó su extrañeza para sí mismo. No me extrañó, porque su posición era mucho más delicada que la mía. Todavía a las órdenes de Monzón, sin saber qué significaba exactamente el regreso de Zoroa, Paco intuía que estaba trabajando en una doble, quizás triple clandestinidad. Pisaba sobre un suelo gelatinoso, tan inestable como un banco de arenas movedizas, pero nadie se había tomado la molestia de explicárselo. Su incertidumbre me benefició, porque estaba preparado para esperar cualquier cosa, de cualquier persona, en cualquier momento, y sólo me preguntó cuándo quería ir a Gredos para entrevistarme con Fermín, el jefe militar del Ejército Guerrillero del Centro. Le dije que necesitaba un par de días, porque tenía cosas que hacer en Madrid, y tampoco me preguntó cuáles eran.

El 2 de abril de 1945, al caer la tarde, fui paseando, como si lo único que tuviera que hacer fuera tiempo, desde Legazpi hasta Delicias. Allí me metí en el metro y me bajé en Sol, donde cogí un tranvía que me dejó cerca de la plaza de toros. Le di una vuelta completa al edificio para comprobar que nadie me había seguido y paré un taxi en la calle Alcalá. Al escuchar la dirección, el conductor me explicó que lo había pillado en dirección contraria y le dije que no se preocupara. Me advirtió que iba a tener que dar un buen rodeo, y le autoricé a que diera todos los que hicieran falta. Me dejó en la esquina que le había indicado y salvé a pie, haciendo zigzag, la distancia de dos manzanas en dos bocacalles sucesivas, hasta que llegué a una verja enmascarada por un seto muy tupido. La puerta estaba cerrada, pero había un timbre. Lo pulsé y escuché el ladrido de un perro, el ruido de otra puerta que se abría, un taconeo que venía hacia mí.

—Soy Galán —la mujer que salió a mi encuentro asintió con la cabeza.

Seguí sus pasos por un camino de tierra apisonada, y me fijé, por este orden, en que estaba mucho más buena que Carmen, y en que daba gusto ver aquel jardín. No tuve tiempo de valorar la casa, porque cuando levanté la cabeza, la puerta se abrió y Jesús apareció en el umbral. Tenía un aspecto horrible, en comparación con el del líder de quien me había despedido en Haute Garonne sólo dos años antes. Nadie habría creído que aquel hombre muy flaco y definitivamente calvo, que parecía convalecer de alguna enfermedad grave, acabara de cumplir treinta y cinco. Sin embargo, su rostro recuperó su verdadera edad cuando me sonrió.

—Ya creía que no ibas a venir...

—Pues aquí me tienes.

Me abrió los brazos antes de que salvara el último peldaño y nos dimos un abrazo largo y estrecho, que nos emocionó a los dos, a él más que a mí.

—¿Cómo estás? —me preguntó después, mientras me guiaba por una casa agradable, confortable, decorada con muebles caros y objetos bonitos—. Me alegro mucho de verte.

—Estoy bien —respondí—, y yo también me alegro de verte a ti, Jesús.

—Pilar, ¿podrías traernos algo para picar?

La mujer que había salido a mi encuentro para entrar en la casa por detrás de nosotros, se acercó tan deprisa como si hubiera recibido una orden, y comprobé que por delante estaba igual de buena. Luego desapareció a la misma velocidad con la que había llegado y unos pasos tan sigilosos como si anduviera de puntillas.

—Del vino me encargo yo —Jesús volvió a sonreír antes de cruzar la habitación para abrir las puertas de un aparador, del que regresó con una botella en cada mano—. Rioja, naturalmente. Las había guardado para ti, pero estaba a punto de bebérmelas yo solo, te lo advierto...

—No me ha resultado nada fácil venir —ninguno de los dos estaba cómodo, pero no me di cuenta hasta que me encontré elaborando aquella explicación tan incómoda—. Cuando me avisaron, estaba en los Picos de Europa y no tenía ningún contacto con la gente de aquí. De hecho, no tendría que estar en Madrid. He venido sólo para verte.

—Ya, me lo imagino —descorchó la botella, pegó el cuello a su nariz, sirvió vino en mi copa—. Pero no lo decía sólo por eso. Pilar y yo nos vamos de viaje pasado mañana —se sirvió a sí mismo, me miró—. A Francia.

El regreso de la mujer, que trajo una bandeja con una fuente de embutidos, otra de quesos, una tortilla de patatas y una panera, me permitió meditar sobre las palabras que acababa de escuchar mientras fingía estudiar la etiqueta del reserva de Marqués de Riscal que nos estábamos bebiendo.

—El vino es cojonudo, desde luego —reconocí—. Mejor que los que bebíamos en el Luchonnais... —y cuando volvimos a quedarnos solos, dejé la botella sobre la mesa y añadí algo más—. Pues en Francia nos veremos.

—Sí —asintió con la cabeza, volvió a mirarme, volvió a sonreír—. Pero no te he llamado por eso, Galán, no te preocupes.

—No estoy preocupado —le respondí, y era verdad, aunque había agradecido su advertencia.

—Ya, pero lo que quiero decir... —se quedó un momento callado, como si necesitara pensar bien por dónde iba a seguir—.

No te he llamado para comprometerte. Sólo quiero hablar contigo, saber cómo estáis los que vinisteis... Vosotros sois los únicos que me importáis. Quiero saber cómo os sentís, después de lo de Arán, y entender..., entender lo que pasó.

—¿Sí? Pues eso es bastante fácil de explicar.

Yo tenía muchas cosas que agradecerle a Jesús Monzón Reparaz. Nunca llegaría a agradecerle ninguna tanto como su actitud en aquella cita. Ni siquiera aquellas francesitas que me habían hecho tanto bien, me resultaron tan preciosas como la certeza de que no pretendía utilizarme para conspirar contra la dirección, para sonsacarme información o convertirme en el vehículo de sus amenazas. Tampoco podría agradecerle nunca que aquella noche de abril de 1945 me dejara hablar sin interrumpirme, durante el largo tiempo que necesité para decirle la verdad, que estábamos furiosos, decepcionados, porque nos había mentido, porque nos había engañado, porque nosotros no nos merecíamos que nos hubiera tratado así.

—Tu juego le ha costado la vida a muchos hombres —le recordé, y aquel Rioja excelente se volvió áspero en mi paladar, agrio al bajar por mi garganta—. Yo perdí a un soldado al que quería como a un hermano pequeño.

¡A cubierto, Bocas! Tírate al suelo ahora mismo, es una orden... También le conté eso, y que aquella tarde no me obedeció. Que ya estaba todo perdido, y cuando volvíamos a Bosost, unos cuantos tiradores parapetados detrás de una casilla de peones camineros abrieron fuego contra nosotros en una calva del monte, una pendiente abrupta y limpia de árboles, sólo unas cuantas rocas diseminadas en la hierba y todas las ventajas para ellos. No sabíamos cuántos eran, pero sí que estaban muy dentro de nuestras líneas y que no podíamos dejarles allí. Entonces, al Bocas no se le ocurrió nada mejor que portarse como un héroe. Yo le vi avanzar, reptar boca abajo hacia una roca, y le grité sin parar que no, que no diera un paso más, que se aplastara inmediatamente contra el suelo. No me obedeció. Le dije que era una orden, se lo advertí muchas veces, y no me obedeció. ¡Que no, que estoy bien! ¡Al suelo te he dicho, Bocas!, pero fue en vano, ¡que te tires al suelo ahora mismo!

Aquella tarde, se lo conté todo a Jesús Monzón. Todo excepto que, quizás, el Bocas habría muerto de todas formas, porque desde que cruzamos la frontera, no había hecho otra cosa que caerse, hacerse daño, dejarse herir. Yo había hecho dos guerras seguidas, por eso me asusté tanto al verle avanzar. Llevaba demasiado tiempo en la guerra como para no creer en la suerte, en la estrella buena o mala, sombría o luminosa, que decide quién vive y quién muere, quién cae y quién se levanta. La muerte le quería, le codiciaba, llevaba varios días coqueteando con él, jugando a seducirle. Él se dejaba querer, y no me obedeció.

¡A cubierto, Bocas! Tírate al suelo ahora mismo, es una orden... ¡Que no, que ya llego! Y llegó, alcanzó una posición ventajosa, se agachó detrás de la peña, disparó sobre una ventana y rompió el cristal, después sobre la otra, hirió a uno de los defensores de la caseta y siguió disparando. ¡Vamos, que yo os cubro! Así, Comprendes pudo acercarse a otra peña y yo bajar corriendo, agachado, bajo la protección de su fusil. Eran somatenistas, y por eso no pudieron aguantar. No supieron resistir la presión y empezaron a hacer tonterías, a exponerse sin necesidad, a salir de la casa. Dos de ellos cayeron cuando intentaban huir. A otro lo alcanzó el Bocas mientras avanzaba pegado a la pared de la caseta. El último le mató.

—Tenía veintiún años y se empeñó en morir como un héroe, ¿sabes? No fue el único, en Arán murieron muchos más, pero yo le quería como a un hermano pequeño. Tenía veintiún años y murió por nada, para nada —le miré a los ojos y empecé a sentirme mejor—. Por ti. Por tu culpa, Jesús.

—¿Has terminado ya? —y no me sentí mejor por haberlo tratado tan mal, sino porque él había sabido encajarlo.

—No lo sé.

—Bueno, pues, de todas formas, me voy a arriesgar... Mis órdenes no se cumplieron, Galán —en algunos momentos, yo había levantado mucho la voz, pero él me habló siempre en un tono controlado y suave, muy tranquilo—. Pinocho no tomó el túnel. Se dio la vuelta por su cuenta y se volvió a Francia el día 21. El Lobo no atacó Viella. López Tovar presume de que ordenó la retirada antes de que Carrillo se la ordenara a él... —hizo una pausa para componer algo parecido a una sonrisa–. Perdona que te lo diga, pero os comportasteis como un ejército de aficionados, un batallón de señoritas histéricas.

–Porque no teníamos información –en mi respuesta, descubrimos los dos al mismo tiempo hasta qué punto no había terminado yo antes–. Porque no sabíamos nada de lo que estaba pasando a veinte kilómetros. Porque nos sentíamos abandonados, vendidos, solos en el puto culo del mundo. Por tu culpa, Jesús, y no me vengas ahora con que las mentiras de Carmen, esa patraña de la huelga general revolucionaria que estaba a punto de estallar, eran fundamentales para el éxito de la operación –ya había abierto la boca, pero volvió a cerrarla a tiempo–. Si nos hubieras contado la verdad, que las cosas estaban mal, que había una oportunidad entre cien, que había que intentarlo a pesar de que lo más fácil era que no sirviera para nada, y que la idea era tuya, y sólo tuya, yo habría venido igual, ¿sabes? Estoy seguro de que la mayoría de nosotros habríamos venido igual. Y, a lo mejor, Pinocho habría tomado el túnel. A lo mejor, el Lobo habría tomado Viella. Pero lo habrían hecho sabiendo a lo que se exponían, lo que podían ganar y lo que podían perder, y no sintiéndose como una manada de ovejas que van derechas al matadero sin saber ni siquiera por qué.

Le di una oportunidad, una pausa que no se atrevió a rellenar.

–Eso deberías haber hecho, decirnos la verdad –volví a esperarle, pero siguió callado–. ¿No tuviste cojones? –y yo mismo respondí a esa pregunta–. Pues, ahora, te jodes.

Sólo terminé de hablar después de haber llegado a esa conclusión. Ya no me quedaba nada que decir, pero él no tuvo prisa en estrenar su turno. Se levantó, fue a buscar una pipa, la cargó, la encendió, fumó un rato.

–Puede que tengas razón –y me miró a los ojos, como yo le había mirado antes–. Aunque han pasado siglos desde la última vez que alguien tardó veinte días en viajar desde Santander hasta Madrid.

–Desde luego. Pero hace seis meses, ese viaje era mucho más corto, y tú lo sabes.

–Puede que tengas razón –repitió, y alargó la mano hacia la

mesa, cogió la segunda botella, me la enseñó—. ¿Tú crees que merece la pena que la abramos?

—Claro que sí. Esa, y las que hagan falta.

En ese momento, mientras me admiraba de la elegancia de aquella fórmula, el procedimiento que había escogido para que los dos tuviéramos la ocasión de garantizarnos mutuamente nuestra lealtad, sentí más que nunca que la invasión de Arán hubiera fracasado. Mientras despachábamos la segunda botella, Jesús habló más que yo, y volví a lamentar varias veces aquella derrota mientras él desmenuzaba para mí, en orden, con mucha paciencia, todas las razones que le habían impulsado a cometer el error que acababa de reprocharle. Yo le escuchaba con atención, pero me daba cuenta de que no necesitaba tantas palabras para admitir que confiaba en aquel hombre. Que le quería, que le admiraba, que creía en él. Monzón me gustaba, seguía gustándome más que ningún otro dirigente para el que hubiera trabajado en mi vida, aunque los dos supiéramos que la suerte estaba echada. Pero él era valiente, un jugador tan audaz que no daba todas las bazas por perdidas.

—De todas formas —por eso dejó aquel asunto para el final—, tú no deberías quejarte mucho, Galán, porque, por lo que me han contado... En Arán, fuiste el que mejor se lo pasó.

—Eres un cabrón —le dije mientras me reía.

—¡Menuda novedad! —él se rió tanto como yo—. Me la tienes que presentar. Estoy deseando conocerla...

Veinte años después, Inés tenía cuarenta y nueve, pero se sonrojó como una colegiala aquella tarde en la que me decidí a contárselo todo.

—¿Y qué pasó después?

—Nada. Nos dimos otro abrazo, le prometí que le llamaría en cuanto volviera a Toulouse, él se fue a Barcelona, yo a Gredos, y... ya sabes. Cuando pude volver, a él ya le habían detenido y Vivi tenía cinco días.

—Y no me contaste nada.

—No —me puse boca arriba y ella se volcó sobre mí, acoplándose a mi cuerpo como una mascota bien entrenada—. ¿Y qué querías que hiciera, Inés? Yo te había traído a Francia, habías venido a Toulouse conmigo. Aquí no tenías familia, no tenías amigos, ni trabajo, ni el apoyo de nadie, nada fuera del Partido. Tu vida entera dependía del Partido, y yo pensé... −levantó la cabeza de mi hombro para mirarme−. Cuanto menos sepa, mejor. Eso fue lo que pensé. Si yo hubiera caído, si me hubieran encarcelado en España, si me hubieran fusilado y alguien hubiera empezado a decir cosas raras... ¿Cómo iba a contarte algo así, con la que estaba cayendo? −volvió a acurrucarse contra mí, sin decir nada−. Yo era amigo de Monzón, tú lo sabes, lo sabía todo el mundo. No era nada más que eso, amigo suyo, pero tú estabas aquí sola, con los niños, y en aquella época... Bueno, eso fue lo que pensé, que cuanto menos supieras, mejor para ti.

Entonces se incorporó, se tendió encima de mí, cruzó los brazos sobre mi pecho, apoyó la barbilla sobre las manos, me miró.

−Te quiero, Galán.

−Y yo te quiero a ti.

Antes de que terminara de decirlo, oímos la puerta de la calle y la voz de una zángana de trece años, que preguntaba en español si había alguien en casa.

−Se acabó lo que se daba −Inés me besó en los labios, se levantó, y le dio tiempo a ponerse una bata antes de que Adela abriera la puerta.

−¿No hay nadie en...? −nos vio, sonrió, jugó a esconderse tras la hoja entreabierta−. ¡Vaya, lo siento!

Inés salió tras ella y llegué a escuchar algo más, oye, mamá, ¿y no crees que estáis ya un poco mayores para esto?

Yo no me levanté de la cama en toda la tarde. Me dormí un rato, me desperté, volví a adormilarme, y al abrir los ojos me encontré con Inés, arreglada para salir y sentada en el borde de la cama. Sonreía, y me gustó verla sonreír. Me dijo que me diera prisa, que el Lobo acababa de llamar y estaba quedando con todos para que cenáramos juntos, y eso también me gustó. Daba igual que el Ninot hubiera muerto de un infarto, que no lo hubieran derribado los disparos de un pelotón. Se había activado el protocolo de los fusilamientos, porque había muerto uno de los nuestros. Eso había sido el Ninot, para lo bueno y para lo malo, para lo mejor y para siempre, uno de los nuestros. Pero su muerte no fue una más.

Aunque no dejamos de intentarlo ni un solo segundo de todas las horas que caben en treinta y seis años seguidos, nunca pudimos derrocar a Franco. A cambio, a partir de aquel día, logramos seguir vivos después de haber matado una parte de nosotros mismos.

No fue una victoria grande. Tampoco pequeña.

«El mejor restaurante español de Francia...» Nos hicimos mayores casi sin darnos cuenta.

En el verano de 1966, cuando me faltaba menos de una semana para cumplir cincuenta años, *La Dépêche du Midi* me hizo un regalo anticipado al publicar, a bombo y platillo, que una de las guías gastronómicas más prestigiosas de Europa había destacado Casa Inés como el mejor restaurante francés en su especialidad.

—Te han condecorado, mamá.

Mi hija Virtudes, a la que su padre bautizó como Vivi desde el día en que la conoció, porque no le gustaba el nombre que yo había escogido para ella, fue la primera en felicitarme, como lo había sido en todo, con la única excepción de la estatura. A los veintiún años, la más precoz de mis hijos, quizás para compensar que también era la única más baja que yo, ya nos había dado dos disgustos, el primero al decidir que no quería ir a la universidad, y el segundo, al casarse con un divorciado que le sacaba casi diez, aunque la diferencia de edad y su experiencia previa habían sido lo de menos.

El 17 de julio de 1965 ni su padre ni yo entendimos por qué Vivi había invitado a su cumpleaños a Andrés, aquel niño toledano al que conocimos en el valle de Arán por obra y gracia del Auxilio Social. En el tiempo que había transcurrido desde entonces, aquel crío tan gracioso, que siempre tenía hambre y miedo de todo, había llegado mucho más lejos que su hermano mayor. Era ingeniero de telecomunicaciones, trabajaba para la Siemens, y estaba casado, o eso creíamos nosotros, con una chica francesa con la que no tenía hijos. Una pena, pensaba yo, hasta que aquella misma noche empecé a pensar todo lo contrario. Menos mal.

—Mira, papá... —Vivi dejó caer la bomba antes de cortar la tarta, y cuando Galán se levantó de la silla, como propulsado por un muelle automático, se levantó ella también, para ponerse a su altura—. Nos vamos a casar, te guste o no. Hemos venido a decírtelo, no a pedirte permiso.

—Así no, Vivi, por favor —Andrés cerró los ojos, se los tapó con las manos, negó varias veces con la cabeza—. Así no... Lo estás haciendo fatal.

—Que no, déjame a mí —pero no logró que su novia cambiara de tono—. Así que, tú verás, papá... ¿Que vienes a la boda? Fenomenal. Lo celebramos por todo lo alto, mamá nos hace una tarta de siete pisos, y después de cortarla, cantamos *La Internacional.* ¿Que no vienes? Pues nos casamos nosotros solos, y te mandamos una postal de recuerdo desde donde sea...

—¡No digas tonterías, Virtudes! —y su padre empezó a andar alrededor de la mesa, con los dientes clavados en la lengua y los puños cerrados contra el aire—. ¿Cómo te vas a casar? Si Andrés ya está casado.

—Pues se divorcia.

—Pero si te saca un montón de años...

—Diez —Vivi abrió las dos manos en el aire y empezó a rodear la mesa en la dirección contraria—. En invierno me saca diez, hoy solamente nueve.

—¡Pero si es de la familia! ¿Es que no lo entiendes?

—¿De la familia? No, papá, yo me apellido González Ruiz, y él, Ríos Malpica. No tenemos ni una sola gota de sangre en común.

—¿Puedo decir algo? —cuando Andrés intentó intervenir de nuevo, los dos le miraron a la vez.

—¡No!

Hay que ver, me dijo Galán aquella noche, y esta niña, ¿de dónde habrá sacado ese carácter que tiene? De dónde será, pensé yo, ¿a ti qué te parece?, pero no le dije nada, porque estaba igual de preocupada que él. Sin embargo, en la mañana de mi coronación, cuando la vi entrar en la cocina agitando el periódico como si fuera una bandera, ya no estaba tan segura de que se hubiera equivocado en sus elecciones. Por una parte, estaba muy enamorada de su marido. Por otra, se había convertido en una cocinera incomparablemente mejor que yo a su edad, y llegaría a ser excelente cuando aprendiera a dominar una soberbia que la impulsaba a comportarse como si lo supiera todo, aunque aún le faltaba mucho por aprender. Aquel defecto, que las dos poseíamos en un grado exacerbado y semejante, nos vinculaba como un lazo más estrecho que cualquiera de las virtudes que compartíamos, aunque fuera en detrimento de la paz de mi cocina. Quizás por eso me emocioné tanto aquella mañana, al escucharla.

—Enhorabuena. Estoy muy orgullosa de ti, ¿sabes? —porque eso fue lo que me dijo antes de darme un abrazo y dos besos tan fuertes que me hicieron daño—. Muy orgullosa de ser tu hija.

—A ver... —tuve que ir a buscar las gafas y leer la noticia varias veces, para que ninguna de las dos hiciéramos el ridículo en una cocina que se iba llenando de gente—. Pues sí, la verdad es que este cromo no lo teníamos.

Amparo llamaba así, cromos, a los premios, distinciones y emblemas que habíamos ido pegando sobre el cristal de la puerta del restaurante, hasta lograr que, en julio de 1966, cuando nos dispusimos a volver a cambiarlos todos de sitio para hacerle un hueco privilegiado al adhesivo de la Guía Michelin, ya no se descifrara la vieja leyenda, «Casa Inés, la cocinera de Bosost», que habíamos mandado grabar con letras mates en 1945. El cromo que acababan de regalarnos era el más valioso de todos a cuantos podíamos aspirar, aunque a mí no me hizo tanta ilusión como los que habían llegado de España, sobre todo uno, «establecimiento recomendado por el diario *Abc*», que un par de años antes había estado a punto de provocar un cisma, porque Montse, Lola y Amparo pretendían colocarlo sobre la vitrina en la que exhibíamos la carta, para que pasara lo más desapercibido posible.

—Hay que ver, qué brutas sois, es que no entendéis nada —menos mal que Angelita fue mucho más contundente que yo—.

¿Cuántas veces os he explicado que nunca, jamás, hay que despreciar la publicidad gratuita? ¿Y no habéis comprendido todavía que, cuanto más venga del enemigo, más publicidad y más gratuita será?

Así logró imponer un criterio que se volvería en mi contra cuando llegara el momento de replantearse el aspecto de la puerta de Casa Inés. Pero la Guía Michelin era la Guía Michelin, y sus estrellas, las más deslumbrantes del cielo de los restaurantes, merecían iluminar una noche especial. Por eso, antes de tomar ninguna otra decisión, decidimos derrochar, permitirnos el lujo de tirar la casa por la ventana y cerrar un viernes por la noche para dar una fiesta como las que no dábamos desde hacía muchos años, cuando éramos jóvenes y nos casábamos muy enamoradas, muy embarazadas, con activistas que estaban a punto de cruzar la frontera clandestinamente.

—¿Con niños o sin niños?

Amparo hizo aquella pregunta a bocajarro cuando nos sentamos a estudiar el croquis que usábamos para planificar los banquetes, y no tuvimos que discutir para ponernos de acuerdo en que tenía que ser con niños, hijos, nietos, lo que hiciera falta para no echar a nadie de menos. Al hacer la lista de los imprescindibles, ni siquiera Angelita se paró a calcular el precio por encima, pero nos dimos cuenta de que, por muchas mesas y sillas que alquiláramos, nunca tendríamos espacio suficiente para sentar a tanta gente.

—Bueno, no pasa nada... —tomé el relevo de Amparo, y empecé a dibujar con el dedo sobre el papel—. Que los más jóvenes cenen de pie. Ponemos cuatro bufés, dos aquí, y dos aquí, las mesas grandes en las esquinas —Lola levantó la cabeza, pero yo seguí concentrada en la solución de aquel problema—, y repartimos las sillas...

—¡Pero qué negra estás, maldita! —hasta que escuché su voz.

Montse estaba plantada delante de la puerta con un vestido blanco y los brazos levantados en el aire, como si fuera una vedette a punto de empezar a bajar por una escalera. Antes de correr hacia ella, ya había tenido tiempo de admirar su piel dorada, tan brillante que parecía a punto de crujir, de resquebrajarse de pura satisfacción, un bronceado uniforme, envidiable, que la embellecía desde la frente hasta los dedos de los pies, donde las uñas pintadas de rojo parecían joyas raras y exóticas. Aparte de negra, la encontramos más delgada y más joven, tan guapa que ni siquiera la magnanimidad del sol podía acaparar todos los méritos. Estaba morena también por dentro, y nos dimos cuenta enseguida, después de abrazarla, de besarla, cuando la vimos mirar a su alrededor con la nostalgia bienhumorada, tibia y sonriente, de quien regresa al escenario de un pasado que no añora, por muy grande que sea el cariño con el que lo recuerda. Al comprenderlo, empezamos a envidiar algo más que su color.

—Os echo mucho de menos, chicas. Muchísimo —y nos miró despacio, como si quisiera coser esa afirmación en nuestros ojos—. A vosotras sí, todos los días, pero por lo demás... Estamos estupendamente, la verdad —pero cruzó todos los dedos de las dos manos para conjurar al fantasma de la Brigada Político-Social—. De momento, estamos de maravilla...

Ella había, y no había, sido la primera en volver a España. Antes, en el 61, se había marchado Sole, para estar cerca de Manolo, preso en El Dueso, y María la Tranquila la había seguido poco después, cuando metieron a Germán en Carabanchel. Otras mujeres las habían precedido, pero las condiciones del viaje de Montse habían sido muy distintas. La alegría con la que nos anunció que estaba en Francia sólo de visita, su aspecto, su manera de reírse, de hablar, de comportarse de una forma ya un poco extranjera, un poco distinta de la nuestra, mucho más española, y sus palabras, unas expresiones que nunca habíamos oído, como nunca habíamos visto el tabaco que fumaba, ni la marca de los grandes almacenes donde se había comprado la ropa que llevaba, fue para nosotras más que un símbolo, una promesa concreta de que, más allá de las consignas, de las benéficas fantasías en las que nos habíamos acunado durante tantos años, existía una vida que nos esperaba más allá de las cárceles y de las colas de las cárceles, y era verdadera, una buena vida.

—¡Qué envidia me das!

Mientras todas nos turnábamos para repetir esa frase, recordé lo mal que lo pasó antes de marcharse. Aunque estaba al borde de los cincuenta años, y eso era lo mismo que abandonar a destiempo todo lo que había conquistado en Toulouse, su casa, su trabajo, su bienestar y el de su familia, el Zurdo contestó que sí antes de que tuvieran tiempo de terminar de explicarle por qué le habían elegido para dirigir el Partido en Canarias. Cuando Montse nos lo contó, nosotras sonreímos, la felicitamos. Ella también sonrió, nos dio las gracias, y luego, las cinco nos quedamos calladas porque todas estábamos pensando en lo mismo, Sole, María, Begoña, la viuda de Tijeras, Felisa, la del Afilador, Merche, que llevaba diecisiete días casada con Paco el Rubio cuando él volvió a España para quedarse en una cuneta, Marisol, que ni siquiera había tenido tiempo de casarse con el Tarugo cuando lo fusilaron, y muchas otras, tantas que ni siquiera nos acordábamos de los nombres de todas.

Aunque en el interior las mujeres caían al mismo ritmo que los hombres, las parejas que habían llegado a disfrutar de la paz del exilio no solían viajar juntas en los primeros, peores tiempos de la posguerra. Se marchaban ellos, y nosotras nos quedábamos criando a los niños, pero eso también había cambiado. Montse, que no había sido capaz de pedirle a su marido que cambiara de opinión, se echaba a llorar en el instante en que salía el tema, y las demás, que todas las mañanas, al levantarnos, éramos conscientes de la suerte que teníamos, también. Hasta que Antonio le dijo que no se preocupara, que se quedara en Francia con los niños, que estaba dispuesto a marcharse él solo, como en los años cuarenta. Le habían proporcionado una cobertura peculiar, segura y muy específica, pero siempre podía convivir con otra mujer, una militante seleccionada para aparentar que eran un matrimonio. No sería difícil encontrarla, porque muchas otras veces se había recurrido a esa solución... En el instante en que el Zurdo empezó a plantear aquella variante, Montse decidió irse con él. Porque ella sabía, tan bien como las demás, hasta qué punto la teoría acababa confundiéndose con la práctica en esos casos.

—Y yo le dije, ¡sí, hombre! —y lloraba más que nunca—. Pues no faltaba más que eso, que te fusilen poniéndome los cuernos...

Desde el comedor de Casa Inés, aquella noche parecía todo

muy difícil. El Zurdo volvía a casa, Montse no. Mientras vivió en España, ella nunca había ido más allá de Barcelona, y de Canarias, decía, Antonio y los plátanos, no conozco más. Mientras preparaba aquel viaje, sentía que se precipitaba en un abismo virgen, una sima inexplorada, erizada de incógnitas, de peligros, y todo, desde entrenar a los niños para que no se les escapara ni una sola palabra en español cuando hubiera desconocidos delante, después de haberles prohibido hablar francés en su casa de Toulouse durante toda su vida, hasta resignarse a meter en un almacén sus muebles, sus cosas, el equipaje de una vida entera, se convertía en un conflicto, una tarea dura, difícil, otro problemático fragmento de un problema gigantesco. Quince meses después, sin embargo, parecía que no sabía conjugar otro verbo que el presente de indicativo del verbo encantar.

Todo le encantaba, y de entrada, Las Palmas, que era mucho más grande, más ciudad de lo que ella esperaba, mucho más bonita de lo que nos podíamos imaginar. No vivía en el centro, sino en un antiguo arrabal de pescadores donde se habían ido asentando extranjeros ociosos, algunos jubilados, otros jóvenes y lo suficientemente ricos como para vivir sin trabajar aunque parecieran mendigos, que habían ido comprando sus casas por dos duros y las habían reformado a su gusto, hasta convertir el barrio en una especie de isla dentro de la isla, un reducto aislado y cosmopolita donde a nadie le llamaba la atención una pareja francesa con cuatro hijos. Eso también le encantaba, y que su casa estuviera a cuatro pasos de la playa a la que iba todas las tardes a tomar el sol y darse el mismo baño, en invierno y en verano.

—Esa es la verdad, que, de momento, estoy encantada. Me alegro mucho de haberme ido con Antonio, y los niños también. Bueno, Candela la que más, porque se ha ligado a un pretoriano de su padre.

—¿Pretoriano? —y mientras las demás seguíamos sonriendo, porque no estábamos acostumbradas a esa acepción del verbo «ligar», que para nosotras seguía siendo un sinónimo de enlazar, en el lenguaje político de los años treinta, Angelita se animó a preguntar—. ¿Y eso qué es?

—Bueno, es que de alguna manera hay que llamarlos, y pretoriano suena bien, ¿no? Se le ocurrió a Miguelito, que se ha vuelto muy aficionado al Imperio Romano, pero no son nada del otro mundo, no creáis, ni guardaespaldas, ni liberados, nada de eso. Son militantes que trabajan en otra cosa, y se turnan en su tiempo libre para acompañar a Antonio, y echarle una mano —hizo una pausa y buscó la manera de explicarnos algo que le sorprendía mucho que no entendiéramos—. Dirigir un partido clandestino en siete islas a la vez es muy difícil, ¿sabéis? Antonio apenas se mueve de Las Palmas. Los pretorianos son los que van y vienen, porque muchos trabajan en otras islas, o tienen a su familia en Tenerife, en La Gomera, en La Palma, donde sea... A veces, sí nos cogemos un ferry para ir a pasar el fin de semana a alguna parte, solos, en plan romántico, o con los niños, que están hartos de subir al Teide, los pobres, porque, al fin y al cabo, somos franceses, ¿no?, medio turistas, así que eso no le extraña a nadie. Pero no corremos riesgos.

—Porque podéis —asentí despacio, mientras intentaba conciliar el asombro con la envidia—. No me figuraba que hubiera tanta organización...

—Sí, hija, sí —Montse volvió a sonreír—. La clandestinidad ya no es lo que era —hasta que se dio cuenta de lo que estaba diciendo, se puso seria, y volvió a cruzar todos los dedos—. Bueno, por lo menos, de momento.

Para el Zurdo ya se habían acabado las pensiones, los viajes en tercera, las fondas de mala muerte y las noches al raso en los bancos de las estaciones. Si caía, era muy posible que su destino fuera tan trágico como el que habría tenido que afrontar veinte años antes, pero en la segunda mitad de los años sesenta, los máximos dirigentes regionales del Partido estaban a la cabeza de una organización ilegal en pleno crecimiento, una coyuntura que ofrecía a la dirección oportunidades que ya le habría gustado tener en todas las provincias. Antonio había llegado a Las Palmas con un trabajo fijo, cómodo y bien pagado, en la oficina central de una cadena de hoteles. Su propietario, heredero de una de las familias que se habían inventado el negocio del turismo canario, era miembro del Partido desde que el gobernador civil le pidió el favor de que alojara a un profesor de la universidad de Madrid al que el gobierno había desterrado a Arrecife unos años antes, sin imaginarse las consecuencias que acarrearía la amistad que les unía desde entonces.

—Total, que... —Montse siguió sonriendo—. Así, pasa lo que pasa. Una noche que volvimos a casa antes de lo previsto, pillamos a Candela besándose con su pretoriano en el sofá, y Antonio... ¡Uf! Os lo podéis imaginar, ya sabéis cómo es con sus niñas. Parecía tu marido, Amparo, yo a este lo expulso, lo expulso, vamos que si lo expulso, mañana mismo lo expulso... Y a mí me tocó hacer de Zafarraya, claro. ¿Qué lo vas a expulsar, hombre?, le dije, si esto se veía venir, ¿o qué esperabas? Tu hija, a punto de cumplir veinte años, y él, que tiene veintitrés, todo el santo día en casa, comiendo, cenando, durmiendo la siesta en bañador... Y da gracias de que a Aída le haya dado tiempo a echarse un novio francés, y de que Montse tenga once años, porque... Es que, además, tendríais que ver al camarada Bernardo. Está como un queso, encima.

—¡Uy! —Amparo sonrió mientras abría mucho los ojos, porque era la primera vez que alguien recurría al queso, delante de nosotras, para describir con tanta eficacia a un camarada de veintitrés años—. ¡Qué descarada!

Cuando terminamos de reírnos, Montse nos contó que sólo había venido con la mayor y con la pequeña. Miguel y Candela se habían quedado en Las Palmas, con su padre y su pretoriano, respectivamente, y no pensaba dejarlos solos mucho tiempo. Pero antes necesitaba hablar con nosotras.

—Me gustaría venderos mi parte del restaurante —llevaba un año sin trabajar y ya estaba agotada de ser ama de casa—. Bueno, si os interesa comprármela...

Esto funciona como una cooperativa, todas trabajamos las mismas horas y nos repartimos las ganancias a partes iguales después de descontar los gastos de los ingresos. Al escuchar esas palabras, Montse asintió con la cabeza y la misma conformidad con la que yo las había aceptado. Amparo sólo las repetiría una vez, poco antes de inaugurar Casa Inés, y Lola tampoco la hizo esperar. Desde aquel día, las cinco éramos socias, y en vista de que no lográbamos abolir la propiedad privada, durante más de veinte años habíamos pedido créditos, comprado locales, liquidado hipotecas, pagado reformas, avalado a maridos y contratado a mucha gente, cocineros, pinches, gerentes, asesores fiscales, camareros, friegaplatos, transportistas y limpiadoras, pero no habíamos admitido a ningún otro socio. Aunque discutíamos tanto como un matrimonio, las cinco nos llevábamos demasiado bien como para arriesgar unas discusiones tan armoniosas, y seguíamos siendo una cooperativa en todo, hasta el punto de que cuando Montse se marchó a España, dictaminamos que su situación no era muy distinta de un embarazo. A cualquiera de nosotras nos podía pasar lo mismo en cualquier momento, y por eso, todos los meses le ingresábamos en el banco su parte, mayor o menor según hubiera funcionado el negocio.

—He pensado en montar una tienda para gourmets, como las de aquí. Ya le he echado el ojo a un local y a Antonio, que ahora es mi secretario general, claro —y nos volvimos a partir de risa—, le parece bien, porque un negocio así no llamaría la atención. Todos nuestros vecinos creen que somos franceses, y con tanto extranjero alrededor, un negocio así tendría éxito. Además, si alguna vez... —volvió a cruzar todos los dedos—. De algo tendremos que vivir.

—Claro —Amparo se adelantó a las demás—. Cuenta con eso. Pero... —y se la quedó mirando con una tristeza tan contagiosa como un virus repentino, aéreo y venenoso—. ¡Qué pena, Montse!

Nos habíamos hecho mayores casi sin darnos cuenta. El tiempo, aquella fiebre frenética que nos había obligado a vivir una vida entera en cada mañana, que estiraba unas noches en las que amanecía muchas veces y forjaba alianzas eternas en un instante, había envejecido con nosotras, se había vuelto torpe, lento, desmemoriado y perezoso, terco como una mula vieja que no tuviera las patas para trotes y nunca hubiera sabido galopar. Montse, la más joven, estaba a punto de cumplir cuarenta y cinco años. Amparo, la mayor, tenía diez más, pero a mí me costaba trabajo creérmelo, me costaba trabajo mirarme en el espejo y reconocer a una mujer distinta de la que había llegado cabalgando a una casa de pueblo con tres mil pesetas y cinco kilos de rosquillas, como no podía mirarlas a ellas y ver sus arrugas, su cansancio, esas medias tan gordas que Amparo se compraba para las varices, esa melena tan corta que había reemplazado a los lujosos bucles de Angelita, esos zapatos tan planos que Lola se quitaba solamente cuando Diego el Perdigón le pedía que la acompañara con las palmas, las veía y no las veía, las veía pero no me las creía, mis ojos no podían, no querían distinguirlas de esas mujeres a quienes conocí cuando yo era tan joven, cuando trotaba tanto como ellas, las mujeres a las que había fabricado durante los mismos años que habían tardado en fabricarme a mí. Desde aquella cocina larga y estrecha hasta una puerta llena de cromos, habíamos hecho un largo viaje, cosas muy grandes que a mí, en aquel momento, me parecieron muy pequeñas, tanto como si nunca hubiéramos dejado de ser jóvenes, como si todavía estuviéramos empezando, como si tuviéramos derecho a ser principiantes siempre, para siempre insumisas frente a la ley que imponían los relojes y los calendarios.

—No llores, Inés —o a lo mejor era sólo que seguíamos en el mismo sitio, que nos había dado tiempo a madurar, a encanecer, a arrugarnos, sin acercarnos ni un centímetro a nuestro objetivo.

—Si no estoy llorando, Montse —sólo eso, la distancia que seguía separándonos de un futuro que, sin moverse tampoco, cada día parecía alejarse un poco más, podría explicar que yo estuviera echando de menos la implacable dureza de aquellos años—. Mira, ¿ves?, no estoy llorando.

El tiempo siguió pasando, clemente y despiadado como una cotidiana papilla de narcóticos, hasta que volvió a acelerarse, encandilándonos con un sonrosado espejismo de la juventud que se nos había escapado mientras le esperábamos. Entonces, mientras volvía a tener prisa, a marcar cada día con el sello de una promesa definitiva, aprendimos que ningún rizo se deja rizar eternamente. En febrero de 1974, cuando ya ni siquiera nos preocupábamos por él, la policía detuvo a Antonio Sosa Rodríguez, alias Louis-Alphonse Dutronc, alias el Zurdo, en el ferry que conectaba Gran Canaria con Lanzarote. En aquella época, en Casa

Inés sólo quedábamos tres socias. Amparo se había marchado a España detrás de Ramón, y a ella también le habíamos comprado su parte antes de despedirla pero, por fortuna, nunca llegó a necesitar el salvavidas que permitió a Montse seguir a flote, mantener su casa y a sus hijos pequeños en la universidad, seguir ayudando a Candela, que ya la había hecho abuela dos veces, la segunda estando presa en Ocaña, y pagar vuelos a la península, para ella y para Bernardo, hasta que su hija y su marido salieron cada uno de una cárcel distinta, Antonio por la puerta del penal de El Puerto, con la amnistía parcial del 76, para que nos alegráramos de algo más que de haberle comprado su parte del restaurante.

—Bueno, y con esto... —Amparo levantó el plano en el aire cuando quedó claro que celebrar nuestra inclusión en la Guía Michelin iba a resultarnos más complicado que financiar la tienda de Montse—. ¿Qué hacemos?

Siempre habíamos sido una cooperativa y nunca dejaríamos de serlo, ni para lo bueno, ni para lo malo. Por eso, nuestra flamante desertora se implicó como la que más en los preparativos de la fiesta, y las demás nos turnamos para acompañarla a visitar tiendas de vinos, de quesos, de foie, aunque nadie la ayudó tanto como mi marido.

—¿Qué tal? —y la noche en que pusimos la pegatina de la Guía Michelín en la puerta de Casa Inés, Galán la trajo del brazo—. ¿Os ha cundido?

—¡Uf! Yo estoy a punto de cortarme las venas, no te digo más —él fingió una escandalosa expresión de fastidio mientras ella se reía—. Como si no tuviera bastante contigo para darme el coñazo, ahora, encima, tu amiguita...

Aquella misma noche, Angelita nos convocó en la cocina, se nos quedó mirando con la expresión ávida que las grandes ideas le pintaban en la cara, y levantó en el aire, muy tieso, el dedo que señalaba la hora de la verdad.

—Chicas, os voy a decir una cosa y os la digo muy en serio... —me miró, y me eché a temblar—. ¿Vamos a abolir la propiedad privada? Ojalá, pero de momento estamos perdiendo dinero.

Siempre había sido la única con buena cabeza para los negocios de todas nosotras. Cuando empezamos a servir menús en la taberna, decidió que teníamos que poner croquetas de aperitivo y rosquillas con el café. Después, en los primeros minutos de 1945, nos convenció de que el local se nos había quedado pequeño, y no sólo escogió el mejor restaurante en traspaso que nos podíamos permitir, sino que además le puso nombre y apellido, porque nada le parecía más insensato que desperdiciar la publicidad gratuita, y en aquel momento la invasión del valle de Arán nos daba ventaja, un prestigio que no nos costaba un céntimo. Veintiún años después, por la misma razón, decidió suprimir aquel lema, «la cocinera de Bosost», que ya nadie entendía.

—No podemos perder esta oportunidad. Tenemos el mejor restaurante español de Francia, pues muy bien. Que se enteren los demás.

A principios de 1945, el Cabrero me consiguió la receta de su abuela, y desde que estrené sus fogones, aquel había sido el postre recomendado de Casa Inés mientras la temporada lo permitiera, cuatro paparajotes y tres rebanadas de naranja con aceite de oliva virgen, azúcar y canela, a los que añadí más tarde una bola de helado que parecía de vainilla, era de queso Idiazábal con Pedro Ximénez, y me habría llevado a la tumba si no hubiera tenido una hija cocinera. Mientras Angelita calculaba en voz alta que tendríamos que encargar toldos, vajillas, tarjetas, cartas y un letrero nuevo, «Casa Inés, el mejor restaurante español de Francia», volví a sentir el frío, el calor, la emoción de una mañana de octubre de 1944, y escuché el acento murciano de aquel hombre que afirmaba que a una traidora nunca podría salirle tan rica la comida. Y así me sentí yo, traidora, pero no lo confesé en voz alta, porque ninguna me habría entendido.

Ni siquiera Montse, que había nacido en Bosost, se resistió tanto como yo a perder el nombre de su pueblo, aquel título que para mí nunca fue un reclamo, sino un apellido, un sinónimo de la emoción, de la intensidad, una imagen precisa y completa de la mejor versión de mí misma que podía recordar. Angelita tenía razón, en asuntos de negocios siempre la tuvo, pero yo habría preferido seguir siendo la cocinera de Bosost por más que todos los periodistas españoles que venían de vez en cuando a entrevistarnos, reaccionaran de la misma manera, frunciendo las cejas, entornando los ojos y abriendo la boca como pasmarotes, ¿la invasión de qué...? Perdone, pero yo no sé nada de eso, ¿y cuándo dice que fue? A pesar de todo, seguí haciendo paparajotes con las hojas de limonero que yo misma escogía en los huertos de los alrededores, el único ingrediente de mi cocina que nunca llegó de España.

Los dos peores años de mi vida terminaron en la misma cifra, nueve, porque se sucedieron con una década exacta de diferencia, pero el segundo fue peor que el primero, y quizás el único que nunca querría volver a vivir. Sin embargo, durante algunos meses, estuve segura de que lo recordaría como el año del aceite. Cuando empezó, ya estaba sola. Galán se había marchado a España la primera semana de diciembre de 1948 y yo estaba embarazada otra vez, pero no pude decírselo porque aún no lo sabía. Tampoco presentí nada especial, porque ya me había acostumbrado a vivir de esa manera.

Él se iba, venía, volvía a marcharse, y al despedirle, yo nunca sabía si aquella sería la última vez que le vería, si el último de mis abrazos, de mis besos, no sería de verdad el último. Luego, me quedaba sola, rodeada de otras mujeres solas, y todas hacíamos como que no nos dábamos cuenta de lo que nos pasaba, de lo que nos estábamos jugando mientras llevábamos a los niños al parque, y nos turnábamos para darles de merendar. A veces, si teníamos un día tonto, uno de esos días en los que estábamos más asustadas o más tristes que de costumbre, nos enseñábamos las unas a las otras nuestro tesoro más valioso, el más prohibido, la foto que antes de salir de casa habíamos sacado de un sobre, metido en la cremallera de un bolso, enterrado en el fondo de una caja, escondida en el último rincón del maletero de un armario, mira esta, ¿te acuerdas?, aquí estamos muy guapos, ¿a que sí...? De vez en cuando, venía el marido de otra, y el teléfono sonaba a cualquier hora, oye, que está bien, que están todos bien, o no, que ha caído este, o aquel... Entonces, a la hora que fuera, echábamos a suertes quién se quedaba con los niños de todas y las demás nos íbamos a la calle, a casa de la mujer del que ya no volvería, Begoña, Felisa, Merche, Marisol, para besarla, y abrazarla, y estar allí con ella, haciendo café o teniéndola cogida de la mano, simplemente. De vez en cuando, volvía Galán, pero yo nunca me enteraba hasta que llamaba al timbre por la noche o aparecía de día en el restaurante.

—¡Inés! —a veces era Amparo, desde la barra, a veces Angelita, o Montse, la que estuviera atendiendo las mesas—, ¡sal, que aquí te buscan...!

Yo me quitaba aquel gorro blanco, tan razonable, tan higiénico, tan horroroso al encajarse sobre mi frente, y sacudía la cabeza ante el espejo para salir en zapatillas, con las manos mojadas, el delantal lleno de manchas, oliendo a comida desde la cabeza hasta los pies, y allí estaba él, delgado y sonriente, con cara de cansado. Durante un instante, nunca sabía qué hacer, si quitarme el delantal, secarme las manos antes de tocarle, o ir hacia él sin más, pero eso tampoco tenía importancia, porque todo empezaba a existir otra vez en cada uno de sus regresos, el mundo entero volvía a nacer, sin reglas, sin condiciones, sin más límite, otra extensión que su cuerpo sano de hombre vivo.

Así, aprendí mucho del amor en tiempos difíciles. Llegué a conocer íntimamente el miedo, los malos presentimientos que secan la garganta, las traiciones de la imaginación, esas taquicardias repentinas que convierten una madrugada en un infierno, y deslizan una sombra negra sobre todas las cosas, y sobre todas ponen el aroma imaginario de una muerte lejana y otra próxima, esa pequeña muerte que me mató tantas veces. Llegué a saberlo todo del amor en los tiempos difíciles, de eternidades que caben en cinco minutos, de soles que amanecen en noches de lluvia, una alegría despojada de cualquier condición, un placer tan intenso que duele, y la felicidad resplandeciendo en los gestos más triviales, porque era feliz la silla en la que se sentaba, feliz la mesa donde desayunaba, y el azucarero feliz, sólo porque sus dedos lo tocaban. Así conocí la luz y la oscuridad, una pasión que se devoraba a sí misma y nunca tenía bastante, mientras contaba los meses que habíamos vivido juntos, y siempre eran menos que los que habíamos vivido separados.

En aquella época, el tiempo siempre tenía prisa. En 1946, Galán no volvió en Navidad, pero apareció a mediados de enero del 47 sin saber que yo estaba otra vez embarazada. Virtudes tenía un año y medio, a Miguel le faltaban cuatro meses para nacer, y a él nadie se lo había contado. ¿Conque esas tenemos?, me dijo, nada más verme. Pues sí, le contesté, estas tenemos, y los dos nos echamos a reír. A ver si puedo quedarme para el parto de este... No se atrevió a prometérmelo e hizo bien, porque no pudo ser. Dos días antes de que yo saliera de cuentas, se marchó otra vez, y cuando llegó el momento fue Amparo quien volvió a sentarse a la cabecera de mi cama, para ofrecer a mis uñas las palmas de sus manos. También nos hicimos expertas en partos, porque yo no era la única, y ellos venían, nos dejaban embarazadas, se marchaban, llegaban a tiempo de ver nacer a sus hijos o los conocían mayores, algunos nunca, y nosotras paríamos sin sentirnos solas del todo, acompañadas por otras mujeres a las que habíamos acompañado mientras parían solas y, sobre la mesilla, algo que no deberíamos haber tenido.

Cualquiera tiene un mal día, y Ana María, la mujer de Ben Laffon, era fotógrafa. Los clandestinos, por norma, no se dejan fotografiar, así que también tuvimos que aprender a hacer eso solas, labrando nuestra propia, pequeña clandestinidad, en la calle o en algún parque, en casa no, ni en el restaurante, casi siempre en grupo, o por parejas, casi nunca con los niños, pero sólo casi nunca. Esa era la segunda regla de la lista, pero todas la incumplíamos, yo la incumplí varias veces, al hacerme una foto con mis hijos en cada uno de los viajes de Galán, cuando calculaba que nos estábamos acercando al ecuador de su ausencia, y era una estupidez, pura superstición, pero yo sentía que así le invocaba, que le conjuraba, que le obligaba a volver para verla. Al revelarla, pensaba en él, en lo que le diría si estuviera a mi lado, mira, ¿ves?, pero luego, cuando volvía, no me atrevía a enseñársela. Él no las echaba de menos, no podía llevarlas encima, y yo no se lo discutía ni siquiera para advertirle que el remedio podría llegar a ser peor que la enfermedad, porque si alguna vez, la policía de Franco hubiera logrado infiltrarnos a alguien, le habría resultado muy fácil averiguar las direcciones de los hombres a quienes pretendía identificar. Le habría bastado con echarle un vistazo a las superficies de los muebles. Nuestras casas debían de ser las únicas de toda Francia en las que no había una sola fotografía, ni siquiera de carné, en ninguna parte.

Si lo intentaron, nunca lo consiguieron, porque éramos extremadamente cautelosas en todo, con esa única excepción. Los clientes de Casa Inés se rieron durante años de aquella noche de 1947 en la que Angelita nos fue preguntando, una por una, si sabíamos cómo se llamaba ese hombre que venía a tomarse un vino de vez en cuando, y al que le decían Comprendes. Lo andaba buscando un chico de Vicálvaro, un tal Eulogio que se había presentado como su primo, pero no le pudimos ayudar, porque ninguna de nosotras lo conocía más que de vista. Lo siento mucho, Angelita lo estaba despidiendo con una sonrisa, pero ya ves..., en el momento en que su marido entró por la puerta, ¡coño, Eulogio!, ¿qué haces tú por aquí?, y después de abrazarle, se acercó a Angelita y le dijo, a mi mujer ya la has conocido, ¿no?

Siempre es mejor hacer el ridículo que meter la pata. Obedecíamos esa máxima a rajatabla, y sin embargo, casi todas teníamos alguna foto de nuestros maridos. La mía acabó siendo la que él se negó a que nos hiciéramos el día de nuestra boda, porque no consintió que avisáramos a nadie, pero tampoco pudo evitar que nos tropezáramos en la puerta del ayuntamiento con un fotógrafo profesional, que nos estaba esperando con las mismas inocentes intenciones con las que había esperado a muchas otras parejas de recién casados. Como Galán no lo había previsto, como no le conocía y cualquier cosa que no fuera sonreír habría llamado demasiado la atención, no le quedó más remedio que posar como un marido cualquiera, pero antes de que el fotógrafo se alejara tres pasos, se inclinó hacia mí y me besó en la oreja.

—Vete a recogerla enseguida, para que no le dé tiempo a ponerla en el escaparate —volvió a besarme—, y rómpela. ¿De acuerdo?

—Claro —le contesté, y fui a recogerla enseguida, antes de que le diera tiempo a ponerla en el escaparate, pero no la rompí.

Esa era la foto que yo sacaba de su escondite en los días tontos, la que miraba por las noches cuando el miedo no me dejaba dormir. Nunca me arrepentí de haberla conservado, porque él se iba, y venía, y volvía a marcharse, pero yo nunca sabía si sólo era una vez más, o era la última, si el hilo que nos unía iba a durar o no, ni cuando iba a romperse. Si se rompía, quería que sus hijos supieran cómo había sido aquel hombre al que apenas habían conocido, que no olvidaran que había existido, que recordaran que era su padre. En 1949, creí que había llegado ese momento.

Él se había marchado en la primera semana de diciembre de 1948. Y terminó aquel año, y empezó el siguiente, y pasó el invierno, y llegó la primavera, y nació mi tercer hijo, y se fue el verano, y llovió en otoño y no volvió. Pregunté por él, y nadie sabía nada, parecía que se lo hubiera tragado la tierra después de una emboscada, una encerrona de la que había logrado salir en mayo, vivo en teoría, pero sólo en teoría, porque no había vuelto a contactar con nadie, una semana, quince días, veinte, un mes, un mes y una semana, un mes y medio, un mes y veinte días, casi dos meses... Entonces recibí una carta de Rafael Cuesta, y no supe qué pensar.

En 1949 nos resignamos a perder la esperanza, otra más, de derrocar a Franco por la lucha armada. Durante los seis primeros meses de aquel año, llegaron a Toulouse guerrilleros de todas partes, de Galicia, de León, de Asturias, de Aragón, de Extremadura, de La Mancha, de Madrid, de Valencia, de Andalucía. Algunos ya habían vivido en Francia y conocían el camino, otros no habían pasado nunca la frontera, y con ellos llegaron los hombres que habían bajado a buscarlos, Comprendes el último, en junio, sin ninguna noticia de Galán, acompañando a un grupo muy grande de la provincia de Jaén. Mientras tanto, yo trabajaba, y trabajaba, y trabajaba para no saber, para no pensar, porque fuera de una cocina, todo sería peor que dentro, y lo peor, siempre menos malo si me encontraba cocinando.

—Mira a ver cuánto hay en el bidón de la izquierda, Fernanda, por favor... —y hasta mediados de mayo, todo marchó bien.

En abril, Lola tuvo a su primer hijo, una niña, y para cubrir su ausencia, contratamos a una recién llegada, Fernanda, una mujer estupenda, seria, responsable y trabajadora, que había sido carnicera y prefería ayudar en la cocina a ocuparse de servir mesas. Cuando intercambió su puesto con mi ayudante, las tres estuvimos más contentas, y yo llegaría a estarlo mucho más, poco después de llevarme el disgusto que la pobre me dio sin querer, aquella mañana.

—En el de la izquierda no hay nada, Inés, y el otro está por la mitad.

—No me digas eso... —corrí hacia los bidones, los agité, los levanté para mirar al trasluz su contenido, volví a correr y di una vuelta a la sartén con tanto ímpetu, que me salpiqué entera con el sofrito del arroz—. Nos hemos quedado otra vez sin aceite. ¡Joder!

Fernanda se acercó, se me quedó mirando como si no diera crédito a lo que veía, y cuando terminé de desmenuzar para ella los motivos de mi desesperación, se echó a reír.

—Pero qué me dices... ¡Será por aceite!

Para mí, había sido todo un drama, un exilio paralelo, una condena que se me estaba haciendo tan dura, tan eterna como el franquismo. En los cinco años que llevaba en Francia, lo había intentado todo, y antes que nada, cocinar con otros aceites vegetales, girasol, soja, maíz, con cada uno de ellos hice una tortilla distinta, paisana, de espárragos, de calabacines, y al probarlas, todas me dieron las mismas ganas de llorar. Por eso, empecé a comprar aceite de oliva casi a escondidas, sin que Angelita se enterara del precio, porque era carísimo y ella no cocinaba, porque no cocinaba y nunca habría entendido lo que me pasaba, lo que sentía yo al quedarme quieta, con los brazos cruzados, estudiando el contenido de una sartén con la misma ensimismada concentración que absorbería a un alquimista ante su alambique, a una pitonisa en el instante de escrutar las paredes de su bola de cristal. Ni siquiera habría sabido explicarle mi seguridad, la certeza que me reconfortaba mientras estaba a solas con mis sartenes, acechando el instante exacto en que el calor del fuego triunfara una vez más sobre la verdosa viscosidad de aquel líquido único, para consentirme asistir de nuevo a la revelación de su auténtica esencia, esa prodigiosa metamorfosis que obraba el milagro de la ligereza y transformaba la espesa sustancia de lo que parecía una grasa cualquiera en un bálsamo delicado, sublime, capaz de convertir en oro todo lo que tocaba.

Angelita nunca lo entendería y Amparo me daba dinero con cuentagotas, así que no me quedó otro remedio que empezar a maquinar, a conspirar a favor del aceite, pero mis maniobras nunca llegaron a dar gran resultado. Galán se negó a colaborar, me advirtió que el Partido no estaba a mi disposición, me preguntó si me había creído que no tenían nada más importante que hacer que mandarme aceite desde España, y sin embargo, cuando no habían pasado ni tres meses desde que se marchó por segunda vez, me encontré una mañana con madame Moussah, la dueña del restaurante egipcio que estaba en la acera de enfrente, esperándome en la puerta de Casa Inés, con un papel en la mano y un profundo gesto de perplejidad pintado sobre el lápiz gris con el que se pintaba las cejas. Me contó que había recibido media docena de bidones como de gasolina, desde una ciudad española llamada Zaragoza, y que en el talón de la empresa de transportes figuraba mi nombre debajo del suyo... *C'est de l'huile, pour moi,* le dije, *c'est pour moi,* y la cubrí de besos en un súbito arranque de amor por Egipto, por ella, por Galán, por España, por mis sartenes, que terminó de pasmarla del todo. Pero no te acostumbres, camarada, me dijo él cuando volvió. A veces se puede, y a veces no... Se pudo otras veces, pero aquel siguió siendo el más grave de mis problemas hasta que un día de primavera de 1949, Fernanda terminó de reírse de mí.

—Pero, tú, ¿qué es lo que quieres, aceite? Pues te vas a hartar, hija mía, porque, mira... En Fuensanta de Martos no tendremos otra cosa, ¿sabes?, pero lo que son olivas... Para aburrirse de verlas, no te digo más.

Aquella misma noche, escribió una carta, una semana más tarde, recibió otra, y a la mañana siguiente vino a decirme que estaba todo arreglado. No le había costado ningún trabajo convencer a un amigo de su pueblo, muy apañado, para que se acercara a una almazara a comprar aceite a precio fuensanteño, y buscara después la manera de mandarlo a Madrid, desde donde otro amigo suyo, igual de apañado que él y empleado en una empresa de transportes, nos lo mandaría en cuanto que encontrara un hueco en un camión. Yo sonreí, le di las gracias, y no me creí ni una palabra, pero doce días más tarde, en la despensa de Casa Inés había noventa litros, más que apañados, del extraordinario aceite de oliva que produce la Sierra Sur de Jaén.

Pasaron muchos años antes de que conociera el verdadero nombre de mi primer benefactor. El del segundo aparecía en la documentación del envío, y era el mismo que firmaba una extraña carta que recibí en la primera semana de julio. Rafael Cuesta me comunicaba que había encontrado una caja de botellas de sidra El Gaitero, y que me las estaba guardando hasta que se le presentara la ocasión de hacérmelas llegar en buenas condiciones, porque eran muy frágiles. Qué casualidad, pensé, qué casualidad, y un escalofrío al que no supe ponerle nombre me encogió la espalda antes de tener tiempo suficiente para pensarlo por tercera vez.

—Oye, Fernanda —tanto, que dejé pasar una noche entera antes de atreverme a sacudir los hombros—. Este amigo tuyo, el que nos ha comprado el aceite... ¿Tú te fías de él?

—Como de mi misma madre.

—O sea, que no crees que pueda trabajar para la policía... —y pasé por encima de los espasmos de horror pintados en su cara—, o que su amigo...

—¡Inés! —hasta que me di cuenta de que la estaba ofendiendo, y no me atreví a seguir—. Por favor, pero ¿cómo puedes decirme eso?

Le pedí disculpas, y seguí trabajando para hacer el estofado más desastroso de mi vida, en las antípodas de aquel último, legendario, de Bosost. Se me agarró tanto que no me atreví a servirlo, y aquel detalle me decidió. Después, me quité el gorro, me puse el abrigo encima del delantal, y me fui a buscar a Comprendes.

—Te invito a un café, Sebas —murmuré en su oído—, fuera de aquí.

Me miró con extrañeza y me siguió sin decir nada hasta el primer bar en el que calculé que no era previsible que la clientela hablara en español. Al entrar, le señalé una mesa y, sin compadecerme de la luz turbia que estaba viendo en sus ojos, pedí para él un café, y para mí, una copa de coñac que ya estaba por la mitad cuando le di la carta.

—Se ha puesto en contacto contigo, ¿comprendes? —concluyó después de levantarse para ir a la barra, a buscar su propia copa—. Y lo del hombre este, pues... Sí que es casualidad, pero todos estamos en el mismo barco. Si Fernanda se fía de él, y él se fía del tal Cuesta... Es quien le está escondiendo, ¿comprendes?, tampoco es tan extraño que te haya mandado el aceite.

—¿No?

—Yo qué sé... —meneó la cabeza varias veces y me miró.

Si Rafael Cuesta no era trigo limpio, si me estaba tendiendo una trampa, si yo caía en ella, y activaba un mecanismo que le facilitaría un contacto con la organización del interior sólo para provocar una caída de magnitudes imprevisibles, lo único que habría hecho por mi marido sería limitar sus posibilidades, acarreando la ruina de muchos camaradas más. Comprendes lo sabía mejor que yo y sin embargo, cuando los dos llevábamos ya varias copas en el cuerpo, tomó una decisión.

—Me voy a llevar la carta, ¿comprendes? —y se la metió en el bolsillo de la americana—. Lo único que no podemos hacer es desampararle. Ahora mismo voy a hablar con el Lobo, a ver qué se le ocurre. Es posible que alguien de dentro le conozca, ¿comprendes?, y si no, ellos sabrán qué hacer.

Aquella noche, tampoco pude dormir, y al día siguiente, no hubo noticias. Cuarenta y ocho horas después de nuestra conversación, Comprendes vino a verme a la cocina, pero sus palabras no me tranquilizaron.

—En Madrid le conocen mucho, ¿comprendes? —porque sonreí sin saber que lo que estaba a punto de escuchar congelaría la curva de mis labios—. Fernando está con él, malherido, pero vivo, ¿comprendes? Él le está curando. Es médico.

—No, no es médico —y moví la cabeza para negarlo, como si ese dato inesperado, confuso, representara en sí mismo una amenaza—, trabaja en una empresa de transportes, es...

—No —él me cogió de los brazos, me los apretó, me habló en un tono firme, autoritario, pegando su cabeza a la mía al mismo tiempo, como si pretendiera tranquilizar a una niña asustada—, escúchame, Inés, no te pongas nerviosa. Es médico, ¿comprendes? Trabaja en una empresa de transportes porque no le dejan hacerlo en ningún hospital, pero es médico. Fernando está con él, muy débil todavía, pero bien. Escondido, y bien. Eso me han dicho, y que no te asustes, pero que tampoco le esperes, porque no va a volver pronto, ¿comprendes? Que no te preocupes, pero que tampoco preguntes por él.

No te preocupes, pero no preguntes por él. Terminó julio, empezó agosto, las vacaciones, hizo mucho calor, tuve un niño, le puse Fernando por si su padre no volvía, y siguió haciendo calor, empezó septiembre y los termómetros aflojaron, llegó el otoño, en octubre llovió mucho, en noviembre hizo frío, y Galán no había vuelto.

No te preocupes, pero no preguntes por él. Fernanda se despidió después del verano, lo siento, Inés, ya sé que te hago una faena, pero Nicolás se echó al monte en el 46, hace más de tres años que no vivíamos juntos, y tener que venir a trabajar por las noches se me hace muy cuesta arriba, lo siento... Su marido era uno de los guerrilleros que habían venido en junio, así que le dije que no se preocupara, que lo entendía, y era verdad que lo entendía, y que me moría de envidia, también era verdad, aunque no se lo dije.

No te preocupes, pero no preguntes por él. En octubre, Angelita, que ya tenía dos varones, tuvo por fin una niña, y la conocí en los brazos de su padre, porque Comprendes estaba con ella en el hospital. Aquella noche, cuando di de mamar a Fernando, que había cumplido ya dos meses sin que su padre lo hubiera cogido en brazos, pensé que Galán nunca había estado conmigo en el hospital y me eché a llorar. Sabía que no debía hacerlo, que el niño lo estaba notando, que la leche no iba a sentarle bien, pero seguí llorando hasta que el llanto me dio tanto sueño que me acosté vestida. Aquella noche soñé que Galán volvía. Yo no le había oído abrir la puerta, entrar en la habitación, desnudarse, pero cuando se metió en la cama, me desperté, y ahí estaba él, con la piel muy fría y el cuerpo sin un rasguño, desnudándome, y yo le abrazaba, le besaba, y era todo tan verdadero que tenía que ser verdad, todo era tan verdadero que la emoción me despertó, y estaba sola en la cama, y él no había vuelto. No te preocupes, pero no preguntes por él. Si hubiera muerto, me habría enterado. Si estuviera muerto, no me lo habrían oculta-do. Pero no hay vida como la clandestinidad, ni tan mala, ni so-bre todo, tan buena.

En la primera mitad de 1949, los celos no me atormentaron tanto como el miedo, pero en la segunda me torturaron mucho más que la soledad. Aquel era otro ingrediente de la clandesti-nidad, donde ocupaban un espacio tan importante como el de las fotos prohibidas o los partos solitarios, pero distinto, porque nunca nos atrevíamos a hablar con naturalidad de aquel tema clandestino en sí mismo como ningún otro. No era elegante, no era digno y, sobre todo, no era justo, pero mi tripa no lo tenía en cuenta mientras decidía hacerse un nudo consigo misma, y cuando empezaba a dolerme, se lo insinuaba con medias pala-bras a cualquiera de las chicas, no sé, a veces, cuando Galán está en España, me da por pensar, ya ves, qué tontería... Ellas no me dejaban llegar al final, no pienses eso, mujer, ¿cómo va a hacer una cosa así?, él no, ¿él?, de otro, no te diría yo que no, pero él va a volver, estoy segura..., porque lo entendían tan bien como el dolor de las contracciones.

A todas nos daba vergüenza sentir lo que sentíamos, temer lo que temíamos, pasarnos la vida calculando con cuántas mu-jeres se habrían acostado nuestros maridos, aprovechando que se estaban jugando la vida por la causa. Precisamente por eso, por-que yo sabía que, al levantarse, nunca podría estar seguro de ver amanecer otro día, me decía a mí misma que no era lógico que desperdiciara las oportunidades que se le presentaran, e intenta-ba convencerme de que lo que pudiera hacer en España, con otras mujeres, no ocurriría en la realidad, sino en un mundo pa-ralelo, un paréntesis de tiempo y de espacio que no tenía que ver con su vida verdadera, que era yo, mi propia vida. Enton-ces, durante un rato, todo estaba bien, todo era natural, com-prensible, humano, hasta que recordaba la frase favorita del Pa-siego, no hay vida como la clandestinidad, y al pensar en la posibilidad de que le detuvieran con el olor de otra mujer pe-gado a la ropa, mis tripas sucumbían a una insoportable, repen-tina vocación contorsionista. Después, cuando volvía, se reía mucho mientras yo me clavaba los puños en el ombligo para intentar explicarle la clase de dolor que me producía su ausencia, pero nunca se le escapaba ni una sola palabra de más. Conociéndote como te conozco..., y si me atrevía a empezar, siempre me interrumpía antes de que pudiera terminar la frase. Conociéndome como me conoces, ¿para qué me lo preguntas? Luego volvía a reírse, y yo nunca sabía qué pensar, no lo supe hasta que Comprendes me dijo que no me preocupara, pero que no preguntara por él, un mensaje tan ambiguo que parecía abrir la puerta a una conclusión bastante evidente, y no sólo para mí. Porque, por si el miedo y la soledad, los celos y la incertidumbre no fueran suficientes, había que soportar además el castigo de los chismes, las miradas compasivas y ciertos amables comentarios, ¿y tu marido?, pobrecita, ¡pues sí que está tardando esta vez!, en los que el veneno de cada palabra venía rebozado en la harina de un simulacro de solidaridad.

En 1949, intenté convencerme más que nunca de que nada de lo que estuviera pasando en España tendría importancia, pero no lo conseguí, y tampoco pude volver a pensar en plural, una cifra indefinida, numerosa y reconfortante, de mujeres sin nombre, un tropel de cuerpos pasajeros, anónimos, tan fáciles de desear como de olvidar. El 28 de noviembre, cuando Angelita confundió a Galán con un mendigo, ya estaba convencida de que había una sola mujer y de que había decidido quedarse a vivir con ella. Y cuando le vi desnudo, su piel recosida en todas las direcciones, un tumulto de cicatrices irregulares, desordenadas, sucias, dibujando el abrupto paisaje del vientre de un torero sobre la llanura que yo recordaba, sucumbí a la vergüenza doble, suprema, de haber sospechado de aquel cuerpo y del hombre que lo había salvado de la muerte.

—Y si es niño, le ponemos Guillermo.

En 1952, cuando Galán se empeñó en que tuviéramos otro hijo, yo ya sabía que Rafael Cuesta no se llamaba así, y que nuestra deuda con él había crecido al mismo ritmo que el negocio de mi marido. Pero eso era una cosa, y otra, muy distinta, que a los treinta y seis años, yo no tuviera de sobra con un restaurante y tres niños, la mayor de siete años, el pequeño de tres, y el mediano, jugador de fútbol en un equipo escolar cuyo entrenador no tenía mejor ocurrencia que concentrar a los titulares a las ocho y media de la mañana de todos los domingos.

—Que no —por eso, la primera vez me lo tomé a broma—, que no quiero tener otro, si no doy abasto con tres, ya, imagínate con cuatro...

—Anda, mujer —él se reía, pero no aflojaba—. ¿A ti qué más te da?

—¿Que qué más me da? —yo me reía también, como si fuera un chiste—. Todo, me da. Porque lo voy a tener yo, ¿sabes?

—Ya, pero yo no estaba aquí cuando nació ninguno de los tres —y no me di cuenta de que lo decía en serio hasta que empezó a repetirlo varias veces al día, durante varias semanas seguidas, como si confiara en rendirme por cansancio—. Ni siquiera llegué a verte embarazada de Fernando, ¿o es que no te acuerdas? Me lo encontré con tres meses, al pobre, y a Vivi...

—A Vivi la viste recién nacida, no seas liante.

—Sí, recién nacida, y luego de golpe, gateando, ¿o no?, que fue como conocí a Miguel, te recuerdo...

—¡Ay, Galán, no seas pesado! ¿Pero para qué quieres tener otro hijo? Si luego no les haces ni caso.

—¿Que no? —y al llegar a ese punto, aunque no le conviniera, volvía a reírse—. Es que de bebés me aburren un poco, porque no se puede hacer nada con ellos, pero luego... ¿Quién les enseña a montar en bicicleta?

—Ya ves tú, una tarde a la semana cuando tienen cinco años...

—Bueno, menos da una piedra, ¿no? Y además, aunque no les haga caso, me gusta tenerlos, y me haría ilusión ver nacer a alguno —aquel era el único argumento al que yo era sensible, y él lo sabía—. Es sólo por eso, no le voy a querer más que a los demás, no te preocupes. ¿Quiero más a Fernando que a los mayores? Y eso que pasó un montón de meses a solas conmigo, ¿o no? Dijo papá antes que mamá, así que...

—Todos dicen papá antes que mamá, porque es más fácil pronunciar la pe que la eme.

—¡Ah! Eso es lo que tú dices, pero yo no lo sé. No estaba aquí cuando Vivi empezó a hablar, y cuando Miguel me llamó papá, ya sabía decir mamá, así que no nos va a quedar más remedio que tener otro para comprobarlo. Y si es niño, le ponemos Guillermo.

—Pero si es niña —en el instante previo a mi rendición, decidí reservarme por lo menos eso—, elijo yo el nombre.

Nuestro último hijo nació en mayo de 1953, y fue una niña. Su padre vino conmigo al hospital por primera vez, y la cogió en brazos antes que nadie. A cambio, yo decidí que se iba a llamar Adela.

—Adela —Galán lo repitió mientras la miraba, y asintió con la cabeza muy despacio—. Sí, me gusta. Está bien, Adela —entonces me miró—. Porque, desde luego, con la pobre Virtudes te luciste.

—Acércame el teléfono, anda...

En otoño de 1944, cuando llegué a Toulouse, me levanté todos los días, durante más de un mes, con el íntimo propósito de escribir a mi cuñada, y me acosté todas las noches con el remordimiento de no haberlo cumplido. Necesitaba hacerlo, contarle que estaba bien, que la echaba de menos y, sobre todo, que nunca podría perdonarme por haberla tratado tan mal, después de que ella me hubiera tratado tan bien a mí. Eso fue lo primero que escribí, queridísima Adela: perdóname, perdóname, perdóname... Luego se lo conté todo en una carta muy larga, sincera como ninguna que hubiera escrito antes, porque ella se lo merecía y porque pensé que, si era capaz de pasar del encabezamiento, sabría comprender cada una de las palabras que contenía. Después de releerla y corregirla varias veces, la metí en un sobre cerrado a su nombre, dentro de otro sobre dirigido a Cristina, la doncella que tenía en Pont de Suert, y se la di a Galán, para que se la diera a alguien que pudiera ponerle un sello y echarla en un buzón, dentro de España. No te hagas ilusiones, me dijo, porque puede tardar meses en llegar, pero no habían pasado ni treinta días cuando Adela llamó a la taberna por teléfono.

—Pero ¿cómo voy a estar enfadada contigo, Inés, si eres la única amiga que tengo?

Esa fue la última frase completa que logramos pronunciar una de las dos. Todas las demás las dejamos a medias, te echo de menos, y yo, y yo mucho más, lo siento, ya, no me podía figurar, ya lo sé, Garrido, lo sé, es culpa mía, no, no, de verdad que no, me alegro por ti, me encantaría, a mí también, verte, sí, no me dejes, no, te quiero mucho, y yo a ti... Después escribió ella, una carta más breve que la mía, pero igual de sincera, que arrojó una nueva culpa sobre mis hombros. Ricardo la había hecho responsable de mi fuga y no me lo ocultó, aunque intentó endulzar la situación, y hasta disculparle, es que está desquiciado porque le han destituido por lo de la invasión, le han dado un puestecito de nada en un ministerio, y yo en parte me alegro, porque en Navidad volvemos a Madrid para quedarnos, pero por otra parte, si quieres que te diga la verdad, no sé si me apetece volver a vivir todo el tiempo con él, porque yo le sigo queriendo, pero parece que hasta eso le estorba...

—Oye, Inés —en marzo de 1945 me llamó otra vez, y ya no lloramos ninguna de las dos—. La ciudad esa donde vives... ¿Está cerca de Lourdes? Es que unas señoras que yo conozco han organizado una peregrinación con heridos de la División Azul, ¿sabes?, y he pensado que, si Ricardo me da permiso para ir, pues, igual podíamos vernos.

—Ojalá —yo la animé tanto como pude—. Voy yo a buscarte a Lourdes, Adela, el día que me digas. Me hace mucha ilusión volver a verte.

El lunes siguiente a la fiesta de Santa Bernardita, a las doce de la mañana, me planté en la puerta del santuario de Lourdes con un vestido de flores sobre los seis meses de mi primer embarazo, y la distinguí enseguida, entre un enjambre de mujeres que me parecieron ya tan extrañas como si pertenecieran a otra especie, damas enlutadas que se movían muy despacio, andando con las dificultades que les imponía su dramática indumentaria, zapatos negros de tacón, negros vestidos con medias negras, una mantilla igual de negra sobre la cabeza, y un pedazo de cruz de plata golpeándoles el pecho a cada paso.

—¡Inés! —cuando la vi correr hacia mí, corrí hacia ella yo también, porque en la confusión de aquel momento, sólo se me ocurrió pensar en que iba a acabar con el escote lleno de cardenales—. ¡Inés!

Sabía que iba a emocionarme, pero no fui capaz de prever la magnitud de la emoción que me anegó como una ola tan alta, tan poderosa que ni siquiera me dejó con fuerzas para pronunciar su nombre, y la abracé en silencio, sin prestar atención a la curiosidad con la que nos miraban sus compañeras de peregrinación. Cuando nos separamos, ya se habían marchado todas y yo sentía calor, un bienestar profundo e interior, casi aromático, que parecía destensar a la vez todos los tejidos de mi cuerpo para impregnarlos con un bálsamo denso, placentero, que no era más que paz, una sensación que casi había olvidado. En Lourdes, mientras miraba a Adela a los ojos y la veía sonreír, me sentí en paz conmigo misma, por completo y por primera vez en muchos años. Eso significó para mí recuperarla, la alegría de sentirme en paz, cerca de toda la gente a la que quería.

—¿Me has perdonado? —le pregunté de todas formas.

—No seas tonta... —y meneó la cabeza de un lado a otro, antes de echarse a reír—. Hay que ver, es que me parece tan raro verte embarazada y en Francia, de repente. Hace sólo seis meses, estábamos las dos juntas, en mi casa, y ahora... Pero me alegro por ti —me cogió del brazo y echamos a andar como si todavía estuviéramos en Pont de Suert, camino del estanco, o de la carnicería—. Lo siento por mí, porque te echo mucho de menos, pero me alegro de verte tan bien. Es que... Pareces otra. Te ha cambiado la cara y todo, fíjate.

Caminamos en silencio hasta que encontramos una mesa libre en una terraza, y allí, al sol, nos lanzamos a hablar las dos a la vez y a un ritmo antiguo, con la misma urgencia de aquellos días en los que nos atropellábamos la una a la otra cuando venía a buscarme al convento.

—¿Por qué no te vienes a Toulouse, aunque sea un par de días? —le propuse cuando comprendí que con aquella entrevista no íbamos a tener bastante—. No puedo presentarte a Fernando porque está en España, pero...

—¿En España? —al escucharlo, se asustó tanto como se habría asustado cualquiera de mis camaradas que no la conociera, al oírmelo decir con tanta tranquilidad—. Pero él... ¿Puede ir a España?

—Bueno... —sonreí—. De hecho, está allí.

—¿Y la policía?

—La policía no lo sabe, claro —me eché a reír—. No sé si habrá pasado por el monte o si llevará una documentación falsa, no me cuenta esas cosas...

—Entonces, ¿es un espía?

—No exactamente. Más bien, un clandestino.

—¡Ay, Inés! —se sujetó la cabeza con las dos manos y la movió varias veces, como si no pudiera con ella—. ¡Inés, Inés, qué valor tienes, hija mía!

Pero se vino conmigo a Toulouse, y durante unos días, estuvimos las dos juntas, solas, igual que en Pont de Suert, aunque ahora era yo quien tenía mucho trabajo y ella la que me acompañaba a todas partes. No hablaba bien francés y tampoco sabía entretenerse de otra manera, pero no le importaba, porque desde el primer momento le gustó la taberna.

—Da gusto veros a todas, trabajando juntas, tan bien organizadas, tan coordinadas, ¿no?, y sin ningún hombre... —la miré y vi en sus ojos una luz cálida, luminosa, que era envidia, pero también era limpia, amable—. Y esos clientes que son como de la familia, no sé... Así debe dar gusto trabajar. Nunca lo había pensado, pero creo que a mí me encantaría, la verdad.

Cuando nos encontramos de nuevo, volví a pensar que Adela merecía la felicidad más que cualquier otra persona que yo hubiera conocido, aunque quizás nunca hubiera sido más infeliz que al emprender aquel viaje a Lourdes. Su soledad, una cárcel de puertas abiertas que no conducían a ninguna parte, había pagado el precio de mi alegría y tuve que afrontar esa responsabilidad, aprender a vivir con la certeza de que mi bienestar la había dejado a solas en un perverso y pequeño laberinto del que no le resultaría fácil salir por sí misma. Abocada al callejón sin salida de un amor que no le convenía, cada vez pasaba más tiempo encerrada en su casa, Ricardo fuera, pretextando viajes, compromisos, reuniones imprescindibles para recuperar el favor de El Pardo, pero ni siquiera las ausencias de mi hermano le dolían tanto como la progresiva consciencia de que estaba mejor sin él, si no más contenta, al menos más tranquila con su marido lejos, al margen de su vida. La indiferencia de Ricardo le permitió, a cambio, viajar a Toulouse para compartir la mía con mucha más frecuencia de la que habría tolerado cualquier atento marido franquista, y en septiembre de 1945, cuando se decidió a contarle que la habían elegido miembro permanente del patronato de una cofradía de peregrinación, no puso la menor objeción a que cumpliera con un programa que, entre reuniones y ejercicios espirituales, la retendría en Lourdes una semana entera.

—A él, todo le da igual, parece que está deseando que me vaya —su voz se cargó de una tristeza que fue capaz de condensarse en una nube fría para llover sobre el hilo del teléfono—, pero no hay mal que por bien no venga, ¿no?

Me insistió en que tenía muchas ganas de ver el restaurante nuevo y aún más deseos de conocer a su sobrina, pero las dos sabíamos muy bien cuál era el auténtico motor de su curiosidad. Galán también tenía ganas de verla, porque me había oído hablar mucho de ella, y tuve la suerte de que se cayeran en gracia mutuamente.

—Está muy enamorado de ti, se le nota mucho, y luego, además, para ser comunista, es muy normal, ¿a que sí? —yo no supe qué decirle, y ella siguió hablando sola—. Bueno, la verdad es que sois todos unos comunistas muy normales.

—¿A qué te refieres? No te entiendo, Adela.

—Pues eso, normales —y hasta que no me lo explicó, no me di cuenta de que se había hecho un lío entre lo que había aprendido antes y después de nuestro reencuentro, lo que estaba acostumbrada a creer y lo que veía en mi casa, en el restaurante, cada vez que venía—. O sea, que estáis casados, tenéis hijos, los regañáis cuando se portan mal, trabajáis, lo normal...

—Claro. ¿Y qué esperabas? —sonreí—. ¿Comunas y amor libre?

—Pues... Más o menos —me miró y se echó a reír antes que yo—. Eso es lo que hacen los comunistas, ¿no? Su propio nombre lo dice, ¿o comunista no viene de comuna?

—¡Ay, Adela, Adela! —y la regañé como solía regañarme ella a mí.

A Galán le gustó por todo lo contrario, porque se dio cuenta de que no era una mujer corriente. La noche que la conoció me dijo que era muy graciosa aunque de entrada le había parecido más bien tonta, y para mí era tan importante que acertara, que me precipité a darle una clave que enseguida confirmó por sí mismo. De todas formas, lo que más valoró fue la distancia que la separaba del modelo convencional de esposa de jerarca falangista, una pequeña grieta que estaba a punto de empezar a agrandarse.

En aquel viaje, Adela conoció algo más que Casa Inés, a alguien más que a mi hija y a mi marido. Yo no pude prevenirla porque estaba en la cocina, y porque a aquellas alturas, las apariciones de nuestra clienta más ilustre ya no llamaban la atención. A lo largo de la primavera, del verano del año de su regreso, se había convertido en una figura habitual en la taberna mientras existió, en el restaurante después, y aunque sólo tres meses antes, su mera presencia habría provocado un revuelo tan súbito, tan aparatoso a la vez, que los gritos, los aplausos y las patas de todas las sillas chirriando a la vez sobre las baldosas del suelo, habrían traspasado la pared para llegar con claridad hasta mis oídos por encima del crepitar del aceite hirviendo, del borboteo de los guisos en ebullición y de los grifos abiertos, aquella tarde de septiembre no pude anticipar la escena a la que estaba a punto de asistir.

—Inés —cuando se trataba de ella, Amparo, en lugar de chillar desde la barra, asomaba la cabeza por la puerta de la cocina—. Sal un momento, que Dolores quiere saludarte.

—¡Inés! —Pasionaria me sonrió con los brazos extendidos, las manos abiertas con las palmas hacia arriba—. ¿Cómo estás?

—Muy bien —me acerqué, le di dos besos—, muy contenta de verte. ¿Qué tal? —entonces escuché el ruido de la puerta al abrirse—. ¿Te ha gustado la comida? —e inmediatamente después, la voz de Adela.

—¡Hola! —que siguió andando sin darse cuenta de nada.

—Mucho, estaba todo riquísimo, como siempre, y los chipirones... ¡Uf! —y la secretaria general del Partido Comunista de España se volvió a mirar a la recién llegada—. Hacía tiempo que no los comía tan buenos.

—In...

Cuando Adela reconoció a la mujer que estaba hablando conmigo, se quedó quieta, todos sus músculos paralizados a un tiempo, su cuerpo tan inmóvil como si hubiera perdido hasta la facultad de respirar. El único indicio de que conservaba cierta capacidad de movimiento se concentró en sus mejillas, que escalaron en un instante la gama completa del color rojo, desde el tono de los albaricoques hasta el de las granadas, pero Dolores Ibárruri estaba acostumbrada a provocar reacciones abrumadoras en las personas que la veían por primera vez, y se limitó a sonreír.

—Perdón —eso fue todo lo que Adela acertó a decir, pero no pudo gobernar sus piernas y siguió de pie, como clavada en el suelo, a un paso de la secretaria general de los comunistas españoles, que cabeceó con gesto maternal al escucharla.

—Pero no te disculpes, mujer...

—Dolores —me decidí a intervenir para dar a su encuentro la máxima apariencia posible de normalidad—, esta es mi cuñada, Adela. Como ves —añadí, con una sonrisa—, ella ya te conoce.

—Encantada —Adela le alargó una mano, y Dolores la retuvo un momento en la suya, antes de poner en marcha el mecanismo de su simpatía, un protocolo al que yo ya había asistido otras veces.

—Y cuéntame, Adela, ¿de dónde eres?

—Yo... De Vitoria.

—¡De Vitoria! —y Dolores sonrió de una manera distinta, más natural, menos mecánica que de costumbre—. Cuando vivía en Vizcaya, yo iba por allí de vez en cuando. Una ciudad bonita, ¿verdad? Llena de fachas, eso sí —y para mi pasmo, Adela empezó a darle la razón con la cabeza—, una de las ciudades más fachas de España, pero muy bonita, y con unas confiterías... Mira, yo creo que no he comido bombones más ricos en mi vida. Había unos, que los hacían en una tienda de la calle Dato, los camaradas me traían a veces un cartuchito con cuatro o cinco, porque no eran nada baratos... ¿Cómo se llamaban? ¡Ay, qué cabeza! —cerró los ojos y se golpeó tres veces la frente con la mano derecha—. ¿Cómo he podido olvidarme, si eran lo que más me gustaba en este mundo? No, espera... ¿Vasquitas?

—No —mi cuñada sonrió, y en ese gesto recuperó la flexibilidad, el control de su cuerpo, mientras el granate de sus mejillas empezaba a ceder—. Vasquitos. Vasquitos y Nesquitas.

—¡Eso! Vasquitos y Nesquitas, ¡qué ricos, madre mía! —y Pasionaria dio una palmada antes de entornar los ojos con la cabeza ladeada, un gesto de añoranza casi infantil redondeando su rostro de repente—. ¿Los siguen haciendo? —Adela volvió a asentir—. Me encantaban.

—Pues ya le encargaré yo una caja, y de las grandes —y si alguna mujer llegó a estar verdaderamente asombrada aquel día, en aquel lugar, esa fui yo en aquel momento—. Se la mandaré a Inés, no se preocupe.

—¡Pero no me llames de usted, mujer, que me haces vieja!

Dolores se acercó a ella, le dio dos besos, y con los labios curvados, suspendidos aún en la memoria de aquel sabor inolvidable, se marchó sin darse cuenta de nada. Montse, Angelita y yo esperamos a que la puerta se cerrara tras ella para echarnos a reír al mismo tiempo, y Adela nos secundó con una risa distinta, más pequeña y muy aguda, casi histérica, antes de hacerme una confidencia al oído.

—He tenido un accidente, voy un momento a casa, ahora vuelvo...

—¿Un accidente? —aquella palabra me asustó.

—Sí, es que... —pero volvió a mi oído—. Me he hecho pis. De los nervios, me figuro.

Unos meses antes, cuando Angelita entró en la Taberna Española con gesto triunfal, para anunciarnos que acababa de ver el mejor local para montar un restaurante, comprendí de un simple vistazo que íbamos a tener que hacer reformas. Para convencer a mis socias, tuve que recurrir a mi vieja educación de señorita de buena familia, todos aquellos principios, criterios y preferencias que había adquirido casi por ósmosis, sin ser consciente de haberlos aprendido con la misma naturalidad con la que respiraba, ni sospechar que estaban modelando un gusto que sobreviviría a cualquier tormenta vital, como un baúl del que las olas no me consentirían desprenderme mientras lo arrojaban junto con mi cuerpo a las playas inhóspitas de todos mis naufragios.

Acabé saliéndome con la mía, porque lo que llegaría a ser Casa Inés era todavía la sede de una sociedad gastronómica, un salón rectangular, diáfano, que sus antiguos propietarios no habían despojado aún de tres mesas corridas, larguísimas, con sillas de tijera a ambos lados, que le prestaban el triste aspecto del refectorio de un convento. A las chicas les entusiasmó aquel espacio, que casi triplicaba el de los comedores de los que habíamos dispuesto hasta entonces, pero yo les advertí que si aspirábamos a tener un buen restaurante, y no una casa de comidas baratas, no nos iba a quedar más remedio que fragmentarlo de alguna forma.

Aquella fue nuestra primera gran discusión, y al principio, me dejaron sola, pero no cedí. Durante una semana, entré en todos los buenos restaurantes de Toulouse con alguna de ellas, y mientras me acercaba al maître para preguntar por una reserva inexistente, las dejé curiosear, convencerse de que yo tenía razón. Amparo fue la que más se resistió, pero al final, ella también acabó por admitir que si repartíamos las mesas en tres salones más reducidos, facilitaríamos el servicio, evitaríamos el mal efecto de las que se quedaran vacías, y crearíamos un ambiente más acogedor. Cuando las puse a todas de acuerdo, volvimos a discutir, porque las separaciones tenían que ser movibles, para que pudiéramos ampliar o encoger los comedores según nos conviniera, y cada una tenía su opinión. Montse quería biombos, Angelita, paneles de tela como los de los consultorios de los médicos, que salían más baratos, y Amparo era partidaria de tabiques auténticos y nos quitamos de problemas. Lola, sin embargo, apoyó mi propuesta, y buscó un carpintero bueno, rápido, eficaz, español y comunista, que nos hizo unos paneles de madera barnizada y algo menos de dos metros de altura, que se anclaban en el suelo con unos pivotes y eran tan sólidos que permitían hasta colgar cuadros ligeros en su superficie central. Estaban unidos por unas bisagras tan primorosas que, cuando estaban extendidos, no se veían, pero permitían plegarlos completamente sobre sí mismos, para guardarlos en el almacén cuando conviniera.

En diciembre de 1945, los retiramos todos por primera vez para celebrar el cincuenta cumpleaños de Dolores Ibárruri, el primer gran compromiso público de Casa Inés. Angelita se cabreó desde el mismo momento en que el Partido nos sugirió que cerráramos el restaurante, ¿y por qué?, decía, si van a venir sólo treinta personas, ¿por qué no podemos abrir el comedor del fondo, vamos a ver?, y su enfado fue en aumento con cada uno de los preparativos, ¿flores?, ¿también vamos a tener que poner flores?, ¿y tarjetitas de recuerdo?, ¡que paguen ellos las tarjetitas!, pero eso no fue nada en comparación con la bronca que nos echó cuando nos quedamos solas, después del banquete.

—Esto no puede ser, os lo digo de verdad.

Todas sonreímos al verla, tan seria, tan responsable, mientras andaba en círculo con una factura en una mano, la otra en la cabeza, como un animal enjaulado que todavía no se hubiera resignado a no encontrar una salida.

—¡No os riáis! —nos amenazó con un dedo extendido—. Como esto siga así, vamos a tener que cerrar, ya os podéis ir haciendo a la idea.

—¡Qué exagerada! —Amparo, que la conocía mejor que ninguna, siguió sonriendo desde la barra, y eso terminó de sacarla de quicio.

—¿Exagerada? Mira... —y nos miró con unos ojos que echaban chispas—. Reservan para treinta, pagan por cuarenta y vienen cincuenta y dos, devuelven el vino que les pongo porque les parece malo...

—Es que el de hoy, para una ocasión como esta —se atrevió a intervenir Montse—, era bastante malo.

—¡Pues claro que era malo! ¿Y qué querías, que se lo pusiera bueno para que lo paguen como si fuera mosto? —y volvió a encararse con Amparo—. ¿No te dije yo a ti que había que subir el precio?

—Sí, y lo he intentado, no creas —la mujer del Lobo se encogió de hombros—, pero no ha habido manera. Me han dicho que no podían pagar más, que habíamos negociado un precio cerrado, y... ¡Mujer, son camaradas! Y ella es Dolores.

—¡Ella, ella! ¿Y nosotras qué, eh? ¿Somos el Socorro Rojo, nosotras? ¡No, señora! Y vosotras, tan contentas, claro, vosotras, como no tenéis que pagar a los proveedores... Pero, a este paso, a Sole la va a echar su padre de la pescadería porque, por muy camarada que sea, es francés y no entiende estas cosas, y a ver quién me fía a mí entonces, ¿eh?, a ver quién me fía... Porque, anda que tú también, Inesita, guapa... ¡Merluza con costra, nada menos! ¿Y por qué no les has puesto langostinos? Ya, total...

—A Dolores le gusta esa merluza —me defendí yo.

—¡Y a mí las cigalas, no te jode! Pero me gusta más llegar a fin de mes, y así no llegamos, os lo digo en serio. ¿Habéis visto esto? —y levantó la factura en el aire para agitarla como si fuera una bandera—. Han pagado la merluza a precio de sardinas. Claro, ¿cómo no les va a gustar venir aquí, si nosotras somos gilipollas y los demás no? Vamos a abolir la propiedad privada, pues muy bien, pero mientras no la abolamos, lo que no podemos hacer es invitar a comer a gente que tiene mucho más dinero que nosotras, toreros, actores, Picasso... ¡Picasso! Y vosotras, ¡hala!, venga a haceros fotos, ¡qué bien, qué alegría! Pero él es uno de los que no ha pagado, a ver si os creéis que no me he dado cuenta.

—Sí que ha pagado —contraatacó Amparo, renunciando a recordarle que ella se había hecho las mismas fotos que los demás, mientras sacaba una carpeta de debajo de la barra—. Nos ha dibujado un marinero.

—¡Ah!, ¿sí? A verlo... —y se acercó a la barra para contemplar una gorra azul, una barba pelirroja, unos pocos, admirables trazos de ceras de colores—. ¿Y esto cuánto vale?

—Nada —Amparo se lo apretó contra el pecho como si fuera un escapulario—, porque no lo vamos a vender nunca.

—¿No? Cuando llegue la cuenta de la merluza, hablamos. Y de momento, Inés, la próxima vez, patatas guisadas con pimentón y torreznos, que te salen buenísimas. Y, si no, arroz con pollo, que es un clásico. O eso, o me voy, no os digo más.

Y cuando ya había cruzado medio comedor, muy sulfurada, dio un taconazo y se volvió a mirarnos, con el dedo extendido de nuevo.

—Y todo para que, al final, lo único que le ha hecho ilusión de verdad hayan sido los bombones de Adela —puso los ojos en blanco y meneó la cabeza como si no se lo pudiera creer—. ¡Tócate las narices!

Eso era verdad. El marinero de Picasso, al que le pusimos un marco grande, aparatoso, con márgenes proporcionados a su relevancia, estuvo siempre colgado en el sitio más visible de Casa Inés, junto a la barra. Debajo pusimos una foto ampliada donde Dolores, el pintor a su izquierda, Paco Antón a su derecha, en los rostros de ambos una sonrisa idéntica a la que el júbilo de la secretaria general del PCE despertaba en los espectadores de aquella foto, se reía igual que una niña, los ojos muy brillantes, la cabeza ligeramente echada hacia atrás, como si no pudiera sostener tanta alegría, y una caja de hojalata blanca, con danzarines vascos pintados sobre la tapa, cruzada sobre el pecho con las dos manos, para que nadie se atreviera a arrebatársela.

—Camaradas, si me lo permitís —llegó a decir aquel día, cuando salí de la cocina a la hora de los brindis y se la puse delante, sobre la mesa—, creo que voy a hacer una cosa muy fea, lo peor que puede hacer un dirigente comunista, pero... No pienso compartir esto con nadie —y entonces fue cuando Ana María hizo aquella foto.

Al volver a casa, llamé a Adela por teléfono para contarle el rotundo éxito de su regalo, y ella reaccionó con la misma sorpresa que me había llevado yo al recibir el paquete, junto con una carta en la que se justificaba por enviármelo con argumentos tan elaborados como si pretendiera exculparse de un crimen, es que tuve que ir a Vitoria a ver a mi tía Evangelina, y al pasar por el escaparate de Goya, me acordé, y me dije, pues, mira, total, ¿qué trabajo me cuesta?, ahora que si no se la quieres dar, a mí no me importa, como si os los coméis vosotros, que mejor, fíjate, así que haz lo que quieras con ella... Desde aquel día, cada vez que iba a Vitoria, mi cuñada compraba una caja de Vasquitos y Nesquitas que viajaba hasta Toulouse, pasaba por mis manos y acababa en las de Dolores, un circuito que no se interrumpió ni siquiera cuando los franceses cerraron la frontera. En 1948, de nuevo abierta, las dos volvieron a coincidir en Casa Inés, y Adela comprendió por qué aquella mujer vulgar, la anónima esposa de un minero vizcaíno, un ama de casa española como tantas otras, había llegado a convertirse en lo que era.

—Perdonadme un momento.

Aquel día, Dolores Ibárruri actuaba como anfitriona del secretario general del Partido Comunista Francés, del embajador de la Unión Soviética en Francia, de su cónsul en Toulouse, de su colega rumano, de una delegación del Partido Comunista de Bulgaria, de varios miembros de su propio Buró Político y de otros tantos dirigentes del PCF, pero cuando mi cuñada entró en el restaurante, los dejó plantados a todos a la vez.

—¡Adela! —avanzó unos pasos, y se quedó quieta, sonriendo, con los brazos abiertos, una imagen que atrajo a la mujer de mi hermano Ricardo como un imán—. Gracias, gracias, muchísimas gracias...

Durante unos segundos, todos los ojos capaces de distinguirlas miraron sin pestañear a aquellas dos mujeres abrazadas, una cabeza rubia teñida, otra canosa, las dos muy juntas, balanceándose al mismo ritmo, el ritmo de los brazos que las estrechaban entre sí, sin hablar, como nadie se atrevió a despegar los labios mientras las veía.

—No sabes cómo te lo agradezco —la mayor fue quien rompió el silencio.

—Pero, mujer, si no tiene importancia —y mi cuñada se disculpó, como de costumbre—. Tampoco son tan caros, y yo lo hago encantada, no merece...

—Claro que merece —y sin soltarla del todo, Dolores echó la cabeza hacia atrás para mirarla—, y sí que es importante, para mí sí, importantísimo, no te puedes imaginar... Tú vives en España, Adela. Para ti es sencillo estar allí, andar por las calles, ir al mercado, comprar bombones, comértelos, pero para mí, que estoy tan lejos... Para mí, ha sido como volver a estar en mi pueblo, volver a ver mi casa, a mi madre, a mis hijos cuando eran pequeños, mis primeros camaradas de los buenos tiempos, recordar tantas cosas... —en ese momento Dolores cerró los ojos, meneó la cabeza como si quisiera regañarse a sí misma, y cuando volvió a abrirlos, hasta yo pude ver, desde la puerta de la cocina, el velo que los empañaba—. Perdóname. Estoy tonta perdida, me estoy volviendo sentimental, con los años...

—No —y fue Adela quien la abrazó, ella quien la estrechó contra sí, quien la consoló y le dio la oportunidad de recobrar la compostura—, no, si yo lo entiendo, y me alegro, me alegro tanto de que te hayan gustado...

Pasionaria, más tranquila, acarició la cara de Adela, que ya tenía los ojos tan brillantes como ella, la besó en la frente, miró un momento a su alrededor, como si buscara algo, se pasó los dedos de la mano derecha por la solapa de su chaqueta, y sonrió.

—Mira este broche, ¿te gusta? —y ya se lo estaba quitando—. Es una libélula, ¿ves? Me lo han regalado unas mujeres españolas, las exiliadas republicanas de Oaxaca, en México. Lo han hecho ellas mismas, y son unas artistas, porque es muy bonito, ¿a que sí?

—Sí —Adela lo aprobó con la cabeza—. Es precioso.

—Ten —y su dueña se lo prendió en el vestido, como si fuera una medalla—, te lo regalo.

—Pero, no, por favor, si no hace falta...

—Sí —y cuando la libélula relucía ya en el pecho de mi cuñada, Dolores la sujetó por los hombros—. Sí, es para ti, para que te acuerdes de mí. Y gracias otra vez, mil veces gracias, Adela...

Después, Pasionaria volvió a su mesa para que el secretario general del PCF, el embajador soviético en Francia, su cónsul en Toulouse, el cónsul rumano, la delegación búlgara, y sus propios camaradas españoles y franceses, estremecidos aún por la escena que acababan de contemplar, pudieran contar durante el resto de sus vidas que habían asistido en directo a una apabullante demostración del carisma de Dolores Ibárruri, y del aún más apabullante amor sin condiciones que las españolas sentían por aquella mujer irrepetible. Pero lo más apabullante de todo fue que ninguno de ellos llegó nunca a descubrir hasta qué punto eso había sido verdad.

—¡Qué simpática! —cuando Adela vino a verme a la cocina, temblaba más que ellos—. Y qué cariñosa, ¿verdad? Fíjate el broche que me ha regalado, y para ella tendrá mucho valor, porque se lo han hecho las mujeres esas, ¿no?

Asentí con la cabeza, y renuncié a explicarle que ni todas las mujeres republicanas españolas del mundo, trabajando doce horas al día, serían capaces de producir la incalculable cantidad de broches, collares, anillos, chales y monederos que Dolores regalaba continuamente.

—Lo que está claro —pero a cambio le dije la verdad—, es que la has hecho feliz, Adela.

—Sí —ella me sonrió con los labios y con los ojos al mismo tiempo—, y me alegro, ¿sabes?, me alegro, porque... La verdad es que me he emocionado mucho, cuando me ha dicho que se acordaba de su madre, de sus hijos, y eso, se me han saltado las lágrimas y todo... ¡Pobre mujer!

Miré un momento a mi cuñada, como si necesitara convencerme de que estaba hablando en serio.

—Adela.

—¿Qué?

—Eso tampoco, ¿eh? —me miró como si no me entendiera, y fui más explícita—. Lo de pobre mujer, digo...

—¿No?

—No.

—Bueno, pero que me ha caído muy bien —y asintió con la cabeza para confirmarlo, antes de echarse a reír—. Anda que... Si alguien me lo hubiera contado, no me lo habría creído, pero... Esa es la verdad.

En diciembre de 1948, poco después de regalarle aquel broche a mi cuñada, Dolores Ibárruri volvió a Moscú. Necesitaba curarse de una dolencia hepática que hacía temer por su salud y, de paso, evitar que Francia, deseosa de reactivar sus relaciones comerciales con España, la expulsara formalmente de su territorio. Un año y medio después, cuando el PCE se convirtió en un partido ilegal en el país donde vivíamos, su ausencia fue la señal más relevante de una clandestinidad más simbólica que otra cosa, porque nuestra vida no cambió, más allá del definitivo traslado de la dirección a París, donde podía camuflarse con más facilidad, para tranquilidad de sus miembros y, sobre todo, de Angelita, a la que desde entonces le cuadraron mucho mejor las cuentas.

Aparte de eso, nunca nos sentimos en peligro, ni tuvimos que renunciar a nada. Seguimos haciendo lo mismo, abriendo todos los días un restaurante presidido por una bandera tricolor bordada con las insignias del Quinto Regimiento, celebrando banquetes todos los catorces de abril, los diecinueves de julio y los sietes de noviembre, y recibiendo a los clientes de siempre, entre otros, Paco Antón, que vino algunas veces con una chica muy guapa, bastante más joven que él, a la que se comía con los ojos y más apetito del que le inspiraba la comida. Hasta que un día dejamos de verle, y ya no le vimos más, pero como los dirigentes del Partido se movían poco de la capital, y él había sido siempre de los que iban y venían, tampoco le echamos de menos, hasta que una noche, desde los fogones, escuché un cuchicheo que me llamó la atención, y me acerqué a la puerta para reconocer al Gitano y al Pasiego en los dos hombres que mantenían una conversación muy sigilosa en el único lugar, el pasillo de la cocina, donde creían que nadie podía oírles. Lo que escuché me sorprendió tanto que, al llegar a casa, me encerré con Galán en el dormitorio, para que los niños no se enteraran de nada, y se lo pregunté a bocajarro.

—¿Y ahora te enteras? —él abrió mucho los ojos al escucharme.

—¡Ah! —y su reacción me sorprendió tanto, o más, que aquella noticia—. ¿Es que tú lo sabías?

—¿Lo de Dolores y Antón? —asentí, y levantó las cejas—. Pues claro que lo sabía. Lo sabe todo el mundo, ¿no?

—No. Todo el mundo no —respondí—. Más bien, no lo sabe nadie. Yo no tenía ni idea.

—Bueno, es que en la época del cotilleo, tú todavía estabas en España, y después... Tampoco era una cosa como para ir comentándola por ahí, ¿no?

A principios de los años cincuenta, mientras repasaba ciertas imágenes que había visto, ciertas palabras que había escuchado, ciertos indicios que terminaban de redondear una historia que no había sabido interpretar hasta que capturé una conversación por azar en un pasillo, empecé a pensar que quizás Adela hubiera tenido razón. En la época dorada del cuchicheo, cuando aquel viejo axioma, mejor callar que arrepentirse después, se convirtió en la norma primordial de nuestra vida, y de vez en cuando, al volver del restaurante, me encontraba a mi marido tomando copas en el salón con sus viejos camaradas para que todos bajaran simultáneamente la voz al oírme llegar, ordené el amor de Pasionaria en una secuencia expresiva, coherente, y comprendí que tal vez, sin haberlo querido nunca, ella podría haber sido alguna vez digna de la compasión de una mujer que aún no había probado la dulzura de ningún amor inconveniente.

Mientras me sentaba en la cama para quitarme los zapatos, dejaba abierta la puerta para escuchar fragmentos de su conversación, y les escuchaba hablar a media voz. Pues me dijo que eso era lo que había, ¿sí?, pues a mí, que no era eso lo que le habían contado, yo que tú, de momento no haría nada, pero no puede ser, tengo que hablar con él, no, claro, a mí no me dijo eso, lo que me dijo a mí era que no sabía ni la mitad de lo que estaba pasando, pues ya sabes lo que pienso yo, ya, pero ten mucho cuidado... A veces, llegaba tan cansada del restaurante, tenía tantas ganas de descansar y de divertirme un rato, que me iba con ellos y Galán me hacía sitio a su lado, me preguntaba qué quería tomar, se levantaba para ponerme una copa y me estrechaba contra él. Después, seguían hablando, pero de otras cosas, anécdotas intrascendentes, casi siempre graciosas, bromas, chistes que yo reía con ganas o sin ellas, para que se quedaran tranquilos. Y cuando se despedían, yo me iba a la cama con mi marido, le abrazaba antes de quedarme dormida, y me dormía como si no le hubiera escuchado decir que, si viviera en España, se marcharía del Partido mañana mismo.

Ninguno de nosotros volvió a ver en Francia a la secretaria general del PCE. Por eso, nunca llegué a contarle a mi cuñada que quizás tuviera razón, que Dolores, sin dejar jamás de ser ella misma, grande como ninguna, inmortal como muy pocas, podría haber sido al mismo tiempo una pobre mujer, que tal vez lo fue más que nunca cuando aquella historia llegó a su oscuro final. Pasionaria se fue a vivir al este, primero a Moscú, después a Bucarest, y Adela siguió viajando entre Madrid y Toulouse con una libélula de plata y esmalte de color morado, seis élitros alargados, de tamaño decreciente, y dos amatistas minúsculas en el lugar de los ojos, prendido en las solapas de todas sus chaquetas. También lo llevaba puesto el 14 de abril de 1967.

Ya había conmemorado, no exactamente con nosotros pero sí a nuestro lado, muchos aniversarios de la Segunda República, porque en la primera mitad del mes de abril, la Iglesia católica celebraba su propia fiesta en honor de Bernadette Soubirous, aquella niña francesa que contempló a la Virgen en una gruta de Lourdes sin imaginar los beneficios que tal aparición proporcionaría, mucho tiempo después, a dos amigas españolas separadas por una dictadura. A lo largo de veintidós años, Santa Bernardita nos había consentido reunirnos en Toulouse casi todas las primaveras, pero en 1967, las visitas de Adela habían dejado de representar un milagro en sí mismas. La vida de mi cuñada había cambiado tanto que ya se había emancipado hasta de la Virgen María.

Ricardo y ella seguían estando casados y, oficialmente, vivían juntos, pero en 1957, a él le nombraron gobernador civil de Córdoba, y ambos se apresuraron a acordar que los estudios de sus hijos no aconsejaban que ella se moviera de Madrid. La rehabilitación de mi hermano les permitió pasar semanas enteras sin verse, hasta que en 1961 le trasladaron a Salamanca, la ciudad dorada de su juventud, y las semanas se convirtieron en meses. Adela tampoco estaba sola del todo, porque poco después de que su hija Mati, la más afín a su padre, se casara con un diplomático, Ricardo, su favorito, se había separado de su mujer y había vuelto a la casa familiar para hacerle compañía al precio de sumirla en un estado de confusión permanente.

—Yo no lo entiendo, porque con lo formal que ha sido él siempre, que no se cortará el pelo así le maten, pero acabó la carrera a curso por año, con un montón de matrículas, y encontró trabajo enseguida, que ahora se haya separado de Marta, con lo bien que se llevaban... —desde hacía un par de años, aquel era uno de sus temas favoritos de conversación—. Y luego, para que sigan acostándose juntos, que ya me he encontrado dos veces a mi nuera en bragas por el pasillo, ¿tú lo entiendes?

Yo no le decía ni que sí ni que no, pero me daba cuenta de que las cosas en España estaban cambiando tanto que no sólo la clandestinidad había dejado de ser lo que era. Aunque ella no se atreviera a admitirlo, la evolución de mi cuñada reflejaba ese cambio mejor que la vida sexual de su hijo, y hasta que el bronceado de Montse. Adela prefería considerarse a sí misma una excepción, pero al levantarse, cuando se miraba en el espejo, tenía que ver la cara de una mujer a la que la esposa del jefe de Falange en la provincia de Lérida, no habría podido reconocer en 1944. Y a veces, por más que ella misma insistiera en lo contrario, esa mujer podía mirarse en las calles de una ciudad francesa igual que en otro espejo.

En 1967, el 14 de abril cayó en sábado, y como ocurría siempre que alguna de nuestras fiestas coincidía con un fin de semana, la evidencia rebosó las calles, se desparramó por las plazas, inundó Toulouse con una encrespada marea de españoles jóvenes que chillaban como si llevaran toda la vida mimando sus gargantas sólo para despellejárselas en aquella ocasión. Aquel día, en la manifestación hubo más gente que nunca, demasiadas banderas y pancartas, demasiados chicos y chicas con el pelo largo, demasiados vaqueros y camisas por fuera de los jerséis como para que ningún encuentro fuera inevitable, pero el azar escogió aquel tumulto para enfrentar a Adela con su destino, y cuando no llevábamos andando ni media hora, me clavó las uñas en el brazo izquierdo.

—No puede ser... —murmuró con los ojos como platos, la mandíbula desencajada, una expresión indecisa entre la cólera y el asombro—. No puede ser... Lo mato, lo mato, de verdad que lo mato...

—Pero ¿qué te pasa? —la vi tan alterada que me asusté, pero ella no me contestó, y por más que miré a mi alrededor, tampoco logré encontrar una causa que justificara la alarma pintada en su rostro.

—¡Ricardo! —se separó de mí sin mirarme, se adelantó unos pasos, empezó a pronunciar a gritos el nombre de su marido—, ¡Ricardo! —y aunque sabía que era imposible que le estuviera llamando, el corazón se me encogió de pronto—. ¡Ri-car-do!

Entonces, uno de aquellos chicos desaliñados de pelo largo, que llevaba abrazada a una chica morena e igual de típica, melena hasta la cintura, vestido minifaldero y zapatos planos, se volvió de pronto, con los ojos muy abiertos y una sonrisa incrédula en los labios.

—¿Mamá? —y fui yo la que se dijo que aquello no podía estar pasando.

—¡Ricardo, baja ese puño inmediatamente!

—Pero, mamá... —y cuando apenas empezaba a distinguir los rasgos de un niño de cuatro años en un hombre de veintisiete, Adela lo alcanzó al fin—. ¿Qué haces tú aquí?

—¡Que te estés quieto ya, jo... —se acercó a él y tiró de su brazo derecho hacia abajo, hasta que logró pegárselo al cuerpo— ...pé! Anda que, si te ve alguien, es que no quiero ni pensar...

—¡Pues anda, que si te ve alguien a ti, mamá! —y mientras se partía de risa, reconocí ya a un niño al que había abrazado y besado muchas noches, cuando se hacía pis en su cama y se venía a la mía, porque sabía que yo le cambiaba las sábanas por la mañana sin decírselo a nadie.

—Lo mío es distinto. Lo mío... —Adela negó con la cabeza, se la sujetó con las manos, no encontró una manera de empezar—. Es muy largo de contar, así que... —hasta que sus ojos se tropezaron con una puerta inesperada para salir de aquel embrollo—. Y esta, ¿quién es?

—¿Esta, quién? —su hijo estaba tan desconcertado que tuvo que seguir la dirección del dedo de su madre para comprobar que seguía teniendo a una chica a su derecha—. ¡Ah! Es Marina, una amiga... Marina, esta es mi madre.

—No, si ya me he dado cuenta —y la pobre se acercó a Adela con la misma cara con la que habría avanzado hacia el patíbulo, para darle un beso, luego otro—. Mucho gusto.

—Lo mismo digo —pero mi cuñada apenas se fijó en ella, y se volvió hacia mí, nerviosa como no la había visto desde que le presenté a Dolores Ibárruri—. Te das cuenta, ¿no? —al escuchar esa pregunta, su hijo me descubrió, y descubrió que ya nos conocíamos—. ¿Ves lo que te digo, tú te crees que así se puede...?

Yo no le presté atención, y avancé despacio hacia aquel chico que me miraba con el ceño fruncido, una intuición de mi nombre aflorando a unos labios que no se decidían a pronunciarlo.

—¿Y yo? —traté de ayudarle—. ¿Quién soy yo?

—¿Mi tía Inés? —preguntó por fin, y asentí con la cabeza—. ¡Inés!

Y sólo mucho después, cuando ya había tenido tiempo de

besar a mi marido, a mis hijos, de abrazarnos a todos con un entusiasmo que a punto estuvo de partirnos alguna costilla, se volvió hacia su madre y la interpeló con suavidad, en un tono casi risueño.

—Pero, mamá... ¿Cómo has podido hacerme esto?

—¿Cómo he podido hacerte qué? —Adela le miró como si no estuviera muy segura de a qué se refería—. Pues anda que tú... Ayer me dijiste que este fin de semana te ibas a ir de acampada.

—¡Ay, mamá, mamá! —su hijo la abrazó, dejó que apoyara la cabeza en uno de sus hombros, y la meció de un lado a otro, como a una niña—. ¡Qué inocente eres! Llevo más de diez años colándote lo de las acampadas y no te enteras, es increíble. Pero, vamos a ver... —la separó de su pecho, la peinó con los dedos, la miró—. ¿Es que yo tengo botas de montañero, mamá? ¿Tú has visto alguna vez en mi armario un saco de dormir, o una tienda de campaña? ¿Me voy yo a los Pirineos, o a los Alpes, en verano?

—¡Ay, hijo, y yo qué sé! —y volvió a salir por una puerta inesperada—. Mas años llevas tú tragándote lo de Lourdes...

Y sin embargo, cuando Ricardo decidió unirse a nosotros, todavía se volvía a mirarme de vez en cuando, con los ojos muy abiertos.

—Pero este niño... —porque mi sobrino se lo sabía todo, todas las consignas, todos los eslóganes, todas las canciones—. Siempre ha sido muy rebelde, y se lleva fatal con su padre, pero no sé yo dónde habrá aprendido...

—Mujer, yo creo... —no me dejó explicárselo.

—No, déjalo, prefiero no saberlo.

Seguimos andando juntas en silencio, Adela murmurando a veces consigo misma, yo no lo entiendo, de verdad que no lo entiendo, poniendo otras los ojos en blanco y negando casi siempre con la cabeza, mientras su hijo, a quien en un principio aquel encuentro parecía haberle impactado menos que a ella, iba por delante, hablando con Galán en una actitud casi reverencial, los hombros encogidos para no parecer más alto que él y tan ausente del resto del mundo como si nunca hubiera conocido a ninguna chica morena y minifaldera. Quizás por eso, antes de que llegáramos al final, su madre se paró de repente y me cogió de un brazo.

—Oye, y mucho cuidado con lo que le cuentas, ¿eh? —fruncí el ceño, señalé la libélula que le había regalado Dolores, y volvió a negar—. ¡No, mujer, de esto no...! —y bajó la voz, aunque nadie podía oírla—. De las conservas.

—¡Ay, Adela, por favor! Pero ¿cómo se te ocurre?

Cuando Galán se empeñó en que tuviéramos otro hijo, decidí que si era niña, se llamaría Adela, y me costó trabajo no contárselo al darle la noticia.

—Pero ¿otra vez? ¡Hija mía, parecéis de Acción Católica!

—Ya ves —me eché a reír—, mi marido, que está empeñado en darle brazos a la revolución...

—¿En serio?

—No, mujer, es una broma.

—¡Ah!

Por eso, en mayo de 1953, cuando fue niña, hablé con ella antes que con nadie, y se alegró tanto al dar por sentado que iba a ser la madrina, que me dio pena recordarle que nosotros no bautizábamos a los niños. Después, Galán me dijo que hiciera lo que quisiera, pero que a él le parecía una tontería que se llevara un disgusto por tan poca cosa, y me propuso que celebráramos una fiesta, una especie de bautizo sin bautismo, la próxima vez que viniera. A ella le encantó la idea, y a principios de septiembre, volvió a Toulouse con el propósito de convertirse para siempre en la madrina de la recién nacida, pero trajo consigo algo más, y yo no fui la única en darme cuenta. Seguía teniendo treinta y ocho años, no había cambiado de estilo, iba peinada, vestida, maquillada de la misma manera, con los mismos colores, los adornos de siempre, pero se había quitado diez años de encima, los cinco de más que siempre había aparentado, y otros tantos de propina, desde la última vez.

—¡Pero qué guapa estás, Adela! —el primero que se lo dijo fue mi marido, luego mis hijos, después, las chicas, y por fin, en la fiesta, sus admiradores habituales, pero ella les contestó a todos de la misma manera.

—¿Sí? —y sonreía—. Pues muchas gracias, pero no sé...

Por supuesto que lo sabía, pero yo no quise preguntarle nada, porque imaginaba que tampoco iba a tardar mucho tiempo en enterarme.

—¿A qué hora quieres que te llame mañana? —y lo logré aquella misma noche, cuando volvimos a casa.

—No, no me llames. Ya me despertaré yo.

—¿No vas a ir a misa? —Galán se había quedado a tomar la última, pero ella no quiso contestarme hasta que los niños se acostaron y nos quedamos solas en el salón.

—No, no voy a ir a misa, porque... —y se sentó en el otro extremo del sofá mientras yo empezaba a amamantar a su ahijada—. Dime una cosa, Inés... ¿Tú tienes amantes?

—¿Yo? —me eché a reír mientras señalaba con la barbilla la cabeza del bebé—. No sé cómo.

—Ya, pero digo... No sé, alguna vez, antes de ahora —sonreí, y negué con la cabeza—. ¿Y por qué?

—No sé, nunca lo he pensado —y era verdad que no lo había pensado nunca—. Supongo que porque no me han hecho falta, no he necesitado tenerlos.

—Ya, pues... A ver si ahora va a resultar que soy más moderna que tú.

Porque ella sí tenía un amante, el profesor de dibujo de su hijo Ricardo, un delineante de treinta años que estaba soltero y se llamaba Santiago.

—Pero fue una casualidad, te lo juro, pura casualidad, yo no quería...

Le dije que no se disculpara, que no hacía falta, pero ella no sabía contar las cosas de otra manera, y no cambió de tono para contarme que a mediados de julio, cuando estaba sola en Madrid, su hijo en un campamento, su hija en la playa con su abuela, su marido, en teoría, en Portugal, en visita oficial, aquel chico la había parado por la calle. ¡Qué sorpresa!, ¿no?, y no era la primera que coincidían, ya habían estado hablando otras veces, en la representación navideña del colegio, en la fiesta de fin de curso, y siempre empezaba él, me lo juró con tanta vehemencia como si aquel dato no me trajera sin cuidado, que siempre empezaba él.

–Y como yo no bebo, pues... Me tomé tres vermús y... A lo tonto, a lo tonto... –hizo una pausa, apretó mucho los ojos, tomó aire y se lanzó–. Pues podríamos acercarnos a tu casa, y me enseñas esos cuadros que ha comprado tu marido, ¿no?, me dijo, y yo, que estaba medio borracha, pensé, bueno, total, por ver unos cuadros, y subimos, y... Eso.

Y por eso, que era pecado mortal, no iba a ir a misa al día siguiente.

–¡Ah! Pero si ha sido sólo una vez, con confesarte...

–Ya, pero... –y por fin se echó a reír–. El caso es que... He perdido la cuenta.

–Mira, Adela, Dios no existe –y en aquel momento me inspiró tanta ternura como la niña a la que me estaba cambiando de pecho–. Pero estoy segura de que es capaz de empezar a existir en este mismo instante sólo para perdonarte a ti, no te digo más.

–Ya, pero... No es sólo eso... Yo había pensado, también que, de paso... –y aunque en la penumbra del cuarto de estar no podía verla, me di cuenta de que había vuelto a ponerse colorada–. Aquí, en Francia... Venden condones en las farmacias sin receta ni nada, ¿no?

Eso era lo que ni siquiera se me pasó por la cabeza contarle a mi sobrino cuando volví a verlo en 1967, que durante muchos años, le había enviado regularmente a su madre un paquete lleno de cajas de conservas, a las que les quitaba las latas que traían dentro para rellenarlas de condones, y volver a cerrarlas muy bien con pegamento escolar, del que usaban mis hijos para hacer los deberes, un suministro que ella se negaba a llevar consigo por si algún aduanero le obligaba a abrir el paquete en la frontera.

–¡Joder con Adela! –Galán se reía cuando se los daba, para que los mandara a Madrid con algún camionero de confianza–. Yo no digo nada, pero menuda carrerilla está cogiendo, ¿eh?

Yo tampoco dije nada aunque, tal vez, ni siquiera eso habría sorprendido tanto a su hijo como algunas cosas que tuvo que aprender cuando traspasó el umbral de Casa Inés, un restaurante que ya conocía. Había comido allí un par de veces, sin saber quién le había puesto nombre pero apreciando muy bien otros detalles, y más que ninguno, la caja de bombones que Pasionaria apretaba contra su pecho en la foto que estaba al lado de la barra.

—Mira, mamá, ¿tú te has fijado alguna vez en esto? —por eso, lo primero que hizo al entrar, fue enseñársela—. Parecen Vasquitos y Nesquitas, ¿verdad?

—No parecen, hijo mío —confirmó ella—. Son Vasquitos y Nesquitas.

—¿Y tú cómo...? —lo sabes, iba a decir, pero se calló de pronto.

—Tu madre lo sabe —contesté yo, de todas formas—, porque fue ella quien se los regaló, el día que Dolores cumplió cincuenta años. Esta foto es de aquel cumpleaños.

—¿Tú? —y si la Virgen hubiera escogido aquel momento para volver a aparecerse, mi sobrino no se habría asustado tanto—. ¿Tú le regalaste...?

—Sí, yo, yo —Adela asintió con la cabeza para subrayarlo—. Pero fue sólo para que no le cogiera manía a tu tía.

—¡Adela! —así logró asombrarme también a mí—. ¿Por qué dices eso?

—Pues porque es verdad, Inés, ¿qué te creías? —hasta que me di cuenta de que estaba diciendo la verdad—. Luego, ya, cuando la conocí, le cogí cariño, pero al principio pensé, con lo que manda esta mujer, a ver si no le compro los bombones y se enfada con mi cuñada...

—¡Adela! —no había tenido tiempo de digerir esa noticia cuando entró el Lobo—, ¡Adela! —después, el Gitano, con María Luisa y una bandera tricolor más alta que él—, ¡Adela! —luego, el Botafumeiro, y Perdigón, y sus mujeres—, ¡Adela! —y por fin, Zafarraya, que había venido desde Lyon—. ¡Qué alegría verte! ¿Cómo estás?

—Muy bien —ella aguantó el tipo como pudo—, muy contenta de veros... —e intentó que aquellos encuentros, tantos besos y abrazos, no tuvieran consecuencias, pero mi sobrino no se lo consintió.

—Pero, mamá —y en la primera oportunidad, dio un paso adelante—, ¿no me vas a presentar a tus amigos?

El último en llegar fue un primo del Afilador que se llamaba Juan Alberto Domínguez y que, antes de ser comandante de Air France, había pilotado aviones de caza en una escuela de vuelo de la Unión Soviética a la que sus jefes de las Fuerzas Aéreas de la República Española le habían enviado para formarse. Luego los pilotó en España, durante casi dos años, y de nuevo en la URSS, hasta que terminó la Segunda Guerra Mundial. Aquel día, iba vestido de paisano, como todos, pero llevaba en el ojal de la americana una estrella roja de cinco puntas, rodeada por dos ramas de laurel, con una inscripción en caracteres cirílicos en la base.

—Mira, Juan Alberto, te voy a presentar a mi hijo Ricardo, que... Fíjate, yo no tenía ni idea de que estuviera aquí, pero... —y después de haberse puesto colorada tantas veces, se puso colorada una vez más—. Nada, que nos hemos encontrado, ya ves...

Los dos se dieron la mano con mucha educación, el mayor muy sonriente, el joven no, sus ojos clavados en aquella condecoración que podía entender perfectamente, aun sin conocer el significado de ninguno de los símbolos grabados en ella. El silencio duró un segundo muy largo. Después, el comandante Domínguez se fue a su mesa, Adela se lanzó a hablar como una cotorra borracha, y los demás nos dejamos dirigir mansamente por ella.

—Pues nada, que me voy a acercar un momento a ver a Lola, por si quiere que le eche una mano, y... Le voy a decir a Angelita que me ponga con vosotros, y Ricardo, que se siente con tus hijos, ¿no, Inés? —sólo después de decirlo, se atrevió a mirarle—. Así, vas conociendo a tus primos, que son un montón, ya verás, y... —se quedó parada, miró al techo, se encogió de hombros—. Bueno, que luego ya nos vemos.

—Espera un momento, mamá —y cuando estaba a punto de darse a la fuga, Ricardo la retuvo para hacerle la única pregunta que se le habría ocurrido a una persona sensata en aquella situación—. Dime una cosa, ¿tú eres comunista?

—Pero ¿cómo voy a ser yo comunista, hijo mío, cómo voy a ser comunista? —se llevó las manos a la cabeza, volvió a cerrar los ojos, hizo un puchero de puro nerviosismo—. ¿Quieres dejar de decir tonterías?

Se marchó taconeando casi con furia mientras Amparo me llamaba a gritos, ¡Inés, que es para hoy!, pero no quise irme a la cocina sin abrazar a Ricardo, y besarle en la cara como si siguiera siendo un niño de cuatro años.

—No entiendo nada —confesó él a cambio.

—Pues no es tan difícil —fue Galán quien se lo explicó—. Tu madre es una compañera —y sonrió—. Lo que pasa es que ella todavía no lo sabe.

La ignorancia de Adela terminó abruptamente un día de septiembre de 1973, cuando su primogénito advirtió por primera vez que le había brotado un séptimo sentido, y lo conectó con un consejo que había recibido muchas veces de su tío Fernando. Como norma general de la clandestinidad, nunca hay que olvidar que es mejor hacer el ridículo que meter la pata.

Ricardo no estaba acostumbrado a correr riesgos porque era abogado, pero llevaba diez años dedicándose casi en exclusiva a defender a presos políticos, y cuando vio venir de frente dos coches de policía con las luces encendidas, pasó de largo por el edificio al que se dirigía y siguió andando por la calle Lista, como si tal cosa. Al doblar la esquina, le dio tiempo a ver a media docena de grises entrando en el portal y comprendió que, en aquel barrio, aquella casa de ricos cuyo aspecto había bastado para protegerla hasta entonces, sólo podían ir a uno de los despachos con los que trabajaba. Mientras esperaba a que se abriera un semáforo para cambiar de acera, escuchó la voz de Galán y, al mismo tiempo, una distinta, la del séptimo sentido que sólo sabía repetir una frase, no vayas a dormir a tu casa, no vayas a dormir a tu casa, no vayas a dormir a tu casa... Aquella noche, cuando la policía tiró la puerta abajo, su ex mujer ya había tenido tiempo de llevarle en coche hasta Zaragoza, y a la mañana siguiente, cuando le buscaron en casa de su madre, ya se había marchado de Barcelona. Vas a tener que pasar andando, como en los viejos tiempos, le habían dicho allí, si estás en busca y captura y lo que quieres es irte a Francia enseguida, no hay otra. Él aceptó sin saber que nadie iba a poder prestarle unas botas de montañero que fueran de su número. A mediodía, cuando Adela me llamó, deshecha en llanto, fui yo quien le conté que eso era lo más grave que le había pasado a Ricardo.

—No te preocupes, han ido a buscarle los dos Fernandos, el padre y el hijo, pero está bien, aunque le duelen mucho los pies.

—¿Los pies?

—Sí —me eché a reír—. Por lo visto, ha tenido que pasar con unas botas que le estaban grandes, y le han salido unas ampollas espantosas, así que está muy arrepentido de no haber ido nunca de acampada, pero nada más...

En enero de 1974, Adela recibió una llamada de una desconocida, una mujer joven que después de pronunciar su nombre, Julia, se echó a llorar por teléfono. Perdóneme, señora, pero esto no es nada fácil para mí, me da mucha vergüenza... Lo primero que se le ocurrió pensar fue que su hijo la había dejado embarazada, y hasta contó cuatro meses con los dedos, pero no se atrevió a interrumpirla, y así se enteró de que aquella misma mañana se había quedado viuda. Su marido había muerto en plena calle, de un ataque cardíaco, igual que nuestro padre, y sus escoltas lo habían llevado a la casa donde convivía discretamente con aquella mujer desde hacía más de cinco años. Ella estaba destrozada, pero la muerte de mi hermano había afectado tan poco a su legítima esposa que ni siquiera ella lo entendía.

—Parece mentira, ¿verdad?, con lo que quise yo a ese hombre...

Me confesó que había intentado quitarse el entierro de encima, aunque no lo había conseguido porque aquella chica no quería hacerse cargo de nada, y todavía menos enterrarlo en Salamanca, para darle a su historia la publicidad que siempre habían esquivado. Lo único, añadió al final, si a usted no le importa que asista... A Adela casi le dio pena escucharla, y que hubiera escogido el verbo asistir para pronunciarlo con esa voz tan relamida. Le aseguro que a mí me da lo mismo, haga lo que usted quiera... Y sus hijos, ¿no se molestarán? Pues no creo. Ni siquiera sé si a mi hija le va a dar tiempo a llegar desde Washington, y a mi hijo, desde luego, no pienso dejarle venir.

—Y menos mal —me contó después, para confirmarme que tantas visitas a Toulouse le habían enseñado más de lo que yo creía—, porque había dos policías de paisano en la Almudena, esperándole, ¿sabes?

Les dijo que no había logrado ponerse en contacto con su hijo para informarle de la muerte de Ricardo, y uno de ellos, que era comisario y se le había presentado diciendo que conocía al difunto de los tiempos de la Cruzada, le dio un doble pésame, compadeciéndola más por haber parido un monstruo como mi sobrino, que había amargado los últimos días de la vida de su padre y a saber si no le habría matado del disgusto, que por haber perdido un marido como mi hermano. Eso resultó definitivo para una mujer que, ya treinta años antes, había sabido anteponer su cariño por mí a su fe religiosa, su aproximada ideología política y hasta su lealtad hacia el hombre al que amaba.

—¿Qué tendrá que decir el cabrón ese de mi niño? —porque su amor por su hijo era mucho más fuerte todavía—. ¡Vamos, hombre, pues no faltaba más! ¿Y usted qué es? Un torturador, ni más ni menos, un torturador y un hijo de la gran puta, ¿o es que se cree que yo me chupo el dedo?

—¡Adela! —sus palabras resonaron con tanta vehemencia, tanta sinceridad en mis oídos, que me asusté—. ¿Eso le dijiste?

—No, ¿qué te crees, que soy tonta? —y casi pude verla sonreír a través del teléfono—. Pero te juro que lo pensé, eso sí.

Yo tampoco le dije nunca que la muerte de su marido me había afectado más que a ella, pero la verdad fue que en el invierno de 1974, pensé mucho en Ricardo, aquel hermano tan divertido, tan protector al mismo tiempo, que quería acortarle la falda a España mientras disfrutaba del mundo por mí, para contármelo al día siguiente. Pensaba en él como si todavía tuviera veinte años, y me asombraba lo que nos había pasado después, haberlo perdido tan pronto, no haber podido despedirme de mi madre, haber vivido tantos años sin mi hermana Matilde, no saber qué cara se les habría puesto a sus hijos al llegar a adultos. Me acordé muchas veces de Dolores, mientras me daba cuenta de que yo también me había vuelto tonta perdida, con los años.

Me había hecho mayor sin darme cuenta, pero no era sólo eso, y lo sabía. El tiempo había vuelto a tener prisa, la pereza de los calendarios había sucumbido a la velocidad de los cronómetros, el final definitivo estaba cerca, y me daba miedo. El año que murió mi hermano, volví a cruzar muchas veces los Pirineos, el valle de Arán a mi espalda, cada vez más abajo, y aquellas cuestas que no se acababan nunca, que tampoco terminaron cuando llegamos al llano y siguieron desafiándome cada mañana, todos los días, durante treinta años. Me había tocado vivir cuesta arriba, pero no había podido permitirme el lujo de la inmovilidad, el consuelo de un desaliento cultivado con paciencia, con mimo, para cosechar el fruto de una elegante indolencia, la tristeza asumida como el inevitable contratiempo de un clima extranjero, templado y lluvioso. Me había tocado vivir cuesta arriba, y cuesta arriba había excavado la pendiente con las manos, me había fabricado un abrigo en la despiadada dureza de una roca, y allí, mientras creía haberme puesto apenas a salvo de la intemperie, había sido feliz, tanto que me daba miedo caminar mirando al suelo, abandonarme al vértigo de bajar, en un instante, la cuesta que había tardado tantos años en subir, precipitarme en el vacío para dejarme caer en el país cuya añoranza había estructurado mi vida entera. Y sin embargo, la cuesta abajo era inevitable. Yo lo sabía porque ya tenía un pie, un hijo, en España.

Mientras mi sobrino Ricardo se embobaba escuchando los episodios de la clandestinidad de Galán, mi hijo Miguel se embobaba todavía más escuchando los episodios de la clandestinidad de su primo, asambleas universitarias, infiltrados sindicales, saltos en la Gran Vía, citas de seguridad y carreras por los túneles del metro que para nosotros representaban muy poca cosa, pero para él, que sólo conocía la apacible democracia francesa, aderezaban una jungla tan irresistible que con el mayo del 68 no tuvo bastante. Si hubiera vivido en París, tal vez habría bastado con eso para saciar su instinto aventurero, pero como vivía en Toulouse, y al cumplirse el primer aniversario de aquel estallido, todos los adoquines volvían a estar en su sitio, aquel verano decidió irse de vacaciones a Madrid para celebrar que ya era abogado. Lo que pasó después, se veía venir. Se instaló en casa de Adela, le cogió el gusto a vivir peligrosamente, convenció a su primo para que alquilaran un piso a medias en la calle del Olivar, y consiguió casi al mismo tiempo un título español, una novia española, un puesto en el bufete de Ricardo y un par de detenciones, la primera en el 71, sin mayores consecuencias, la segunda en el 74, cuando mi nieta María todavía no había cumplido un mes, con un apercibimiento de expulsión que a su padre le dio mucho menos miedo que a mí, a su primo, más bien poco, y a él, ninguno en absoluto.

—Vuelve, Miguel —durante una larga temporada, mis conversaciones con él no tuvieron otro argumento—, vuelve, por favor, vuelve unos meses, aunque sea, y luego te vuelves a ir. ¿No ves que ahora, ya, ni siquiera está Ricardo allí para defenderte?

—Mira, mamá, no me llores, que ya me defiendo muy bien yo solo.

—¿Sí? Ya lo veo.

—Pues claro que sí —y se reía—. ¿No ves que me han detenido dos veces, y las dos han tenido que soltarme? ¿Te parece poco? Tengo veintisiete años, mamá, soy muy mayor. Tú no te preocupes.

—Pero ¿cómo no me voy a preocupar, hijo mío, cómo no me voy a preocupar, con la carrera que llevas?

—Que no me van a hacer nada, soy ciudadano francés, no sé si te acuerdas, así que si me expulsan, mala suerte. Pero vivo con una mujer, tengo una hija, no puedo dejarlas solas aquí, ¿sabes? Tengo responsabilidades.

—Pero puedes traértelas, puedes...

—¡Que no! —y en ese punto se extinguían sus responsabilidades y nuestras conversaciones—. Que no pienso volver a Toulouse, a aburrirme como una ostra, con lo bien que me lo estoy pasando aquí.

Cuando todavía no se me había pasado el susto, Vivi decidió marcharse detrás de su marido, que abandonó la delegación francesa de Siemens por un puesto equivalente en la española cuando el gallego empezó a entrar y a salir del hospital. Ya estaba haciendo obras en un local de la plaza de Chueca, que acabaría siendo la sucursal madrileña de Casa Inés, el día que todos los demonios quisieron llevárselo al infierno de una bendita vez. Y en febrero de 1976, colocamos un cromo diferente sobre uno de los ventanales del restaurante, al lado de la puerta. Era un cartel bastante grande, con un par de fotos a color, y una exclamación compuesta en mayúsculas, «El mejor restaurante español de Francia conquista Madrid», entre signos de admiración.

—No te puedes imaginar la cantidad de gente de Toulouse que viene a comer, mamá... —Vivi estaba encantada—. Entre eso, y los sindicalistas que trae Miguel, el fin de semana pasado tuve el comedor de bote en bote.

—Me alegro mucho, hija —a mí me daba tanto, tanto miedo—. Estoy muy orgullosa de ti, muy orgullosa de ser tu madre.

—Gracias, mami. Dile a Adela que se ponga, anda...

Porque no era ya que el tiempo tuviera prisa, era que corría que se las pelaba. Unas semanas antes de que Vivi preguntara por su hermana sin explicarme por qué, mi sobrino Ricardo, que había pasado la frontera con lo puesto y el carné de identidad, pidió un pasaporte en el consulado español. No tardaron ni un mes en dárselo, y decidió volver.

—Que me detengan, si tienen cojones —nos anunció, escuetamente, y Adela escogió ese momento para añadir que se iba con él.

Su padre se asustó tanto que cuando a nuestra hija le dio tiempo a aclarar que lo de irse con su primo era un decir, y no un noviazgo, no le quedó más remedio que dejarla marchar. Sólo después, ella condescendió a informarnos que Vivi le había pedido que la ayudara a llevar el restaurante.

En abril de 1976, nos quedamos solos en Toulouse con Fernando, que había ido a España antes que las niñas, aunque siempre había vuelto después de hacer las gestiones que su padre había tenido que delegar en otros camaradas hasta que empezaron a trabajar juntos.

—Y vosotros... —nos preguntó tras uno de aquellos viajes, después de enseñarnos un montón de fotos del restaurante de sus hermanas—, ¿no vais a ir a verlo?

—A mí me encantaría —reconocí—. Podríamos aprovechar las vacaciones, y este verano...

—No —pero al escucharme, Galán había doblado la lengua

dentro de la boca, para mordérsela con tanto afán como si pretendiera masticarla a continuación–. Yo volveré sólo para quedarme. A estas alturas, no pienso ir a España de turista.

–Pues, mira... –Fernando asintió con la cabeza y me miró–. Yo también creo que es lo mejor, mamá.

En diciembre de 1976, pusimos otro cartel junto a las fotografías del restaurante de Vivi. Era un anuncio de la cena de Fin de Año y, al mismo tiempo, una despedida. Y sin embargo, yo todavía cociné una vez más en la Casa Inés del Boulevard d'Arcole. La mía. La nuestra, porque aquella noche, la última, en Toulouse volvimos a ser cinco.

–Luego, es mucho más fácil, de verdad... –pero Montse estaba llorando–. Díselo tú, Amparo, ¿a que es verdad? –y la mujer del Lobo, que aquella mañana se había bajado del avión contenta como unas pascuas, tenía los ojos llenos de lágrimas–. ¿A que luego es todo mucho más fácil?

Angelita, que no lloraba nunca, lloró cuando decidimos vender el Picasso. Lola, que era casi igual de dura, lloró cuando propuso que le regaláramos a Vivi la foto del cumpleaños de Dolores. Y yo, que siempre había sido la más llorona de todas, ni siquiera me tomé la molestia de limpiarme la cara de dos manotazos, antes de advertirles que no se equivocaran porque no estaba llorando.

–Deberíamos estar contentas, porque esto era lo que queríamos, ¿no? –y al escuchar a Amparo, se me partió el corazón sólo de pensar que nunca más volvería a verla detrás de aquella barra–. Hay que ver... ¡Qué blandas nos hemos vuelto!

Habíamos vivido muchos años cuesta arriba, y aquella pendiente había sido tan dura, que ninguna de nosotras pudo concederse a sí misma el alivio de ablandarse un milímetro hasta que terminó el último.

Entonces sí.

Entonces, cuando nos resignamos a que por fin se hubieran cumplido nuestros deseos, lloramos todas juntas lo que no habíamos llorado en treinta años.

(El final de esta historia es un punto y seguido)

Pamplona, capital de Navarra, España, 13 de marzo de 1959. Y en el mismo acto, pero no a la misma hora, tal vez ni siquiera en la misma fecha, Ciudad de México, capital federal de los Estados Unidos Mexicanos.

En dos ciudades, dos países, dos continentes diferentes con un océano de por medio, un hombre y una mujer se casan por poderes. Hace veinte años que no se ven, pero se conocen muy bien. Hasta ahora nunca han estado casados entre sí, pero antes de unirse a otras personas, viven juntos como si lo estuvieran. Después, la Historia les pasa por encima, los aplasta como las orugas de un tanque machacarían un campo de margaritas, una guerra, un exilio, otra guerra, otro exilio, la gloria para él, luego la cárcel, para ella la pobreza, el olvido, una desgracia inmensa y, al fin, algo de paz, un poco más de bienestar, una prosperidad que termina por cuajar en la otra punta del mundo. Y ahora, al otro lado del tiempo, de la guerra, de la paz, del exilio, de la cárcel, de la clandestinidad, una boda por poderes. La Historia inmortal hace cosas raras cuando se cruza con el amor de los cuerpos mortales.

En 1935 Aurora Gómez Urrutia tiene veinte años y no llama la atención sólo por su belleza. Hija de un profesor republicano, seguidor de Azaña, se ha educado en un ambiente singular, la élite culta, progresista, incrustada en el corazón de plomo del tradicionalismo navarro. En su casa no sobra el dinero, pero hay muchos libros. Así, como muchas otras españolas de provincias de su generación, Aurora consigue completar, a base de lecturas, una formación autodidacta que suple el calvario que representaría para la reputación de su familia que abandonara la casa paterna, para mudarse a la ciudad universitaria más próxima y asistir a unas clases donde lo más probable es que la recibieran a pedradas.

Aurora tiene una hermosa cabeza —los ojos grandes, oscuros pero dulces, la nariz pequeña, la boca carnosa, todo armoniosamente distribuido en un óvalo de perfiles equilibrados, la frente, tal vez, demasiado ancha, pero coronada a cambio por una espesa, brillante cabellera negra— y, además, la tiene llena de muebles. Esta jovencita que también destaca por su inteligencia, posee una cultura política muy sólida, una posición de liderazgo en las juventudes de Izquierda Republicana, y la firme convicción de que es imprescindible limitar, a cualquier precio, el apabullante rebrote del carlismo navarro, que ya se ha definido como un apoyo incondicional para cualquier insurrección contra la República, venga de donde venga. Así, guapa, joven, luminosa, apasionadamente entregada a la causa del antifascismo, y muy seria, es Aurora Gómez Urrutia cuando Jesús Monzón Reparaz la enamora, y se enamora de ella.

En esta época, él todavía es Sito —apócope de Jesusito—, un chico un poco revoltoso, con opiniones peligrosas, amistades un tanto indeseables, y una extravagante inclinación por los ambientes proletarios del barrio de la Rochapea, pero, por encima de todo, un Monzón Reparaz, el cachorro de una de las mejores familias de Pamplona, hijo menor de un distinguido médico burgués y descendiente, por parte de madre, de un antiguo y blasonado linaje de la aristocracia rural de Navarra. Con estos antecedentes, es de esperar que sepa renunciar a tiempo al capricho juvenil que representa la hija de un maestro azañista. Pero lejos de obedecer a la voz de la sangre, Sito va a afianzar su relación con Aurora para demostrar que no encaja en ninguno de los moldes previstos para él, y su terquedad termina de frustrar las esperanzas de sus padres y de quienes, como ellos, confían en que asiente la cabeza en el dorado redil de sus orígenes.

En Pamplona no se habla de otra cosa porque, dejando a un lado esa irrelevante menudencia de los enamoramientos, esta pareja tiene tanto que ver con los tiempos que corren, que no es fácil distinguir cuál es la causa y cuál el efecto. Y no se trata sólo de que ella provenga de una clase social muy inferior, sino también, tal vez sobre todo, de su actitud. Que él juegue al revolucionario, bueno. De entrada, Sito lleva pantalones, y en unos tiempos tan revueltos, la desgracia de tener un hijo moderno le puede sobrevenir hasta a un Grande de España. Pero esta chica resabiada y vociferante, tan poco femenina, que es capaz de subirse a un estrado para que todo el mundo la vea gritando en los mítines, y de exhibirse por las calles, agitando el puño en la cabecera de las manifestaciones al lado de Jesús...

—¿Dónde se ha visto eso, por el amor de Dios? —murmuran entre ellas las excelentes amigas de doña Salomé Reparaz, la pobre señora de Monzón, sin atreverse a ser más explícitas ante la madre de esa calamidad que la está matando a disgustos.

Y sin embargo, quien funda el Partido Comunista de España en Navarra, no es Aurora, sino Sito. Ella siempre anda un paso por detrás de él, subordina su carrera política a la de su hombre, y no vacila en poner todas sus capacidades a su servicio. Le adora. Es la primera de la larga lista de mujeres que adorarán a Jesús Monzón Reparaz.

Él, que mientras pueda elegir, nunca destacará por su constancia, la quiere como no volverá a querer a ninguna otra. Por eso, cuando en Pamplona triunfa el golpe de Estado al que las amigas de su madre llevan años enteros rezándole novenas, y consigue escapar, piensa en Aurora antes que en ninguna otra cosa. Al llegar a Bilbao, contacta casi al mismo tiempo con la dirección del Partido Comunista de Euskadi y con los círculos de fascistas emboscados en la ciudad. Busca a una mujer que canjear por la suya, y la encuentra enseguida en la familia Ibarra, tan célebre por su fortuna como por las insignias de sus buques. Entonces, sin encomendarse ni a Dios ni al Diablo, al más puro estilo Monzón, se las arregla para que alguien le entregue a Aurora, en Pamplona, un salvoconducto idéntico al que él está dispuesto a firmar en Bilbao para una mujer de edad y aspecto semejantes, que intercambiará su identidad con la de la republicana que va a cruzar las líneas a la vez, pero en dirección contraria.

Ese es el plan y, muy pronto, un desconocido llama al timbre de la casa de los Gómez Urrutia. Su propietario está en la cárcel. Detenido en las horas inmediatas a la sublevación, condenado a muerte sin proceso alguno, sólo la intervención de un viejo amigo carlista ha logrado detener su ejecución en el último momento. Pero el recién llegado no pregunta por el profesor. Viene buscando a Aurora. Su hermana Elvira, que es la única persona de la familia que puede salir a abrir la puerta, la tiene escondida allí mismo, pero lo niega con toda la convicción que puede improvisar, Aurora no está aquí, ha desaparecido y no sabemos nada de ella, no tengo ni idea de dónde... El recién llegado sonríe y se limita a entregar a la cuñada de Monzón un papel doblado en cuatro, en el que sólo hay una palabra escrita.

–Ciruelica...

La literatura, el teatro, el cine, los libros de historia y los de memorias, la propaganda fascista, y la antifascista, han reproducido a menudo escenas semejantes, en España y en prácticamente todos los países de la Europa de la época. Una casa en zona enemiga, una persona escondida, un timbre, unos pasos, una visita, muchos sudores, y el recién llegado que se quita el sombrero, o la gorra, y amenaza, o se pone nervioso, y saca una pistola, o titubea, y cuenta una historia más o menos confusa, entrega una carta, algo pequeño, a veces una joya, otras un documento, a menudo un objeto sin valor aparente, y su destinatario miente sobre su identidad, se hace pasar por otra persona, duda, sospecha, intenta ganar tiempo, le pide al mensajero que vuelva otro día, se desploma en un sillón sin saber qué hacer, qué pensar, en quién confiar, y acierta, o se equivoca.

–Ciruelica...

Este desconocido se limita a dejar un papel doblado en cuatro entre las manos de Elvira Gómez Urrutia, añade que es para su hermana, que volverá dentro de un rato, y se va. Ella lo abre, pero no lo entiende, como no lo habría entendido ningún policía, ningún soldado, ningún funcionario que hubiera sometido a un registro a su portador. Ciruelica. Elvira lo lee, menea la cabeza, frunce el ceño. Ciruelica. Y esto ¿qué es? Pero Aurora sí sabe lo que es. Ella sabe muy bien quién, y cómo, y cuándo, y dónde la llama así. Al leerlo, se le llenarían los ojos de lágrimas, la barbilla de babas, el corazón de un amor tan salvaje que estaría a punto de hacer saltar por los aires todas sus arterias. Ningún policía, ningún funcionario puede entenderlo, pero esa sola palabra hace rebosar su conciencia del privilegio de ser amada por un hombre como él, y sobre todo, de la alegría de poder amarle.

—Ciruelica...

Una sola palabra basta para explicar hasta qué punto debía de ser difícil resistirse a Jesús Monzón. Pero también es fácil imaginar que este episodio, sin dejar de ser muy bonito, muy literario, muy emocionante, resulte, además, muy representativo del tipo de actitudes que generan desconfianza hacia él en el seno del PCE. Sus camaradas de la dirección no aprecian demasiado el romanticismo y, menos aún, el individualismo de los hombres de acción. No pueden negar que el dirigente navarro haga las cosas bien, pero resulta mucho más irritante que esté tan empeñado en hacerlas siempre a su manera. Y ninguno de sus superiores puede objetar nada al resultado de sus gestiones, pero todos preferirían un procedimiento más convencional, menos palabritas y más reuniones, más reuniones, más reuniones, hasta que ellos mismos decidieran cómo y cuándo efectuar un canje como aquel. A aquellas alturas, ni siquiera pueden imaginar la clase de complicaciones que van a crear en su organización las palabritas de Monzón, el desaforado amor que sabrán inspirar en las mujeres que se crucen en su camino.

Pero ahora, lo único importante es la guerra, y la guerra no marcha bien. En junio de 1937, cuando la caída del frente norte les obliga a salir de Bilbao, camino de Valencia, los Monzón ya son tres. Ha nacido su hijo Sergio, un niño que recorrerá con sus padres un país en guerra, que sobrevivirá a dos años de bombardeos nocturnos y diurnos, que sorteará los peligros del frío y la deshidratación a lo largo de viajes agotadores por carreteras cortadas, y que hasta saldrá ileso del trágico caos del puerto de Alicante para morir a destiempo, cuando ya parece a salvo de todo mal. Jesús consigue una plaza para su mujer y para su hijo en uno de los últimos barcos que salen de allí, camino de Orán, el 29 de marzo de 1939, pero el final feliz no dura mucho tiempo. Unos meses más tarde, reunidos los tres en Francia con la guerra mundial en el horizonte, es de nuevo él, asumiendo en solitario cualquier riesgo, quien toma una decisión audaz, radical y fulminante, como las que le caracterizarán de entonces en adelante. Sometido a la presión de su familia biológica, que insiste en criar al niño en la Pamplona franquista y requeté que él odia por encima de todas las cosas, opta por confiarlo a su familia ideológica.

—¿No queríais puré? —¡ah, los rojos españoles!—. Pues tomad tres cucharas.

Aurora, que sin haber inspirado jamás la menor sospecha de connivencia con el enemigo, ni deja de ser católica, ni llega a ser comunista, se muestra en principio dispuesta a mandarlo a Pamplona, a casa de sus suegros, sacrificando sus principios al bienestar de su hijo. Y si se opone después con todas sus fuerzas a enviarlo a Moscú, tampoco es por prejuicios ideológicos. Sergio, que sólo tiene dos años, le parece demasiado pequeño para un viaje tan largo, pero Jesús ni siquiera se toma el trabajo de considerar su opinión. Esa es la contrapartida de las dulces contraseñas de antaño. Los hombres explosivos terminan por explotar, porque esa es su condición, su naturaleza, y Monzón siempre será fiel a sí mismo en lo mejor y en lo peor, para lo bueno y para lo malo. Así, con la misma determinación de la que Aurora se ha beneficiado en, al menos, dos ocasiones, se las arregla para acomodar a su hijo en un barco destinado a la Unión Soviética.

En justicia, hay que decir que no hace más que seguir el ejemplo de la mayoría de sus camaradas, porque muchos otros comunistas españoles, vinculados o no al Comité Central, han mandado antes a sus hijos a la URSS, y a ninguno de aquellos niños le ha ocurrido nada malo. Al contrario, han sido alojados en viviendas confortables, y están recibiendo una educación esmerada en unas condiciones materiales que, como a algunos de ellos les sorprenderá descubrir después, les garantizan un nivel de vida muy superior al que gozan los niños soviéticos. Sin embargo, la de Jesús es una mala decisión, una apuesta desgraciada, porque aquella postrera caravana de niños republicanos españoles tendrá para Sergio Monzón Gómez un trágico final que sus padres tardarán años en conocer.

En el tren que lleva a los últimos pequeños evacuados hacia Moscú, se declara una epidemia que la mayoría de los pasajeros supera sin mayores contratiempos. Sólo cuatro o cinco críos enferman de gravedad, y Sergio está entre ellos. Al final, la escarlatina le concede a Aurora una razón cruel. Su hijo, criado con las deficiencias sanitarias y alimenticias propias de un país en guerra, sólo tiene dos años, y aunque los médicos soviéticos, al tanto de la posición política de su padre, hacen por él todo lo que saben, lo que pueden hacer, no logran arrancarlo de la muerte. Mucho antes de conocer esta noticia, antes incluso de que su hijo desembarque en la Unión Soviética, Aurora abandona a Jesús. No puede perdonarle que le haya arrebatado al niño a la fuerza, a traición, pero parece que él también la ayuda bastante a tomar esa decisión.

Según cuenta en sus memorias, Manuel Azcárate conoce a Monzón en la época de «la guerra de broma», la *drôle de guerre*, como dan en llamar alegremente los franceses a los meses que transcurren entre el verano de 1939 y el inicio de la ofensiva alemana sobre Occidente. No precisa la fecha de su primer encuentro, pero sí cuenta que se lo presenta Carmen de Pedro, y que frecuenta la compañía de ambos, siempre juntos, antes del mes de febrero de 1940, en el que obtiene por fin los visados para viajar a Londres y reunirse con su familia. En esa fecha, antes de abandonar Francia, ya es evidente para él que Carmen y Jesús tienen una relación amorosa consolidada, aunque evitan mostrarse en público como pareja.

Mientras tanto, Aurora sigue viviendo en París, la misma ciudad en la que Monzón se instala con su flamante compañera en el periodo previo a la ocupación nazi de Francia, pero Azcárate no dice ni una sola palabra sobre ella. O Jesús no se la presenta jamás, o su amigo Manolo decide derramar sobre su figura los siempre incalculables beneficios de la fraternal solidaridad masculina. Sin embargo, según la correspondencia que se conserva, a finales de 1941, Aurora, con la que ha perdido todo contacto, está aún en París, Carmen presumiblemente en la inopia. La madre de Sergio está al tanto de las grandes juergas que Jesús ha sabido simultanear con el cortejo a su nueva pareja en la época previa a la ocupación alemana. Las sistemáticas ausencias del padre de su hijo, sus constantes y variadas infidelidades, pesan ya en su decisión de abandonarle antes de que él seduzca sin dificultades a la mujer que más le conviene. Después, quizás Aurora sepa de Carmen, porque Monzón tiene la costumbre de romper por carta, sin ahorrar detalles, pero se mantiene absolutamente al margen de él, y del partido que dirige, hasta que encuentra una oportunidad de emigrar a México.

Muchos siglos antes de que esta historia se deslice hacia su sorprendente final, en la Antigua Grecia empieza a circular la del joven Jasón, un muchacho fuerte, pero no demasiado, habilidoso, pero no demasiado, inteligente, pero no demasiado, hermoso, pero no demasiado, valiente, pero no demasiado, veloz, pero no demasiado, astuto, pero no demasiado, a quien atormenta la conciencia de sus limitaciones. Jasón es nombrado capitán del *Argos*, la nave que, en nombre de una sagrada reclamación del rey Pelias, va a surcar el mar civilizado para adentrarse después en las salvajes aguas que arriban a las costas de la Cólquida, lo que hoy llamamos el Cáucaso, patria de los piratas bárbaros e impíos que se niegan a devolver el Vellocino de Oro a sus legítimos amos. El rey afirma que son los oráculos, y no él, quienes han escogido a Jasón, porque está escrito que será el único guerrero capaz de devolver el Vellocino a manos griegas. Su joven súbdito acata piadosamente los designios de los dioses, pero al pasar revista a su tripulación, integrada por los héroes más extraordinarios de todos los tiempos, desde Teseo y Orfeo hasta Cástor y Pólux, pasando por Ulises de Ítaca y hasta el mismísimo Hércules, se mira a sí mismo, y se encuentra tan inferior a sus subordinados que siente la tentación de abandonar.

Mientras tanto, el centauro Quirón, su maestro y mentor, sabio de extraordinario poder, bendecido por Apolo con el don de la profecía, que se hace cargo de Jasón desde que ve a su madre abandonarlo cerca de su cueva, como si fuera el hijo bastardo de un pastor y no un príncipe de sangre real, le mira con una sonrisa entre los labios. Él sabe que el veredicto de los oráculos es una patraña. Pelias, al encargar aquella imposible hazaña a un sobrino suyo que ignora que lo es, pretende en realidad enviarlo a la muerte, para que Jasón nunca vuelva de la Cólquida a reclamar el trono que legítimamente le pertenece, pero Quirón está tranquilo. No tiene la menor duda de que a su discípulo le espera la gloria, él lo ha educado para eso, y le complace su modestia, esa falta de arrogancia que constituye en sí misma un principio de sabiduría. Tal vez por eso, no le deja zarpar con la angustia de sospecharse fracasado de antemano, y en la víspera de su partida, contesta por fin a sus preguntas.

—La mayoría de los argonautas son mejores que yo, más fuertes o más sabios, más inteligentes o más astutos. Ellos han derrotado a monstruos terribles, han triunfado sobre enemigos poderosos, han subido al Olimpo, han bajado al Hades, pero yo... —y el pobre muchacho deja caer la cabeza, baja la vista, se mesa los cabellos con desesperación—. ¿Qué puedo hacer yo, maestro?

—Tú también tienes un don, y es más valioso que los suyos, porque te permitirá regresar triunfante, con el Vellocino de Oro entre los brazos —Quirón mira a su discípulo con una ternura que se disipa pronto, a favor de una lasciva sonrisa de viejo verde—. Tú has nacido con el don de enamorar a las mujeres, Jasón.

Él sabe que Quirón es sabio, que puede ver el futuro, que nunca se equivoca, pero ni aun así logra creerle. ¿Cómo va él a enamorar a nadie, si ni siquiera es el más bello, si algunos de sus compañeros tienen cuerpos mucho más hermosos que el suyo, si no sabe galantear, ni tañer instrumentos, ni tiene una voz armoniosa, ni un ingenio agudo, si no es más que un pobre pastor pueblerino, tosco y sin brillo, un hombre del montón? Y sin embargo, Jasón conduce el *Argos* hasta la Cólquida saltando de cama en cama, de reina en reina, y en el instante en el que la princesa Medea pone sus ojos sobre él, se acaban todos sus problemas.

—Ese, para mí.

Medea traiciona a su patria y a sus dioses, a su familia y a su dinastía, a su padre y a su madre, por el amor de Jasón. Y ella misma roba el Vellocino de Oro, la posesión más valiosa de su pueblo, y se lo entrega a aquel extranjero a cambio de una promesa de matrimonio. Hace un negocio regular, porque Jasón cumple su palabra, se casa con ella, la convierte en su reina, pero él ha nacido con el don de enamorar a las mujeres y Medea no es la única mujer del mundo. Como suele ocurrir en estos casos, incluso cuando la exuberante voluntad de los dioses no anda de por medio, ninguno de los dos tiene toda la culpa. Desde entonces, la Historia inmortal hace cosas raras cuando se cruza con el amor de los cuerpos mortales, pero los hijos de Jasón casi siempre caen de pie.

Aurora Gómez Urrutia llega a México con las manos vacías en un momento indeterminado, seguramente posterior a la Liberación de Francia, y por fin tiene suerte, después éxito. Esta mujer brillante y autodidacta, inteligente y trabajadora, logra imponer sus capacidades a la carencia de un título universitario para hacer una carrera fulgurante en la delegación mexicana de la multinacional petrolera Shell. A principios de los años cincuenta, convertida en una ejecutiva de gran porvenir, se casa con un exiliado español cuyo nombre carece de interés para esta historia. Él, a cambio, es muy importante, porque le enseña algo que sus compatriotas han tenido que aprender a la fuerza durante una posguerra durísima que a aquellas alturas no ha terminado todavía. Que es más fácil aprender a vivir sin café, sin chocolate, sin sal y sin azúcar, que aficionarse a los sucedáneos.

—Ciruelica...

A principios de los años cincuenta, cuando reanuda su relación con el amor de su juventud, Jesús Monzón está preso en la cárcel de El Dueso, en Cantabria. Lo único razonable es pensar que sea él, que ni siquiera puede estar seguro de qué porcentaje de su condena ha cumplido, quien escriba primero, pero las cosas no suceden así. A pesar de todo, y de la muerte de Sergio en un hospital soviético, es Aurora, libre y triunfadora, independiente y próspera, mimada por la suerte pero infeliz en su matrimonio, quien escribe a Jesús. Y a él, vuelve a bastarle una sola palabra.

—Ciruelica...

Las cartas de Aurora encierran una promesa de futuro que Jesús Monzón Reparaz se ha negado a invocar por otros medios. Su familia nunca le desampara, ni deja de mover cualquier influencia a su alcance para promover su puesta en libertad, pero él mismo va frustrando puntualmente todos sus intentos, al negarse a cualquier colaboración con sus carceleros. Muy pocos lo han tenido tan fácil, pero Monzón pasa quince años en diversas cárceles españolas, y en algunos momentos, hasta parece que va a cumplir la sentencia íntegra, porque los juzgados penitenciarios le escatiman durante mucho tiempo las reducciones de condena a las que la ley le da derecho, y se niegan a aplicarle diversos indultos que, legalmente, le corresponden. En 1956, Aurora, divorciada ya, le consigue un visado para viajar a México, pero su plazo expira sin lograr que le pongan en libertad. En 1958, le ofrecen la posibilidad de beneficiarse al fin de un indulto a cambio de abandonar inmediatamente el país, pero entonces, es él quien se niega a aceptar, alegando que ya ha cumplido su condena y que sólo está dispuesto a admitir una libertad sin condiciones.

Esta llega, con la propina del adjetivo «provisional», en enero de 1959, pero en el tira y afloja constante que el recién liberado mantiene con las autoridades, cuando se casa por poderes con Aurora, dos meses más tarde, ni a él le dejan salir de España, ni a ella entrar. No lo consigue hasta el mes de junio de 1960. Cuando la Ciruelica logra reunirse en Pamplona con el hombre de su vida, comienza al fin una etapa americana, plácida y feliz para ambos, que será sin embargo más corta que el periodo que Jesús Monzón ha vivido recluido en las cárceles de Franco.

La Historia inmortal hace cosas raras cuando se cruza con el amor de los cuerpos mortales, pero cuando ese amor se acaba, los destinos que han sabido dibujar juntos los más barrocos e indescifrables arabescos, se tienden como cuerdas paralelas sobre una monótona alfombra de color pardo, el paisaje donde suceden las biografías más anodinas. Así, para Carmen de Pedro no hay ningún final feliz. La vulgar, insignificante jovencita, a la que una pasión amorosa logró elevar a dimensiones épicas, vive durante el resto de su vida como lo que es, una mujer vulgar, insignificante. Pero antes, tiene que pagar el precio de su audacia.

Ella, que no es muy lista, seguramente no acierta a prever el desarrollo de los acontecimientos que desencadena la detención de Jesús Monzón en junio de 1945. Tal vez, hasta cree escuchar a distancia un rumor de campanillas, el revoloteo de una varita mágica agitándose en el aire sobre las cabezas de los policías que esposan para su desgracia al hombre a quien ha amado tanto. Pobre Carmen. Quizás piensa que con eso ya está todo arreglado, que las acusaciones, los reproches, su propias culpas, se han disuelto en la providencial oportunidad de aquella caída como un azucarillo en un vaso de agua. Pobre Carmen, que se queda viuda demasiado pronto, como si aquella varita tenaz, alocada y marxista, que parecía haberle concedido el don de inspirar siempre el amor de un dirigente a tiempo, no alcanzara a salvarla por tercera vez. Pobre Carmen, que nunca, ni por su inteligencia, ni por su lealtad, ni por su coraje, está a la altura del resto de las mujeres que intervienen en esta historia.

Después de la detención de Jesús, el hada madrina de Carmen de Pedro debe de pensar que ya ha hecho bastante por esta imprudente jovencita, y se retira a descansar, dejando su destino en unas manos mucho menos cariñosas. El azar dispone la caída de Agustín Zoroa en el otoño de 1946. Y no interviene en su sentencia de muerte, responsabilidad exclusiva de los tribunales franquistas que le condenan, pero sí decreta que su ejecución tenga lugar el 29 de diciembre de 1947, para que su compañero ante el paredón sea Cristino García Granda, que ha pasado a la Historia como el héroe entre los héroes de la Resistencia francesa, que ha pasado a la Historia como el responsable del asesinato de Gabriel León Trilla, que ha pasado a la Historia como una luz y como una sombra, la cara miserable de la gloria, la gloriosa cara de la miseria, símbolo inmarcesible de la lucha antifascista, estampa imborrable de la pistola estalinista, el más valiente, el más cobarde, y una imagen terca, pero desenfocada, de decenas de miles de comunistas españoles que fueron tan indignos de sus virtudes como inocentes de sus pecados.

Pobre Carmen. Seguramente, nunca se atreve a decirlo en voz alta, pero la detención de Monzón debe inspirarle un alivio infinito, una paz instantánea, fronteriza con la alegría, o tal vez ni siquiera eso. Quizás, aunque no se atreva a reconocerlo ni siquiera ante sí misma, está deseando volver a verle, volver a mirarle, a espiar sus gestos, sus miradas. Quizás le gustaría ver también a su rival, a la mujer que se lo ha robado, porque le gustará pensar así, mejor eso que aceptar que a Jesús ni siquiera le ha hecho falta enamorarse de Pilar Soler para desprenderse de ella. Quizás sueña con presentarse ante él como la mujer de Zoroa, la buena esposa de un buen comunista, mira, ¿ves?, ya estoy en gracia otra vez, y más que tú, por cierto, ¿qué te parece? Pero aquel encuentro, deseado o indeseable, nunca se produce, para su tranquilidad y la de la dirección del Partido en Francia.

Porque van a pasar más de cinco años antes de que la dirección del Partido Comunista de España le pierda el miedo a Jesús Monzón Reparaz. Cinco años de tanteos, de calumnias, de rumores injuriosos, cinco años de miserias filtrándose despacio, gota a gota, en la conciencia de quienes han seguido a este hombre admirable en tantas cosas, que nunca ha sido un santo pero tampoco es, ni mucho menos, un traidor. Cinco años con Jesús fuera de juego, de cárcel en cárcel, con la boca cerrada de los buenos perdedores. Sólo después, cuando están seguros de que nadie podrá echarles en cara sus propias culpas, los beneficiarios de los méritos de Monzón aprovechan un favor de la policía checa para ajustarle las cuentas.

En 1949 es detenido en Praga Noel Field, aquel misterioso empleado norteamericano de la Sociedad de Naciones que colaboraba como voluntario con el Unitarian Service, una asociación teóricamente benéfica y dedicada, en teoría, a ayudar a los refugiados, que en la práctica contribuía a socorrer, con fondos y redes clandestinas, a las organizaciones antifascistas europeas. Noel, viejo amigo de Pablo Azcárate, recibe en Ginebra, en 1943, a su hijo Manolo y a Carmen de Pedro, para entregarles medio millón de pesetas que Monzón invierte en la reestructuración del Partido en el interior. En la época en la que contacta con el PCE, Field ya ha sido reclutado por Allen Dulles, jefe de la Inteligencia norteamericana en Suiza durante la Segunda Guerra Mundial e inminente director de la CIA, a pesar de que en Ginebra se sospecha su filiación comunista. A partir de entonces, trabaja en realidad como un agente doble, aunque su voluntad, su corazón, siempre están del lado de la Unión Soviética. Su trabajo consiste, básicamente, en conseguir que Dulles ponga en práctica las instrucciones que para él recibe desde Moscú.

A pesar de su historial, el implacable desbordamiento del terror estalinista provoca su detención en Praga, adonde ha llegado con una misión encomendada por la CIA después de haber perdido su trabajo en la Sociedad de Naciones. Y ni su voluntad, ni su corazón, ni sus años de trabajo para la NKVD, le sirven de nada. Interrogado con métodos atroces, acaba confesando a un paso de la muerte su relación con la inteligencia norteamericana y todo lo que sus torturadores quieren oír. Su testimonio sirve como base de un proceso que se celebra en Budapest y arroja como resultado, naturalmente, su reclusión indefinida en una cárcel húngara. En 1954, después de la muerte de Stalin, es puesto en libertad. Cuando le preguntan por qué quiere quedarse en Hungría en lugar de volver a los Estados Unidos, hace unas declaraciones sobrecogedoras, que habrían llenado de lágrimas los ojos de sus verdugos, si sus verdugos hubieran conservado la humana capacidad de emocionarse con algo. Quiero seguir viviendo entre las personas que aman lo que yo amo, eso declara. Entre las personas que odian las mismas cosas, y a las mismas gentes a las que odio yo.

La detención de Noel Field le da a la dirección del PCE la oportunidad de montar su propio proceso, moralmente cruel pero físicamente incruento, para vengarse de Monzón a través de sus colaboradores más cercanos. El primero es Manolo Azcárate, que para describir la atmósfera de los interrogatorios que tienen lugar en enero de 1950, en la sede parisina que el Partido tiene en la Avenue Folch, recuerda en sus memorias que sale de una de aquellas sesiones pensando que si no fuese él mismo, si no se conociera, pensaría que él mismo es un espía capitalista.

Azcárate afirma que nunca, jamás, se le pasa por la cabeza la posibilidad de que Monzón haya tenido el menor contacto con ningún agente norteamericano. Sin embargo, al contestar a las primeras preguntas, en apariencia inocentes, sobre el espléndido nivel de vida de Carmen y Jesús en la Francia ocupada, se da cuenta de que sus respuestas pueden estar contribuyendo a montar una causa contra Monzón, pero también de que, si insiste demasiado en su defensa, corre el riesgo de que acaben considerándole su cómplice, porque no puede fiarse de las declaraciones de otros testigos, cuyo número e identidad ni siquiera conoce. Así que aguanta el tipo como puede, sin aportar argumentos a la acusación contra su amigo, pero limitándose a defender contra viento y marea su propia inocencia. Y no tarda mucho en descubrir hasta qué punto sus precauciones están bien fundadas.

Porque cuando acaban con él, cogen por banda a la más débil, y a las primeras de cambio, Carmen de Pedro se viene abajo. La que ha sido compañera de Jesús durante casi cuatro años, se derrumba sin condiciones para declarar lo que no ha declarado Manolo Azcárate, lo que no ha declarado Pilar Soler, lo que no ha declarado Manuel Gimeno, lo que sabe y lo que no sabe, lo que recuerda y lo que nunca ha pasado, lo que se le ocurre inventarse sobre la marcha y lo que otros se inventan por ella. Carmen de Pedro declara lo que hace falta, contra Monzón y contra sí misma, pero sus acusadores insisten en el ejercicio de su autohumillación hasta que se arrastra lo suficiente, que, a juzgar por las actas que se conservan, es mucho más de lo imprescindible. La heroica memoria de Agustín Zoroa, cuyo nombre forma parte del catálogo de argumentos que se manejan en su contra, como si sus acusadores también hubieran necesitado que pasen cinco años para asombrarse de una boda que dejó a todos sus camaradas con la boca abierta, no puede hacer gran cosa por ella, aunque no es expulsada. Después, la mandan a vivir a Moscú, muy lejos, muy sola, estremecida para siempre por un terror perpetuo, definitivamente indigna de haber compartido los mejores años de la vida de Jesús Monzón Reparaz.

Así, el destino hace una extraña justicia al honor del hombre que hizo grande al PCE en el ojo del huracán de una guerra mundial. Al cabo, Monzón, para quien la sentencia, preso en España como está, no tiene otra consecuencia que la amargura, es el único expulsado. Carmen de Pedro, que dependía de él más que nadie, que le ha amado mucho, y por tanto, debería haber sido quien menos motivos tuviera para condenarle, es quien más sañudamente le ataca, pero también, a la postre, la única que paga las consecuencias.

Algunos de los colaboradores más próximos de Monzón disfrutan de la inmunidad más absoluta. Entre ellos está, en primer lugar, Domingo Malagón, el falsificador más genial de la Historia de España, de quien Santiago Carrillo dirá muchas veces que es la única persona verdaderamente imprescindible en el Partido, para el que fabrica, durante más de treinta años, un número incalculable de pasaportes, cédulas, documentos y carnés de identidad tan perfectos, que la policía franquista nunca es capaz de distinguirlos de los que producen sus propios funcionarios. Pero la cúpula militar del monzonismo tampoco es molestada en absoluto, ni antes ni después de aquel día de 1945 que Pasionaria escoge para alabar en público a Vicente López Tovar. Ni siquiera Ramiro López Pérez, alias Mariano, consejero militar de Monzón y, probablemente, autor del impecable plan operativo de la invasión del valle de Arán, sufre la menor sanción. Sigue formando parte del aparato del Partido y, en 1952, se casa con la heredera de uno de los grandes linajes de la «aristocracia» comunista española, Carmen López Landa, una más entre aquellos niños que gozaron de la exquisita hospitalidad soviética sin contratiempo alguno durante la guerra mundial, hija única de Francisco López Ganivet, un dirigente de Granada, sobrino de Ángel Ganivet, y de Matilde Landa, paradigma de heroína de la resistencia antifranquista.

Pero ni siquiera este es el caso más significativo. En el verano de 1956, cuando Manolo Azcárate ya ha vuelto a formar parte de los consejos editoriales de diversas publicaciones del Partido, al que ha llegado a representar en algunos eventos internacionales, Manuel Gimeno, que lleva más de diez años apartado de toda responsabilidad, recibe un buen día un mensaje de un desconocido, Santiago quiere verte. Santiago sólo puede ser Carrillo, y Gimeno acude a la cita para llevarse una de las mayores sorpresas de su vida. Quien todavía no es, pero ya actúa como, secretario general del PCE, le ha convocado nada más y nada menos que para ofrecerle la posibilidad de volver a entrar en España como clandestino.

Gimeno se queda de plástico mientras Carrillo, como si no hubiera pasado nada, le explica la nueva línea política, para informarle después de que han perdido el contacto con el camarada que estaba trabajando en la zona de Levante. Su misión, en el caso de que la acepte, consiste en reemplazarle, explicar a las bases la nueva orientación, organizar unas jornadas por la Reconciliación Nacional y, por supuesto, volver para informar de la situación del Partido en España. Para sacudir a su interlocutor de la profunda perplejidad en la que le están sumiendo sus palabras, e inclinarle a su favor, Carrillo le advierte que «tu amigo Monzón» también va a trabajar desde la cárcel para organizar las jornadas de Pamplona. Entonces, incapaz de levantarse de la silla y de marcharse de allí como si tal cosa, Gimeno se atreve a reafirmar su inocencia, y la de todos sus camaradas de la dirección monzonista, ante el hombre que actuó como supremo acusador en las sesiones del proceso que tuvo lugar seis años antes, en la sede de la Avenue Folch. Y recibe una respuesta concisa, directa y sincera, al más puro estilo Monzón, que probablemente tampoco espera.

—Aquellos fueron años muy duros, y bastante miedo tenía yo, bastante miedo teníamos todos...

Santiago Carrillo se justifica por haber perseguido al equipo de Monzón, alegando que la cacería llegó hasta tales extremos que nadie se sentía seguro, ni podía concentrarse en otra cosa que no fuera defenderse a sí mismo. A algunos, les parecerá una demostración más de su instinto político. A otros, una muestra suprema de cinismo. Gimeno, por su parte, le mira a los ojos y le cree, lo suficiente al menos como para aceptar la misión que acaba de proponerle. Poco tiempo después, vuelve a entrar clandestinamente en España bajo una consigna, la Reconciliación Nacional, que no difiere mucho del programa de la UNE que ha defendido en otros viajes.

La respuesta de Carrillo no es el único dato relevante, y asombroso al mismo tiempo, de aquella reunión sobre la que Manuel

Gimeno nunca llega a escribir, pero sí cuenta en algunas entrevistas. Algunos historiadores del PCE confirman que la dirección intenta repetidamente recuperar a Monzón, reintegrarlo a la organización antes de que salga de la cárcel. Pero, tal vez, ni siquiera eso resulta tan llamativo como el carisma de Jesús, la impronta que deja no sólo en las mujeres, sino también en los hombres que lo han tenido cerca. Para Gimeno, nada habría sido tan fácil, tan prudente como morderse la lengua, pero no lo hace. Pocos dirigentes comunistas han suscitado lealtades personales tan fuertes como las que siguen vinculando a Monzón con sus colaboradores más cercanos, en pleno furor estalinista y por encima de su doble desgracia, expulsado por traidor, encarcelado por Franco. Y muchos menos han sabido merecer, y conservar, el título de «amigo» entre sus íntimos, incluso en circunstancias mucho más blandas, y por tanto propicias, para lograrlo.

Los motivos que hayan podido impulsar a la dirección del Partido a recuperar a Monzón, se resumen en uno solo. Debe de seguir pareciéndoles un enemigo más peligroso por sus virtudes que por sus defectos, demasiado en cualquier caso para que ande suelto. Pero aunque él se niega a volver a integrarse en la disciplina del PCE, los temores de sus antiguos camaradas resultan infundados. Con la ayuda del prestigio y los contactos de Aurora, Jesús consigue vivir muy bien, primero en México, después en Venezuela, aunque su trayectoria profesional, como profesor en una escuela de empresarios fundada por el Opus Dei, es uno de los datos más inverosímiles de su ya considerablemente inverosímil biografía. Sin embargo, él jamás piensa que ese trabajo sea algo distinto a un medio para ganarse la vida, y tampoco deja nunca, ni siquiera en las negociaciones previas a su contratación, de presentarse a sí mismo como lo que siempre ha sido, un marxista, ateo y dirigente histórico del PCE. Jesús Monzón Reparaz sigue siendo un comunista sin partido durante el resto de sus días. Por eso, aunque durante años, muchos de sus alumnos, de los amigos que hace en su nueva etapa, le animan a contar su versión, a escribir sus memorias, él siempre rechaza esa posibilidad, con una sonrisa entre los labios y una sola razón para su negativa.

—No, porque el Partido no quedaría bien.

Francisco Antón tampoco escribe nunca sus memorias. El otro gran amante de esta historia toma sus propias decisiones, pasa por su propio calvario y afronta su propio ostracismo, pero no deja ningún testimonio público de los hechos de su vida. Es difícil calcular la cantidad de millones de pesetas que cualquier editor español, y el fundador de Planeta, José Manuel Lara Hernández antes que ninguno, habría podido llegar a pagar, durante los últimos años del franquismo o los primeros de la Transición, por un manuscrito en el que hubiera contado, incluso sin detalles explícitos, su vida íntima con Pasionaria. Durante una buena temporada, ese libro podría haberles resuelto la vida, a él y sus descendientes. No fue así, porque nunca lo escribió.

La Historia inmortal hace cosas raras cuando se cruza con el amor de los cuerpos mortales, a veces para mal, a veces para bien. A cada cual, lo suyo, y de aquel chaval tan joven, tan apuesto, tan irresistible mientras estuvo embutido en un uniforme de comisario del Ejército del Centro, se puede decir lo que de muy pocos. De lejos, podrá parecer un oportunista, un desaprensivo dispuesto a explotar el capital de su belleza física, un seductor de barrio, capaz de hacer cualquier cosa con tal de trepar. Pero, cuando llega la hora de la verdad, se porta primero como un hombre, y después como un señor.

Francisco Antón nunca está tan a la altura de Dolores Ibárruri como el día en que se atreve a decirle, tal vez sólo a confirmarle, que se ha enamorado de otra mujer y que quiere casarse con ella. No es posible adivinar dónde, en qué fecha, de qué manera sucede, porque el silencio que sepulta el final de esta historia, es aún más impenetrable que la imaginaria confabulación de comunistas sordomudos que lo decreta desde sus principios. Pero, cuando la primera década del siglo XXI llega a su fin, mutilar a la mujer española más importante del siglo XX de una pasión que convierte su vida en una aventura excepcional en todos los sentidos, no la favorece en absoluto.

La Historia inmortal hace cosas raras cuando se cruza con el amor de los cuerpos mortales, pero más allá del inmutable, azaroso milagro que labran dos miradas al cruzarse, los seres humanos somos tiempo, historia con minúscula. Aunque durante casi cuarenta años parezca lo contrario, el tiempo que pasa por Dolores Ibárruri, va a pasar también por su país. El espejismo de inmovilidad, de moribunda asfixia desprendida del mundo y sus progresos, que la ley del vencedor proyecta en 1939 sobre sus rehenes, una generación completa de españoles su botín de guerra, no es ya más que eso, un espejismo, muchos años antes de que su superficie empiece a resquebrajarse. Aquella labor lenta y minuciosa, la implacable obstinación con la que tantos dedos de hierro pretenden bordar una imperial vocación de eternidad sobre las conciencias de millones de niños aterrorizados, no vale al cabo ni el precio de las horas de trabajo. El hombre que gana la guerra civil, pierde de una manera estrepitosa, en un plazo brevísimo, las batallas decisivas para su posteridad. Cuando en España todavía circulan monedas con su efigie, más de un actor de cine, y más de dos, se ponen un uniforme de generalísimo para ridiculizarle sin miedo y sin piedad. En España todavía circulan monedas con su efigie, pero la sobreabundancia lleva ya el plazo de las condenas serias, dolorosas, dramáticas, a un primer agotamiento que, tal vez, habría podido ser definitivo, si las instituciones de la democracia no hubieran sucumbido al monstruoso, incomprensible síndrome de Estocolmo, que aún hoy, cuando termina la primera década del siglo XXI, les impide romper formal y expresamente sus vínculos con el general que la secuestró el 18 de julio de 1936. Pero ese no es un problema del franquismo, ni del antifranquismo, sino de la democracia española actual.

—Esa es más lista que el hambre.

La gran enemiga de Francisco Franco Bahamonde, la única personalidad de su época a la que el dictador consiente en alabar alguna vez, no puede ver la victoria por la que ha luchado toda su vida, pero vence en otras batallas de las que quizás ni siquiera llega a ser consciente. Todos los tejidos tienen dos caras, y la visible no puede existir sin la trama, la urdimbre, el esqueleto de la que no se ve. En la cara visible del tapiz de su vida, Pasionaria fracasa, en la invisible, no. Los españoles nunca llegan a hacer una revolución proletaria, como nunca han hecho antes una revolución burguesa, pero aun sin ellas, su modo de vida se va distanciando de tal manera del que han pretendido imponerles a la fuerza, que a la fuerza acaba pareciéndose al de los hombres y, sobre todo, las mujeres que se han atrevido a sacar los pies del plato. Por eso, la pasión de Dolores Ibárruri por Francisco Antón, que a los ojos de sus contemporáneos representaba una inmoralidad imperdonable, una debilidad semejante al pecado, un trapo sucio que apenas se podía lavar en el fregadero de la propia conciencia, con las persianas bajadas y las puertas atrancadas, adquiere un valor muy distinto a los ojos de sus nietos. Y, no digamos ya, a los ojos de sus nietas.

Al otro lado del tiempo y de la Historia, más allá de vergüenzas irreconocibles, de tan deformadas por el desuso, y de los polvorientos prejuicios que las acompañan en el desván de los trastos viejos, a Dolores Ibárruri le favorece el amor de Pasionaria, la fortaleza y la debilidad que se acoplan en proporciones admirables para forjar una historia que habla de libertad, de arrojo, de dignidad y de autoridad sobre el propio destino, con las emocionantes minúsculas de las apuestas personales. Le favorece incluso su desamor, porque el despecho, con ser siempre torpe, con frecuencia miserable, a menudo hasta contraproducente, es al mismo tiempo un síntoma desgarrador, universal, de la naturaleza humana. Para enloquecer de dolor cuando el amor se acaba, hace falta haber amado mucho. En la primera década del siglo XXI, el despecho encaja tan bien en la categoría de las magnitudes comprensibles como una pasión arrolladora. Y mucho mejor, en cualquier caso, que la cruel arbitrariedad de las denuncias anónimas, los silencios sin fisuras y los infames procesos del periodo estalinista.

En una fecha indeterminada, a caballo entre los últimos meses de 1952 y los primeros de 1953, Francisco Antón afronta su propio proceso como sospechoso de traición. En este caso, la propia Dolores decide descender de la sublime nube a la que su nueva, inmaculada, casi etérea naturaleza, le consintió encaramarse después de la victoria aliada, para presidir en persona el tribunal. Los cargos son variados, y llegan a parecer interminables. Las sesiones, más secretas que de costumbre, se desarrollan bajo una consigna aún más reservada. Todos los asistentes reciben la misma advertencia. Lo que ocurra en esta sala no tiene nada que ver, ni por asomo, con una relación amorosa ya extinguida, ni con la reciente decisión de Antón de casarse con una chica francesa, bastante más joven que él. Dándole la vuelta a un célebre proverbio italiano, si esto fuera verdad, desde luego no parece bien hallado. Y si no lo fuera, ni siquiera sería en este punto donde Francisco Antón empieza a portarse como un hombre.

En los primeros años de la década de los cincuenta, hace falta mucho amor, mucho valor, para dejar a la secretaria general del Partido Comunista de España por una mujer más joven. Francisco Antón nunca está tan a la altura de Dolores Ibárruri como cuando se atreve a contarle, o a confirmarle, algo que tal vez aún parezca una infidelidad, pero ya ha dejado de serlo, y no sólo porque el amor de Paco haya desbordado todos los límites de la fidelidad que debe a su secretaria general, para convertirla, a su vez, en el único objeto de su infidelidad. Es muy probable que en esta época, ella en Moscú, camino de los sesenta años, él en Francia, sin haber cumplido todavía cuarenta, su relación ya no se parezca a la de los buenos tiempos. Es casi inevitable pensar que la distancia entre sus respectivas edades, sumada a la que les separa sobre los mapas, haya contribuido a reconducir su historia hacia un remanso pacífico, un país templado donde la pasión física se disuelve en placeres cálidos, pero tan inocentes como la compañía, la complicidad y la memoria de los gloriosos días del pasado, ¿te acuerdas, Dolores? Pero es muy difícil creer que, aun así, ella no se sintiera humillada, traicionada, expuesta a la detestable compasión ajena, por el único hombre del que ha estado enamorada en su vida.

Si fue así, Dolores no quiere recordar, no quiere contemplar el nuevo amor de Antón a la luz de la pasión que los unió en 1937, un tesoro que ella ha defendido contra viento y marea en la derrota, en el exilio, en el infortunio de tantos y tantos años, aquel amor que la exime de toda culpa, porque era auténtico, grande, profundo, tan fuerte como el hambre, como la sed, una pasión total, demasiado intensa, demasiado poderosa como para confundirla con la debilidad de una mujer promiscua. ¿Te acuerdas, Dolores? Ella no quiere recordar que en aquel momento ni siquiera se le ocurre pensar en su marido, y no sólo porque lo haya dejado atrás, en Vizcaya, en 1931, sino además, y sobre todo, porque en ese instante supremo, soberano, de libertad absoluta, que consiste en entregársela a otra persona por amor, las viejas ataduras ya ni siquiera estorban.

Quizás, Antón empieza por ahí, invocando la absoluta libertad con la que ella decidió entregarse a él, la libertad que los ha unido siempre más allá de los secretos y las puertas cerradas, antes de contarle la verdad de siempre, una versión conocida, incluso sobada, desgastada por el uso, de tantas y tantas veces repetida, que no por familiar deja de ser verdadera. Yo no lo he querido, no lo he buscado, pero me lo he encontrado, me ha pasado sin querer que me pasara y no he podido hacer nada, no he podido resistirme porque es auténtico, grande, profundo, porque es amor. Me he enamorado de otra y voy a casarme con ella, Dolores. Nadie inscribirá este momento con letras de oro sobre ningún escudo. Nadie bordará nunca esas palabras en una bandera. Nadie le pondrá jamás su nombre a un regimiento del Ejército español, pero pocos hombres han sido tan hombres, y tan valientes, como Francisco Antón en aquel trance.

Ella no lo entiende, no quiere entenderlo, aceptarlo, ni siquiera puede pensar en esa posibilidad sin sentir que se está traicionando a sí misma. Nadie se habría atrevido nunca a decírselo en voz alta, y sin embargo, se lo habrían advertido tantas veces, lo habría leído en tantos ojos, en tantas sonrisas sesgadas, tantas expresiones malévolas pintadas con un barniz de amabilidad fingida... Ella habría podido sentirlo, verlo con unos ojos secretos, misteriosos, escucharlo con los insólitos oídos que le brotaban en la nuca en el mismo instante en que les daba la espalda, estás haciendo el tonto, mujer, te dejará por otra, por una más joven que tú, hasta más joven que él, ¿es que no lo ves?, con lo lista que tú eres, ¿no te das cuenta, Dolores? Contra esas voces, que siempre son mezquinas y casi siempre odiosas, porque no encubren más que miserias, envidia, celos, insatisfacción, ella ha luchado con su amor, se ha hecho fuerte en él, lo ha afirmado con un puño de hierro, lo ha acariciado con la aterciopelada suavidad de las letras de los boleros. Si es la historia de un amor como no hay otro igual..., ¿cómo va a entender ella que termine así?

Negociar con esa posibilidad es lo mismo que admitir que todos esos despreciables maestrillos de gramática parda, que llevan tantos años compadeciéndola a sus espaldas desde la más absoluta ignorancia del bendito fuego que le arde por dentro, tenían razón. ¿Qué sabrán ellos? Eso se habrá preguntado Dolores a sí misma durante tantos años, mientras les sonríe, mientras los llama por su nombre, mientras los abraza como sabe ella abrazar a los hombres, ¿qué sabréis vosotros?, y mientras besa a sus mujeres, más pizpiretas, más descaradas incluso, aún se lo preguntaría con más intensidad, y vosotras, desgraciadas..., ¿cómo os atrevéis siquiera a compadecerme, si no tenéis ni idea de lo que tengo yo con Paco? Todas las historias de amor son excepcionales, cada una a su manera. Esta lo es como muy pocas, y muy pocas mujeres enamoradas han sido tan valientes como Dolores Ibárruri cuando decide compartir su vida con un hombre como Francisco Antón, sin pensar en la factura. Cuando todo se acaba, seguramente tampoco imagina que, al final, la cuenta que acabará pagando tendrá un precio más alto que el que le va a imponer su amante.

A principios de los años cincuenta, él no hace otra cosa que imitar su ejemplo, reproducir su valentía, y ella, que siempre ha sido la más grande de los dos, se vuelve muy pequeña de repente. Incapaz de mantenerse a la altura de su libertad, aquella variante clandestina del legendario coraje que la ha llevado a servir a un amor tan grande, una pasión inconveniente, prohibida y aún más dulce, Dolores le advierte que le va a hundir, y le hunde, pero no comprende a tiempo que su crueldad, la feroz medida de su venganza, la hundirá más que a él. Ella, que aparte de amar a Antón hasta el límite de sus fuerzas, nunca ha hecho nada tan bien como pensar, no sabe analizar los datos del problema. Calcula mal, porque Paco, que ya ama a otra mujer, nunca llegará a amarla tanto, tan tierna, tan apasionada, tan incondicionalmente, como en las largas y tenebrosas, interminables sesiones de su desgracia, de sospecha en sospecha, de humillación en humillación, un día, y otro día, y otro más, con la cabeza alta y el corazón en un puño, pensando sólo en una cosa, hago esto por ti, estoy dispuesto a aguantar lo que me echen, y mucho más, sólo por ti, porque te quiero. En aquel proceso, Francisco Antón aprieta los dientes, mantiene la cabeza alta y, una vez más, se porta como un hombre.

Ella le llama fraccionalista y todos los demás asienten, toman notas, evitan mirarle. Ella le llama personalista, y él la mira a los ojos, para que vea que no se arruga, que no se asusta, que no piensa pedir perdón. Ella se pregunta en voz alta por qué nunca les ha contado que su padre era policía, un traidor, un enemigo del pueblo, un lacayo de las fuerzas opresoras de la clase obrera, y él sigue pensando en otra mujer. Cada noche, cuando la sesión termina, y sus amigos, sus camaradas, se apartan de él como si contagiara la peste, Paco Antón no está solo. Y cada mañana, cuando todo vuelve a empezar, sigue siendo tan valiente como la noche anterior, su fortaleza intacta, sus hombros de hierro, la voz firme en el trance de defenderse de todas las acusaciones que se vuelcan contra él, que se ha enamorado de otra, pero nunca ha sido un traidor.

Dolores, que es más lista que el hambre, es tan tonta, tan tonta, tan tonta, que no comprende a tiempo que el desahogo de su rencor sólo va a servir para afianzar el amor del hombre al que ella ama por otra mujer. Mientras tanto, pierde la oportunidad de ponerse a la altura de sí misma, de su grandeza, de su leyenda, y se comporta como lo que nunca ha querido ser, una beata de pueblo, mezquina, reaccionaria, una esposa legítima conservadora y despechada, como aquellas contra las que levantó una vez a las mujeres de España. Pero cuando la tortura íntima a la que ha escogido someterse, llegue a su final, se dará cuenta de quién ha perdido más.

Aunque Francisco Antón no es expulsado del Partido, la sentencia le degrada hasta el nivel de los simples militantes de base. Pierde su puesto en el Buró Político, todos sus cargos, sus prebendas de dirigente, pero gana una vida nueva. A partir de su desgracia, vivirá en Praga, sin ventaja alguna, trabajando en una fábrica como un refugiado anónimo, pero durmiendo cada noche con la mujer a la que ama, llevando a la escuela, antes de ir al trabajo, a los hijos que ha tenido con ella. Dolores, mientras tanto, está sola.

Ella le hace y le deshace, pero se deshace a sí misma en el esfuerzo supremo de acabar con él. El aliento que sostiene su carrera política, el impulso de esos momentos decisivos en los que se eleva sobre su naturaleza humana para convertirse en un símbolo inmortal, coinciden casi exactamente con los años que dura la gran historia de amor de su vida. Después de 1953, ahíta de rencor, se va apagando poco a poco, hasta recluirse tras su propia y gigantesca imagen como la más bella, la más amada y admirable talla barroca, la que provoca un fervor incomparable, gritos, lágrimas, desmayos, cuando sale en procesión, pero pasa el resto del año a oscuras, encerrada en una capilla pequeña y fresca, recibiendo unas pocas visitas y no todos los días.

—Dolores está abúlica —empiezan a susurrar los más audaces a mediados de los años cincuenta, cuando se muda a Bucarest—. No tiene ganas de nada, todo le da lo mismo, está mayor y cansada, como vacía por dentro.

Si fue así, esa es su penitencia. Cuando todo termina, se mira las manos y las encuentra vacías. Entonces le toca aprender que la venganza nunca da, que siempre quita, y a medida que va pasando el tiempo, el rencor desdibujándose en la monótona grisura de los días sin emoción, los celos dejarán de morderla para tumbarse a sus pies como un perro saciado de su rabia, y empezará a soñar con él, dormida y sobre todo despierta, tal y como era cuando le conoció, tan joven, tan guapo, tan digno de su amor. Ese será su tormento, la autocrítica que nadie la obliga a hacer jamás en público, mientras se sigue vistiendo de Pasionaria para que la saquen en procesión, mientras sonríe, y saluda, y besa a los niños que le entregan ramos de flores sin lograr quitárselo jamás de la cabeza, sirviendo todavía a la pasión vieja y eterna de la piel de Paco Antón, de sus ojos, de sus labios, de su despiadado cuerpo de hombre joven, recordando cada gesto, cada beso, la línea de sus brazos, el tacto de sus manos cuando la acariciaban, lo que más ha amado, lo que más le ha dolido, lo único que le importa cuando, en 1960, cede a Santiago Carrillo la secretaría general de un partido que para ella sigue siéndolo todo, que al mismo tiempo no es nada en comparación con lo que ha perdido.

Y mientras se va empapando despacio de la lluvia fina, destemplada y constante, que le llueve por dentro en los días iguales, las noches desprovistas de horizonte, quizás llega a pensar en él de otra manera. A Paco no le habría costado ningún trabajo mantener dos historias a la vez, seguir haciéndole compañía en Moscú, de vez en cuando, y convivir discretamente con su novia en las largas temporadas que pasaba en Francia. Tampoco le habría resultado difícil proponerle un trato, uno de esos acuerdos a los que acaban llegando los viejos amantes en situaciones parecidas, mira, Dolores, esto es lo que hay, y yo no quiero dejarte, que nadie piense que te dejo, tú has sido la mujer de mi vida, lo de esta chica no tiene importancia, pero tengo que vivirlo, déjame vivirlo y seguiremos estando juntos como antes, como siempre... A la larga, cualquiera de esas dos soluciones no habría sido mejor, sino peor, y mucho más humillante para ella.

Dolores, que es tan lista, acaba quizás comprendiendo eso, aceptando una verdad que el tiempo va haciendo menos cruel, más consoladora, porque aquel chico que parecía un arribista, un guapo profesional, un explotador de su propio atractivo sexual, se ha portado como un hombre, y no ha hecho más que lo que tenía que hacer, a costa de echar a perder su carrera política. Tal vez, llega un momento en el que Dolores está orgullosa de haberse enamorado de un hombre como él. Si fue así, muchos años después, la Historia con mayúscula le regala un epílogo piadoso.

En 1968, el destino de Dolores Ibárruri vuelve a cruzarse con el de Francisco Antón, en unas circunstancias que ninguno de los dos habría podido prever en el momento de su separación, quince años antes. De repente, los camaradas incómodos, apartados en Checoslovaquia, vuelven a ser útiles, incluso imprescindibles. Pasionaria vuelve a ver el nombre, la firma de Paco, en un informe apasionadamente favorable a la gestión de Dubček, y quizás, la memoria de su amor influye en su no menos apasionado apoyo a la Primavera de Praga, el penúltimo gesto juvenil de su vida, un arrebato de ternura y su primera disidencia, a los setenta y dos años, respecto a las directrices del PCUS. Los dirigentes de su partido nunca han apreciado mucho el romanticismo, y sin embargo, tal vez aquella decisión sigue calentándole el corazón nueve años más tarde.

En marzo de 1977, exactamente cuatro décadas después de haber compartido el escenario del Monumental Cinema con un joven dirigente en ascenso, Dolores Ibárruri, Pasionaria, puede por fin subirse a un avión para volver a España. Fotógrafos del mundo entero inmortalizan el momento en el que desciende por una escalerilla de la compañía Iberia, para pisar de nuevo el suelo de Madrid, su sonrisa más plena, más luminosa que nunca, su inmaculado candor de Virgen María del proletariado internacional tan intacto como en 1939, su condición de Madre Universal de los antifascistas españoles de todos los tiempos, a salvo de toda sospecha. Con ella, vuelve a Madrid la memoria de uno de sus hijos, el amor de su vida, un comunista olvidado, desconocido ya por los jóvenes que se agolpan en el aeropuerto para darle la bienvenida. Francisco Antón muere unos meses antes que Francisco Franco, pero a pesar del signo de los tiempos, nunca representa un peligro para el intachable prestigio de Dolores. Su lealtad le sobrevive, porque después de haberse portado tantas veces como un hombre, muere siendo un señor.

La Historia inmortal hace cosas raras cuando se cruza con el amor de los cuerpos mortales.

Si en la primavera de 1939 Dolores Ibárruri no hubiera estado enamorada de Francisco Antón, no se habría marchado a Moscú con la angustia de dejarlo abandonado en Francia, y tal vez se habría pensado mejor en qué manos depositar la responsabilidad de dirigir el Partido al norte de los Pirineos.

Si unos meses después, Carmen de Pedro no se hubiese enamorado de Jesús Monzón, seguramente se habría limitado a ventilar por las mañanas y quitar el polvo de vez en cuando, tal y como la dirección esperaba de ella.

Si el amor de Pasionaria no hubiera sido tan grande, tan auténtico que, en lugar de disminuir, creció con la distancia de un mundo en guerra, nunca habría aprovechado la ocupación alemana de Francia para mostrar en público la debilidad que le impulsó a pedirle un favor personal a Stalin.

Si tanto amor no hubiera logrado el milagro de que Francisco Antón fuera liberado de su cautiverio, y despachado a Moscú en el primer avión, el Buró Político del PCE habría seguido teniendo un representante en Europa Occidental.

Si Paco no se hubiera reunido con Dolores en la otra punta del continente, Jesús Monzón no se habría atrevido a salir a la luz en el verano de 1940.

Si el amor de Carmen de Pedro no hubiera sido tan ferviente, tan constante como para animarla a desafiar, tan pequeña como era, a la cúpula de su Partido, Jesús Monzón nunca habría llegado a ser el máximo dirigente del PCE en Francia y en España.

Si Jesús Monzón no hubiera llegado a estar tan seguro del amor de aquella mujer, no se habría atrevido a marcharse a Madrid en marzo de 1943.

Si Carmen de Pedro no hubiera estado dispuesta a hacer lo que fuera con tal de recuperar el favor, el amor de aquel hombre, la invasión militar del valle de Arán no habría llegado quizás a producirse.

Y entonces, la inefable Pilar Franco Bahamonde no habría podido escribir en sus memorias que sólo recordaba haber visto a su hermano fuera de sus casillas en 1944, cuando lo de los maquis. Ni que el Generalísimo procuró ocultárselo a los españoles para que no se preocupasen.

Las barras de carmín no afloran a las páginas de los libros. El amor de la carne mortal se desvanece en esa versión oficial de la historia que termina siendo la propia Historia, con una mayúscula severa, rigurosa, perfectamente equilibrada entre los ángulos rectos de todas sus esquinas, que apenas condesciende a contemplar los amores del espíritu.

La Historia con mayúscula desprecia los amores del cuerpo, la carne débil que la distorsiona, la desencaja, la desordena con una saña que no está al alcance de los amores del espíritu, más prestigiosos, sí, pero también mucho más pálidos, y por eso menos decisivos.

En los libros de Historia no caben unos ojos abiertos en la oscuridad, un cielo delimitado por las cuatro esquinas del techo de un dormitorio, ni el deseo cocinándose poco a poco, desbordando los márgenes de una fantasía agradable, una travesura intrascendente, una divertida inconveniencia, hasta llegar a hervir en la espesura metálica del plomo derretido, un líquido pesado que seca la boca, y arrasa la garganta, y comprime el estómago, y expande por fin las llamas de su imperio para encender una hoguera hasta en la última célula de un pobre cuerpo humano, mortal, desprevenido.

Los amores del alma son mucho más elevados, pero no aguantan ese tirón.

Nada, nadie lo aguanta.

IV
Cinco kilos de rosquillas

Y, por fin, llegó una tarde luminosa y soleada de otro mes de abril. Y, por fin, me encerré en la cocina de un piso de Madrid, para cumplir una promesa más vieja que mis hijos. Treinta y tres años después de haberla formulado, respiré hondo, apoyé las manos en una encimera blanca, flamante, destinada a envejecer más despacio que mi cuerpo, y cerré los ojos.

Había copiado muchas veces los ingredientes, las proporciones de esa receta, para repartirla como un recordatorio de mí misma entre varias docenas de mujeres y unos pocos hombres. Aquella tarde de primavera de 1977 podía recordarlas a todas, a todos, en los momentos buenos y en los peores, ellas embarazadas tantas veces, ellos serios, flacos, a veces deprimidos, otras eufóricos, y tan jóvenes al principio, tan jóvenes todavía, siempre y todavía, para siempre en mi memoria. ¡Ah!, pues no es tan difícil... No era tan difícil, y por eso, yo nunca había escrito aquella receta para mí. Harina, la que admita.

Mi cocina era nueva, y olía a nuevo. Tenía una ventana que daba a un patio grande, rectangular, por donde casi todas las mañanas subía hasta el cuarto piso un aroma confuso de sofritos emboscados en caldo de cocido. Por eso me gustaba abrirla de par en par, apurar hasta la última nota de aquel perfume antiguo que cocía a fuego lento, y lentamente se iba imponiendo a la frialdad sintética de los plásticos y la silicona. Mi cocina era nueva y muy moderna, bastante amplia, regular, despejada. Cuando Miguel fue a ver aquel piso, en la frontera de mi antiguo barrio, Sagasta casi esquina con Francisco de Rojas, le pregunté por ella y no supo qué decirme.

—¿La cocina? —y se quedó callado, como si acabara de acordarse de que era hijo de una cocinera—. Pues no sé. Yo creo que está bien, mamá, ¿qué quieres que te diga?, es... una cocina. Todas se parecen, ¿no?

Le pedí que volviera a verlo con su hermana antes de dar una señal, y con Vivi me entendí mejor, aunque aquella casa me seguía pareciendo demasiado grande. Al final, no lo fue tanto, porque aparte de Fernando, que seguía yendo y viniendo entre Madrid y Toulouse, en los dos meses largos que llevábamos viviendo allí, todavía no había pasado un fin de semana sin que tuviéramos al menos dos nietos, los hijos de Miguel, o los de Vivi, a veces los cuatro, instalados los viernes, o los sábados, o los viernes y los sábados. Y los domingos, cuando venían todos a comer, tenía que sentar a alguno en la escalera que usaba para llegar a la última balda de la despensa.

Aquel sábado, sin embargo, era especial, y ellos lo sabían porque se lo habíamos avisado con mucho tiempo. Vivi, que a veces parecía hija de Angelita, se había resistido a cerrar el restaurante para nosotros, pero su padre se puso serio, y eso resultó más eficaz que mis veladas amenazas de deserción. Cuando decidimos volver a España para quedarnos, Galán sabía de antemano que él no iba a tener problemas. Dos, tres, cuatro días después de volver, lo único que tendría que hacer sería madrugar, vestirse, salir a la calle y sentarse en un despacho de la oficina que Fernando había abierto unos años antes, para seguir dedicándose a lo mismo de siempre aunque en dirección contraria, y con Guillermo García Medina tan a mano como para comer juntos la mitad de los días. Aunque no quise decirle nada, yo me desvelaba todas las noches pensando en el precio que tendría que pagar por mi regreso, aquel anhelo que había cultivado como un jardín minúsculo, secreto y tropical, en la devastación helada del exilio, la meta de una larga carrera cuyo premio iba a dejarme a solas con la monótona rutina de un ama de casa jubilada, una vida que no entendía y que tampoco me gustaba.

Pero mi hija mayor, que estaba aprendiendo a dominar su soberbia como había tenido que aprender yo a dominar la mía, y por eso ya no se enfrentaba conmigo más veces, ni más resueltamente que sus hermanos, me preguntó hasta qué punto estaba dispuesta a ser su socia cuando todavía tenía el piso lleno de cajas sin abrir. Un año y medio antes, yo había pedido un crédito para sufragar las dos terceras partes de la inversión inicial del Casa Inés de la plaza de Chueca, y lo había pagado con mi parte de la venta del Casa Inés del Boulevard d'Arcole, pero Vivi no estaba hablando de eso.

—Mi cocina es lo bastante grande como para que trabajemos juntas, mamá.

Al mirarme de nuevo en un espejo para comprobar que, con un gorro blanco calado hasta las cejas, estaba tan horrorosa en Madrid como en Toulouse, me sentí bien, tan en mi sitio, que decidí limitarme a cobrar los rendimientos de mi inversión y regalarle mi trabajo a mis hijas. No habíamos abolido la propiedad privada, pero tampoco me hacía falta montar otra cooperativa. Desde entonces, cocinaba con Vivi todas las mañanas de los días laborables y, de vez en cuando, por las tardes, me daba una vuelta por allí para echarle una mano durante un par de horas.

Aquel sábado de abril de 1977, mi primer sábado español libre de nietos, también fui al restaurante por la mañana. Mientras Vivi se ocupaba del trabajo del mediodía, yo me aislé del ruido, del ajetreo, la aparente confusión de una cocina bien organizada y en pleno rendimiento, para quedarme a solas con el menú de la cena, una emoción en la que nadie podía acompañarme. Galán y yo comimos juntos en otra cocina, la de nuestra casa, huevos fritos con patatas, como si al otro lado de la ventana fuera de noche, y nosotros, jóvenes, desnudos. Después, él se fue al salón, encendió la televisión y se quedó frito. Yo hice memoria, apilé sobre la encimera tres paquetes de harina, un kilo de azúcar, nueve huevos, un litro de leche, una botella de coñac y un paquete, esta vez sí, de mantequilla. Treinta y tres años después, en mi nevera había mantequilla de sobra.

Medí los ingredientes, hice la masa, la amasé lo justo, ni poco ni demasiado, la separé en fragmentos iguales para fabricar con cada uno de ellos un cilindro del grosor de un dedo pulgar más grande que el mío, y uní sus extremos para formar un círculo.

—¿Cómo puedes hacerlas así de bien, abuela? —me preguntaba Inés, la hija mayor de Vivi, cuando me veía—. ¿Cómo lo haces para que te salgan todas del mismo tamaño?

—No te lo puedo decir —contestaba yo—, las hago sin pensar, será que he hecho tantas, tantas, en mi vida...

—¿Cuántas? —mi nieta se había atrevido a calcularlo por sí misma la última vez—. ¿Un millón?

—No —yo me eché a reír—, sólo medio, medio millón.

—¡Ah! —y ella asintió con la cabeza, muy satisfecha, como si a los siete años, quinientas mil rosquillas fueran una magnitud razonable, comprensible, compatible con mi edad, con mis arrugas—. Vale.

Cuando Galán se despertó, ya había empezado a freírlas. Luego, antes de arreglarme, las espolvoreé con azúcar, y construí con ellas una pirámide al lado de la ventana, para que se enfriaran. Adela se había ofrecido a recogernos a las seis y media pero, aunque era la que menos tiempo llevaba viviendo en España, era también la que más deprisa se había adaptado al concepto español de la puntualidad, y siempre llegaba diez minutos tarde. Me reservé ese margen para meter las rosquillas en una caja redonda de cartón que había comprado expresamente para ellas, y cuando mi hija abrió la puerta con su propia llave a las siete menos veinte, ni a menos diecinueve, ni a menos veintiuno, ya me había dado tiempo a colocarlas en capas concéntricas, con tanto mimo como si fuera a transportarlas a lomos de caballo.

—Calma —Adela levantó las manos en el umbral, mientras tres de sus cuatro sobrinos, los dos de Vivi y la mayor de Miguel, entraban en tromba y a la vez, peleándose por algo de lo que no llegué a enterarme—. Los niños se quedan conmigo. Ganadora del Oscar a la mejor tía... ¡Adela González Ruiz! —levantó los brazos en el aire e hizo una reverencia para que los niños se rieran, la aplaudieran, y se olvidaran de atizarse entre sí—. Vamos a ir a merendar y luego al cine, ¿a que sí? Ahora, que os los traigo mañana por la mañana, porque he cambiado el turno en el restaurante, y Andrés no vuelve de Frankfurt hasta por la tarde...

—¿Y para qué has subido, Adela? —Galán la regañó después de neutralizar a María y a Juan, que habían vuelto a zurrarse discretamente—. Podrías haber llamado al telefonillo, y habríamos bajado nosotros. Te van a poner otra multa, hija.

—Qué va. He dejado el coche en doble fila, pero le he dicho a Antonio que se dé una vuelta si vienen los guardias.

—¿Antonio? —y al escuchar ese nombre, nuevo también para mí, su padre se quedó paralizado, con una manga de la chaqueta puesta, la otra al aire, antes de mirarla—. ¿Qué Antonio?

—Pues Antonio, papá —y Adela sonrió—. Un amigo mío, que es fotógrafo de prensa, y ha venido para haceros una foto en condiciones, que ya va siendo hora, por cierto.

Durante el último año, Adela había venido a vernos a Toulouse más o menos cada dos meses, casi siempre con un chico distinto al que nos había presentado como a un amigo en el viaje anterior, y cuando podía quedarse a solas con ella, Galán, que a pesar de todas sus promesas, no había dejado de tratarla como a su niña mimada desde que la cogió en brazos en el hospital, meneaba la cabeza, insinuaba un gesto de desaliento y le decía siempre lo mismo, esto no puede ser, Adela, esto es un no parar, hija mía... Aquella tarde, sin embargo, no abrió la boca hasta que bajamos a la calle y vio salir del coche que nuestra hija había atravesado de mala manera sobre una esquina, a un chico con barba y melena que parecía una copia de todos los demás, aunque acabaría siendo el padre de nuestros nietos más pequeños.

—¡Otro igual! —al verle, sí se acercó a mí, para quejarse en un susurro—. Pero ¿por qué tienen que ser todos tan peludos?

Yo me encogí de hombros, porque no disponía de ninguna respuesta para aquella pregunta. Antonio, al menos, resultó ser un peludo muy bien educado, y después de saludarnos con mucha cortesía y quitarme la caja de las rosquillas de entre las manos para guardarla en el maletero, cedió el puesto de copiloto al padre de su novia con tanta presteza como si ejecutara una lección bien aprendida. Era muy alto, pero se empaquetó sin rechistar en el asiento trasero, conmigo y con los niños, Inés entre los dos, María, que sólo tenía tres años y un hermano de seis meses que la estaba matando de celos, sobre mi rodilla izquierda, Juan, que ya había cumplido cuatro, pero no estaba dispuesto a ceder su parte de abuela, sobre la derecha. Los rodeé a cada uno con un brazo, y aspiré la fragancia de colonia y patata frita, con un toque de goma de borrar, que desprendían sus cabezas, el pelo tan fino, la piel tan suave, su peso tan liviano, semejante al que los menudos cuerpos de sus padres habían posado sobre mis piernas a su edad, pero eché de menos a mi marido. Habría preferido hacer aquel viaje a su lado, apretándome contra él, encajar la cabeza en su hombro con los ojos cerrados y apurar su olor, madera y tabaco, clavo y jabón, un fondo ácido, dulce al mismo tiempo, como la ralladura de un limón no demasiado maduro, y una punta que picaba en la nariz como el rastro de la pimienta recién molida, aquel aroma que ya no sabía distinguir del de mi propio cuerpo.

—Papá... —en la glorieta de Bilbao, Adela le miró, extrañada—. Me he saltado un semáforo.

—Ya lo he visto —pero volvió a mirar por la ventanilla.

—¿Y no vas a decirme nada?

—No. Hoy no.

—¡Ah!, pues voy a conducir bien, entonces —a mi izquierda, Antonio se rió entre dientes, pero nadie volvió a abrir la boca en lo que quedaba de trayecto.

Habría preferido hacer aquel viaje al lado de Galán. Adela no podía entenderlo, su novio tampoco, nuestros nietos mucho menos, pero en aquel coche que bajaba por la calle de San Bernardo camino de la Gran Vía, íbamos él y yo solos, y con nosotros, a la vez, mucha más gente, cuatro mil hombres armados y un centenar de civiles cruzando los Pirineos en la mañana fría, nublada, del 27 de octubre de 1944. Aquella mañana, Comprendes no vino con nosotros. Nos despedimos de él en la puerta de la que estaba a punto de volver a ser la casa del alcalde de Bosost, y ya iba vestido de pastor. Primero, Galán y él se dieron el abrazo más largo de los muchos que yo llegaría a contemplar entre ellos. Luego, Comprendes se me quedó mirando, muy serio, con el dedo índice levantado en el aire.

—Y tú me debes cinco kilos de rosquillas, ¿comprendes? —sólo cuando asentí con la cabeza para aceptar aquel compromiso, me abrazó a mí también–. El día que entremos en Madrid. Que no se te olvide.

Entre aquellas palabras y la sombrerera que estaba guardada en el maletero del coche de Adela, cabía una vida entera, treinta y dos años, cinco meses y veinte días, pero yo nunca había olvidado esa promesa. Mientras nos acercábamos al cine Capitol, fui repasando mi historia, lo malo, lo bueno, lo mejor, palabras, silencios, y tanta emoción, tanta amargura. Mientras nos acercábamos al cine Capitol, y por más que los cuerpos de mis nietos me pesaran sobre las rodillas, volví a ser la cocinera de Bosost, una mujer joven, feliz, enamorada de un hombre y de muchos hombres, de un sueño roto y de sus pedazos, de una causa enterrada, más que perdida, condenada a una inexistencia más injusta que el olvido.

La pesadilla había terminado. Habíamos vuelto a casa, a aquella ciudad llena de gente que caminaba por calles abrumadas de carteles satinados, una ciudad de paredes envenenadas por el tóxico olor del pegamento, la ciudad sin mar que había aprendido a mecerse a todas horas en una marea alta de retratos y eslóganes, de palabras e imágenes, de siglas y más siglas desconocidas para mí, desconocidas para ellos, recién sacadas del horno de la oportunidad, a veces absurdas, incluso ridículas, pero eficaces para mover las olas que no existían, para crear la ilusión de que allí nunca había pasado nada, de que nadie había luchado por nada antes de entonces. Eso es lo que parecerá cuando baje la marea, me advertía todos los días a mí misma, mientras andaba por las calles, mientras hablaba con la gente, mientras escuchaba sus conversaciones. Eso será lo que parezca cuando baje la marea, repetía con un nudo en la garganta, y hasta será verdad... Desde que había vuelto a vivir en España, me acordaba a todas horas del día que me marché, el último día que pasé en casa de Ricardo, en Pont de Suert. Y de todos los instantes de todos los días, de aquellas noches brillantes, luminosas, que alcancé a vivir en un país distinto, un país dulce y mínimo que apenas poseía unas pocas casas a orillas del Garona. Eso fue España para mí. El país al que había vuelto se llamaba igual, pero yo sabía poco de él, y él nada de mí, nada de aquello.

Nuestra retirada me dolía como una herida infectada desde que salí de Bosost, y sin embargo, en algún momento, mientras pensaba que habría preferido hacer aquel viaje al lado de Galán, en algún lugar entre la calle Sagasta y la plaza del Callao, esa cicatriz dejó de hacerme daño. Para mí, Arán siempre había sido un principio, un final y una frontera, la raya que separaba la mejor vida que había llegado a desear, y la mejor que la realidad me había consentido vivir, pero cuando Adela enfiló la Gran Vía, las dos se habían fundido en una sola, que seguía siendo mi vida, y el tiempo que me quedaba por delante.

—Anda, papá, que en el 44 no invadisteis España, pero ahora... —Adela lo entendió también, a su manera—. No te quejarás.

Cuando se arrimó a la acera, señaló hacia la escalinata del cine, pero yo ya les había visto, el Perdigón y Hélène tan arriba como si hubieran llegado los primeros, y a su derecha, Zafarraya, que ya no necesitaba raparse la cabeza porque estaba completamente calvo, Marie-France colgada de su brazo, el Zurdo en cambio con todo su pelo, todo blanco, y muy bronceado, Montse tan morena como él, su melena corta del color de siempre, y el Gitano casi pálido en comparación con ellos, porque María Luisa y él habían vuelto a vivir en Tordesillas, aunque no tanto como Lola, palidísima vecina de Santander, que ni te figuras lo que llueve, me decía cada vez que hablábamos, pero el Pasiego, con unas gafas idénticas a las que llevaba cuando le conocí, la estrechaba contra sí, su hombro rozando el de Amparo, más gorda, pero muy sonriente, el Lobo a su lado, contento también y cada vez más flaco, y el Sacristán con su mujer, porque cinco años después de dar por descontado que nunca se casaría, lo hizo con Maruja, una prima de Fernanda que emigró a principios de los cincuenta, aunque el Botafumeiro había venido solo, con esa cara de pena que se le puso al quedarse viudo, para colocarse detrás de Comprendes y Angelita, los últimos en volver, mientras el Cabrero y Sole subían las escaleras casi al tiempo que Romesco, que apareció con la correspondiente rubia de bote, porque desde que se divorció, todavía en Francia, cada vez que le veíamos, venía con una chica distinta que siempre se quedaba fuera de todas las fotos.

Galán, que también era responsable de que hubiéramos quedado en aquella escalera, porque Comprendes nos había citado a todos en el cine al que habían ido juntos a ver *La hija de Juan Simón* en el primer permiso que les dieron en noviembre del 36, me pasó un brazo por los hombros antes de empezar a subir, y yo se lo agradecí dejando caer un momento la cabeza contra su cuello. Allí estábamos todos, pero hasta que logré traspasar la caja de mis manos a las suyas, concentré toda mi atención en uno solo.

—No me esperaba esto, ¿comprendes? —Sebastián Hernández Romero me miró con las gafas muy sucias, los ojos muy brillantes en cambio—. Estaba seguro de que no te ibas a acordar.

—Pues me he acordado, ya ves —dejé las rosquillas en el suelo y me abalancé entre sus brazos para no echarme a llorar antes de tiempo—. ¿Cómo se me iba a olvidar?

Luego abracé a Angelita, después a Montse, más tarde ya no sabría nunca a quién, ni cómo, ni en qué orden, perdida como estaba en aquella confusión de nervios y de brazos, de labios y de manos, la sangre caliente, efervescente, complicándolo todo como un rebrote compasivo, traicionero, de la juventud que se nos había escapado esperando aquel momento, una emoción que no podía agotarse, porque estábamos todos, porque ya había llegado Comprendes, porque Angelita había venido con él, porque ya no nos faltaba nadie. Eso fue lo que sentí, que no nos faltaba nadie, que aquella tarde por fin estábamos todos, los que podíamos vernos, besarnos, los que podíamos hablar, tocarnos, y los demás, el Bocas y el Ninot, Tijeras, al que habían fusilado en el 45, el Afilador, que había corrido la misma suerte unos meses más tarde, el Churrero, que le acompañó en el paredón, y Paco el Rubio, que sólo llevaba diecisiete días casado cuando cruzó la frontera para no volver jamás, y el Tarugo, que había caído en el 49, en un tiroteo con la Guardia Civil, en los montes de Toledo, y Hormiguita, que se había estrellado con un coche después de saltarse un control de carreteras en la provincia de Lérida, precisamente en la provincia de Lérida, en 1952, y el

Tranquilo, que había muerto en el hospital penitenciario de Carabanchel unos meses antes de la amnistía, y muchos otros, todos los muertos de Arán y muchos más, conocidos y desconocidos, felices o desgraciados, próximos o remotos, algunos vivos, otros muertos, pero todos presentes sin embargo, con su rostro y con su historia, su nombre y sus apellidos, en la escalera del cine Capitol, aquella tarde de abril de 1977.

Cuando terminó la larga, complicada ceremonia de los reencuentros y las bienvenidas, Antonio ya había montado el trípode en uno de los peldaños más bajos, y Adela, que se había limitado a subir el coche sobre la acera con las luces de emergencia puestas y ese desparpajo que sacaba a su padre de quicio, estaba a su lado, con un sobrino en cada mano, la otra pegada a su falda, y toda su atención puesta en las instrucciones que empezó a transmitirnos enseguida.

—A ver, poneos en tres filas, los más altos detrás, por favor —y al mirarla, me pareció que Antonio y ella hacían buena pareja—. Juanito, no te veo, muévete un poco... Ahí no, que te tapa Román, a tu izquierda, muy bien... Sole, ¡por favor!, no me hagas pucheros. Papá, tú estás tapando a Diego, cámbiale el sitio. Angelita, hija, deja el bolso en el suelo, que parece que llevas una alforja, y tú, Lola, sonríe, que es gratis... Ramón, tú también estás muy triste, así, mejor... —entonces se volvió hacia él—. ¿Qué tal?

—Muy bien —y la besó en la cara—. Tienes mucho talento para dar órdenes.

—Viene de familia —contestó Adela, echándose a reír—. A mi padre ya lo has visto, y cuando conozcas bien a mi hermana mayor, te vas a enterar... Y por cierto, ¿qué hacemos con las rosquillas?

—Con las rosquillas nada —su propietario había colocado la sombrerera en el escalón que estaba justo debajo de sus pies—. Las rosquillas se quedan aquí, ¿comprendes?

—Sí, mejor —asintió Antonio, que nos miraba a través del objetivo, antes de volver a hablar en el oído de Adela.

—Benjamín, ¿quieres que...? —Romesco negó con la cabeza, sin mirar siquiera a la rubia a la que había dejado aparcada en las taquillas—. Vale. Manolo, quítate esas gafas de sol, que parece que estás vendiendo cupones, y tú, mamá, no te pongas a llorar, que te conozco... ¿Te gusta así? —su novio asintió antes de esconderse detrás de la cámara—. Muy bien, voy a contar hasta tres, una, dos y tres. Ahora, ¡decid patata!

Dos días después, el *Diario 16* publicó la foto bajo un titular escueto y misterioso, «Cinco kilos de rosquillas». El texto convertía en noticia la cita de un grupo de combatientes republicanos que se habían reencontrado en Madrid para asistir al cumplimiento de una promesa que se había mantenido intacta, como sus esperanzas de reencontrarse en una España democrática, durante más de treinta años de exilio. Eso decía. Y ni una palabra más.

Vivi y Adela se pusieron contentísimas porque, donde debería haber estado la invasión del valle de Arán, con sus luces y sus sombras, con sus héroes y sus víctimas, con su ambición y con su fracaso, donde deberían haber estado el amor de Dolores y el genio de Monzón, los placeres y las soledades de Carmen de Pedro, el frío de los campos y el calor de la victoria, donde debería haber estado un carro blindado con un nombre español escrito encima entrando en París, y la heroica terquedad de un partido ilegal, que no dejó de luchar ni un solo día desde abril de 1939 hasta abril de 1977, donde deberían haber estado las relaciones del gobierno británico con Franco y una inscripción tallada en una tabla, Miguel Silva Macías, 1923-1944, lo único que aparecía era el nombre y la dirección, la historia y las especialidades de la nueva Casa Inés. Después, Antonio nos regaló una copia grande de aquella foto en un marco que siempre estará en el recibidor de casa, pero eso no me consoló.

—Al fin y al cabo, ¿qué es el Partido?

Aquel día de octubre de 1965 había empezado con el entierro del Ninot y terminaría con una cena que también formaría parte del ritual de su despedida. Entre ambas convocatorias, Galán y yo habíamos sucumbido al irresistible impulso de los supervivientes, para abandonarnos a deshora a una ceremonia íntima, privada, que culminó en un epílogo inesperado. Aquella tarde, en nuestra propia cama, en nuestra propia casa, en el centro de nuestra vida común, vulgar y corriente, de todos los días, hablamos de cosas de las que no habíamos hablado nunca. Y a mí, que ya no necesitaba pensar a todas horas en cuánto le quería para comprender que nunca habría podido amar así a nadie más, el silencio que acabábamos de romper me pareció monstruoso. Él, sin embargo, sonreía mientras me contaba que durante aquellos años que vivió entrando y saliendo de España, los años que yo viví en Toulouse, con mis hijos y una foto suya escondida en el último rincón del maletero de mi armario, siempre había pensado que, cuanto menos supiera, mejor para mí.

No nos merecíamos eso. Yo no me lo merecía, él no se lo merecía, pero cuando se lo dije, volvió a sonreír, me preguntó qué era el Partido, y no supe qué contestarle. Entonces se respondió a sí mismo, con la seguridad que había adquirido a lo largo de todas aquellas noches en las que se citaba en casa con sus amigos sin avisarme de antemano, para agotar entre todos varias botellas y una sola frase, si viviera en España, me marcharía mañana mismo.

—¿Qué es el Partido? —repitió—. ¿Dolores, Carrillo, los congresos, las conclusiones? Desde luego.

Hizo una pausa, se dio la vuelta, se puso de perfil para mirarme, y me colocó un mechón de pelo detrás de la oreja.

—Pero el Partido también eres tú, Inés, bajándote de un caballo con tres mil pesetas y cinco kilos de rosquillas. El Partido es Angelita, quitándose y poniéndose el sombrero en una carretera plagada de soldados nazis. El Partido es el Cabrero, que tenía un suegro rico, la vida resuelta, y ya lleva cinco años en la cárcel, y los que le quedan. El Partido es el Zurdo, yéndose de clandestino a Canarias con cincuenta años y con dos cojones, para acabar haciéndole compañía el día menos pensado. Y Sole, que ni siquiera es española, mudándose a Santoña para estar cerca de Manolo. Y Montse, que se ha marchado a Las Palmas y se ha llevado a los niños —hizo otra pausa, y volvió a sonreír—. Para mí, el Partido es hasta Guillermo García Medina, porque si nosotros no existiéramos, él ni siquiera podría hacer la guerra por su cuenta. Y yo estoy muy orgulloso de haber formado parte de todo eso.

Aquella tarde, al volver del colegio, Adela, que tenía trece años, me preguntó si no me parecía que su padre y yo éramos ya demasiado mayores para estar juntos en la cama a las seis de la tarde, pero me encontró tan impresionada, tan sobrecogida por lo que había pasado, que ni siquiera la regañé por hablarme así.

—Hemos hecho muchas cosas mal —había recapitulado Galán para él y para mí, un instante antes de que escucháramos el ruido de la puerta—. Hemos hecho muchas cosas mal, pero también hemos hecho muchas cosas bien, ¿y sabes por qué? Porque nunca nos hemos estado quietos. Hemos hecho muchísimas cosas, y hemos tenido que hacerlas solos, sin la ayuda de nadie. Los únicos que no han hecho nada mal, son los que no han hecho nada, porque esa es la única manera de no equivocarse. Yo nunca me arrepentiré de ser comunista.

Cuando vi nuestra foto en el periódico, no tuve que recordar aquellas palabras, porque nunca había llegado a olvidarlas. Pero me dio tanta rabia leer otras, tan distintas, que desde aquel día no he vuelto a hacer ni una sola rosquilla.

La historia de Inés
Nota de la autora

Inés y la alegría es la primera entrega de un proyecto narrativo integrado por seis novelas independientes que comparten un espíritu y una denominación común, «Episodios de una guerra interminable». Su primera palabra no es fruto de una elección casual. Si he querido llamarlas «episodios» ha sido para vincularlas, más allá del tiempo y de mis limitaciones, a los «Episodios nacionales» de don Benito Pérez Galdós, que para mí es, como he declarado en muchas ocasiones, el otro gran novelista —después de Cervantes— de la literatura española de todos los tiempos.

Don Benito es, además, uno de los autores que más ha influido en mi vida, como lectora y como escritora. Siempre he pensado que, si no hubiera empezado a leerle a los quince años, lo más probable es que ni siquiera hubiera llegado a ser novelista. Pero en el verano de 1975, me quedé sin libros que leer a mediados de julio. En la casa que mi abuelo, Manuel Grandes, tenía en un pueblo del Guadarrama, Becerril de la Sierra, y donde veraneaba con toda mi familia, ya no quedaban libros que yo no hubiera leído, con la única excepción de unos tomos encuadernados en piel roja, de la editorial Aguilar, con los lomos estampados en letras doradas, Galdós, *Obras completas*. No recuerdo la fecha exacta en la que por fin me atreví a coger uno de aquellos libros, el día en que lo abrí al azar y me entretuve en pasar páginas hasta que encontré el principio de una novela cualquiera. Pero recuerdo muy bien, nunca podré olvidarlo, que aquella primera novela que encontré, la primera que leí, se titulaba *Tormento*. Y que aquel libro me cambió la vida porque, entre otras cosas, pulverizó la imagen de España que había tenido hasta entonces. Al leer la implacable crónica del morboso y despiadado amor carnal de un sacerdote por una huérfana desamparada, pura ciencia ficción para una niña del tardofranquismo, empecé a sospechar que me había tocado nacer, vivir en un país anormal, una circunstancia que el paso del tiempo convertiría en una de las claves de mi vida, y de mi literatura.

Inés y la alegría es, por tanto, la primera entrega de lo que pretende ser al mismo tiempo un homenaje y un acto público de amor por Galdós, y por la España que Galdós amaba, la única patria que Luis Cernuda reconocía como propia, querida y necesaria, cuando escribió un espléndido poema, «Díptico español», cuyos últimos versos he tomado prestados como cita común de todos mis Episodios. Me habría gustado hacer aún más explícita esta relación y poder titularlos «Nuevos episodios nacionales», pero Franco y el franquismo han desvirtuado, tal vez para siempre, el adjetivo *nacional,* que Galdós supo dignificar como nadie.

He procurado ser fiel, sin embargo, no sólo al espíritu de los «Episodios» de don Benito, sino también, en la medida de lo posible, al modelo formal que él construyó y Max Aub retomó a su manera, y a lo largo también de seis títulos, en «El laberinto mágico». Mis novelas, que arrancan del momento en el que terminan las de Max, son obras de ficción, cuyos personajes principales, creados por mí, interactúan con figuras reales en verdaderos escenarios históricos, que he reproducido con tanto rigor como he sido capaz. No se trata, eso sí, de grandes batallas, como Trafalgar o Bailén. Los episodios que yo he podido contar son historias igual de heroicas pero mucho más pequeñas, momentos significativos de la resistencia antifranquista, que integran una epopeya modesta en apariencia, gigantesca si se relaciona con su duración, y con las condiciones en las que se desarrolló. Porque abarcan, desde perspectivas muy distintas, casi cuarenta años de lucha ininterrumpida, un ejercicio permanente de rabia y de coraje en el contexto de una represión feroz. Una determinación tan firme que durante muchos años pareció un suicidio, pero sin la cual —por mucho que no quiera reconocerse oficialmente— nunca habría llegado a ser posible la España aburrida, democrática, desde la que yo puedo permitirme el lujo de evocarla. Por eso estoy segura de que, si hubiera vivido en esta época, Galdós habría comprendido mi elección.

Inés y la alegría cuenta la historia de la invasión del valle de Arán, una operación militar desconocida por la inmensa mayoría de los españoles, que tuvo lugar efectivamente entre el 19 y el 27 de octubre de 1944.

En el instante en que tuve noticia de esta asombrosa y quijotesca hazaña, tan grande, tan ambiciosa, tan importante como para poder aceptar sin estupor que sea, al mismo tiempo, tan desconocida, sentí una especie de comezón imaginaria mientras veía a una mujer montada en un caballo, uniéndose a los guerrilleros con cinco kilos de rosquillas. No sé por qué era una mujer, por qué iba a caballo, por qué llevaba cinco kilos de dulces ni por qué tenían que ser rosquillas, pero sé perfectamente que la vi, que la vi así, y que al verla, me puse todavía más nerviosa, como si su historia, que aún desconocía, luchara dentro de mí por salir a la luz.

En aquel momento, febrero de 2005, yo estaba escribiendo todavía *El corazón helado* y no podía pensar en otra novela. Mientras se está escribiendo una novela de mil páginas, es impensable escribir otra después, porque nada vale, nada es suficiente, y un libro igual de largo parece un disparate tan impracticable como una novelita de doscientos folios. Quizás por eso, y por la naturaleza de la historia que se perfilaba en mi imaginación, decidí que lo mejor sería hacer una película. Y al día siguiente, a media tarde, llamé a mi amiga la Rubia, Azucena Rodríguez, la mejor cómplice con la que ningún narrador haya podido soñar jamás. Porque le pregunté a bocajarro qué le parecía una mujer republicana uniéndose en un caballo, cargado con cinco kilos de rosquillas, a los ocho mil hombres armados que, aunque ella tampoco lo supiera, habían invadido España en el 44. Y después de hablar un rato conmigo por teléfono, me dijo que le parecía muy bien.

En la primera página del cuaderno donde empecé a escribir esta historia, anoté la fecha del 4 de marzo de 2005. Desde entonces hasta la primavera de 2010, en la que termino esta novela, le he dado muchas vueltas a Inés, muchas a Galán, muchas a la invasión del valle de Arán, a veces sola, y a veces con Azucena, que es tan autora de esta historia como yo.

Durante años, la Rubia y yo pensamos muchas veces en la manera de hacer una película que, de entrada, es carísima para los actuales presupuestos del cine español. Durante años, decidimos y descartamos producirla nosotras, buscar un productor independiente, otro que no lo fuera, acudir directamente a las televisiones, pero nunca hemos logrado poner la película de pie. Sin embargo, yo seguía creyendo ciegamente en Inés, en su historia, mientras seguía sin saber qué escribir.

Ahora estoy convencida de que lo mejor que me ha pasado en los últimos años es no haber encontrado un productor de cine para esta historia. Gracias a eso, comprendí que lo que tenía que hacer era seguir escribiendo novelas. Así surgieron los «Episodios de una guerra interminable».

Inés y la alegría es una obra de ficción inserta en la crónica de un acontecimiento histórico real. Para afrontar su escritura, un formato nuevo para mí, he mantenido ciertas lealtades y me he tomado ciertas libertades.

He desarrollado mi propia versión de la invasión del valle de Arán en una novela que tiene tres ejes, los capítulos cuyo título aparece encerrado entre paréntesis, la historia de Inés, y la historia de Galán.

El primer eje narra una secuencia de acontecimientos históricos, que sucedieron en la realidad del periodo donde se sitúa la historia y conforman un nivel diferente a aquel donde se sitúa el resto de los capítulos del libro. Es el nivel del poder, las alturas desde las que se decidió la suerte de los guerrilleros.

Los otros dos ejes completan una historia de ficción, inventada por mí, aunque los personajes y los hechos en los que intervienen se basan en una historia y unos personajes tan reales como los que se cuentan entre paréntesis. Suceden, eso sí, en otro nivel, el de los peones de la invasión, que ignoran las decisiones que se están tomando sobre su destino en lugares diferentes, a veces muy distantes entre sí y siempre muy por encima de sus cabezas. A pesar de esa distancia, las páginas de la novela, como los días de la realidad, están perforadas por túneles y atajos que permiten que los habitantes de las alturas del poder desciendan, de vez en cuando, hasta el nivel del suelo.

Hay, por tanto, tres narradores. Dos de ellos, Inés y Galán, son personajes de ficción. El tercer narrador es un personaje real, porque soy yo. Los cuatro paréntesis intercalados entre los capítulos de ficción del libro recogen mi versión personal de aquel episodio, lo que yo he podido averiguar, documentar, relacionar e interpretar, para elaborar lo que sólo pretende ser una hipótesis verosímil de lo que sucedió en realidad. Si me he atrevido a proponer mi propia versión es porque, por motivos que se dejan adivinar en muchas páginas de este libro, nunca ha llegado a existir una versión oficial de lo que ocurrió. Ni las autoridades franquistas, ni la dirección del PCE, han querido abordar en ningún momento la tarea de fijar el relato de este episodio.

En ese sentido, y por encima de todo, quiero advertir que *Inés y la alegría* es, de principio a fin, una novela, y por tanto, en ningún caso un libro de historia. Los fragmentos de no ficción pertenecen a una obra de ficción, y mi intención nunca ha sido, ni será, arrogarme la menor autoridad sobre este tema. Si he optado por extraer la trama histórico-política del cuerpo central del libro —un recurso que seguramente volveré a utilizar, por razones semejantes, en el cuarto y en el sexto de mis «Episodios...»—, es porque hoy nadie sabe nada de la invasión. Por una parte, narrativamente resultaba insostenible que dos militantes de a pie, como Inés y Galán, tuvieran acceso a una información secreta, y generada en ambientes tan ajenos a sus vidas. Pero, por otra, ningún lector contemporáneo habría podido entenderles, ni entender su historia, si no hubiera estado al corriente de la coyuntura histórica y la trama política que alentaron tras las operaciones del ejército de la Unión Nacional.

Es rigurosamente cierto que el 19 de octubre de 1944, cuatro mil hombres que formaban parte de aquel ejército cruzaron los Pirineos e invadieron el valle de Arán, así como que otros cuatro mil habían ido pasando desde finales de septiembre por otros puntos de la frontera, en una maniobra de distracción que tuvo éxito, porque impidió al ejército de Franco concentrar tropas en ningún paso fronterizo concreto. En general, las operaciones, incluida la lentitud de reflejos del gobierno de Madrid, sucedieron como se cuentan aquí. Sin embargo, a pesar de que Bosost fue en realidad el pueblo donde se estableció el puesto de mando de la invasión, todos los habitantes del cuartel general que ha conocido el lector son invención mía.

Algo parecido ocurre con los episodios que sitúan a Galán y a Comprendes en el sur de Francia durante la Segunda Guerra Mundial. Aunque ellos dos no estuvieran allí, los guerrilleros de la AGE (Agrupación de Guerrilleros Españoles), inserta en las FFI (Fuerzas Francesas del Interior), se enfrentaron muchas veces con la resistencia de los alemanes a quienes habían derrotado, pero que no querían rendirse oficialmente a los *rotspaniers*, como llamaban a los rojos españoles. Aquellas crisis se resolvieron de diversas maneras, entre las que yo he escogido la más expeditiva. Y en la realidad, en los desfiles de Liberación, había banderas tricolores y se escuchaba el *Himno de Riego*.

Yo me he inventado el nombre de guerra de Galán, pero entre los jefes de la AGE, más de uno obligaba a sus hombres a lavarse, a arreglarse el uniforme y cortarse el pelo, para entrar en los pueblos que liberaban desfilando en perfecta formación. Seguían el ejemplo que José del Barrio, jefe del XVIII Cuerpo del Ejército Popular de la República, dio en la frontera franco-española en febrero de 1939, mientras el general Jurado, tal y como cuenta el general Cordón en sus memorias, sólo sabía repetir «somos unos cabrones, unos cabrones, somos unos cabrones». Mientras tanto, un fotógrafo extranjero hizo la que quizás es la foto más cruel de la derrota, al captar la imagen de una mujer exhausta, amamantando a su hijo con un pecho vacío, que *Paris Match* se apresuró a publicar en su portada. El nombre de Comprendes también es auténtico. Corresponde a un guerrillero real, cuyo apodo se hizo tan popular que los historiadores cuyas obras he podido consultar lo identifican siempre por ese apodo, sin añadir nunca ni su nombre, ni sus apellidos.

De la misma manera, los episodios de la invasión reflejan acontecimientos reales. La ocupación del primer pueblo se ajusta casi escrupulosamente al relato que un guerrillero —Carlos Guijarro Feijóo, cuyo testimonio me sigue resultando imprescindible de libro en libro— me hizo en persona de la ocupación de un pueblo de Huesca, llamado La Espuña. El episodio del destacamento penal y la subsiguiente huida de los presos, también es auténtico —aunque sucedió en una fecha y un escenario distinto a los que yo he escogido—, así como la captura de un oficial del estado mayor de García Valiño, y la mayoritaria hostilidad de la población civil en los pueblos ocupados.

La batalla de Vilamós, a cambio, me la he inventado yo. No he encontrado ningún relato de la ocupación de este pueblo y me he permitido escogerlo por razones de verosimilitud. Está lo suficientemente cerca de Bosost como para albergar los hechos que necesitaba contar, y no figura entre las poblaciones cuya toma se detalla en los libros, lo que le convierte en algo parecido a un territorio virgen. Los pocos historiadores que se han ocupado de la invasión de Arán se habrán dado cuenta de que, más allá de los frutos de mi imaginación, las características de esta batalla ficticia son muy parecidas a las que la toma de Es Bordes tuvo en la realidad. Allí, los defensores también se hicieron fuertes en el campanario de la iglesia, y los guerrilleros tuvieron un número de bajas muy elevado, que empañó su alegría por una victoria más importante que la que logra Galán en esta novela.

Sin embargo, y aunque hubiera dado casi cualquier cosa por haber sido capaz de crear un argumento tan fascinante, ninguno de los elementos que integran la abrumadora trama política que se desarrolla en los capítulos titulados entre paréntesis proviene de mi fantasía. Los acontecimientos que se narran en ellos, desde el amor de Dolores Ibárruri por Francisco Antón, hasta el complejo itinerario sentimental de Carmen de Pedro y su boda con Agustín Zoroa, sucedieron en la realidad, en las mismas fechas y lugares que aquí se citan. Para contarlos, he procurado mantener el mismo equilibrio entre lealtad y libertad que en el resto del libro, aunque me he visto obligada a interpretar en mayor medida, dada la pudorosa naturaleza del velo que, por diversas razones, todas las cuales se apuntan en la novela, el PCE ha corrido sobre los acontecimientos de Arán y la trayectoria de sus actores principales, un pudor que la historiografía española en general ha respetado hasta ahora. Pero Jesús Monzón, para lo bueno y para lo malo, con su descomunal talento, su no menos descomunal ambición, su coraje y su capacidad para levantar lo que Pasionaria elogió, literalmente, como «un hermoso partido» al volver a Francia en 1945, existió, y debió de ser en la realidad un hombre tan irresistible como el que aparece en estas páginas.

Como norma general, todos los personajes históricos que intervienen en la acción con su nombre y sus apellidos, desde los más circunstanciales, como Vicente López Tovar, Gustavo Durán, Sir Samuel Hoare, Manuel Azcárate, los hermanos Valledor, Fermín, Paco el Catalán, Cristino García Granda o el propio Stalin, hasta los más directamente implicados en el argumento, como Dolores, Monzón, Antón, Zoroa, Carmen de Pedro o Santiago Carrillo, estuvieron en realidad en el lugar donde aparecen y en la fecha en la que se les cita en la novela, actuando en el mismo sentido que aquí se les atribuye. Y aunque Casa Inés nunca existió, Picasso fue a Toulouse a comer con Pasionaria en la celebración de su cincuenta cumpleaños. No tengo ni idea de si, en aquella fecha, alguien le regaló bombones, pero sé a cambio que don Juan Negrín y el general Riquelme estuvieron dispuestos a presidir un gobierno provisional republicano en Viella, en nombre de la Unión Nacional Española.

La invasión del valle de Arán, tan inexistente para la inmensa mayor parte de los ciudadanos españoles en 1944 como ahora mismo, permanece casi igual de ausente en la bibliografía que está al alcance de cualquier lector.

Compleja y contradictoria hasta en sus interpretaciones, las únicas monografías que existen sobre esta campaña, como *La invasión de los maquis*, de Daniel Arasa, o *Hasta su total aniquilación*, de Fernando Martínez de Baños, relatan los hechos desde una objetividad aparente que, al excluir el componente ideológico y, por qué no decirlo, patriótico, que empujó a los hombres de la UNE, sin cuestionar en ningún momento la legitimidad del régimen franquista, resulta no serlo tanto. Más útiles para comprender las auténticas razones de la invasión, me han resultado los relatos parciales de dos historiadores especializados en la guerrilla. Me refiero, una vez más, a mi imprescindible amigo Secundino Serrano, en *La última gesta. Los republicanos que vencieron a Hitler*, y a Francisco Moreno Gómez, en *La resistencia armada contra Franco. Tragedia del maquis y la guerrilla*.

Derrotas y esperanzas, el primer tomo de las memorias de Manuel Azcárate y el libro donde supe de la invasión de Arán por primera vez, ha estado encima de mi mesa, lleno de picos doblados y pegatinas de colores, durante todo el tiempo que he invertido en la historia de Inés. Él, que habría sido quien mejor podría haber contado lo que pasó, porque lo vivió en primera persona, se calla casi más de lo que dice, aunque no existe ninguna otra fuente tan autorizada para reconstruir los trabajos y los placeres de Jesús Monzón y Carmen de Pedro en la Francia ocupada. Hasta el punto de que la descripción de Carmen que aparece en esta novela, y que coincidirá a la fuerza con la que pueda hacer cualquier otro autor contemporáneo en cualquier otra obra, proviene de sus recuerdos. Después de haber buscado afanosamente un retrato suyo en todos los lugares que estaban a mi alcance, decidí recurrir a la ayuda de personas más sabias que yo. Pero ni Fernando Hernández Sánchez, el historiador a quien se considera actualmente la máxima autoridad acerca de la historia del PCE en la guerra civil porque, entre otras cosas, se sabe su archivo de memoria, ni María José Berrocal, documentalista que, desde hace algún tiempo, trabaja en la catalogación de los fondos del Archivo General de la Administración, donde se custodian, entre una infinidad de documentos, las fichas policiales acumuladas a lo largo de cuarenta años de dictadura, han conseguido ver jamás una sola foto de Carmen de Pedro.

El libro de Manuel Martorell, *Jesús Monzón, el líder comunista olvidado por la historia,* en el que tampoco aparece ninguna foto de Carmen, me ha resultado fundamental, aunque mi versión de Jesús difiera, en algunos aspectos hasta considerablemente, de la suya. Al margen de esas discrepancias, algunos datos concretos, como las circunstancias específicas de su detención, o su relación con Aurora Gómez Urrutia, habrían sido inalcanzables para mí si no hubiera leído este libro, con cuyo autor he contraído una eterna deuda de gratitud.

Respecto a la actuación de Monzón en el interior, he podido consultar un relato breve, pero muy interesante, en *Madrid clandestino. La reestructuración del PCE, 1939-1945,* de Carlos Fernández Rodríguez, un libro casi clandestino en sí mismo por su distribución, que sólo pude leer gracias a que mi amiga Carmen Domingo me regaló su ejemplar.

La información acerca de la febril actividad diplomática que se desarrolló en Madrid durante la Segunda Guerra Mundial, proviene, una vez más, de otro de mis «clásicos», *La División Azul. Sangre española en Rusia,* del profesor Xavier Moreno Juliá. Sin embargo, sólo he descubierto la sorprendente noticia del memorándum que Hoare envió al Foreign Office el 16 de octubre de 1944, en *Papá espía,* de Jimmy Burns Marañón, hijo de Tom Burns, estrecho colaborador de Hoare durante la Segunda Guerra Mundial. Y en lo que respecta a otro padre, el de Francisco Franco, fue el poeta Ángel González quien una noche, hace ya muchos años, me comentó que el dramaturgo Jaime Salom, que había crecido muy cerca de la casa madrileña de don Nicolás, se había dedicado durante años a recopilar información entre los vecinos. Su memoria es la fuente primaria de todos los relatos de este extraordinario personaje, que algunos libros, no muchos, han llegado a proponer.

En esta novela hay una infinidad de pequeños detalles extraídos de muchas obras diferentes, pero uno es digno de mención. Después de buscar la fecha exacta del proceso que apartó a Francisco Antón de la dirección del PCE en todos los libros donde recordaba haber leído acerca del tema, cuando ya no esperaba encontrarla, me topé con ella en la cronología del libro que Santiago Carrillo escribió recientemente sobre Pasionaria. Antón se encuentra citado con frecuencia en el texto, pero nunca como pareja de su protagonista, y tampoco aparece en ninguna foto, aunque hay una a toda página de Julián Ruiz. Sin embargo, en la cronología que figura como apéndice, entre las fechas clave de la vida de Dolores, se hace constar la caída política de Antón, que se apunta a finales de 1952 y se consuma a principios de 1953. Se podría pensar que es un acto fallido, una estratagema de la zona oculta de la memoria del autor. Pero también es un rasgo de lealtad a la verdad que Pasionaria quiso proyectar sobre sí misma, y a la verdad del amor que la traspasó en realidad.

Inés y la alegría es una novela sobre la invasión del valle de Arán, escrita desde el punto de vista de los hombres que, en el mes de octubre de 1944, cruzaron los Pirineos para liberar a su país de una dictadura fascista. No sabían qué intereses, qué cálculos y ambiciones personales se entrecruzaban con su destino, pero nunca dudaron de cuál era su objetivo.

Podría haber escogido otras perspectivas igual de interesantes, como la de Monzón, que tenía su parte de razón, o la del Buró Político del PCE, que tenía la parte de razón que a Monzón le faltaba, pero ninguna otra habría sido tan justa.

Ninguna, tampoco, habría podido llegar a emocionarme tanto.

Almudena Grandes
Madrid, mayo de 2010

Libros de Almudena Grandes
en Tusquets Editores